Consejo de Redacción

Urbanismo y Ordenación del Territorio

Santiago González-Varas Ibáñez
Catedrático de Derecho administrativo de la Universidad de Alicante
y abogado

Urbanismo y Ordenación del Territorio

Quinta edición adaptada al TRLS 2/2008, de 20 junio y a la
normativa autonómica. Dimensión teórica y práctica

5ª EDICIÓN

ARANZADI

 THOMSON REUTERS

Primera edición, 2004
Segunda edición, 2005
Tercera edición, 2006
Cuarta edición, 2007
Quinta edición, 2009

© 2009 [Thomson Reuters (Legal) Limited / Santiago González-Varas Ibáñez]

Editorial Aranzadi, SA
Camino de Galar, 15
31190 Cizur Menor (Navarra)

Imprime: Rodona Industria Gráfica, SL
        Polígono Agustinos, Calle A, Nave D-11
        31013 - Pamplona

Depósito Legal: NA 2216/2009

ISBN 978-84-9903-205-4

Printed in Spain. Impreso en España

A España, su historia y su lengua, el español, esperando que algún día se «normalice», al igual que el alemán se habla en Baviera, el francés en Bretaña, el inglés en Escocia o el italiano en Piamonte o Cerdeña

Sumario

CAPÍTULO IV

LA PROBLEMÁTICA DE LA ORDENACIÓN DEL TERRITORIO A ESCALA EUROPEA

PARTE SEGUNDA

SISTEMA DE FUENTES DEL DERECHO URBANÍSTICO

CAPÍTULO I

NIVEL ESTATAL Y AUTONÓMICO

PARTE TERCERA

SUELO

CAPÍTULO I

PARTE CUARTA

PLANEAMIENTO

CAPÍTULO I

CAPÍTULO II

CAPÍTULO III

CAPÍTULO IV

CAPÍTULO V

PARTE QUINTA

GESTIÓN URBANÍSTICA: EL MODELO DE URBANISMO EMPRESARIAL-CONTRACTUAL: EL CONTRATISTA URBANIZADOR, EL CONTRATISTA O AGENTE REHABILITADOR Y EL CONTRATISTA EDIFICADOR

CAPÍTULO I

CAPÍTULO III

UN SEGUNDO MODELO DE AGENTE URBANIZADOR. EL CONTRATISTA URBANIZADOR EN LA VIGENTE LEY URBANÍSTICA VALENCIANA

CAPÍTULO X

EL CONTRATISTA O AGENTE EDIFICADOR

PARTE SEXTA

LICENCIAS URBANÍSTICAS Y DISCIPLINA URBANÍSTICA

PARTE SÉPTIMA

LA REPARCELACIÓN

CAPÍTULO I

CONCEPTO

PARTE OCTAVA

RECEPCIÓN Y CONSERVACIÓN DE OBRAS DE URBANIZACIÓN

CAPÍTULO II

PARTE NOVENA

PATRIMONIOS MUNICIPALES DE SUELO (Y VIVIENDA PROTEGIDA)

CAPÍTULO I

PATRIMONIOS MUNICIPALES DE SUELO (Y VIVIENDA PROTEGIDA)

PARTE DÉCIMA
LOS CONVENIOS URBANÍSTICOS

PARTE DECIMOCUARTA
LA PRÁCTICA PROCESAL DEL URBANISMO

Abreviaturas

AA	= Actualidad administrativa
AC	= Actualidad civil
AAN	= Auto de la Audiencia Nacional
AIR	= Actuaciones de Interés General
AN	= Audiencia Nacional
AJA	= Actualidad Jurídica Aranzadi
AJDA	= L'Actualité Juridique: Droit Administratif
AP	= Audiencia Provincial
ApNDL	= Apéndice del Nuevo Diccionario de Legislación Aranzadi
art.	= artículo
ATC	= Auto del Tribunal Constitucional
ATS	= Auto del Tribunal Supremo
ATSJ	= Auto de un Tribunal Superior de Justicia
Baden-WVBl	= Baden-Württenbergisches Verwaltungsblatt
BWVBl	= Baden-Württenbergisches Verwaltungsblatt
BayVBl	= Bayerisches Verwaltungsblatt
BGBl	= Bundesgesetzblatt («Boletín Oficial del Estado» alemán)
BIC	= Bien de Interés Cultural
BOCAN	= Boletín Oficial de las Islas Canarias
BOCG	= Boletín Oficial de las Cortes Generales
BOCM	= Boletín Oficial de la Comunidad de Madrid
BOCyL	= Boletín Oficial de Castilla y León
BOE	= Boletín Oficial del Estado
BOJA	= Boletín Oficial de la Junta de Andalucía
BOPA	= Boletín Oficial del Principado de Asturias
BOPV	= Boletín Oficial del País Vasco
CA (CCAA)	= Comunidad(es) Autónoma(s)
cap.	= Capítulo
CC	= Código Civil
CCJC	= Cuadernos Civitas de Jurisprudencia Civil
CE	= Constitución Española
CE/CCEE	= Comunidad Europea/Comunidades Europeas
CEDH	= Convenio Europeo para la Protección de los Derechos Humanos y de las Libertades Fundamentales de 4 de noviembre de 1950

CGPJ	= Consejo General del Poder Judicial
cit.	= citado
CMT	= Comisión del Mercado de las Telecomunicaciones
CNC	= Comisión Nacional de la Competencia (antiguo TDC)
CNE	= Comisión Nacional de la Energía
CNMV	= Comisión Nacional del Mercado de Valores
CNSE	= Comisión Nacional del Sistema Eléctrico
COM	= Comisión Europea
COPUT	= Conselleria de Obras Públicas, Urbanismo y Transporte
CP	= Código Penal
CV	= Comunidad Valenciana
DA	= Documentación Administrativa/Disposición Adicional
DF	= Disposición Final
DG	= Dirección General
DGSJE	= Dirección General del Servicio Jurídico del Estado
DIA	= Declaración de Impacto Ambiental
DOCE	= Diario Oficial de las Comunidades Europeas
DOCM	= Diario Oficial de Castilla-La Mancha
DOCV	= Diario Oficial de la Comunidad Valenciana
DOGC	= Diario Oficial de la Generalitat de Cataluña
DOGV	= Diario Oficial de la Generalitat Valenciana
DOUE	= Diario Oficial de la Unión Europea
DöV	= Die öffentliche Verwaltung
DPH	= Dominio Público Hidráulico
DT	= Disposición Transitoria
DVBl	= Deutsches Verwaltungsblatt
EAIB	= Estatuto de Autonomía de las Islas Baleares
EAPV	= Estatuto de Autonomía del País Vasco
Ed.	= Editorial; Edición
EDAR	= Estación Depuradora de Aguas Residuales
EIA	= Evaluación de Impacto Ambiental
ETE	= Estrategia Territorial Europea
EuZW	= Europäische Zeitschrift für Wirtschaftsrecht
F.	= Fundamento de Derecho
FEDER	= Fondo Europeo de Desarrollo Regional
FEOGA	= Fondo Europeo de Orientación y Garantía Agrícola
FJ	= Fundamento Jurídico
FSE	= Fondo Social Europeo
GewArch	= Gewerbearchiv
ITE	= Inspección Técnica de Edificaciones
ITV	= Inspección Técnica de Vehículos
IVA	= Impuesto sobre el Valor Añadido
JU	= Jurisprudencia urbanística
JZ	= Juristen Zeitung
LBRL	= Ley Reguladora de las Bases del Régimen Local (Ley 7/1985, de 2 de abril)
LCAP	= Ley de Contratos de las Administraciones Públicas (Ley 13/995, de 18 de mayo)

LCP	= Ley de Colegios Profesionales (Ley 2/1974, de 13 de febrero)
LCSP	= Ley de Contratos del Sector Público 30/2007, de 30 de octubre.
LDC	= Ley de Defensa de la Competencia (Ley 15/2007, de 3 de julio)
LEC	= Ley de Enjuiciamiento Civil (Ley 1/2000, de 7 de enero)
LECr	= Ley de Enjuiciamiento Criminal (Real Decreto de 14 de septiembre de 1882)
LEF	= Ley de Expropiación Forzosa (Ley de 16 de diciembre de 1954)
LGDCU	= Ley General para la Defensa de los Consumidores y Usuarios (Ley 26/1984, de 19 de julio)
LGP	= Ley General Presupuestaria (Ley 47/2003, de 26 de noviembre)
LGT	= Ley General Tributaria (Ley 58/2003, de 17 de diciembre)
LHL	= Texto Refundido de la Ley Reguladora de las Haciendas Locales (aprobado por Real Decreto Legislativo 2/2004, de 5 de marzo)
LIC	= Lugar de Interés Comunitario/Lugares de Importancia Comunitaria
LJCA	= Ley de la Jurisdicción Contencioso-Administrativa
LLS	= Ley 7/1997, de 14 de abril, de Medidas Liberalizadoras en Materia de Suelo y Colegios Profesionales
LO	= Ley Orgánica
LOFAGE	= Ley de Organización y Funcionamiento de la Administración General del Estado (Ley 6/1997, de 14 de abril)
LOPJ	= Ley Orgánica del Poder Judicial (LO 6/1985, de 1 de julio)
LOTAU	= Texto Refundido de la Ley de Castilla-La Mancha de Ordenación del Territorio y la Actividad Urbanística (aprobado por Decreto Legislativo 1/2004, de 28 de diciembre)
LOTC	= Ley 7/1995, de 6 abril, de Ordenación del Turismo de Canarias
LOTC	= Ley Orgánica del Tribunal Constitucional (LO 2/1979, de 3 de octubre)
LOTPP	= Ley 4/2004, de 30 de junio, de Ordenación del Territorial y Protección del Paisaje de la Comunidad Valenciana
LPHE	= Ley 16/1985, del 25 de junio, de Patrimonio Histórico Español
LPL	= Texto Refundido de la Ley de Procedimiento Laboral, de 7 de abril de 1995
LRAU	= Ley 6/1994, de 15 de noviembre, Reguladora de la Actividad Urbanística valenciana
LRJAE	= Ley de Régimen Jurídico de la Administración del Estado (Decreto de 26 de julio de 1957)
LRJAP-PAC	= Ley de Régimen Jurídico de las Administraciones Públicas y del Procedimiento Administrativo Común (Ley 30/1992, de 26 de noviembre)
LRLS/1975	= Ley 19/1975, de 2 de mayo, de Reforma de la Ley del Régimen del Suelo y de Ordenación Urbana
LRRUVS	= Ley 8/1990, de 25 de julio, sobre Régimen Urbanístico y Valoraciones del Suelo
LRSV	= Ley 6/1998, de 13 de abril, sobre el Régimen del Suelo y Valoraciones
LS	= Ley 8/2007, de 28 de mayo, del Suelo
LUCyL	= Ley 5/1999 de Urbanismo de Castilla y León

LUV	= Ley 16/2005, de 30 de diciembre, Urbanística Valenciana
LVP	= Ley 3/1995, de 23 de marzo, de Vías Pecuarias
NAD	= Norma de aplicación directa
NJW	= Neue Juristische Wochenschrift
NNSS	= Normas Subsidiarias
NVwZ	= Neue Zeitschrift für Verwaltungsrecht
OM	= Orden Ministerial
p. (pp.)	= página (páginas)
PAT	= Plan de Actuación Territorial
PAI	= Programa de Actuación Integrada
PAU	= Programa de Actuación Urbanística
PE	= Parlamento Europeo
PE	= Plan Especial
PEOT	= Perspectiva Europea de Ordenación del Territorio de 9 y 10 de junio de 1997
PERI	= Plan Especial de Reforma Interior
PG	= Plan General
PGOU	= Plan General de Ordenación Urbana
PICDP	= Pacto Internacional de Derechos Civiles y Políticos de 16 de diciembre de 1966
PIOT	= Plan Insular de Ordenación Territorial
PMS	= Patrimonio Público de Suelo
PORN	= Plan de Ordenación de los Recursos Naturales
PP	= Plan Parcial
PRI	= Plan de Reforma Interior
PRUG	= Plan Rector de Uso y Gestión
RAAP	= Revista Aragonesa de Administración Pública
RAnAP	= Revista Andaluza de Administración Pública
RAM	= Reglamento de Actividades Molestas, Insalubres, Nocivas y Peligrosas (aprobado por Decreto 2414/1961, de 30 de noviembre)
RAP	= Revista de Administración Pública
RBCL	= Reglamento de Bienes de las Entidades Locales (aprobado por Real Decreto 1372/1986, de 13 de junio)
RBEL	= Reglamento de Bienes de las Entidades Locales (aprobado por Real Decreto 1372/1986, de 13 de junio)
RCDI	= Revista Crítica de Derecho Inmobiliario
RCEC	= Revista del Centro de Estudios Constitucionales
RCG	= Revista de las Cortes Generales
RCL	= Repertorio Cronológico de Legislación Aranzadi
RD	= Real Decreto
RDLeg	= Real Decreto Legislativo
RDP	= Revista de Derecho Político
RDPr	= Revista de Derecho Procesal
RDU	= Reglamento de Disciplina Urbanística (aprobado por Real Decreto 2187/1978, de 23 de junio)
RDU	= Revista de Derecho Urbanístico
REALA	= Revista de Estudios de la Administración Local y Autonómica
REDA	= Revista Española de Derecho Administrativo

REDC	= Revista Española de Derecho Constitucional
REDF	= Revista Española de Derecho Financiero
REDT	= Revista Española de Derecho del Trabajo
REVL	= Revista de Estudios de la Vida Local
RGD	= Revista General del Derecho
RGU	= Reglamento de Gestión Urbanística (aprobado por Real Decreto 3288/1978, de 25 de agosto)
RJ	= Repertorio Aranzadi de Jurisprudencia del Tribunal Supremo
RJC	= Revista Jurídica de Cataluña
ROF	= Reglamento de Organización, Funcionamiento y Régimen Jurídico de las Entidades Locales (RD 2568/1986, de 28 de noviembre)
ROGTU	= Reglamento de Ordenación y Gestión Territorial y Urbanística de la Comunidad Valenciana (aprobado por Decreto 67/2006, de 19 de mayo, del Consell)
RPJ	= Revista Poder Judicial
RPU	= Reglamento de Planeamiento Urbanístico (aprobado por Real Decreto 2159/1978, de 23 de junio)
RSCL	= Reglamento de Servicios de las Corporaciones Locales (Decreto de 17 de junio de 1995)
RTC	= Repertorio del Tribunal Constitucional
RUCyL	= Reglamento de Urbanismo de Castilla y León (Decreto 22/2004)
RVAP	= Revista Vasca de Administración Pública
RVDPA	= Revista Vasca de Derecho Procesal y Arbitraje
RVEH	= Revista Valenciana de Economía y Hacienda
s. (ss.)	= siguiente (siguientes)
SAN	= Sentencia de la Audiencia Nacional
STC	= Sentencia del Tribunal Constitucional
STEDH	= Sentencia del Tribunal Europeo de los Derechos Humanos
STS	= Sentencia del Tribunal Supremo
STSJ	= Sentencia de un Tribunal Superior de Justicia
TC	= Tribunal Constitucional
TCE	= Tratado Constitutivo de la Comunidad Europea de 25 de marzo de 1957
TDC	= Tribunal de Defensa de la Competencia (actualmente CNC)
TEDH	= Tribunal Europeo de los Derechos Humanos
TJCE	= Tribunal de Justicia de las Comunidades Europeas
TR	= Texto Refundido
TRLA	= Real Decreto Legislativo 1/2001, de 20 de julio, por el que se aprueba el Texto Refundido de la Ley de Aguas
TRLOTCyENP	= Texto Refundido de las Leyes de Ordenación del Territorio de Canarias y de Espacios Naturales de Canarias (aprobado por Decreto Legislativo 1/2000, de 8 de mayo)
TRLRL	= Texto Refundido de las Disposiciones Legales vigentes en materia de Régimen Local (RDLeg 781/1986, de 18 de abril)
TRLS	= Legislación sobre el Suelo y Ordenación Urbana (RD 1346/1976, de 9 de abril/RDLeg 1/1992, de 26 de junio)

TRLS/2008	= Texto Refundido de la Ley del Suelo del Estado de 2008: TRLS 2/2008, de 20 de junio
TS	= Tribunal Supremo
TSJ	= Tribunal Superior de Justicia
TUE	= Tratado de la Unión Europea (Tratado de Maastricht de 7 de febrero de 1992)
UE	= Unión Europea
v. gr.	= verbigracia
Vol.	= volumen
VPO	= Vivienda de Protección Oficial
VPP	= Vivienda de Protección Pública
VVAA	= varios autores
ZECON	= Zona Especiales de Conservación
ZEPA	= Zona de Especial Protección para las Aves

Introducción a la 5ª edición

En esta edición se ha llevado a cabo una profunda actualización de la obra, no sólo adaptándola al Texto Refundido de la Ley del Suelo estatal de 2008, sino especialmente completando sus distintos capítulos: los dedicados a la ordenación del territorio, la reparcelación, la recepción de obras de urbanización, la rehabilitación (considerando el nuevo e innovador Plan de Vivienda que se ha aprobado hace unos meses), las licencias, etc.

Son además nuevos los capítulos referentes al suelo (gracias a la ayuda de Inmaculada De la Fuente Cabero), y al planeamiento (gracias al colaborador Javier Piñol Peral).

La obra sigue pretendiendo innovar y aportar ideas para su debate entre todos los expertos, o de ilustrar al interesado en general. Y sigue teniendo una orientación cultural que ha de ser idea rectora del urbanismo.

PARTE PRIMERA
DERECHO DE LA ORDENACIÓN DEL TERRITORIO

Aproximación a la ordenación del territorio: concepto, legislación autonómica y doctrina constitucional

1. PLANTEAMIENTO DE LOS PROBLEMAS JURÍDICOS

Muchas veces (y esto parece ocurrir con la ordenación del territorio) los temas jurídicos tienen que madurar hasta que les llega el momento. A pesar de que la ordenación territorial es tema clásico, sólo desde tiempos relativamente recientes parece observarse su dimensión práctica o efectiva, cobrando creciente y hasta rabiosa actualidad.

De forma aproximada, la ordenación del territorio puede caracterizarse como la dimensión del espacio por encima del tradicional enfoque municipal del suelo, a efectos de lograr el progreso económico y el desarrollo sostenible y equilibrado del territorio, la consideración del medio ambiente, la superación de los desequilibrios zonales, la mejor coordinación entre el campo y la ciudad, etc.

El primer problema que plantea la ordenación del territorio de las Comunidades Autónomas es que ésta puede representar una ordenación indirectamente urbanística que corresponda ser hecha a los Ayuntamientos. En términos generales no está siempre claro dónde está el límite de regulación legítima de un plan de ordenación del territorio por referencia a un plan urbanístico local.

En principio, la vinculación urbanística procedente de un plan de ordenación territorial se compensaría mediante la necesaria participación, de las entidades locales afectadas por los planes de ordenación, en los procedimientos de elaboración y aprobación de dichos planes territoriales. De hecho, es éste el enfoque de la jurisprudencia más relevante dictada hasta el momento, en esta materia de ordenación territorial, es decir insistir en la validez de las regulaciones territoriales que afectan directamente a los municipios, como consecuencia de la participación de las Administraciones locales en los procedimientos de elaboración de los planes territoriales (STS de 20 de febrero de 2003 [RJ 2003, 2126] y STS de 16 de julio de 2002 [RJ 2002, 9961], entre otras).

Junto a este criterio formal o procedimental, tendremos ocasión de comprobar la conveniencia de fijar también otros criterios materiales u objetivos que nos sirvan para precisar el límite de la ordenación territorial, en favor de la ordenación urbanística local. La cuestión es importante porque una ordenación del territorio a nivel regional parece necesaria y esto traerá consigo la necesidad de aplicar dichos criterios.

Es evidente que no se quiere ahora más que plantear, y no resolver del todo, la interesante problemática que lleva consigo este tema de creciente actualidad. Tanto las Comunidades Autónomas como los Municipios tienen competencias limitadas y no absolutas. En todo caso, se hace cada vez más necesaria una ordenación territorial supramunicipal como marco general de referencia para los Ayuntamientos y su actividad urbanística.

También pueden plantearse problemas competenciales entre Estado y Comunidades (acerca de por ejemplo la localización de los proyectos de infraestructuras que afecten a una determinada región), que tendrán que resolverse aplicando una fórmula de cooperación entre ambas Administraciones para la solución de diferencias.

En definitiva, el reto de la ordenación del territorio es aportar a la sociedad una mejor ordenación del espacio, a través de una actuación coordinada de diferentes Administraciones públicas. El territorio es el lugar de encuentro de distintas esferas de poder.

Y, cómo no, tampoco Europa ha querido desaprovechar la «ocasión del territorio» para desarrollar su influencia e incluso puede propugnarse una competencia de la Unión en materia territorial, más allá de las competencias que actualmente ostenta, de tipo sectorial, que permiten a aquélla «repercutir» en el territorio.

Tendremos ocasión de comprobar que la ordenación del territorio, a este nivel europeo, pasa a asentarse en cuatro «pilares»: primero, la cooperación transfronteriza; segundo, los documentos y programas de la Unión Europea en materia de ordenación del territorio; tercero, las competencias sectoriales de la Unión Europea que interfieren en la ordenación del territorio.

Y cuarto, la posible competencia de la Unión Europea en materia de ordenación del territorio conforme a las más recientes tendencias.

2. ORDENACIÓN DEL TERRITORIO Y URBANISMO

A. Notas conceptuales sobre la ordenación del territorio

La referencia, que contiene la Constitución Española a la «ordenación del territorio», no es material o conceptual sino formal o competencial. La ordenación del territorio se presenta o aparece, *ab initio,* como una «competencia» autonómica, junto al urbanismo. En este sentido, los Estatutos de Autonomía de las distintas Comunidades Autónomas han asumido tanto la competencia de ordenación del territorio como la de urbanismo.

Corresponde a cada Comunidad Autónoma valorar la opción de regular conjuntamente ordenación del territorio y urbanismo en una misma ley, o bien regular ambos en sendas leyes de urbanismo y ordenación del territorio. De hecho, en el Derecho español se manifiesta tanto una como otra opción legislativa.

Pero antes de profundizar en este tipo de relaciones competenciales corresponde hacer una referencia conceptual a la «ordenación del territorio».

Para ello pueden contraponerse ordenación del territorio y urbanismo.

Siguiendo la jurisprudencia constitucional, puede decirse que «la ordenación territorial persigue fijar los destinos y usos del espacio físico en su totalidad, así como ordenar y distribuir valoradamente las acciones públicas sobre el territorio e infraestructuras, reservas naturales, extensiones o áreas de influencia de los núcleos de población, comunicaciones, etc.».

Los instrumentos de ordenación tienen por finalidad la perspectiva integral del territorio, quedando fuera de la misma los instrumentos de ordenación urbana.

Dicha ordenación urbana o urbanismo, por su parte, «se centra en la acción pública sobre el *hecho ciudad,* el racional destino y aprovechamiento del espacio físico en el núcleo poblacional». «La ordenación territorial tiene una visión integral del territorio; resulta de indudable complejidad; ofrece un mayor roce o fricción competencial al contemplar otras percepciones del territorio desde puntos de vista sectoriales; y, en fin, se admite como orientadora y directora de la ordenación urbana» (STC 149/1998 [RTC 1998, 149]).

No obstante, ordenación del territorio y urbanismo tienen en común ser funciones públicas «que tienen por objeto la actividad consistente en la delimitación de los diversos usos a que puede destinarse el suelo o espacio físico territorial» (STC 77/1984 [RTC 1984, 77], FJ 2). La legislación autonómica en materia de Ordenación y Territorio suele comenzar reconociendo, asimismo, carácter de función pública a la ordenación del territorio (por todos, artículo 2 del Decreto Legislativo 1/2000, de 8 de mayo, de Canarias, por el que se aprueba el Texto Refundido de las Leyes de Ordenación del Territorio y de Espacios Naturales Protegidos de Canarias, que viene a derogar la Ley 9/1999, de 13 de mayo, de Ordenación del Territorio, de Canarias, artículo 2).

A pesar de que la ordenación territorial es tema jurídico clásico, sólo desde tiempos recientes parece observarse su dimensión práctica o efectiva.

Es «clásico» porque la ordenación del territorio se nutriría de tres fuentes históricas principales, ya que, junto al urbanismo como referencia fundamental, habría que tener en cuenta el legado de la planificación económica y el de la planificación de desarrollo regional[1].

Por tanto, la ordenación del territorio tendría su «origen» vinculado al urbanismo (en especial el TRLS/1976) y también unos «antecedentes» vinculados a la planificación económica y el desarrollo regional[2].

---

1. M. BENAVENT FERNÁNDEZ DE CÓRDOBA, *La ordenación del territorio en España,* Sevilla, 2006; R. MARTÍN MATEO, *Ordenación del Territorio. El Sistema Institucional,* Caracas, 1980, pp. 37 y ss.; del mismo autor, «La ordenación del territorio y el nuevo marco institucional», *Revista de estudios la vida local,* nº 206, 1980, p. 220; del mismo autor, *La inserción del espacio en la planificación económica,* Lección inaugural del curso académico 1971-1972, Universidad de Bilbao, 1971 (texto publicado también como parte del libro en coautoría con CHI-YI CHEN, *Aspectos administrativos de la Planificación. El sistema venezolano,* Caracas, 1973).

2. Incluso actualmente, a nivel comunitario europeo, no puede obviarse el dato de que desde la Unión Europea la ordenación del territorio es principalmente un instrumento para el desarrollo regional; o en cualquier caso lo territorial y lo regional tienen una relevancia importante. Puede verse J. A. SOTELO NAVALPOTRO, *Regional development models,* Madrid, 2000. Dentro de los antecedentes de la ordenación del territorio podríamos también destacar –en los años cincuenta y en los años sesenta– el Seminario de Planificación Regional de Tokio de 1958 o la III Conferencia de Consejeros Económicos de la Comisión para la Europa de la ONU celebrada en 1964 (J. BERMEJO VERA, coordinador, *Derecho administrativo. Parte Especial,* Madrid, 2001, pp. 527 y ss.; A. A. PÉREZ ANDRÉS, *La ordenación del territorio en el Estado de las Autonomías,* Madrid, 1998, pp. 128 y ss., con numerosas citas doctrinales; también sobre el concepto de Ordenación del Territorio puede verse D. GÓMEZ OREA, *Ordenación territorial,* Madrid, 2002, pp. 29 y ss.; J. A. LÓPEZ PELLICER, *La ordenación territorial y urbanística de la Región de Murcia,* Murcia, 2002).
    También puede citarse el antecedente, en los años treinta, de la República española, ya

Pero el origen concretamente de la ordenación del territorio estaría en la Ley 19/1975, de 2 de mayo, de Reforma de la Ley sobre Régimen del Suelo y Ordenación Urbana y el posterior Texto Refundido aprobado por el Real Decreto 1346/1976, de 9 de abril[3].

Con el TRLS/1976, junto a los planes propiamente urbanísticos, se prevén Planes de Ordenación del Territorio. La clave del citado TRLS, desde el punto de vista de la ordenación territorial, está en los Planes Directores Territoriales de Coordinación como primeros instrumentos de planificación territorial del Derecho urbanístico español en sentido moderno. Estos planes tienen ya carácter vinculante frente a las Administraciones Públicas o frente a terceros (artículo 9 TRLS/1976) y por tanto obligan a su cumplimiento[4] y son instrumentos de planeamiento integral donde se coordinan distintas actuaciones ministeriales y locales. Estaríamos ante una ordenación propiamente urbanística o territorial, más allá de la planificación de desarrollo regional o en especial de planificación física o económica propia de ese tiempo y sobre todo de las épocas inmediatamente anteriores[5].

_____

que sería la primera vez en la que nuestro Derecho urbanístico contempla una ordenación superadora del ámbito municipal (así E. García de Enterría/L. Parejo Alfonso, *Lecciones de Derecho urbanístico*, Madrid, 1981, p. 40).

Siguiendo con los antecedentes, otro momento digno de consideración desde la perspectiva de la ordenación territorial sería la aprobación de la Ley de Régimen del Suelo y Ordenación Urbana de 12 de mayo de 1956 y la consagración del plan como *ratio* de ordenación del territorio. La propia contraposición entre ordenación del territorio y urbanismo no se ignora en este momento, tal como nos explica el Tribunal Constitucional: «Esta consideración separada de la ordenación territorial y de la urbana en cuantos ámbitos espaciales que requieren una regulación e, incluso, elementos de tratamiento diversos ya era advertida en la legislación de 1956 respecto al denominado Plan Nacional y en el RD 1346/1976, de 9 de abril, por el que se aprueba el Texto Refundido de la Ley sobre Régimen del Suelo y Ordenación Urbana (TRLS)» (STC 149/1998, de 2 de julio [RTC 1998, 149]).

Puede verse M. Bassols Coma, «Panorama del Derecho urbanístico español», *Revista de Derecho Urbanístico,* nº 100, 1986, p. 112; J. L. Laso Martínez, *Derecho Urbanístico. Tomo I: Orígenes, Principios Generales y Organización Administrativa*, Madrid, 1981, pp. 142 y ss.; F. López Ramón, *Estudios Jurídicos sobre Ordenación del Territorio*, Pamplona, 1995; L. Martín Rebollo, en la obra colectiva: *Derecho público de Cantabria*, Santander, 2003 p. 506; A. A. Pérez Andrés, *La ordenación del territorio en el Estado de las Autonomías*, Madrid, 1998, pp. 35 y ss., obra donde puede profundizarse en el estudio de estas cuestiones históricas, así como en las obras (citadas en aquélla) de J. L. Meilán Gil, *El territorio, protagonista del desarrollo*, Madrid, 1971; A. Pérez Moreno, «Urbanismo y desarrollo regional: contenido del nuevo regionalismo», *REDA*, 8, 1976, pp. 47 y ss.

3. Puede verse R. Martínez Díez, «Pasado, presente y futuro de la ordenación del territorio en España», *Ciudad y Territorio*, nº 1, 1983, p. 57; González Paz, «Reflexiones personales en torno a la ordenación del territorio», *Revista de Obras Públicas*, septiembre 1979, p. 718.

4. J. L. González-Berenguer Urrutia, «Sobre los planes directores territoriales de coordinación», *Revista de Derecho Urbanístico*, nº 97, 1986, p. 20.

5. En este sentido pueden citarse el I Plan de Desarrollo Económico y Social aprobado por Ley 194/1963, de 28 de diciembre, el II Plan de Desarrollo Económico y Social aprobado

El que actualmente la ordenación territorial se haya impuesto como tema jurídico es consecuencia de algunos factores que (entre otros posibles) pueden destacarse: por una parte, el desarrollo social, económico y administrativo de las décadas precedentes hace posible hablar al fin de ordenación del territorio en términos realistas. Por otra parte, las Comunidades Autónomas, instancias interesadas en acaparar competencias, encuentran en la ordenación del territorio ámbito propicio para cumplir estos deseos. De hecho, las Comunidades Autónomas han venido dictando, durante los últimos años, regulaciones de ordenación del territorio, bien mediante leyes *ad hoc* bien mediante leyes donde regulan conjuntamente la ordenación territorial y el urbanismo.

A todo ello se añade la vocación que está demostrando la Unión Europea por profundizar en la ordenación territorial, hasta el punto de erigirse en protagonista dentro del amplio escenario de Administraciones públicas que intervienen en la materia territorial.

Parece, pues, haber llegado la hora de la ordenación del territorio.

En gran medida, este «tema» se presenta como «problema», problema competencial: distintas Administraciones públicas con distintos intereses pugnan por afirmarse dentro de la ordenación del territorio, alegando para ello competencias puramente territoriales o urbanísticas en unos casos (niveles regional o local), afirmando otras veces competencias sectoriales (nivel estatal o incluso europeo) o invocando incluso una dimensión supranacional del territorio de los Estados miembros (nivel europeo del territorio)[6].

---

por Ley 1/1969, de 11 de febrero y el III Plan de Desarrollo Económico y Social aprobado por Ley 22/1972, de 10 de mayo; L. López Rodó, *Política y desarrollo,* Madrid, 1970; P. De Miguel García, «La acción territorial y los desequilibrios regionales», *Documentación administrativa,* nº 196, 1982, pp. 84 y ss.

6. En efecto, en nuestro país la ordenación del territorio suele presentarse como una confrontación entre distintos niveles de poder, aunque éste no es el único enfoque posible. Así por ejemplo, en otros países (Francia o Reino Unido, por ejemplo), la presentación del tema de la ordenación del territorio suele ser más bien como de integración de perspectivas (perspectivas económicas junto a las territoriales). Véase A. R. Brewer Carías, «La distribución territorial de competencias en la Federación venezolana», en el *Libro Homenaje a S. Martín-Retortillo Baquer, REALA* 291, 2003, pp. 201 y ss.; L. Cosculluela Montaner, «Presupuestos constitucionales de las competencias de ordenación urbanística», en: S. Martín-Retortillo Baquer, (director), *Estudios sobre la Constitución española. Homenaje al Profesor Eduardo García de Enterría,* Vol. IV, Madrid, 1991, pp. 3543 y ss.; P. Escribano Collado, «La ordenación del territorio y el medio ambiente en la Constitución», en: S. Martín-Retortillo Baquer, (director), *Estudios sobre la Constitución española. Homenaje al Profesor Eduardo García de Enterría,* Vol. IV, Madrid, 1991, pp. 3705 y ss.; A. A. Pérez Andrés, *La ordenación del territorio en el Estado de las Autonomías,* Madrid, 1998, pp. 155 y ss. con un estudio sobre la ordenación del territorio en el Derecho comparado.

En definitiva, el territorio es un lugar de encuentro de legisladores y administraciones. En este sentido, es sabido que en nuestro Derecho español la competencia en esta materia territorial corresponde inicialmente a las Comunidades Autónomas, tal como ha dejado fuera de duda el propio Tribunal Constitucional en su famosa sentencia de 20 de marzo de 1997 (RTC 1997, 61). No obstante, el Estado (pero también la Unión Europea) puede repercutir sobre esta materia mediante el ejercicio de sus propias competencias. Por otra parte, las entidades locales son las tradicionales depositarias de la misión de cumplir con las exigencias de ordenación del espacio en general a través de sus planes urbanísticos.

Planteado así el tema de la ordenación del territorio (de esta forma competencial donde se superponen distintas voluntades), el marco está servido para que puedan plantearse conflictos jurídicos.

B. Concepto y significación y fines de la ordenación del territorio en la legislación autonómica

a)   Sentido, finalidad y problemas jurídicos de la ordenación del territorio

Las CCAA han venido dictando durante los últimos años Leyes de Ordenación del Territorio, con apoyo en el art. 148.1.3 CE y sus respectivos Estatutos de Autonomía. Las distintas leyes tienen básicamente un doble contenido o finalidad: por una parte, establecer los principios y objetivos de la Ordenación del Territorio en cada Comunidad Autónoma. Por otra parte, regular los «instrumentos» necesarios para el ejercicio de su competencia en la materia.

Esto no impide, sino al contrario, que cada Comunidad Autónoma atienda a las singularidades territoriales propias (por ejemplo, gran extensión y debilidad demográfica en Castilla y León, especiales diferencias en la calidad de vida entre zonas rurales y urbanas en Galicia, etc. a tenor de las Exposiciones de Motivos de sendas Leyes autonómicas).

Precisamente, éste sería el sentido de este tipo de normas autonómicas de ordenación territorial, es decir dar una visión integradora, coordinada y global del espacio atendiendo a las características *propias* del territorio de cada Comunidad Autónoma. Este fenómeno referido en último lugar suele ser caracterizado por la legislación autonómica como «definición de un modelo territorial» (art. 18.4 del Decreto Legislativo 1/2000, de 8 de mayo, de Canarias por el que se aprueba el Texto Refundido de las Leyes de Ordenación del Territorio y de Espacios Naturales de Canarias; art. 1 de la Ley 6/

1999, de 3 de abril, de Directrices de Ordenación del Territorio de las Islas Baleares).

Más concretamente, haciendo abstracción de las distintas leyes autonómicas de ordenación territorial, las dos finalidades esenciales de dicha ordenación serían las siguientes:

En primer lugar, proporcionar una expresión espacial de la política económica, cultural, social y ecológica de toda sociedad. Según recuerda la Carta Europea de Ordenación del Territorio, aprobada el 20 de mayo de 1983 en la Sexta Sesión de la Conferencia Europea de los ministros responsables en la materia «la ordenación del territorio es a la vez una disciplina científica, una técnica administrativa y una política concebida como un enfoque interdisciplinario y global cuyo objetivo es un desarrollo equilibrado de las regiones y la organización física del espacio».

Teniendo también en cuenta ciertos principios rectores plasmados en la Constitución Española (especialmente, arts. 40 y 45 CE), es preciso subrayar que los instrumentos de ordenación territorial son un cauce para la realización de los fines económicos en el espacio; los instrumentos de ordenación habrán de servir para el mejor y más eficaz desarrollo económico y la consecución de este tipo de fines. Pero, además, de forma compatible con otros fines.

Dentro de estos últimos destacaría la necesidad de preservar espacios naturales o ecológicos y los espacios culturales. Sólo la ordenación territorial conseguiría la *dimensión global* que se precisa del espacio o territorio, tanto ordenadora como *impulsora* de todos estos fines económicos, culturales y ecológicos, una dimensión superior en todo caso a la que proporcionan los instrumentos de planeamiento urbanístico aisladamente considerados. El reto de la ordenación del territorio estaría en demostrar que es posible compatibilizar todos estos fines u objetivos, al mismo tiempo que se fomentan todos y cada uno de ellos conforme a una noción clave que está subyacente, que es la de ordenación sostenible y equilibrada y el aumento y eficaz aprovechamiento de la *riqueza* (son ilustrativas las Exposiciones de Motivos de la Ley 10/1995, de 23 de noviembre, de Ordenación del Territorio de Galicia o de la Ley 4/1990, de 21 de mayo, de Ordenación del Territorio del País Vasco).

Como suele decirse, la ordenación del territorio se configura como una función horizontal capaz de integrar las funciones sectoriales o verticales.

La segunda finalidad importante estaría en parte esbozada y consiste en que los instrumentos de ordenación del territorio sirven para la articulación de los instrumentos de planeamiento urbanístico y de planificación sectorial. Respecto de ésta, la ordenación territorial viene a ser motivo de reunión para las distintas políticas sectoriales.

En este sentido, es ilustrativa la Ley 10/1995, de 23 de noviembre, de ordenación del territorio de Galicia, cuando afirma (en su Exposición de Motivos) que «a la ordenación del territorio, por la fuerza misma de los principios de que trae causa, le corresponde el papel integrador de las distintas perspectivas y la consecución de una visión superadora de la parcialidad inherente a éstas, determinando su carácter organizador de las funciones sectoriales, presidido por la idea central del principio de coordinación».

Con este fin, la legislación autonómica parte de un principio de coherencia entre las directrices y programas de actuación territorial y todo tipo de actuaciones que incidan en el territorio, así como de compatibilidad entre actuaciones sectoriales y de ordenación del territorio. A estos efectos, se prevé lo que podría considerarse una primera fase de comunicación al órgano competente en materia de ordenación del territorio de la Comunidad Autónoma correspondiente; otra segunda fase, de intento de compatibilización entre el proyecto presentado y los instrumentos de ordenación territorial; otra posible tercera y última fase de resolución del conflicto por parte del órgano de Gobierno de la Comunidad Autónoma (véase, por ejemplo, el artículo 258 del Decreto Legislativo 1/2005, por el que se aprueba el Texto Refundido de la Ley del Suelo de la Región de Murcia, donde se regula asimismo, junto a la actividad urbanística, la ordenación del territorio[7]). El caso en que la Administración del Estado es la Administración actuante merecerá *(infra)* un comentario especial.

Por su parte, en cuanto a la articulación de los instrumentos de planeamiento urbanístico por parte de los instrumentos de ordenación del territorio, el *quid* está en que la ordenación del territorio solucione las insuficiencias de los planes de ordenación urbanística, en especial en cuanto al tratamiento de los problemas de ámbito supramunicipal.

En esta línea el art. 27.3 de la Ley 10/1998, de 5 de diciembre, de Ordenación del Territorio de la Comunidad Autónoma de Castilla y León, establece que «la legislación urbanística establecerá las condiciones para que

_____

7. Véase J. E. Serrano (codirector), *Comentarios a la legislación urbanística de Murcia*, Madrid, 2008.

el planeamiento urbanístico justifique su coherencia con los principios y objetivos de la ordenación del territorio».

En este contexto pueden presentarse los dos problemas jurídicos principales que plantea a mi juicio la ordenación del territorio.

El primero, la posible contradicción que puede plantearse con la autonomía local, ya que los instrumentos de ordenación del territorio no ocultan su vinculación sobre los planes y programas urbanísticos. De ahí la necesidad de compensar la vinculación de los planes urbanísticos a las directrices o planes de ordenación territorial[8], mediante la promoción de fórmulas de participación de las Administraciones públicas y, en especial, de las Entidades locales que resulten directamente afectadas, en la elaboración y ejecución de los instrumentos de ordenación del territorio. Esta participación es esencial si se quieren salvar los problemas desde el punto de vista de la autonomía local (puede verse también el art. 27.2 de la citada Ley de Castilla y León y el apartado III de su Exposición de Motivos).

El segundo problema afecta a la participación de la Administración del Estado y la integración de su voluntad en los instrumentos autonómicos de ordenación del territorio, esencialmente en todos aquellos supuestos en los que el Estado pretende realizar una política sectorial que incida sobre el territorio, por ejemplo la construcción de una carretera o la localización de un puerto marítimo de interés general. En todos estos casos, el Estado puede invocar una competencia exclusiva que repercute en la ordenación del territorio y parece legítimo exigir que la Comunidad cumpla con el Estado y los intereses generales o supraautonómicos que éste representa.

b) *Referencia a los instrumentos de ordenación del territorio*

A través de los instrumentos se consigue el *desideratum* de la ordenación del territorio. Permiten, como afirma la Ley 10/1995, de 23 de noviembre, de ordenación del territorio de Galicia (en su Exposición de Motivos) la configuración «de un marco territorial global y flexible que dé cabida a actuaciones tanto de carácter sectorial como integradas». De esta forma, la ordenación del territorio, «al mismo tiempo, potencia la confluencia de la política territorial con la económica, a través de la coordinación de las deci-

---

8. Sobre las «directrices» téngase en cuenta la Ley 3/2008, de 17 de junio, de aprobación de las Directrices Esenciales de Ordenación del Territorio de Castilla y León (BOCyL de 24 de junio de 2008).

siones inversoras que permita optimizar su operatividad para alcanzar un mayor y más equilibrado desarrollo socioeconómico».

Las distintas leyes autonómicas de ordenación del territorio mantienen sobre el particular diferentes instrumentos de ordenación. No obstante, en todas ellas, como no puede ser de otra forma, se parte de una misma *ratio* a la hora de regular y establecer dichos instrumentos. Se parte concretamente de la previsión de un instrumento genérico de ordenación global del territorio, donde se sintetiza y orienta la política territorial de la Comunidad, definiendo una serie de objetivos y estrategias de política territorial que sirvan de marco general a los demás instrumentos de ordenación del territorio.

Donde la tipología es más variada es, lógicamente, en torno a un segundo nivel descendente de ordenación (los «demás instrumentos de ordenación del territorio»). Por ejemplo, la Ley citada de Castilla y León prevé como instrumentos las Directrices de Ordenación de ámbito subregional, los Planes y Proyectos Regionales y los Planes de Ordenación de los Recursos Naturales (art. 5).

En la correlativa Ley murciana, los instrumentos son, primero, las directrices regionales de ordenación territorial (de carácter general y referidas a aquellas actuaciones con incidencia en la totalidad del territorio de la Comunidad Autónoma), segundo, las directrices subregionales o comarcales de ordenación territorial (referidas a un territorio menor al de la Región o a una comarca respectivamente), y, tercero, directrices sectoriales de ordenación territorial (destinadas a regular y orientar el efecto territorial de actividades sectoriales en el ámbito de la totalidad de la comunidad o en un ámbito más reducido determinado al efecto)[9].

Desde este punto de vista, de las distintas leyes autonómicas de ordenación del territorio, destacaría la Ley 6/1999, de 3 de abril, de Directrices de Ordenación del Territorio de las Islas Baleares por su especial diversidad de instrumentos y planes de ordenación territorial: Planes Directores Sectoriales del Transporte, de Gestión de Residuos, de ordenación del medio natural, Territorial Parcial de Formentera, de reconversión industrial y un largo etcétera.

En general, la legislación autonómica regula de forma bastante extensa los instrumentos de ordenación territorial, detallando el contenido de cada

_____

9. Véase J. E. Serrano (codirector), *Comentarios a la legislación urbanística de Murcia*, Madrid, 2008.

uno de sus tipos. Dicho contenido va siendo cada vez más preciso, según que el instrumento va descendiendo de nivel territorial para abordar espacios o áreas territoriales más reducidos, o según se van abandonando los planteamientos de tipo general para abordar problemas más concretos. En todo caso, los planes o directrices han de contener asimismo una documentación, cuyo contenido varía en función del carácter y del contenido del propio instrumento de ordenación.

La legislación autonómica afirma que los instrumentos de ordenación del territorio serán ejecutivos desde la fecha de publicación de su aprobación definitiva en el Boletín Oficial correspondiente y otorga a estos instrumentos carácter vinculante.

La problemática de la ordenación del territorio en las relaciones entre las Comunidades Autónomas y la Administración local

1. EL SISTEMA NORMATIVO, LA VINCULACIÓN DE LA ORDENACIÓN TERRITORIAL SOBRE EL URBANISMO Y LA PARTICIPACIÓN DE LA ADMINISTRACIÓN LOCAL

Tradicionalmente, en sentido práctico o efectivo, la carga de la ordenación del espacio ha venido recayendo sobre las Administraciones locales y más concretamente sobre los Ayuntamientos. La ordenación espacial, y en particular la urbanística, se ha manifestado en nuestro país no tanto en un nivel regional como en un nivel propiamente municipal.

A diferencia del nivel Estado-Comunidades Autónomas, el problema de las relaciones entre Administraciones autonómicas y locales no se presenta como una colisión entre el ejercicio de una competencia sectorial y una competencia territorial. Más bien, entran en posible conflicto dos competencias de carácter espacial: la territorial de las Comunidades Autónomas y la urbanística de los municipios.

Por un lado, las Comunidades Autónomas no podrán invadir el ámbito de actuación que corresponde a los Municipios [el principio de autonomía local refuerza indudablemente la función urbanística como función local; artículos 2 y 25.2.d) de la LBRL 7/1985][10].

---

10. Sobre la autonomía local, F. Sosa Wagner, «Los principios del nuevo régimen local», *Tratado de Derecho Municipal*, Madrid, 1988; del mismo autor, «Nuevas perspectivas en la ordenación regional francesa», *Rivista trimestrale di Diritto Pubblico*, 1973; J. A. López Pellicer, «Autonomía territorial y competencias municipales: el pacto local autonómico, con especial referencia a la región de Murcia», en el *Libro Homenaje a S. Martín-Retortillo Baquer*, *REALA*, 291, 2003 pp. 103 y ss.

Por otro lado, se hace cada vez más necesaria una actuación de ordenación territorial supramunicipal como marco general de referencia para los Ayuntamientos y su actividad urbanística. Empieza a ser, incluso, preocupante que a veces la regulación urbanística de ciertos municipios obvie los municipios colindantes, a la hora de planificar sus polígonos industriales o de fijar los coeficientes de aprovechamiento o los índices de edificabilidad o de clasificar el suelo. Desde luego, el poder urbanístico de los Ayuntamientos, a pesar de la autonomía local, no puede entenderse como un poder absoluto.

Ha de conseguirse un sistema coherente entre ambos mundos, el superior de la ordenación del territorio y el inferior de la ordenación urbanística municipal.

Problemática puede ser **la vinculación** que ejercen los planes autonómicos de ordenación territorial sobre el planeamiento urbanístico local.

Puede partirse del principio general de vinculatoriedad: «las Directrices Regionales vinculan a los Planes Municipales» (Exposición de Motivos de la Ley 2/2001, de 25 de junio, de Ordenación Territorial y Régimen Urbanístico del Suelo de Cantabria; véase también el artículo 18 de esta Ley); «Las determinaciones contenidas en los Planes o Proyectos Sectoriales de Incidencia Supramunicipal vincularán al planeamiento del ente o entes locales a los que afecte. Además el ente o entes locales afectados deberán adaptar el planeamiento urbanístico a aquellas determinaciones relativas al mismo con ocasión de su revisión o su modificación, siempre y cuando el objeto de ésta se viera directamente afectado por dichas determinaciones» (art. 42.3, 38 y 48.4 de la Ley Foral 35/2002, de 20 de diciembre, de Ordenación del territorio y Urbanismo de Navarra, y ya en el mismo sentido su antecesora la Ley Foral 10/1994, de 4 de julio)[11].

Este tipo de vinculación se prevé no sólo en las leyes de ordenación del territorio, sino también en las leyes de urbanismo (por ejemplo, la Ley 5/1999 de Urbanismo de Castilla y León o la Ley 16/2005 Urbanística Valenciana).

Llega a afirmarse el rango de Ley, para las Directrices de ordenación (por la Ley 6/1999, de 3 de abril, de Directrices de Ordenación del Territorio de las Islas Baleares, Exposición de Motivos, apartados I y III), aunque lo

---

11. La regulación territorial es cada vez más matizada, destacando la contenida en los artículos 62 y ss. del Reglamento de Ordenación del Territorio y Urbanismo de Asturias, aprobado por Decreto 278/2007, de 4 de diciembre, a cuya lectura me remito.

común es que la elaboración y aprobación de dichos instrumentos se mantengan en un plano puramente administrativo.

La vinculación parece querer explicarse no tanto desde el punto de vista de la Administración actuante, la Administración de una Comunidad Autónoma, como desde el punto de vista del tipo de plan, de Ordenación Territorial, ya que además también un Plan especial puede ser aprobado por la Administración del Estado (v. gr. Planes de Promoción de Interés Turístico Nacional) y en cambio ha de ajustarse a las «directrices fundamentales del Plan General de Ordenación Urbana», pues «no se trata aquí de colisión de autoridades, sino de la eficacia jurídica que corresponde atribuir, según la Ley, a cada uno de los Planes» (STS de 17 de junio de 1992 [RJ 1992, 5160]).

Las distintas legislaciones autonómicas se enfrentan con el problema de la definición última del grado de vinculatoriedad, de la ordenación territorial sobre el urbanismo, aunque las soluciones no siempre sean coincidentes.

La «obligatoriedad y eficacia» de los instrumentos de ordenación territorial puede llegar a supeditarse a la aprobación de los planes urbanísticos, sin que aquéllos puedan además clasificar el suelo (artículos 52, 54, 58 de la Ley 15/2001, de 14 de diciembre, del Suelo y Ordenación Territorial de Extremadura).

Otras veces la legislación autonómica no escatima a la hora de afirmar la vinculación de la ordenación territorial sobre la urbanística. Un buen ejemplo puede ser el Decreto Legislativo 1/2005, de 10 de junio, por el que se aprueba el Texto Refundido de la Ley del Suelo de la Región de Murcia (que tiene por objeto la regulación de la ordenación del territorio y de la actividad urbanística en la Región de Murcia), en cuyo artículo 19.1 se deja claro que «las determinaciones de los instrumentos de ordenación del territorio vincularán a todas las Administraciones Públicas y a los particulares, en los términos establecidos en los mismos, prevaleciendo siempre sobre las determinaciones del instrumento de rango inferior y sobre los planes urbanísticos municipales que, en caso de contradicción, deberán adaptarse en plazo y contenido a lo dispuesto en aquéllos». Esta regulación se refuerza con otras similares en los artículos 26.3, 34.3 ó 46 del mismo texto.

En este sentido, la STS de 7 de octubre de 2008 (RJ 2008, 5994) (número de recurso 5997/2004) es un buen ejemplo de esta aplicación de estas doctrinas legales cuando afirma que «las determinaciones del Plan Territorial Sectorial de Carreteras de Vizcaya (instrumento de ordenación del territorio de carácter supramunicipal) prevalecen en todo caso, con carácter vinculante, sobre las normas subsidiarias de planeamiento (instrumento de ordenación urbanística municipal), que deben acomodarse a aquél» (...), y sin que se vulnere de esta forma la autonomía local (véase también la STC 51/2004 [RTC 2004, 51]).

El problema se plantea porque la ordenación del territorio puede representar una ordenación propiamente urbanística. En términos generales no está del todo claro jurídicamente dónde está el límite regulatorio de un plan de ordenación del territorio por referencia a un plan urbanístico local (pues ni siquiera «la distinción entre los conceptos de ordenación del territorio y urbanismo» es siempre clara, tal como dice la sentencia del TSJ de Baleares de 30 de octubre de 2002).

En gran medida estamos ante un problema de aplicación de criterios con una cierta sensibilidad jurídica y una solución caso por caso, a efectos de observar una posible vulneración de la autonomía local.

En estos casos, el equilibrio del sistema se logra primeramente mediante la adecuada **participación** de los Ayuntamientos en la elaboración del planeamiento territorial (artículos 8, 22.3 del Decreto Legislativo 1/2005, de 10 de junio, por el que se aprueba el Texto Refundido de la Ley del Suelo de la Región de Murcia, que, como ya hemos indicado y a pesar de su denominación, tiene por objeto la regulación de la ordenación del territorio y de la actividad urbanística en la Región de Murcia).

En efecto, el modo principal de conciliar este sistema legal, que parte de la idea de vinculación de lo territorial sobre lo urbanístico-local, con el principio de autonomía local es la apertura de cauces de participación de las Entidades locales en los procedimientos de elaboración de los instrumentos de ordenación del territorio.

En general, algunas leyes autonómicas de ordenación territorial llegan a prever, «como expresión de la doctrina constitucional acerca de la coordinación y colaboración competencial» fórmulas que permiten dar expresamente entrada a la participación de otras Administraciones, tanto a la Administración Central como a las Entidades Locales en el procedimiento de elaboración de los instrumentos de ordenación territorial (Exposición de Motivos de la Ley 2/2001, de 25 de junio, de Ordenación Territorial y Régimen Urbanístico del Suelo de Cantabria, y ya en su antecesora Ley 7/1990, de 30 de marzo, de Ordenación Territorial de Cantabria).

Puede, en efecto, consultarse por ejemplo el artículo 16.c de la citada Ley 2/2001 cántabra, donde se establece que el proyecto de Plan Regional de Ordenación Territorial será trasladado a la Comisión Regional de Ordenación del Territorio que lo aprobará inicialmente y lo someterá a información pública por un plazo no inferior a dos meses. Al mismo tiempo, la Comisión comunicará expresamente y dará audiencia singularizada a la Administración General del Estado, la asociación de entidades locales de ámbito autonómico con mayor implantación y todos los Ayuntamientos afectados.

En esta línea, el art. 11.2 del Decreto Legislativo 1/2000, de 8 de mayo, de Canarias por el que se aprueba el Texto Refundido de las Leyes de Ordenación del Territorio y de Espacios Naturales de Canarias (y ya antes el mismo número de artículo de la Ley 9/1999, de 13 de mayo, de Ordenación del Territorio, de Canarias) establece un deber general de consulta, en favor de todas las Administraciones públicas afectadas, respecto de todos los procedimientos administrativos que tengan por objeto la aprobación, modificación o revisión de los instrumentos de planeamiento para la ordenación del territorio; en términos similares, los arts. 10.2 *in fine* y 30.2 prevén la necesidad de recabar un informe del Estado y de las Administraciones locales en el procedimiento de elaboración de las directrices de ordenación del territorio o de los planes de ordenación del medio físico, respectivamente.

Téngase en cuenta que la apertura de cauces de participación, en favor de las Entidades locales, en la elaboración de los Instrumentos de ordenación territorial, y la consideración adecuada de los intereses locales afectados, son exigidas por la jurisprudencia constitucional que insiste en la previsión de este tipo de cauces, técnicas o mecanismos, desde el punto de vista del principio de la autonomía local (por todas, STC 40/1998 [RTC 1998, 40], junto a otros problemas que se plantean desde este mismo punto de vista).

Ya que de los Ayuntamientos no depende la decisión final acerca de la validez de la ordenación del territorio en sus respectivos municipios, se hace necesaria una fórmula jurídica para compatibilizar este sistema vinculante de ordenación territorial con la autonomía local. Esta forma es la idea de cooperación. A pesar de que el trámite de audiencia o consulta se entiende a veces de forma flexible (pues su omisión no origina necesariamente la anulación de las actuaciones, salvo casos de indefensión) es preciso, por contrapartida, una audiencia «suficiente». Es preciso que conste que las alegaciones del Ayuntamiento han sido consideradas.

Ahora bien, la vinculación de las directrices o planes de ordenación territorial, sobre los planes urbanísticos, no obedece sólo a razones jurídicas formales. La vinculación de la ordenación del territorio sobre el urbanismo local se refuerza, desde un punto de vista material o de su legitimidad misma, considerando que los instrumentos regionales de ordenación territorial consiguen presentarse como el instrumento idóneo a través del cual se realizan loables fines y objetivos fijados por los documentos más relevantes y de mayor prestigio elaborados por instancias internacionales o europeas: el desarrollo sostenible y equilibrado del territorio, la consideración del medio ambiente, la necesidad de superar desequilibrios territoriales, la mejor coordinación entre el campo y la ciudad, la neutralidad en la realización de objetivos locales, incluso la mejor consecución de objetivos puramente económicos (sobre dichos «documentos» *infra*).

La ordenación del territorio consigue una consideración supralocal y amplia del espacio y una valoración adecuada de lo económico y lo ambiental y, asimismo, dirige el posible desarrollo urbanístico de las ciudades.

Diríamos que, de forma inteligente, el nivel territorial regional se ha colocado en una cómoda posición, encarnando los fines más dignos y loables desde el punto de vista de la ordenación espacial, los objetivos mejor valorados socialmente y los principios jurídicos más en boga. El urbanismo se ha ganado en cambio una reputación un tanto negativa, debido a su vinculación con temas polémicos de posible financiación irregular de los Ayuntamientos y de posibles desmanes urbanísticos que es preciso corregir.

Igualmente, los planes de ordenación territorial representan un mecanismo de corrección de posibles excesos de discrecionalidad administrativa local en el marco de la ordenación urbanística.

Todo ello haría aventurar una aplicación favorable, por parte de los órganos jurisdiccionales, en caso de conflicto, de la ordenación del territorio, a efectos de hacer progresar esta materia.

El sistema español consiste, pues, en afirmar la vinculación de lo territorial sobre lo urbanístico a costa de compensar este grave efecto con la necesaria participación, de las entidades locales afectadas por los planes de ordenación, en los procedimientos de elaboración y aprobación de dichos planes territoriales.

El sistema jurídico podría haber sido otro y la problemática sería otra. Pero no es el caso. «Podría haber sido otro», por ejemplo, apostando por un sistema autonómico de simple coordinación de las facultades urbanísticas locales (sistema de inspiración francesa). Podría en esta línea haberse profundizado en el artículo 59 LBRL, afirmando un sistema de ordenación territorial de coordinación de lo local en presencia de intereses supralocales (artículo 10.2 y 3 de la misma LBRL)[12].

Seguramente, de esta forma no se presentarían los problemas que en cambio origina nuestro sistema jurídico, bien asentado en la idea de vinculación jurídica de la ordenación territorial autonómica sobre la urbanística local. Sólo en este último se plantea el problema de buscar formas jurídicas de compensación o de equilibrio, después de que el peso de la balanza recaiga en el dato de la posibilidad admitida de una injerencia autonómica en contra el urbanismo local.

No obstante, conforme al modelo de ordenación del territorio puramente coordinadora o indicativa, la ordenación del territorio autonómica sería en parte una teoría carente de sentido práctico. Ésta es la desventaja (entre otras posibles) del modelo de «coordinación». Y no otro sino éste es el problema tradicional de la ordenación territorial, su posible inoperancia, que se corrige otorgando vinculatoriedad jurídica a los planes de ordenación territorial.

2. APLICACIÓN PRÁCTICA DEL CRITERIO DE PARTICIPACIÓN ADECUADA DE LAS ENTIDADES LOCALES

En este sentido, interesan dos sentencias del Tribunal Supremo. La primera, de 20 de febrero de 2003 (RJ 2003, 2126) (nº de recurso de casación 7775/1999, ponente P. J. Yagüe Gil), resuelve un recurso de casación contra una sentencia del Tribunal Superior de Justicia de Canarias (sede en Las Palmas de Gran Canaria) por la que se desestima un recurso contencioso-administrativo contra el Decreto 7/1995, de 27 de enero, del Gobierno de Canarias, de aprobación del Plan Insular de Ordenación Territorial de la Isla de Gran Canaria (PIOT) y contra el Decreto 42/1995, de 10 de marzo, de corrección de errores del anterior.

---

12. En esta línea de la simple coordinación, por ejemplo, *vid.* J. PONCE SOLÉ, *Discrecionalidad urbanística y autonomía municipal,* Madrid, 1996, pp. 109 y ss., quien además busca los límites jurídicos incluso del citado artículo 59 (y con ello de toda posible coordinación) a efectos de dejar a cubierto la autonomía local frente a toda posible injerencia estatal o autonómica. De ahí que descarte, por esta vía, toda posibilidad de clasificación o calificación del suelo a través de planes autonómicos de coordinación. De ahí también que considere este mecanismo de la coordinación como simple directriz. Sobre este debate también A. MENÉNDEZ REXACH, «Coordinación de la ordenación del territorio con políticas sectoriales que inciden sobre el medio físico», *DA,* 230-231, 1992, pp. 229 y ss.; también L. MORELL OCAÑA, en la misma *DA,* 230-231, 1992, pp. 75 y ss.

La parte actora entiende vulnerado el principio de autonomía local, alegando que dicho PIOT contiene determinaciones urbanísticas propias de los planes municipales. Tanto la sentencia de instancia como la sentencia del Tribunal Supremo mantienen que no se infringe el citado principio, ya que los Planes insulares de Ordenación Territorial, creados por la ya derogada Ley 1/1987, de 13 de marzo, de la Comunidad Autónoma de Canarias, «pueden clasificar y desclasificar suelo, regular usos e intensidades y establecer estándares urbanísticos, siempre que ello sea necesario para el cumplimiento de las finalidades que a estos instrumentos (que son a la vez instrumentos de ordenación territorial y de ordenación urbanística) señala aquella norma».

Además, «la competencia urbanística y de ordenación territorial es hoy una competencia exclusiva de las Comunidades Autónomas (artículo 148.1.3º de la CE, artículo 29.11 del Estatuto de la Comunidad Autónoma de Canarias de 10 de agosto de 1982 y STC 61/1997, de 20 de marzo [RTC 1997, 61]). En consecuencia, las Comunidades Autónomas pueden configurar en su normativa figuras de planeamiento o de ordenación distintas a las conocidas en la legislación estatal, que en este aspecto es sólo supletoria, y, entre ellas, planes que se superpongan a los meramente locales, en aras de intereses supramunicipales».

No obstante, el argumento decisivo, en aras de declarar no violada la autonomía local, sería aquél según el cual el Ayuntamiento de Mogán participó en la elaboración del citado PIOT, pues «se ha dicho en el pleito (sin contradicción) que los días 12, 24 y 29 de octubre de 1991, se celebraron diversas reuniones entre el Cabildo y el Ayuntamiento de Mogán, a las que asistieron representantes políticos y técnicos de ambas Corporaciones».

En este sentido, el Tribunal Supremo, en esta sentencia, termina apoyándose para ello en otra STS, de 16 de julio de 2002 (RJ 2002, 9961) (casación nº 5896/98) donde, después de afirmar y admitir (como en la STS de 20 de febrero de 2003 [RJ 2003, 2126]) que los planes de ordenación territorial pueden contener determinaciones urbanísticas, conforme a lo previsto en la legislación canaria por entonces reguladora (arts. 13 y 9.5 de la hoy derogada Ley Canaria 1/1987, de 13 de marzo), afirma que «es preciso no perder de vista que la aprobación del PIOT de Lanzarote comportó (salvo las modificaciones introducidas por el Gobierno Canario) un acuerdo máximo de los diversos alcaldes de los municipios de la Isla, representantes del sentir municipal, quienes por razones de coordinación y eficacia y en aras de los intereses de la Isla globalmente considerada han superado un planteamiento que comtemplara aisladamente y sin esa visión global las potestades estrictamente locales. Sólo desde una perspectiva que analice todos estos extremos puede darse respuesta a la problemática planteada. Desde esa perspectiva global isleña esta Sala entiende que no concurre la vulneración de la Autonomía local alegada».

En otra sentencia (de 6 de mayo de 2002 [RJ 2002, 6908], recurso de casación nº 4033/1998) el Tribunal Supremo se enfrenta también (al igual que en la STS de 20 de febrero de 2003 [RJ 2003, 2126], idéntico ponente) con la impugnación de la aprobación definitiva del Plan Insular de Ordenación territorial de Gran Canaria por el mismo Decreto 7/1995, siendo esta vez parte recurrida el mismo Ayuntamiento de Mogán, ya que la sentencia de instancia estimó en parte el recurso del citado Ayuntamiento.

La estimación se debió especialmente a cuestiones procedimentales: «la existencia de modificaciones sustanciales en el PIOT debió dar lugar a nuevas audiencias».

El Tribunal Supremo, después de centrar el asunto, verifica que el Derecho aplicable invocado como *ratio decidendi* del litigio en el TSJ, es Derecho autonómico, por lo cual el TS no puede entrar en el fondo del asunto. Desde luego, esta situación va a ser cada vez más característica en el ámbito urbanístico, una vez se ha afianzado la legislación autonómica, bloqueándose de esta forma el acceso al Tribunal Supremo.

Así pues, en ambos pronunciamientos el Tribunal Supremo confirma la sentencia impugnada del TSJ canario. Si en la primera de las citadas vencen la Administración Autonómica y el Cabildo es por no vulnerarse el principio de autonomía local, ya que se había dado suficiente participación a las entidades locales. Si en la segunda de las citadas vence la Administración local, es por no haberse dado audiencia suficiente en el procedimiento de aprobación del plan territorial.

Esta jurisprudencia admite, pues, la legitimidad de las regulaciones puramente urbanísticas previstas en los planes de ordenación territorial, ya que las Comunidades Autónomas tienen competencias legislativas para prever este tipo de regulaciones.

Otra jurisprudencia, autonómica, se mueve dentro de una misma órbita formal o competencial. Así, el TS anula el ejercicio de las actuaciones sectoriales de la Administración del Estado (una Orden que señala nuevas zonas de seguridad de las baterías de costa de una Zona Militar) por el hecho de no haberse dado audiencia al Ayuntamiento y por haber desconsiderado el

Plan General de Ordenación Urbana vigente en el Municipio (STS de 30 de noviembre de 1993 [RJ 1993, 9046]).

Por otra parte, la sentencia del TSJ de Palma de Mallorca, de 31 de julio de 2002 (RJCA 2002, 871) niega la validez de ciertos Acuerdos de la Administración Autonómica, de carácter cautelar, por los que se suspendía la vigencia del planeamiento municipal, por carecer dicha Administración de competencia para ello en el momento de dictarse el Acuerdo (igualmente, STSJ de Baleares de 3 de diciembre de 2002 [RJCA 2002, 1064]).

3. LA NECESIDAD TAMBIÉN DE CRITERIOS MATERIALES QUE COMPLETEN EL CRITERIO FORMAL DE LA PARTICIPACIÓN ADECUADA

A. La adecuación del grado de vinculación con el concreto carácter directriz del instrumento de ordenación territorial

Sin perjuicio de la virtualidad de la jurisprudencia que se fija en el criterio procedimental o formal de la participación local en los procedimientos autonómicos de aprobación de los instrumentos de ordenación del territorio, sería conveniente a mi juicio fijar también un posible límite de carácter material para medir la legalidad de los planes de ordenación territorial en cuanto a las regulaciones de contenido puramente urbanístico.

Así pues, junto al criterio formal o procedimental de la debida participación de las Administraciones locales (u otras entidades) en los procedimientos de aprobación de los instrumentos de ordenación, existirían criterios jurídicos, materiales o de fondo, igualmente relevantes desde el punto de vista de su aplicación práctica, para dilucidar la legitimidad de las regulaciones, de contenido puramente urbanístico, de los planes de ordenación territorial.

Me refiero, primero, a la validez práctica o jurisprudencial del criterio material a cuyo tenor los instrumentos de ordenación del territorio serán **vinculantes para los planes urbanísticos de forma congruente con su concreto** carácter directriz (criterio que encuentra refrendo en los artículos 6.2 de la Ley 10/1998, de Ordenación del Territorio de Castilla y León y 9 de la Ley gallega 10/1995, de 23 de noviembre, de Ordenación del Territorio, por ejemplo[13]).

---

13. En concreto, afirma la Ley gallega de ordenación, *cit.* que «las determinaciones contenidas en las directrices de ordenación del territorio tendrán, en todo caso, la fuerza vinculante que sea congruente con su función de instrumento directriz» (art. 9); «las determinaciones de los planes territoriales integrados tendrán la fuerza vinculante que sea congruente con su funcionalidad» (art. 14.1), etc.

Este criterio teleológico permite observar si el instrumento territorial es congruente con los concretos fines supralocales que aquél representa. Es evidente que estamos ante un criterio tan operativo como posiblemente excepcional, en el sentido de que lo normal será la legitimidad de las regulaciones de los planes de ordenación del territorio desde este punto de vista.

No obstante, especialmente en los casos en que ha existido participación de la entidad local afectada, pero no ha habido consenso pleno, este criterio material puede ser interesante en un plano judicial. Lógicamente, puede en efecto ocurrir que los planes de ordenación territorial se aprueben sin considerar las observaciones de las entidades locales, esto es, sin el debido consenso, a pesar de que haya podido existir participación.

Es preciso tener en cuenta que los instrumentos de ordenación territorial se aprueban previa consulta de las entidades locales; pero las alegaciones de éstas dan lugar a «las modificaciones que procedan», reservándose la Comunidad Autónoma la redacción del contenido final de dichos planes o instrumentos.

La propia jurisprudencia (STS citada *supra* de 20 de febrero de 2003 [RJ 2003, 2126]) afirma que «los instrumentos de ordenación del territorio pueden clasificar y desclasificar suelo, regular usos e intensidades y establecer estándares urbanísticos, *siempre que ello sea necesario para el cumplimiento de las finalidades que a estos instrumentos (que son a la vez instrumentos de ordenación territorial y de ordenación urbanística) señala aquella norma*».

Diríamos que los planes de ordenación serán vinculantes si cumplen con la *finalidad que constituye su razón de ser*[14].

Insistiría en la conveniencia de ir elaborando un criterio que nos sirva para precisar un límite último material u objetivo de la ordenación territorial

_____

14. En este sentido, la STC 40/1998, de 19 de febrero (RTC 1998, 40), aunque relativa al caso (comentado también *supra*) del sometimiento a licencia municipal de las obras de interés general (en este caso, portuarias) se apoya en un interesante criterio teleológico, en la línea de las reflexiones que estamos realizando, según el cual la legitimidad de las normas que autorizan al Estado a asumir la competencia para realizar obras y modular las competencias urbanísticas de los municipios (por ejemplo sustituyendo la licencia por un informe previo cuando existan razones que así lo justifiquen) no depende del espacio físico donde las obras tengan que realizarse *sino de la finalidad que constituye su razón de ser* (por consiguiente, las obras no estrictamente portuarias a realizar en la zona de servicio del puerto sí estarían sometidas a licencia municipal).
Llevando esta *ratio* a nuestro tema, diríamos que la vinculación de la ordenación territorial rige con carácter general pero se referiría, igualmente, a la *finalidad que constituye su razón de ser*, ya que de lo contrario terminaría primando la voluntad local (el Plan General).

en favor de la ordenación urbanística local, es decir un criterio que nos sirva para determinar el ámbito propio del plan territorial. La cuestión es importante porque es aventurable que en el futuro las Comunidades Autónomas van a tomar un papel cada vez más activo en esta materia de ordenación territorial invadiendo posiblemente ámbitos claramente urbanísticos.

En parte, todo ello se producirá porque existe una necesidad de una regulación o planificación autonómica de este tipo. Se advierte incluso una tendencia de incorporar en la ordenación del territorio (tradicionalmente algo abstracta) mecanismos que le otorgan una virtualidad claramente práctica, tales como instrumentos sancionadores (en esta dirección el TR de las Leyes de Ordenación del Territorio de Canarias y de Espacios Naturales de Canarias, Decreto Legislativo 1/2000 de 8 de mayo y la Ley de Ordenación del Territorio de Galicia, Ley 10/1995, de 23 de noviembre) o incluso regulaciones de pura «gestión» de los planes de ordenación territorial a modo y manera de la gestión propiamente urbanística (caso de la Ley 4/2004, de 30 de junio, de Ordenación del Territorial y Protección del Paisaje de la Comunidad Valenciana).

En especial, este criterio material sirve, de nuevo, para atenuar el carácter vinculante de la ordenación del territorio.

Dicho con el máximo posible de expresividad, el dilema es, pues, que si la ordenación del territorio no vincula al urbanismo, dicha ordenación *sirve para poco o nada,* pudiendo permanecer en un ámbito abstracto o especulativo. Y, por contrapartida, de afirmarse dicha vinculación se plantea el problema jurídico del posible exceso regulativo de los planes de ordenación del territorio.

Pero también podrá manifestarse el interesante problema del posible «defecto regulativo» de este tipo de planes, cuando no aborden las materias que tienen que regularse. Este último planteamiento también debe en el futuro perfilarse, desde un punto de vista procesal, ya que tampoco es descartable que a las entidades locales interese que se regule adecuadamente, por la Comunidad Autónoma, el marco general territorial.

B. La precisión del grado de vinculación («plena, básica u orientativa»)

La vinculatoriedad no impide, y éste es otro criterio material importante, que se maticen o presenten distintos grados de vinculación en función de las regulaciones autonómicas posibles. De hecho, algunas legislaciones distinguen diferentes grados de vinculación en este sentido.

Es ésta la forma en nuestro Derecho de solucionar los problemas que se plantean, es decir observando, en el caso concreto, posibles excesos de los planes de ordenación territorial, dejando clara su vinculación jurídica.

En efecto, ha llegado a matizarse la vinculación del planeamiento local, estableciendo, de forma interesante, ciertos **grados de vinculatoriedad**: «vinculación excluyente, alternativa u orientativa», decía el Preámbulo de la ya derogada Ley 7/1990 de Ordenación del Territorio cántabra.

La Ley 10/1998 de Ordenación del Territorio de Castilla y León en su Preámbulo y en su artículo 6.3 prefiere hablar de «vinculación plena, básica u orientativa».

El artículo 2.4 del Decreto del Consell Valenciano 67/2006, de 19 de mayo, por el que se aprueba el Reglamento de Ordenación y Gestión Territorial y Urbanística Valenciana señala que «pese a la regla general de vinculación de los contenidos de los instrumentos de ordenación territorial, éstos distinguirán los preceptos que tengan una vinculación estricta y plena de aquellos otros que tengan un carácter básico que permitan a la Administración local distintas opciones posibles de desarrollo o aquellos otros que tengan un carácter meramente orientativo o coordinador».

Esta vía de matizar el grado de vinculatoriedad de los planes de ordenación territorial debería, a mi juicio, generalizarse por ser correcta jurídicamente, ya que es sensible con la autonomía local, distinguiendo entre distintas situaciones posibles, a efectos de afirmar la vinculación matizada o plena de la ordenación territorial por referencia a la urbanística (en función de si la materia vinculada es más o menos local), y permite cauces de control sobre su adecuación y exceso.

C. Mayores o menores exigencias en función del tipo de suelo

Especial significación tiene el hecho de que los instrumentos de ordenación del territorio también pueden **clasificar el suelo** siempre que estén habilitados para ello en la legislación específica. Así lo establece por ejemplo la Ley de Ordenación del Territorio de Castilla y León [artículos 14.2.d), 17.1.h)] y con la Ley de Urbanismo (art. 10) y su Reglamento (artículo 21.2) o la Ley 6/1994, de 15 de diciembre (Reguladora de la Actividad Urbanística) de la CA Valenciana (en su artículo 16.3).

Es «significativo» porque la clasificación del suelo es materia propiamente urbanística. La posibilidad de que, desde la ordenación del territorio, se clasifique el suelo ha de estar compensada con otros **criterios** que reequilibren el sistema jurídico y sirvan de contrapeso. A mi juicio, por propia coherencia con el sentido de la ordenación del territorio, estos otros «criterios» por referencia al tipo de suelo son los siguientes:

Primero, en cuanto al suelo no urbanizable o rústico, la repercusión de la ordenación del territorio podrá ser mayor que sobre el suelo urbanizable o urbano, ya que la ordenación del territorio casa especialmente, como es sabido, con este tipo de suelo donde priman aspectos de ordenación general territorial tales como el medio ambiente o las infraestructuras entre otros. De ahí que las determinaciones procedentes de instrumentos de ordenación del territorio (o la propia clasificación en este ámbito) podrán gozar de una presunción en su favor. Desde luego, el suelo no urbanizable es un campo propio de actuación de los planes de ordenación del territorio, aunque no debe desde luego descartarse su aplicación en otros tipos de suelo[15].

Segundo, cuando la clasificación del suelo, por los instrumentos de ordenación del territorio, quiera afectar al suelo urbanizable, y más aún al urbano, el menor radio de acción de la ordenación territorial podrá compensarse con una mayor motivación que justifique (o convenza sobre) la necesidad de una clasificación del suelo en el sentido que disponga el planeamiento territorial.

Comprobamos, pues, cómo la idea de vinculación de los planes de ordenación del territorio sobre los planes de ordenación urbanística presenta el problema del más que posible desapoderamiento de facultades urbanísticas de las entidades locales, para bien o para mal.

D. La imposibilidad de dejar vacías de todo contenido las competencias locales

No deberíamos incurrir en un posible *«abuso de la ordenación del territorio»*. Es decir, sin perjuicio de los fines loables que ésta representa, no podemos convertir dicha ordenación territorial en una especie de fórmula mágica que nos sirve para marginar todo tipo de actividad urbanística local. El *quid* de este criterio está en que puede ser ilegítima una ordenación territorial aun cuando sea fruto de competencias propias (infraestructuras, medio ambiente, turismo, etc.) por el hecho de *identificar* que las competencias locales

---

15. Así por ejemplo, el artículo 16.3 de la Ley 6/1994, de 15 de diciembre, Reguladora de la Actividad Urbanística de la Comunidad Valenciana (hoy derogada por la Ley 16/2005 Urbanística Valenciana) sólo admitía que un plan territorial pueda clasificar el suelo si es para clasificarlo como no urbanizable.

han sido de *facto* anuladas o dejadas sin espacio. Estamos ante un criterio importante en la articulación de competencias entre Administraciones y de arraigo constitucional y jurídico-comparado.

Generalmente, hablar de ordenación del territorio viene a ser una forma de introducir un nuevo régimen jurídico que suplanta tradicionales prerrogativas locales, como por ejemplo las de sujeción a licencia de las obras públicas.

Igualmente, el régimen tradicional urbanístico o local de sujeción a licencia consigue eludirse con el nuevo Derecho de la ordenación territorial que, para las grandes infraestructuras, excepciona el requisito de sujeción a licencia. Y la jurisprudencia del Supremo, numerosa sobre el particular, da buena cuenta de ello (SSTS de 3 de diciembre de 1982 [RJ 1982, 7774], de 20 de febrero de 1984 [RJ 1984, 1078], de 28 de mayo de 1986 [RJ 1986, 4471][16], de 19 de junio de 1987 [RJ 1987, 4899], de 9 de diciembre de 1987 [RJ 1987, 9463], de 17 de julio de 1987 [RJ 1987, 7524], de 4 de abril de 1990 [RJ 1990, 3583][17], de 28 de septiembre de 1990 [RJ 1990, 7297]), ya que la única forma de conseguir la sujeción a licencia es afirmando el carácter urbanístico de la obra en cuestión. La propia Constitución da pie a este sistema distinguiendo entre ordenación del territorio y urbanismo. En fin, lo característico es que la legislación sectorial (de carreteras, de puertos, etc.) omita el presupuesto de la licencia[18].

Así pues, a pesar del tenor del artículo 84.1.b de la LBRL en sentido positivo, es preciso matizar, pues no requieren dicha licencia las obras públicas de interés general, tales como aquéllas del Ente Público Aeropuertos

---

16. A tenor de esta sentencia «es obvio que la realización de las obras de construcción de la autopista de Campomanes (Asturias) a León no puede calificarse de actividad puramente urbanística, en el sentido estricto del término, sino de gran obra a realizar por la Administración del Estado, por lo que no es necesaria la autorización o licencia de obras del Ayuntamiento de Lena, pues basta para ello con la aprobación del proyecto realizado por el Ministerio de Obras Públicas». Véase también en este contexto la sentencia de la Sala de lo contencioso-administrativo de Asturias de 8 de mayo de 1984, comentada por T. QUINTANA LÓPEZ, «Las licencias urbanísticas municipales y las obras públicas», *RAP,* 1987, pp. 213 y ss.

17. Esta sentencia de 4 de abril de 1990 (RJ 1990, 3583), aunque parte de la distinción entre «construcción del puerto en sí» y «actos de edificación y uso del suelo en cuanto a los terrenos ganados al mar por las obras que por accesión artificial pasan a integrarse en la zona marítimo-terrestre, momento en el que hay que observar la ordenación urbanística para los usos del suelo y edificación y es exigible la licencia municipal» afianza el régimen estatal en torno a la primera de las dos situaciones comentadas. Puede verse también la STS de 25 de enero de 1988 (RJ 1988, 423).

18. Sobre el particular también la STS de 28 de septiembre de 1990 (RJ 1990, 7297).

Españoles, las obras portuarias, las hidráulicas (art. 166 de la Ley 13/1996, de 30 de diciembre, de Acompañamiento a la Ley de Presupuestos para el año 1997; art. 19.3 de la Ley 27/1992, de Puertos del Estado, art. 127.1 de la Ley de Aguas aprobada por RDLeg 1/2001, de 20 de julio)[19].

Pero también hace lo propio la legislación autonómica. Por ejemplo, la Ley de la Comunidad Foral de Navarra 5/1992, de modificación de la Ley de Ordenación del Territorio, añadió un artículo 26 *bis* suprimiendo la necesidad de licencia municipal para obras incluidas en proyectos sectoriales de incidencia supramunicipal, y esta regulación se ha venido manteniendo hasta la actual Ley Foral 35/2002, de 20 de diciembre, de Ordenación del Territorio y Urbanismo de Navarra (vid. artículo 47).

Esta tendencia culminaría con la, en poco tiempo famosa, disposición adicional tercera de la Ley 13/2003, de 23 de mayo, reguladora del contrato de concesión de obra pública, donde se consigue generalizar el régimen de excepción de la licencia local.

La sujeción a licencia interesa a las Corporaciones locales (tal como reconoce la STS de 3 de diciembre de 1982 [RJ 1982, 7774]), conforme a la «liquidación que por el concepto de derechos y tasas por la expedición de la licencia de obras» corresponde al Ayuntamiento.

En conclusión, a la luz de la jurisprudencia y de la legislación existentes, el esquema que conviene retener es el siguiente, presentado en torno a dos posibles planos que se superponen:

Por un lado, el plano de la ordenación del territorio, con un régimen de no sujeción a licencia local, previsto para grandes infraestructuras públicas.

Por otro lado, el plano del urbanismo, con un régimen de sujeción a licencia.

4. RECAPITULACIÓN

A. Los criterios reguladores de las relaciones entre la Administración local y autonómica

Recapitulando, puede afirmarse la necesidad de una cierta intromisión

---

19. En este sentido, la sentencia del TSJ de La Rioja de 23 de septiembre de 2002 (JUR 2002, 273436) (recurso 262/2000) afirma que la instalación de cable de fibra óptica no tiene carácter de obra urbanística, por tenerlo de ordenación del territorio que afecta a todo el país, estando entonces exento de licencia municipal (con numerosas citas jurisprudenciales del TS).
   Por otra parte, la jurisprudencia es flexible en orden a la previsión de una obra pública

de lo territorial en lo urbanístico, pero con criterios jurídicos, que afirman un cierto margen de sentido común en la comprensión y aplicación de los instrumentos territoriales y urbanísticos.

Todas estas afirmaciones corroboran a mi juicio el creciente interés jurídico de la ordenación del territorio. Los problemas que hemos comentado pueden ser problemas de especial actualidad en el nuevo Derecho urbanístico y seguramente van a necesitar también una atención especial de los órganos del orden jurisdiccional contencioso-administrativo, quienes tendrán que ir precisando criterios jurídicos y poniendo límites y resolviendo litigios.

En el Derecho español se ha asistido a una progresiva eficacia de la ordenación del territorio. Un paso decisivo se ha dado durante los últimos años, apostándose (por las Comunidades Autónomas) por un modelo de vinculación normativa estricta (sin perjuicio de los matices o niveles o grados de vinculatoriedad, plena, básica, etc.) de los instrumentos de ordenación territorial sobre los planes urbanísticos. De esta forma, se consigue otorgar virtualidad práctica a la ordenación del territorio abriendo una interesante vía para avanzar en la práctica de la ordenación del territorio y superar las limitaciones del urbanismo y algunos de sus problemas tradicionales.

Un paso adelante en esta tendencia de afianzar la eficacia de la ordenación del territorio lo da la Ley 4/2004, de 30 de junio, de Ordenación del Territorio y de Protección del Paisaje de la Comunidad Valenciana, que deroga la Ley 6/1989, de 7 de julio, de la Generalidad Valenciana, de Ordenación del Territorio. El «paso adelante» consistiría en que la ordenación del territorio no afectaría exclusivamente al planeamiento, desde el momento en que puede hablarse de «gestión de la ordenación del territorio» de forma similar a como viene hablándose en nuestro Derecho urbanístico de gestión por referencia, hasta ahora, al urbanismo y los planes urbanísticos. Éste es el sentido del Título IV de la Ley citada, cuyo artículo 68 vincula la gestión territorial al logro de la sostenibilidad (mediante «cuotas de sostenibilidad» y un «fondo de equidad territorial»).

Es factible que los desarrollos técnicos hagan posible un futuro modelo urbanístico de transferencias o compensaciones urbanísticas de amplio nivel o amplia consideración, supralocal en algunos casos, a efectos de tomar en

_____

en los instrumentos de ordenación del territorio, ya que no requiere una previsión expresa de la misma (sentencia del TSJ de Asturias de 19 de diciembre de 2002 [RJCA 2003, 174], recurso nº 2298/1998).

consideración espacios territoriales que engloben suelos urbanos y urbanizables o incluso rústicos, obteniendo de esta forma aprovechamientos (en especial en el suelo urbanizable) que puedan compensar las actuaciones menos rentables que deban acometerse para realizar fines u objetivos urbanísticos en estos mismos suelos urbanizables, pero también en suelos que deban preservarse de urbanizaciones, y, en especial, en suelos urbanos consolidados que precisan ya hoy de una actuación pública eficaz y contundente, en aras de evitar su deterioro.

No obstante, en nuestro país existen aún resistencias significativas (muchas veces de la Administración local) frente a la ordenación del territorio y en especial frente al valor jurídico vinculante que a ésta le corresponde. Más bien, debe progresar adecuadamente la ordenación territorial, a costa de defender adecuadamente a las entidades locales. En tanto en cuanto se afirme una vinculación de lo territorial sobre lo urbanístico, deben existir medios de contrapeso o equilibrio del sistema, a favor de las entidades locales.

Pueden ser éstos, recapitulando, los siguientes:

– Necesidad de precisar el grado concreto de vinculación (plena, básica u orientativa) en los planes de ordenación territorial.

– Exigencia de motivación especial si se entra en la regulación del suelo urbanizable o urbano.

– Sujeción estricta de los planes de ordenación territorial a su concreta definición normativa.

– Limitación de la vinculación del plan territorial de forma congruente con su concreto carácter directriz y con los concretos fines locales que aquél represente.

– Participación adecuada de las entidades locales en los procedimientos de elaboración del planeamiento territorial.

– Aplicación de la técnica del informe para que el Municipio sea oído cuando van a ejecutarse obras públicas que le afecten.

– Imposibilidad de dejar vacías de todo contenido las competencias locales.

Son éstos mecanismos necesarios para reequilibrar el sistema. De lo contrario la aprobación de un plan de ordenación territorial, vinculante sobre lo local, sin la debida audiencia o consulta de los Ayuntamientos afectados, plantearía serios problemas de legalidad e incluso inconstitucionalidad.

En general, la legislación sobre ordenación del territorio generalmente adolece del defecto de surgir pensando en los planes que puedan realizar oficinas burocráticas algo alejadas de la realidad social, generalmente capitales de Comunidades Autónomas. Debería también pensar en dar solución a los problemas que planteen en los Municipios y las empresas cuando aquéllos tengan un carácter supralocal. La ordenación del territorio debería por ello partir desde abajo pensando en cómo dar cauce a los proyectos y necesidades que surgen en la sociedad. También es sabido que a la ordenación del territorio le sigue faltando, a pesar de sus progresos, realidad práctica.

Y otra idea más finalmente: ya que hablamos de la necesidad de lo supralocal, la institución de la Diputación provincial podría ser también una entidad relevante en relación con los distintos de ordenación territorial.

B. La gestión territorial

En el contexto del creciente arraigo de la ordenación del territorio, por un lado, y de la gestión urbanística, por otro lado, puede entenderse la «gestión territorial».

Fruto de esta tendencia sería el artículo 69 de la Ley de Ordenación del Territorio y de Protección del Paisaje 4/2004 de la Comunidad Valenciana cuando dice que «la gestión territorial tiene por objeto la materialización de los objetivos y criterios de la ordenación del territorio establecidos en la presente ley y desarrollados en los diferentes instrumentos de ordenación previstos».

La citada Ley de Ordenación del Territorio valenciana pretende una dimensión práctica o efectiva de la ordenación del territorio hasta el punto de introducir (conforme al artículo 71) unos «instrumentos de gestión territorial» que legitiman obras directamente, la implantación de instalaciones y la prestación de servicios.

La ordenación del territorio lleva incluso a relativizar la diferenciación estricta entre los distintos tipos de suelo considerando todos ellos desde una perspectiva global o conjunta. En este sentido, en una de sus posibles concepciones afirmaría aquélla la posibilidad de transferir aprovechamientos entre los distintos tipos de suelo para la mejor consecución de los fines urbanísticos. En la legislación de ordenación territorial valenciana se prevé expresamente que parte de las plusvalías o ingresos provenientes de sus actuaciones urbanísticas (piénsese sobre todo en el suelo urbanizable) han de destinarse a la mejora de los entornos urbanos. Por otro lado, puede afirmarse la posibilidad de reclasificar suelo no urbanizable en urbanizable a cambio de obtener recursos económicos que pueden invertirse, igualmente, en dicho entorno urbano.

Pues bien, sin perjuicio de considerar todas estas regulaciones y otras en el contexto de la «gestión territorial», ésta, propiamente dicha, consiste en las medidas contempladas en el Título IV de la Ley de la Comunidad Valenciana 4/2004, de Ordenación del Territorio y de Protección del Paisaje.

El elemento clave sería el de las «cuotas de sostenibilidad» (artículos 83 a 87). Se prevén cuatro tipos de cuotas de sostenibilidad. Primero, las derivadas de la gestión urbanística; segundo, las derivadas de actuaciones en suelo no urbanizable; tercero, la gestión de los patrimonios públicos de suelo; cuarto, las derivadas de la implantación de infraestructuras.

Estos conceptos dan lugar a una asignación económica o cuota. A estos efectos se prevé un «Fondo de equidad territorial» (artículo 88) y unas «acciones para la sostenibilidad y calidad de vida» (artículos 72 a 80, de la citada Ley), en especial los «programas para la sostenibilidad y para la calidad de vida» y los proyectos que desarrollan el programa [artículo 75.c) de la Ley].

Por lo que respecta al Fondo como «instrumento» de gestión territorial, está éste al servicio de la «cohesión social» y la «sostenibilidad». La creciente repercusión de la Unión Europea en materia territorial muestra esta evolución hacia una mayor consideración de la cohesión territorial: la mención a la cohesión territorial se recogió por vez primera en la fallida Constitución Europea (sección 3 del capítulo III del Título III de la Parte III) y actualmente ha sido objeto de introducción en el Tratado de Lisboa de 13 de diciembre de 2007 por el que se reforman el TUE y el TCE, de modo que el logro de la cohesión territorial se muestra ya como un fin propio de la UE en el nuevo artículo 2 del TUE y, en coherencia con ello, el nuevo Título XVII del TCE pasa a tener la rúbrica «Cohesión económica, social *y territorial*» (los cuales con la renumeración que determina el propio Tratado de Lisboa pasarán a ser, respectivamente, el artículo 3 del TUE y Título XVIII del Tratado de Funcionamiento de la Unión Europea).

La idea de «equidad» es fundamental en este contexto. La equidad, entre otras muchas significaciones, tiene también el mérito de aprovechar la riqueza que genera la ordenación territorial destinándola a fines de calidad de vida y desarrollo sostenible. Éste es el sentido, igualmente, de los Fondos con finalidad estructural de la Unión Europea.

Así, el nuevo artículo 158 TCE –modificado por el Tratado de Lisboa de 2007, futuro 174.c) del Tratado de Funcionamiento de la Unión Europea– establece que «la Unión Europea se propondrá, en particular, reducir las diferencias entre los niveles de desarrollo de las distintas regiones y el retraso de las regiones menos favorecidas». Además: «entre las regiones afectadas se prestará especial atención a las zonas rurales (...)». El Fondo tiene una dimensión o referencia espacial clara en el contexto de la equidad. Otra comparación podría hacerse con el artículo 157 de la Constitución Española, en especial el «Fondo de Compensación interterritorial».

Es propio que los Fondos se nutran de distintas aportaciones. En el ámbito del medio ambiente casan especialmente dichos Fondos. Una referencia especialmente clara del Fondo de Equidad Territorial se encuentra en el Derecho comunitario europeo. Así, el artículo 161 del TCE afirma que «un Fondo de cohesión proporcionará una contribución financiera a la realización de proyectos del medio ambiente y de las redes transeuropeas en materia de infraestructuras de transporte».

Por otra parte se prevé que el Consell de la Generalitat establecerá, mediante Decreto, unos indicadores de consumo de recursos, especialmente de agua, suelo y de energía, así como de emisión de contaminantes al suelo, agua y atmósfera para todo el ámbito de la Comunidad Valenciana.

Por Decreto del Consejo de la Generalidad y los planes de acción territorial integrados se fijarán, basándose en los citados indicadores, **umbrales de consumo** de recursos y emisión de contaminantes para sus respectivos ámbitos de actuación.

– Los municipios ejercerán su competencia de planificación urbanística, con los límites que impongan los valores territoriales, naturales, paisajísticos, culturales dignos de protección y la disponibilidad de recursos en su término municipal (artículo 82: «planificación urbanística sostenible»). En este sentido, los municipios velarán por que el planeamiento previsto no supere los umbrales de consumo de recursos y emisión de contaminantes fijados por decreto o establecidos en los planes de acción territorial que afecten a su término (artículo 82 de la Ley).

– Pues bien, por referencia entonces a las cuotas de sostenibilidad derivadas de la gestión urbanística «el planeamiento municipal *podrá sobrepasar, por causa justificada,* los umbrales establecidos. En tal supuesto, los municipios contribuirán a la sostenibilidad destinando, anualmente y durante la vigencia del plan, una cantidad cuyos parámetros se determinarán por la normativa reglamentaria, a programas y proyectos para la sostenibilidad y la calidad de vida» (artículo 84 de la Ley).

– Y entonces «el importe resultante de las cuotas de sostenibilidad aportadas por un municipio se destinará: a) La mitad a programas o proyectos para la sostenibilidad y para la calidad de vida del propio municipio, o a otros que le estén vinculados territorialmente y presenten índices menores a los umbrales de consumo de recursos y emisión de contaminantes, o los reduzcan. b) La mitad, al Fondo de Equidad Territorial».

Los dos principios fundamentales del sistema de gestión territorial en el contexto de la citada Ley vienen a ser la sostenibilidad y la equidad territorial. Otra *ratio* del sistema es asimismo el **fomento o incentivo.** En lugar de prohibir las emisiones contaminantes y el consumo de suelo, se quiere incentivar a los municipios a un consumo razonable o sostenible del suelo mediante el establecimiento de ciertos recargos o aportaciones financieras.

De este modo los municipios tienen un margen para realizar una determinada política territorial. Concretamente, pueden optar por una de estas dos opciones. La primera, más agresiva, consumir suelo y pagar a cambio. La segunda, evitar la tentación consumista del suelo y de desarrollo urbanístico, para realizar proyectos de sostenibilidad que pueden beneficiarse de la asignación que otros municipios («consumistas de suelo») han aportado al Fondo de Equidad Territorial. Resulta, pues, más rentable no consumir recursos. Esto es la sostenibilidad. O se imponen gravámenes (mas no prohibiciones) al que consume.

La gestión territorial se hace eco, por otra parte, del **principio de «quien contamina, paga»**[20]. El punto de partida ha de estar en conseguir que no se superen los umbrales de sostenibilidad. Pero si se contamina debe pagarse por ello.

Sin embargo, es evidente que, junto al incentivo y a la sostenibilidad y la equidad, está presente un fin recaudatorio.

C. **El modelo territorial valenciano de condicionar las reclasificaciones a la compra de suelo no urbanizable protegido**

El sistema de condicionar las reclasificaciones a la compra (por parte

---

20. S. ANIBARRO PÉREZ, en: I. SANZ RUBIALES (Director), *El Mercado de Derechos a Contaminar. Régimen Jurídico Público del Mercado Comunitario de Derechos de Emisión*, Valladolid, 2007.

del beneficiado por la reclasificación) de igual número de metros cuadrados (a los reclasificados) de suelo no urbanizable protegido y entregárselo a la Administración gratuitamente, ha mostrado en su corto período de vigencia (nos referimos al artículo 13.6 de la LOTPP 4/2004) la necesidad de incorporar relevantes modificaciones legales y, además, ha puesto en evidencia ciertos problemas singulares que conviene resolver mediante una adecuada regulación reglamentaria.

Este sistema, que tanta relevancia práctica ha alcanzado, no está previsto en la legislación urbanística, sin perjuicio de las concordancias pertinentes, sino en la legislación de ordenación del territorio. Su estudio se abordará en la parte siguiente de este libro dedicada al régimen jurídico del suelo.

D. El caso canario

El tema de la ordenación del territorio, generalmente teórico, tiene en Canarias un especial alcance práctico. A través de planes territoriales es como se realiza el urbanismo. Por ejemplo, puede citarse la Ley de Medidas urgentes en materia de ordenación territorial para la dinamización sectorial y la ordenación del turismo de Canarias (BOC núm. 89, de 12 de mayo de 2009), donde se prevé la figura del **Plan de Actuación Territorial (PAT)**, como **instrumento de ordenación de carácter excepcional que legitima obras en suelo rústico**. Son Normas de Aplicación Directa (NAD) que tienen aparejada su directa ejecución, sin que resulte condicionada por la categorización y por la calificación del suelo, de acuerdo con el correspondiente PTET ya aprobado. El citado PAT no precisa declaración de interés general. No precisa tampoco comunicación al Parlamento. Su resolución definitiva depende del Cabildo insular, previo informe de la Comisión de OTMA que analizará exclusivamente su adecuación al PTET y que debe ser emitido en un mes, estimándose positivo si no se produce resolución alguna. Por su parte, la EIA precisa tramitación conjunta, con el PAT, emitiéndose la declaración que proceda en el mismo acto de aprobación. El plazo es mínimo de un mes para información pública y audiencia de los propietarios de suelo incluidos en el Proyecto y colindantes e informes del Ayuntamiento y Cabildo, y máximo de cuatro meses desde la presentación, con silencio positivo.

Las relaciones entre el Estado y las Comunidades Autónomas en el ámbito de la ordenación del territorio

1. PROBLEMÁTICA JURÍDICA

A. Aproximación a los criterios de la doctrina constitucional

Interesa seguidamente profundizar en el estudio de la distribución de competencias entre Estado y CCAA en el ámbito de la ordenación del territorio.

A continuación se profundiza en una perspectiva especialmente constitucionalista del tema, reservando para un momento posterior (véase parte cuarta dedicada a planeamiento) el estudio de la perspectiva práctica o administrativista de este mismo tema, donde se incidirá en la repercusión de los informes sectoriales del Estado o de las CCAA cuando se elabora un plan urbanístico que quiere ser aprobado por la Administración con competencia en urbanismo o territorio.

Nos consta que la «ordenación del territorio» es una competencia exclusiva que puede ser asumida por las Comunidades Autónomas, y que de hecho han asumido en sus respectivos Estatutos.

Como afirma la Ley 1/1994, de 11 de enero, de Ordenación Territorial de la Comunidad Autónoma de Andalucía, «la ordenación del territorio encuentra su nivel propio de actuación en el ámbito supralocal, regional y subregional» (Exposición de Motivos).

Pero esta exclusividad competencial no significa, sin embargo, que se trate de una competencia ilimitada, «dado que la complejidad de las funciones públicas modernas conlleva irremediablemente el entrecruzamiento interadministrativo»[21].

Es decir, el Estado tiene determinadas competencias que, en mayor o menor medida, interfieren, modulan o llegan a condicionar la competencia autonómica de ordenación territorial[22].

Pero, por contrapartida, la repercusión de estos títulos competenciales del Estado no podrá dejar vacía la competencia exclusiva autonómica en materia de ordenación del territorio, ya que la circunstancia de que una competencia sobre una materia pueda condicionar otra no ha de variar la titularidad de esta última, ni puede subsumirla, según reiterada jurisprudencia constitucional[23].

Es en este sentido como puede o podría hablarse inicialmente del «carácter preferente» de la planificación territorial sobre las competencias sectoriales, no pudiendo el Estado apartarse del planeamiento existente.

Por todo ello, la ordenación del territorio no podría reducirse a una simple capacidad de planificar. El ejercicio de las competencias estatales del Estado no podrá llevar a una ordenación de los usos del suelo (SSTC 149/1991 [RTC 1991, 149], FJ 1 y 36/1994 [RTC 1994, 36], FJ 2).

Por lo tanto, por una parte, dado que la «ordenación del territorio» como título competencial tiene por objeto la actividad consistente en la delimitación de los diversos usos a que puede destinarse el suelo o espacio físico territorial, su núcleo fundamental lo representaría el conjunto de actuaciones públicas de contenido planificador cuyo objeto consiste en la fijación de los usos del suelo y el equilibrio entre las distintas partes del territorio que ocupa dicho suelo.

Pero, por otra parte, y a pesar de su vasta amplitud, dicho título competencial no incluye todas las actuaciones de los poderes públicos con incidencia territorial, puesto que ello supondría atribuirle un alcance tan amplio que desconocería el contenido específico de otros títulos competenciales. «El

---

21. STC 149/1998 (RTC 1998, 149).

22. Planificación general de la actividad económica (art. 149.1.13 CE), regulación de las condiciones básicas de la igualdad de todos los españoles (art. 149.1.1 CE), legislación civil, en cuanto pudiera incidir sobre el derecho de propiedad (art. 149.1.8 CE), ferrocarriles y aprovechamientos hidráulicos (art. 149.1.21 y 22 CE), legislación básica sobre medio ambiente (art. 149.1.24 CE) o sobre patrimonio cultural (art. 149.1.28 CE).

23. SSTC 32/1983 (RTC 1983, 32), 42/1983 (RTC 1983, 42), 53/1984 (RTC 1984, 53), 143/1985 (RTC 1985, 143) y 149/1998 (RTC 1998, 149).

Estado tiene constitucionalmente atribuidas una pluralidad de competencias dotadas de una clara dimensión espacial en tanto que proyectadas de forma inmediata sobre el espacio físico». En consecuencia, su ejercicio incide en la ordenación del territorio, con la ineludible consecuencia de que las decisiones de la Administración estatal con incidencia territorial, adoptadas en el ejercicio de tales competencias condicionan la estrategia territorial que las Comunidades Autónomas pretendan llevar a cabo[24].

En este sentido, es preciso salvar el posible equívoco de considerar que esta delimitación conceptual persigue exclusivamente abrir las puertas a la acción del Estado dentro del territorio; también persigue la necesidad de tener en cuenta otras políticas sectoriales, de las propias Comunidades Autónomas, que tienen una incidencia o dimensión espacial. Este planteamiento quiere poner de manifiesto, ante todo, el sentido de los instrumentos de cooperación entre acciones sectoriales y territoriales, que por esencia definirían la ordenación territorial.

En refuerzo de la justificación de que el Estado pueda repercutir sobre la ordenación autonómica, puede invocarse que dicho Estado tiene unos «poderes implícitos» (STC 149/1998 [RTC 1998, 149], Voto Particular) en la norma legal que sirve de amparo a los citados acuerdos (que le permiten dicha repercusión) y no tanto una supuesta «potencialidad expansiva de las competencias propias, que en ningún caso puede llevar al desconocimiento de las ajenas» (véase, igualmente, el Voto particular de la STC 56/1986 [RTC 1986, 56])[25].

---

24. STC 149/1998 (RTC 1998, 149), citando las SSTC 149/1991 (RTC 1991, 149), 36/1994 (RTC 1994, 36), 61/1997 (RTC 1997, 61), FJ 22 y 40/1998 (RTC 1998, 40), FJ 30.

25. Otra jurisprudencia, posterior, se ha referido en este contexto a los *«criterios interpretativos ordinarios»* en estos casos en los que queda justificada la intervención del legislador estatal interfiriendo en ámbitos de competencia exclusiva autonómica. Con apoyo en dichos «criterios», en el caso enjuiciado, concretamente, por la STC 65/1998, de 18 de marzo (RTC 1998, 65), se justificó que, aun cuando la Constitución Española no mencione expresamente las «carreteras» como competencia estatal, y a pesar de que la Constitución Española afirme como competencia exclusiva autonómica «las carreteras cuyo itinerario se desarrolle íntegramente en el territorio de la Comunidad Autónoma», el Estado pueda válidamente afirmar que «son carreteras estatales las integradas en un itinerario de interés general» a pesar de que éstas se sitúen dentro del territorio de una única Comunidad Autónoma.
Los *«criterios interpretativos ordinarios»* son una forma de la que se vale esta sentencia (citando las SSTC 123/1984 [RTC 1984, 123], FJ 2, 180/1992 [RTC 1992, 180], FJ 4, 133/1997 [RTC 1997, 133], FJ 3, 206/1997 [RTC 1997, 206], FJ 7 y 40/1998 [RTC 1998, 40], FJ 45) para afirmar la competencia estatal en estos casos.
Más concretamente, sobre los criterios interpretativos ordinarios, esta STC prevé que «tales criterios interpretativos ordinarios no son otros que aquellos que atienden, de un lado, al sentido y finalidad propia con que los varios títulos de competencia se han recogido en la Constitución y en los Estatutos de Autonomía, y, de otro, al carácter objetivo predominante

B. El respeto de las respectivas esferas de poder

Partir del criterio, en virtud del cual la ordenación territorial corresponde a las Comunidades Autónomas (pero sin menoscabar los ámbitos de las competencias reservadas al Estado *ex* artículo 149.1 CE y respetando los condicionamientos que se deriven de los mismos) es constitucionalmente adecuado con el Estado complejo español.

Pero lleva esencialmente consigo la existencia de conflictividad jurídica, a la hora de la delimitación de los ámbitos de actuación respectivos del Estado y de las Comunidades Autónomas.

Consciente de ello, la jurisprudencia del Tribunal Constitucional que ha venido dictándose en materia de ordenación del territorio ha partido de que, en términos generales, para la adecuada articulación de las competencias autonómicas sobre la ordenación del territorio y de las competencias estatales sectoriales que afecten al uso del territorio, «es necesario insistir, una vez más, en el establecimiento de fórmulas de cooperación, que resultan especialmente necesarias en estos supuestos de concurrencia de títulos competenciales en los que deben buscarse aquellas soluciones con las que se consiga optimizar el ejercicio de ambas competencias»[26].

La solución es pues la cooperación, «pudiendo elegirse en cada caso las técnicas que resulten más adecuadas: el mutuo intercambio de información, la emisión de informes previos en los ámbitos de la propia competencia, la creación de órganos de composición mixta, etc.» (STC 149/1998 [RTC 1998, 149], citando la STC 40/1998 [RTC 1998, 40], FJ 30; STC 96/1986 [RTC 1986, 96])[27].

Ahora bien, es claro que estos cauces o fórmulas de cooperación pueden ser o mostrarse en algún caso concreto insuficientes para resolver los conflictos que puedan surgir. ¿Qué ocurre entonces?

En esencia, el criterio básico o fundamental que aporta la jurisprudencia constitucional que estamos comentando es que, teniendo la Comunidad Autónoma correspondiente la competencia exclusiva en materia de ordenación y territorio, y siempre que no se haya llegado al oportuno acuerdo, el Estado

---

de las disposiciones impugnadas como acaba de recordar recientemente la STC 13/1998 (RTC 1998, 13)».

26. STC 149/1998 (RTC 1998, 149) citando las SSTC 32/1983 (RTC 1983, 32), 77/1984 (RTC 1984, 77), 227/1988 (RTC 1988, 227) y 36/1994 (RTC 1994, 36).

27. Sobre el deber de cooperación entre Estado y CCAA puede verse P. MENÉNDEZ, *Las potestades administrativas de dirección y de coordinación territorial*, Madrid, 1993, p. 168.

no puede verse privado del ejercicio de sus competencias exclusivas por la existencia de una competencia que, aunque también sea exclusiva, pertenezca a una Comunidad Autónoma.

En este criterio, aparentemente simple, debemos profundizar para resolver los supuestos conflictivos que puedan plantearse y que hasta el momento ofrecen una complejidad especial.

No es posible saltarse las reglas. La aprobación de leyes autonómicas de ordenación territorial no puede obviar las competencias de otras instancias de poder.

Una determinada legislación autonómica, sobre ordenación del territorio, podrá abordar este espinoso tema, de los cauces de solución a los conflictos que se planteen entre Estado y CCAA, a la hora de delimitar sus respectivos intereses. Éste es el caso, por ejemplo, de la Ley de Ordenación del País Vasco 4/1990, de 31 de mayo (artículos 16 y ss.).

Esta Ley afirma la necesidad de una consulta, que han de hacer las Administraciones autonómicas y forales competentes para la elaboración de los Planes Territoriales Sectoriales, al Departamento de Urbanismo Vivienda y Medio Ambiente del Gobierno vasco, sobre las distintas alternativas, soluciones y posibilidades que la ordenación territorial vigente ofrezca para la localización de las obras, actividades o servicios que constituyan el objeto de la planificación sectorial.

De esta forma se pretende garantizar desde el primer momento la correcta inserción de los Planes Territoriales Sectoriales en el marco territorial definido por las Directrices de Ordenación y de los Planes Territoriales Parciales que, en su caso, los desarrollen.

Habrá de buscarse entonces una compatibilidad con la ordenación del territorio. Pero de no ser posible dicha inserción el órgano competente para la elaboración del Plan Sectorial podrá proponer al Gobierno Vasco, siempre que por otra parte exista un excepcional interés público, la introducción de las rectificaciones que resulten imprescindibles en los instrumentos de ordenación territorial. Acto seguido, el Gobierno vasco, oído el parecer de la Comisión de Ordenación del Territorio y de las Administraciones afectadas, adopta en cada caso la resolución que proceda.

El problema jurídico se plantea a raíz de la previsión (en el artículo 21 de la citada Ley) de que este régimen que acaba de explicarse es de aplicación a «los Planes y Proyectos» que corresponda promover a la Administración del Estado y a las entidades y organismos de ella dependientes en ejercicio de sus propias competencias.

Más concretamente, la cuestión que se suscita es si la legislación autonómica de ordenación del territorio puede obligar al Estado a someterse a este régimen en virtud del cual el Estado puede proponer las rectificaciones que a su juicio son necesarias, pero adoptando el Gobierno Vasco en cada caso la resolución que proceda.

Pues bien, es preciso recordar entonces la doctrina jurisprudencial del Tribunal Constitucional que antes comentábamos (según la cual «el Estado no puede verse privado del ejercicio de sus competencias exclusivas por la existencia de una competencia, aunque también sea exclusiva, de una Comunidad Autónoma») para concluir que el régimen que acaba de ser explicado es inconstitucional (concretamente, el artículo 21 de la citada Ley de ordenación del territorio, que es donde se afirmaba que el Estado debía sujetarse a dicho régimen jurídico).

Así lo afirmó la STC 149/1998 (RTC 1998, 149), reafirmando la validez de los mecanismos de coordinación y cooperación interadministrativa y la necesidad de que quede a salvo el ejercicio de las legítimas competencias estatales que puedan interferir en el territorio.

En suma, según el Tribunal Constitucional, la competencia autonómica de ordenación del territorio no puede ser tan exhaustiva que excluya toda posibilidad de que el Estado pueda ejercer competencias de contenido distinto de la urbanística, pero que requieran para su ejercicio una proyección sobre el suelo de una Comunidad Autónoma. De esta forma, se mantiene la legitimidad de ciertos acuerdos del Consejo de Ministros, de ejecución de obras de acuartelamiento de la Guardia Civil y Policía Nacional, por no invadir las competencias que en materia de urbanismo y ordenación del territorio ostenta la Comunidad Autónoma del País Vasco[28].

---

28. Por otra parte, el Estado (ante una eventual contradicción entre los proyectos de obras, actividades o servicios que promueva dentro del territorio de una Comunidad Autónoma y las determinaciones de los instrumentos de ordenación territorial o los planes urbanísticos) ha de poder, cuando razones de urgencia o excepcional interés público lo exijan, no sólo remitir el proyecto en cuestión al órgano correspondiente para que le notifique la conformidad o disconformidad del proyecto con el planeamiento territorial o urbanístico en vigor, sino también ordenar la procedencia de ejecutar el proyecto contrario a las determinaciones de los instrumentos de ordenación territorial o planes urbanísticos cuando se presenten dichas razones y cuando el Estado esté ejerciendo las competencias exclusivas que le corresponden en virtud de los títulos competenciales que le permiten interferir en el territorio (véase, igualmente, la STC 56/1986 [RTC 1986, 56]). La concurrencia de dichas razones (urgencia o excepcional interés público) es, por otra parte, controlable judicialmente (un ejemplo: STS de 14 de octubre de 1992 [RJ 1992, 8260]).

Es usual que las legislaciones autonómicas obvien la regulación de este asunto.

La Ley 1/1994, de 11 de enero, de Ordenación Territorial de la Comunidad Autónoma de Andalucía (Título II, artículos 28 y ss.), así como la Ley 10/1998 de Castilla y León, cit. (Título III, art. 27.4 y 5) no prevén más que un sistema de *colaboración* entre Administración estatal y autonómica. En una primera fase, se someten a «informe» (por parte del Consejo de Urbanismo y Ordenación del Territorio de la respectiva Comunidad Autónoma) los planes y programas promovidos por la Administración del Estado, sus organismos y entidades de Derecho público de ellos dependientes que deban ser conocidos por la Comunidad Autónoma a causa de su incidencia sobre su modelo territorial. En una segunda y última fase, las discrepancias entre los planes y programas promovidos por la Administración del Estado y los instrumentos de ordenación territorial, sin perjuicio de lo establecido en la legislación sectorial, se resolverán de «común acuerdo» (dice la Ley andaluza) o «preferentemente por convenio o mediante la constitución de comisiones mixtas que propongan fórmulas de resolución de las mismas» dice la Ley castellano-leonesa, añadiendo no obstante «sin perjuicio de lo establecido en la legislación sectorial».

Ciertamente, regular *más* es adentrarse en un terreno problemático, y no parecen desacertadas estas leyes citadas en último lugar (y que en esencia agotan la regulación del supuesto en la plasmación de una idea de colaboración) desde el punto de vista constitucional. Porque resulta evidente que, de no ser suficiente la «colaboración», estamos ante un conflicto cuya solución no corresponde tanto darse por una legislación autonómica como por el Alto Intérprete de la Constitución como órgano llamado a resolver el conflicto. Asimismo, antes de recurrir al Tribunal Constitucional, será conveniente e incluso obligado tener en cuenta los criterios de la jurisprudencia constitucional, tanto por el Estado como por la Comunidad Autónoma, a fin de resolver las posibles diferencias.

De ahí que, en todo caso, las Comunidades Autónomas (tanto las que han regulado parcialmente la materia como aquellas otras que no contienen regulación al efecto) siempre deberán dejar abierta al Estado la posibilidad de que éste ejerza las competencias exclusivas con dimensión espacial o territorial. Como también han de dejar abiertos cauces en favor de otras Administraciones que representen, igualmente, intereses suprarregionales, como son hoy las Administraciones europeas.

En este sentido, es ilustrativa la Ley 1/1994, de 11 de enero, de Ordenación Territorial de la Comunidad Autónoma de Andalucía cuando dice, con precisión plausible, que los instrumentos de ordenación territorial sirven de referente para la planificación del Estado y de la Unión Europea en aquellas materias que tengan incidencia territorial. La ordenación territorial es una competencia autonómica que no puede servir para cerrar, una Comunidad Autónoma, al mundo exterior.

Así pues, es preciso insistir en el sentido de la coordinación, en este concreto caso de la ordenación territorial. Es sabido que, en principio, hablar en Derecho de «cooperación» o, de forma similar, de «conciliación» como cauce de solución de diferencias es muchas veces superfluo; así, cuando se insiste por el legislador por ejemplo en los trámites de conciliación entre las partes del conflicto estamos casi siempre ante un trámite procesal que, una vez salvado, permite a las partes plantear ya el litigio y pretender la resolución judicial que les interesa.

Pero, en el ámbito de la ordenación territorial, esto no es así. La cooperación es el cauce jurídico obligado para resolver los problemas que pueden plantearse. Es jurídicamente exigible un esfuerzo real de cooperación, para la legalidad de la actuación que se pretende llevar a cabo.

Sólo en último término prevalecerán las competencias sectoriales del Estado sobre las autonómicas de ordenación territorial, ya que las Comunidades Autónomas no pueden obstruir el ejercicio legítimo de las competencias estatales.

No quedan por ello aquéllas indefensas, ya que pueden defenderse si consideran que el Estado se ha excedido en el ejercicio de sus competencias y ha dejado vacías de contenido las de ordenación territorial de las Comunidades Autónomas (SSTC 32/1983 [RTC 1983, 32], 42/1983 [RTC 1983, 42], 53/1984 [RTC 1984, 53], 143/1985 [RTC 1985, 143] y 149/1998 [RTC 1998, 149]) o, lógicamente, si el Estado ha actuado al margen de la cooperación administrativa que se impone en estos casos[29].

---

29. Típicos problemas de colisión de competencias se plantean en casos en los que, a pesar de la apariencia legal, el Estado considera que la legislación autonómica es más «ambiental» que «territorial», o cuando la Comunidad Autónoma piensa que la legislación estatal es más «territorial» (competencia autonómica) que «ambiental» (competencia estatal). En estos casos se impone, evidentemente, una operación cuidadosa, por parte del Tribunal Constitucional, para la correcta determinación si nos hallamos ante una normativa realmente ambiental bajo la apariencia territorial o viceversa (SSTC 36/1994 [RTC 1994, 36], 28/1997 [RTC 1997, 28] y 149/1998 [RTC 1998, 149]). Un ejemplo más reciente es la STC 14/2004 (RTC 2004, 14), poniendo de manifiesto que la ordenación del territorio no es una patente de corso para impedir al Estado el ejercicio de sus competencias (en este caso energéticas).

Es decir, si la penúltima palabra la tiene el Estado, la última palabra la tiene el Tribunal Constitucional, a pesar de que aquella otra «palabra» tenga *a priori* (en esta materia) una especial *auctoritas* que difícilmente podrá contradecir el Alto Intérprete Constitucional.

Lo mismo ocurre en el Derecho alemán. Es más, en el Estado «federal» de Alemania al Bund se le permite dictar una extensa Ley de ordenación del territorio («das Raumordnungsgesetz» de 18 de agosto de 1997) donde se regula la materia territorial (junto a la Ley federal del Suelo y la reglamentación de desarrollo) y se afirma la vinculación de sus acciones sobre los Länder (artículos 4 y 5 de la citada Ley estatal de ordenación del territorio).

En España, ante la ausencia de una Ley estatal de ordenación del territorio, cobran una especial importancia los principios y criterios desarrollados por el Tribunal Constitucional en la materia, como pautas que nos sirven para dilucidar el límite de las competencias de las CCAA y, sobre todo, como pautas que han de seguir las CCAA cuando ejerciten sus competencias y entren en contacto con una competencia estatal. En efecto, cuando no hay una ley, la jurisprudencia suple su papel.

2. ELABORACIÓN DE UNOS CRITERIOS JURÍDICOS RECTORES DE LAS RELACIONES ENTRE ESTADO Y COMUNIDADES AUTÓNOMAS EN MATERIA DE ORDENACIÓN DEL TERRITORIO

«No hay una ley» estatal de Ordenación del territorio, pero contamos con unos criterios elaborados por el Tribunal Constitucional rectores de las relaciones jurídicas entre Comunidades y Estado. El sistema español de ordenación del territorio es, en el fondo, similar a un modelo, esta vez, de *case law*. Ante un posible litigio, el intérprete o interesado ha de acudir a la jurisprudencia existente para saber cómo resolverlo. Tiene, nuestro modelo, todos los inconvenientes de un «case law», ya que no queda más remedio que tomarse la molestia y tiempo de consultar y estudiar las recopilaciones jurisprudenciales, en ausencia de una Ley estatal reguladora de la ordenación del territorio donde podrían constar dichos criterios. Ello simplificaría notablemente la aplicación del Derecho. No tiene, pues, agresividad alguna propugnar una Ley estatal en este ámbito que plasmase los criterios del Tribunal Constitucional.

En todo caso, el «buen Derecho» de la ordenación del territorio puede explicarse a través de una serie de criterios jurídicos rectores de las relaciones entre Estado y CCAA y que son reglas jurídicas que deben ser observadas por ambas instancias de poder.

La virtualidad de elaborar y enumerar estos criterios está, en buena medida, en abrir cauces de defensa en favor del Estado o de la Comunidad Autónoma para el caso precisamente de que aquéllos se incumplan. Por eso puede decirse que tales criterios (que voy a citar seguidamente) tienen un carácter predominantemente procedimental. Por tanto, pueden llegar a tener especial virtualidad práctica, considerando que no es siempre fácil discutir los proyectos y planes desde el punto de vista de sus contenidos. Estos *criterios* representan típicas reglas jurídicas en las que han de combinarse con especial sensibilidad jurídica distintos intereses o elementos. Representan un sistema de «pesos y contrapesos».

La nueva Ley del suelo estatal 8/2007, lejos de regular estas cuestiones, omite una regulación sobre el particular, ya que las alusiones de los artículos 2 y 3 del citado texto legal no tienen contenidos concretos.

De ahí también que, de elaborarse una Ley estatal de ordenación del territorio[30], los siguientes criterios representarían a mi juicio su soporte principal:

1. El Estado, en el ejercicio de sus competencias, ha de amoldarse inicialmente al planeamiento territorial que esté establecido en la Comunidad Autónoma correspondiente. Sería exigible, pues, una actitud inicial de intento de adecuación al modelo territorial de la Comunidad Autónoma.

2. En esta línea, en términos estrictamente territoriales, el Estado no puede en ningún caso intentar imponer un modelo territorial frente al modelo autonómico, ya que las CCAA tienen la competencia exclusiva de legislar y de gestionar la Ordenación del territorio propiamente dicha.

3. Esta necesidad de amoldarse al marco territorial autonómico sería mayor si el Estado ha intervenido o participado adecuadamente en la elaboración del planeamiento territorial de las CCAA, en especial en el supuesto en que la Comunidad Autónoma ha seguido las observaciones o proyectos

---

30. Por todos, pues son varios los autores que han hablado de la posibilidad o necesidad de una Ley estatal de Ordenación del Territorio, puede verse A. A. PÉREZ ANDRÉS, *La ordenación del territorio en el Estado de las Autonomías,* Madrid, 1998, donde se apunta primero la posibilidad de una Ley de Armonización (artículo 150.3 CE), o una Ley Marco (artículo 150.1 CE) sobre las materias de competencia estatal que inciden en el territorio sin perjuicio de la competencia autonómica de desarrollo o concreción de dicho marco, o una Ley-Plan de la Actividad Económica General (artículo 131 CE).

que propone el Estado o cuando el propio Estado ha mostrado su conformidad con el plan de ordenación territorial autonómico (sobre esta cuestión incidiremos *infra* de nuevo).

4. Por contrapartida, el Estado ha de poder, en todo caso, «repercutir» en la ordenación territorial autonómica, mediante el ejercicio de sus competencias sectoriales.

5. No obstante, el Estado (mediante el ejercicio de sus competencias sectoriales) no puede llegar a dejar *vacías de contenido* las competencias de ordenación territorial de las CCAA. Si se produce, *de facto,* este resultado, a juicio de la parte afectada (lógicamente, la Comunidad Autónoma), ésta lo hará valer en el nivel que corresponda (*nivel* preferentemente administrativo, en el marco de los procedimientos de cooperación, como ya nos consta).

6. Por tanto, los posibles conflictos o simples diferencias deben solucionarse por la vía de la coordinación y la cooperación.

Se imponen así una serie de condicionantes, de carácter más o menos procedimental o material, en el ejercicio de las competencias del Estado y de las CCAA (necesidad de que el Estado considere el mapa territorial regional, audiencia en favor de los demás interesados...). De obviarse aquéllos, se abre a los interesados un cauce de contestación y de defensa.

En consecuencia, una actuación del todo al margen de los condicionantes citados representaría una imposición de una parte sobre la otra que haría contestable la actuación o decisión tomada. Dice el Tribunal que «existe prevalencia de la competencia estatal sectorial si son insuficientes los cauces de cooperación» (STC 149/1998 [RTC 1998, 149]).

En cambio, será difícilmente contestable un proyecto con tal de que se limite a cumplir con los intereses ajenos.

3. ALCANCE DE UN SISTEMA DE COORDINACIÓN EN EL MISMO MOMENTO DE LA ELABORACIÓN DE LOS PLANES

En principio, parece deseable fomentar el sistema de coordinación a través de procedimientos autonómicos de ordenación del territorio mediante los cuales se consiga integrar (mediante la correspondiente fase de audiencia) la voluntad del Estado y la de otras Administraciones e interesados[31].

---

31. Así por ejemplo puede consultarse el artículo 11.2 del Decreto Legislativo 1/2000, de 8 de mayo, de Canarias, por el que se aprueba el Texto Refundido de las Leyes de Ordenación del Territorio y de Espacios Naturales Protegidos de Canarias, donde se establece un deber general de consulta, en favor de todas las Administraciones públicas afectadas, respecto de todos los procedimientos administrativos que tengan por objeto la aprobación, modifica-

Las características y méritos de este sistema de actuación coordinada antes de que se apruebe el plan estaría:

1. En llevar la *ratio* de la coordinación a los procedimientos mismos de elaboración del planeamiento territorial, en vez de a la fase ulterior de la ejecución misma de dichos planes.

2. En que, de esta forma, se descarga el grueso de la litigiosidad a un momento anterior al de la de la aprobación del plan. Con anterioridad a dicho momento, el Estado ha tenido ocasión de presentar sus proyectos y de ejercer sus competencias sectoriales a las cuales ha de ajustarse la definición del modelo territorial de la Comunidad Autónoma.

3. En que, de esta forma consensuada, el plan autonómico de ordenación territorial gana legitimidad y fomenta la cooperación interadministrativa.

4. En que se consigue plasmar una *ratio* de control preventivo, siempre deseable, sobre las actuaciones, en vez de buscar solución en una idea de imposición de una Administración sobre otra.

5. En contribuir a evitar que las CCAA realicen prácticas que *de facto* se adelanten a la ejecución futura de planes estatales contraviniendo los intereses del Estado.

6. Y lo que es decisivo: en que al Estado se le obligaría a una mínima motivación en el caso de que, después de ser aprobado el plan de Ordenación del Territorio con su consenso (o incluso con su directa participación o plasmación de sus proyectos), quiera cambiar de criterio.

Puede ser objeto de discusión, sobre este extremo mencionado en último lugar, el grado de vinculación que puede llegar a tener –sobre el Estado– un plan autonómico de ordenación del territorio, una vez se aprobara éste y el Estado se mostrara conforme con sus contenidos[32].

---

ción o revisión de los instrumentos de planeamiento para la ordenación del territorio; en términos similares, los arts. 10.2 *in fine* y 30.2 prevén la necesidad de recabar un informe del Estado y de las Administraciones locales en el procedimiento de elaboración de las directrices de ordenación del territorio o de los planes de ordenación del medio físico, respectivamente. También llega a matizarse la vinculación del planeamiento local, estableciendo ciertos grados de vinculatoriedad: «vinculación excluyente, alternativa u orientativa» (en el modelo de la ya derogada Ley 7/1990, de Ordenación del Territorio cántabra; en sentido similar al previsto, por ejemplo, en la actual Ley 10/1998, de Ordenación del Territorio de Castilla y León).

32. Sobre este régimen jurídico, en un plano jurisprudencial, informa la STS de 3 de marzo de 1986 (RJ 1986, 2305), donde se afirma la primacía del plan territorial sobre un proyecto militar, también el antecedente de los Planes Directores Territoriales de Coordinación, en torno a los cuales el TRLS/1976 ya preveía un sistema similar al que ha sido expuesto,

Se ha afirmado que, cuando se aplique este sistema, por razones (entre otras) de seguridad jurídica y de interdicción de la arbitrariedad, «el carácter vinculante, para todas las Administraciones Públicas, de tales Planes de Ordenación del territorio y su consecuente carácter coordinador de las múltiples competencias que inciden sobre el territorio son premisas indispensables para afrontar el análisis de los distintos sistemas autonómicos de Planificación territorial»[33].

Se critica entonces el exceso de voluntarismo de las Administraciones (en definitiva, la primacía de la política sobre el Derecho) siendo, por el

como es sabido. Añado también, por ejemplo, la STSJ de Baleares de 26 de febrero de 2002 (RJCA 2002, 180). Puede considerarse igualmente la STC 36/1994 (RTC 1994, 36) (siguiendo la STC 149/1991 [RTC 1991, 149]). Parte esta sentencia de que la facultad para aprobar los planes de ordenación territorial corresponde a las Comunidades Autónomas con competencia exclusiva en la materia. Es cierto que en el ejercicio de esta competencia las Comunidades Autónomas, al elaborar y aprobar los planes, deben respetar los condicionamientos que se deriven de las facultades estatales de protección y gestión del dominio público que integra físicamente su territorio y de otras competencias sectoriales del Estado como medio ambiente, la defensa nacional o la iluminación de costas, que también tienen incidencia territorial. La necesidad de respetar estos actos de ejercicio de competencias estatales puede justificar el establecimiento de mecanismos de coordinación y cooperación concretos que garanticen ese respeto. *Sin embargo, de esto no se sigue que la aprobación autonómica de los planes o normas de ordenación territorial requieran un genérico informe preceptivo y vinculante del Estado,* ya que con ello se convertiría un acto de competencia exclusiva de la Comunidad Autónoma, en un acto complejo resultado de la concurrencia de dos voluntades, la del Estado y la de la Comunidad Autónoma. Según la STC 36/1994 (RTC 1994, 36), «el Plan es el instrumento básico y esencial de la ordenación del territorio, el elemento definidor de la actuación urbanística, sin el cual no puede concebirse el ejercicio de la competencia ordenadora del territorio. De todo lo cual se deriva que la creación de instrumentos de planeamiento, para el ámbito territorial propio de la Comunidad Autónoma, forma parte de la potestad de planeamiento que resulta inherente al ejercicio de la competencia exclusiva en materia de ordenación territorial».
En un plano normativo una norma que refleja esta regla de necesidad de pedir informes antes de la aprobación del planeamiento puede ser el artículo 153 del Reglamento de la Ley de Urbanismo de Castilla y León, de 2 de febrero de 2004.

33. El eje de la Ordenación del Territorio (desde el punto de vista de las relaciones Estado-CCAA) pasa a estar en un procedimiento para la aprobación de los planes de ordenación del territorio, en el sentido de abrir un trámite de audiencia en favor del Estado (junto a otras Administraciones o interesados) a efectos de que, una vez que el Estado se ha pronunciado en un determinado sentido (en el seno de un procedimiento autonómico de elaboración del planeamiento de ordenación territorial), dicho Estado no pueda contrariar el plan de ordenación territorial que cuenta ya con su consenso (A. A. Pérez Andrés, *La ordenación del territorio en el Estado de las Autonomías,* Madrid, 1998, pp. 424 y ss., 436, 630 y nota a pie de página 192). Véase también, sobre estos temas, P. Escribano Collado, «Comunidades Autónomas y ordenación del territorio», *Revista Andaluza de Administración Pública,* nº 3, 1990, pp. 34 y ss. y A. García Álvarez, «La ordenación del territorio en el Estado de las Autonomías», *Estudios territoriales,* nº 1, Madrid, 1981; A. Lobo Rodrigo, *La ordenación territorial y urbanística de las redes de telecomunicación,* Madrid, 2007; T. Quintana López, «Las licencias urbanísticas municipales y las obras públicas», *RAP,* 112, 1987.

contrario, deseable juridificar los distintos ámbitos en el plano de las relaciones entre Estado y Administraciones Autonómicas en las actuaciones de ordenación del territorio.

A mi juicio, la virtualidad de este sistema expuesto de coordinación de voluntades, en el sentido expuesto *supra,* no está sino en fomentar decisivamente la coordinación, también en aumentar la legitimidad del plan, y en procurar resolver el grueso de los problemas jurídicos *ex ante,* plasmando fórmulas preventivas de resolución de conflictos siempre deseables.

Pero no debe exagerarse o enfatizarse este sistema de coordinación hasta el punto de pretender una estricta y hasta férrea vinculación del Estado, al plan autonómico, por el hecho de que en dicho plan se ha dado audiencia al Estado y éste ha dado su beneplácito expresa o tácitamente.

Cerrar al Estado la posibilidad de alterar el plan de ordenación territorial significa bloquear la posible evolución de planteamientos sociales o la posible discusión sobre la mejor ejecución de las obras públicas, en una fase además (incluso de posible preplanificación) en la que no siempre será fácil predestinar la mejor localización de las redes energéticas o de transportes, etc.[34].

Sería además complejo predeterminar, en un momento tal como el de la aprobación de un plan de Ordenación del Territorio, todos sus posibles desarrollos, entre ellos incluso aquellos que se deriven de (por ejemplo) la aplicación de la legislación de expropiación forzosa (y posible discusión del acto de necesidad de ocupación y posibles alternativas de trazados) o de la legislación contractual pública y la consideración de las posibles ofertas (y hasta variantes) en la fase de adjudicación del contrato administrativo de obras públicas.

Por eso, aun en estos casos en que (correctamente) se ha integrado la voluntad del Estado en un procedimiento autonómico de Ordenación del Territorio, debe dejarse abierta la posibilidad de que el Estado pueda provocar (sin trabas) la modificación del plan de ordenación del territorio en todo

---

34. De hecho, la legislación autonómica de Ordenación del Territorio deja claro el sistema en cuya virtud el Estado puede presentar planes y programas con incidencia sobre el modelo territorial autonómico, a efectos de que la Comunidad Autónoma se ponga de acuerdo con el Estado respecto de la planificación pretendida por éste, sin poner tampoco en duda la primacía de la competencia estatal de carácter sectorial (Ley 1/1994, de 11 de enero, de Ordenación Territorial de la Comunidad Autónoma de Andalucía, artículos 28 y ss.; Ley 10/1998 de Castilla y León, art. 27.4 y 5; Ley de Ordenación del País Vasco 4/1990, de 31 de mayo, artículos 16 y ss.).

momento. Ni siquiera se trata de dejar a salvo un esencial *ius variandi,* sino ante algo aún incluso más básico y elemental[35].

Eso sí, mediante este sistema «posible» de procedimientos de coordinación, el Estado, si desea cambiar de criterio (respecto de aquel que expresó en el procedimiento de aprobación del plan de Ordenación del Territorio), quedaría obligado a una cierta motivación o explicación de las razones que llevan a un cambio respecto de su primera valoración, siempre en el ejercicio de sus competencias sectoriales.

Así pues, en vez de instaurar un procedimiento único, mejor parece fijar una serie de criterios rectores de la Ordenación del Territorio, en la línea expuesta *supra,* que sirvan de orientación a las Administraciones actuantes.

4. LA ORDENACIÓN DEL TERRITORIO SECTORIAL

El sistema jurídico español de Ordenación del Territorio *lege lata* admite una posible interpretación en el sentido de afirmar que, finalmente, el Estado conseguiría desarrollar una ordenación del territorio mediante el ejercicio de sus competencias sectoriales, de tal modo y manera que las CCAA se limitarían a plasmar territorialmente aquellas otras competencias sectoriales que corresponden al Estado.

Esta interpretación no carece de optimismo, en el sentido de descubrir una cierta revitalización del papel del Estado en el contexto de la Ordenación del Territorio que compensaría el desapoderamiento que ha sufrido dicho Estado, a raíz de la Constitución y de las legislaciones autonómicas de Ordenación del Territorio y de la jurisprudencia del Tribunal Constitucional[36].

---

35. Podría objetarse que, con ello, cede la eficacia del modelo de procedimiento único de coordinación de voluntades, pero no es así porque la virtualidad del modelo no puede estar en querer resolver *ex ante* todos y cada uno los problemas de la Ordenación del Territorio (desde el punto de vista de las relaciones Estado-CCAA o incluso Administraciones locales), bastando con que, de forma preventiva, se pueden resolver buena parte de los problemas de descoordinación futura a través de una inicial *integración* de voluntades. El sistema, concebido así (de forma flexible) puede descargar la litigiosidad, fomentar la cooperación interadministrativa, junto a otras virtualidades que he expuesto *supra.* Es sabido que a los planes de ordenación territorial no les es del todo ajena una idea de coordinación, sin negar por ello su carácter vinculante.

36. Sobre todo este debate J. L. GONZÁLEZ-BERENGUER URRUTIA, *Urbanismo sectorial, las carreteras, los cursos de agua, el patrimonio histórico,* Madrid, 1999 *in totum;* además: F. J. ENÉRIZ OLAECHEA, «La ordenación del territorio en la Comunidad Foral de Navarra», *Revista Vasca de Administración Pública,* nº 24, 1989, pp. 181 y ss.; T. R. FERNÁNDEZ RODRÍGUEZ, *Competencias sectoriales y su integración sectorial,* en Jornadas sobre Ordenación del Territorio, Vitoria, 1991; F. LÓPEZ RAMÓN, «La ordenación del territorio en la Comunidad de Madrid», en: R. GÓMEZ-FERRER MORANT (Coordinador), *Estudios sobre la Comunidad de Madrid,* Madrid, 1987; del mismo autor, «Urbanismo municipal y ordenación del territorio», *REDA,* nº 82, 1994; F. LÓPEZ

No obstante, es preciso dejar claro que el modelo español de ordenación del territorio (bien fundamentado por el Tribunal Constitucional) no parte de una concepción de ordenación territorial estatal indirecta o sectorial, ya que, por contrapartida, el Derecho español *parte* claramente del dato de la competencia exclusiva de las CCAA en materia territorial, competencia que incluso no puede dejarse vacía de contenido por el Estado en ejercicio de sus competencias sectoriales. Nuestro Derecho afirma una idea de ordenación del territorio integral en favor de las CCAA, así como una idea de coordinación interadministrativa para la resolución de posibles diferencias entre Estado y CCAA.

Además, han de considerarse las competencias sectoriales de las propias CCAA que interfieren en la ordenación del territorio autonómica. A este nivel autonómico, nada impediría para que las CCAA siguieran si quieren un criterio de primacía de lo territorial sobre lo sectorial, es decir, dando primacía a las Consejerías con competencia en materia territorial sobre aquellas otras con competencias en materia de infraestructuras o medio ambiente por ejemplo. Pero, no es el caso, ya que según las leyes autonómicas decide el Gobierno de la Comunidad en caso de conflicto.

Seguidamente se aborda el estudio de casos concretos (puertos, aguas, carreteras...) desde este punto de vista de las posibles colisiones entre Estado y CCAA desde un punto de vista constitucional, reservando para un momento posterior (véase parte cuarta dedicada a «planeamiento») el estudio de la perspectiva práctica o administrativista de este mismo tema de posibles colisiones competenciales cuando se elabora un determinado plan urbanístico.

5. ORDENACIÓN DEL TERRITORIO Y URBANISMO Y ORDENACIÓN PORTUARIA[37]

A. Planteamiento.

Seguidamente, se estudian ejemplos concretos, empezando por los puertos.

RAMÓN, «Fundamentos de una ordenación del territorio sectorial», *Autonomies,* nº 14, 1992; F. LÓPEZ RAMÓN, «Las competencias autonómicas sobre ordenación del territorio», en E. BAR CENDÓN (Coordinador), *El Estatuto de Autonomía de Cantabria. Perspectivas doctrinales y prácticas,* Santander, 1994; J. L. MEILÁN GIL, «Comunidades Autónomas y dominio público-terrestre. El proyecto de la Ley de Costas», *Revista de Derecho Urbanístico,* nº 108, 1988, pp. 125 y ss.; A. MENÉNDEZ REXACH, «Coordinación de la ordenación del territorio con políticas sectoriales que inciden en el medio físico», *Documentación administrativa IV. Administración y Constitución: El principio de coordinación,* 230-231, 1992; L. PAREJO ALFONSO, «La ordenación territorial: un reto para el Estado de las Autonomías», *REALA,* nº 226, 1985.

37. Puede verse R. ESTÉVEZ GOYTRE, *RDU,* nº 135, 1995; J. E. GARRIDO ROSELLÓ, *RDU,* nº 145 bis

La Ley estatal 27/1992, de 24 de noviembre, de Puertos del Estado y de la Marina Mercante contiene regulaciones que, cuando menos, rozan la ordenación del territorio y urbanismo. No parece poder ser de otra forma. La planificación, proyección y construcción de los puertos, así como la ampliación o modificación de los existentes conlleva inevitablemente lo que uno de los artículos (el art. 18 concretamente) ha dado en calificar como «consideración urbanística de los puertos». Dicho de manera más precisa, los puertos son enclaves en un territorio, lo que plantea la cuestión de cómo solucionar la delimitación de los ámbitos respectivos del Estado, en materia de puertos de interés general, y las CCAA y locales en cuanto a su ordenación urbanística y territorial.

Este problema ha sido abordado por la importante STC 40/1998, de 19 de febrero (RTC 1998, 40). Su denso apartado IV «ordenación del territorio y urbanismo» puede considerarse seguramente el apartado nuclear de la sentencia y en él se aborda el problema de la delimitación de la competencia estatal en materia portuaria y la competencia autonómica de ordenación del territorio y urbanismo.

Los argumentos y razonamientos de esta sentencia nos son en parte conocidos en este momento: primero, la necesidad de reconocer la dimensión espacial de ciertos títulos constitucionales del Estado, como por ejemplo defensa (art. 149.4 CE), ferrocarriles y transportes terrestres que transcurren por el territorio de más de una Comunidad (art. 149.1.21 CE), puertos y aeropuertos (art. 149.1.20), planificación de la actividad económica general (art. 131.1), titularidad del dominio público estatal (art. 132.2 CE), etc.; segundo, la necesidad de buscar fórmulas que permitan la articulación de títulos competenciales estatales y autonómicos mediante la colaboración entre ambas instancias; tercero, la regla de prevalencia de la competencia exclusiva del Estado.

La pregunta acerca de la aplicación de estos criterios generales al ámbito portuario lleva a hacer referencia a ciertos contenidos de la Ley de Puertos y de la Marina Mercante y de la STC 40/1998 (RTC 1998, 40). De ambos textos se obtiene el régimen jurídico de la ordenación del territorio por referencia a los puertos.

1995; L. Parejo Alfonso, *RDU,* nº 135, 1995; F. J. Jiménez de Cisneros Cid, *RDU,* nº 145, 1995; R. Rivas Andrés, *RDU,* nº 196, 2002; y el libro de P. Acero Iglesias, *Ordenación y régimen jurídico de los puertos estatales,* Pamplona, 2002 y las obras allí citadas, entre ellas el clásico de L. Cosculluela Montaner, *Administración portuaria,* Madrid, 1973.

B. La delimitación del espacio público portuario

El sistema de la citada Ley, en lo que aquí interesa, partiría de la delimitación del dominio público portuario. En su artículo 15.1, impugnado por algunas CCAA, se reconoce al *Ministerio de Obras Públicas y Transportes* la potestad de delimitar en los puertos de competencia estatal una «zona de servicio», que incluirá superficies de tierra y agua necesarias para la ejecución de sus actividades, las destinadas a tareas complementarias de aquéllas y los espacios de reserva que garanticen la posibilidad de desarrollo de la actividad portuaria.

Pues bien, este art. 15 se impugnó alegando básicamente la inconstitucionalidad de la inclusión dentro de las zonas de servicio de las «tareas complementarias», «espacios de reserva» y, en particular, «espacios de reserva que garanticen la posibilidad de desarrollo de la actividad portuaria».

La impugnación del presente art. 15 debe entenderse en conexión con la impugnación hecha al art. 3.6 (inciso segundo) de la misma Ley de Puertos y Marina Mercante, según el cual los puertos pueden incluir en su ámbito espacios destinados a otras actividades no comerciales cuando éstos tengan carácter complementario de la actividad esencial, o a equipamientos culturales o recreativos, certámenes feriales y exposiciones, siempre que no se perjudique globalmente el desarrollo de las operaciones de tráfico portuario.

Según los recurrentes, primero, los «equipamientos culturales o recreativos, certámenes feriales y exposiciones» son actividades cuyo ejercicio se corresponde con el urbanismo y la ordenación del territorio como competencia autonómica y, además, su inclusión dentro de la zona de servicio del puerto lleva a aumentar artificialmente los espacios públicos destinados a este tipo de actividades.

Según la STC 40/1998 (RTC 1998, 40), el art. 3.6 no es inconstitucional ya que, primero, estamos ante una simple «autorización» para realizar dichos equipamientos y, segundo, la inclusión de dichos equipamientos dentro de la zona portuaria debe hacerse respetando el criterio de la debida «justificación de la necesidad o conveniencia de dichos usos» (por establecerlo así el art. 15.2), de modo que queda siempre a salvo la posibilidad de impugnar jurisdiccionalmente toda delimitación que el Estado realizara, de dicha zona, de manera injustificada.

Es preciso advertir, no obstante, la dificultad de que prospere una acción procesal en estos casos considerando tanto los términos del precepto «justificación de la necesidad o *conveniencia* de dichos usos» como las limitaciones

100

que presenta este tipo de control, de la jurisdicción contencioso-administrativa, sobre el ejercicio de estas potestades de tipo discrecional.

Por su parte, el artículo 15 se impugnó en este contexto por considerarse que la delimitación como zona de reserva de este tipo de actividades «complementarias» invadía las competencias autonómicas, por quedar aquéllas bajo el exclusivo control de las autoridades estatales debido a que la zona de servicio ha de ser calificada como sistema general portuario (art. 18.1).

Sin embargo, el Tribunal Constitucional entiende que no se menoscaban las competencias de las CCAA, ya que «la competencia sobre puertos se extiende a la realidad física de éstos y a las actividades portuarias (STC 77/1984 [RTC 1984, 77]), pero no cualesquiera otras actividades que puedan desarrollarse en el recinto portuario y, en consecuencia, no se entiende por qué deben considerarse excluidas las competencias que sobre las distintas actividades (pesca, organización de ferias, etc.) pueden corresponder a las CCAA». Además, la posibilidad de que se desarrollen actividades complementarias o equipamientos «quedará siempre supeditada a las determinaciones del plan especial del puerto que tramita y aprueba la Administración urbanística correspondiente».

Por lo que se refiere a los *«espacios de reserva»*, frente a la impugnación realizada, el Tribunal Constitucional consideró que «debe rechazarse la pretendida inconstitucionalidad de la inclusión en la zona de servicio portuario de espacios de reserva para el futuro crecimiento del puerto» (es decir, espacios que garanticen la posibilidad de desarrollo de la actividad portuaria), ya que «la competencia exclusiva del Estado sobre un determinado puerto justifica la adscripción al mismo de aquellos espacios que, previsiblemente, serán necesarios para garantizar en el futuro el correcto desenvolvimiento de la actividad portuaria».

Así pues, a pesar de tener que reconocer la repercusión territorial de la inclusión de «espacios de reserva» el artículo 15 de la citada Ley no es inconstitucional.

C. El plan de utilización de los espacios portuarios

En virtud del art. 15.2 de la Ley que nos ocupa, la zona de servicio es delimitada por el citado Ministerio, a propuesta de la Autoridad portuaria, mediante un plan de utilización de los espacios portuarios incluyendo los usos previstos para las diferentes zonas del puerto[38].

---

38. Es ilustrativa la lectura de alguna de las órdenes ministeriales por las que se aprueba un *plan de utilización de los espacios portuarios,* como por ejemplo la Orden de 10 de diciembre

Con carácter previo a la aprobación del plan deberán emitirse una serie de **informes,** entre los que se incluyen los de las Administraciones urbanísticas sobre los aspectos de su competencia (artículo 15.2) y los de las Administraciones públicas con competencia en materia de pesca en aguas interiores y ordenación del sector pesquero y, en su caso, de industria, construcción naval y deportes (artículo 15.4); estos informes se entienden favorables si no se emitieran en un mes desde la recepción de la propuesta.

Puede así observarse la directa interrelación entre la ordenación del territorio y urbanismo, por una parte, y la ordenación portuaria, por otra, hecho que es el que aquí interesa resaltar a efectos de estudiar el régimen de ordenación territorial en zona portuaria.

Frente a las alegaciones de los recurrentes contra el sistema de aprobación ministerial del plan (apoyándose aquéllos en la competencia autonómica en materia de ordenación del territorio), el Tribunal Constitucional afirma la legitimidad del sistema, ya que el plan sirve como instrumento para la delimitación del perímetro portuario (no para regular los usos urbanísticos en la zona). De ahí que tanto la ubicación del puerto como dicha delimitación deben ser decididas por el Estado en cuanto titular de la competencia sobre puertos (STC 40/1998 [RTC 1998, 40]).

Por otra parte, a dicho sistema es esencial la participación de otras Administraciones diferentes de la estatal (precisamente, la ausencia de instrumentos de colaboración y de cauces de participación de las CCAA, es lo que llevó a la STC 40/1998 [RTC 1998, 40] a declarar inconstitucional el art. 21.4 de la Ley de Puertos, donde no se preveían suficientes cauces de participación)[39].

Por su parte, la configuración de los informes como informes no vinculantes se justifica ya que las competencias sobre urbanismo y ordenación del

---

de 1999, por la que se aprueba dicho Plan en el Puerto de Gijón-Musel, BOE 305, de 22 de diciembre de 1999 p. 44926.

39. En esta línea, una STS de 30 de septiembre de 1992 (RJ 1992, 7000) deja también claro que «la doctrina de esta Sala (...) viene señalando que la atribución de competencia sobre un ámbito físico determinado no impide que se ejerzan otras competencias en ese mismo espacio; y así nada tiene de extraño que en el espacio físico de un puerto de interés general concurren el ejercicio de la competencia del Estado en materia portuaria y el de la Comunidad Autónoma en materia urbanística, puesto que las zonas de dominio público marítimo forman parte integrante del territorio municipal, si bien esta concurrencia será posible cuando el ejercicio de la competencia de la Comunidad Autónoma no se interfiera en el ejercicio de la competencia estatal ni la perturbe. En el caso que nos ocupa, ni la Comunidad Autónoma ni el Ayuntamiento de Ibiza se han excedido en sus competencias al aprobar la Revisión del Plan General de Ordenación urbana en cuanto se refiere a la zona portuaria, por ser las posibilidades innovatorias de un Plan algo inherente a su propia naturaleza».

territorio están condicionadas en estos casos por el ejercicio de la competencia estatal exclusiva en materia portuaria.

D. El problema de la ordenación urbanística del puerto

a) *La obligación de que la ordenación urbanística califique la zona de servicio de los puertos estatales como sistema general portuario.*

Al objeto de lograr la necesaria articulación entre las Administraciones con competencias convergentes sobre el espacio portuario, la idea básica y esencial de la Ley de Puertos es que los instrumentos generales de ordenación urbanística «deben calificar la zona de servicio de los puertos estatales como sistema general portuario» (artículo 18.1).

Dicho *sistema general* se desarrollará a través de un plan especial o instrumento equivalente, el cual debe incluir entre sus determinaciones las medidas y previsiones necesarias para garantizar una eficiente explotación del espacio portuario, su desarrollo y su conexión con los sistemas generales de transporte terrestre.

La doctrina del Tribunal Constitucional es clara sobre el particular (obsérvese también la interesante cita a la STC 61/1997 [RTC 1997, 61]):

«Es cierto que se impone a las autoridades urbanísticas una determinada calificación de los puertos a efectos urbanísticos, pero esa imposición tiene su apoyo en una competencia exclusiva del Estado –la competencia sobre puertos de interés general– y, por otra parte, no supone la ablación de las competencias sobre urbanismo y ordenación del territorio. En la STC 61/1997 (RTC 1997, 61) este Tribunal ha afirmado que la competencia autonómica exclusiva sobre urbanismo ha de integrarse sistemáticamente con aquellas otras estatales que, si bien en modo alguno podrían legitimar una regulación general del entero régimen jurídico del suelo, puede propiciar, sin embargo, que se afecte puntualmente a la materia urbanística (...). En el presente caso, la imposición de que los instrumentos generales de ordenación urbanística califiquen a la zona de servicio de los puertos estatales como sistema portuario tiene su apoyo en el art. 149.1.20 CE (...). Además, con la calificación de la zona de servicio de los puertos como sistema general no se están excluyendo las competencias sobre urbanismo».

b) *La participación, en la tramitación del plan, de las distintas Administraciones*

Con claridad puede observarse la interrelación entre lo portuario y lo urbanístico en el sistema diseñado por la Ley de Puertos, en orden a la tramitación de los planes de ordenación urbanística.

Primero, el plan se formula por la Autoridad portuaria y es tramitado y aprobado por la Administración urbanística competente. Ésta, no obstante, antes de la aprobación definitiva deberá dar traslado del plan a la Autoridad portuaria que deberá pronunciarse sobre los aspectos de su competencia en el plazo de un mes. Si el informe es negativo (o no se realizara dicho traslado), la Administración urbanística no puede proceder a la aprobación definitiva del plan especial, debiendo aquélla efectuar las consultas necesarias con la Administración portuaria a fin de llegar a un acuerdo expreso sobre el contenido del mismo. Si el desacuerdo persiste durante un período de seis meses, corresponde al Consejo de Ministros informar con carácter vinculante (artículo 18.2).

El Tribunal Constitucional ha dado también por válido este régimen jurídico en su STC 40/1998 (RTC 1998, 40), considerando que no se vacían las competencias sobre ordenación del territorio y urbanismo de las CCAA, ya que el plan es el instrumento específicamente previsto para articular la necesaria coordinación entre las Administraciones con competencia concurrente sobre el espacio portuario. Además, no puede olvidarse que el plan se aprueba, en definitiva, por la Administración urbanística competente. El problema se reconduce, pues, a la constitucionalidad del sistema de informe vinculante, como única excepción de relieve frente a dicha aprobación incondicionada de la que goza dicha Administración.

En efecto, si «el desacuerdo persiste durante un período de seis meses, corresponde al Consejo de Ministros informar con carácter vinculante». De este modo, se admite que el informe del Estado pueda acabar imponiéndose sobre la Administración urbanística. Aunque es evidente que este hecho resulta una mediatización sobre las CCAA en materia de urbanismo, según el Tribunal Constitucional, y «como ya hemos señalado en anteriores ocasiones, la técnica del informe favorable simplifica la tramitación (...), evitando tener que seguir dos procedimientos separados y facilitando la colaboración entre las Administraciones estatal y autonómica para el cumplimiento de sus distintos fines».

E. El régimen especial de obras

Un estudio de la interconexión entre materia portuaria y urbanismo y ordenación del territorio lleva a referirse al régimen de obras en el dominio público portuario previsto en la Ley de Puertos y de la Marina Mercante.

Según esta Ley, una vez aprobado el plan especial, a él deberán adaptarse las obras que realicen las autoridades portuarias en el dominio público portuario y, para constatar que es así, se someterán aquéllas a informe de la Administración urbanística competente (art. 19.1).

La segunda regla importante es que las obras de nueva construcción, reparación y conservación que se realicen en dominio público portuario por las Administraciones portuarias no estarán sometidas a los actos de control preventivo municipal a que se refiere el art. 84.1.b de la LBRL por constituir obras de interés general (art. 19.3 de la Ley de Puertos y de la Marina Mercante).

Pero surge entonces la siguiente pregunta: ¿vulnera este régimen la autonomía local?

Según la STC 40/1998 (RTC 1998, 40) es preciso partir recordando que, «según este Tribunal ha declarado, la autonomía local prevista en los arts. 137 y 140 CE se configura como una garantía institucional con un contenido mínimo que el legislador debe respetar». No es por otra parte «necesario argumentar particularmente que, entre los asuntos de interés de los municipios y a los que por tanto se extienden sus competencias, está el urbanismo». No obstante, *«no puede considerarse que atente contra la autonomía que garantiza el artículo 137 CE el que el legislador disponga que, cuando existan razones que así lo justifiquen, la intervención municipal se articule por medio de otros procedimientos adecuados para garantizar el respeto a los planes de ordenación urbanística».*

En nuestro caso, la Ley «no excluye la intervención del Municipio, el cual debe emitir un informe sobre la adecuación de tales obras al Plan especial de ordenación del espacio portuario. Se garantiza, por tanto, la intervención del ente local tal y como exige la garantía institucional de la autonomía municipal».

Existe, no obstante, un límite relacionable con aquellas actividades a las que *supra* nos referíamos (complementarias a los puertos, no estrictamente portuarias). Según la STC 40/1998 (RTC 1998, 40), «la facultad del Estado de incidir sobre la competencia urbanística, sustituyendo la previa licencia por el informe se limita, por tanto, *a las obras portuarias en sentido estricto,* pero no puede alcanzar a aquellas otras que, aunque realizadas en la zona de servicio del puerto, son de naturaleza diversa; en tales casos, será de aplicación la legislación urbanística general y, en principio, la exigencia de licencia previa que corresponde otorgar al Ayuntamiento competente».

Esta doctrina podría a su vez relacionarse con otra sentencia del Tribunal Constitucional, asimismo en materia de puertos (STC 77/1984 [RTC 1984, 77], citando a su vez la STC 113/1983 [RTC 1983, 113]), donde se deja claro, dando razón esta vez a la Comunidad Autónoma del País Vasco, que la competencia exclusiva del Estado sobre la propia realidad del puerto y la actividad relativa al mismo, no incluye «cualquier tipo de actividad que afecte al espacio físico que abarca el puerto».

F. La construcción de nuevos puertos de titularidad estatal

La construcción de nuevos puertos de titularidad estatal viene regulada en el art. 20 en virtud del cual dicha construcción exige la aprobación del proyecto por el Ministerio de *Obras Públicas y Transportes*.

Previamente, las Comunidades Autónomas y Ayuntamientos en los que se sitúe la zona de servicio del puerto deben emitir informes en relación con sus competencias de ordenación del territorio y con sus competencias de pesca en aguas interiores y ordenación del sector pesquero (art. 20.2.3), informes éstos que se entienden favorables si no se emiten de forma expresa en el plazo de un mes desde la recepción de la documentación (art. 20.2.4).

Téngase en cuenta que este régimen está, igualmente, justificado según la citada STC, ya que «la decisión sobre la ubicación de un nuevo puerto de interés general corresponde al Estado y esa decisión no puede quedar subordinada al parecer de las Comunidades Autónomas o de los Municipios en cuyo territorio deba construirse el puerto», sin ser constitucionalmente obligado, frente a la objeción de los recurrentes que los informes tengan que ser necesariamente vinculantes.

Finalmente, es preciso hacer notar que un sistema similar al que acabamos de ver, por referencia a los puertos, se prevé en la legislación, para los aeropuertos: delimitación de una zona de servicio, aprobación de un plan director para dicha zona, consideración del aeropuerto como sistema general en los Planes urbanísticos y aprobación de un plan especial o instrumento equivalente que formulará el ente público «Aeropuertos Españoles» (AENA) y que se tramitará conforme a la legislación urbanística (artículo 166 de la Ley 13/1996, de 30 de diciembre, de medidas fiscales, administrativas y del orden social).

Cuando se aborde en otra parte de este libro la cuestión de la incidencia de los Informes sectoriales sobre el urbanismo se estudiará especialmente esta materia desde el punto de vista de las garantías de los afectados por una servidumbre aeronáutica y se estudiará la posible colisión de competencias urbanísticas y sectoriales.

6. ORDENACIÓN DEL TERRITORIO Y URBANISMO Y CARRETERAS

A. Planteamientos de tipo competencial

No corresponde aquí, lógicamente, estudiar el régimen general de las carreteras, que es objeto de la Ley estatal 25/1988, de 29 de julio, de Carreteras y Caminos y las correlativas Leyes autonómicas. Tampoco puede abordarse la relación entre las distintas leyes autonómicas de ordenación del territorio y las distintas leyes autonómicas de carreteras y caminos, ya que ello no sería acorde con las características de este trabajo.

El estudio de la distribución de competencias en materia de ordenación del territorio, por referencia a las carreteras, lleva más bien a estudiar la conexión e interrelación entre la competencia estatal en materia de carreteras y la autonómica en el ámbito de la ordenación territorial y urbanismo.

Desde este punto de vista competencial es preciso estar, primero, al art. 148.1.5 CE, donde se atribuye la competencia exclusiva a las CCAA en materia de «carreteras cuyo itinerario se desarrolle íntegramente en el territorio de la Comunidad Autónoma y, en los mismos términos, el transporte desarrollado por estos medios o por cable».

En el art. 149.1 CE no encontramos mención expresa a las carreteras como competencia estatal. Sin embargo, el art. 4 de la Ley estatal 25/1988, de Carreteras, afirma que «son carreteras estatales las integradas en un itinerario de interés general o cuya función en el sistema de transporte afecte a más de una Comunidad Autónoma». La pregunta es cómo puede, entonces, constitucionalmente, justificarse esta regulación, así como los criterios que el apartado tercero de este mismo artículo contiene para determinar cuáles son los «itinerarios de interés general».

Éste es el objeto fundamental de la STC 65/1998, de 18 de marzo (RTC 1998, 65). En esencia, según esta sentencia el hecho de que el art. 149.1 CE no mencione expresamente las carreteras no obliga a recurrir a la cláusula general del art. 149.3 CE, pues «es doctrina reiterada de este Tribunal que ello no resulta preciso cuando, con independencia de las rúbricas o denominaciones empleadas por la Constitución o por los Estatutos de Autonomía, cabe entender que una materia competencial ha sido incluida en una u otros mediante la utilización de los *criterios interpretativos ordinarios*». A estos criterios hemos hecho alusión *supra*. Interesa ahora, más bien, afirmar los títulos competenciales que, según el Tribunal Constitucional, puede invocar el Estado para justificar su competencia en materia de carreteras y, más concretamente, para justificar la constitucionalidad del art. 4 de la Ley estatal de Carreteras según el cual son carreteras estatales las integradas en un itinerario de interés general a pesar de que puedan situarse dentro de una única Comunidad Autónoma.

Después de rechazar otras soluciones, el Tribunal Constitucional afirma que «sin duda alguna el título competencial que ampara la competencia del Estado para sostener una Red propia de Carreteras, la existencia de carreteras estatales, es el previsto en el art. 149.1.24 CE, que reserva al Estado competencia exclusiva sobre las "obras públicas de interés general o cuya realización afecte a más de una Comunidad Autónoma"»[40].

Así pues, apoyándose en este título competencial («obras públicas de interés general o cuya realización afecte a más de una Comunidad Autónoma»), el Tribunal Constitucional hace uso de dichos *criterios interpretativos ordinarios* afirmando que «la Constitución no impone una interpretación que relegue el título relativo a las obras públicas a su mera construcción o financiación» y, lo que es determinante, que «la distribución de competencias en materia de carreteras no aparece presidida exclusivamente por el criterio territorial», ya que es preciso dejar a salvo la competencia estatal sobre «obras públicas de interés general o cuya realización afecte a más de una Comunidad Autónoma» (...). Por tanto, «el criterio del interés general viene a complementar el puramente territorial» aun cuando, como regla general, las carreteras cuyo itinerario se desarrolle íntegramente en el territorio de una Comunidad, no podrán ser declaradas de interés general, al menos, a los efectos de su integración en la «Red de Carreteras del Estado» (puede asimismo consultarse la STC 132/1996 [RTC 1996, 132]).

Todo este planteamiento lleva a la siguiente conclusión: al Estado corresponde concretar cuáles son las carreteras de «interés general». Con un límite: «el ulterior control de este Tribunal», dice el Constitucional.

---

40. Este criterio puede relacionarse con la STC 118/1996 (RTC 1996, 118), ya que se basa –al igual que la STC 65/1998 (RTC 1998, 65)– en el título competencial previsto en el art. 149.1.24 CE, obra pública, para sentar la legitimidad de la legislación estatal en materia de transporte ferroviario, más concretamente las «normas técnicas para la construcción de ferrocarriles de transporte público»; téngase también presente que es competencia exclusiva autonómica, en virtud del art. 148.1.4, «las obras públicas de interés de la Comunidad Autónoma en su propio territorio».

No obstante, no pueden ignorarse las limitaciones que, por definición, presenta este tipo de control, por gozar el Estado de un amplio margen de apreciación. El propio Tribunal Constitucional reconoce como único límite genérico el caso de la arbitrariedad.

B. La dimensión del tema estrictamente urbanística y de ordenación territorial

Dicha dimensión se encuentra de forma especialmente marcada en los arts. 5 y siguientes de la Ley 25/1988, donde dentro del «régimen de las carreteras» se regula, primero, su planificación, estudios y proyectos, y, segundo, su construcción, financiación y explotación.

El principio general puede ser el de coordinación de los Planes y Programas de Carreteras del Estado, las Comunidades Autónomas y de las Entidades locales «en cuanto se refiere a sus mutuas incidencias para garantizar la unidad del sistema de comunicaciones y armonizar los intereses públicos afectados, utilizando al efecto los procedimientos legalmente establecidos» (art. 5).

Pero, entrando en los aspectos fundamentales del sistema, desde el punto de vista de la ordenación del territorio, es preciso especialmente conocer el régimen de «construcción» de las carreteras plasmado en el denso art. 10 de la citada Ley.

En suma, según este precepto, cuando se trate de construir carreteras o variantes no incluidas en el planeamiento urbanístico vigente de los núcleos de población a los que afecten, las fases son las siguientes:

– El *Ministerio de Obras Públicas y Urbanismo* remite un estudio informativo correspondiente a las CCAA y Corporaciones locales afectadas, al efecto de que durante el plazo de un mes examinen si el trazado propuesto es el más adecuado para el interés general y para los intereses de las localidades, provincias y CCAA a que afecte la nueva carretera o variante.

– Seguidamente, corresponde a estas Administraciones pronunciarse. A su vez puede ocurrir: primero, que informen favorablemente. Segundo, que transcurrido dicho plazo y un mes más dichas Administraciones Públicas no informen al respecto, entendiéndose entonces que están conformes con la propuesta formulada. Tercero, que exista disconformidad. Entonces, entraríamos en una fase nueva.

– En efecto, en caso de disconformidad el expediente se eleva al Consejo de Ministros, quien decidirá si procede ejecutar el proyecto, y en este caso, ordenará la modificación o revisión del planeamiento urbanístico afectado, que deberá acomodarse a las determinaciones del proyecto en el plazo de un año desde su aprobación.

– Acordada la redacción, revisión o modificación de un instrumento de planeamiento urbanístico que afecte a carreteras estatales, el órgano competente para otorgar su aprobación inicial deberá enviar, con anterioridad a dicha aprobación, el contenido del proyecto al citado Ministerio para que emita, en el plazo de un mes, y con carácter vinculante, informe comprensivo de las sugerencias que estime convenientes.

La cuestión que se plantea es la siguiente: ¿consigue este sistema, desde el punto de vista constitucional, resolver satisfactoriamente la participación que debe corresponder a las Administraciones autonómica y local en el ámbito de la ordenación del territorio, de un lado, y a la Administración estatal en cuanto a la construcción de las carreteras, de otro lado?

La respuesta es afirmativa a la luz de la decisiva STC 65/1998 (RTC 1998, 65), ya que dicho sistema pretende evitar de manera preventiva los conflictos que pueden surgir de la actuación de competencias que concurren en su ejercicio sobre un mismo espacio físico. De un lado, la autonómica en materia de urbanismo y ordenación del territorio; de otro, la competencia del Estado sobre carreteras estatales.

Singular puede considerarse la redacción dada en el precepto a la vinculación de las «sugerencias» del Consejo de Ministros. No obstante, queda a salvo su constitucionalidad, si se entiende que «las sugerencias que el Ministerio podría formular son únicamente aquellas orientadas al fin de la mejor explotación y defensa de la carretera estatal eventualmente afectada por el instrumento de planeamiento». Aun así hay que examinar si de esta forma se invaden las competencias autonómicas o locales en materia urbanística y de ordenación del territorio, no siendo el caso ya que «tales sugerencias vinculantes no implican la asunción de competencias urbanísticas por el Ministerio, sino la determinación de criterios flexibles que, sin imponer soluciones urbanísticas concretas, han de ser atendidas por la autoridad urbanística competente en el planeamiento para que no quede afectada la carretera objeto de la competencia estatal» (STC 65/1998 [RTC 1998, 65])[41].

---

41. Finalmente, es preciso mencionar las limitaciones de la propiedad de posible carácter urbanístico en la disposición del «uso y defensa de las carreteras».
Los arts. 20 y ss. de la Ley estatal 25/1998 disponen las características zonas «de dominio público», «servidumbre» y «afección» cuya regulación, evidentemente, lleva consigo una cierta dimensión territorial y urbanística inherente a la propia ordenación de las carreteras. Esto explica que según los recurrentes, en el caso de la STC 65/1998 (RTC 1998, 65),

7. EL PROBLEMA DE LA COLISIÓN ENTRE COMPETENCIAS AUTO-NÓMICAS DE ORDENACIÓN DEL TERRITORIO Y ESTATALES DE MEDIO AMBIENTE Y DOMINIO PÚBLICO

Puede también plantearse el problema, en particular, de las legislaciones autonómicas de ordenación del territorio que entren en colisión con el título competencial del Estado en materia de medio ambiente y dominio público.

En este sentido, el supuesto de la STC 36/1994, de 10 de febrero (RTC 1994, 36), se refiere a la impugnación de determinados artículos de la Ley 3/1987, de la Comunidad Autónoma de Murcia, sobre Protección y Armonización de Usos del Mar Menor (que ya ha sido derogada por la anterior Ley 1/2001, de 24 de abril, del Suelo de la Región de Murcia), alegando los recurrentes (el Grupo Parlamentario Popular), que según el artículo 149.1.23 CE, el Estado tiene competencia exclusiva para la legislación básica sobre protección del medio ambiente. También se invoca el artículo 132.2 CE, que reserva al Estado la regulación del dominio público, así como el principio de autonomía local al permitir al Consejo de Gobierno de la Comunidad Autónoma la suspensión de licencias de parcelación y edificación.

En cuanto al dominio público «regulado en el artículo 132 CE es doctrina reiterada de este Tribunal que la titularidad estatal sobre el mismo y su competencia para determinar las categorías de bienes que lo integran no son, en sí mismas, criterios de delimitación competencial y que en consecuencia, la naturaleza demanial no aísla a la porción de territorio, así caracterizado de su entorno, ni la sustrae de las competencias que sobre ese ámbito corresponden a otros entes públicos que no ostentan esa titularidad (SSTC

---

pudieran identificarse regulaciones de contenido primordialmente urbanístico en este conjunto de disposiciones de la Ley estatal 25/1998 que, como tales, corresponden ser abordadas por el legislador autonómico.

El problema jurídico se centró en torno a la posible inconstitucionalidad del art. 25.4 de la citada Ley, en virtud del cual se prevé que en las variantes o carreteras de circunvalación que se construyan con el objeto de eliminar las travesías de las poblaciones de línea límite de edificación se situará a 100 metros medidos horizontalmente a partir de la arista exterior de la calzada en toda la longitud de la variante.

En suma, el recurso esta vez se fundaba por una parte en que dicha línea de 100 metros representaba una longitud excesiva y, por otra parte, en la ausencia de los debidos mecanismos de coordinación que hicieran posible el ajuste de los intereses del Estado como titular de la variante con los intereses propios del planeamiento urbanístico, la ordenación del territorio y la vivienda. A juicio del Tribunal Constitucional «no es posible que este Tribunal se pronuncie en abstracto sobre la corrección o incorrección de la distancia mínima fijada por el Legislador del Estado. Basta con comprobar que la fijación de esa distancia es ineludible a los fines de la mejor defensa de la variante y que se ha cifrado en unos términos que no son claramente arbitrarios. Por su parte los mecanismos de coordinación se contemplan en el art. 10.1, aplicable al supuesto».

77/1984 [RTC 1984, 77], 227/1988 [RTC 1988, 227], 103/1989 [RTC 1989, 103] y 149/1991 [RTC 1991, 149])». Con todo, en la última de las sentencias citadas se advirtió que en la zona marítimo-terrestre, el Estado, como titular del demanio, tiene competencia para regular el régimen jurídico de estos bienes y para establecer cuantas medidas sean necesarias para su protección, para preservar las características propias del bien y para asegurar la integridad de su titularidad y el libre uso público.

De esta doctrina general se desprenderían una serie de reglas concretas que es preciso recordar:

– La jurisprudencia citada reconoce al Estado facultades para determinar y aun gestionar determinados usos del demanio y para aprobar planes o programas integrados de obras.

– No obstante, las competencias estatales, que pueden condicionar la actividad de ordenación territorial, en modo alguno pueden pretender ordenar directamente el territorio sustituyendo al titular de esta competencia.

– La aprobación de los planes, instrumentos y normas de ordenación territorial corresponde en exclusiva a quienes poseen la competencia de ordenación territorial.

– El Estado no está dispensado del cumplimiento de estas normas, aunque en algún extremo pueda condicionarlas.

Este criterio, del condicionamiento legítimo que el Estado puede ejercer sobre las CCAA, no es una regla que permita una intervención al albur por parte del Estado. Es, más bien, aquél un criterio práctico que lleva a anular la intervención del Estado más allá del simple condicionamiento. Puede por ejemplo recordarse la STC 149/1991 (RTC 1991, 149), que anuló algunos preceptos de la Ley 22/1988, de 28 de julio, de Costas, que habilitaban al Estado para dictar disposiciones que no sólo condicionaban la competencia asumida por las Comunidades Autónomas para la ordenación de su propio territorio, sino que procedían directamente a ordenarlo.

Por lo demás, la doctrina de la STC 36/1994 (RTC 1994, 36) nos resulta en parte conocida y no vamos a reiterar los argumentos de las sentencias anteriormente comentadas. En esencia, se establece la «necesidad de articular mecanismos de coordinación y cooperación», el «respeto por las competencias ajenas que tienen repercusión sobre el territorio», la «imposibilidad por parte del Estado de sustituir a la Comunidad Autónoma en la actividad de ordenación territorial» pero posibilidad en cambio de condicionarla.

Interesa, no obstante, recordar en este contexto estos criterios porque, según la STC 36/1994 (RTC 1994, 36), rigen también la relación entre ordenación del territorio (como competencia exclusiva autonómica) y legislación básica de medio ambiente (como competencia exclusiva estatal). En este sentido, la competencia de ordenación del territorio, aunque debe ponderar los efectos sobre el medio ambiente, no atrae hacia sí las normas relativas a la protección de la naturaleza ni todo lo relativo a la preservación de los ecosistemas (para la delimitación de la legislación básica como competencia del Estado en materia ambiental, puede verse la STC 64/1982, de 4 de noviembre [RTC 1982, 64]).

Por su parte, no puede excluirse que en las normas de medio ambiente se establezcan limitaciones al uso tanto del dominio marítimo-terrestre como de los terrenos situados en zonas colindantes.

Al igual que las demás actuaciones con incidencia territorial, las competencias en materia de medio ambiente pueden condicionar el ejercicio de la competencia sobre la ordenación del territorio, pero no puede invadirse el ámbito reservado a esta última llevando a cabo directamente la ordenación del suelo.

Concretamente, la actividad de planificación de los usos del suelo corresponderá al titular de la competencia sobre ordenación del territorio, no al del medio ambiente o de dominio público estatal, sin que no obstante aquél pueda menoscabar los ámbitos de estas competencias colindantes.

En el caso que resuelve la STC 36/1994 (RTC 1994, 36), los preceptos impugnados pertenecían a la competencia sobre ordenación del territorio ya que, aunque podrán incidir en determinados aspectos del dominio público y en el medio ambiente, se limitan a establecer las características que deben poseer los instrumentos de planeamiento u ordenación territorial, señalando su procedimiento de elaboración y aprobación, su contenido mínimo y algunas reglas de Derecho transitorio relativas a su aplicación. A efectos de determinar cuándo estamos ante ordenación del territorio y cuándo estamos ante medio ambiente sería interesante el argumento en virtud del cual, aunque la ley en cuestión llegue a afirmar que su finalidad es la de preservar el medio ambiente, esta finalidad se persigue a través de una técnica típicamente de planificación territorial *que ni desde el título competencial de medio ambiente ni desde las competencias derivadas de la protección del dominio público estatal puede realizarse.*

En esta línea puede citarse otra sentencia posterior, STC 28/1997 (RTC

1997, 28), que resuelve una cuestión de inconstitucionalidad promovida por la Sala Tercera del Tribunal Supremo en relación con las leyes del Parlamento de las Islas Baleares 1/1984, de Ordenación y protección de Áreas Naturales de Interés Especial y 3/1984, de Declaración de «Es Trenc-Salobrar de Campos» como Área Natural de Interés Especial. En esta legislación se arbitran medidas que permiten la protección de determinados espacios cuyas singulares características naturales pueden degradarse o verse amenazadas por el desarrollo urbanístico y, asimismo, se establece un régimen jurídico especial para la ordenación y protección de determinados parajes del territorio balear calificándolos como Áreas Naturales de Interés Especial.

La cuestión es ¿estamos ante una normativa (autonómica) de ordenación del territorio, justificada entonces desde el punto de vista constitucional-competencial, o más bien estamos ante una normativa básica en materia de medio ambiente que corresponde por tanto ser regulada por el Estado? La sentencia se enfrenta con el problema concreto de la ley balear pero es indudable la trascendencia general del supuesto, por poderse repetir la situación en otras CCAA.

La STC 28/1997 (RTC 1997, 28) recuerda primero los argumentos principales de la STC 36/1994 (RTC 1994, 36), que acaba de ser estudiada *supra,* para añadir otros argumentos de interés: «el que la finalidad de una Ley como la cuestionada, y ello no puede desconocerse, sea la protección de un espacio natural y sus valores ecológicos no conduce necesariamente a la conclusión de que la Comunidad Autónoma ha excedido el ámbito de sus competencias. Es necesario tener en cuenta que la Comunidad Autónoma tiene competencia exclusiva sobre ordenación del territorio (art. 10.3 EAIB), ordenación a la que no puede ser en modo alguno ajeno el medio ambiente».

Por contrapartida, la asunción de una competencia material tan general como la ordenación del territorio no puede arrastrar inexorablemente todo el acervo competencial sobre el medio ambiente, vaciando este título competencial.

No obstante, la carencia de competencias normativas sobre medio ambiente no impide que, en el marco de la competencia sobre ordenación del territorio se regulen aspectos del mismo con una finalidad preponderante de protección del espacio natural, particularmente cuando, como aquí es el caso, ello se trata de conseguir primordialmente mediante técnicas urbanísticas, materia en la que la Comunidad Autónoma posee competencia exclusiva.

Por tanto, en el presente caso se desestima la cuestión de inconstitucionalidad considerando que la Ley en cuestión no pretende abordar una protección integral de determinados espacios naturales, sino muy singularmente su protección desde la perspectiva de la expansión urbanística, en una actuación característica de la ordenación del territorio y *con particular recurso a las categorías básicas de la ordenación del urbanismo, mediante normas orientadas* a la planificación territorial y a la delimitación de los usos del suelo (la STC 28/ 1997 [RTC 1997, 28] es seguida, por otra parte, por una STS de 30 de octubre de 1998 [RJ 1998, 8002]).

Toda esta doctrina jurisprudencial es también importante a efectos de valorar la compatibilidad, con la Constitución, de la legislación cada vez más numerosa de las CCAA que aborda cuestiones ambientales, por ejemplo mediante la regulación de los Instrumentos de Ordenación de los Espacios Naturales (por todos véanse los arts. 14.2, 15, 21 y ss. del Decreto Legislativo 1/ 2000, de 8 de mayo, de Canarias, por el que se aprueba el Texto Refundido de las Leyes de Ordenación del Territorio y de Espacios Naturales de Canarias; o la Ley 6/1999, de 3 de abril, de Ordenación del Territorio de las Islas Baleares: arts. 53 y ss.).

En esta línea, en la STC 170/1989 (RTC 1989, 170) el Tribunal Constitucional entiende que la Ley impugnada (Ley 1/1985, de la Comunidad de Madrid, del Parque Regional de la Cuenca Alta del Manzanares) «no posee su base competencial en las funciones reconocidas a la Comunidad en materia de protección del medio ambiente, sino en la competencia de ésta para "la ordenación del territorio, urbanismo y vivienda" (artículo 26.3 del Estatuto), competencia de las denominadas habitualmente "exclusivas". Es inexacto, por lo tanto, atenerse al apoderamiento estatutario en materia de protección del medio ambiente como base exclusiva de la Ley: la competencia en materia de ordenación del territorio y urbanismo lleva implícita la competencia para adoptar las medidas de protección medioambiental inherentes a la ordenación del territorio, sin que sea preciso acudir para ello a un título competencial específico».

A la luz de la jurisprudencia que ha sido comentada habría que afirmar *en principio* la constitucionalidad de este tipo de regulaciones. Parece en principio posible una legislación estatal de medio ambiente que incida en la ordenación del territorio, lo mismo que una legislación autonómica en materia de ordenación del territorio que incida en el medio ambiente. En términos generales, abstractos o teóricos no es posible establecer una frontera nítida entre uno y otro caso, más allá del criterio nuevamente general, abstracto o teórico, de la imposibilidad de hacer uso del medio ambiente para invadir o dejar vacía la competencia en materia de ordenación del territorio, y viceversa.

8. ORDENACIÓN DEL TERRITORIO Y URBANISMO Y ORDENACIÓN DEL LITORAL Y COSTAS

A. Servidumbres y ordenación territorial y utilización del dominio público marítimo-terrestre

Planteamos seguidamente la interrelación entre ordenación del litoral y ordenación del territorio. Para desarrollar el tema, haciendo referencia tanto a la Ley 22/1988, de 28 de julio, de Costas, como a la STC 149/1991 (RTC 1991, 149), es conveniente recordar tanto la posibilidad, constitucionalmente legítima, de que el Estado repercuta en la ordenación del territorio mediante el ejercicio de sus propios títulos competenciales (art. 149.1.1 y 149.1.23 CE), como que este condicionamiento de la competencia autonómica no se transforme en una usurpación ilegítima desde el punto de vista competencial.

Pueden estudiarse primeramente las «limitaciones de la propiedad sobre los terrenos contiguos a la ribera del mar por razones de protección del dominio público marítimo-terrestre», que ocupa el Título II de la Ley estatal de Costas. Concretamente, el capítulo II dedicado a las «servidumbres legales» es lugar de encuentro de la ordenación urbanística y la del litoral. No nos corresponde explicar el régimen jurídico contenido en la citada ley, sino tan sólo observar cómo resuelve la Ley 22/1988, de 28 de julio, de Costas el problema de la delimitación competencial entre el Estado y las CCAA.

Primeramente, se prevé una servidumbre de protección de 100 metros tierra adentro desde el límite interior de la ribera del mar donde están prohibidos ciertos usos (edificaciones destinadas a residencia o habitación, etc.) pero se permiten instalaciones y actividades que, por su naturaleza, no puedan tener otra ubicación o presten servicios necesarios o convenientes para el uso del dominio público marítimo-terrestre (...).

Según la STC 149/1991 (RTC 1991, 149), estamos ante normas básicas de protección ambiental y por tanto «es evidente» su constitucionalidad.

El tercero y último de los apartados del presente artículo 25 de la Ley 22/1988, de 28 de julio, de Costas, prevé, no obstante, la posibilidad de que, por razones de utilidad pública, el Consejo de Ministros levante o excepcione, para obras e instalaciones determinadas, el régimen de prohibiciones y limitaciones que en general imponen los apartados inmediatamente precedentes. Por otra parte, las actuaciones que se autoricen deberán acomodarse al planeamiento urbanístico que se apruebe por las Administraciones competentes[42].

Téngase también en cuenta que, junto a la servidumbre de protección la Ley 22/1988, de 28 de julio, de Costas, prevé, en segundo lugar, las servidumbres de tránsito y de acceso al mar, con un régimen jurídico que el Tribunal Constitucional considera compatible con la CE por ser medidas legales justificadas, desde el punto de vista competencial, por la defensa que hacen del uso general del dominio público marítimo-terrestre que al titular de ese dominio corresponde hacer efectiva.

En tercer lugar, tiene una clara dimensión espacial o territorial la regulación de la llamada «zona de influencia» (art. 30 de la Ley de Costas). El precepto viene, en resumen, a imponer a los planes de ordenación territorial unos determinados criterios que se añaden a los que, como consecuencia de la servidumbre de acceso al mar, impone el art. 28.2. Como éste también aquél queda fuera de reproche desde el punto de vista de su adecuación al sistema constitucional de competencias.

Por su parte, el tema de la utilización del dominio público marítimo-terrestre entra de lleno en el problema de su delimitación con la ordenación del territorio y urbanismo, planteándose por tanto la cuestión de cómo establecer un criterio de delimitación competencial entre las CCAA y el Estado.

---

42. Esta regulación tampoco se estima inconstitucional por la STC 149/1991 (RTC 1991, 149) considerando que el precepto no elimina la necesidad de adecuación a las reglas de ordenación urbanística que las Administraciones hayan establecido, «*salvo en aquellos casos en los que la autorización se ampare en un título competencial que, como los enumerados en los párrafos 4º, 20 ó 21 del apartado, 1º del art.* 149, dotan a la decisión del Estado de un valor absoluto o en los que el Consejo de Ministros haga uso de la facultad que le confiere el art. 180 de la Ley del Suelo» (sobre el supuesto de este artículo véase *supra*). Sólo en estos casos, en efecto, puede imponerse la voluntad del Estado a la competencia autonómica sobre ordenación del territorio. Por lo demás, aun en esos supuestos, tal competencia no queda abolida, y una vez que la Administración competente ha acomodado el planeamiento urbanístico preexistente para hacerlo compatible con la decisión estatal, también en ellos deberá acomodarse a ese planeamiento la realización de las actuaciones autorizadas.

   En cambio se declaró inconstitucional el artículo 26, en cuanto atribuía a la Administración del Estado el otorgamiento de autorizaciones en la *zona de servidumbre de protección*, pues se trata de una competencia ejecutiva que se «engloba, por su contenido, en la ejecución de la normativa sobre *protección del medio ambiente* o en la ordenación del territorio y/o urbanismo de competencia exclusiva de las CCAA» (la autorización en cuestión corresponderá por tanto a las CCAA o en su caso a los Ayuntamientos; puede verse también así la STS de 3 de mayo de 1995 [RJ 1995, 4170], FJ 2º, sexto párrafo).

En este sentido, la STC 149/1991 (RTC 1991, 149) afirma gráficamente que en este tipo de disposiciones se entremezclan de manera muy estrecha enunciados que sin duda son competencia estatal por versar directamente sobre la ocupación de una parte importante del demanio marítimo-terrestre (las playas) con otros que, aunque referidos también a esta ocupación, son propios de la ordenación del territorio.

Lógicamente, no podemos analizar todos y cada uno de los preceptos de la legislación de Costas. Desde una perspectiva general puede decirse que la utilización del dominio público marítimo-terrestre está sujeta en la Ley 22/1988, de 28 de julio, de Costas, a cuatro tipos o modelos de intervención administrativa: la reserva de pertenencias de dicho dominio, su adscripción, su concesión o su autorización. Cada una de estas formas de afectar zonas del demanio a determinadas obras, actividades o servicios, da lugar a una forma distinta de articular las atribuciones de la Administración del Estado y de las CCAA.

Por su parte, en particular, la utilización del dominio público marítimo-terrestre, «libre, pública y gratuita para los usos comunes», puede referirse a las edificaciones o instalaciones que pretendan realizarse en tales zonas. Según el art. 33 de la Ley de Costas, las instalaciones en la playa son de libre acceso y las edificaciones de servicio de playa se ubican, preferentemente, fuera de ella, con las dimensiones y distancias, debidamente justificadas, que reglamentariamente se determinen.

La STC 149/1991 (RTC 1991, 149) ha completado esta regulación (cuando declara la constitucionalidad de este precepto al tiempo que añade la interpretación que debe dársele) afirmando que, si bien el Estado tiene facultad para imponer limitaciones bien como titular del demanio (si las instalaciones se hallan dentro de la playa) bien como titular de su competencia en materia ambiental (si se encuentran fuera de la playa), en la zona de protección las CCAA, en ejercicio de su competencia en materia de ordenación del territorio, han de ser las que, «respetando los límites fijados por el Estado aprueben los correspondientes instrumentos de ordenación o establezcan las condiciones en que han de ser aprobados y fijen los criterios a los que han de acomodarse, en sus dimensiones, en la distancia y en todos los restantes extremos, las mencionadas edificaciones».

Téngase también en cuenta que determinadas regulaciones de la Ley 22/1988, de 28 de julio, de Costas (art. 33.4 *in fine,* art. 34) fueron declaradas inconstitucionales por la STC 149/1991 (RTC 1991, 149), en ambos casos por invadir, el Estado, la competencia de ordenación del territorio y urbanismo que corresponde a las CCAA (en el último de los citados se preveía que el Estado podía dictar normas generales y las específicas para tramos de costas determinadas, sobre protección y utilización del dominio público marítimo-terrestre). También es preciso hacer una remisión a los arts. 47 y ss. de la Ley 22/1988, de 28 de julio, de Costas y la doctrina sobre el particular contenida en la STC 149/1991 (RTC 1991, 149).

B. Competencias administrativas

Los problemas competenciales, como puede apreciarse, afectan también a un plano propiamente administrativo o de ejecución legal. Sobre esto es preciso conocer el Título VI de la Ley de Costas donde se regulan las competencias de la Administración del Estado y de la Administración local (véase el art. 115), al mismo tiempo que se realiza la oportuna remisión a los Estatutos de Autonomía para determinar las competencias de la Administración de las CCAA (art. 114). Finalmente, se regulan también las relaciones interadministrativas (véanse los arts. 116 a 118).

Desde el punto de vista de la ordenación del territorio y urbanismo, téngase en cuenta que a la Administración del Estado corresponde la gestión del dominio público marítimo-terrestre [otorgamiento de adscripciones, concesiones y autorizaciones para su ocupación y aprovechamiento así como la declaración de zonas de reserva y las concesiones de obras fijas en el mar, etc., en virtud del art. 110.b)]. Igualmente «las obras y actuaciones de interés general o las que afecten a más de una Comunidad Autónoma», según dispone el art. 110.g).

La STC 149/1991 (RTC 1991, 149) ha precisado que la intervención de la Administración del Estado es sólo legítima si las «actuaciones» se refieren al dominio público, ya que «no serán constitucionalmente legítimas cuando se desarrollen fuera de ese espacio o aun dentro de él en sectores adscritos a una Comunidad Autónoma (...)».

Corresponde también a la Administración del Estado emitir informe con carácter preceptivo y vinculante respecto de los planes y normas de ordenación territorial o urbanística y su modificación y revisión en cuanto al cumplimiento de las disposiciones de esta Ley y de las normas que se dicten para su desarrollo y aplicación (art. 112 de la Ley 22/1988, de 28 de julio, de Costas y los intensos matices de interpretación que añade sobre el particular la STC 149/1991 [RTC 1991, 149], centrando la actuación del Estado en torno a la protección del demanio).

Dichos «matices» no son sino los matices con los que debe entenderse el carácter vinculante del informe de la Administración del Estado. Vamos a verlos tomando como referencia la jurisprudencia del Tribunal Supremo.

Es preciso partir reconociendo la legitimidad constitucional del carácter vinculante del informe, siendo éste un «acto complejo en el que han de concurrir dos voluntades»: «ante todo ya hemos dicho en alguna ocasión –Sentencia de 18 de noviembre de 1991– que el informe estatal introducido por la Ley de Costas tiene sentido porque previamente el Estado ha hecho ya sugerencias y observaciones. Ya antes la Sentencia 149/1991, de 4 de julio, del Tribunal Constitucional había dicho que la existencia de un informe previo y preceptivo, refiriéndose al del artículo 112 de la Ley de Costas, es un medio razonable para asegurar que la realización de los Planes y Proyectos no encuentre al final un obstáculo insalvable» (STS de 30 de enero de 1996 [RJ 1996, 220]).

En esta línea, «el hecho de que el art. 9.9 del Estatuto de Autonomía para Cataluña atribuya a la Generalidad de Cataluña competencia exclusiva en la materia relativa a ordenación del territorio, urbanismo y vivienda (...) no empece a que en la formulación y aprobación de los planes de ordenación del litoral deba recabar informe de los organismos de la Administración del Estado competentes en materia de dominio público marítimo» ya que se han asumido «únicamente las competencias que no sean exclusivas del Estado» (STS de 31 de marzo de 1993 [RJ 1993, 1608]).

Pero el grado de vinculación debe verse en relación con cada uno de los supuestos contemplados en el propio artículo 112 de la Ley 22/1988, de 28 de julio, de Costas, donde se prevé dicho informe vinculante. La «concurrencia necesaria» que persigue el informe «sólo es constitucionalmente admisible cuando ambas voluntades resuelven sobre asuntos de su propia competencia» (STS de 3 de mayo de 1995 [RJ 1995, 4170], FJ 2º).

Por tanto, «su carácter vinculante se encuentra considerablemente atenuado en lo que respecta a planes y normas de ordenación territorial o urbana por lo dispuesto en el artículo 117 de la propia Ley». Por consiguiente:

– «Cuando esos planes o normas infrinjan otras normas de protección del medio ambiente costero cuya ejecución corresponde a las Comunidades Autónomas, podrá objetarlas pero la objeción de la Administración estatal no será vinculante, pues es a los Tribunales de Justicia a quienes corresponde el control de legalidad de las Administraciones autonómicas y a éstos deberá recurrir aquélla para asegurar el respeto de la Ley cuando no es la competente para ejecutarla».

– «Pero cuando el informe de la Administración estatal verse sobre ejercicio de facultades propias tendentes a la defensa del demanio costero marítimo que se propone la Ley de Costas, como dice su Preámbulo, y hemos recogido en Sentencia de 13 de junio 1995 (RJ 1995, 4953), su voluntad debe vincular a la Administración Autonómica» (STS de 30 de enero de 1996 [RJ 1996, 220], reafirmando por tanto el carácter vinculante del informe en el caso planteado).

Dentro de este tipo de facultades propias tendentes a la defensa del demanio costero marítimo, respecto de las cuales el informe es vinculante, se incluyen como ya nos consta las facultades para otorgar títulos para la ocupación o utilización del demanio o preservar las servidumbres de tránsito –art. 27–, acceso al mar –art. 28– a las que cabe añadir las derivadas de las competencias sectoriales de defensa, iluminación de costas, puertos de interés general, etc. (STS de 3 de mayo de 1995 [RJ 1995, 4170], negando el carácter vinculante del informe en el caso planteado por referirse éste a una autorización de los usos permitidos en la zona de protección, en relación con las cuales la Administración del Estado no es competente según la STC 149/1991 [RTC 1991, 149]).

En todo caso, si un Plan urbanístico agrede el dominio público marítimo, dicha agresión deberá ser atajada con el ejercicio de las facultades que la Ley 22/1988, de 28 de julio, de Costas y el Reglamento confieren a la Administración estatal ya que «dado al respecto lo establecido en el art. 57.2 del Texto Refundido de la Ley sobre Régimen del Suelo y Ordenación Urbana, las previsiones de un Plan General de Ordenación Urbana nunca limitan las facultades que corresponden a los distintos Departamentos ministeriales para el ejercicio de sus competencias, según la legislación aplicable por razón de la materia». En cambio, no podrá atajarse alegando la incompatibilidad de una clasificación determinada del suelo con el carácter demanial del suelo sobre el que recae la agresión ya que «no existe incompatibilidad alguna entre la condición de dominio público de un bien y el que el mismo sea calificado como suelo urbano» (STS de 28 de enero de 1992 [RJ 1992, 755]).

9. ORDENACIÓN DEL TERRITORIO Y PLANIFICACIÓN HIDROLÓGICA

La ordenación del territorio se relaciona igualmente con la planificación hidrológica, regulada especialmente en el Título III (artículos 40 y siguientes) del Real Decreto Legislativo 1/2001, de 20 de julio, por el que se aprueba el Texto Refundido de la Ley de Aguas (en adelante, TRLA), pero también con otros preceptos: art. 1.3 [corresponde al Estado la planificación hidrológica a la que deberá someterse toda actuación sobre el dominio público hidráulico; véase también el artículo 17.a), artículo 20.1.a) y b)] (el Consejo Nacional del Agua informará sobre el Plan Hidrológico Nacional y los Planes Hidrológicos de cuenca, antes de su aprobación por el Gobierno), art. 23.1.a) (los Organismos de cuenca han de elaborar el Plan Hidrológico de cuenca, su seguimiento y revisión), 35 (corresponde al Consejo del Agua elevar al Gobierno el Plan Hidrológico de la cuenca y sus ulteriores revisiones).

La interrelación entre la gestión del «agua» en general y la ordenación del territorio es tal que esta vez el Legislador (en el artículo 14.3º del citado Real Decreto Legislativo 1/2001 TRLA) llega a decir que el ejercicio de las funciones del Estado, en materia de aguas, se someterá al principio de «compatibilidad de la gestión pública del agua con la ordenación del territorio, la conservación y protección del medio ambiente y la restauración de la naturaleza».

En concreto, donde se manifiesta la conexión y posible colisión con la ordenación del territorio es esencialmente en torno al contenido necesario de los planes hidrológicos de cuenca (art. 42 del TRLA) y en torno al contenido que dichos Planes *pueden* tener (previsiones, según el artículo 43).

El contenido de esta regulación (que ya se preveía en la anterior Ley de Aguas de 2 de agosto de 1985), desde el punto de vista de su interrelación con la ordenación territorial, fue declarado válido por la STC 227/1988, de 29 de noviembre (RTC 1988, 227), a pesar de que no son pocos los matices que aquélla introduce en cuanto a su debida interpretación.

En términos generales el Tribunal Constitucional entendió que el Estado podía legítimamente realizar una planificación hidrológica, por entender que «la ordenación de los recursos hidráulicos, donde quiera que se hallen, no puede sustraerse a las competencias que el Estado ha de ejercer para establecer las bases y la coordinación de la planificación general de la actividad económica, en virtud de lo dispuesto en el art. 149.1.13 de la

Constitución». Esta competencia no se entiende en el sentido de atraer hacia el Estado toda la actividad planificadora, sino sólo la de fijación de bases y la coordinación de la planificación que recaiga sobre objetos y ámbitos ajenos a la competencia estatal, en cuanto que afecte de manera directa a la ordenación de la actividad económica.

El *quid* de la sentencia, sobre este particular, estaría en su insistencia en la debida coordinación entre Estado y CCAA.

Por un lado, la competencia del Estado en materia de planificación hidrológica no menoscaba las competencias propias de las CCAA para elaborar y revisar los planes hidrológicos de cuencas intracomunitarias (artículo 18 TRLA), pese a que es legítimo que el Estado establezca que estas competencias autonómicas se ejerzan con observancia de las prescripciones establecidas en los artículos 40.1, 3 y 4 y 42 del TRLA y de las determinaciones del Plan Hidrológico Nacional, sin que tales determinaciones legales supongan en sí mismas una ilegítima sustracción a las CCAA de toda competencia sobre planificación hidrológica.

Es cierto, por otro lado, que las prescripciones relativas al contenido de los Planes pueden tener cierta incidencia en la ordenación territorial, como por ejemplo ocurre con la previsión de «perímetros de protección» (o zonas donde no es posible otorgar nuevas concesiones de aguas subterráneas) o con las «medidas para la conservación y recuperación del recurso y del entorno afectados» (artículo 42.1.g.i' TRLA), en conexión con el art. 6.b del mismo texto (donde sujeta las márgenes o terrenos que lindan con los cauces públicos, a una zona de policía de 100 metros de anchura en los que se condicionará el uso del suelo y las actividades que se desarrollen), por justificarse en virtud del título competencial estatal en materia de medio ambiente (art. 149.1.23 CE), aun cuando conviene precisar que las medidas que el Estado puede incluir en los planes hidrológicos «están limitadas por las competencias que, en relación con la ordenación del territorio y la protección del medio ambiente corresponden a las CCAA» (STC 227/1988 [RTC 1988, 227]).

Y en general, a juicio del Tribunal Constitucional, se pone de manifiesto, una vez más, la necesidad de la debida coordinación entre el Estado y las CCAA (STC 227/1988 [RTC 1988, 227]), afirmando que «ni la competencia en materia de coordinación ni la competencia sobre las bases de la planificación autorizan al Estado para atraer hacia su órbita de actividad cualquier competencia de las Comunidades Autónomas por el mero hecho de que su ejercicio pueda incidir en el desarrollo de las competencias estatales sobre determinadas materias», doctrina ésta que también ha sido explicada y estudiada *supra* en este trabajo por referencia a otras sentencias del Tribunal Constitucional.

En fin, simplemente por tanto insistir en la compatibilidad, que proclamaba el art. 13.3 de la Ley de Aguas 29/1985 (y recoge actualmente el artículo 14.3º del TRLA/2001) y respalda la STC 227/1988 (RTC 1988, 227), entre la gestión pública del agua con la ordenación del territorio, ya que se deja así expresamente a salvo «el ejercicio de las competencias autonómicas en materia de ordenación del territorio».

10. OTRO EJEMPLO: LAS REDES ENERGÉTICAS

En el artículo 149.1.25ª de la Constitución se prevé la competencia exclusiva del Estado para regular «las bases del régimen minero y energético».

La STC 24/1985 (RTC 1985, 24) considera que es competencia estatal, en este sentido, dada su *trascendencia* para la política energética «la estructura de producción y las cantidades parciales de los productos obtenidos de la actividad de refino» por cuanto que «cualquier decisión que afecte al tope y a la estructura de la respectiva producción puede implicar, por la interdependencia de una respecto de otras, una alteración del sistema energético en su conjunto».

Además, en el artículo 149.1.22ª «se prevé la competencia del Estado para la autorización de las instalaciones eléctricas cuando su aprovechamiento afecte a otra Comunidad o el transporte de energía salga de su ámbito territorial».

En la jurisprudencia constitucional interesa también la STC 119/1986 (RTC 1986, 119), que deja clara esta competencia estatal en un caso de una red eléctrica catalana que «cuando menos afecta a la Comunidad Valenciana, por lo que su autorización debe ser declarada competencia del Estado».

En un plano legislativo, el artículo 5 de la Ley 54/1997, de 27 de noviembre, del Sector Eléctrico, prevé la obligación de considerar (por parte de la Administración con competencia territorial o urbanística) «la planificación de las instalaciones de transporte y distribución de energía eléctrica cuando ésta se ubique en suelo no urbanizable».

Una regulación similar prevé el artículo 5 de la Ley 34/1998, de 7 de octubre, de Hidrocarburos, al cual nos remitiríamos.

11. ORDENACIÓN TERRITORIAL Y TURISMO[43]

La actividad turística ha de estar presente en la planificación territorial y urbanística. En todo caso, el desarrollo y sostenibilidad, en materia turística, hacen aconsejables planes de contenido turístico que plantean el problema de su incardinación dentro del sistema de planeamiento urbanístico y territorial.

Sobre este tipo de relaciones, entre turismo y territorio, han podido manifestarse diferentes tendencias. Actualmente se procura una interacción entre lo territorial y lo turístico, después de superarse una etapa precedente en virtud de la cual se manifestaba una planificación turística sin especial conexión con lo territorial (Ley estatal 197/1963; Decreto 2842/1974, de 9 de agosto, de Medidas de Ordenación de la Oferta turística, con distintas figuras y planes de tipo turístico)[44].

Los modelos autonómicos no son coincidentes entre sí, aunque puede afirmarse que en todos ellos se procura, primero, una primacía de lo turístico sobre lo urbanístico, a través de la vinculación de los planes o directrices de turismo sobre los planes urbanísticos y, segundo, una interrelación de los planes turísticos con los territoriales. En este último plano algunas CCAA han llegado a jerarquizar los distintos niveles de planeamiento situando en primer lugar la ordenación territorial, después la turística y finalmente la urbanística. Lo propio es, no obstante, que los planes de carácter turístico se integren como planes sectoriales dentro de los propios planes territoriales (País Vasco, Asturias), llegando a desaparecer –como tal– el nivel puramente turístico de planificación para desarrollarse la ordenación turística a través de la territorial (Baleares, Canarias); finalmente existen CCAA que prefieren dejar esta cuestión en un plano de simple coordinación, no de vinculación (Galicia, Andalucía)[45].

---

43. O. BOUAZZA ARIÑO, *Planificación turística autonómica*, Zaragoza, 2007; GOBIERNO DE NAVARRA, *Diagnóstico, retos e indicadores. Estrategia territorial de Navarra*, Pamplona, 2003; F. J. MELGOSA (Editor), *Derecho y turismo*, Salamanca, 2004; S. MORENO GIL/D. CELIS SOSA/J. ARTEAGA ORTIZ, «Estrategias de mejora y desarrollo de las ofertas de ocio marítimo del destino turístico de Gran Canaria», en J. SOLA FEYSSIERE, *Ordenación territorial y urbanística de las zonas turísticas*, Sevilla, 2004; J. SUAY RINCÓN, «Turismo y urbanismo: la ordenación turística del espacio. El caso de Canarias», en *Ordenación y gestión del territorio turístico* (director. D. BLANQUER), Valencia, 2002, pp. 287 y ss.; L. VALDÉS PELÁEZ/J. M. PÉREZ FERNÁNDEZ (Directores), *Experiencias públicas y privadas en el desarrollo de un modelo de turismo sostenible*, Oviedo, 2003; VVAA, *Salud, deporte y turismo*, Valencia, 2005; F. VILLAR ROJAS (director), *Derecho urbanístico de Canarias*, Tenerife, 2004.

44. La etapa actual referida partiría de 1994: M. PÉREZ FERNÁNDEZ (Director), *Derecho público del turismo*, Pamplona, 2004, pp. 87 y ss.

45. M. PÉREZ FERNÁNDEZ (Director), *Derecho público del turismo*, Pamplona, 2004, pp. 95 y ss.

Los Planes de turismo podrán ser formulados por la Administración de Ordenación territorial, por la Administración turística, sin perjuicio de los posibles informes preceptivos de las Administraciones turística o territorial cuando no sean ellas mismas quienes tomen la iniciativa y responsabilidad del planeamiento[46].

Perspectiva de interés es aquella que informa de las dos formas de abordar la planificación turística, bien mediante planes estratégicos, bien mediante planes con vinculación jurídica derivada de su propio carácter normativo. El plan estratégico es un instrumento flexible e informal que, en principio, no vincula jurídicamente, sino que se basa en la autoobligación de las partes implicadas en la elaboración del instrumento. Esta planificación estratégica no pretende sustituir a la normativa, ya que es un complemento de la misma con la cual cohabita. Su realidad es concreta (un municipio, un territorio, una actividad) y se vincula con el proceso de evaluación global de los impactos que pueden producir los planes. Suele relacionarse con un alto grado de participación pública y, en consecuencia, con una elevada democratización en el proceso de elaboración de los planes, pero en realidad la ratio está en la especial colaboración entre los sectores público y privado que dicha planificación estratégica consigue[47].

Sin embargo, hace falta en todo caso una planificación «normativa» donde la planificación estratégica quede integrada. Sólo ésta consigue coordinar los distintos enfoques y vincular jurídicamente como merece la realización de los fines propuestos sectorialmente. El plan estratégico se enmarca dentro de un plan más amplio, de tipo normativo, al que deberá respetar. La estrategia puede servir para flexibilizar el contenido de los planes normativos, evitando la rigidez del sistema.

La convivencia entre lo normativo y lo estratégico debe, en todo caso, a mi juicio hacerse sin menoscabo del principio de seguridad jurídica. En efecto, el riesgo es que el intérprete o destinatario de la planificación termine por desconocer qué preceptos son indicativos u orientativos y cuáles vinculantes. Es preciso dejar claro el grado de vinculación de la planificación y si estamos ante criterios orientadores o normativos y en qué grado vinculan esos últimos. Un control, en último término judicial, se faculta de esta forma, observando si el grado de vinculación del plan deja vacías de contenido las

---

46. O. BOUAZZA ARIÑO, *Ordenación del territorio y turismo,* Barcelona, 2006, pp. 215 y ss.

47. O. BOUAZZA ARIÑO, *Ordenación del territorio y turismo,* Barcelona, 2006, pp. 201 y ss., siguiendo a R. PUJADAS y J. FONT y F. DE TERÁN.

competencias de otras posibles Administraciones. En efecto, ésta es la forma de que, además, otras Administraciones o entidades encuentren con certeza un ámbito propio de aplicación de la norma y un espacio propio de posibles actuaciones. Ambos riesgos (seguridad jurídica y peligro de vaciamiento de competencias) son los riesgos inherentes a la idea de planificación misma.

La planificación estratégica podrá realizarse por la propia Administración (caso por ejemplo del plan estratégico del Cabildo de Tenerife) o por entidades privadas, mediante la pertinente adjudicación contractual. Para la adjudicación habrá de valorarse, conforme a los pliegos pertinentes, primero, la calidad de la oferta en cuanto al diagnóstico de la situación actual del turismo en la zona objeto de planificación y, segundo, la calidad de la oferta en cuanto a los retos y actuaciones que se proponen por el candidato licitador, así como el impacto ambiental del plan y actuaciones que conlleva. Además, habrá de valorarse la propuesta de integración del plan estratégico dentro del planeamiento territorial y su vinculación sobre lo urbanístico, distinguiendo los contenidos programáticos u orientativos y aquellos otros que deban alcanzar valor normativo mediante su incorporación en los planes territoriales o urbanísticos.

Las estrategias podrán ser la necesidad de regular y reorientar la oferta de alojamiento como mecanismo de contención del crecimiento de la población, mediante el pertinente estudio de crecimiento y de la gestión de la residencia secundaria y turística. También la adecuación de las infraestructuras al desarrollo sostenible, la valoración y protección de los espacios naturales y del paisaje, la recalificación de los núcleos urbanos y turísticos del litoral, la capacidad de carga y el equilibrio y equidad territorial entre las distintas zonas afectadas, etc.

Decisivo, para la elaboración de la planificación estratégica, es el compromiso del adjudicatario de realizar consultas y encuestas con los distintos colectivos que pueden tener opinión sobre el turismo y su desarrollo, es decir, la participación ciudadana y empresarial para la definición de los objetivos de la estrategia.

Capítulo IV

La problemática de la ordenación del territorio a escala europea

1. PLANTEAMIENTO

Ni siquiera el urbanismo y la ordenación del territorio, materias ligadas tradicionalmente a las Administraciones de los Estados miembros e incluso a los niveles administrativos más inferiores, se han visto libres de la repercusión del Derecho comunitario. En un momento en el que nuestro Tribunal Constitucional (STC 61/1997, de 20 de marzo [RTC 1997, 61]) cierra al Estado la posibilidad de regular el urbanismo, por considerar que aquél corresponde a instancias de ámbito inferior (CCAA y entidades locales), las instituciones comunitarias europeas emprenden ciertas acciones que revelan una voluntad decidida de llevar a cabo una ordenación territorial de ámbito comunitario europeo[48].

48. I. AHEDO GURRUTXAGA, «Políticas públicas de ordenación territorial e institucionalización en Iparralde», *Revista Vasca de Administración Pública*, nº 62, 2002; J. B. AUBY, «Droit de l'urbanisme et droit européen», *L'Actualité juridique-Droit administratif*, 1995; M. BASSOLS COMA, «Panorama del Derecho urbanístico español: balance y perspectivas», *Revista de Derecho urbanístico*, 1998, 166; U. BATTIS, «Rechtsfragen der Europäischen Raumordnungspolitik», en: Homenaje a SCHLICHTER, *Planung und Plankontrolle*, Colonia, 1995; M. BRENNER, *Baurecht*, Heidelberg, 2002; V. BIELZA DE ORY/R. DE MIGUEL GONZÁLEZ, «El patrimonio cultural, componente de ordenación del Territorio», *Revista Aragonesa de Administración Pública*, nº 10, 1997; BREIER, en: RENGELING (dir.), *Handbuch zum Europäischen und deutschen Umweltrecht*, Vol. 1, 1998; A. VON BOGDANDY/J. BAST, en E. GARCÍA DE ENTERRÍA/R. ALONSO GARCÍA, *La encrucijada constitucional de la Unión Europea*, Madrid, 2002; F. BOUYSSOU, «Droit de l'urbanisme et Droit international», *Melanges Pierre Vellas*, Paris, 1995; P. M. DUPUY, «La coopération régionale transfrontalière et le Droit international», *AFDI*, vol. XXIII, 1977; N. FERNÁNDEZ LOSÁ/E. PERALTA LOSILLA, «El papel de la Comunidad de Trabajo de los Pirineos y su evolución en el contexto europeo de la cooperación transfronteriza territorial», *Revista de Instituciones Europeas*, vol. 21 (1994); C. FOESSER/M. BERNAD/J. ROBERT, *La Communauté de Travail des Pyrénées dans le nouveau contexte européen/La Comunidad de Trabajo de los Pirineos en el nuevo contexto europeo*, Zaragoza, 1992; F. FONSECA MURILLO, «Relaciones de vecindad y cooperación transfronteriza desde el ángulo del Derecho internacional público», en C. DEL ARENAL (Coordinador), *Las relaciones de vecindad*, Bilbao, 1987; DAVID, en: RUCH/HERTIG/NEF (Coordinador), *Das Recht in Raum und Zeit, Homenaje a Lendi*, 1998; J. F. GARNER/N. P. GRAVELLS (Coordinador), *Planning Law in Western Europe*, Amsterdam, 1986; S. GATAWIS, «Legislative

En todo caso, también las acciones de ordenación del territorio que están llevando a cabo las instituciones comunitarias deben ser consideradas y respetadas por las instancias nacionales (en el caso español, regionales) con competencia en la materia territorial.

Es más, en gran medida, el motor de la ordenación del territorio (dentro de los Estados miembros, sus regiones y municipios) está hoy en las acciones que, sobre el particular, está emprendiendo la Unión Europea.

Kompetenzen der Europäischen Gemeinschaft im Bereich der Raumordnung», *Die öffentliche Verwaltung*, 2002, 20; «Steuerung der nationales Raumordnung durch das EUREK und durch Fördermittel der EG», *UPR*, 2002, 7, p. 263 y ss.; J. GONZÁLEZ PÉREZ, «La ordenación del suelo en la Comunidad Europea y su comparación con la legislación española», en: *Curso de Conferencias sobre Derecho comunitario europeo*, Madrid, 1975; HENDLER, en: MERTINS (dir.), «Vorstellungen der Bundesrepublik Deutschland zu einem europäischen Raumordnungskonzept», 1993; A. HERRERO DE LA FUENTE (Coordinador), *La cooperación transfronteriza hispano-portuguesa en 2001*, Madrid, 2002; A. HILDENBRAND SCHEID, «Nuevas iniciativas de la Unión Europea en materia de ordenación del territorio», *Revista de las instituciones europeas*, 1996; O. HOCKING, «Conservation of Migratory Birds and Protection of Their Habitat: Conflicts Between Planning Guidance and European Legislation?», *Land Management and Environment Law Report*, December 1992; J. KERSTEN, «Empfehlungen für die Ausgestaltung der Raumentwicklung im europäischen Verfassungsvertrag», *UPR*, 6/2003, pp. 218 y ss.; F. LÓPEZ RAMÓN, *Estudios jurídicos sobre Ordenación del Territorio*, Madrid, 1997; G. MARCOU, «Rechtsgrundlagen und Rechtsprobleme der deutsch-französischen grenzüberschreitenden Zusammenarbeit», *Festschrift für Martin Lendi*, Zürich, 1998; A. M. MARINERO PERAL, «La Ordenación del Territorio en la Unión Europea», *Noticias de la Unión Europea*, 190, 2000; J. MARTÍN Y PÉREZ DE NANCLARES, *El sistema de competencias de la Comunidad Europea*, Madrid, 1997; MATUSCHAK, *Europkisches Gemeinschaftrecht im Verhältnis zum deutschen Städtebaurecht*, 1994; N. PAFFENHOLZ, «Tagung der Akademie für raumforschung und Landesplanung und des Bundesamtes für Bauwesen und raumordnung am 15. und 16. November 2001 in Bonn», *DVBl*, 1 März 2002, p. 315; S. PAYNE, «Nature Conservation and Development», *Journal of planning and environment law*, November 1994: E. PERALTA LOSILLA, «La cooperación transfronteriza territorial en una Europa de Estados», *Anuario del Real Instituto de Estudios Europeos*, vol. 1, 1995; M. PÉREZ GONZÁLEZ, «Algunas observaciones sobre el empleo de la técnica convencional en la cooperación transfronteriza entre colectividades territoriales», en VVAA, *Hacia un nuevo orden internacional y europeo. Estudios en Homenaje al Profesor Manuel Díez de Velasco*, Madrid, 1993; «El régimen jurídico de la cooperación transfronteriza entre entidades territoriales: Del Convenio-marco del Consejo de Europa al Tratado de Bayona y Real Decreto 1317/1997», *Documentos INAP*, nº 14, 1997; P. PÉREZ TREMPS/M. A. CABELLOS ESPIÉRREZ/E. ROIG MOLÉS, *La participación europea y la acción exterior de las Comunidades Autónomas*, Madrid-Barcelona, 1998; M. RAMOS/T. QUILISCH, «Eine neue Ordnung für das Paradies», *Inmobilien Zeitung*, 5.6.2003 Ausgabe 12/2003; A. REMIRO BROTONS, «El territorio, la frontera y las comunidades transfronterizas: reflexiones sobre la cooperación transfronteriza», *I Semana de Cuestiones Internacionales*, Zaragoza, 1983; M. REDMAN, «European Community Planning Law», *Journal of planning and environment law*, November 1993; SCHMIDHUBER/HITZLER, «Die Planungskompetenz der Europäischen Gemeinschaft beim Ausbau der europäischen Infrastrukturen», *Die Öffentliche Verwaltung*, 44; A. SERRANO RODRÍGUEZ, «Teledetección y ordenación del territorio», *Revista Valenciana de Estudios Autonómicos*, 4, 1986; H. SIEDENTOPF/B. SPEER, «Europäischer Verwaltungsraum oder Europäische Verwaltungsgemeinschaft?», *Die Öffentliche Verwaltung*, 2002, 18.

La ordenación del territorio, a este nivel europeo, se asentaría en cuatro «pilares»: primero, la cooperación transfronteriza; segundo, los documentos y programas de la Unión Europea en materia de ordenación del territorio; tercero, las competencias sectoriales de la Unión Europea que repercuten en la ordenación del territorio; cuarto, la posible competencia de la Unión Europea en materia de ordenación del territorio[49].

Desde una perspectiva europea, la ordenación del territorio es en parte realidad y en parte un tema de actualidad no consagrado en el plano de la eficacia normativa. En particular, la cooperación transfronteriza, los documentos y programas de la Unión Europea en materia de ordenación del territorio y las competencias sectoriales de la Unión Europea que repercuten en la ordenación del territorio (es decir, los tres primeros de los cuatro pilares que acabo de mencionar) son ya una realidad, poniéndose de manifiesto que existe una ordenación europea del territorio. La europeización del territorio no es un simple proyecto o una cuestión político-jurídica.

En cambio, no se ha conseguido aún la competencia europea de ordenación del territorio. Más bien, en torno a este cuarto «pilar» estamos ante una perspectiva *lege ferenda,* aunque de creciente interés.

Seguidamente, se comentan estos cuatro pilares de la ordenación del territorio a nivel europeo.

2. LOS DOCUMENTOS EUROPEOS SOBRE ORDENACIÓN DEL TERRITORIO. UNA DIMENSIÓN EUROPEA DEL TERRITORIO. LA EFICACIA DE ESTOS DOCUMENTOS

Las leyes de las Comunidades Autónomas, de ordenación del territorio, no desconocen los documentos que van dictando sobre ordenación del territorio las instituciones comunitarias:

---

49.   También pueden considerarse las instituciones comunitarias con competencias de ordenación del territorio, así los Consejos Informales de Ministros Responsables de la Política Regional y Ordenación del Territorio, el Comité Informal de Desarrollo Territorial y finalmente la Comisión de Política Regional y Ordenación del Territorio del Parlamento Europeo (A. A. Pérez Andrés, *La ordenación del territorio en el Estado de las Autonomías,* Madrid, 1998, pp. 216).
   También el Consejo de Europa ha realizado desde su creación en 1949 una actividad interesante en el ámbito de la ordenación del territorio, en especial desde la Conferencia Europea de Ministros Responsables de Política Regional y Ordenación del Territorio (CEMAT), que se ha reunido periódicamente desde 1970. La acción más relevante sería la famosa Carta Europea de Ordenación del Territorio o Carta de Torremolinos aprobada el 20 de mayo de 1983.

Muy citada ha sido la Carta Europea de Ordenación del Territorio de Torremolinos de 1983 (así, en la Ley 11/1992, de 24 de noviembre, de Ordenación del Territorio de Aragón, en la Ley 10/1998 de Ordenación del Territorio de Castilla y León, en la Ley 10/1995, de 23 de noviembre, de Ordenación del Territorio de Galicia; en la derogada Ley 8/1987, de 1 de abril, de Ordenación del Territorio de Baleares y en la actual Ley 14/2000, de 21 de diciembre, de Ordenación del Territorio de las Islas Baleares; en la ya derogada Ley 6/1989 de Ordenación del Territorio de la Comunidad Valenciana).

También el documento Perspectiva Europea de Ordenación del Territorio de 1997 (PEOT) de Noordwijk, de 9 y 10 de junio de 1997 se cita, por ejemplo, por la ya derogada Ley 1/2001, de 24 de abril, del Suelo de la Región de Murcia.

El célebre documento Estrategia Territorial Europea (ETE) se menciona, por ejemplo, en el Texto navarro «Estrategia Territorial de Navarra 2001-2025», así como en las Directrices de Ordenación del Territorio de Galicia y en la Ley 6/2007, de 11 de mayo, de medidas urgentes en materia de ordenación del territorio y del litoral de Galicia.

Lo mismo puede decirse del documento «Europa 2000» y «Europa 2000+» (*Cooperación para el desarrollo espacial del territorio europeo*, 1995)[50].

_____

50. Relevantes han sido también las resoluciones del Parlamento Europeo sobre una política concertada de ordenación del territorio y sobre una política comunitaria de ordenación del territorio: Europa 2000 A3-245/90 (Informe de la Comisión de Política Regional y Ordenación del Territorio, sobre una política comunitaria de ordenación del territorio, de fecha 3 de octubre de 1990) y A3-0253/92 (Informe de la Comisión de Política Regional, Ordenación del Territorio y Relaciones con los Poderes Regionales y Locales sobre una política comunitaria de ordenación del territorio: Europa 2000, COM 91, 0452-C3-0051/92, de fecha 10 de julio de 1992).
En estas resoluciones se parte de que la ordenación del territorio en Europa debe inscribirse necesariamente en un marco geográfico tan amplio como sea posible. Y se pretenden ciertos fines, tales como la realización de una red equilibrada de ciudades y villas dinámicas en todo el territorio como anclaje de la vida cultural, social y económica, el logro de una adecuada, correcta y racional distribución de empresas y personas dentro del espacio territorial de la Unión Europea, el desarrollo armonioso del territorio, la obtención de un cuadro de medidas que sirva para planificar mejor el suelo por parte de las Administraciones de los Estados miembros, la reducción de los desequilibrios espaciales que se traducen en unas concentraciones urbanas (gigantescas megalópolis) cada vez más preocupantes y una desaparición progresiva de espacios naturales así como una concentración local de las actividades económicas en las regiones más ricas.
También se insiste en estas resoluciones en la característica interrelación entre lo ambiental y lo urbanístico.
Pueden citarse en este contexto también otras declaraciones de *soft law* de las instituciones comunitarias que propugnan una política comunitaria de ordenación del territorio e insisten en el planteamiento de la calidad de vida en materia de urbanismo (Libro Verde sobre

Menos éxito han tenido hasta el momento las «Guiding Principles for Sustainable Spatial Development of the European Continent» de septiembre de 2000, documento proveniente del Consejo de Europa en Estrasburgo, aunque materialmente sus principios pueden encontrarse en las legislaciones autonómicas de ordenación del territorio.

La Estrategia Territorial Europea (ETE) fortalece la aplicación del principio de sostenibilidad o desarrollo equilibrado y sostenible del espacio y nos orienta en el sentido de evitar los grandes desequilibrios territoriales dentro de Europa y dentro de cada uno de los Estados miembros. Asimismo, nos obliga a considerar el espacio lejos de una dimensión estrictamente local o incluso regional.

El nuevo TR de Ley del Suelo estatal de 2008 se hace eco de estos documentos y acciones de la Unión europea en materia territorial, cuando en su preámbulo establece: «La del urbanismo español contemporáneo es una historia desarrollista, volcada sobre lodo en la creación de nueva ciudad. Sin duda, el crecimiento urbano sigue siendo necesario, pero hoy parece asimismo claro que el urbanismo debe responder a los requerimientos de un desarrollo sostenible, minimizando el impacto de aquel crecimiento y apostando por la regeneración de la ciudad existente. La Unión Europea insiste claramente en ello, por ejemplo en la Estrategia Territorial Europea o en la más reciente Comunicación de la Comisión sobre una Estrategia Temática para el Medio Ambiente urbano, para lo que propone un modelo de ciudad compacta y advierte de los graves inconvenientes de la urbanización dispersa o desordenada: impacto ambiental, segregación social e ineficiencia económica por los elevados costes energéticos, de construcción y mantenimiento de infraestructuras y de prestación de los servicios públicos».

Habría una dimensión propiamente europea del territorio, al igual que también la hay local o regional. Ahora bien, si existe una dimensión propia europea del espacio, tal como nos cuentan las instituciones comunitarias en estos documentos citados, ¿no ha de existir también una dimensión nacional o española del territorio?

Interesa también afirmar que la política europea de cohesión económica

---

el medio ambiente en las ciudades, de la Comisión Europea, de 6 de julio de 1990, COM 90, 218; documento de la Comisión «caminos para el desarrollo de las ciudades en la Comunidad Europea», de 6 de mayo de 1997, COM 97, 197; «Carta Urbana Europea. Estrategias y proyectos urbanos» del Consejo, 1992; Carta Europea de Ordenación del Territorio, de 1983).

y social tiene cada vez más una dimensión estrictamente territorial: la política de cohesión territorial por tanto[51].

En fin, podría pensarse que los documentos comunitarios no tienen mayor eficacia, al carecer de vinculación normativa o jurídica. No es el caso. Estos documentos están teniendo una incidencia de primer orden dentro de los Estados miembros. En este debate, entre permanecer en el *soft law* o pasar al plano normativo, viene evidenciándose que, curiosamente, la eficacia puede ser mayor si permanecemos en un ámbito no estrictamente normativo. En un contexto europeo, ésta parece ser la experiencia obtenida en especial en el Reino Unido.

3. LAS POLÍTICAS COMUNITARIAS SECTORIALES Y LA ORDENA-CIÓN DEL TERRITORIO DE LOS ESTADOS MIEMBROS

Seguimos en el ámbito de *la realidad* de la ordenación del territorio a nivel europeo, sin abandonarnos aún al planteamiento *lege ferenda*.

En efecto, es una auténtica realidad la existencia de una ordenación del territorio europea a través del ejercicio, de la Unión Europea, de sus competencias sectoriales.

La propia legislación autonómica se hace eco, en general, de esta tendencia, cuando afirma (así, la Ley de Ordenación del Territorio 1/1994 de Andalucía) que el Plan debe considerarse como un marco para la ejecución de los proyectos y acciones del Estado y *de Europa*.

En este sentido, la Ley canaria de Ordenación del Territorio 1/2000 prevé un deber de cooperación de esta Comunidad Autónoma con Europa, para cumplir con las obligaciones que resulten del ejercicio de las competencias europeas de carácter sectorial y que repercutan sobre el territorio de la citada Comunidad [artículos 13 y siguientes y 78.2.d)].

Ejemplo claro de cuanto decimos son las medidas de ordenación territorial que se derivan del ejercicio de la competencia europea de medio ambiente.

---

51. En este contexto, importa mencionar programas europeos tales como INTERREG (sobre la participación de España en este programa informa con precisión el texto: www.europa.eu.int/comm) y ciertos problemas que, en un ámbito de aplicación práctica o administrativa, plantean aquéllos, ya que no existirían criterios claros para determinar el reparto de los fondos comunitarios entre las autoridades administrativas interesadas.

Así, una directiva de carácter o contenido ambiental (la directiva 79/ 409, del Consejo, de 2 de abril de 1979, relativa a la conservación de las aves silvestres) ocasionó que el Estado español tuviera que declarar como espacios exentos de urbanización ciertos terrenos en aras de proteger el hábitat de las aves de la zona (puede verse, igualmente, la directiva de hábitat y de la fauna y flora silvestres 92/43, de 21 de mayo de 1992)[52].

Otro ejemplo de la influencia del Derecho comunitario europeo sobre el marco territorial y urbanístico de los Estados miembros lo ofrece la STJCE de 8 de septiembre de 2005 (TJCE 2005, 260), C-416/02, donde se declara que el Reino de España debe declarar la Rambla de Mojácar como zona vulnerable, además de declarar el incumplimiento asimismo de distintas directivas comunitarias sobre el tratamiento de aguas residuales urbanas.

Estas determinaciones de carácter territorial, fruto del ejercicio de una competencia sectorial de la Unión Europea, tendrán que fijarse en los planes o en el ordenamiento jurídico en general, tal como ponen de manifiesto las sentencias del TJCE, en las cuales se condena a los Estados por no tomar éstos las medidas precisas para dar a aquéllas debido cumplimiento (sentencias de 2 de agosto de 1993 [TJCE 1993, 126] y de 7 de diciembre de 2000 [TJCE 2000, 310], C-374/98).

Más recientemente prosiguen este tipo de pronunciamientos, siendo siempre parte recurrente la Comisión Europea y parte condenada un determinado Estado miembro que incumple las obligaciones que le incumben en virtud de la Directiva 79/409, del Consejo, de 2 de abril de 1979, relativa a la conservación de las aves silvestres.

Unas veces se condena al Estado miembro (a la República de Finlandia en el caso de la STJCE de 6 de marzo de 2003 [TJCE 2003, 61], asunto C-240/00), por omitir el cumplimiento de alguna de las obligaciones que le incumben en virtud de la citada Directiva «al no haber clasificado de forma

---

52. La sentencia del Tribunal de Justicia de las Comunidades Europeas, de 2 de agosto de 1993 (TJCE 1993, 126) (*AA*, nº 31, 1995) declara que «el Reino de España ha incumplido las obligaciones que le incumben por haber omitido clasificar tales marismas como zona de protección especial». El incumplimiento se produjo en gran medida ante la planificación de polígonos industriales en zonas contiguas a las marismas y la concesión de usos particulares en la zona a favor de grupos de pescadores (la directiva que se incumplía en este caso era la directiva 79/409, del Consejo, de 2 de abril de 1979, relativa a la conservación de las aves silvestres; más recientemente, asimismo, véase sobre el particular la STJCE de 25 de noviembre de 1999 [TJCE 1999, 279], asunto C-96/98, Comisión contra República Francesa).

definitiva y completa las zonas de protección especial situadas en su territorio».

Otras veces se condena al Estado miembro (al Reino de Bélgica en el caso de la STJCE de 27 de febrero de 2003 [TJCE 2003, 54], asunto C-415/01) por no adaptar su Derecho interno a alguno de los preceptos de la citada Directiva, además de por no garantizar una delimitación de las zonas de protección especial situadas en su territorio, ni por adoptar las medidas necesarias para asegurar que la clasificación de un lugar como zona de protección especial implique automática y simultáneamente la aplicación de un régimen de protección y de conservación conforme con el Derecho comunitario.

Otra posible variante de incumplimiento, relacionada con las anteriores, es aquella que recoge la STJCE de 20 de marzo de 2003 (TJCE 2003, 90) (asunto C-143/02) porque, aunque la condena se refiere a la no adopción de las medidas apropiadas para evitar el deterioro de los hábitat naturales, el incumplimiento no se debe tanto a una ausencia de la transposición debida como a una medida normativa del Estado miembro (de la República de Italia) que impide este resultado.

El medio ambiente no agota las competencias sectoriales europeas que pueden repercutir sobre el territorio. Pensemos en el Derecho de la competencia (y la determinación de las zonas susceptibles de obtener ayudas económicas), en la política agraria (y la fijación de las áreas rurales subvencionables), en las redes transeuropeas (con la consiguiente fijación de las redes en el planeamiento de los Estados miembros), en la realización de las políticas energéticas comunitarias (y la consiguiente determinación de su ámbito territorial de aplicación), etc.

Puede en este contexto seleccionarse el artículo 175 (antiguo 130 S) del Tratado de la Comunidad Europea, según el cual el Consejo adoptará «medidas de ordenación territorial y de utilización del suelo».

También el artículo 151 (antiguo art. 128) del TCE (introducido por el Tratado de la UE), a cuyo tenor la «Comunidad contribuirá al florecimiento de las culturas de los Estados miembros»; en efecto, la preservación de espacios culturales puede llevar consigo la realización de medidas de ordenación del territorio.

En particular, la realización de las redes transeuropeas lleva consigo la necesidad de que las Administraciones nacionales con competencia de ordenación territorial y urbanística dibujen en sus planes de ordenación la red que resulta del ejercicio de la competencia sectorial comunitaria.

También es preciso considerar la evaluación de impacto ambiental, ya que las últimas tendencias normativas en el ámbito comunitario pretenden reforzar la consideración del ambiente a la hora de realizar planes urbanísticos. La normativa comunitaria afirma que la evaluación del impacto ambiental constituye un instrumento importante para la integración de los aspectos ambientales en dichos planes y programas, pues garantiza que las autoridades tengan en cuenta las posibles repercusiones ambientales que resultan de la realización de tales planes y programas antes de su adopción.

Mención aparte merece el tema de los fondos estructurales, ya que algunos de los programas comunitarios de cohesión tienen como objetivo la mejora de las infraestructuras de las ciudades (v. gr. programa Urban, o el programa Interreg, para áreas fronterizas)[53].

¿Qué alcance pueden llegar a tener este tipo de acciones de las instituciones comunitarias en materia territorial y urbanística? Buscando una interpretación en la medida de lo posible comprensible en nuestro propio Derecho, y retomando por tanto el hilo de la jurisprudencia constitucional, puede citarse la STC 149/1991, de 4 de julio (RTC 1991, 149), cuando afirma que la competencia autonómica en materia de ordenación del territorio tiene «enorme amplitud», aunque «esa enorme amplitud de su ámbito propio evidencia que quien asume, como competencia propia, la ordenación del territorio, ha de tomar en cuenta para llevarla a cabo la incidencia territorial de todas las actuaciones de los poderes públicos, a fin de garantizar de ese modo el mejor uso de los recursos del suelo y del subsuelo, del aire y del agua y el equilibrio entre las distintas partes del territorio mismo (...). Este condicionamiento de una competencia atribuida por referencia a un concepto (la ordenación del territorio), que la Ley cántabra sobre la materia (la entonces vigente Ley 7/1990) califica de equívoco y la Ley de Ordenación Territorial de la Comunidad de Madrid (la entonces vigente Ley 10/1984) de denominación aún confusa en nuestra reflexión teórica, no es ilegítimo y ello no sólo por el *hecho de que el territorio puede ser contemplado desde una perspectiva nacional y hasta europea, como recuerda la Ley 6/1989 de la Comunidad Valenciana, sino sobre todo porque, como acabamos de indicar, es inherente a la idea misma de ordenación la actuación de poderes distintos, dotados de competencias propias. Para que el condicionamiento legítimo no se transforme en usurpación ilegítima es indispen-*

---

53. Sobre los fondos estructurales y, en general, la ordenación del territorio desde el punto de vista europeo, puede verse el trabajo de I. DE LA FUENTE CABERO, «La interrelación entre los Fondos Estructurales y la Ordenación del Territorio», *Revista Noticias de la Unión Europea*, nº 234, julio 2004, *in toto*.

sable, sin embargo, que el ejercicio de esas otras competencias se mantenga dentro de sus límites propios».

El ejercicio de las competencias sectoriales de la Unión Europea lleva a que las instancias de planeamiento territorial (las Comunidades Autónomas) tengan que prever –en sus planes o instrumentos de ordenación– las actuaciones que se deriven de dicho ejercicio. Por ejemplo, una red transeuropea definida a escala europea tendrá que encontrar una adecuada plasmación en el correspondiente plan autonómico de ordenación territorial.

Por otra parte, el Derecho europeo de ordenación territorial serviría en el fondo para reforzar la legitimidad de las acciones del Estado derivadas del ejercicio de sus propias competencias sectoriales (por ejemplo, infraestructuras o medio ambiente) y para reforzar la idea de que la ordenación territorial autonómica ha de ajustarse a las determinaciones territoriales que se deriven del ejercicio de las competencias sectoriales del Estado. Porque, en efecto, no puede llegarse al absurdo de que la Unión Europea (pero no el Estado) pueda repercutir en el espacio autonómico. Por eso, el «mínimo» exigible parece ser que el Estado español tenga en España, cuando menos, las mismas competencias que tiene Europa. Por ello mismo, las competencias estatales de carácter sectorial aumentan su legitimidad en un contexto europeo, también considerando que ni siquiera en el Estado federal alemán se priva al Estado de competencia de ordenación del territorio. De momento, sin embargo, sólo el Estado (no Europa), en el ejercicio de sus competencias sectoriales, ha de seguir reglas tales como que dicho ejercicio no puede «dejar vacías de contenido» las competencias autonómicas o que dicho ejercicio ha de respetar estrictamente la política territorial autonómica.

4. LA EUROPEIZACIÓN DE LA ORDENACIÓN DEL TERRITORIO EN EL MARCO DE LA COOPERACIÓN TRANSFRONTERIZA

Desde el punto de vista de la ordenación del territorio, ¿cómo se manifiesta la europeización a través de la cooperación transfronteriza? ¿Qué regulaciones existen, a nivel autonómico, que corroboren dicha europeización del planeamiento urbanístico o territorial? ¿Cómo se articulan los planes de ordenación del territorio de carácter transfronterizo[54]?

---

54. Sobre el tema, D. CANALS AMETLLER/A. GALÁN GALÁN, *Entidades locales y fronteras*, Barcelona, 2008; F. LÓPEZ RAMÓN, «Instrumentos de urbanismo transfronterizo pirenaico», *Revista Aragonesa de Administración Pública*, nº 9, 1996, pp. 399 y ss.

A la búsqueda de regulaciones, sobre ordenación del territorio transfronterizo, se presentan dos cauces: el primero, las regulaciones propiamente dichas de planeamiento en el ámbito de la legislación autonómica de tipo territorial o urbanístico. El segundo, las regulaciones y los acuerdos de cooperación transfronteriza entre las Comunidades Autónomas (del lado español) y las autoridades nacionales francesas o portuguesas.

En torno al primer ámbito o cauce, es necesario partir de que las leyes de ordenación del territorio no se enfrentan expresamente con este problema de la ordenación del territorio transfronteriza. No obstante, en los instrumentos de ordenación territorial (así por ejemplo en las directrices de ámbito regional de la Comunidad Autónoma de Aragón) se contienen interesantes referencias, tales como las relativas a las infraestructuras que unen esta Comunidad Autónoma y Francia, dentro de las estrategias territoriales de esta Comunidad.

Por otra parte, este tipo de referencias (y todas aquellas que, de forma previsible se irán dictando) encuentran respaldo normativo en la legislación autonómica de ordenación del territorio.

En el segundo ámbito, es decir los acuerdos de cooperación transfronteriza, permiten éstos celebrar (a las Comunidades Autónomas o a sus municipios) convenios con las autoridades competentes de otros Estados (Francia o Portugal). Hemos de citar el famoso Convenio Marco de 5.2.1980 sobre cooperación transfronteriza. Este Convenio sugería la posibilidad de celebrar Acuerdos interestatales. De ahí que España, al igual que otros Estados, considerara insuficiente este Convenio Marco y por eso aprobara con Francia un Acuerdo específico, igualmente conocido: el Tratado de Bayona. En el Norte de España rige este Tratado desde el 10.3.1995, entrando en vigor en 1997, según el cual se permiten este tipo de acuerdos transfronterizos. Para la eficacia de estos acuerdos transfronterizos con un Tratado interestatal de cobertura basta con la previa comunicación del proyecto de acuerdo transfronterizo a la Administración del Estado en virtud del Real Decreto 1317/1997. Finalmente, puede considerarse un Protocolo de 1996, no ratificado por España.

Pues bien, nada impide para que, en estos acuerdos, se realicen proyectos de carácter directa o indirectamente territorial. Por ejemplo, la construcción de una carretera o de un puente o de instalaciones de servicios públicos comunes, podrá hacerse aprovechando este marco normativo. Puede hablarse incluso de una planificación territorial conjunta o europea, es decir transnacional, entre una Comunidad Autónoma y el Estado francés o el Estado portugués, es decir la «planificación» que implica la realización del proyecto transfronterizo en cuestión.

Ahora bien, la aprobación de los planes donde se establezcan dichas determinaciones de carácter territorial, será competencia lógicamente de la Administración competente para dicha aprobación del plan correspondiente (la Comunidad Autónoma, del lado español y la autoridad portuguesa o francesa del otro lado).

Es decir, desde el punto de vista de la europeización del planeamiento urbanístico o territorial, es interesante destacar la posible «planificación conjunta», a pesar de la aprobación por separado de los planes urbanísticos o territoriales.

Por tanto, la cooperación transfronteriza viene a decirnos que no es suficiente la supresión de la frontera para el desarrollo de las áreas transfronterizas, ya que es necesario además una planificación conjunta para la actuación en ámbitos concretos espaciales.

De la práctica administrativa existente pueden seleccionarse algunos ejemplos: se han desarrollado proyectos transfronterizos que afectan al territorio español, tales como «Eurostadt» (entre San Sebastián y Bayona, con una consideración espacial conjunta) tal como nos explica el documento «Libro Blanco de la Eurociudad»[55].

Interesante es también que, dentro de los fines de las Comunidades de trabajo (instituciones protagonistas en el ámbito de esta cooperación en el área pirenaica) se prevé expresamente la «cooperación transfronteriza territorial», junto a otras materias como la energía, la economía de montaña, los balnearios, etc. (así, el Tratado de los Pirineos de 1995).

En la parte de España más cercana a Portugal, Andalucía ha firmado dos protocolos transfronterizos con Portugal, lo mismo que Extremadura (durante los años 1992 y 1994) y Galicia (protocolos de 17.1.1992 y 27.5.1994) y Castilla y León (protocolos de 21.2.1995 y 3.3.1995). Estos protocolos no tienen fuerza jurídica vinculante y es posible que un régimen similar al hispano-francés termine imponiéndose en estos otros territorios. Al no haber un Tratado interestatal hispano-luso, en materia de cooperación transfronteriza, si se firman acuerdos (entre las autoridades autonómicas o locales

---

55. Puede verse: www.eurociudad.org, así como www.agglo-bab.fr./f_missions.htm o en www.guipuzkoa.net) o el proyecto «Cities» entre Irún, Hondarribia y Hendaya (www.bidasoa-txingudi.com, o www.irun.org).

españolas y las portuguesas), para su eficacia jurídica sería necesaria la conformidad expresa del Gobierno de la Nación, no sirviendo a estos efectos la comunicación previa del RD 1317/1997.

Así pues, se está desarrollando una tendencia en favor de un planeamiento territorial transfronterizo. En particular, la cooperación con Portugal puede valorarse como positiva, por representar una vía de solución al problema de la tradicional ausencia de cooperación entre ambos Estados celtibéricos. En este sentido, puede seleccionarse el ejemplo, de cooperación transfronteriza «Terra Douro», o la declaración del parque natural de los «Arribes del Duero». En todos estos casos, existe también una valoración o consideración conjunta del espacio territorial.

En gran medida, el sentido de la cooperación transfronteriza es aprovechar los programas europeos de financiación (FEDER, FEOGA, URBAN y especialmente, en este caso, INTERREG). Estos programas permiten el desarrollo económico y el progreso social de cada una de las áreas territoriales nacionales. En ello hay, evidentemente, un interés común de los Estados miembros. Es obvio que estamos ante un fenómeno general que afecta a muchos otros Estados europeos.

Lo interesante es poner de manifiesto que algunos de estos proyectos conjuntos (claramente el INTERREG) tendrán necesariamente una repercusión espacial o traducción en clave territorial, lo que obliga en cierta medida a una consideración transnacional del territorio, conjuntamente con el Estado vecino, aunque finalmente cada cual apruebe sus respectivos planes o directrices de ordenación territorial, en ausencia de autoridades europeas o supranacionales que pudieran aprobarlos.

La Ley 57/2003, de 16 de diciembre, de Medidas para la Modernización del Gobierno Local introduce un segundo apartado en el artículo 87 de la Ley de Bases de Régimen Local relativo, como actualmente, a los consorcios, diciéndose que «los consorcios podrán utilizarse para la gestión de los servicios públicos locales, en el marco de los convenios de cooperación transfronteriza en que participen las entidades locales españolas, y de acuerdo con las previsiones de los convenios internacionales ratificados por España en la materia».

Tal como ilustra la Exposición de Motivos de la citada Ley 57/2003, «se incorporan a nuestra legislación básica de régimen local los consorcios transfronterizos, como mecanismo asociativo que puede utilizarse en una

141

actividad de creciente importancia como es la cooperación transfronteriza de nuestras entidades locales».

Así pues, resumiendo o recapitulando, pueden distinguirse estas posibles opciones:

1. En lo relativo al proyecto en general de cooperación transfronteriza (por ejemplo infraestructuras o servicios públicos): sistema «europeo» de actuación conjunta entre la Comunidad Autónoma y autoridades extranjeras.

2. En lo concerniente a la planificación territorial, en este marco de la cooperación transfronteriza: igualmente, actuación de «forma europea» entre autoridades autonómicas y extranjeras.

3. En lo tocante a la aprobación del planeamiento en el que se plasmen las acciones territoriales planificadas conjuntamente: aprobación por separado en cada Estado (CCAA del lado español; autoridades nacionales en el caso francés).

Podría considerarse otro ámbito a través del cual pueden desarrollarse proyectos transnacionales con impacto territorial, es decir los Tratados internacionales. Previa concertación de un Tratado Internacional puede acordarse por ejemplo la construcción de una obra pública, así un puente de enlace entre territorios de distintos Estados. Evidentemente, estas obras habrán de constar en los instrumentos de ordenación territorial o, cuando menos, de planeamiento urbanístico, de cada uno de los Estados que participan en el proyecto en cuestión. Y de ahí la repercusión espacial o territorial.

En general, podemos concluir esta cuestión poniendo pues de manifiesto la interesante existencia de una consideración conjunta del territorio entre distintos Estados, es decir un planeamiento territorial o urbanístico de carácter transnacional. El «territorio» deja de ser realidad nacional, para manifestar un carácter europeo que trasciende del propio Estado. Y es significativo porque el territorio es un pilar de la soberanía nacional de los Estados miembros. Por eso mismo, la Unión Europea es consciente de la importancia de este tipo de acciones transfronterizas para llevar adelante el proyecto de integración europea. Las fronteras pierden fuerza y los Estados miembros dejan de identificar rígidamente los confines de su territorio. Y la planificación del territorio se hace cada vez más de forma conjunta con otros Estados europeos. Éste es el sentido mismo de Europa en un plano territorial.

Es presumible que estos proyectos cobren cada vez un mayor auge. Las iniciativas europeas de este tipo serán seguidas con especial interés en un

Estado como el nuestro en el cual las Comunidades Autónomas están deseosas de acaparar competencias de carácter «internacional» que mermen la soberanía del Estado.

Lógicamente, estos proyectos cuentan también con dificultades prácticas. Así, tradicionalmente, las zonas fronterizas en la parte hispano-lusa (la «Raya») presentan un fenómeno preocupante de despoblación, aridez del territorio, grandes distancias entre ciudades, funcionamiento deficiente de los servicios públicos, a veces actitudes de desinterés en la colaboración y tan sólo en la financiación. Todo esto no hace fácil dicha cooperación. Tampoco pueden ignorarse las diferencias existentes entre sistemas jurídicos y organizativos, como limitación de la cooperación transfronteriza.

Suele apuntarse además, en este contexto de las dificultades, que el centralismo en Portugal y Francia dificulta notablemente la agilidad de la toma de decisiones en el marco de la cooperación transfronteriza, ya que las decisiones han de ser tomadas en París o Lisboa, con un exceso añadido de burocracia, a diferencia de la toma de decisiones, más ágil, del lado español, en un lugar más próximo a la frontera.

5. EL EJEMPLO DEL ARCO MEDITERRÁNEO COMO ESPACIO TRANSEUROPEO. REALIDADES Y LÍMITES

La ordenación del territorio en el Arco Mediterráneo nos sirve para ejemplificar (o profundizar en) el tema de la ordenación territorial transnacional en el marco de las tendencias de europeización del territorio. Precisamente, la propia posibilidad de hablar de un Arco Mediterráneo en sentido espacial que englobe tanto territorios españoles como territorios de otros Estados miembros de la Unión Europea es, en el fondo, una consecuencia del paulatino arraigo de la dimensión europea del territorio. Esto conlleva la posibilidad de considerar los espacios territoriales de forma no necesariamente vinculada al territorio de cada uno de los Estados miembros considerados aisladamente.

No obstante, el alcance de este tipo de proyectos (como por ejemplo el de la ordenación territorial en el Arco Mediterráneo) está determinado por los márgenes que impone el ordenamiento jurídico y la necesaria consideración de los intereses del Estado[56]. También a las Administraciones locales ha

---

56. J. V. BOIRA, «La geopolítica de la media distancia», *El País*, de 9 de octubre de 2001, p. 28; F. BATALLER/J. M. JORDAN GALDUF, «El mediterráneo sur y oriental y la UE: las relaciones comerciales y su entorno estratégico», *Información comercial española*, nº 744-745, 1995, pp. 111 y ss.; F. CALVO GARCÍA TORNEL/G. LÓPEZ RUIZ, *Murcia en el Arco Mediterráneo*, Cámara Oficial de Comercio, Industria y Navegación, Murcia, 1995; C. GARCÍA SEGURA, «La dimen-

de darse adecuada participación en todo tipo de procesos de ordenación territorial de escala regional.

La primera cuestión que conviene aclarar o precisar sería la de determinar el propio concepto del Arco Mediterráneo. Por tal, una posible primera interpretación considera la macrorregión de Cataluña, Valencia y Murcia, junto con la incorporación de Andalucía[57].

La oportunidad de hablar de una región completa de Arco Mediterráneo estaría en parte en contrarrestar los desequilibrios interregionales dentro de la Comunidad Europea, en conseguir un crecimiento sostenible, en aportar un espacio de desarrollo especial (un motor de desarrollo) y también, en este contexto, en servir de referencia espacial frente al espacio dorsal continental, donde se incluiría el espacio central, el corazón de la Unión Europea –lo que otros llaman el pentágono de la Unión Europea–, es decir, el espacio comprendido dentro de la línea entre Londres, París, Munich, Milán, Berlín, Londres. En este sentido, el Arco Mediterráneo sería un motor de desarrollo que podría llegar a hacer competencia a ese espacio dorsal europeo.

Así pues, en Europa, junto al espacio identificado como la gran dorsal, habría dos grandes alternativas desde un punto de vista territorial: uno, el llamado Arco Atlántico y dos, el llamado Arco Mediterráneo.

Es común admitir que el origen del concepto de Arco Mediterráneo o de Arco Latino está en la Conferencia de Regiones Periféricas Marítimas (CRPM) nacida en 1973, de una iniciativa de Olivier Guichard[58], en la que se debatió la necesidad del nacimiento de alternativas que sirvieran de contrapeso a los núcleos económicos del centro de Europa, es decir, la llamada «gran dorsal»[59].

---

sión mediterránea de la proyección exterior de Cataluña: el Arco Latino», *Papers: Revista de Sociología*, nº 46, 1995 pp. 43 y ss.; A. JEREZ MÉNDEZ, «El Arco Mediterráneo Valenciano: problemas territoriales», *Revista Valenciana de Estudios Autonómicos*, nº 17, 1997, pp. 243 y ss.; A. PEDREÑO/P. TALTAVULL, «El Arco Mediterráneo ante el 2000: ¿ruta o frontera de la expansión económica europea?», *Cuaderno de Información Económica*, nº 155, 2000, pp. 64 y ss.

57. Véase el documento de la Generalitat Valenciana, *Arco Mediterráneo español. Eje europeo de desarrollo*, Valencia, 1993.

58. Véase P. A. SALVÀ TOMÀS, «El Arco Mediterráneo español: sus perspectivas como espacio de futuro», *Revista Valenciana de Estudios Autonómicos*, nº 22, 1998, pp. 23 y ss.

59. Sobre esta cuestión de los orígenes véase P. A. SALVÀ TOMÀS, «El Arco Mediterráneo español: sus perspectivas como espacio de futuro», *Revista Valenciana de Estudios Autonómicos*, nº 22, 1998, pp. 23 y ss.

A raíz del citado documento se han venido desarrollando determinados planes de acción territorial y de desarrollo urbanístico en la Comunidad Valenciana, en coherencia con dicha concepción del Arco Mediterráneo español.

En el citado documento de la Comunidad de Valencia, por Arco Mediterráneo español vienen a entenderse las provincias mediterráneas españolas desde Gerona a Cádiz, pasando por Barcelona, Tarragona, Castellón, Valencia, Alicante, Murcia, Almería, Granada, Málaga y la propia Cádiz.

Ahora bien, sería acaso oportuno considerar también, dentro de este marco espacial del Arco Mediterráneo español, provincias limítrofes que pudieran sacar también aprovechamiento de este espacio más rico y productivo y también, en parte, para un mejor abastecimiento y mejor planificación de esas otras provincias costeras que forman el Arco Mediterráneo. Estamos refiriéndonos a provincias limítrofes como por ejemplo Albacete, Teruel o Cuenca[60].

De hecho, la ley de la Comunidad Autónoma de Aragón 10/1997, de 17 de noviembre, por la que se instrumenta la aplicación del Plan Estratégico del Bajo Ebro Aragonés y se aprueban medidas para su mejor ejecución, establece en su artículo 5 («medidas de ordenación del territorio») que «la Administración de la Comunidad Autónoma de Aragón impulsará (...) en particular la *conexión con el Arco Mediterráneo* (...)».

No está del todo clara, no obstante, la concreción final o determinación última de los espacios que se engloban dentro el Arco Mediterráneo, ya que existen distintas opiniones y concepciones al respecto. Mientras que para algunos el espacio del Arco Mediterráneo se extiende desde Valencia a Roma, para otros se extendería desde Gibraltar al Estrecho de Mesina.

Es que incluso para las regiones más interesadas en el Arco Mediterráneo (v. gr. Cataluña) resulta que la cooperación transfronteriza no se limita al Arco Mediterráneo, porque se observa una tendencia a incorporar otros espacios tales como por ejemplo el Báltico en el Norte de Europa[61]. Otras veces se razona que el Arco Mediterráneo se corresponde con el espacio desde Andalucía al Lazio, excluyendo Nápoles y Sicilia[62].

---

60. Véase así P. A. SALVÀ TOMÀS, «El Arco Mediterráneo español: sus perspectivas como espacio de futuro», *Revista Valenciana de Estudios Autonómicos,* nº 22, 1998, pp. 23 y ss.

61. De ello es expresivo el documento titulado *La cooperación regional en el Báltico y en el Mediterráneo,* Barcelona, 28 de febrero-1 de marzo de 2002.

62. Véase I. CARAVACA BARROSO, «Los nuevos espacios emergentes. Ponencia presentada en el XV Congreso de Geógrafos», *Dinámica litoral-interior,* Santiago de Compostela, A.G.E. (1997), pp. 41 y ss.; G. R. FERNÁNDEZ FERNÁNDEZ, «El sistema de comunicaciones y transportes

Por otra parte, algunas veces se habla de Arco Mediterráneo y otras veces de Arco Latino, sin que queden claras muchas veces las relaciones entre ambas terminologías y si estamos hablando de un mismo espacio o un mismo concepto o no es el caso.

Puede hablarse de Arco Mediterráneo para incluir la parte norte española (Cataluña y Valencia) y la parte francesa y norte de Italia[63]. Pero también se utiliza el concepto Arco Latino para englobar a las partes fundamentalmente de Murcia[64], Andalucía y otras posibles zonas. En este sentido, parece que es obvio que dentro de este Arco Latino o Arco Mediterráneo habría una «parte central» que sería el núcleo dinámico de este área territorial ocupado por la Toscana, Liguria, Provenza, Alpes y Costa Azul así como el Languedoc y Roussillon y Cataluña y Valencia, en la parte española. Algo así como un Arco Latino *a dos velocidades.*

Sin embargo, lo más lógico parece uniformar la terminología y considerar conjuntamente las distintas zonas mencionadas, aunque hubiera distintas subzonas.

Así pues, la inclusión de Andalucía dentro del Arco Mediterráneo parece de una u otra forma indudable. Otra cuestión es discutir si para algunos es deseable su menor influencia dentro de esta zona.

Pero, insistimos, su localización geográfica dentro de dicho Arco no parece ser fácilmente rebatible[65].

Desde la Comunidad Autónoma de Andalucía se insiste en la necesidad de incluir a dicha Comunidad dentro del Arco Mediterráneo, aunque también hay otros documentos donde consta la vocación de Andalucía de ser integrada dentro del Arco Mediterráneo, pero también dentro del Arco At-

---

en el Arco Mediterráneo Español», *I Jornadas sobre economía del Mediterráneo,* Murcia, Región de Murcia, 1996, pp. 45 y ss.

63. G. REYNAUD/A. SID AHMED, *L'avenir de l'espace mediterraneen,* Paris, 1991, p. 74; A. VERGARA, «El sistema de ciudades», *Estructura económica de la provincia de Alicante,* Diputación de Alicante, Alicante, 1993, pp. 51 y ss.

64. F. VERA, «Las infraestructuras de transporte en el Arco Mediterráneo», en: *Algunas cuestiones de ordenación del territorio,* Instituto universitario de Geografía, Alicante, pp. 67 y ss.

65. En esta línea véase, por todos, P. A. SALVÀ TOMÀS, «El Arco Mediterráneo español: sus perspectivas como espacio de futuro», *Revista Valenciana de Estudios Autonómicos,* nº 22, 1998, p. 31; R. ESTEVE SECALL, «Andalucía y el Arco Mediterráneo» en: *Ponencia al I Congreso de Ciencia regional de Andalucía. Andalucía en el umbral del siglo XXI;* F. ZOIDO NARANJO, «Aportación de Andalucía al Arco Mediterráneo europeo», en: *Las ciudades españolas a finales del siglo XX,* Universidad de Castilla-La Mancha, Cuenca, 1995, pp. 57 y ss.

lántico, como por otra parte es obvio por razones geográficas[66]. Las características climáticas, ambientales, poblacionales, turísticas, no parecen diferir esencialmente entre Andalucía y el Levante[67].

Distintas publicaciones ilustran de la tendencia y del interés especial de los territorios o ciudades en no quedar excluidos de este proceso de realización de un espacio interesante económicamente como es el Arco Mediterráneo o el Arco Latino. Así Almería[68], Murcia[69], Menorca[70], Granada[71] o incluso Huelva[72].

El Arco Mediterráneo está sirviendo también de punto de referencia para la realización de proyectos tecnológicos tales como por ejemplo «SI-CARM 03» o la Feria Tecnológica de todo el Arco Mediterráneo 2003[73], el consorcio Pangea-Arco Mediterráneo del Ayuntamiento de Quart de Poblet[74], la Cátedra para el Arco Mediteráneo[75] o en materia de aguas[76].

---

66. La división entre el Arco Atlántico y el Mediterráneo se situaría aproximadamente en la zona de Algeciras. Pero observamos que no hay una claridad total en torno a la delimitación de este tipo de espacios geográficos europeos. El interés de considerar a Andalucía dentro del Arco Mediterráneo estaría no sólo en la creación o mejora de las infraestructuras en la línea mediterránea geográfica española, sino también en conseguir una mejor integración con los territorios del norte de África con el levante español y con el resto de Europa. En este sentido, no se oculta el especial interés de Francia en estrechar los vínculos tradicionales con los territorios del norte de África, del Magreb, y habría que sacar partido integrando las regiones españolas interesadas en este mismo proyecto francoafricano y como es obvio aquí Andalucía tendría una posición relevante.
    Por todas véase *in toto* VVAA, *La méditerranée occidental: quelles stratégies pour avenir?*, Paris, 1994. R. BISTOLFI (director), *Euro-Méditerranée. Une région à construire*, Paris, 1995.

67. Las características ambientales de la Comunidad Valenciana, en particular, se explican magistralmente en una extensa sentencia del Tribunal Superior de Justicia de la Comunidad Valenciana, de 21 de abril de 2001 (RJCA 2001, 1556) a efectos de poner de manifiesto las limitaciones que para el urbanismo se derivan desde la perspectiva ambiental.

68. Sobre su justificación para considerarlo dentro del Arco Mediteráneo puede verse F. J. FUENTES CABEZAS, «Ponencia marco sobre la ordenación del territorio», en www.gem.es/MATERIALES/DOCUMENT/documen.

69. Véase www.carm.es/ctyc/murciaturistica.

70. Véase www.cime.es/ca/pti/pti.html.

71. J. L. GÓMEZ ORDÓÑEZ, «Estrategias para la ordenación territorial del Sudeste ibérico: horizontes para una periferia (un programa de investigación)», en *Revista bibliográfica de Geografía y Ciencias Sociales*, Universidad de Barcelona, nº 257, 2000.

72. Véase «Diagnóstico de la ciudad de Huelva. Conclusiones, plan estratégico de Huelva», 14 de enero de 2000 (fuente: www.pdlt.es/plan_estra/diagnostico.htm).

73. Se trata de la feria de las nuevas tecnologías y de la sociedad de la Información, de *referencia obligada en el Arco Mediterráneo* (fuente: www.vdigitalrm.com).

74. Puede verse www.quartdepoblet.org/castellano.

75. Véase la noticia *El País* de 29 de junio de 2002 donde se nos informa de la citada Cátedra con el proyecto de eurorregión del Mediterráneo.

76. Así, por ejemplo, puede verse la noticia «Expertos debaten sobre la desalinización y la reutilización del agua en el Mediterráneo» (fuente: www.fundacionentorno.org/notis).

Parece claro que, lejos de afianzar un espacio territorial europeo, habría más bien, posibles espacios que pueden crearse, dentro de Europa, cuando interese realizar proyectos comunes de carácter económico. Aquí estaría el interés práctico de la ordenación territorial europea de este alcance.

En todo caso, la propia existencia o posibilidad de un sistema espacial denominado Arco Mediterráneo o Latino resultaría de una consideración o dimensión europea del espacio. Si el espacio deja de ser considerado necesariamente desde una perspectiva nacional y pasa a ser visto desde una dimensión más general, europea, resulta la posibilidad de abrir espacios territoriales transnacionales.

Es preciso, no obstante, evitar la «euforia» de la ordenación del territorio transnacional. En España deberíamos atender a los desarrollos que vayan experimentando estos mismos temas en el resto de Europa y en particular en Francia e Italia, por ser éstos los Estados directamente relacionados con el proyecto del Arco Mediterráneo.

La consumación de este tipo de proyectos (de ordenación territorial transnacional) a nivel europeo depende, lógicamente, también de la voluntad de otros Estados europeos y del alcance que en éstos quiera otorgarse a la política territorial regional.

En general, España no ha de ser un país «diferente» (en cuanto a su modelo de organización territorial) de los Estados comparables con nuestro país, es decir, Alemania, Francia, Gran Bretaña o Italia.

Quiérese decir que el papel o alcance de este tipo de proyectos de ordenación territorial transnacional tendrá que ser similar a aquel que se les quiera conceder en Alemania, Francia, Gran Bretaña o Italia, Estados donde la presencia regional está tan marcada como en España.

6. ¿UNA COMPETENCIA DE ORDENACIÓN DEL TERRITORIO EN FAVOR DE LA UNIÓN EUROPEA?

Junto a los «pilares» anteriores, de la ordenación del territorio, es posible discutir (y de hecho así se discute en otros Estados de la Unión) la posibilidad o conveniencia de reconocer a la Unión europea una competencia en materia de ordenación territorial (en sentido estricto) que se corresponda con la dimensión europea del espacio, del mismo modo que las dimensiones nacionales, regionales y locales dan lugar (en los distintos Estados) a los niveles competenciales respectivos a favor del Estado, las Regiones y las Entidades locales.

De afirmarse una competencia europea de ordenación territorial, en España se plantea el problema de la determinación del órgano de coordinación con la Unión Europea. ¿Las diecisiete Comunidades Autonómicas, con competencia sobre el particular?

Al no tener el Estado competencia territorial, tampoco es fácilmente comprensible ni siquiera el propio artículo 175.2.1.2 del Tratado de la Comunidad Europea, donde ya se prevén competencias de carácter territorial en favor de la Unión Europea.

Llevado a Europa el singular «modelo» español, éste significaría que la Unión tendría, cuando más, sólo competencias sectoriales, pudiendo no más que interferir en la ordenación del territorio. Pero en Europa es factible discutir la posibilidad o conveniencia de una competencia de ordenación del territorio en favor de la Unión Europea.

Es discutible, ciertamente, hablar en términos de «necesidad» de una competencia de la UE en materia de ordenación del territorio. No obstante, habría argumentos que se presentan en una zona intermedia entre la necesidad y la conveniencia u oportunidad de una competencia europea de ordenación territorial.

Primeramente, el hecho mismo de que la UE disponga de competencias sectoriales que repercuten directamente en la ordenación del territorio (agricultura, transporte, cohesión, redes transeuropeas, medio ambiente...) haría aconsejable una competencia de este carácter territorial, a los efectos de que la UE pueda atender debidamente su dimensión territorial, lo que repercutiría en último término en su mejor cumplimiento y ejecución.

En segundo lugar, esta propuesta se sitúa en consonancia con la tendencia que durante los últimos años se ha manifestado, en general, en cuanto al sistema de competencias de la UE. Las reformas de los Tratados, llevadas a cabo durante las últimas décadas, corroboran un fenómeno de extensión *horizontal* competencial, es decir un fenómeno de otorgamiento a la UE de todas las competencias posibles, al mismo tiempo que una limitación *vertical* en cuanto al ejercicio mismo de la competencia siguiendo el principio de subsidiariedad. Según esto, habría que reconocer también una competencia en materia de ordenación del territorio, en favor de la UE, aunque limitando su ejercicio.

En tercer lugar, no puede obviarse que uno de los motivos principales de la actual reforma institucional europea es la simplificación y clarificación del sistema de distribución de competencias entre la Unión y los Estados miembros (Declaración nº 23 aneja al Acta Final del Tratado de Niza). El reconocimiento de una competencia en ordenación del territorio contribuye a precisar sus límites y conocer sus contornos.

En cuarto lugar, los diferentes documentos europeos sobre ordenación del territorio dejan clara su vocación a favor de una mayor acción de la Unión, a efectos del mejor cumplimiento de sus contenidos y fines. Asimismo, dichos documentos pueden entenderse como un primer estadio prenormativo que justifica la dimensión estrictamente europea del territorio, a la espera de que se consolide este proceso, plasmando una competencia en los Tratados con este contenido. En efecto, los propios documentos de las instituciones comunitarias, citados *supra,* expresan la necesidad de atender debidamente a la dimensión puramente europea del espacio; esta «dimensión» se superpone a su juicio a las dimensiones estatales o regionales o locales. De esta forma, se pretende también lograr mejor el objetivo del desarrollo sostenible.

En quinto lugar, el sentido de una competencia de ordenación del territorio en el ámbito europeo está en gran medida en abrir una vía para lograr que los Estados realicen las acciones que, por sí solos, no serían capaces de llevar a cabo. La Unión Europea hace posible acciones que a los Estados, individualmente, les es costoso o complejo realizar, responsabilizándose en estos casos a una instancia superior que es la Unión Europea. Ésta es la gran virtualidad práctica de la Unión Europea. Es así como, por ejemplo, se ha conseguido en gran parte la liberalización de los sectores económicos o la reconversión de otros, y sólo así seguramente es como puede conseguirse eficazmente un desarrollo sostenible del territorio dentro de Europa, entre otros fines de esta posible competencia comunitaria territorial.

Entonces, la cuestión siguiente sería la relativa a qué tipo de competencia plasmar en materia de ordenación del territorio, ¿compartida o complementaria?

En el caso de la complementariedad, la competencia de la UE sería esencialmente de apoyo de las acciones de los Estados. Si fuera compartida, ello significaría que los Estados pierden la competencia en tanto en cuanto la Comunidad la ejercite, con el límite del principio de subsidiariedad.

Para la definición de la competencia europea, en materia territorial, algunos criterios ya han sido esbozados *supra,* es decir una competencia que sirva para realizar un concepto europeo de ordenación territorial basado en la consideración espacial de las competencias sectoriales, la cooperación transnacional, la fijación de las grandes estrategias del espacio europeo, la conexión mejor entre regiones, la cohesión territorial, el desarrollo sostenible.

El principio de complementariedad ha encontrado eco en las últimas reformas del Tratado de la CE. Debido a sus ventajas. La complementariedad permite avanzar en la integración comunitaria (reconociendo una competencia en favor de la Unión), al mismo tiempo que los Estados miembros no pierden competencias. La *ratio* de la complementariedad está presente en las competencias comunitarias de educación (art. 149 TCE), formación (art. 150 TCE), cultura (art. 151 TCE), salud (art. 152 TCE), industria (art. 157.3 TCE), cohesión (art. 158 TCE), investigación (arts. 163.2, 164 y 165 TCE), ayuda al desarrollo (art. 177).

Este principio de complementariedad ofrece distintas variantes; una es la de armonización (arts. 63 TCE en materia de asilo; 137 política social, 175 medio ambiente); otra es limitarse a plasmar una simple regla de apoyo en favor de los Estados miembros (educación, cultura, salud, son algunos ejemplos) o de simple «recomendación» (arts. 212, 150 y 151V TCE).

No obstante, han de considerarse también las desventajas de esta opción. Normalmente, en estos casos se emplean en la norma conceptos jurídicos indeterminados de difícil precisión («apoya», «contribuye», «ayuda», «fomenta», etc.). Esto hace compleja la aplicación del precepto en cuestión y conduce a un protagonismo acaso no deseado o deseable del Tribunal de Justicia de las CCEE. Además, la práctica confirma que en estos casos el ejercicio de la competencia puede bloquearse *de facto* en especial cuando se exige regla de unanimidad (caso de la cultura).

De ahí que las competencias comunitarias complementarias son susceptibles de ser valoradas como un paso hacia adelante y dos hacia atrás en el proceso de integración comunitaria. La previsión de una competencia siguiendo este molde de la complementariedad, dado el caso, *puede interpretarse como una forma de sostener las acciones comunitarias. A partir de entonces éstas se limitarán al simple fomento.*

Todas estas reflexiones personales han de entenderse en el contexto de la comisión de expertos de la que forma parte el autor de este trabajo, integrada por siete profesores de Derecho administrativo y algunos otros juristas de reconocido prestigio que, por encargo del Gobierno alemán, fue constituida con el fin de debatir la posibilidad de una competencia europea de ordenación del territorio[77].

---

77. Los miembros de la Comisión de Expertos son: Prof. Dr.h.c. Ulrich Battis, Prof. Dr. Werner Buchner y Prof. Dr. Hans-Jürgen Rabe (Alemania), Prof. Dr. Martin Loughlin (Reino Unido), Prof. Dr. Gérard Marcou (Francia), Prof. Dr. Hans Mattsson (Suecia), Prof. Dr. Dimitris Melissas (Grecia), Prof. Dr. Zygmunt K. Niewiadomski (Polonia), abogado Holger Schmitz (Alemania) y Prof. Dr. Dr. Dr. H. C., S. GONZÁLEZ-VARAS IBÁÑEZ (España).
Informan también J. KERSTEN, «Empfehlungen für die Ausgestaltung der Raumentwicklung im europäischen Verfassungsvertrag», *UPR*, 6/2003, pp. 218 y ss. y S. GONZÁLEZ-VARAS IBÁÑEZ, «Die Europäische Raumentwicklung aus spanischer Sicht», *EurUP*, nº 2, 2004, pp. 94 y ss. Después de algunas sesiones en Berlín, la última durante los días 13 y 14 de junio de 2003, aquélla propuso, a sabiendas de la dificultad política del tema y también de la preferencia gubernamental por prever una competencia compartida, primero, completar el artículo 16.2 de la Constitución Europea, sobre competencias complementarias, haciendo mención a la ordenación del territorio; segundo, que la Constitución Europea recoja, dentro de los fines de la Unión (art. 3.3) su dimensión territorial junto a la «económica» y la «social»; finalmente, que en la Constitución se incluya la necesidad de que la Unión ejercite sus competencias sectoriales de forma coherente con una consideración europea del territorio y que desarrolle el concepto europeo de «ordenación del territorio» en la línea de las reflexiones que hemos tenido ocasión de esbozar. Como es sabido, la Constitución Europea no se llegó a ratificar finalmente, pero el Tratado de Lisboa de 2007 por el que se modifican el TUE y el TCE también ha incluido en el TUE la dimensión territorial entre los fines de la Unión Europea.

PARTE SEGUNDA
SISTEMA DE FUENTES DEL DERECHO URBANÍSTICO

Capítulo I

Nivel estatal y autonómico

1. LA HERENCIA DE LOS PLANTEAMIENTOS ORIGINARIOS DE LA LEGISLACIÓN ESTATAL DE URBANISMO

La ordenación territorial ha venido estando inmersa en el articulado general de la legislación urbanística, aunque el tema protagonista ha venido siendo el urbanismo. De hecho la mayor parte de las afirmaciones que siguen (relativas al sistema de fuentes) se entienden por referencia al urbanismo, no a la ordenación territorial (sobre ésta puede verse la primera parte de este libro).

En todo caso, a partir de la Ley del Suelo de 12 de mayo de 1956 (Ley de Régimen del Suelo y Ordenación Urbana) el Derecho urbanístico español se caracteriza por ser un Derecho basado en la «legislación». El origen de este modelo de «legislación» se hace coincidir con el origen de la especial consideración del suelo urbanizable. La legislación se identifica esencialmente con el planeamiento y, en torno a éste, giran los derechos y deberes de los propietarios y el capítulo de la gestión urbanística, es decir la ejecución de los planes y la reparcelación.

Este «modelo» se superpone, por otra parte, al histórico «no legislado» en el cual priman las disposiciones de «policía urbanística» en suelo urbano, al margen de la reparcelación. Algunos intentos de aplicar a este suelo mecanismos de cesiones, de actuaciones integradas y de transferencias urbanísticas no han dado buenos resultados. Seguramente, como consecuencia de una regulación inadecuada de esas materias, y de algún posible abuso en su aplicación práctica, hoy la mayor parte de las legislaciones urbanísticas autonómicas no regulan la gestión urbanística en suelo urbano consolidado.

Seguidamente se hará, en primer lugar, un recorrido general a la evolución del Derecho urbanístico español, desde el punto de vista, de la legislación estatal, pues no había otra hasta hace poco tiempo, y más tarde se incidirá en la legislación autonómica.

2. LA LEY DEL SUELO DE 1956 Y LOS PRECEDENTES

La Ley de Régimen del Suelo y Ordenación Urbana de 1956 habría conseguido sentar ciertas bases del Derecho urbanístico posterior. Cuando menos, la citada Ley es punto obligado de referencia para cualquier estudio histórico sobre el Derecho urbanístico y la ordenación del territorio. Su importancia deriva en gran medida de haber aportado «un conjunto orgánico» que evita la dispersión normativa precedente y la confusión de normas de «muy variado rango».

La Exposición de Motivos de la citada Ley afirma, igualmente, su intención de superar tanto la «perspectiva puramente local y circunscrita a su reducido ámbito» como la primacía de la «autonomía de voluntad y libertad de tráfico».

A todos estos fines acompañan ciertas intenciones de fondo, de carácter social, tales como el empeño por evitar la especulación del suelo o la irradiación desmesurada del perímetro de extensión de las ciudades, o la necesidad de que al fenómeno demográfico preceda la acción urbanística «vitalizando los núcleos de equilibrado desarrollo».

Con esta Ley, las ideas de racionalidad y ordenación que se revelan intrínsecas a la noción de urbanismo encuentran su pleno sentido a través de la posición central y determinante que ocupa *el «planeamiento como base necesaria y fundamental de toda ordenación urbana» por referencia al suelo urbanizable*.

A partir de entonces el núcleo del Derecho urbanístico (o si se prefiere de la legislación del suelo) viene representado por el planeamiento urbanístico y los temas que son propios de dicho planeamiento: tipos de planes, elaboración de los planes, efectos y contenido del planeamiento, ejecución del planeamiento y sistemas de gestión, etc.

En directa relación con este planteamiento, se insiste en que la propiedad, si bien ha de ser reconocida y amparada por el poder público, debe armonizarse con los intereses de la colectividad. En consonancia, el régimen jurídico del suelo encaminado a asegurar su utilización *conforme a la función social que tiene la propiedad* resulta el cometido más delicado y difícil que ha de afrontar la ordenación urbanística. En definitiva, de esta forma se desea superar la concepción privatista de la urbanización cuyo *quid* es el derecho de propiedad afirmando en su lugar que el contenido de la propiedad quedará definido por el propio plan. En torno al plan gravita la presente Ley bajo la consideración de éste como norma vinculante que sirve de presupuesto para la determinación de los aprovechamientos correspondientes en favor de la propiedad.

Puede, pues, ponerse de manifiesto que el surgimiento de una legislación del Estado, en materia urbanística, aparece ligado esencialmente al planeamiento urbanístico y al ejercicio del derecho de la propiedad. A la Ley del Suelo de 1956 no son ajenas otro tipo de disposiciones, tales como las concernientes a policía urbanística, pero es claro que no son éstas las disposiciones más *características* del *nuevo* Derecho urbanístico estatal considerando su larga tradición en el ámbito local. Se justifica que el Estado intervenga legislativamente en el ámbito urbanístico ante la necesidad de legislar o regular el «planeamiento urbanístico» y «delimitar el derecho de propiedad».

En cambio, con anterioridad a esta Ley son características las disposiciones de policía urbana[1]. En el ámbito superior a las ordenanzas locales encontramos significativos ejemplos históricos en la Novísima Recopilación, tales como las relativas a la «mejora del aspecto del pueblo y de sus calles» y al deber de «edificar casas decentes» (Decreto de 14 y provisión del Consejo de 20 de octubre de 1788, recogido en el Libro III, Título XIX, Ley VII de la Novísima Recopilación), al «empedrado en la corte» (Libro III, Título

---

1. En el plano de la aplicación «judicial» puede por ejemplo citarse la sentencia del Consejo de Castilla del año 1782 estimando (entre lo urbanístico y lo «ambiental») que la licencia para establecer una «Fábrica de Polbos de Almidón» para el abasto público, en la Corte, tenía que concederse de forma condicionada, esto es, siempre que no se causara «incomodidad» «ni *ofensa* al público» (Legajo 415, año 1782; referencia del Archivo Histórico Nacional: Libro 2683.2, 819), así como el litigio resuelto por el Consejo de Castilla concerniente a la limpieza y embaldosado de la ciudad de Cádiz (referencia histórica: Legajo 819, Libro 2683.2 del Archivo Histórico Nacional).
   Durante el siglo XIX, y a raíz de la creciente complejidad de las cuestiones urbanísticas, la legislación estatal llega a constreñir la voluntad municipal (A. EMBID IRUJO, *Ordenanzas y reglamentos municipales en el Derecho español,* Madrid, 1978). Asimismo, la Real Academia de San Fernando juzga las obras públicas que se lleven a cabo en los pueblos desde el punto de vista estético. En todo caso, la acción estatal no es propiamente una acción legislativa basada en el planeamiento como noción integral del territorio.
   Caracteriza la acción urbanística del siglo XIX su insistencia en las alineaciones. «La propiedad privada edificada quedaba vinculada a la obligación de avanzar o retroceder sus límites en función de la nueva ordenación». Conforme a la Real Orden de 8 de febrero de 1863 y disposiciones complementarias la rectificación de límites podía conseguirse a través de la expropiación inmediata de la parte edificada necesaria para dar efectividad a las nuevas alineaciones (siguiendo de esta forma el sistema previsto en otras disposiciones anteriores sobre alineaciones). Pero también podía lograrse determinando el destino o alineación de la edificación correspondiente, una vez llegara el momento de proceder a su derribo y reedificación, siguiendo el ejemplo del Derecho francés.

XIX, Ley I, Libro VII, Título XXXII, Ley II) o a la prohibición de estableci-miento de fábricas contaminantes en las ciudades (Ordenanza de 15 de no-viembre de 1796; Libro III, Título XIX, Ley IX de la Novísima Recopilación)[2].

2. En general, la expropiación representa un medio a través del cual pueden realizarse las acciones públicas urbanísticas bien de reforma interior de las ciudades bien para facilitar su ensanche (Leyes de expropiación forzosa de 10 de enero de 1879 y de saneamiento y re-forma interior de grandes poblaciones, de 18 de marzo de 1895). Pero si hay algo que caracteriza el urbanismo español del siglo XIX esto sería la política de ensanches, como medio de ampliar el perímetro de la ciudad existente y por tanto el equipamiento de vivien-das. «La realización del Ensanche de las poblaciones constituye una de las características más sobresalientes del siglo pasado (...); es una acción netamente expansionista» (puede verse M. BASSOLS COMA, *Génesis y evolución del Derecho urbanístico español, 1812-1956*, Madrid, 1973). En este sentido, es preciso citar las Leyes de ensanche de 29 de junio de 1864 (y su Reglamento de 25 de abril de 1867) y de 22 de diciembre de 1876 (y los famosos ensanches de Madrid y Barcelona, Planes Castro y Cerdá respectivamente), donde se prevé en esencia un urbanismo de obra y gestión públicas, así como sistemas de incentivo o fomento en favor de los propietarios. Otra perspectiva esencial al Derecho urbanístico anterior a la LS de 1956, tanto en España como en otros países de nuestro entorno, es la sanitaria (Instrucción general de Sanidad de 12 de enero de 1904), perspectiva que repercutió en la reurbaniza-ción de las ciudades y que puede relacionarse con la atención especial que concedió la doctrina del siglo XIX a los aspectos sanitarios, higiénicos y medioambientales.

La legislación de régimen local recogió, también, este tipo de técnicas o instrumentos urba-nísticos (Reglamento de Obras, Servicios y Bienes Municipales de 14 de julio de 1924) y la propia Ley de Régimen Local de 1955 dispuso los recursos que pueden disfrutar los Ayuntamientos para atender a las obligaciones de *Ensanche* (Ley aprobada por Decreto de 24 de junio de 1955, por el que se aprueba el Texto Articulado y Refundido de las Leyes de Bases de Régimen Local de 17 de julio de 1945 y de diciembre de 1953, arts. 586 y 587), a pesar de que este tipo de disposiciones perdieron validez a raíz de la promulgación de la LS de 1956 (puede verse C. MARTÍN RETORTILLO, *Ley de Régimen Local*, Madrid, 1958, p. 398).

Es conocido que el empleo de estos instrumentos jurídicos está motivado por ciertos factores de tipo sociológico o económico tales como el crecimiento demográfico de la pobla-ción (especialmente proletaria), el éxodo rural y la concentración urbana así como las explota-ciones industriales. Tampoco puede olvidarse la necesidad sentida de desarrollar y facilitar las comunicaciones y el transporte, hechos que dejaron su impronta en el intrarradio de la ciudad porque también aquí debieron abrirse espacios al automóvil u otros medios de locomoción. Sobre el tema M. LORA-TAMAYO VALLVÉ, *Historia de la legislación urbanística*, Madrid, 2007.

El urbanismo se enfrenta por entonces con serios problemas de tipo social (el «problema de la vivienda») y económico («el progreso industrial»), que, por su carácter perentorio y trascendental, primaron sobre otro tipo de consideraciones, que hoy consideramos de tipo cultural, tales como la rehabilitación urbanística o la protección y creación de bienes, entor-nos y zonas culturales. No impidió esto, sin embargo, que durante el mismo siglo XIX hubiera ocasión para poner inicio al trascendental fenómeno de la acción restauradora monumental y a las declaraciones histórico-artísticas de monumentos. Pero todo ello no puede hacernos olvidar que es en el siglo XIX cuando se origina el característico urbanismo, de nuestros días, marcado por la especulación o cuando menos por la necesidad primordial de satisfacer necesidades económicas de tipo industrial y otras de carácter social.

Precisamente, la aparición de este tipo de factores puso de manifiesto la insuficiencia de las técnicas urbanísticas que acaban de esbozarse, esencialmente la policía urbana de ámbito local, así como también, y en consecuencia, la necesidad de desarrollar y regular adecuada-mente el planeamiento urbanístico. Como antecedente de estas últimas tendencias podría citarse, en sentido histórico, el Proyecto de la Ley general para la reforma, saneamiento, ensanche y otras mejoras de las poblaciones (1861), elaborado por Posada Herrera, cuya

Desde entonces el urbanismo ha venido siendo una materia identificada con el desarrollo urbanístico, el plan parcial y el suelo urbanizable. También han sido protagonistas la Administración local y el Estado en el plano de la supervisión y aprobación del planeamiento o de la legislación y los propietarios gestionando «su suelo». Esta herencia se ha alterado sólo recientemente en parte, cuando las CCAA, la Unión Europea y los empresarios urbanizadores han irrumpido en el escenario urbanístico, compartiendo escenario con los actores mencionados. Por otra parte, la nueva LS estatal de 2007 sigue la concepción estatutaria de esta vieja ley, aunque matiza sus clases de suelo y hace hincapié en la idea de sostenibilidad.

La Ley de 1956 otorgó en todo caso a los propietarios el protagonismo de la gestión urbanística, en el fondo ante la ausencia de una alternativa más capaz *en el plano financiero del urbanismo,* que ha venido influyendo los desarrollos posteriores. La financiación de los fines públicos se realizará a través de las cesiones de suelo y la reparcelación.

3. LA REFORMA DE 1975 (LRLS/1975 Y TRLS/1976)

La reforma de la Ley del Suelo de 1956 se llevó a cabo por la Ley 19/1975, de 2 de mayo, de Reforma de la Ley del Régimen del Suelo y de Ordenación Urbana (en adelante LRLS/1975), de talante continuista, en lo esencial, respecto de la Ley del Suelo de 1956.

La *reforma* se consuma mediante el Real Decreto 1346/1976, de 9 de abril, por el que se aprueba el Texto Refundido de la Ley sobre Régimen del Suelo y Ordenación Urbana (en adelante TRLS/1976)[3].

El carácter continuista del TRLS/1976, respecto de la Ley del Suelo de 1956, se corrobora cuando la LRLS/1975 afirma en su Exposición de Motivos, que «puede decirse que los principios que inspiran la Ley del Suelo (de

---

novedad estaría principalmente en haber articulado una regulación del derecho de la propiedad, estableciendo la cesión obligatoria de terreno para la dotación de viales y la edificación forzosa bajo pena de enajenación.

3. Este Texto Refundido se dicta, concretamente, al amparo de la disposición final segunda de la LRLS/1975 y de la autorización concedida por el artículo 10.4 de la Ley de Régimen Jurídico de la Administración del Estado. En efecto, en virtud de la citada disposición de la LRLS/1975 «en el plazo de un año, a contar desde la publicación de esta Ley, el Gobierno, a propuesta del Ministerio de la Vivienda y previo Dictamen del Consejo de Estado, aprobará por Decreto un texto refundido de la Ley de Régimen de Suelo y Ordenación Urbana» (puede verse también el apartado segundo, donde se citan las distintas normas objeto de la refundición).

1956) tienen validez casi permanente» y que «la mejor prueba de su magnífica factura técnica y del general acierto de su concepción es que dieciséis años después de su promulgación *puede ser el soporte* estructural de una reforma legislativa que pretende poner al día el ordenamiento jurídico en una parcela tan conflictiva y dinámica de la realidad».

En este sentido, la citada Ley sigue partiendo, por referencia al suelo urbanizable, de que «la aptitud para edificar la da el Plan» a pesar de que aquélla perfecciona la regulación de los planes urbanísticos y matiza el régimen o contenido del derecho de propiedad y las facultades de los propietarios.

Se pretende precisar legalmente el régimen que debe darse al suelo, mediante los planes, aumentando «el grado de definición y de fiabilidad de aquellos elementos necesarios y exigibles para el desarrollo inmediato de la ciudad». En este contexto, encajaría la introducción de normas de directa aplicación en ausencia de planeamiento y de los estándares urbanísticos como criterios mínimos y obligatorios de todo plan urbanístico[4].

La referencia que estamos haciendo a la regulación del planeamiento en el TRLS/1976 se completaría con la alusión a «la figura de los Planes

---

4. Mediante dichos estándares se pretende limitar la discrecionalidad del planificador, que habría sido característica del régimen de la Ley del Suelo de 1956. Concretamente, en los artículos 12, 13 y 70 del TRLS/1976 es donde se contienen las determinaciones que obligatoriamente han de contener, respectivamente, los planes generales, los parciales y las Normas Subsidiarias y Complementarias del planeamiento. Pero el TRLS/1976 también llega a precisar el contenido posible de los planes especiales y permite un uso «en la medida conveniente» de las Normas Subsidiarias y Complementarias del planeamiento.

A tenor de la Exposición de Motivos de la LRLS/1975, que aporta una dimensión global del fenómeno, «por primera vez se señalan con carácter general y con una formulación adecuada las dotaciones mínimas para parques y jardines públicos, para templos, centros docentes y culturales y para aparcamientos». En este sentido, el art. 12.1 del TRLS/1976 precisa las determinaciones del plan general en cualquier tipo de suelo afirmando que las zonas verdes tienen que ser en proporción no inferior a cinco metros cuadrados por habitante (pueden verse también el apartado segundo del mismo art. 12, respecto del suelo urbano, y el art. 13 respecto de los planes parciales).

Por su parte, mediante las normas de directa aplicación en ausencia de planeamiento, se pretende cubrir una laguna jurídica y se «elimina *ex lege* la posibilidad de los desmanes urbanísticos que como consecuencia de aquella laguna se han podido producir» (Exposición de Motivos de la LRLS/1975).

En esta línea el artículo 72 del TRLS/1976 prevé que «no podrán levantarse construcciones en lugares próximos a las carreteras, sino de acuerdo con lo que, además de lo que en esta Ley se dispone, establezca la legislación específicamente aplicable» (legislación de carreteras por tanto). Para el legislador la norma de directa aplicación más importante es aquella en cuya virtud «en defecto de Plan de Ordenación o Norma Urbanística que lo autorice, ni siquiera en suelo urbano podrá edificarse una altura superior a tres plantas» (Exposición de Motivos de la LRLS/1975; art. 74 del TRLS/1976; véase también el art. 73 del TRLS/1976).

Directores Territoriales de Coordinación», regulada *ex novo* y a los que se asigna la misión de señalar las grandes directrices que han de orientar y coordinar la ordenación urbanística del territorio, dentro de las previsiones de los Planes de Desarrollo y con adecuada atención al medio ambiente y la planificación económica, pretendiendo de esta forma una deseada conexión entre el planeamiento físico y el planeamiento socio-económico, no lograda en tiempos precedentes.

En torno al plan giran los derechos de edificación y de aprovechamiento. Respecto de aquél, la LRLS afirma que «el derecho a edificar se condiciona, con todas sus consecuencias, al efectivo cumplimiento de las obligaciones y cargas que se imponen al propietario dentro de los plazos previstos en el propio Plan (...)» (Exposición de Motivos).

El eje del TRLS/1976 lo representa la regulación del suelo urbanizable mediante el planeamiento y la gestión urbanística y un régimen adecuado de cesiones y de equidistribución. Se piensa en el «desarrollo urbanístico», aunque conviene también matizar que dicho desarrollo no ha llegado a todos los lugares por igual, pues muchos de ellos (a pesar de esta legislación) no han tenido desarrollo alguno, por ejemplo zonas rurales del interior.

Acerca de la equidistribución de beneficios y cargas, la reforma de 1975 pretendería, en términos generales, introductorios diríamos, superar ciertos problemas que planteó la aplicación práctica de la Ley del Suelo de 1956. Esta Ley partía de un sistema de reparcelación en suelo edificable, aplicable no obstante a unidades de ámbito espacial muy reducido (un polígono, incluso una manzana, en todo caso de ámbito no superior al perímetro del plan parcial) dejando libres las zonas destinadas a espacios públicos y por tanto no susceptibles de edificación privada. El problema concretamente consistía en la inaplicación de un sistema de equidistribución que corrigiera las desigualdades entre los propietarios en las diversas zonas del Plan General a consecuencia de la diferente calificación de cada una de dichas zonas. Y respecto del suelo urbano no se previó sistema especial de compensación, argumentándose que en estos casos la reparcelación no era apta para lograr la equidistribución de beneficios y cargas, ya que, en dichos casos lo propio es que no sea realizable la operación de sustitución de una parcela por otra que implica la reparcelación, por estar el suelo ya asentado o edificado, sin que por iguales motivos pueda disponer la Administración los espacios públicos y los susceptibles de edificación[5].

---

5. Véase T. R. FERNÁNDEZ, *Manual de Derecho urbanístico,* 13ª edición, Madrid, 1998, pp. 123 y 128.

El TRLS/1976 apoya el sistema de equidistribución de beneficios y cargas en la técnica del aprovechamiento medio. Por referencia al suelo urbanizable, en el cual sigue pensando dicho Texto Refundido, y más concretamente urbanizable programado, la nueva solución legal consiste en el establecimiento de un aprovechamiento medio de la «totalidad» del suelo urbanizable programado y de cada sector en que se divida el mismo. Este criterio básico se completa mediante otra serie de reglas esenciales; primero, ha de definirse, igualmente, el aprovechamiento de cada finca, refiriendo a su superficie el aprovechamiento medio del sector en que se encuentre enclavada, sin que tenga relevancia al respecto su calificación concreta en el plan. Segundo, los excesos o defectos de aprovechamiento también se compensan, ya que aquéllos son de cesión obligatoria y gratuita y éstos implican la disminución proporcional de las cargas que conlleve la gestión urbanística (artículo 84.2 del TRLS/1976 y véase también el cuarto apartado). «Ningún propietario adquiere derecho a un aprovechamiento superior al medio del Plan. Todos tienen a él, en el punto de partida, el mismo derecho».

En suma, por referencia a los problemas de la Ley del Suelo de 1956, «el principio de distribución equitativa de las cargas y beneficios del planeamiento que en la vigente Ley sólo opera a nivel de sector, sin corregir las desigualdades entre éstos por muy grandes que fueran, se lleva así, para todo el suelo de nueva urbanización, a sus últimas consecuencias» (Exposición de Motivos de la LRLS/1975, apartado V). Así pues, en virtud del TRLS/1976 sólo después de haber obtenido el correspondiente aprovechamiento medio es cuando entra en aplicación la reparcelación a efectos de determinar el aprovechamiento urbanístico de cada propietario, adjudicando las nuevas parcelas y al Ayuntamiento los terrenos de cesión obligatoria [artículos 97 del TRLS/1976 y 84.3.b), éste fijando la cesión obligatoria y gratuita de un diez por ciento del aprovechamiento medio del sector en que se encuentre la finca, en suelo urbanizable programado].

Por su parte, si el suelo es urbanizable no programado es precisa una previa programación mediante un PAU, entrando entonces en aplicación el régimen anterior.

Sin embargo, no se prevé un sistema tal de equidistribución de beneficios y cargas en suelo urbano, por lo que «el reparto equitativo de las cargas se efectuará a través de las reparcelaciones que procedan». Este art. 83.4 del TRLS/1976, de donde procede el precepto entrecomillado termina remitiéndose a los arts. 97.2 y 117.3 del mismo TRLS/1976, donde, no obstante, no se añade nada sustancial al sistema. En el primero se define la reparcelación.

En el segundo, a efectos de la ejecución de los planes, se prevé que cuando no sea posible en suelo urbano la determinación de los polígonos conforme a los criterios generales previstos en los apartados anteriores de este mismo precepto, las operaciones urbanísticas podrán llevarse a cabo mediante la delimitación de unidades de actuación que permitan, al menos, la distribución justa entre los propietarios de los beneficios y cargas derivados del planeamiento.

Dentro de este marco introductorio, sobre la reforma 1975/1976, otro aspecto importante, según la Exposición de Motivos de la LRLS/1975, sería la incorporación de formas de actuación de la iniciativa privada, «que la experiencia ha demostrado ser aprovechables, y que tienen actualmente dificultades para producirse dentro de la legalidad». Se trata de esta forma de abrir nuevos cauces a la actividad y capacidad de los agentes privados de la urbanización para una buena parte del proceso de desarrollo urbano por unidades de cierta entidad. Dentro de este planteamiento se establece el marco para que el plan pueda asimilar fórmulas de urbanismo concertado dentro de un sistema de garantías y de obligaciones que permita seleccionar y tamizar estas actuaciones de acuerdo con sus objetivos (pueden verse los artículos 146 y ss. del TRLS/1976 y 213 y ss. del Reglamento de Gestión Urbanística aprobado por Real Decreto 3288/1978, de 25 de agosto (en adelante, RGU).

En otro orden de cosas, otro motivo esencial de la reforma de 1975 sería la necesidad de paliar la indisciplina urbanística tratando de evitar que la infracción se produzca, pero también reforzando las sanciones en caso de producirse (véase la Exposición de Motivos de la LRLS/1975 apartado X)[6].

4. LA CONSTITUCIÓN ESPAÑOLA DE 1978 Y EL URBANISMO

La Constitución de 1978 contempla ciertos principios y derechos que

---

6. Finalmente, téngase en cuenta que el TRLS/1976 fue desarrollado por los siguientes Reglamentos: 1. El Reglamento de Planeamiento Urbanístico (RD 2159/1978, de 23 de junio); 2. El Reglamento de Disciplina Urbanística (RD 2187/1978, de 23 de junio); 3. El Reglamento de Gestión Urbanística (RD 3288/1978, de 25 de agosto). Sobre el Reglamento citado en último lugar es preciso advertir que el RD 1093/1997, de 4 de julio, por el que se aprueban las normas complementarias al Reglamento de ejecución de la Ley Hipotecaria sobre inscripción en el Registro de actos de naturaleza urbana, deroga parcialmente el Reglamento de Gestión Urbanística (RD 3288/1978, de 25 de agosto). Por otra parte, el RD 1093/1997, de 4 de julio, afecta, «en cuanto contengan referencias al Registro de la Propiedad», dos Reglamentos de la Ley del Suelo de 1956, primero el Reglamento de Edificación Forzosa y Registro Municipal de Solares (D. 635/1964, de 5 de marzo) y segundo el Reglamento de Reparcelaciones del suelo afectado por Planes de Ordenación Urbana (D. 1006/1966, de 7 de abril).

163

repercuten en la materia urbanística y de ordenación del territorio de forma más o menos directa.

Podrían distinguirse dos tipos de preceptos. Primero, los que repercuten sobre el régimen material del urbanismo o la ordenación del territorio. Segundo, los que afectan al cuadro de distribución de competencias entre los poderes públicos.

Desde el primer punto de vista, puede partirse del artículo 33 que, en su primer apartado, reconoce el derecho a la propiedad privada. El reconocimiento de la propiedad privada impide desde luego un sistema de nacionalización del suelo al que podría, según frecuente afirmación, haber derivado la Ley del Suelo de 1956, por la simpatía que vendría a mostrar esta Ley hacia este tipo de fórmulas.

No obstante, el contenido de la propiedad, según recuerda el propio artículo 33, en sus dos apartados siguientes al citado, está delimitado por la función social de estos derechos, de acuerdo con las leyes, de modo que (según el apartado tercero) nadie podrá ser privado de sus bienes y derechos sino por causa justificada de utilidad pública o interés social, mediante la correspondiente indemnización y de conformidad con lo dispuesto por las leyes.

Por otra parte, en materia urbanística esta regulación debe entenderse esencialmente ligada al artículo 47.1 *in fine* en virtud del cual «la comunidad participará en las plusvalías que genere la acción urbanística de los entes públicos»[7].

7. Junto a éste, el urbanismo debe entenderse además ligado a otros valores constitucionales o principios rectores de la política social y económica. El artículo 45.1 de la CE afirma el deber de los poderes públicos de velar por la utilización racional de todos los recursos naturales, con el fin de proteger y mejorar la calidad de la vida y defender y restaurar el medio ambiente, apoyándose en la indispensable solidaridad colectiva.
    El derecho a una vivienda digna y adecuada se proclama en el artículo 47.1 de la Constitución, precepto que añade el deber de los poderes públicos de promover las condiciones necesarias y de establecer las normas pertinentes para hacer efectivo este derecho, regulando la utilización del suelo de acuerdo con el interés general para impedir la especulación. Por su parte, el artículo 46 de la CE (donde se afirma que los poderes públicos garantizarán la conservación y promoverán el enriquecimiento del patrimonio histórico, cultural y artístico de los pueblos de España y de los bienes que lo integran, cualquiera que sea su régimen jurídico y su titularidad) merecería un comentario especial porque el urbanismo ha de ser un cauce para la realización de valores culturales en la ciudad. En el momento de interpretar las normas urbanísticas es irrenunciable la debida toma en consideración, de este art. 46 CE (y de los demás preceptos constitucionales que acaban de ser mencionados), por parte de los poderes públicos. En las zonas con una carga o dimensión cultural «negativa» habrán de proceder aquéllos a la «sustitución» de edificaciones (especialmente en zonas marginadas o deprimidas). Por contra, se impone la adopción de medidas de carácter conservacionista en relación con las zonas o edificaciones que presenten una carga cultural «positiva» en

En cuanto a los títulos competenciales previstos en la Constitución, es preciso partir del artículo 148.1 en virtud del cual las Comunidades Autónomas podrán asumir competencias en las siguientes materias: 3) Ordenación del territorio, urbanismo y vivienda.

De hecho los distintos Estatutos de Autonomía de las CCAA recogen este título competencial.

Pero esto no impide al Estado interferir en materia urbanística. Los títulos más relevantes en este sentido serían, primero, la competencia exclusiva sobre la regulación de las condiciones básicas que garanticen la igualdad de todos los españoles en el ejercicio de los derechos y en el cumplimiento de los deberes constitucionales (artículo 149.1.1).

Segundo, la competencia exclusiva del Estado en materia de legislación civil, sin perjuicio de la conservación, modificación y desarrollo por las Comunidades Autónomas de los derechos civiles, forales o especiales, allí donde existan (...), en virtud del artículo 149.1.8 de la CE.

Tercero, la competencia exclusiva para la regulación de las bases y coordinación de la planificación general de la actividad económica (artículo 149.1.13; véanse también los artículos 128.1 y 131.1 de la CE).

Cuarto, la competencia exclusiva para regular las bases del procedimiento administrativo común, sin perjuicio de las especialidades derivadas de la organización propia de las Comunidades Autónomas; legislación sobre expropiación forzosa; y el sistema de responsabilidad de todas las Administraciones públicas (artículo 149.1.18)[8].

---

atención a los valores arquitectónicos, estéticos, ambientales, etc. dignos de ser preservados. En esto radica la importancia de los principios rectores de la política social y económica, así como en servir para subjetivar las declaraciones legales de contenido objetivo (es decir mandatos de la Ley a la Administración) pudiendo de esta forma deducir auténticos derechos subjetivos en favor de los ciudadanos.

8. Además podrían añadirse (especialmente por su relación con la ordenación del territorio en particular) las competencias exclusivas del Estado para regular, primero, los «ferrocarriles y transportes terrestres que transcurran por el territorio de más de una Comunidad Autónoma; régimen general de comunicaciones; tráfico y circulación de vehículos a motor; correos y telecomunicaciones; cables aéreos y radiocomunicación»; segundo, las obras públicas de interés general o cuya realización afecte a más de una Comunidad Autónoma.
Por otra parte, no pueden olvidarse las competencias exclusivas del Estado respecto de la «legislación básica sobre protección del medio ambiente, sin perjuicio de las facultades de las Comunidades Autónomas de establecer normas adicionales de protección y la legislación básica sobre montes, aprovechamientos forestales y vías pecuarias»; tampoco la competencia exclusiva del Estado de defensa del patrimonio cultural, artístico y monumental español contra la exportación y la expoliación; museos, bibliotecas y archivos de titularidad estatal, sin perjuicio de su gestión por parte de las Comunidades Autónomas (artículo 149.1.28). En esta línea el artículo 149.2 afirma que «sin perjuicio de las competencias que podrán asumir las Comunidades Autónomas, el Estado considerará el servicio de la cultura como

5. LA LEGISLACIÓN DE 1990

Aunque el TRLS fue reformado parcialmente por el RDL 3/1980, de 14 de marzo, sobre Promoción del Suelo y Agilización de la Gestión Urbanística y el RDL 16/1981, de 16 de octubre, de Adaptación de Planes Generales de Ordenación Urbana, es en 1990 cuando se presenta la reforma de mayor calado de dicho Texto Refundido, a raíz de la promulgación de la Ley 8/1990, de 25 de julio, sobre Régimen Urbanístico y Valoraciones del Suelo (en adelante LRRUVS 1990)[9].

Procede pues, al igual que hemos hecho con la Ley del Suelo de 1956 y el TRLS/1976, esbozar los contenidos principales y más innovadores del TRLS/1992.

En efecto, es preciso aludir primeramente al problema general, de tipo competencial. Me refiero a que, una vez aprobada la Constitución en 1978, y atribuyendo ésta a las CCAA la posibilidad de asumir el urbanismo, la ordenación del territorio y la vivienda, el Estado se vio ante la necesidad de convencer de su legitimación para dictar, con apoyo en los títulos competenciales de tipo constitucional que antes citábamos, el TRLS/1992 (puede verse la Exposición de Motivos de la LRRUVS/1990)[10].

---

deber y atribución esencial y facilitará la comunicación cultural entre las Comunidades Autónomas, de acuerdo con ellas».

9. A su vez, esta Ley citada en último lugar (en su disposición final segunda) autorizaba al Gobierno para que, en el plazo de un año desde su publicación, se aprobara un Texto Refundido de las disposiciones estatales vigentes sobre suelo y ordenación urbana, comprendiendo también la regularización, aclaración y armonización de dichas disposiciones. Fue necesario, no obstante, según el legislador, ante las dificultades objetivas de la tarea de refundir textos dispares como el TRLS/1976 y la LRRUVS/1990 y ante las innovaciones que introdujo la Constitución, que la Ley 31/1991, de 30 de diciembre, por la que se aprueban los Presupuestos Generales del Estado para 1992, rehabilitara la autorización para aprobar el Texto Refundido durante los primeros seis meses de 1992.
De esta forma nace el problemático Texto Refundido de la Ley sobre el Régimen del Suelo y Ordenación Urbana, aprobado por RDLeg 1/1992, de 26 de junio (en adelante TRLS/1992).
La promulgación de esta norma dio lugar, asimismo, a la elaboración de una tabla de vigencias de los Reglamentos del TRLS/1976. Dicha Tabla de vigencias fue aprobada por RD 304/1993, de 26 de febrero. Pero, en la actualidad, la derogación de la mayor parte de los artículos del TRLS/1992 altera el sistema de fuentes y por supuesto la «vigencia» de dicha Tabla de vigencias.

10. Para ello, el TRLS 1992 se basó en un sistema que diferenciaba tres tipos de preceptos:
–Artículos de aplicación plena, es decir artículos dictados al amparo del art. 149.1.8 y 18.
–Artículos de carácter básico, dictados al amparo del art. 149.1.1, 8, 13, 18 y 23 de la CE, susceptibles de desarrollo autonómico.
–Artículos de aplicación supletoria, aplicables en defecto de regulación autonómica.
Pero no convenció el legislador; la STC 61/1997, de 20 de marzo (RTC 1997, 61), declaró inconstitucional el grueso del citado TRLS.

El elemento clave del TRLS/1992 lo constituye el régimen de «facultades de contenido urbanístico susceptibles de adquisición» por parte de los propietarios conforme a las fases del proceso urbanizador (puede verse la Exposición de Motivos de la LRRUVS/1990 y los arts. 23 y ss.).

La adquisición sucesiva de las distintas «facultades urbanísticas», que van a mencionarse a continuación, proporciona el contenido urbanístico del derecho de propiedad.

Pero el _quid_ estaría en el art. 19 del TRLS/1992, en virtud del cual «la aprobación del planeamiento preciso según la clase de suelo de que se trate determina _el deber de los propietarios afectados de incorporarse al proceso urbanizador y edificatorio,_ en las condiciones y plazos previstos en el planeamiento o legislación urbanística aplicables, conforme a lo establecido en esta Ley».

El propietario queda, así, compelido a ejercer su derecho, las llamadas facultades urbanísticas. Esta obligación se hace derivar de la función social de la propiedad. Queda compelido, además, a ejercer aquéllas conforme a lo que dispone la Administración, en el planeamiento urbanístico.

En cuanto a las _facultades,_ en primer lugar se distingue el derecho a urbanizar, entendido como la facultad de modificar físicamente un terreno, dotándolo de servicios e infraestructuras necesarios para que merezca la condición de solar. Se adquiere este derecho con la aprobación definitiva del instrumento de planeamiento más específico de los que sean exigibles según la clase de suelo y se pierde si transcurridos los plazos establecidos al efecto, la urbanización no se lleva a cabo, previo el cumplimiento de los deberes urbanísticos de cesión y de equidistribución.

En segundo lugar, el derecho al aprovechamiento consiste en la atribución al propietario afectado por una actuación urbanística de los usos e intensidades de los mismos susceptibles de adquisición privada o su equivalente económico. Este derecho, cuyo contenido se determina mediante la técnica del aprovechamiento tipo, se adquiere por el cumplimiento de los deberes de cesión, equidistribución y urbanización en los plazos que se fijen (art. 26). Lógicamente, cuando el propietario no está vinculado al cumplimiento de deberes positivos, por aplicarse la expropiación o, en suelo urbano, cuando se trate de terrenos no incluidos en unidad de ejecución, el derecho al aprovechamiento urbanístico se entiende adquirido por la aprobación del planeamiento, si bien condicionado, en el segundo supuesto, a la plena ejecución de la urbanización y edificación en los plazos establecidos.

En tercer lugar, el derecho a edificar se concreta en la facultad de mate-

167

rializar el aprovechamiento urbanístico correspondiente, cuando éste no ha sido sustituido por su equivalente económico. Se adquiere por la obtención de la licencia de obras ajustada a la ordenación en vigor, y se pierde en cualquier supuesto de caducidad de aquélla, por no iniciar las obras, interrumpidas por período superior al autorizado a no terminarlas en plazo.

En cuarto lugar, el derecho a la edificación incorpora al patrimonio la edificación ejecutada y concluida con arreglo a la licencia ajustada a la ordenación en vigor, sin perjuicio de la situación fuera de ordenación en que pueda quedar incursa que no es en sí misma indemnizable.

La diferenciación de este tipo de facultades se pretende basar en la necesidad de superar ciertos problemas de la legislación precedente, tales como la «excesiva permisibilidad de que disfrutan los propietarios del suelo que son los llamados en primer término a realizar las tareas de urbanización y edificación» así como «la rigidez cuando no ausencia de los instrumentos de que dispone la Administración para hacer frente al incumplimiento por los particulares de los plazos señalados para la ejecución de dichas tareas». «La lógica del sistema exige una respuesta de la Administración actuante frente al incumplimiento que impide la adquisición de las facultades en cuestión. Esa respuesta es la expropiación por incumplimiento de la función social de la propiedad» (Exposición de Motivos de la LRRUVS/1990).

6. ALUSIÓN A LA STC 61/1997, DE 20 DE MARZO (RTC 1997, 61)

En principio, la trascendencia para el Derecho urbanístico español de esta sentencia es enorme, hasta el punto de que ha dado origen a una redefinición del sistema normativo en materia urbanística, al tiempo que declara inconstitucional el grueso de la regulación del Texto Refundido de la Ley sobre régimen del Suelo y Ordenación Urbana, aprobado por Real Decreto-Ley 1/1992, de 26 de junio.

Sin embargo, esta sentencia poco o nada aporta al Derecho urbanístico en cuando a sus contenidos materiales, ya que la anulación del TRLS/1992 se debe simplemente a razones de tipo competencial, a la incompatibilidad, por tanto, del TRLS/1992 con el Título VIII de la Constitución.

La STC parte de que el «urbanismo» corresponde a las CCAA. Entiende aquélla por «urbanismo», como «sector material susceptible de atribución competencial», «la disciplina jurídica del hecho social o colectivo de los asentamientos de población en el espacio físico, lo que en el plano jurídico se traduce en la ordenación urbanística, como objeto normativo de las leyes urbanísticas»[11].

El urbanismo corresponde pues a las CCAA sin que se justifique que el Estado pueda «regular de forma supletoria» en la materia, no teniendo título competencial expreso, una vez que los distintos Estatutos de Autonomía han recogido el «urbanismo» como competencia exclusiva. Esto puede servir para explicar que sólo quedara en vigor una parte mínima del Texto Refundido (el veinte por ciento).

Otro argumento que lleva al Tribunal Constitucional a declarar la inconstitucionalidad de ciertos artículos del TRLS/1992 es el «exceso competencial» en que el Estado incurre en el ejercicio de su competencia exclusiva sobre las «condiciones básicas que garanticen la igualdad de todos los españoles en el ejercicio de los derechos», conforme al artículo 149.1.1 de la Constitución. Según el Tribunal Constitucional, las «condiciones básicas» no pueden hacerse corresponder con «legislación básica» o «bases» o «normas básicas», hecho éste que tiene importancia a efectos de concluir que las Comunidades Autónomas, a salvo de la competencia urbanística, están facultadas _ab initio_ para regular o conformar _libremente_ el derecho de propiedad «dejando a salvo las condiciones básicas» o principios generales que haya fijado de forma global el Estado con el fin de «garantizar la igualdad de trato de todos los españoles en el ejercicio de su derecho de propiedad». Con esto se cierra una posible interpretación por la cual, por esta vía, se llegue a condicionar la competencia de legislación en materia urbanística que corresponde a las Comunidades Autónomas.

Además «la igualdad que se persigue no es la identidad de las situaciones jurídicas de todos los ciudadanos en cualquier zona del territorio nacional (...) sino la que queda garantizada con el establecimiento de las condiciones básicas, que, por tanto, establecen un mínimo común denominador y cuya regulación, ésta sí, es competencia del Estado» (Fundamento de Derecho 9).

Igualmente: «más en concreto, el indicado título competencial sólo

---

11. La legislación autonómica parece acorde con esta concepción cuando afirma que «por actividad urbanística se entiende la que tiene por objeto la organización, dirección y control de la ocupación y la utilización del suelo, incluidos el subsuelo y el vuelo, su transformación mediante la urbanización, la edificación y la rehabilitación del patrimonio inmobiliario, así como la protección de la legalidad urbanística y el régimen sancionador» (artículo 2 de la Ley 9/2002, de 30 de diciembre, de Ordenación Urbanística y Protección del Medio Rural de Galicia; en su artículo 3 esta Ley detalla los distintos contenidos de cada uno de dichos aspectos).

tiene por objeto garantizar la igualdad en las condiciones de ejercicio del derecho de propiedad urbana y en el cumplimiento de los deberes inherentes a la función social, pero no, en cambio, la ordenación de la ciudad, el urbanismo en sentido objetivo».

La legislación estatal estará justificada en tanto en cuanto se legitime en virtud de los títulos del 149.1 de la Constitución (las bases del régimen jurídico de las Administraciones Públicas, el procedimiento administrativo común, la legislación sobre expropiación forzosa y el sistema de responsabilidades de todas las Administraciones Públicas, protección del medio ambiente o la defensa del patrimonio cultural...).

Pero, y este dato sería digno de ser resaltado, el ejercicio de estos títulos competenciales no puede dejar vacía la competencia urbanística de las Comunidades Autónomas. Dicho de otra forma, el Estado no ha de condicionar la política urbanística que cada Comunidad Autónoma quiera desarrollar. Por contrapartida, según esta sentencia del Tribunal Constitucional: «del juego de los artículos 148 y 149 CE resulta que las Comunidades Autónomas pueden asumir competencia exclusiva en las materias de ordenación del territorio, urbanismo y vivienda (...). Mas ha de señalarse que tal exclusividad competencial no autoriza a desconocer la que con el mismo carácter viene reservada al Estado por virtud del artículo 149.1 CE»[12].

En cuanto al contenido de la legislación estatal no *afectada* por la STC puede destacarse la regulación de la clasificación del suelo (urbano, urbanizable y no urbanizable), así como ciertas referencias (artículos 15 y 16) relativas al suelo no urbanizable (curiosamente, en este caso no en virtud del «medio ambiente» como título competencial, sino por encajar dentro de las «condiciones básicas de la propiedad urbana»; véase el Fundamento Jurídico 16). También quedó a salvo el régimen de la expropiación y el sistema de

---

12. Por otra parte, una posterior STS de 25 de junio de 1997 (RJ 1997, 5382) recortó aún más el texto legal del TRLS/1992, al declarar la nulidad de parte de su articulado (arts. 47, 160.3, 219, 228, 237.3 y 238.2 y Disposición Transitoria primera número 3) argumentando que estos preceptos provienen de normas de carácter reglamentario que se incorporan al Texto Refundido, y considerando que, si el legislador hubiera deseado una elevación de rango tal, lo hubiera indicado así de manera expresa en la propia Ley de delegación. Al no hacerlo, ha de entenderse que el Gobierno no estaba autorizado para introducir en el Texto Refundido preceptos reglamentarios: «mas sin que ello signifique que dentro de los límites de la delegación no sea posible incorporar al Texto Refundido normas reglamentarias, pero sólo cuando se trate de una incorporación que tienda a una regularización, aclaración o armonización de las leyes comprendidas en la refundición» (el recurso se extendía a otros preceptos que fueron declarados inconstitucionales por la STC 61/1997, de 20 de marzo [RTC 1997, 61], y que, por tanto, no fue necesario anular).

valoraciones (que sale airoso en virtud del artículo 148.1.18 de la CE de 1978, «expropiación forzosa»). En cambio, el planeamiento urbanístico ha quedado en manos de las Comunidades Autónomas, pues en virtud de la STC 61/1997 (RTC 1997, 61) corresponde a las CCAA la regulación de los Planes Directores Territoriales de Coordinación, de los Planes de iniciativa particular y de los Planes Generales y Normas Subsidiarias de los Municipios.

Un efecto un tanto inesperado de la STC 61/1997 (RTC 1997, 61) fue la resurrección del TRLS/1976 (así como de los RD-Ley 3/1980, de 14 de marzo y 16/1981, de 16 de octubre), cuya vigencia se justifica considerando que cuando se promulgó esta Ley el Estado no tenía las limitaciones constitucionales que existían en el momento de promulgar el Texto que es objeto de la sentencia. En consecuencia, dichas normas, así como la Ley de medidas liberalizadoras a la que luego nos referiremos y la regulación del TRLS/1992 que se salvó de la inconstitucionalidad, protagonizaban el escenario «urbanístico» tras la STC, junto a la legislación autonómica que algunas Comunidades Autónomas habían dictado hasta el momento[13].

Pero el efecto principal de la sentencia fue haber motivado la elaboración de una legislación autonómica en materia de urbanismo, siempre que aquéllas no quisieran pasar por el calvario (la «alternativa» del Tribunal Constitucional) de «inferir la supletoriedad del Derecho estatal en cada caso mediante el uso de las reglas de interpretación pertinentes». El propio Gobierno instó, a nivel político, a las CCAA para que dictaran sus respectivas Leyes del Suelo y nada puede impedir que la legislación autonómica siga los criterios del TRLS/1992. Todo ello, en el fondo, de acuerdo con el *leitmotiv* de la STC 61/1997 (RTC 1997, 61) que puede reproducirse del modo siguiente:

«Es evidente que el Estado no puede dictar normas supletorias al carecer de un título competencial específico que así lo legitime (...). El presupuesto de aplicación de la supletoriedad que la Constitución establece no es la ausencia de regulación, *sino la presencia de una laguna detectada por el aplicador*

---

13. Concretamente éste era el caso de Valencia (Ley 6/1994, de 15 de noviembre, «Reguladora de la Actividad Urbanística»), Navarra (Ley 10/1994, de 4 de julio, de «ordenación del territorio y urbanismo») y Cataluña: Texto Refundido de la legislación vigente en Cataluña en materia urbanística, aprobado por el Decreto Legislativo 1/1990, de 12 de julio. También pueden citarse otras Leyes tales como la Ley 4/1990, de 31 de mayo, «de ordenación del Territorio del País Vasco»; en Andalucía: Ley 1/1994, «de Ordenación del Territorio de la Comunidad Autónoma de Andalucía». Y a poco de aparecer la STC se publicó en Galicia la Ley del Suelo de 24 de marzo de 1997, Ley 1/1997.

171

del Derecho» (párrafos entrecomillados seleccionados del Fundamento jurídico 12).

Otra actitud, a efectos de evitar el referido «calvario», fue la de cubrir la laguna normativa existente a través de una norma de reenvío por la que, en un solo artículo, se asume «como propio el Derecho estatal existente con anterioridad a la sentencia constitucional de 20 de marzo de 1997 (RTC 1997, 61)»[14].

Pero la consecuencia inmediata principal de la STC 61/1997 (RTC 1997, 61) fue la creación de una especie de rompecabezas donde piezas de diversas fuentes jurídicas debían encajarse entre sí, para formar el cuerpo de legalidad vigente en materia de urbanismo, especialmente en las Comunidades que no disponían de regulación propia en materia urbanística. La situación que sucedió a la STC fue caótica y fueron diferentes, como puede apreciarse, las actitudes que adoptaron las CCAA. Por su parte, el Estado, frente al duro

---

14. Así procedió la Comunidad de Cantabria, mediante Ley 1/1997, de 25 de abril, «de Medidas urgentes en materia de régimen de Suelo y Ordenación Urbana». La justificación es clara: por un lado, la urgencia requerida no permite la promulgación de una ley autonómica del suelo; apunta la ley en este sentido: «no se oculta al Gobierno lo atípico de esta solución. Pero ello no obstante, entiende que es la mejor de las soluciones posibles (...) justificada por las razones de urgencia y de seguridad jurídica». Gráfico es asimismo el siguiente párrafo legal: «A título de ejemplo, cabe señalar que si no se cubriera el señalado vacío normativo carecerían de cobertura legal ciertos mecanismos de equidistribución de los beneficios y cargas generados por la tarea urbanizadora o determinadas previsiones de cesiones de aprovechamiento por parte de los propietarios como deberes urbanísticos contemplados por el planeamiento, *puesto que estos instrumentos y técnicas, en el suelo calificado como urbano, sólo se contemplaban en el texto refundido de 1992, no existiendo tal previsión para ese tipo de suelo en la única norma supletoria estatal que subsiste: el texto refundido de 1976. Ello podría suponer un importante perjuicio para los Ayuntamientos cuyos planes se han adecuado a dicho texto de 1992 (...)»*. Otro motivo alegado fue que esta Comunidad no recurrió el TRLS/1992, y también lo fue la necesidad de dar respuesta a la complejidad existente en la actualidad en materia de fuentes respecto del urbanismo y al problema de que «algunos de los Planes generales de ordenación urbana vigentes en los municipios de la región han sido ya adaptados al Texto Refundido de 1992 y muchos de ellos parten de previsiones normativas y de gestión que carecen ahora de cobertura legal al ser declarada inconstitucional la normativa estatal en que se basaban, al no estar previstos algunos de esos instrumentos de gestión en legislación supletoria de 1976 y al no existir normativa autonómica propia». Una reacción semejante fue la de Andalucía, al menos a tenor de los argumentos de la Exposición de Motivos de la Ley 1/1997, de 18 de junio, «de Ordenación del Territorio de la Comunidad Autónoma de Andalucía». La remisión al TRLS/1992 se hizo de forma parcial, en todo aquello que fuese necesario para cubrir la laguna jurídica existente (en este contexto se enmarcan, además, la Ley 5/1997, de 10 de julio, de Medidas Urgentes en Materia de Régimen del Suelo y Ordenación Urbana de Castilla-La Mancha y la Ley 9/1997, de 13 de octubre, de 1997, de la Comunidad Autónoma de Castilla y León, o la Ley 13/1997, de 23 de diciembre, reguladora de la actividad urbanística de la Comunidad Autónoma de Extremadura).

golpe que representó la STC 61/1997, procedió a tramitar un Proyecto de Ley de Régimen del Suelo y Valoración que dio lugar a la Ley homónima 6/1998, de 13 de abril, centrando su objeto en la regulación del «contenido básico del derecho de propiedad del suelo de acuerdo con su función social, regulando las condiciones que aseguren la igualdad esencial de su ejercicio en todo el territorio nacional».

7. LA PROBLEMÁTICA APARICIÓN DE LA LEY 7/1997 DE MEDIDAS LIBERALIZADORAS, LA LEY 6/1998 SOBRE EL RÉGIMEN DEL SUELO Y VALORACIONES Y EL SISTEMA DE FUENTES TRAS LA STC 61/1997 (RTC 1997, 61)

A poco de dictarse la STC 61/1997, de 20 de marzo (RTC 1997, 61), salió publicada en el BOE la Ley 7/1997, de 14 de abril, de Medidas Liberalizadoras en Materia de Suelo y Colegios Profesionales (en adelante LLS/1997). La aparición de la LLS fue problemática desde su promulgación misma, ya que tan sólo unos días antes la STC 61/1997, de 20 de marzo (RTC 1997, 61), anulaba distintos preceptos del TRLS/1992 a los que se refería la LLS. Además, la LLS fue impugnada ante el Tribunal Constitucional (aunque por ATC de 15 de septiembre de 1998 el Tribunal Constitucional tuvo por desistidos al Parlamento, al Gobierno de Navarra y al Consejo de Gobierno de la Junta de Castilla-La Mancha) y finalmente fue derogada por la Ley 6/1998, de 13 de abril, sobre el Régimen del Suelo y Valoraciones (en adelante LRSV)[15].

---

15. No obstante, es preciso referirse al contenido fundamental de la LLS, en este recorrido que estamos haciendo sobre la evolución e hitos principales del Derecho urbanístico español. Conforme a su propio título, la LSS informaba de su intención liberalizadora a efectos de «incrementar la oferta de suelo con la finalidad de abaratar el suelo disponible». Concretamente, esta LLS preveía que los Planes Generales de Ordenación Urbanística, cuya tramitación comenzara tras la aprobación de esta Ley, tenían que contener una sola clasificación de suelo urbanizable. En otros términos, desaparecía la tradicional distinción entre suelo urbanizable programado y suelo urbanizable no programado. Se reducían además los plazos de aprobación del planeamiento (artículo 3) y se reformaba la LBRL a fin de facilitar las aprobaciones de los instrumentos de planeamiento y de gestión urbanística.

Después del golpe sufrido por la legislación estatal como consecuencia de la STC 61/1997, de 20 de marzo (RTC 1997, 61), es lógico que la Ley 6/1998, de 13 de abril, sobre régimen del Suelo y Valoraciones (en adelante LRSV) empiece reconociendo que «el fracaso, que hoy es imposible ignorar», del TRLS/1992, «reclama una enérgica rectificación» ya que «el legislador estatal carece constitucionalmente de competencias en materia de urbanismo y ordenación del territorio».

Lejos de la experimentación jurídica, la intención del legislador estatal, después de observar el resultado del TRLS/1992, estaría en dictar un texto que se ajuste estrictamente a los títulos competenciales del Estado previstos en la Constitución y reafirmados por la citada STC 61/1997 (RTC 1997, 61), esto es, la regulación de las condiciones básicas que garanticen la igualdad en el ejercicio del derecho de propiedad del suelo en todo el territorio

Actualmente, la legislación autonómica protagoniza, sin duda, el escenario del Derecho urbanístico español. Junto a ésta debe aplicarse, en todas las CCAA, la Ley del Suelo del Estado de 2007 y los preceptos del TRLS que no fueron declarados inconstitucionales por la STC 61/1997, de 20 de marzo (RTC 1997, 61), y que no han sido derogados ni por la LRSV ni por la nueva LS 2007 (véase sobre esto las disposiciones derogatorias de sendas leyes y también la Disposición Final Segunda de la Ley del Suelo de 2007). Como ya nos consta, pero es preciso recordar, la LLS fue derogada por la LRSV (a salvo del artículo 4, incorporado a la LBRL). En este sentido, es necesario tener en cuenta la normativa sectorial del Estado (que puede interferir en la aplicación de la legislación autonómica), de medio ambiente, de patrimonio cultural, de carreteras, etc.[16].

---

nacional, así como regular las materias que inciden en el urbanismo como son la expropiación forzosa, la responsabilidad de las Administraciones Públicas o el procedimiento administrativo común.

En cuanto al tema siempre polémico de las cesiones y aprovechamientos urbanísticos susceptibles de apropiación, en una línea que podríamos calificar de próxima al TRLS/1976, y a la LLS/1996, y distante del TRLS/1992, la LRSV 1998 ha optado finalmente por afirmar que las cesiones obligatorias y gratuitas a la Administración actuante se refieren, primero, al suelo urbano no consolidado, donde los propietarios deben ceder el suelo correspondiente al diez por ciento el aprovechamiento del correspondiente ámbito y segundo al suelo urbanizable, fijándose un mismo porcentaje del diez por ciento [artículos 14.2.c) y 18.4].

En ambos casos, estos porcentajes tienen carácter de máximos y pueden ser reducidos por la legislación autonómica. Asimismo, se afirma en la LRSV que la legislación autonómica podrá reducir la participación de la Administración actuante en las cargas de urbanización que corresponden a dicho suelo.

Puede también apreciarse que la legislación estatal se ciñe al supuesto de las «cesiones de suelo» a la Administración (o, lo que es lo mismo, los aprovechamientos susceptibles de apropiación por los particulares), correspondiendo a las CCAA la regulación del aprovechamiento respecto del cual ha de practicarse la cesión correspondiente.

16. Además, por entonces se ponía de manifiesto que las CCAA tenían que aplicar, primero, las Normas Complementarias al Reglamento para la ejecución de la Ley Hipotecaria sobre inscripción en el Registro de la Propiedad de actos de naturaleza urbanística, aprobadas por RD 1093/1997, de 4 de julio y, segundo, la Ley 38/1999, de 5 de noviembre, de Ordenación de la Edificación, cuyo objeto es «la configuración legal de la construcción de los edificios, básicamente establecida a través del Código Civil».

La determinación del alcance de la legislación estatal en las CCAA llevaba a establecer dos niveles de aplicación que venían a corresponderse con dos estadios cronológicos. El primero se refería a la ausencia de Ley autonómica, en cuyo caso a su vez podía producirse ora la aplicación íntegra del TRLS/1992, en virtud de reenvío hecho por parte de dicha legislación autonómica (lo que evitaba la necesidad de acudir supletoriamente al TRLS/1976), ora la aplicación supletoria del TRLS/1976 en caso contrario. El segundo se refería al momento posterior a la elaboración de la legislación autonómica. Era lógico esperar que la completa regulación hecha en la materia urbanística por parte de esta legislación obviara la necesidad de acudir al TRLS/1976 y por supuesto obviara la necesidad de mantener la solución del reenvío al TRLS/1992, en su caso.

Donde en cambio podían plantearse problemas era en torno a la aplicación de los Regla-

8. LA CUESTIÓN ACTUALMENTE

En España el Estado venía regulando con normalidad la materia urbanística (y también la territorial) hasta la STC 61/1997 (RTC 1997, 61) que le negó esta posibilidad. A partir de entonces «España es diferente» del resto de Europa, incluyendo en esta valoración al Estado *federal* de Alemania. Un conocido Voto particular a dicha STC afirmaba, con intención loable, que ésta no sería de recibo porque sería propia de un Estado federal. Sin embargo, de forma significativa puede afirmarse que ni siquiera en un Estado federal el fallo del Constitucional sería de recibo. En Alemania, por ejemplo, el Estado regula el planeamiento urbanístico, el suelo, la gestión urbanística. Es decir, es el modelo clásico español parece ajustarse mejor a la realidad jurídica europea actual.

Éste parece un dato objetivo difícilmente refutable. Otra cosa es que el fenómeno de la «España diferente» que vivimos en general sea un elemento de progreso que nos coloque en una posición de primera línea en el contexto europeo. Pensamos que no es el caso y que, más bien, Estados como Francia (o incluso Alemania) podrían ser un referente en lo territorial y organizativo. En el país citado en último lugar, en materia urbanística, lo que los Länder regulan en sus leyes son los contenidos que en España prevén las ordenanzas locales; el modelo federal alemán es coincidente con el que teníamos en España antes de la citada STC 61/1997 (RTC 1997, 61)[17].

Se promulga, sin embargo, un nuevo texto normativo estatal, la Ley del Suelo estatal 8/2007, de 28 de mayo (en adelante, LS/2007), que viene a derogar la LRSV 6/1998, y con posterioridad el TRLS/2008, en el que se observan algunas líneas maestras que comentamos a continuación[18].

---

mentos de desarrollo del TRLS/1976 (de Planeamiento Urbanístico, 2159/1978, de 23 de junio; de Disciplina Urbanística, 2187/1978, de 23 de junio; de Gestión Urbanística 3288/1978, de 25 de agosto). Tras el problemático TRLS/1992 tuvo que aprobarse una tabla de vigencias de los Reglamentos del TRLS/1976 (aprobada por RD 304/1993, de 26 de febrero). La derogación de la mayor parte de los artículos del TRLS/1992 obligaba a rehacer dicha tabla de vigencias con la complicación de determinar en qué medida estábamos ante preceptos reglamentarios contrarios a la legislación autonómica o estatal aplicables, en qué medida eran compatibles y desarrollaban las legislaciones autonómica y estatal que estaban vigentes (como legislación por tanto directamente aplicable) y en qué medida eran preceptos de aplicación supletoria.

17. BATTIS/KRAUTZBERGER/LÖHR, *Baugeseztbuch Kommentar,* 10. Auflage, Munich, 2007.

18. Una perspectiva general sobre la Ley 8/2007 en J. E. SERRANO LÓPEZ, «La nueva Ley del suelo estatal y su relación con la legislación urbanística de la Región de Murcia», *Revista Jurídica de la Región de Murcia,* nº 39, 2007, pp. 15 y ss.; J. AVEZUELA CÁRCEL/R. M. VIDAL MONFERRER, *Comentarios a la Ley del Suelo,* Valencia, 2007. También L. PAREJO ALFONSO/G. ROGER FERNÁNDEZ, *Comentarios al TRLS 2/2008, de 20 de junio,* Madrid, 2008; G. ROGER FERNÁNDEZ/A. SÁNCHEZ CASANOVA, «Las actuaciones de dotación en la nueva Ley del suelo 8/2007, de 28 de mayo», *RDU,* 2007, 235, pp. 11 y ss.

Por un lado, el Estado parece querer sumarse a la tendencia general de nuestro urbanismo, de relativización del propietario dentro del escenario urbanístico. Para ello, el Estado parece querer apoyarse en la entrada en escena del empresario no necesariamente propietario, es decir, el agente urbanizador. Y se apoyaría también en la entrada, igualmente, en el escenario urbanístico, del «ciudadano».

Pero sin perjuicio de que la intención del texto estatal es clara en desfavorecer al propietario (también respecto de la valoración de «su suelo») no termina de verse finalmente cómo se favorece a los dos últimos (el ciudadano y el empresario no necesariamente propietario). Sobre el agente urbanizador no se contienen mayores referencias. Y sobre el ciudadano se contienen regulaciones generales, o poco definidas.

Singular es que sea el propio poder normativo que dicta la Ley quien se refiera a la necesidad de recortar aún más los contenidos de las posibles legislaciones estatales. Los autores de Derecho natural tendrían un interesante caso para analizar, es decir, el relativo a un poder público que dicta una norma para recortar sus facultades, cuando no está obligado a ello por ningún criterio jurídico, ni europeo ni constitucional o cualquier otro.

Sin salirnos para nada de los títulos constitucionales y de la interpretación que da a los mismos el Tribunal Constitucional, a continuación se realizan algunas propuestas acerca de aquello que podría regular con una mayor extensión el Estado.

Haría posiblemente falta una mayor regulación por el Estado de temas tales como la gestión en áreas semiconsolidadas, el subsuelo, la gestión directa, la ordenación del territorio, la división horizontal y el nuevo contrato administrativo de obras de urbanización en sus distintas modalidades, que, por otra parte, son: 1. El agente urbanizador o contratista de la Administración para realizar obras de urbanización. 2. El agente rehabilitador, o contratista de la Administración para realizar operaciones de conservación de barrios o, en cambio, de demolición de áreas degradadas y su sustitución por otras nuevas. 3. El agente edificador, o contratista que se encarga de edificar un solar que el propietario no edifica.

Merece la pena presentar un par de apuntes sobre la relación entre el urbanismo y contratos en este contexto. Las figuras mencionadas están en el epicentro del nuevo urbanismo. Son figuras empresariales. Representan el nuevo urbanismo basado en la irrupción de empresarios y profesionales que auxilian al Ayuntamiento en la realización de su función pública urbanística (el urbanismo se ha convertido en materia empresarial, también cuando el propietario consigue ser agente del suelo).

Estamos ante un nuevo contrato administrativo en las variantes comentadas. Y quien tiene la competencia para regular la contratación administrativa es el Estado.

Se tiende paulatinamente hacia un urbanismo más público. Y es significativo que esta tendencia desemboca en la vieja fórmula del contrato administrativo. En España la forma de hacer «cosa pública» es tradicionalmente a través del contrato. **El futuro del urbanismo podría estar en la gestión pública municipal, con ayuda empresarial en la realización de las obras y de los planes mismos a través de contratos de obras y de servicios respectivamente.**

El nuevo contrato administrativo de obras de urbanización consigue situar a la Administración en el lugar más protagonista que precisa la gestión urbanística, ya que la figura del contrato administrativo permite que la Administración controle todo el proceso de adjudicación de las obras de urbanización, previa elaboración de unas bases generales y unas bases particulares donde la propia Administración que será adjudicadora del contrato define el proceso urbanístico que debe realizarse. Ello por contraposición al sistema clásico valenciano o castellano-manchego de agente urbanizador, que preveía una Administración débil en comparación con los urbanizadores. Por contrapartida, el propietario ha de tener garantías suficientes que impidan cualquier hipotético abuso, a efectos de que no pague más de lo que le corresponde en concepto de obras de urbanización.

Junto al urbanismo de los propietarios parece haber surgido un nuevo contrato administrativo urbanístico. Principalmente la Unión Europea nos ha llevado a este nuevo escenario contractual público, no sólo tras la famosa sentencia Scala de Milán por referencia a los convenios, sino también tras una jurisprudencia constante que apuesta por la expansión de la figura del contrato administrativo. Por otra parte, si es verdad que socialmente es preocupante el problema de la corrupción urbanística, podrían tomarse medidas más efectivas, tales como la supresión del papel protagonista que tiene el empresariado en relación con el factor suelo. Según esto, se regularía la «gestión directa», y los empresarios pasarían a ser fundamentalmente contratistas de obras de los Ayuntamientos, dependiendo de estos últimos la iniciativa y desarrollo urbanísticos en todo caso. Estas afirmaciones presuponen que la regulación del TRLS/2008 no es suficiente.

177

En fin, el Estado podría rescatar, por esta vía del contrato administrativo, una posición más relevante en el urbanismo. En general, deberíamos empezar a acostumbrarnos a ver de nuevo leyes estatales del suelo más extensas que la Ley que acaba de entrar en vigor o que su predecesora. El Tribunal Constitucional ha dicho que el Estado no puede regular aquello que regulaba la Ley del Suelo de 1992 (planeamiento, etc.). Pero no impide que el Estado regule otros temas que van surgiendo por necesidades sociales.

Por contrapartida, el TRLS/2008 se dedica a regular «derechos y derechos», como si fueran novedades que, sin embargo, representan cuestiones de carácter elemental y sin contenido concreto: derecho a una vivienda digna, derecho a ser informado, deber de respetar la legislación de actividades clasificadas, proclama de la sostenibilidad en abstracto, etc. Sin embargo, el articulado del TRLS/2008 nos sorprende a veces con reglas de una enorme trascendencia práctica pese a que obtienen finalmente una regulación tan breve e imprecisa que no es coherente con su importancia práctica[19].

---

19. Así por ejemplo, se obliga a una revisión del plan general cuando la actuación de urbanización conlleve en los dos últimos años un incremento superior al 20 por ciento de la población o de la superficie del suelo urbanizado del municipio... (la aplicación de esta regulación tan importante presupondría quizás alguna regulación más pormenorizada); o se prohíben ahora a los notarios las autorizaciones de escrituras de segregaciones de fincas si no se acredita documentalmente la conformidad o aprobación administrativa (habría acaso que explicar casos tales como las divisiones horizontales en suelo rural para proyectos turísticos con explotación conjunta y sin uso residencial); se nos dice que a partir de ahora sólo puede alterarse la delimitación de un LIC si se ha producido un cambio por su evolución natural (otro tema éste que está planteando numerosas cuestiones en toda España y que tampoco quedan explicadas); que a partir de ahora se ostenta un derecho de reintegro de los gastos de instalación de las redes de servicios con cargo a sus empresas prestadoras (la imposición de esta regla precisaría de mayores contenidos regulatorios, pues en la práctica ocurre lo contrario a lo que afirma la LS); se nos dice que el subsuelo corresponde al propietario del suelo y poco más (pese a que la regulación del subsuelo es competencia del Estado y sin que éste regule las cuestiones prácticas que se están suscitando en la materia, al igual que ocurre con las licencias provisionales, tema que plantea muchas cuestiones que quedan sin respuesta); se nos apunta que se puede disentir de un informe de forma motivada en la memoria ambiental (sin embargo, hasta la fecha un informe vinculante era poco menos que una verdad incontestable), etc.
En materia de ordenación del territorio en España tenemos actualmente una especie de sistema de *case law:* el interesado (por ejemplo, el funcionario) en conocer el Derecho de ordenación territorial ha de acudir, junto a las legislaciones autonómicas que regulan esta ordenación, a la jurisprudencia del Tribunal Constitucional que ha desarrollado los criterios de reparto competencial entre Estado y Comunidades Autónomas, o a la jurisprudencia del Tribunal Supremo para conocer el alcance de la ordenación territorial autonómica por referencia a las Administraciones locales. Estas reglas jurisprudenciales podrían formar parte del articulado de una ley del suelo estatal.
Por su parte, las «valoraciones del suelo» representan una cuestión desde siempre principalmente jurisprudencial y, por lo tanto, veremos cómo aplican y modulan los tribunales los criterios legales para llegar a resultados justos. El régimen de valoraciones de esta ley tiene virtualidad si el sistema de gestión urbanística español fuera un sistema de expropiación

aplicando la gestión directa. Pero, como sabemos, no es el caso, porque en España priman los modos de gestión indirecta. El suelo a partir de ahora será «urbanizado o rural». La intención es buena. El suelo rural está para ser utilizado para fines agrícolas... (por cierto los deportivos siguen obviándose siguiendose planteamientos de la Ley de 1956). El suelo rural, según la nueva Ley, no tiene vocación de ser trasformado. Pese a la buena intención lo característico en España ha venido siendo la presión edificatoria del propietario del suelo rural. Si ahora la transformación es compleja, esperemos que ello no conduzca a que aumente la indisciplina urbanística.

Capítulo II

Nivel local. Las ordenanzas locales

1. PLANTEAMIENTO

Profundizando en la explicación del sistema de fuentes en el Derecho urbanístico, corresponde descender al plano normativo local. En este sentido, a lo largo de este trabajo aparecen frecuentemente alusiones a las ordenanzas locales, en el contexto urbanístico. Evidentemente, parece conveniente profundizar en el alcance y límites de la potestad normativa municipal. Pese a lo antiguo de las ordenanzas locales, sigue hoy planteando interés –y especial controversia– la delimitación de su alcance y posibles contenidos regulativos. Para abordar esta cuestión, un posible método es primero plantear algunos criterios informadores para, seguidamente, poner algunos ejemplos, a efectos de no caer en la tentación de quedar en un plano excesivamente abstracto o general.

2. LÍMITES JURÍDICOS DE LAS ORDENANZAS LOCALES DESDE UNA PERSPECTIVA GENERAL[20]

Tocando primero un planteamiento constitucional, de consideración

---

20. S. A. Bello Paredes, *Las ordenanzas locales en el vigente Derecho español. Alcance y articulación con la normativa estatal y autonómica,* Madrid, 2002; J. M. Boquera Oliver, «Los límites del poder de ordenanza», *REVL,* 160, 1968; J. L. Blasco Díaz, *Ordenanza municipal y Ley,* Madrid, 2001; A. Fanlo Loras, *Fundamentos constitucionales de la autonomía local,* Madrid, 1990; A. Galán Galán, *La potestad normativa autónoma local,* Barcelona, 2001; A. Gallego Anabitarte, *Ley y reglamento en el Derecho público occidental,* Madrid, 1971; P. García Manzano, «Ordenanzas y licencias urbanísticas», en VVAA, *Temas de urbanismo,* San Sebastián, 1973; A. Iglesias Martín, *Autonomía municipal, descentralización e integración europea de las entidades locales,* Barcelona, 2002; L. Ortega Álvarez, «La potestad normativa local», en VVAA, *Anuario del Gobierno local,* 2001; L. Parejo Alfonso, *La potestad normativa local,* Barcelona, 1998; J. Sánchez Isac, *El principio de autonomía y las competencias locales,* Barcelona, 2002; M. Sánchez Morón, *La autonomía local,* Madrid, 1990; F. Sosa Wagner, *Manual de Derecho local,* Pamplona, 2002; V. De la Vallina Velarde, «Consideraciones sobre la potestad normativa de las entidades locales», *REVL,* 176, 1972.

siempre conveniente en temas como el que nos ocupa, es preciso partir tanto de la autonomía local como del hecho, sobradamente conocido, de la inexistencia de potestad legislativa de las Corporaciones locales, circunstancia ésta que obliga al Estado y a las Comunidades Autónomas a regular adecuadamente la esfera de interés local, a efectos de cumplir con el mencionado principio de autonomía local, ya que las Administraciones locales pasan a depender de la voluntad del legislador estatal o autonómico para el ejercicio de sus competencias.

Este planteamiento termina mediatizando la determinación del alcance último de los principios de reserva de ley, de legalidad y de jerarquía normativa que, por otra parte, han de regir la potestad normativa reglamentaria local.

En este contexto, la jurisprudencia constitucional no ha dudado en dejar clara la «posible colaboración reglamentaria en términos de subordinación, desarrollo y complementariedad», pero con el límite de la «imposibilidad del legislador de abdicar de toda regulación directa en el ámbito parcial reservado a Ley» (STC 233/1999 [RTC 1999, 233]).

También la jurisprudencia ordinaria recuerda la autonomía local, «proclamada y garantizada constitucionalmente, en función de los fines que vienen atribuidos a los órganos administrativos del municipio por la Ley ordinaria», ya que «los municipios sólo pueden perseguir los fines taxativamente señalados en la Ley», siendo que «la LBRL establece que las Corporaciones locales pueden intervenir la actividad de los ciudadanos a través de ordenanzas [artículo 84.1.a)]», si bien, en todo caso, las ordenanzas deben ajustarse a los principios de «igualdad de trato, congruencia con los motivos y fines justificados y respeto a la libertad individual» (STSJ de Castilla y León, sede Valladolid, de 29 de diciembre de 2000 [JUR 2001, 113210], anulando una ordenanza en todo aquello que se extralimitó de la estricta regulación de las distancias entre plantaciones forestales).

Cuando los órganos jurisdiccionales del orden contencioso-administrativo consideren que no se sostiene una determinada ordenanza, uno de los principios que pueden servir para lograr la anulación pretendida puede ser, en efecto, el de jerarquía normativa. En este principio se apoya expresamente la STS de 12 de junio de 1993 (RJ 1993, 4343), aunque posiblemente viniera más al caso invocar el principio de reserva de ley, para confirmar la anulación de una ordenanza que establecía la prohibición de que los carteles y vallas contuvieran publicidad sobre el tabaco y bebidas alcohólicas en el término de Getafe: «incluso en las competencias que le aparecen atribuidas al municipio habrá (éste) de acomodarse a los términos fijados en la legislación del Estado y de las Comunidades Autónomas, ya que lo contrario sería desconocer el principio de jerarquía normativa, consagrado en el artículo 9.3 de la Constitución (...). Desde esta perspectiva, la prohibición de que los carteles y vallas contengan publicidad sobre el tabaco y bebidas alcohólicas en el término de Getafe desborda el ámbito de protección de la salubridad pública municipal», «materia que por su propia índole, tal como señala la Exposición de Motivos de la Ley General de Publicidad 34/1988, de 11 de noviembre» «desborda los intereses locales incidiendo incluso en el espacio jurídico intereuropeo, siendo competencia exclusiva del Estado la regulación de esta materia a tenor del artículo 149.1, 6 y 8 de la Constitución, sin que por tanto pueda establecerse dicha prohibición en la mencionada ordenanza».

3. LA PROYECCIÓN, DE LA POTESTAD NORMATIVA LOCAL, HACIA EL URBANISMO Y LA CONSTRUCCIÓN

En torno al factor constructivo o edificatorio, los Ayuntamientos han encontrado desde siempre un ámbito propicio para el ejercicio de su potestad normativa reglamentaria y, en particular, para dictar «ordenanzas de construcción o edificación».

No puede extrañar que, en el contexto general de un Derecho urbanístico cuyo epicentro es la propia vida local, dichas ordenanzas terminen relacionándose con los planes urbanísticos como consecuencia, en especial, del imparable fenómeno de la legislación urbanística que tiene como referencia principal el planeamiento. Surgen así, con este nuevo urbanismo, las «ordenanzas integrantes de los propios planes urbanísticos» sin que, no obstante, se haya derogado la posibilidad de seguir aprobando ordenanzas de construcción no vinculadas necesariamente a un plan urbanístico, por tener un contenido normativo abstracto (en materias de seguridad o salubridad) no ligado necesariamente a una directiva de planeamiento concreta[21].

Actualmente, la pervivencia, y hasta arraigo y éxito, de las ordenanzas locales de este tipo se entienden por referencia al planeamiento. En el contexto de los planes, centro del urbanismo moderno, las ordenanzas de edificación encuentran una posible reorientación como elemento integrante de

---

21. E. García de Enterría, «Dictamen sobre la legalidad de las ordenanzas municipales sobre uso del suelo y edificación», *RAP*, 50, 1966, p. 317; A. Embid Irujo, *Ordenanzas y reglamentos municipales en el Derecho español*, Madrid, 1978, p. 487, admitiendo, en lo procedimental, que estas ordenanzas se tramiten como consecuencia de una iniciativa particular.

los mismos. La propia legislación, en especial la autonómica que protagoniza hoy el escenario urbanístico, afianza esta explicación, al referirse sin más a los planes de urbanismo (ya el TRLS/1992, a diferencia del TRLS/1976, obvia nombrar siquiera las ordenanzas, centrándose en los distintos instrumentos del planeamiento urbanístico; artículos 114 y ss. del primero de los citados).

El ámbito de regulación de las ordenanzas, y por tanto su alcance y límites, vienen asociados al propio plan, desarrollando la ordenanza los planes generales o precisando los parciales en coherencia con sus propios fines. Los principios mismos (de interdicción de la arbitrariedad, igualdad, motivación, proporcionalidad, equidistribución, seguridad jurídica), que limitan los planes urbanísticos, pasan a ser principios determinantes de este tipo de ordenanzas locales.

Sin embargo, la jurisprudencia misma deja constancia de que, en este contexto urbanístico, las ordenanzas llegan a tener un papel significativo a veces, admitiéndose que una ordenanza pueda delimitar las condiciones para materializar los usos posibles incluso estableciendo restricciones, o que pueda matizar el régimen de silencio positivo para el otorgamiento de licencias, o precisar el régimen de legalización de las edificaciones[22].

Precisamente, es esta relación dialéctica entre planes y ordenanzas lo que lleva a que puedan suscitarse problemas de legalidad de las ordenanzas, no sólo por poder contravenir éstas los planes (o la legislación), sino también por poder invadir el terreno reservado al planeamiento, si se regulan cuestiones *ex novo* que corresponden ser abordadas por un plan, debido a las mayores garantías que esta aprobación representa.

Estos litigios (así, el que resuelve la STSJ de Castilla y León, sede Valladolid, de 5 de octubre de 2000 [JUR 2001, 8083], anulando una ordenanza, de distancias que han de respetar las construcciones a las vías públicas en suelo urbano, por entender que medidas tales como el retranqueo de edificaciones han de preverse en un plan especial, tal como prevé el artículo 20 del TRLS/ 1976) son expresivos del nuevo escenario jurídico protagonizado por los planes y dentro del cual queda espacio para las ordenanzas.

Por el contrario, el Ayuntamiento podrá pretender encauzar una decisión local a través de un simple acto administrativo obviando una ordenanza

---

22. Puede consultarse la jurisprudencia citada en este sentido por E. SÁNCHEZ GOYANES, *La potestad normativa del municipio español. Ordenanzas, reglamentos, planes urbanísticos, normas*, Madrid, 2000, p. 334.

y con ello los requisitos procedimentales que ésta, pero no aquél, exige (y previstos en el artículo 49 de la LBRL: aprobación inicial por el Plano, información pública y audiencia de los interesados, resolución de todas las reclamaciones).

De ahí que, por esta razón, la STSJ de Cantabria de 17 de noviembre de 2000 (RJCA 2000, 2624) anule la decisión de la Corporación reguladora de la «circulación y estacionamiento de vehículos para zonas de carga y descarga y para paradas de auto-taxis y autobuses». Por su parte, es exigible que las ordenanzas sigan las pertinentes reglas de tramitación y procedimiento (STS de 14 de junio de 1994 [RJ 1994, 4597]).

Es, por otra parte, significativo cómo, a pesar de que el Derecho urbanístico moderno (cuyo origen se cifra en la conocida LS/1956) vincula su origen y justificación misma a un proceso de estatalización del urbanismo tradicionalmente local, los Ayuntamientos han encontrado en el urbanismo un terreno propicio para el desarrollo de sus propios intereses, a diferencia de aquello que se ha manifestado en buena parte de los ámbitos tradicionales de intervención de los poderes públicos locales (por ejemplo, sanidad) en los cuales la legislación estatal y la autonómica terminan por desplazar su esfera de poder. Por contrapartida, a pesar de que los Ayuntamientos han podido mantener el protagonismo en el urbanismo, podría discutirse esta afirmación a la luz especialmente de las nuevas leyes autonómicas de ordenación del territorio o de aquellas otras sectoriales que desplazan lo local en aras de una más eficaz protección de intereses supralocales.

4. LA ADMINISTRACIÓN LOCAL, ANTE FENÓMENOS SOCIALES NECESITADOS DE REGLAMENTACIÓN LOCAL, Y LA RESERVA DE LEY. JUSTIFICACIÓN, ORIGEN Y ALCANCE DE UNA ORDENANZA

No es un capricho del legislador la previsión legal de una potestad normativa local que se concreta en ordenanzas locales. Existen muchas veces condicionantes y exigencias sociales que los Ayuntamientos, como Administraciones además más próximas o cercanas al ciudadano, se ven en la necesidad de resolver.

La problemática está servida si consideramos, junto a este factor, el hecho, de que las Corporaciones locales no disponen de una potestad legislativa capaz de dar respuesta inmediata a las exigencias sociales. Esto lleva a la discusión acerca de posibles vías para la aprobación de una ordenanza local en situaciones de cierto vacío legal o de indeterminación (en la legislación sectorial o local) respecto del alcance del ejercicio de las potestades locales, incluso en ámbitos directamente relacionables con la seguridad o la salubridad o sanidad, tan apegados tradicionalmente *a priori* a lo local.

Así, por ejemplo, se ha destacado que en las instalaciones de radiocomunicación, aunque la legislación de sanidad y la ambiental justificarían una ordenanza local de este tipo, no queda claro el alcance de estas ordenanzas porque no lo está el alcance de las competencias de los Ayuntamientos en virtud de la legislación aplicable[23].

En estos casos, ante la complejidad existente y la ausencia de un mayor desarrollo jurídico del presente tema, muchas veces no parece quedar más remedio, para aprobar una ordenanza local, que buscar apoyos o referencias en la legislación, o que demostrar que dicha ordenanza es jurídicamente aceptable porque consigue respetar principios jurídicos tales como la reserva de ley, la jerarquía normativa, la proporcionalidad, la igualdad, etc., confiando en último término en una resolución judicial que, dado el caso, confirme la legalidad de la ordenanza.

En efecto, cuando esto ocurre (es decir, cuando la evolución social impone una regulación local adecuada que no cuenta en principio con una habilitación legal tajante) las vías son complejas y en principio no está abierto el cauce a una reglamentación local que, no obstante, podrá procurarse por los municipios interesados, a costa de respetar ciertas garantías o cautelas. Esta operación cobra interés especial cuando la ordenanza pretendida no sólo limita posibles usos de los particulares, por ir en cambio más allá, imponiéndoles alguna carga u obligación que, en principio, exige evidentemente una ley que las justifique (entre otros preceptos, considérese el propio artículo 31.3 de la CE). Además, podrá ser necesario compatibilizar todo intento regulador con otros principios o derechos, tales como la libertad de empresa o el propio derecho de propiedad.

En suma, los Ayuntamientos podrán verse envueltos en un proceso u operación de búsqueda de la legalidad necesaria para aprobar la ordenanza que interesa al municipio. Después de agotar los cauces que permitan arraigar la ordenanza en la legislación vigente (sectorial o local donde se regulan las competencias locales), habrá que observar si el gravamen que se impone a los particulares, por muy justificado que esté socialmente, representa una carga excesiva o desproporcionada. A estos efectos, el criterio del coste eco-

---

23. Véase G. DOMÉNECH PASCUAL, «Las ordenanzas municipales reguladoras de las instalaciones de radiocomunicación», *REDA*, 117, 2003, pp. 33 y ss.

nómico, significativo o (por el contrario) irrelevante, puede llegar a jugar un papel a la hora de valorar la proporcionalidad de la obligación que se pretende, al igual que el beneficio que se obtiene desde el punto de vista de fines sociales que interesan al propio municipio (por ejemplo la mayor seguridad, la mayor salubridad o similares). También pueden llegar a jugar un papel factores tales como la necesidad de adaptar el Derecho local a la mejor técnica disponible, o la necesidad de reducir riesgos, o de minimizar los impactos ambientales indeseables, todo ello en especial cuando (sin perturbar las competencias estatales o autonómicas) lo que pretenda la ordenanza no sea sino aumentar la calidad y el nivel de protección de los propios ciudadanos con apoyo en sus propias competencias locales.

Igualmente, puede ser interesante la necesidad de adaptar o matizar la legislación a la realidad del municipio diferenciando entre las distintas zonas existentes. Esto ocurre con la «inspección técnica de construcciones», a la luz, por ejemplo, del Reglamento de Urbanismo de Castilla y León aprobado por Decreto 22/2004, cuyo artículo 315 termina permitiendo expresamente que las ordenanzas excepcionen el deber legal de los propietarios de someter sus edificaciones a inspección técnica (a cargo del personal autorizado para ello), ya que dichas ordenanzas podrán segregar zonas o edificios (siempre que sigan criterios objetivos) en torno a los cuales puedan matizar o llegar a excepcionar el régimen autonómico legal y reglamentario.

5. ALCANCE DE LAS ORDENANZAS. PLANTEAMIENTO JURISPRUDENCIAL

A. La construcción inmobiliaria al servicio de la seguridad ciudadana

Interesa profundizar en algún caso concreto, para ejemplificar las reflexiones que acaban de exponerse. Puede ser éste la seguridad ciudadana, primero en cuanto tal, y segundo en su vertiente relacionada con la construcción y con el urbanismo.

La discusión, en torno a la legitimidad y alcance de una ordenanza local, en este ámbito de la seguridad ciudadana, puede partir de la fundamental STS de 20 de diciembre de 1988 (RJ 1988, 10172). No quiero decir con esto que sea posible, sin mayores precisiones, toda ordenanza local por el solo hecho de que ésta tienda a elevar el nivel de seguridad ciudadana en un determinado municipio. Pero sí debe conocerse la posición favorable con que *a priori* parte toda opción reguladora local tanto en un plano doctrinal como en un plano jurisprudencial (como vamos a ver a continuación).

187

En el caso enjuiciado por esta sentencia, la cuestión litigiosa consistía en determinar si el Ayuntamiento (de Toledo), al aprobar el Reglamento de Funcionamiento de Aparatos de Alarma, había invadido competencias exclusivas del Estado (arts. 104.1 y 149 apartado 29 de la Constitución y art. 17 del Estatuto de los Gobernadores Civiles de 1980, entre otros, a juicio del Estado, recurrente).

Interesa destacar los argumentos a favor de este tipo de reglamentaciones locales en el ámbito de la seguridad ciudadana:

Primero, confirma el Tribunal Supremo que existe para ello respaldo más que suficiente en lo dispuesto, en materia de seguridad ciudadana, en la legislación aplicable al caso planteado [art. 101, apartado b) de la Ley de Régimen Local, la Ley de 4 de diciembre de 1978, la Ley de Cuerpos y Fuerzas de Seguridad del Estado de 13 de marzo de 1986 y los arts. 2 y 3 del Real Decreto 1383/1984, de 4 de julio, de Seguridad –actualmente derogado por el RD 2364/1994, de 9 de diciembre, por el que se aprueba el Reglamento de Seguridad Privada–].

Segundo, ha de entenderse que la competencia del Estado en materia de seguridad ciudadana, por propia iniciativa de la legislación estatal, es compartida por otras Administraciones Públicas, entre ellas, la local.

Tercero, ha de admitirse que, cuando el sistema normativo contenga no una imposición sino tan sólo un régimen facultativo (en el presente supuesto limitándose el Ayuntamiento a ofrecer un servicio de alarma integrado en las dependencias de la Policía Municipal), la ordenanza gana una especial consistencia.

Cuarto, no pueden desconsiderarse los fines que se pretenden y que llevan a apoyar en principio la opción de las Corporaciones locales a favor de regular adecuadamente el ámbito de la seguridad ciudadana.

Afirma, en este sentido, la sentencia la legitimidad del sistema, ya que el Ayuntamiento no procura sino «ayudar al mantenimiento de la Seguridad ciudadana en el Municipio». Interesa transcribir un ilustrativo párrafo, en esta misma línea, de la sentencia: «los Cuerpos de Policía Municipal existen mucho antes de la actual Constitución Española, con funciones, de todos conocidas, de velar por la seguridad pública, y también de actuar en funciones de policía judicial a tenor de lo dispuesto en la Ley de Enjuiciamiento Criminal, y de velar por el orden público en cuanto integrada en las Fuerzas de Seguridad del Estado, según su propia Ley Organizativa. No sólo el apartado h) del artículo 101 de la antigua Ley de Régimen Local, vigente cuando fue impugnado el Reglamento municipal, sino otros varios como el b) y el g) y el j) contienen competencias típicas de la Policía Municipal, que en nada menoscababan en aquella época, ni tampoco actualmente, las funciones de policía del Estado. Buena prueba de ello está en los artículos 1, 11 y 25 de la Ley de Bases de Régimen Local de 2 de abril de 1985, en cuanto resaltan que el Municipio es la entidad local básica de la organización territorial del Estado, y que ejercerá, en todo caso, competencias, en los términos de la legislación del Estado y de las Comunidades, entre otras en materia de seguridad en lugares públicos. El Reglamento impugnado contempla un aspecto parcial y muy concreto en orden al mantenimiento de la seguridad pública: las alarmas situadas en establecimientos públicos y privados que tengan algún tipo de conexión con centrales o aparatos similares situados en dependencias municipales y bajo la custodia de la Policía Municipal de Toledo. Si las normas han de interpretarse a tenor del artículo 3 del Código Civil según la realidad social del tiempo en que han de ser aplicadas, la demanda social de seguridad pública actualmente choca con cualquier pronunciamiento obstativo o limitatorio de los medios legales o de otra naturaleza al servicio y con la finalidad de velar por esa seguridad».

En un plano doctrinal, llega a razonarse que está fuera de toda duda una reglamentación municipal mediante ordenanza o similar en estos casos, ya que lejos de imponerse una carga a los particulares (empresarios o propietarios o particulares en general) se les otorga un beneficio. «Naturalmente que no puede ser aplicable aquí la doctrina de la exigencia de cobertura expresa en Ley formal para la actuación concreta porque aquélla se proyecta sobre actuaciones que inciden negativamente sobre los derechos individuales, y la actuación del Ayuntamiento de Toledo tiene una incidencia positiva sobre éstos»[24].

La sentencia citada no es un testimonio aislado. Importa destacar, asimismo, la STS de 19 de julio de 2000 (RJ 2000, 6488) donde se confirma la legalidad de una «ordenanza reguladora (de San Antonio de Portmary, en las Islas Baleares) de los servicios urbanos e interurbanos de transportes en automóviles ligeros», en cuya virtud se establece un sistema de comunicación unificado entre los vehículos sujetos a la ordenanza (taxis) y los posibles usuarios y la policía local. El Tribunal Supremo, después de recordar la interdicción de arbitrariedad como principio rector de las ordenanzas locales, considera respetuoso con la libertad de empresa el sistema de comunicación establecido en la ordenanza.

---

24. E. Sánchez Goyanes, *op. cit.*, p. 180.

Pero, para llegar a esta conclusión, en este supuesto la clave estuvo en que, a la aprobación de la ordenanza, precedió la convocatoria, por iniciativa municipal, de una asamblea a la que pudieron concurrir todos los titulares de las licencias de autoturismos a fin de proponer por mayoría absoluta el sistema de comunicación a adoptar. También fue determinante el hecho de que la ordenanza no procurase sino el ajuste a los mejores medios posibles para mejorar la seguridad, la calidad y la eficacia del servicio sobre todo desde un punto de vista técnico.

Interesa especialmente subrayar cómo este tipo de ordenanzas consensuadas, en las que el Ayuntamiento recoge la opinión y voluntad mayoritarias del sector, es un modo de reforzar la legitimidad misma de sus posibles contenidos. Importa también resaltar la justificación de las ordenanzas en su conexión con el «factor seguridad», también con el «elemento técnico»[25].

B. Ordenanzas de edificación, urbanismo y seguridad ciudadana

Profundizando en esta relación entre el factor «seguridad» y las «ordenanzas locales», y considerando la necesidad de prevenir frente a (y luchar contra) la criminalidad, logrando una mayor seguridad ciudadana (como indudable competencia de responsabilidad en parte local y reto de nuestro tiempo), cabe plantear, en el contexto de la construcción o edificación, el alcance de los contenidos regulativos de una ordenanza estudiando supuestos más complejos, por ejemplo, podemos debatir la posibilidad de una ordenanza municipal donde se establezca que los constructores o promotores de la construcción han de instalar los debidos sistemas privados de seguridad (por ejemplo, de alarma), a fin de que el propietario o inquilino pueda tener un mínimo aceptable de seguridad en esa vivienda que ocupa.

No hace falta, a mi juicio, extenderse demasiado en la explicación de los numerosos factores que hacen valorar positivamente todo esfuerzo por regular adecuadamente la seguridad ciudadana, también por tanto en el contexto de la construcción de edificaciones, a efectos de luchar contra el imparable aumento de la criminalidad: es de sobra conocido, por los periódicos y medios de información social, que la inseguridad ciudadana representa una

---

25. Otro caso que se suma a este tendencia judicial favorable a las reglamentaciones o iniciativas locales en pro de la seguridad ciudadana es la sentencia de la Audiencia Territorial de Barcelona de 20 de octubre de 1987 (*Revista de Derecho Urbanístico*, 106, 1988, p. 188). Según esta sentencia, dentro de la «seguridad», encaja también la «seguridad pública o ciudadana». De ahí que esta sentencia considere ajustada a Derecho la orden administrativa de ejecución de obras en el edificio porque ciertas vías de acceso a la vivienda facilitaban la comisión de robos, «creándose una situación de inseguridad ciudadana o pública».

de las principales preocupaciones de los ciudadanos en los momentos actuales y que asistimos a allanamientos de morada no sólo en casas desabitadas sino también con sus moradores dentro.

Una ordenanza tal contaría con estos argumentos en su favor. Primero, aumentando la calidad de la edificación se contribuye a una mejor seguridad de sus habitantes y, con ello, a una mejor seguridad ciudadana.

En este sentido, el incremento de las urbanizaciones no puede significar nunca descuidar un nivel adecuado de seguridad ciudadana. Y, entonces, como consecuencia del característico y exagerado «boom» urbanístico que hemos vivido, sería discutible cargar sobre la Administración y sobre las fuerzas de seguridad todo el peso de la función pública de la seguridad ciudadana que ello origina, mediante labores de vigilancia y de patrulla. Existiría un límite en la asunción, por el poder público, de la función de seguridad ciudadana, más allá del cual resulta no sólo legítimo sino además obligado cargar sobre los particulares interesados (y no sobre la colectividad, es decir, el erario público, vía presupuestos) su propia seguridad.

Por contrapartida, el aumento o incremento del esfuerzo, que para el poder público (y en particular los Ayuntamientos) representan las nuevas urbanizaciones desde el punto de vista del logro de la seguridad ciudadana, no puede llevar a transferir al sector privado toda la carga de lograr la seguridad ciudadana dentro de una determinada zona. El poder público ha de mantener, en todo caso, el núcleo de la función y de la responsabilidad pública de seguridad. Pero sí se justifica una cierta corresponsabilidad o colaboración del sector privado en el logro de su propia seguridad.

Exigiendo, por ejemplo, a los constructores de las viviendas la instalación de un dispositivo de alarma estamos, simplemente, ante un requerimiento de una «mínima» colaboración del sector privado dejando además libertad al propietario para que éste contrate o no finalmente los servicios a una determinada compañía.

La cuestión es, pues, qué criterios o límites jurídicos deben respetarse para llegar a ello. Existen, desde el punto de vista de las referencias normativas que amparan este tipo de reglamentaciones locales, dos frentes claros donde se abren las puertas a la actuación local; por un lado, el de la «seguridad ciudadana» [artículo 25.2.a) de la LBRL, donde se reconoce la competencia local en cuanto a la «seguridad en lugares públicos»; artículo 2.2 de la Ley de Seguridad Ciudadana de 21 de febrero de 1992; artículos 10 y 13 de la Ley de Protección Civil 2/1985, de 21 enero] y, por otro lado, el de la «seguridad constructiva o de edificación» (conforme a la Ley de Ordenación de la Edificación de 5 de noviembre de 1999, artículo 3 relativo a la «seguridad» y las remisiones que en ella se hacen al pertinente desarrollo reglamentario).

Especialmente, en el ámbito de la legislación urbanística, se prevén numerosas disposiciones que atribuyen a las Administraciones locales la competencia de regular mediante ordenanza las características constructivas de las edificaciones (artículo 2.2 de la Ley 6/1994, de 15 de noviembre, Reguladora de la Actividad Urbanística). Y también contamos, en este contexto, con el factor de la calidad de edificación (por todos, Decreto de la Comunidad Valenciana 107/1991, de

10 de junio, sobre control de calidad de la edificación y libro de control en la construcción).

Asimismo, «contamos con» las competencias locales en el ámbito de la protección de los derechos de los consumidores (artículo 41 de la Ley de Defensa de los Consumidores y Usuarios de 10 de julio de 1984, reconociendo la competencia local de proteger la defensa de los consumidores y usuarios). En fin, la tendencia legislativa general consiste en fortalecer las competencias locales en el sector de la seguridad ciudadana (de ahí, por ejemplo, la reforma de la LO 1/1992, de 11 de febrero, de Protección de la Seguridad Ciudadana por Ley 10/1999, de 21 de abril) a efectos de que en ordenanzas puedan especificarse los tipos sancionadores.

El presente ejemplo sirve para plantear el debate de si la legislación vigente, y las necesidades sociales, sirven para justificar suficientemente una normativa local. Más sencilla es, por otra parte, la vía que abre la tramitación y aprobación del planeamiento urbanístico, a los efectos de condicionar dicha aprobación a la previa asunción de compromisos de seguridad por sus interesados.

PARTE TERCERA
SUELO

Regulación del suelo en el nuevo Real Decreto Legislativo 2/2008, de 20 de junio, por el que se aprueba el Texto Refundido de la Ley de Suelo

1. LA NEGACIÓN DE LA LIBERALIZACIÓN

Un tema fundamental del Derecho urbanístico es el suelo. Cambios importantes se han producido tras la promulgación del TRLS/2008.

El TRLS/2008 y la LS/2007 han querido derogar la corriente liberalizadora de la LRSV/1998. Esta Ley afirmó una tendencia liberalizadora que, aunque no fue absoluta, tuvo importantes consecuencias prácticas. La LS/2007 y el vigente TRLS/2008 sólo se entienden por conexión a la ley precedente. La finalidad que persiguió la LRSV mediante la liberalización del suelo era, al igual que en la LLS, «facilitar el aumento de la oferta de suelo, haciendo posible que todo el suelo que todavía no ha sido incorporado al proceso urbano, en el que no concurran razones para su preservación, pueda considerarse como susceptible de ser urbanizado».

La *ratio* de un sistema liberalizador del suelo no está sino en la iniciativa privada y en el derecho de los propietarios a transformar el suelo, sin previa programación de la Administración. Se reducirá la discrecionalidad de la Administración de planeamiento, desde el momento en que aquélla quedará vinculada a las iniciativas de los particulares, debiendo aprobarlas a no ser que existan, identificándolos razonadamente, obstáculos que eventualmente puedan oponerse a la viabilidad de las iniciativas que se sometan a dicha Administración. El plan deja entonces de trazar una línea ficticia dentro de la cual puede producirse el proceso urbanizador, confiándose en que «el urbanismo como actividad empresarial» sabrá motivar suficientemente la iniciativa de mercado y el proceso de urbanización.

Este sistema, expuesto en términos de modelo o ideales, desde el punto de vista de la liberalización del suelo, se cumple en parte por la LRSV/1998, a tenor especialmente de su Exposición de Motivos y de algunos de sus preceptos, tales como el artículo 7 donde deja de aparecer la subdistinción entre suelo urbanizable programado y no programado o los arts. 4 y 14 con referencias expresas a la iniciativa privada y al derecho a promover la transformación del suelo urbanizable. Sin embargo, la LRSV condicionaba el ejercicio del derecho a promover la transformación del suelo urbanizable a que el planeamiento general «delimite sus ámbitos o se hayan establecido las condiciones para su desarrollo (...)».

Además, aunque se afirmaba la supresión de la distinción entre suelo urbanizable programado y suelo urbanizable no programado (artículo 7 de la LRSV), se establecía la diferenciación entre suelo urbanizable *con ámbitos delimitados* (o con condiciones establecidas para su desarrollo) por el planeamiento y el resto del suelo urbanizable aún no incluido en un *concreto ámbito para su desarrollo,* haciendo derivar de este tipo de diferenciación reglas jurídicas particulares en materia de valoraciones (artículos 23 y ss. de la LRSV) o consecuencias jurídicas diferentes a efectos de que los propietarios puedan instar la transformación del suelo (artículos 16 y 17 LRSV).

Por contrapartida, el Real Decreto-Ley 4/2000, de 23 de junio, de Medidas Urgentes de Liberalización en el Sector Inmobiliario y Transportes, «avanza en el proceso de liberalización para mantener el ritmo de crecimiento económico» y, a estos efectos, se reconoció que el derecho a promover la transformación del suelo urbanizable también se ejercitaba cuando se procedía a su delimitación en virtud de un proyecto de delimitación o de planeamiento formulado por la iniciativa privada (artículo 16.3)[1].

Sin embargo, esta concepción ha querido anularse por completo por la nueva Ley del Suelo del Estado de 2007 y el TRLS/2008.

---

1. Sobre estos temas puede consultarse el amplio estudio que dedicábamos en las ediciones pasadas de este mismo libro, así como A. GALLEGO ANABITARTE, «El suelo: reducción del suelo no urbanizable y derecho subjetivo de los propietarios a transformar el suelo urbanizable», en: G. ARIÑO ORTIZ, *Liberalizaciones 2000,* Madrid, 2000, pp. 57 y ss.; J. L. MARTÍNEZ LÓPEZ-MUÑIZ, «Derecho de propiedad y Proyecto de Ley del Suelo y Ordenación Urbana», en *Derecho urbanístico local,* dirigido por J. M. BOQUERA OLIVER, Madrid, 1992; J. R. PARADA VÁZQUEZ, «La privatización del urbanismo español; reflexión de urgencia ante la Ley 6/1998 de Régimen del Suelo y Valoraciones», *DA,* 252-253, 1999; A SÁNCHEZ BLANCO, *RAP,* 139, 1996, pp. 77 y ss.; asimismo, las conclusiones de la Comisión de Expertos de Urbanismo, *Revista Ciudad y Territorio,* 103, 1995 J. E. SORIANO, *Hacia la tercera desamortización (por la reforma de la Ley del Suelo),* Madrid, 1995.

El TRLS/2008 retorna a la teoría estatutaria del derecho de la propiedad, la cual ha primado en el escenario jurisprudencial a la hora de explicar el condicionamiento que las leyes y los planes imponen al derecho de propiedad.

2. LA RECEPCIÓN DE LA TEORÍA ESTATUTARIA AUNQUE CON MATICES

Aunque con los debidos matices (ahora con el TRLS/2008 el suelo es urbanizado o rural) dicho TRLS/2008 retoma la teoría estatutaria y además potencia la discrecionalidad administrativa de planeamiento para poder definir el suelo donde cabe una transformación.

La STS de 6 de marzo de 1998 (RJ 1998, 2491) afirma que «este carácter estatutario de la propiedad inmobiliaria significa que su contenido será en cada momento el que se derive de la ordenación urbanística».

Como precisa la STS de 15 de febrero de 1994 (RJ 1994, 1448) «son precisamente los planes los que configuran el derecho de propiedad sobre el suelo».

Por tanto, los usos permitidos y prohibidos en cada clase de suelo se deducen del propio plan: «teniendo en cuenta el carácter estatutario del contenido del derecho de propiedad en materia urbanística, corresponde al planeamiento determinar los usos permitidos y prohibidos en cada clase de suelo, normas que obligan a la Administración y los particulares *y establecen el contenido propio de los derechos y deberes de los propietarios del suelo*» (STS de 16 de julio de 1997 [RJ 1997, 6121]; igualmente, STS de 24 de diciembre de 1998 [RJ 1998, 10299]). Es más, es el Plan el que delimita la propiedad y atribuye sus facultades (STS 27 de febrero de 1996 [RJ 1996, 1648], FJ 3º de la sentencia apelada).

Viene admitiéndose, para bien o para mal, que es a raíz de la Ley del Suelo de 1956 cuando el *ius aedificandi* que se deriva del dominio sólo podrá ser ejercitado por el propietario conforme a lo previsto en el Plan urbanístico, el cual condiciona el *ius aedificandi* que puede aquél obtener.

El TRLS de 2008 retorna en principio a esta concepción en tanto en cuanto el particular no tiene un derecho subjetivo a la transformación del suelo en el sentido de la legislación estatal anterior, al depender sus opciones de transformación de las decisiones de la Administración.

3. EL PREÁMBULO DEL TRLS/2008

Es claro cuando apunta que «el suelo además de un recurso económico, es también un recurso natural, escaso y no renovable. Desde esta perspectiva, todo el suelo rural tiene un valor ambiental digno de ser ponderado y la liberalización del suelo no puede fundarse en una clasificación indiscriminada, sino, supuesta una clasificación responsable del suelo urbanizable necesario para atender las necesidades económicas y sociales, en la apertura a la libre competencia de la iniciativa privada para su urbanización y en el arbitrio de medidas efectivas contra las prácticas especulativas, obstructivas y retenedoras de suelo, de manera que el suelo con destino urbano se ponga en uso ágil y efectivamente».

Y seguidamente se añade: «En lo que se refiere al régimen urbanístico del suelo, la Ley opta por diferenciar situación y actividad, estado y proceso. En cuanto a lo primero, define **los dos estados básicos en que puede encontrarse el suelo** según sea su situación actual –rural o urbana–, estados que agotan el objeto de la ordenación del uso asimismo actual del suelo y son por ello los determinantes para el contenido del derecho de propiedad, otorgando así carácter estatutario al régimen de éste. En cuanto a lo segundo, sienta el régimen de las actuaciones urbanísticas de transformación del suelo, que son las que generan plusvalías en las que debe participar la comunidad por exigencia de la Constitución. La Ley establece, conforme a la doctrina constitucional, la horquilla en la que puede moverse la fijación de dicha participación. Lo hace posibilitando una mayor y más flexible adecuación a la realidad y, en particular, al rendimiento neto de la actuación de que se trate o del ámbito de referencia en que se inserte, aspecto éste que hasta ahora no era tenido en cuenta».

4. EL ARTICULADO DEL TRLS/2008

Es necesario acudir al artículo 7.1 donde se afirma expresamente que «el régimen urbanístico de la propiedad del suelo es estatutario». En consecuencia, «la patrimonialización de la edificabilidad se produce únicamente con su realización efectiva y está condicionada al cumplimiento de los deberes y el levantamiento de las cargas propias del régimen que corresponda».

Este precepto conecta con el artículo 9 de la misma Ley en tanto en cuanto regula el «contenido del derecho de propiedad del suelo: deberes y cargas», así como con los artículos 6 y 8 donde se deja claro que en el suelo rural cabe la transformación del suelo partiendo de esta condición del suelo sin su previa clasificación como urbanizable. El *quid* está en evitar las plusvalías del suelo urbanizable y el problema de supravaloración que este hecho conlleva.

Otra relación necesaria es con el artículo 10, donde se afirma, que **las Administraciones deberán atribuir en la ordenación urbanística un destino que comporte el paso de la situación de suelo rural a la de suelo urbanizado, mediante la urbanización, al suelo preciso para satisfacer las necesidades que lo justifiquen, impedir la especulación con él y preservar de la urbanización el resto del suelo rural.**

En fin, el artículo 12 («situaciones básicas del suelo») pone el punto culminante reiterando que a partir de esta Ley el suelo tiene el estado de urbanizado o rural. No hay liberalización alguna, en el sentido de que urbanizar no va a depender de la iniciativa privada en cualquier suelo que no sea no urbanizable o rural. La posibilidad de trasformar un suelo, dentro del rural, depende del planificador que es la Administración.

Pese a que todo el suelo hasta que sea urbanizado es rural [así el gráfico artículo 12.2.b) del TRLS/2008], la Disposición Transitoria Tercera, en el tema clave de las valoraciones del suelo, consigue inaplicar los criterios de valoración a los terrenos que a la entrada en vigor de esta Ley formen parte del suelo urbanizable incluido en ámbitos delimitados respecto de los cuales el planeamiento haya establecido las condiciones para su desarrollo, con los matices que allí se establecen.

La virtualidad de este sistema depende en gran medida de las CCAA. En principio, la concepción del suelo ahora es estatutaria (artículo 7.1), la Administración rescata sus facultades discrecionales de clasificación del suelo (artículo 10), el suelo no urbanizable permite sólo fines agrícolas o similares (artículo 13) y, cuando se permite su transformación ésta es excepcional [la lógica es «antitransformación» –artículo 10.a)–].

Las CCAA han de contar con que todo el suelo que no sea suelo «urbanizado» tiene el estado de rural, si bien puede mantenerse la «clasificación autonómica de urbanizable» siempre y cuando sea la Administración (y no la iniciativa privada en todo el suelo que no sea no urbanizable) quien defina las opciones de urbanizar trazando la línea en sentido positivo dentro de la cual pueda permitirse la transformación.

5. OTRAS CONSECUENCIAS QUE LA ACTUACIÓN PÚBLICA URBANÍSTICA CONLLEVA SOBRE EL DERECHO DE PROPIEDAD, QUE PUEDEN CONSIDERARSE VÁLIDAS TRAS EL TRLS/2008

En este sentido, la carga de los propietarios de soportar el coste de urbanización es una «obligación real, nunca personal, según los artículos 86 de la Ley del Suelo y 178 del Reglamento de Gestión» (STS de 24 de junio de 1997 [RJ 1997, 5371]).

La «obligación real» puede entenderse junto a la «subrogación real». De este modo, «la enajenación de fincas no modifica la situación de su titular en orden a las limitaciones y deberes instituidos por esta Ley o impuestos en virtud de la misma por los actos de ejecución de sus preceptos, ya que el adquirente quedará subrogado en el lugar y puesto del anterior propietario en los compromisos que hubiere contraído con las Corporaciones públicas respecto a la urbanización y edificación, según principio de subrogación real» (STS de 16 de julio de 1996 [RJ 1996, 6191]; STS de 29 de enero de 1996 [RJ 1996, 222]).

Los suelos urbanizables. La relación entre la legislación estatal y la autonómica

1. DEFINICIÓN DEL SUELO URBANIZABLE SEGÚN EL TRLS/2008

Ya se ha explicado que la LS/2007 y el TRLS/2008 suponen una reacción frente a los principios inspiradores de la anterior Ley 6/1998, que se plasma en una novedosa regulación del suelo como recurso y de todos los derechos y libertades que giran en torno al mismo.

Hasta la Ley del Suelo anterior se contemplaba la clasificación del suelo en varias categorías: así, últimamente la LRSV/1998 en urbano, urbanizable y no urbanizable, pero el TRLS/2008 evita la fijación de un régimen clasificatorio, abogando por la determinación de las situaciones básicas del mismo en función de la distinción entre situación y actividad, estado y proceso.

Así, el TRLS/2008 impone en su artículo 12 la categorización del suelo según dos situaciones básicas: suelo rural y suelo urbanizado.

Está en la situación de suelo rural:

«a)   En todo caso, el suelo preservado por la ordenación territorial y urbanística de su transformación mediante la urbanización, que deberá incluir, como mínimo, los terrenos excluidos de dicha transformación por la legislación de protección o policía del dominio público, de la naturaleza o del patrimonio cultural, los que deban quedar sujetos a tal protección conforme a la ordenación territorial y urbanística por los valores en ellos concurrentes, incluso los ecológicos, agrícolas, ganaderos, forestales y paisajísticos, así como aquellos con riesgos naturales o tecnológicos, incluidos los de inundación o de otros accidentes graves, y cuantos otros prevea la legislación de ordenación territorial o urbanística.

b)   El suelo para el que los instrumentos de ordenación territorial y urbanística prevean o permitan su paso a la situación de suelo urbanizado, hasta que termine la correspondiente actuación de urbanización, y cualquier otro que no reúna los requisitos a que se refiere el apartado siguiente».

Se encontrará en la situación de suelo urbanizado:

«El integrado de forma legal y efectiva en la red de dotaciones y servicios propios de los núcleos de población. Se entenderá que así ocurre cuando las parcelas, estén o no edificadas, cuenten con las dotaciones y los servicios requeridos por la legislación urbanística o puedan llegar a contar con ellos sin otras obras que las de conexión de las parcelas a las instalaciones ya en funcionamiento».

Se observa que el TRLS/2008 no contempla el concepto de suelo urbanizable como situación básica del suelo, si bien **el contenido** de lo que hasta ahora veníamos denominando suelo urbanizable aparecería reflejado en el apartado 2.b) del artículo 12, como una de los posibles suelos que están incluidos en la situación básica de estado de suelo rural. Se ha llegado a afirmar que «una vez más lo que ha cambiado es la terminología, el nombre de la cosa, no la cosa misma» (T. R. FERNÁNDEZ). Es decir, que el contenido del suelo urbanizable sigue existiendo en el TRLS/2008, como es lógico, pero sin una denominación específica.

2. EL TRLS/2008 NO CONTIENE UNA *CLASIFICACIÓN* DEL SUELO

En la LS 8/2007 y por tanto el TRLS/2008, por primera vez, una norma estatal deja voluntariamente de regular técnicas de **clasificación** de suelo, gestión o ejecución de planeamientos urbanísticos, lo que queda a la competencia de las Comunidades Autónomas. Así lo indica expresamente la Exposición de Motivos:

«(...) Se prescinde por primera vez de regular técnicas específicamente urbanísticas, tales como los tipos de planes o las clases de suelo, y se evita el uso de los tecnicismos propios de ellas para no prefigurar, siquiera sea indirectamente, un concreto modelo urbanístico y para facilitar a los ciudadanos la comprensión de este marco común. No es ésta una Ley urbanística, sino una Ley referida al régimen del suelo y la igualdad en el ejercicio de los derechos constitucionales a él asociados en lo que atañe a los intereses cuya gestión está constitucionalmente encomendada al Estado. Una Ley, por tanto, concebida a partir del deslinde competencial establecido en estas materias por el bloque de la constitucionalidad y que podrá y deberá aplicarse respetando las competencias exclusivas atribuidas a las Comunidades Autónomas en materia de ordenación del territorio, urbanismo y vivienda y, en particular, sobre patrimonios públicos de suelo.

Con independencia de las ventajas que pueda tener la técnica de la clasificación y categorización del suelo por el planeamiento, lo cierto es que es una técnica urbanística, por lo que no le corresponde a este legislador juzgar su oportunidad. Además, no es necesaria para fijar los criterios legales de valoración del suelo. Más aún, desde esta concreta perspectiva, que compete plenamente al legislador estatal, la clasificación ha contribuido históricamente a la inflación de los valores del suelo, incorporando expectativas de revalorización mucho antes de que se realizaran las operaciones necesarias para materializar las determinaciones urbanísticas de los poderes públicos y, por ende, ha fomentado también las prácticas especulativas, contra las que debemos luchar por imperativo constitucional».

Sin embargo, a pesar de esta afirmación de que no se quiere «prefigurar, siquiera sea indirectamente, un concreto modelo urbanístico», lo cierto es que el legislador estatal a través de esta definición de las situaciones o los estados del suelo (urbanizado y rural) **está imponiendo en cierta forma al legislador autonómico claras pautas o directrices para establecer las distintas clasificaciones del suelo.**

Así, por ejemplo, por lo que respecta al suelo urbanizable que nos ocupa, se hace eco del mismo el legislador, como ya nos consta, en los artículos 10.1.a y 12.2.b.

Como igualmente nos consta ya, el modelo de la legislación urbanística anterior configuraba el suelo urbanizable como residual, dado que se definía en el artículo 10.1 de la LRSV/1998 como todo el suelo que no tuviera la condición de urbano o de no urbanizable. Por el contrario, el nuevo modelo urbanístico configura el suelo rural como todo el suelo que no sea tenga la situación o estado de urbanizado: está en situación de suelo rural «el suelo para el que los instrumentos de ordenación territorial y urbanística prevean o permitan su paso a la situación de suelo urbanizado *y cualquier otro que no reúna los requisitos a que se refiere el apartado siguiente*» [artículo 12.2.b) del TRLS/2008].

3. EFECTOS DE LAS SITUACIONES BÁSICAS DEFINIDAS DEL TRLS/2008 PARA EL CONCEPTO DE SUELO URBANIZABLE CONTENIDO EN LAS LEGISLACIONES URBANÍSTICAS AUTONÓMICAS

En consecuencia, y con independencia de las clases y categorías urbanísticas de suelo, se parte en el TRLS/2008 de las dos situaciones básicas ya mencionadas: hay un estado de suelo urbanizado, esto es, el que ha sido efectiva y adecuadamente transformado por la urbanización y que se encuentra incorporado a la trama urbana, y hay un estado de suelo rural, entendiéndose por tal aquel suelo que se encuentra preservado por la ordenación territorial y urbanística de su transformación mediante la urbanización y de aquel otro que se encuentra en proceso de transformación y por tanto, sobre el que se está llevando a cabo o es susceptible de iniciarse una actividad urbanizadora.

Sin embargo, este nuevo régimen de situaciones básicas del suelo no supondrá una gran variación del régimen clasificatorio que defienden las Comunidades Autónomas, teniendo únicamente incidencia en la valoración del suelo:

La convivencia entre la Ley de Suelo estatal, que contempla las situaciones o estados del suelo en rural y urbanizado, y las legislaciones urbanísticas autonómicas, que conservan el régimen clasificatorio de suelo urbano, urbanizable y no urbanizable, debe articularse mediante la integración de estas clases de suelo y su calificación en las categorías previstas por la legislación estatal.

Como regla general, y salvo excepciones, en referencia a la clasificación del suelo que contemplan la legislaciones urbanísticas autonómicas, en el estado de suelo rural se integrarían el suelo no urbanizable, el suelo urbanizable no sectorizado (no programado o no delimitado, según las CCAA), el suelo urbanizable sectorizado (no programado o no delimitado, según las CCAA) y el suelo urbano no consolidado en determinados supuestos. Y en el suelo urbanizado se integraría el suelo urbano consolidado y el no consolidado en determinados supuestos.

Como ya nos consta, el TRLS/2008 no contempla el concepto de suelo urbanizable como situación básica del suelo, si bien el contenido de lo que hasta ahora veníamos denominando suelo urbanizable aparece reflejado en el apartado 2.b) del artículo 12, como una de los posibles suelos que están incluidos en la situación básica de estado de suelo rural. Las leyes urbanísticas autonómicas, por el contrario, definen con precisión el suelo que puede ser clasificado como urbanizable y en muchas de las leyes urbanísticas autonómicas, siguiendo el modelo de la LRSV/1998, se establece la categoría de suelo urbanizable como residual, por reconducirse a esta clasificación todo suelo que no sea clasificado como urbano ni como no urbanizable.

Esta regulación de ciertas CCAA no encaja con el TRLS/2008, dado que, como ya nos consta, se considerará en estado de suelo rural cualquier suelo que no se encuentre integrado de forma legal y efectiva en la red de dotaciones y servicios propios de los núcleos de población y por tanto no reúna los requisitos para ser suelo urbanizado. Ello significa que el TRLS/2008 considera como suelo residual el suelo rural, retomando *mutatis mutandis* de este modo la concepción de la legislación estatal anterior a la LRSV, que reconoció el carácter de categoría residual al suelo no urbanizable.

Por este motivo, gran parte de las leyes urbanísticas autonómicas deberían modificar su regulación del suelo urbanizable, al menos desde un punto de vista formal en cuanto a la definición legal del suelo urbanizable con el objeto de adaptarse a las directrices del TRLS/2008. Se propugna, pues, la adaptación en lo conceptual de estas legislaciones autonómicas al nuevo TRLS/2008.

Así, se contiene de forma expresa la concepción residual del suelo urbanizable, que es contraria a los criterios del actual TRLS/2008, en los artículos 54 a 57 de la Ley 5/2006, de 2 de mayo, de Ordenación del Territorio y Urbanismo de La Rioja; en el artículo 26 de la Ley 5/1999, de 25 de marzo, de Urbanismo de Aragón; en el artículo 66 del Decreto Legislativo 1/2005, de 10 de junio, por el que se aprueba el Texto Refundido de la Ley del Suelo de la Región de Murcia; en el artículo 15 de la Ley 9/2001, de 17 de julio, del Suelo de Madrid; en el artículo 14.1 de la Ley 9/2002, de 30 de diciembre, de Ordenación Urbanística y Protección del Medio Rural de Galicia; en el artículo 116.1 del Texto Refundido de las disposiciones legales vigentes en materia de Ordenación del Territorio y Urbanismo en Asturias, aprobado por Decreto Legislativo 1/2004, de 22 de abril; o en el artículo 95 de la Ley Foral 35/2002, de 20 de diciembre, de Ordenación del Territorio y Urbanismo de Navarra.

Alguna Comunidad Autónoma, como Aragón, ya ha procedido a adaptarse al modelo estatal en este aspecto de la definición del suelo urbanizable, a través del Decreto-ley 2/2007, de 4 diciembre, del Gobierno de Aragón, que establece medidas urgentes para la adaptación de la Ley urbanística aragonesa 5/1999, de 25 de marzo a la Ley 8/2007 de suelo, modificando la definición de suelo urbanizable contenida en el artículo 26, que decía:

> «Tendrán la consideración de suelo urbanizable los terrenos que no tengan la condición de suelo urbano ni de suelo no urbanizable y sean clasificados como tales en el planeamiento por prever su posible transformación, a través de su urbanización, en las condiciones establecidas en el mismo».
>
> A partir de esta reforma pasará a ser definido del siguiente modo: «Tendrán la consideración de suelo urbanizable los terrenos que sean clasificados como tales en el planeamiento por prever su posible transformación, a través de su urbanización, en las condiciones establecidas en el mismo, de conformidad con el modelo de evolución urbana y ocupación del territorio».

También la Comunidad Valenciana, mediante el Decreto-ley 1/2008, de 27 de junio, del Consell, ha procedido a adaptar su legislación autonómica al TRLS en materia de vivienda y diversos aspectos referidos a la regulación del suelo, pero no en la definición o concepto del suelo urbanizable, pues en la LUV 16/2005, de 30 de diciembre, no se había acogido la concepción residual del suelo urbanizable, de modo que no precisa adaptación en este sentido.

4. RÉGIMEN JURÍDICO DEL «SUELO URBANIZABLE» SEGÚN EL TRLS

A. Facultades de los propietarios de «suelo urbanizable»

Mientras la LRSV/1998 (artículo 15) concedía a los propietarios de terrenos clasificados como suelo urbanizable el derecho a promover su transformación instando a la Administración la aprobación del correspondiente planeamiento de desarrollo, de conformidad con lo que establezca la legislación urbanística, la nueva legislación urbanística del Estado parte de que los derechos y deberes afectados por el urbanismo no son sólo los de los propietarios, sino que también se ven implicados otros derechos como el de la participación ciudadana en asuntos públicos, el de libre empresa, el derecho a un medio ambiente adecuado y, sobre todo, el derecho a una vivienda digna y adecuada según el artículo 47 de la Constitución Española.

Expresamente se afirma en la Exposición de Motivos de la Ley del Suelo 8/2007 y de su Texto Refundido que entre los derechos y deberes inherentes al derecho de propiedad no se cuenta ya el de urbanizar, puesto que la urbanización es un servicio público cuya gestión puede reservarse la Administración o encomendarse a privados, y que suele afectar a una pluralidad de fincas, por lo que excede tanto lógica como físicamente de los límites propios de la propiedad. Aunque, a renglón seguido se afirma que sin perjuicio de ello, el legislador autonómico puede optar por seguir reservando a la propiedad la iniciativa de la urbanización en determinados casos, en virtud del artículo 6.a del propio texto legal.

Por lo demás, los restantes derechos y facultades son similares a los que se contenían en la legislación anterior.

B. Deberes de los propietarios de «suelo urbanizable»

Los deberes del propietario de suelo urbanizable («de la promoción» según la terminología utilizada por el nuevo TRLS/2008) son también los mismos básicamente que los regulados en la legislación urbanística anterior, tal como puede apreciarse al comparar el artículo 18 de la Ley 6/1998 con el artículo 16 del TRLS, aunque con algunas matizaciones:

– se modifica el porcentaje de la cesión de aprovechamiento (ahora ya no es un máximo del 10%, sino que puede oscilar entre el 5 y el 15%);

– se incluyen como obras que se han de costear y en su caso ejecutar las obras de potabilización, suministro y depuración de agua que se requieran conforme a su legislación reguladora y la legislación sobre ordenación territorial y urbanística podrá incluir asimismo las infraestructuras de transporte público que se requieran para una movilidad sostenible.

– Garantizar el realojamiento de los ocupantes legales que se precise desalojar de inmuebles situados dentro del área de la actuación y que constituyan su residencia habitual, así como el retorno cuando tengan derecho a él, en los términos establecidos en la legislación vigente.

C. Usos y obras permitidos en «suelo urbanizable»

De forma similar a lo que establecía el artículo 17 de la LRSV/1998, indica el artículo 13.3.a del TRLS/2008 que desde que los terrenos queden incluidos en el ámbito de una actuación de urbanización, únicamente podrán realizarse en ellos, con carácter excepcional, usos y obras de carácter provisional que se autoricen por no estar expresamente prohibidos por la legislación territorial y urbanística o la sectorial. Estos usos y obras deberán cesar y, en todo caso, ser demolidas las obras, sin derecho a indemnización alguna, cuando así lo acuerde la Administración urbanística

D. Valoración del suelo urbanizable

Los estados del suelo reconocidos en el TRLS/2008, urbanizado y rural, se valoran conforme a su naturaleza, de modo que a partir del TRLS/2008 se valorará el suelo por su situación real sin consideración alguna de su posible utilización urbanística futura.

El valor del suelo urbanizable delimitado, sectorizado o programado venía fijándose mediante la aplicación al aprovechamiento que le correspondiese del valor básico de repercusión menos gastos de urbanización (artículo 27.1 de la LRSV 6/1998). Sin embargo, a partir del nuevo sistema de valoraciones que el TRLS/2008 establece, la valoración del suelo urbanizable se determinará mediante la capitalización de la renta real o potencial de los terrenos, sin que sea posible considerarse expectativas derivadas de la asignación de edificabilidades y usos por la ordenación territorial o urbanística que no hayan sido aún plenamente realizados (artículo 23 del TRLS/2008).

Ello significa que con el TRLS/2008 se aplica al suelo urbanizable el mismo criterio de valoración que el artículo 26 de la LRSV/1998 aplicaba al suelo no urbanizable y al urbanizable no delimitado, no sectorizado o no programado.

Esto pretende, como puede apreciarse, una importante modificación respecto del sistema de valoraciones contemplado en la LRSV/1998 que afecta al suelo urbanizable, al querer traducirse en términos prácticos en una disminución considerable de su valor por no considerarse su futura utilización urbanística y sí su actual situación como rural.

Capítulo III

El «suelo urbanizado» en el Real Decreto Legislativo 2/2008, de 20 de junio

Según el artículo 12.3 del TRLS/2008 «se encuentra en la situación de suelo urbanizado el integrado de forma legal y efectiva en la red de dotaciones y servicios propios de los núcleos de población. Se entenderá que así ocurre cuando las parcelas, estén o no edificadas, cuenten con las dotaciones y los servicios requeridos por la legislación urbanística o puedan llegar a contar con ellos sin otras obras que las de conexión de las parcelas a las instalaciones ya en funcionamiento».

La jurisprudencia (así, la sentencia del TSJ de Andalucía, de 24 de marzo de 2003 [JUR 2003, 130290]) deja claro el **carácter reglado de la potestad de clasificación de suelo urbano:** «el artículo 10 del TRLS de 1992 establece que constituirán suelo urbano los terrenos a los que el planeamiento incluya en esa clase por contar con acceso rodado, abastecimiento y evacuación de agua y suministro de energía eléctrica, debiendo tener esos servicios características adecuadas para servir a la edificación que sobre ellas exista o se haya de construir. De igual forma se señala que los terrenos con edificación consolidada se considerarán urbanos. Podría pensarse que si bien la Administración no dispone de discrecionalidad para decidir si incluye o no en la categoría de suelo urbano los terrenos que reúnan las características legalmente enunciadas, de lo que sí dispone la Administración es de un poder de valoración o de un margen de discrecionalidad para concretar y aplicar los diferentes conceptos jurídicos indeterminados que aparecen en la caracterización de este tipo de suelo. La jurisprudencia se ha pronunciado claramente a favor de la teoría que mantiene el **carácter reglado de la potestad** de la Administración para clasificar el suelo urbano».

Por su parte, la STS de 23 de septiembre de 2008 (RJ 2008, 4550) (Rec. 4731/2004) afirma que el legislador autonómico, a la hora de establecer los criterios de diferenciación entre suelo urbano consolidado y el no consolidado ha de operar dentro de los límites de la realidad. Por ello, no es posible que unos terrenos que cuentan indubitadamente, no sólo con los servicios exigibles para su consideración como suelo urbano, sino que están plenamente consolidados para la edificación, pierdan tal consideración, para adquirir la de suelo urbano no consolidado por la sola circunstancia de que el nuevo planeamiento contemple para ellos una determinada transformación urbanística.

Capítulo IV

La práctica jurisprudencial de la clasificación del suelo

1. INTERÉS DE LA JURISPRUDENCIA EN EL CONTEXTO DEL TRLS/ 2008

Tras la LS/2007 y posterior TRLS/2008 los nuevos criterios de clasificación se prevén en el artículo 12, que ya se estudió.

La jurisprudencia de los últimos años sigue vigente (aunque pueda ser necesario algún ajuste) en tanto en cuanto ha desarrollado ciertos principios que se exigen a la Administración a la hora de clasificar correctamente un suelo, en función de los criterios legales, sin perjuicio, por otra parte, de las categorías legales autonómicas.

Es más, dicha jurisprudencia tendría ahora un especial valor considerando que, aunque el nuevo TRLS/2008 parte de la distinción entre suelo urbanizado y suelo rural de forma bastante reglada, sin embargo ahora (con el TRLS/2008) el suelo susceptible de transformación que la propia Ley reconoce, aunque inmerso en el rural, se define de un modo mucho más discrecional que con la legislación precedente.

En todo caso, las decisiones de la Administración sobre clasificación del suelo (y por tanto, las de clasificación de suelo rural) son revisables.

Toda posible discrecionalidad administrativa sobre la clasificación del suelo queda sujeta a control judicial.

2. UNA SITUACIÓN COMÚN EN LA PRÁCTICA ES AQUELLA EN LA QUE EL PARTICULAR ALEGA AUSENCIA DE DEBIDA MOTIVACIÓN O JUSTIFICACIÓN DE LA CLASIFICACIÓN DEL SUELO POR LA ADMINISTRACIÓN

Por ejemplo, la sentencia del TSJ del País Vasco de 31 de octubre de

2002 (JUR 2003, 105640) parte del legítimo *ius variandi* del Ayuntamiento para la clasificación del suelo y exige motivación administrativa para la decisión sobre la clasificación del suelo (aunque finalmente no considera arbitraria la clasificación en el caso que enjuicia).

También la sentencia del TSJ de Baleares de 26 de febrero de 2002 (RJCA 2002, 180) aplica el principio de motivación y no irracionalidad de la desclasificación propuesta por la Administración. Y se anula la desclasificación del suelo propuesta por la Administración en la STSJ de Andalucía, Sala de Granada, de 24 de noviembre de 2003 (RJCA 2004, 28), ya que la afectación al medio ambiente es inexistente; también por la STS de 19 de mayo de 2004 (RJ 2004, 3893), ya que la desclasificación de suelo urbano a no urbanizable no era procedente al tratarse de un área consolidada de edificación; y por la sentencia del Tribunal Superior de Justicia de Madrid de 27 de febrero de 2003, nº 216/2003 (RJCA 2003, 917) apoyándose en el carácter reglado del suelo urbano y no urbanizable de protección como límite a la discrecionalidad del planeamiento urbanístico, así como en la Memoria del Plan General, como elemento fundamental en este contexto para evitar la arbitrariedad, máxime cuando en el presente caso, a juicio de la Sala, existe una falta de motivación o una motivación defectuosa respecto de la citada desclasificación.

3. ES RELEVANTE LA APLICACIÓN DEL PRINCIPIO DE IGUALDAD COMO LÍMITE DEL CRITERIO ADMINISTRATIVO DISCRECIONAL DE CLASIFICACIÓN DEL SUELO COMO NO URBANIZABLE O URBANIZABLE Y COMO LÍMITE IGUALMENTE DEL *IUS VARIANDI* QUE APOYA TODA POSIBLE DESCLASIFICACIÓN DEL SUELO

En este sentido puede citarse también la STS de 11 de marzo de 1997 (RJ 1997, 1870). En este caso, el terreno del recurrente era una auténtica «isla» calificada como suelo no urbanizable en un área en el cual todos los demás terrenos gozaban de la clasificación de suelo urbanizable (urbanizado, diríamos tras la nueva LS del Estado de 2007). Esta circunstancia terminó pensando y el Tribunal reconoció que la clasificación procedente era la de suelo urbanizable.

Otro ejemplo puede ser la sentencia del TSJ de Castilla y León (Burgos) de 10 de junio de 2002 (JUR 2002, 205038). Este fallo se enfrenta con un supuesto en el cual se produce una desclasificación del suelo, desde su condición originaria como urbanizable a su condición final como «no urbanizable» cambiando el criterio de las Normas Subsidiarias de Planeamiento a efectos de otorgar una mejor protección medioambiental a un terreno con bosque. Pues bien, el Tribunal descarta toda posible «excepcionalidad en lo que a la zona se refiere», ya que la clasificación del suelo no puede suponer un «agravio comparativo» sobre uno de los propietarios de los terrenos afectados (de ahí, no obstante, que se justificara, finalmente, la clasificación del suelo como «no urbanizable», ya que la revisión del planeamiento conseguía una igualdad entre los propietarios de la zona).

4. IGUALDAD Y AJUSTE A LA REALIDAD FÁCTICA

Asimismo, esta sentencia del TSJ del País Vasco de 1 de octubre de 2002 (JUR 2003, 9104) aplica un **principio de igualdad** en este contexto de la clasificación del suelo y un criterio (limitador de la discrecionalidad administrativa) de **ajuste de la decisión administrativa a la realidad fáctica existente:** «pero lo cierto es que dicha clasificación no se aprecia en el resto del suelo de la península colindante con el río, ni se explican mínimamente las razones que en atención a los criterios del artículo 9 LRSV justifican la preservación de dicho suelo del proceso urbanizador, cuando como afirma el perito en atención al plano conjunto del área se halla comprendido en una malla urbana en el sentido de zona eminentemente ocupada por el proceso urbanizador».

5. DISCRECIONALIDAD Y ARBITRARIEDAD

En definitiva, sin perjuicio de las singularidades posibles del caso concreto, los supuestos de hecho de la jurisprudencia citada consisten en una lucha entre particular que invoca la existencia de vicios en el ejercicio de la discrecionalidad administrativa y la Administración que aducirá su discrecionalidad posible o el fundamento de la decisión adoptada.

Lo normal es que las sentencias apliquen o consideren distintos principios o técnicas de reducción de la discrecionalidad administrativa. Por ejemplo, la sentencia del TSJ del País Vasco de 31 de enero de 2001 (JUR 2001, 257033) examina si está o no justificada la decisión administrativa de clasificación del suelo no urbanizable, aplicando los criterios generales de control de la discrecionalidad administrativa (**coherencia lógica con los hechos, motivación en la Memoria del Plan,** etc.; igualmente, sentencias del TS de 8 de mayo de 1998 [RJ 1998, 3622], y de 21 de octubre de 1997 [RJ 1997, 7626]; sentencia del TSJ de la Comunidad Valenciana 15 de abril de 1999 [RJCA

1999, 2849]), confirmando la decisión de desclasificación del suelo, y consiguiente clasificación del terreno como «no urbanizable» (sin que el hecho de haberse quemado la pinada existente en el terreno objeto de litigio justifique el régimen de suelo urbano que propugna el recurrente).

También, lógicamente, habrá que estar, en algún caso, a la determinación del criterio normativo prevalente en el supuesto concreto: una declaración de impacto ambiental puede ser insuficiente para justificar la clasificación como suelo no urbanizable de un determinado terreno. En la sentencia del TSJ de Andalucía (sede de Granada), de 2 de diciembre de 2002 (JUR 2003, 64106) se estima el recurso contra una clasificación como «no urbanizable», en vez de «urbanizable», con ocasión de la Revisión del Planeamiento Urbanístico, considerando insuficiente para justificar esta declaración la existencia de una Declaración de Impacto Ambiental que apoyaba la clasificación como «no urbanizable» *en un caso en el cual el planeamiento de ordenación de los Recursos naturales y el Plan rector de Uso y Gestión del Parque Natural Cabo de Gata-Níjar atribuían a los terrenos objeto de litigio la consideración y clasificación de «suelo urbanizable».*

En cambio, puede ser procedente una clasificación compleja del suelo establecida por Plan Especial. En la sentencia del TSJ de la Comunidad Autónoma Valenciana de 2 de noviembre de 2002 (RJCA 2003, 359) se desestima el recurso contra un «cambio de clasificación de suelo agrícola a sistema general de infraestructuras básicas y de servicios», admitiendo que un Plan especial pueda realizar la desclasificación del suelo para la instalación de una subestación eléctrica, conforme al artículo 12 de la LRAU, en cuya virtud «en desarrollo, complemento o incluso modificación del planeamiento general se podrán formular Planes especiales que tengan por finalidad entre otros extremos crear o ampliar reservas de suelo dotacional, definir y proteger las infraestructuras o vías de comunicación y concretar el funcionamiento de las redes de infraestructuras (...)». Por tanto, los argumentos de la parte no vencen en aras de justificar el carácter no urbanizable del terreno de su titularidad.

También un plan de ordenación del territorio, o incluso un plan especial (por ejemplo de inundaciones) de protección civil ocasionará una posible clasificación del suelo como rural.

6. REFERENCIA JURISPRUDENCIAL SOBRE LA «*CALIFICACIÓN*»

Al igual que ocurre con la clasificación, el Ayuntamiento dispone en principio de una potestad discrecional para la calificación, pero sujeta a límites jurídicos (Sentencia del Tribunal Supremo de 20 de julio de 1993 [RJ 1993, 5584]; artículos 9.3 de la Constitución Española: interdicción de la arbitrariedad y 70.2 y 71.2 de la Ley 29/1998, de 13 de julio, de la Jurisdicción Contencioso-Administrativa: posible control judicial de la discrecionalidad y en todo caso de la desviación de poder).

La **creación de confusión o incertidumbre** puede ser un criterio invocable con éxito frente a una calificación urbanística. Ilustrativa es la Sentencia del Tribunal Supremo de 18 de marzo de 1995 (RJ 1995, 2088) cuando confirma la anulación de varios artículos del Plan General de Elche, referidos precisamente a calificaciones urbanísticas, *por el hecho de que la calificación urbanística no era precisa y creaba incertidumbre y por tanto inseguridad jurídica.*

La jurisprudencia afianza el criterio de la «**falta de lógica, de coherencia o racionalidad**» (STS de 22 de mayo de 1990 [RJ 1990, 4180]) anulando la posibilidad de que el Ayuntamiento recalifique un uso industrial por equipamiento.

Conviene reproducir parte de su texto: «en definitiva, la revisión jurisdiccional de la actuación administrativa se extenderá en primer lugar a la verificación de la realidad de los hechos y en segundo lugar a valorar si la acción planificadora discrecional guarda coherencia y racionalidad con aquéllos; *de suerte que cuando sea clara la falta de lógica, coherencia o racionalidad de la solución adoptada, con la realidad, que es su presupuesto fundamental, tal resolución resultará viciada por infringir el ordenamiento jurídico e incluso el principio de interdicción de la arbitrariedad de los poderes públicos consagrado en el artículo 9 de la Constitución y por ello debe rechazarse una discrecionalidad que se ha convertido en causa de decisiones desprovistas de justificación fáctica alguna.* La actividad potestativa de la Administración para alterar, modificar, revisar o formular *ex novo* un planeamiento urbanístico, debe estar suficientemente justificada y apoyada en datos objetivos exentos de error, para impedir que la impropiedad en el ejercicio del *ius variandi* atente a los límites racionales y naturales de sus facultades discrecionales, dirigidas a la satisfacción del interés público, tal y como, casuísticamente, se expresa en el artículo 3 de la Ley del Suelo (...)».

Por eso mismo, los tribunales han reaccionado contra los planes urbanísticos cuando éstos han pretendido una consideración inadecuada de los usos pretendidos (sentencia del Tribunal Supremo de 24 de enero de 2000 [RJ 2000, 479] frente a la pretendida consideración de las estaciones de servicio como sistemas generales de infraestructura).

No es tampoco por ejemplo de recibo una actividad no industrial en suelo calificado como industrial, ni viceversa (sentencia del Tribunal Supremo de 13 de mayo de 1998 [RJ 1998, 3843] frente a la pretensión de ubicar un centro comercial en suelo industrial).

Por otra parte, en este contexto la jurisprudencia recuerda la adecuación entre los usos y la realidad jurídica y fáctica de los bienes, sin que sea posible una actividad industrial (como es una estación de servicio) en suelo no calificado como industrial. Los equipamientos (o el Sistema de Servicios Urbanos) han de ser tales, si se quieren ubicar en uso calificado de equipamientos (sentencia del TS de 11 de marzo de 1997 [RJ 1997, 1870]) o Servicios Urbanos.

En esta misma línea, el Tribunal Supremo ha insistido en la necesidad de que concurran los «hechos determinantes» de la calificación urbanística realizada, declarando la nulidad del plan en tanto en cuanto la calificación no se ajuste a la realidad de los hechos (sentencia de 21 de febrero de 1984 [RJ 1984, 2443]) porque en dichos terrenos no concurren las características para asignarles las calificaciones propuestas (Sentencia de 21 de diciembre de 1987 [RJ 1987, 9687]; sobre esta doctrina de los hechos determinantes véase la STSJ de Cataluña de 28 de junio de 2001 [JUR 2001, 286695]).

En fin, toda esta jurisprudencia ilustra, igualmente, en la parte de la sentencia relativa a los antecedentes, de la posibilidad de celebrar **convenios** entre particulares y Administración, a fin de dar solución al problema de la adecuada clasificación del suelo. Los litigios pueden terminar asimismo en la resolución sobre una posible **pretensión indemnizatoria** (caso de la sentencia del TSJ del País Vasco de 31 de octubre de 2002 [JUR 2003, 105640]).

En el contexto del nuevo TRLS/2008 ya se ha advertido que, aunque los criterios para la delimitación del suelo urbanizado y del rural parecen de carácter objetivo o reglado, en cambio, se acusa un amplio margen de apreciación para la definición del suelo susceptible de ser transformado. Los criterios expuestos de la jurisprudencia, lógicamente, siguen siendo válidos como pautas generales.

7. LA SENTENCIA DEL TSJ DE ANDALUCÍA, DE 24 DE MARZO DE 2003 (JUR 2003, 130290)

En esta sentencia el TSJ de Andalucía con sede en Granada **estima parcialmente** el recurso contencioso-administrativo interpuesto contra el Acuerdo de la Comisión Provincial de Ordenación del Territorio y Urbanismo de Granada de 28 noviembre 1996, por el que se aprueban definitivamente las determinaciones para suelo «no urbanizable» de la revisión de unas Normas Subsidiarias de Planeamiento.

Significativa va a ser la invocación en la demanda **del principio de igualdad.** En su escrito de demanda la parte actora pretende que su terreno se incluya dentro de la delimitación de suelo *urbano y urbanizable* de las Normas Subsidiarias y subsidiariamente como suelo apto para urbanizar, «acordando que en uno y otro caso el territorio por ella comprendido se configure a efectos de su gestión como parte de una unidad de ejecución *con calificación y aprovechamientos análogos a los de los suelos colindantes*».

Según el Tribunal, este planteamiento impone hacer una somera reflexión sobre la facultad discrecional administrativa en la clasificación del suelo y su control judicial.

Como prolegómeno argumental enjuicia el Tribunal el **alcance del derecho de propiedad en el contexto de las clasificaciones urbanísticas.** La Sala recuerda que el derecho de propiedad es un *derecho estatutario,* cuyo contenido es delimitado en cada caso por las leyes y los planes urbanísticos. Son éstos los que atendiendo a la función social de la propiedad establecen el haz de facultades y el conjunto de deberes que integran el derecho de propiedad que recae sobre cada porción de terreno. Las dos técnicas principales previstas para proceder a la determinación del contenido de cada uno de esos derechos privados son la **clasificación y la calificación urbanística** de los predios. Ambas son técnicas para la determinación vinculante de los usos del suelo, es decir, para la atribución a los terrenos de una determinada calidad que opera como presupuesto de la afectación del suelo a un determinado estatuto jurídico del derecho de propiedad.

Según el Tribunal, en este sentido, la clasificación «consiste en la división del suelo en todas o algunas de las categorías taxativamente fijadas por la ley en función de los distintos destinos urbanísticos posibles. Las diferentes categorías en las que puede clasificarse el suelo dependen de la regulación estatal y autonómica aplicable. Así lo dispone la *LRSV* cuando afirma en su artículo 7 que el suelo se clasifica en suelo urbano, urbanizable y no urbanizable o en las clases equivalentes reguladas por la legislación urbanística. La clasificación es, por tanto, una operación que aparece sujeta a una técnica de *numerus clausus,* **por lo que el planificador no dispone de discrecionalidad** para crear diferentes categorías de suelo. **Las categorías en las que es posible clasificar el suelo vienen ya dadas por la propia ley y la Administración ha de atenerse a las mismas. La tipología clasificadora de la que puede hacer uso la Administración es, por tanto, un elemento reglado».**

El Tribunal matiza las facultades de que dispone la Administración para clasificar el suelo como no urbanizable, corrigiendo su margen de apreciación y negando la clasificación del suelo como «no urbanizable». Sobre este particular interesa el FJ QUINTO. Primeramente, la Sala reproduce los criterios de la legislación urbanística *tradicional* (el TRLS/1992) que reconocen en principio una potestad discrecional de la Administración para clasificar positivamente el suelo urbanizable: «ahora bien, tanto en la Ley del Suelo de 1976 como en la Ley del Suelo de 1992, la Administración *contaba* con un amplio margen de discrecionalidad para la delimitación de los terrenos que habían de quedar comprendidos en cada clase de suelo, aunque la discrecionalidad nunca ha alcanzado a la clasificación del suelo urbano. Es más, esa decisión sobre la asignación a los terrenos de las diferentes categorías clasificadoras *se había venido considerando* como una de las manifestaciones esenciales de la política urbanística de los municipios. Éstos *configuraban* el suelo urbanizable en previsión de las expectativas de crecimiento de la población, siendo el suelo restante, que no estuviera clasificado como suelo urbano ni como suelo no urbanizable especialmente protegido, suelo no urbanizable común. De acuerdo con la legislación las NNSS pueden clasificar como suelo urbanizable aquellos terrenos a los que considere conveniente declarar adecuados para la urbanización (art. 11 LS/1992). Y, por otro lado, el plan clasificará como suelo no urbanizable todos aquellos terrenos que no haya incluido en las categorías de suelo urbano o urbanizable». «No obstante, dentro del suelo no urbanizable se distinguen dos categorías distintas: el suelo no urbanizable común y el suelo no urbanizable especialmente protegido. El primero es un suelo residual, pues comprende todos los terrenos que no han sido incluidos en otras categorías. Sin embargo, la clasificación de ciertos terrenos como suelo no urbanizable especialmente protegido se realiza "en razón de su excepcional valor agrícola, forestal o ganadero, de las posibilidades de explotación de sus recursos naturales, de sus valores paisajísticos, históricos o culturales o para la defensa de la fauna, la flora o el equilibrio ecológico (art. 12 LS/1992)"».

Pero, acto seguido, la Sala añade que, a pesar de toda posible discrecionalidad **en la clasificación del suelo urbanizable y no urbanizable común esta discrecionalidad no está exenta de límites, incluso conforme al planteamiento legislativo del TRLS/1992.**

De esta forma, esta sentencia concluye que la clasificación del suelo, que corresponde a la parcela objeto de litigio, es la de urbanizable, corrigiendo la discrecionalidad administrativa.

Capítulo V

La sostenibilidad y el fenómeno de la desclasificación del suelo

1. LA IMPORTANCIA DE LA SOSTENIBILIDAD

Junto a la excepcionalidad de la transformación del suelo se sitúa otro fenómeno de creciente arraigo en la sostenibilidad y en la protección de valores ambientales, es decir, la desclasificación.

Después de una etapa histórica de desarrollismo económico vendría otra etapa más reciente de «desarrollo sostenible». Este concepto lo encontramos hoy de forma frecuente en la Exposición de Motivos de la legislación urbanística, territorial, turística, ambiental, etc. El desarrollo sostenible no sería contrario al desarrollo o desarrollo económico. Más bien se trata de no agotarlo para que las generaciones venideras puedan seguir progresando.

Hay que saber que el concepto de desarrollo sostenible fue introducido en 1987 por el Informe Brundtland sobre «Nuestro Futuro Común», elaborado por la Comisión Mundial de Medio Ambiente y de Desarrollo. Se define en su p. 67 como el «desarrollo que satisface las necesidades de la generación presente sin comprometer la capacidad de las generaciones futuras para satisfacer sus propias necesidades».

En el ámbito estatal, el nuevo TRLS/2008 lleva a su cenit el principio de sostenibilidad (vid. especialmente el artículo 2 y el Preámbulo), pero esta proclama general tiene contenido concreto poco claro. De hecho, mientras que la sostenibilidad en Canarias es moratoria, en Murcia puede ser desarrollo, y en Valencia urbanismo sujeto a gravámenes.

La idea de sostenibilidad ha encontrado una manifestación especial o singular en las Islas Baleares y en las Islas Canarias. Hay dos derivaciones importantes vinculadas a la sostenibilidad que van a comentarse seguidamente:

Primero, una interesante insistencia en los procesos de renovación urbana o, en general, de rehabilitación integral de espacios. Su interés radicaría especialmente en sacar un mayor aprovechamiento de zonas ocupadas o edificadas, mediante su remodelación, antes de seguir avanzando en nuevos procesos de urbanización.

Segundo, la desclasificación del suelo. Su interés estaría en evitar el consumo espontáneo de suelo.

Parece innecesario explicar detalladamente la estrecha conexión entre sostenibilidad y desclasificación del suelo. La desclasificación obedece a un cambio de lógica, es decir, a un condicionamiento de la urbanización al cumplimiento de ciertos fines de carácter medioambiental previstos en la legislación territorial o ambiental.

2. EJEMPLO: LEY CANARIA 19/2003, DE 14 DE ABRIL, POR LA QUE SE APRUEBAN LAS DIRECTRICES DE ORDENACIÓN GENERAL Y LAS DIRECTRICES DE ORDENACIÓN DEL TURISMO DE CANARIAS

En esta ley **se habla de «evitar la perpetuación de clasificaciones»**, en especial «cuando se hayan incumplido los deberes urbanísticos inseparables de la adquisición de derechos».

Decisiva es sobre el particular la Disposición adicional cuarta. Según ésta, se reclasifican (desclasifican, en puridad) a «suelo rústico de protección territorial» los terrenos urbanizables sin Plan Parcial en los que se haya incumplido el deber de ordenar, y se categorizan como no sectorizados aquellos que, contando con Plan Parcial, no hayan iniciado su ejecución, incumpliendo los deberes urbanísticos de equidistribuir y ceder y no habiendo obtenido la aprobación del correspondiente proyecto de urbanización. Los sectores totalmente aislados, por su carácter contrario a aquel modelo compacto, se reclasifican a suelo rústico en caso de incumplimiento de los mismos deberes anteriores o cuando no dispongan de planeamiento parcial, aunque no se hayan incumplido los plazos establecidos.

También en la normativa más propiamente territorial y urbanística de Canarias (artículo 22 «Planes y Normas de Espacios Naturales Protegidos: contenido y determinaciones» del Decreto Legislativo 1/2000, de 8 de mayo, por el que se aprueba el Texto Refundido de las Leyes de Ordenación del Territorio de Canarias y de Espacios Naturales de Canarias) se deja claro que «los planes territoriales y urbanísticos habrán de recoger las determinaciones que hubieran establecido los Planes y Normas de Espacios naturales Protegidos» y acto seguido se proclaman ciertas determinaciones de ordenación urbanística que pueden recoger los Planes Rectores de Uso y Gestión de Parques Rurales y los Planes Especiales de los Paisajes Protegidos y, dentro de dichas determinaciones, «reclasificar como suelo rústico, en la categoría que proceda según sus características, terrenos que tengan la clasificación de suelo urbano o urbanizable, cuando lo exija la ordenación y protección de los recursos naturales».

3. LOS PLANES INSULARES DE ORDENACIÓN

Por ejemplo, en el Plan Insular de Ordenación de Fuerteventura (aprobado por Decreto 100/2001, de 2 de abril) se van estableciendo correcciones sobre la ordenación urbanística indicándose (puede verse el artículo 1) que en los planos normativos del citado Plan insular se deberán representar las delimitaciones completas de los espacios naturales corregidos *siguiendo lo establecido en el Decreto Legislativo 1/2000*. También se corrige el «régimen de usos del suelo» en ciertos ámbitos protegidos o se eliminan áreas extractivas (así el Barranco de Barlondo) por estar dentro de un espacio protegido (La Hubara), etc.

En este mismo Decreto de aprobación del referido Plan el poder público se compromete a establecer áreas donde no se permitan nuevos crecimientos turísticos y previsiones de este carácter.

4. LO AMBIENTAL EN LAS REGULACIONES DE PROTECCIÓN DE POLÍTICAS SECTORIALES O VALORES AMBIENTALES MEDIANTE LA PLANIFICACIÓN TERRITORIAL

Este tipo de medidas de desclasificación del suelo podrían valorarse como medidas de exacerbación de la protección del medio ambiente y otros valores de este tipo. Junto a ellas se situarían aquellas otras regulaciones de protección de políticas sectoriales o valores ambientales mediante la planificación territorial a efectos de que éste sea respetuoso con los recursos naturales.

Por poner algún ejemplo, por referencia a los recursos hidrológicos, el artículo 5.d del Decreto Legislativo 1/2000, de 8 de mayo, por el que se aprueba el Texto Refundido de las Leyes de Ordenación del Territorio de Canarias y de Espacios Naturales de Canarias, prevé como fin de la actuación

221

pública con relación al territorio «contribuir al uso y distribución racionales de los recursos hidrológicos, propiciando el ahorro en su empleo, el control de efluentes y la protección de su calidad». Por otra parte, son numerosas las disposiciones que tienden a que el planeamiento asegure un uso racional de los recursos naturales en general.

5. GARANTÍAS EN EL CONTEXTO DE LA DESCLASIFICACIÓN

La desclasificación tiende, de forma inicialmente loable, a la mejor realización de los intereses públicos. En estos casos el problema que se puede plantear es si esta loable realización de los intereses públicos puede suponer en algún caso un perjuicio sobre los derechos de los particulares.

Pues bien, todo este planteamiento conduce a dos temas fundamentales desde un punto de vista jurídico:

El primero, el de la posibilidad de discutir las decisiones administrativas de clasificación o de desclasificación del suelo.

El segundo, el de las posibles indemnizaciones que puedan derivarse de una determinada clasificación del suelo y, sobre todo, de una desclasificación.

La posible impugnación de la decisión de desclasificación se refiere a un plano de garantías primarias o anulatorias. La cuestión indemnizatoria se manifiesta en defecto de la garantía indemnizatoria a modo de compensación.

Las garantías de los afectados por una desclasificación son por tanto de dos tipos: primero, anulatorias, tendentes a conseguir la anulación judicial de la desclasificación. Segundo, indemnizatorias, si no se consigue lo anterior. Sobre la responsabilidad administrativa, en caso de desclasificación, es precisa una remisión a la parte de este libro que aborda la «responsabilidad administrativa en materia urbanística».

Capítulo VI

El suelo rural

1. RÉGIMEN JURÍDICO DEL TRLS/2008

La LS/2007 y el TRLS/2008 se dictan con la intención de oponerse a la legislación predecesora, es decir la LRSV 6/1998

En principio, en directa conexión con la idea de sostenibilidad (artículo 2) se insiste en la protección del medio rural y la preservación de los valores del suelo innecesario o inidóneo para atender las necesidades de transformación urbanística [apartado b) del citado artículo 2.2].

Esta regla inspira el resto del articulado sobre este tipo de suelo y se contrapone claramente a la LRSV 6/1998. El *quid* ahora es que el suelo rural no va a urbanizarse, a transformarse como regla general, por ser ordinariamente inidóneo para ello, salvo que se ponga de manifiesto lo contrario [artículos 13.1, 10.a) y 7].

Pero, desde luego, no se parte de una concepción a favor de transformación. Lo propio, además, es que en el suelo rural las facultades sean a priori las propias de este tipo de suelo (artículo 8 de forma ciertamente ilustrativa: uso o disfrute conforme a la clasificación que tenga en cada momento).

En principio, en el suelo rural lo que procede es el deber de conservación (artículo 9.1 tercer párrafo) y recuérdese que las dos clasificaciones posibles son las de rural o urbanizado.

Tras afirmar que todo el suelo tiene la situación de rural o urbanizado, el TRLS de 2008 añade que está en la situación de suelo rural:

«a) en todo caso, el suelo preservado por la ordenación territorial y urbanística de su transformación mediante la urbanización, que deberá incluir, como mínimo, los terrenos excluidos de dicha transformación por la legislación de protección o policía del dominio público, de la naturaleza o del patrimonio cultural, los que deban quedar sujetos a tal protección conforme a la ordenación territorial y urbanística por los valores en ellos concurrentes, incluso los ecológicos, agrícolas, ganaderos, forestales y paisajísticos, así como aquéllos con riesgos naturales o tecnológicos, incluidos los de inundación o de otros accidentes graves, y cuantos otros prevea la legislación de ordenación territorial o urbanística.

b)   El suelo para el que los instrumentos de ordenación territorial y urbanística prevean o permitan su paso a la situación de suelo urbanizado, hasta que termine la correspondiente actuación de urbanización, y cualquier otro que no reúna los requisitos a que se refiere el apartado siguiente.

3.   Se encuentra en la situación de suelo urbanizado el integrado de forma legal y efectiva en la red de dotaciones y servicios propios de los núcleos de población. Se entenderá que así ocurre cuando las parcelas, estén o no edificadas, cuenten con las dotaciones y los servicios requeridos por la legislación urbanística o puedan llegar a contar con ellos sin otras obras que las de conexión de las parcelas a las instalaciones ya en funcionamiento.

Al establecer las dotaciones y los servicios a que se refiere el párrafo anterior, la legislación urbanística podrá considerar las peculiaridades de los núcleos tradicionales legalmente asentados en el medio rural».

Así pues, existe algo claro, es decir, que el suelo rural siempre lo será aquel que presente valores ecológicos, agrícolas, etc. Pero, además, la idea central es que es suelo rural «cualquier otro que no reúna los requisitos del suelo urbanizado» (sin perjuicio del derecho a transformar este suelo rural).

Ahora, por lo tanto, lo prioritario es observar la definición de suelo urbanizado, que acaba de transcribirse, pues el resto del suelo (aunque sea un suelo limítrofe de una gran ciudad y con vocación ineludiblemente urbana) será suelo rural y como tal habrá de ser jurídicamente considerado.

El suelo rural, en comparación con la legislación precedente, en principio se sigue definiendo de forma reglada conforme a sus características naturales (agrícolas, ganaderas, etc.), pero también de forma residual respecto del suelo urbanizado, imponiéndose como regla general su preservación sin perjuicio de su posible transformación cuando ello sea necesario.

Una concepción estatutaria se afirma, en efecto, del derecho de propiedad, pero sobre la base de una nueva idea rectora de las parcelas que cuenten con «dotaciones y los servicios» existentes o que pueden «llegar a contar con ellos sin otras obras que las de conexión de las parcelas a las instalaciones ya en funcionamiento».

Este régimen jurídico antitransformación (pero haciéndola posible cuando sea menester) parece mantener la discrecionalidad pública de antaño para definir positivamente el suelo rural «transformable».

En todo caso parecen erradicarse los derechos subjetivos a transformar el suelo.

La transformación depende de la discrecionalidad local, más reforzada aún que en tiempos de la legislación anterior a la LRSV 6/1998 y que ésta tuvo como objetivo suprimir en lo posible. El poder de la Administración se recupera de amplia forma.

Estudiado este sistema legal, lo interesante ahora es poner de manifiesto el régimen jurídico de utilización del suelo rural que, sin perjuicio de su posible transformación, consiste en su preservación. Y también es interesante observar cómo puede verse alterado el panorama jurisprudencial, pues, en definitiva, lo esencial es lo que diga o apunte la jurisprudencia para la resolución de los problemas sociales.

2. UTILIZACIÓN DEL SUELO RURAL EN LA LEGISLACIÓN VIGENTE

Así pues, lo propio del suelo rural es su preservación (artículo 2 del TRLS/2008, así como artículo 9.1 tercer párrafo). Se instaura un «gran suelo rural» que se contrapone a la idea del «amplio suelo urbanizable» de la Ley estatal precedente. Ya con anterioridad a ésta, en no pocas CCAA se venían siguiendo políticas desclasificatorias de suelo (moratorias, frenos a la urbanización) que pueden verse como antecedente de la LS/2007 y posterior TRLS/2008.

El suelo rural engloba el propiamente rústico, en especial el protegido, pero también el transformable en la línea de las categorías autonómicas del programado, sectorizado o similares, y, por supuesto, los no programados, no sectorizados, etc.

Seguidamente se corrobora este planteamiento con una cita de las regulaciones principales en este sentido del TRLS/2008. En principio, en el suelo rural proceden los usos clásicos:

> «Artículo 13. Utilización del suelo rural.
>
> 1. Los terrenos que se encuentren en el suelo rural se utilizarán de conformidad con su naturaleza, debiendo dedicarse, dentro de los límites que dispongan las leyes y la ordenación territorial y urbanística, al uso agrícola, ganadero, forestal, cinegético o cualquier otro vinculado a la utilización racional de los recursos naturales».

Y acto seguido, en el párrafo segundo del mismo artículo 13.1 del TRLS/2008, se definen los **usos excepcionales**:

> «Con carácter excepcional y por el procedimiento y con las condiciones previstas en la legislación de ordenación territorial y urbanística, podrán legitimarse actos y usos específicos que sean de interés público o social por su contri-

bución a la ordenación y el desarrollo rurales o porque hayan de emplazarse en el medio rural».

También es tradicional la regla siguiente recogida en el artículo 13.2 del TRLS/2008:

> «Están prohibidas las parcelaciones urbanísticas de los terrenos en el suelo rural, salvo los que hayan sido incluidos en el ámbito de una actuación de urbanización en la forma que determine la legislación de ordenación territorial y urbanística».

Seguidamente, en el artículo 13.3, se permiten usos provisionales y con ello licencias provisionales:

> «Desde que los terrenos queden incluidos en el ámbito de una actuación de urbanización, únicamente podrán realizarse en ellos:
>
> a)   Con carácter excepcional, usos y obras de carácter provisional que se autoricen por no estar expresamente prohibidos por la legislación territorial y urbanística o la sectorial. Estos usos y obras deberán cesar y en todo caso, ser demolidas las obras, sin derecho a indemnización alguna, cuando así lo acuerde la Administración urbanística. La eficacia de las autorizaciones correspondientes, bajo las indicadas condiciones expresamente aceptadas por sus destinatarios, quedara supeditada a su constancia en el Registro de la Propiedad de conformidad con la legislación hipotecaria».

Finalmente, en el artículo 13.4, se hace una obligada referencia al suelo protegido en términos lógicos:

> «No obstante lo dispuesto en los apartados anteriores, la utilización de los terrenos con valores ambientales, culturales, históricos, arqueológicos, científicos y paisajísticos que sean objeto de protección por la legislación aplicable, quedará siempre sometida a la preservación de dichos valores, y comprenderá únicamente los actos de alteración del estado natural de los terrenos que aquella legislación expresamente autorice».

Pero, como ya nos consta, el suelo rural admite su transformación [artículo 10.1.a)], concepto que se define en el artículo 14 del TRLS/2008:

> «1.   A efectos de esta Ley, se entiende por actuaciones de transformación urbanística:
>
> a)   Las actuaciones de urbanización, que incluyen:
>
> 1)   Las de nueva urbanización, que suponen el paso de un ámbito de suelo de la situación de suelo rural a la de urbanizado para crear, junto con las correspondientes infraestructuras y dotaciones públicas, una o más parcelas aptas para la edificación o uso independiente y conectadas funcionalmente con la red de los servicios exigidos por la ordenación territorial y urbanística.
>
> 2)   Las que tengan por objeto reformar o renovar la urbanización de un ámbito de suelo urbanizado.
>
> b)   Las actuaciones de dotación, considerando como tales las que tengan por objeto incrementar las dotaciones públicas de un ámbito de suelo urbanizado para reajustar su proporción con la mayor edificabilidad o densidad o con

los nuevos usos asignados en la ordenación urbanística a una o más parcelas del ámbito y no requieran la reforma o renovación integral de la urbanización de éste».

A continuación, este mismo artículo precisa cuándo se entienden iniciadas y terminadas las actuaciones de urbanización.

En el artículo 16 se completa esta regulación mediante la alusión a los clásicos deberes de cesión de suelo (entre un 5 y un 20% ahora), de entrega de suelo para vivienda protegida en el PMS.

En este contexto se alude, por cierto, al **derecho a reintegrarse (por los propietarios) de los gastos de instalación de las redes de servicios con cargo a sus empresas prestadoras, aunque esta regla es inoperante en la práctica en el sentido expuesto en el TRLS/2008.**

Seguidamente se profundiza en el suelo rural propiamente dicho, estudiando la jurisprudencia que explica su régimen jurídico y los usos excepcionales posibles, al ser éstos el núcleo de la temática de interés del suelo rural tradicionalmente no urbanizable. Es importante, en efecto, desarrollar esta cuestión.

Ya la LRSV 6/1998, tras reiterar la consabida regla («los propietarios del suelo clasificado como no urbanizable tendrán derecho a usar y disfrutar y disponer de su propiedad de conformidad con la naturaleza de los terrenos...») afirmaba igualmente que «excepcionalmente, a través del procedimiento previsto en la legislación urbanística, podrán autorizarse actuaciones específicas de interés público, previa justificación de que no concurren las circunstancias previstas en el apartado 1 del artículo 9 de la presente Ley)».

Esta regulación conecta con los artículos 43.3 y 85.1.2 del TRLS/1976, con el Reglamento de Gestión Urbanística y con la legislación autonómica vigente.

3. NECESIDAD DE CLARIFICACIÓN

Sobre estas cuestiones de los usos del suelo rural suelen confundirse distintas situaciones que merecen explicarse con claridad y entidad propia.

Vamos a diferencias estos casos:

Primero, el de las viviendas vinculadas a actividades agrícolas.

Segundo, el de las viviendas propiamente dichas, unifamiliares aisladas.

Tercero, el de construcciones agrarias o ganaderas.

Cuarto, el de construcciones que aparentemente son agrícolas o ganaderas pero son industriales.

Veremos cómo en el primer y tercer casos basta con la licencia local, sin ser precisa la autorización autonómica. No así en el segundo (que precisa intervención autonómica en los términos que se expondrán) y el cuarto (éste último requiere autorización de utilidad pública o interés social).

Tradicionalmente la implantación de la vivienda en suelo no urbanizable ha estado unida a actividades agrícolas o forestales, surgiendo durante las dos últimas décadas la necesidad de ordenar legalmente este uso desde una perspectiva social y territorial, pues el demandante principal de esta clase de edificación ya no es el productor agrario, sino el usuario *urbanita* de la segunda residencia y el turismo.

4. NORMATIVA

De entre los antecedentes de la legislación estatal sobre esta materia conviene recordar aunque sólo sea el TRLS/1976 cuando en su artículo 85.2 *permite construcciones relacionadas con el uso agrícola o aquellas vinculadas funcionalmente con una obra pública,* diciendo expresamente que «no se podrán realizar otras *construcciones que las destinadas a explotaciones agrícolas que guardan relación con la naturaleza y destino de la finca* y se ajusten en su caso a los planes o normas del Ministerio de Agricultura, así como las construcciones e instalaciones vinculadas a la ejecución, entretenimiento y servicio de las obras públicas», lo que implica que las edificaciones destinadas al uso de vivienda también lo sean al uso agrícola.

Sin embargo, el propio artículo 85.2 *in fine* prevé la excepción a este régimen general de uso al legitimar legalmente la posibilidad de autorización de edificios aislados destinados a vivienda familiar en lugares en los que no exista la posibilidad de formación de un núcleo de población siempre que, como dispone el artículo 85.4 del TRLS/1976, la segregación de la finca fuera conforme con la legislación agraria.

El procedimiento para la autorización de estas construcciones se preveía en el artículo 44 del **Reglamento de Gestión Urbanística,** el cual consistía en síntesis en una petición del particular, un informe del Ayuntamiento y resolución definitiva de la Comisión Provincial de Urbanismo *o del propio Ministerio de Obras Públicas* en función de la población del municipio, de menos o más de 50.000 habitantes, respectivamente, tras realizar un trámite de información pública de quince días. En suma, estamos ante **dos licencias,** pues junto a la licencia de obras del Ayuntamiento (artículo 9 del RSCL) hay que contar con la otra autorización previa referida (STS de 27 de noviembre de 1991 [RJ 1991, 9382]).

5. LAS CONSTRUCCIONES AGRÍCOLAS PERMANECEN EN EL ÁMBITO DE LAS LICENCIAS LOCALES

«El suelo no urbanizable está preferentemente vinculado a un destino agrícola y por eso mismo **no es exigible seguir el procedimiento del artículo 44 del RGU, sino que es suficiente la licencia municipal** cuando se da la necesaria relación funcional que debe existir entre la construcción y la finca que le sirve de soporte (STS de 2 de junio de 1981 [RJ 1981, 2920]). **Es el caso de las construcciones destinadas a explotaciones agrícolas o las destinadas a obras públicas**» (A. CANO MURCIA, *El régimen jurídico del Suelo No Urbanizable o Rústico*, Pamplona 2006 p. 337).

Así también, según la STSJ de Andalucía de 12 de mayo de 2003 (JUR 2003, 182065) procede la **licencia de construcción destinada a explotación agrícola en suelo no urbanizable** que guarda relación con la naturaleza, extensión y utilización de la finca a que sirve, **siendo inexigible la autorización de la Comisión Provincial de Urbanismo.**

> «SEGUNDO.–La cuestión que se somete a la consideración de esta Sala estriba en determinar si para la construcción que autorizó la Comisión de Gobierno del Ayuntamiento de Cuevas del Campo era preciso, como sostiene la Junta de Andalucía, la autorización de la Comisión Provincial de Urbanismo, o por el contrario bastaba, tesis del Ayuntamiento, con la licencia de obras otorgada por la Corporación.
>
> (...) QUINTO.–En el caso de autos, de lo obrante en el expediente y de lo actuado en el presente recurso jurisdiccional resulta evidente que *no nos hallamos en ninguno de los supuestos en que sea preceptiva la autorización previa de la Comisión Provincial de Urbanismo* por cuanto la construcción autorizada es de aquellas destinadas a explotaciones agrícolas que guarden relación con la naturaleza, extensión y utilización de la finca, lo que sumado a que consta que no se distancia en su caso, de los planes o normas de los Órganos competentes en materia de agricultura, es por lo que hemos de concluir con la conformidad a derecho del sistema seguido por el Ayuntamiento demandado para la concesión de la licencia de obras impugnada por la Junta de Andalucía, cuyo recurso, por lo expuesto, desestimamos, sin hacer pronunciamiento sobre las costas devengadas en la presente instancia».

Por estar vinculada a una explotación agrícola se sigue este mismo criterio por la STSJ de Cataluña de 23 de mayo de 2002 (JUR 2002, 250787);

sensu contrario STSJ de Cataluña de 29 de abril de 2003 (JUR 2004, 34302); STSJ de Madrid de 26 de septiembre de 2002 (JUR 2003, 8560).

Tal como se expuso *supra,* la STSJ de Cantabria de 20 de julio de 2000 (RJCA 2000, 1440) confirma que en casos de edificaciones en suelo no urbanizable es precisa la intervención de la Comisión Regional de Urbanismo (igualmente, la STSJ de Canarias, Sala de Tenerife, de 15 de enero de 2004 [JUR 2004, 69364] considera improcedente la licencia en favor de una vivienda unifamiliar sobre suelo no urbanizable por no existir vinculación de la construcción con una explotación agrícola).

Estos parámetros jurídicos son seguidos en la legislación autonómica. Por ejemplo, en Castilla-La Mancha por el Decreto Legislativo 1/2004, de 28 de diciembre por el que se aprueba el Texto Refundido de la Ley de Ordenación del Territorio y de la Actividad Urbanística y por el Decreto 242/2004, de 27 de julio, por el que se aprueba el Reglamento de Suelo Rústico de la Ley 2/1998 de 4 de junio de la Ley de Ordenación del Territorio y de la Actividad Urbanística (declarado vigente por la disposición derogatoria 2 del Decreto Legislativo 1/2004).

6. LA AUTORIZACIÓN DE EDIFICACIONES E INSTALACIONES DE UTILIDAD PÚBLICA O INTERÉS SOCIAL QUE HAYAN DE EMPLAZARSE EN EL MEDIO RURAL

Y al margen de esta regulación citada puede recordarse aquella otra que permite la autorización de edificaciones e instalaciones de utilidad pública o interés social que hayan de emplazarse en el medio rural.

Así, según la STS de 14 de abril de 1999 (RJ 1999, 3286)

«Del artículo 86.1 en relación con el 85.1.2º del Texto Refundido de la Ley del Suelo de 1976 y, en su desarrollo, del artículo 44.1.2ª del Reglamento de Gestión Urbanística resultan dos procedimientos a seguir para la autorización de construcciones, edificaciones o instalaciones que, excepcionalmente, son posibles sobre el suelo no urbanizable, a saber: a) En caso de **construcciones destinadas a explotaciones agrícolas que guarden relación con la naturaleza y destino de la finca** o de construcciones e instalaciones vinculadas a la ejecución, entretenimiento y servicio de las obras públicas, **no es procedente la autorización de un órgano autonómico, bastando con las licencias municipales** correspondientes, conforme a la regla general del artículo 179.1 TRLS y lo establecido en el artículo 178.3 del mismo Texto Refundido, que remite al artículo 9 del Reglamento de Servicios de las Corporaciones Locales (RCL 1956, 85 y NDL 22516); b) **En cambio, en caso de edificaciones e instalaciones de utilidad pública o interés social que hayan de emplazarse en el medio rural, así como de edificios aislados destinados a vivienda familiar en lugares en que no exista posibilidad**

de formación de un núcleo de población, procede seguir el procedimiento previsto en el artículo 43.3 del Texto Refundido, lo que da lugar a una **intervención autonómica,** mediante autorización a través del órgano competente de la Comunidad Autónoma, que no excluye la necesidad de la posterior licencia municipal de obras, a conceder por el procedimiento ordinario del citado Reglamento de Servicios de las Corporaciones Locales» (puede verse también la STS de 12 de diciembre de 1990 [RJ 1990, 9950]).

7. LA DIFERENCIACIÓN ENTRE USOS AGRÍCOLAS O INDUSTRIALES

Seguidamente se profundiza en la pugna entre construcciones agrícolas o industriales, ya que sólo las segundas requieren la autorización de utilidad pública o interés social.

En la jurisprudencia se dilucida si la actividad pretendida es agrícola o industrial a los efectos de estimar suficiente o no la licencia de obras o, por contrapartida, estimar necesaria la intervención autorizante de la Administración autonómica, tal como explica la STSJ de Cataluña 13 de octubre de 2006 (JUR 2007, 118301) en relación con un recurso contra la denegación de la autorización para construir en suelo no urbanizable:

«Estos preceptos (como antes establecía el art. 85 del TRLS/1976 [RCL 1976, 1192]) señalan que en suelo no urbanizable deberán respetarse las incompatibilidades de usos señaladas en el plan general y no podrán realizarse otras construcciones que las destinadas a **explotaciones agrícolas** que tengan relación con la naturaleza y destino de la finca, así como también las vinculadas a la ejecución, mantenimiento y servicio de las obras públicas; no obstante, siguiendo el procedimiento del art. 68 del mismo texto (aprobación previa y vinculante de la Comisión de Urbanismo) podrán autorizarse edificaciones e instalaciones de utilidad pública o interés social que hayan de emplazarse en el medio rural.

(...) *Tampoco puede apreciarse que se trate de una explotación agrícola, que sólo precisaría de autorización municipal, pues lo **pretendido es un almacén para la venta de vino y oficinas,** como ampliación de la planta embotelladora; en suma, se trata de **una actividad industrial** y comercial sin perjuicio de que la materia con la que trabaja sea un producto agrícola en cuya plantación, recogida y transformación no consta que colabore.*

En consecuencia, siendo precisa la autorización de la Comisión de Urbanismo, debe analizarse si es conforme a derecho la denegación efectuada. Los motivos aducidos son dos: 1º) incumplimiento de los parámetros urbanísticos de la Modificación del Plan General de Palafolls de 14 de diciembre de 1994 y 2º) no concurrencia de circunstancias de utilidad pública o interés social en la instalación.

El primero debe ser rechazado sin entrar en si es correcto o no, pues los concretos parámetros urbanísticos es algo que debe analizar y controlar la licencia de obras, no la autorización autonómica que debe ceñirse a la comprobación del interés social o la utilidad pública de las obras. Y en este extremo el Tribunal tiene la misma apreciación que la resolución impugnada sobre la insuficiente prueba de tales circunstancias, pues simplemente se indica por la actora: 1) que el hecho de ser clave X-3 ya lleva implícita aquella utilidad a aquel interés, extremo que no es cierto, pues lo único que hacen los preceptos que se refieren a dicha clave es mantener lo preexistente (con licencia) al plan y permitir su ampliación en determinadas condiciones en virtud de su mera preexistencia, sin atender a otras consideraciones como la naturaleza de la actividad, importancia para la zona o para la población; y 2) que mantiene 22 puestos de trabajo, pero no especifica cuántos de ellos corresponden a la ampliación que se discute, ni efectúa la más mínima referencia ni prueba a las necesidades laborales en la zona, ni a la incidencia sobre la población de la misma de los nuevos puestos de trabajo, sin olvidar que la ampliación pretendida es para instalar un centro de venta del vino que se embotella, y no se ha efectuado la más mínima alusión a las razones y necesidad de que el local comercial de la empresa, instalada allí desde 1970, se deba ubicar junto a la planta embotelladora más de 25 años después.

En consecuencia, siendo excepcional la posibilidad de construir y levantar instalaciones en suelo no urbanizable, en el presente caso no se ha acreditado que concurra tal excepcionalidad, sin que puedan valorarse, a fecha de las resoluciones impugnadas, los cambios de planeamiento (como la Revisión aprobada provisionalmente que se cita) que puedan acaecer posteriormente».

8. EL RÉGIMEN DE VINCULACIÓN, EN CASO DE DENEGACIÓN AUTONÓMICA, DE LA ADMINISTRACIÓN LOCAL

En este sentido, la STS de 2 de noviembre de 1999 (RJ 1999, 7691) (igualmente la STS de 14 de febrero de 2000 [RJ 2000, 1945]) deja claro que «la denegación de la autorización (para la instalación de un campamento privado de Caravanistas) impide el otorgamiento de la licencia municipal sin que pueda ser otorgada por silencio administrativo positivo». Dice:

«En el supuesto aquí contemplado el Diputado Foral de Acción Territorial y Municipal denegó la referida autorización en Resolución de 10 de julio de 1987, tras someter el expediente a información pública por quince días, publicada en el Boletín Oficial de Bizkaia de 6 de junio de 1987.

Precisamente, la denegación de la antecitada autorización, es de carácter vinculante para la Administración Municipal a los efectos del expediente de concesión de la solicitada licencia, cuando tiene este carácter negativo, por lo que de ningún modo podía ser otorgada por el Ayuntamiento la licencia aquí cuestionada, que no puede entenderse, por tanto, en ningún caso puede entenderse concedida por silencio positivo administrativo, a tenor de lo dispuesto en el artículo 178.3 de la Ley del Suelo, por lo que no cabe estimar la infracción denunciada del artículo 85.1.2 de la Ley del Suelo en relación con el 86.1».

En este contexto interesa igualmente la sentencia del TSJ de Asturias de 30 de junio de 1999 (RJCA 1999, 1620) donde se estima el recurso interpuesto por el Principado contra una licencia local otorgada sin la previa autorización de la Comunidad Autónoma, siendo ésta necesaria.

9. LA POSIBILIDAD DEL PROBLEMA INVERSO

En la práctica se ha planteado el problema singular de un Ayuntamiento que se niega abusivamente a otorgar la licencia cuando la Comunidad Autónoma da su aprobación al proyecto, cercenando las opciones de desarrollo económico regionales, problema éste complicado que puede llevar a invalidar la negativa municipal. Es sabido que, en el Derecho urbanístico español, se parte de un principio de independencia según el cual la Administración Autonómica es competente en exclusiva para valorar los aspectos de oportunidad o interés social del proyecto, mientras que por su parte el Ayuntamiento valora la compatibilidad del proyecto con el planeamiento urbanístico.

El planteamiento hecho, que refleja este precepto citado en último lugar, propicia la discusión en cuanto a la extensión y límites de las competencias autonómicas y locales. Como todo principio o criterio, también el de «independencia» referido tiene sus límites y contrapesos. Se ha hablado de la necesidad de matizar el aludido principio de independencia en virtud de un «principio de coordinación» por pura coherencia con las necesidades sociales, empresariales y de la práctica urbanística.

Es decir, una denegación local por motivos urbanísticos, de un determinado proyecto que pretende asentarse en suelo no urbanizable (protegido o común), no es de recibo si con ello la Administración local estuviere bloqueando (o dejando vacía de contenido, o impidiendo o mediatizando) el ejercicio de competencias autonómicas legítimas, tales como la ordenación del comercio, el turismo (puertos deportivos, estaciones de esquí, asentamientos de camping, implantación de un campo de golf, etc.), la de instalaciones o equipamientos deportivos o medioambientales, o tales como el propio ejercicio de la calificación o declaración de interés público.

En general, si media ya una autorización autonómica favorable a un determinado proyecto, esta decisión es un referente importante para el Ayuntamiento a la hora de ejercitar sus competencias urbanísticas.

10. ESPECIALIDADES AUTONÓMICAS: EL CANON COMPENSATORIO POR EL APROVECHAMIENTO EN SUELO RURAL DE LA LEGISLACIÓN EXTREMEÑA

Conviene estudiar o ejemplificar el régimen jurídico del suelo no urbanizable en los sistemas legislativos autonómicos, seleccionando algunos ejemplos. Es, así, en principio, es interesante el régimen de cánones, previstos en la Ley 15/2001, de 14 de diciembre, del Suelo y Ordenación Territorial de Extremadura.

Se trata de un canon compensatorio por el aprovechamiento que puede llegar a obtener el propietario en suelo no urbanizable. Concretamente, el

233

propietario debe abonar al Ayuntamiento un mínimo de un dos por ciento del importe legal de la inversión a realizar para la ejecución de las obras, construcciones e instalaciones e implantación de las actividades y de los usos correspondientes. Esta cantidad que adeuda el particular puede ser satisfecha en metálico, pero también en cesión de suelo por valor equivalente[2].

11. LOS USOS EN SUELO NO URBANIZABLE EN LA LEGISLACIÓN AUTONÓMICA (EL EJEMPLO DE LA LEGISLACIÓN DE CASTILLA Y LEÓN)

La Ley de Urbanismo 5/1999 de Castilla y León, y el Reglamento de Urbanismo de Castilla y León aprobado por Decreto 22/2004 son exponente de un sistema regulativo en el cual la propia legislación contiene criterios perfilados sin apenas márgenes de discrecionalidad administrativa.

En cuanto al suelo rústico, el citado Reglamento de Urbanismo de Castilla y León establece, primero, unos criterios de clasificación (artículo 30) y unas categorías de suelo rústico (con una tipología más rica que la presente en otras CCAA) en los artículos 31 y siguientes.

La legislación urbanística (en este caso de Castilla y León) va especificando el régimen de protección de cada categoría indicando el régimen de usos que debe seguirse. Más concretamente, la Ley define primeramente los usos generales del suelo rústico (usos agrícolas, ganaderos, forestales, cinegéticos *u otros análogos* vinculados a la utilización racional de los recursos naturales, art. 23.1 de la Ley 5/1999 de Urbanismo de Castilla y León)[3]. En segundo lugar, define el Decreto 22/2004 por el que se aprueba el Reglamento de

---

2. Algunos interrogantes plantea este sistema, entre ellos la determinación de la parte de terreno que, en concreto, ha de cederse por el propietario y los usos de este tipo de terrenos que pasan a ser públicos. Pero, sobre todo, se plantea la idoneidad misma de este tipo de políticas urbanísticas, en el sentido de si no abrimos con ellas una vía para condescender en la construcción en suelo no urbanizable, ya que el Municipio obtiene una rentabilidad o canon cada vez que un propietario realice una construcción o instalación en suelo no urbanizable. Acaso todo esto pueda conducir, indirectamente, a una mayor presión edificadora, indeseable por tanto, en el suelo no urbanizable. Parece mejor una política urbanística que, de pretender cesiones y mayores aprovechamientos del suelo, propicie directa aunque restrictivamente la clasificación de suelo urbanizable, dejando a salvo de la presión constructora el no urbanizable, es decir evitando la política de «construcción admitida a cambio de canon».

3. La frase «u otros análogos» ha llevado a que la regulación reglamentaria incluya también otros derechos ordinarios en suelo rústico tales como los científicos, los educativos, los deportivos, recreativos o turísticos (artículo 56). Estamos en todo caso ante usos conformes con la naturaleza rústica del terreno.

Urbanismo de Castilla y León en su artículo 57 los usos excepcionales, entendidos como aquellos que pueden sujetarse a autorización, en función del criterio normativo que se siga para cada una de las categorías del suelo rústico.

En realidad, tan solo los usos «permitidos» (mencionados en primer lugar) son los usos plenamente acordes con la naturaleza de este suelo rústico. Los otros usos, los «excepcionales», como no obstante no son incompatibles con la naturaleza del terreno, se sujetarán generalmente a autorización.

Pero además el Reglamento (en los artículos 59 y siguientes), como la LUCyL en los artículos 26 a 29 inclusive, va precisando directamente, para cada categoría de suelo rústico, cada uno de los posibles usos: excepcionales autorizables, prohibidos y permitidos (es decir, en este último caso sin autorización).

No vamos a reproducir todos los contenidos legales en los cuales el Reglamento de Urbanismo de Castilla y León o la LUCyL va indicando, para cada categoría de suelo rústico, el régimen de usos permitidos (no sujetos por tanto a autorización), el de usos excepcionales autorizables y el de usos prohibidos.

Pero sí parece conveniente poner algunos ejemplos ilustrativos a efectos de mostrar cómo funciona este sistema jurídico.

Así por ejemplo, en el suelo rústico común, debido en el fondo a su carácter típico (por no existir una condición adicional de protección, a diferencia de otras categorías), se permitirán, junto a los usos permitidos de los artículos 59 y 57.a del Reglamento (usos agrícolas, etc), las construcciones vinculadas a dichos usos porque así directamente lo establece la legislación urbanística, sin discrecionalidad administrativa sobre el particular. En cambio, siguiendo con este mismo ejemplo, en el suelo rústico con protección de infraestructuras (artículos 63 y 57.a del Reglamento) quedarán sujetas a autorización, previa a la municipal, este tipo de construcciones vinculadas a usos agrícolas, etc., al igual que en el suelo rústico de entorno urbano (artículo 60 y 57.a del Reglamento) pero a diferencia del suelo rústico con protección agropecuaria (donde, nuevamente, dichos usos se consideran «permitidos», artículo 62 y 57.a).

El sentido de este régimen jurídico está en la diferente naturaleza de los terrenos incluidos dentro de cada categoría de suelo rústico. Se entiende así la necesidad de matizar debidamente, y con especial precisión, los usos posibles, los prohibidos, y dentro de aquéllos los autorizables y los permitidos sin autorización aunque sean excepcionales.

Los ejemplos podrían sucederse. Así, mientras que en suelo rústico común son autorizables las actividades extractivas (por no ser del todo incompatibles con dicho suelo), en cambio en el suelo rústico de entorno urbano dichas actividades están, sin más, prohibidas (artículos 59 y 60 del Reglamento siguiendo los artículos 26.b y 27.b de la Ley 5/1999 de Urbanismo de Castilla y León, respectivamente).

Tan sólo el caso del suelo rústico de asentamiento tradicional sería «particular», en el sentido de que en este suelo (según el art. 28 de la Ley 5/1999 de Urbanismo de Castilla y León) la Ley se remite al propio planeamiento para que éste establezca el régimen de protección adecuado, señalando los usos permitidos, que serán los característicos y tradicionales del asentamiento, los usos sujetos a autorización, que serán los que guarden directa relación con las necesidades de la población residente, así como los usos prohibidos y las demás limitaciones que procedan.

Por tanto, la inserción del suelo rústico, dentro de una u otra categoría, tiene consecuencias muy importantes a efectos de precisar el régimen de derechos y de deberes de los propietarios de los terrenos que se hagan encajar dentro de cada una de las categorías previstas. El listado de usos excepcionales engloba, en esencia, las construcciones vinculadas a los usos permitidos (usos agrícolas, ganaderos, etc.), las actividades extractivas, las obras públicas e infraestructuras en general, las construcciones e instalaciones propias de los asentamientos tradicionales, las construcciones destinadas a vivienda unifamiliar aislada y que no formen núcleo de población, las obras de rehabilitación (...), y otros usos que puedan considerarse de interés público, por estar vinculados a cualquier forma del servicio público, o porque se aprecie la necesidad de su ubicación en suelo rústico, a causa de sus específicos requerimientos o de su incompatibilidad con los usos urbanos.

Por otra parte, sólo en torno a los usos permitidos (artículo 23 de la LUCyL), habría coincidencia en cuanto que todas las categorías de suelo rústico los admiten sin mayores exigencias.

En todo caso, si el suelo rústico no se incluye dentro de alguna de las categorías concretas, éste tendrá el carácter de suelo rústico común.

Cuando la legislación urbanística considere, para una determinada categoría de suelo rústico, que el uso es «autorizable», en estos casos habrá de observarse si existe un interés público que justifique la autorización con las condiciones y cautelas que procedan. En estos supuestos existe en realidad un régimen de doble autorización, autonómica por una parte y local por otra parte (pueden verse, asimismo, los artículos 85 y 86 del Texto Refundido de la Ley del Suelo de 9 de abril de 1976, así como los artículos 44 y 45 del Reglamento de Gestión Urbanística de 25 de agosto de 1978 y el artículo 9 del Reglamento de Servicios de las Corporaciones Locales de 1955).

Los criterios para categorizar las distintas partes del suelo rústico (artículos 31 y ss. del citado Reglamento) tienen que estar previamente comprendidos en los criterios generales de clasificación de este tipo de suelo (artículo 30). De lo contrario, se plantea el problema de que el planificador se apoye en un criterio (para determinar la categoría procedente de suelo rústico) que no esté previamente recogido a la hora de clasificar el suelo como rústico en general.

En torno al suelo rústico, la *ratio* es, sin duda, su protección adecuada conforme a la naturaleza de los terrenos. De ahí también que, a efectos de conseguir una adecuada calificación del suelo, la legislación autonómica (por ejemplo la Ley 5/1999 de Urbanismo de Castilla y León) establezca como criterio que «cuando un terreno, por sus características presentes o pasadas, o por las previsiones del planeamiento urbanístico o sectorial, pueda corresponder a varias categorías de suelo rústico, se optará entre incluirlo en la categoría que otorgue mayor protección, o bien incluirlo en varias categorías, cuyos regímenes se aplicarán de forma complementaria; en este caso, si se produce contradicción entre dichos regímenes, se aplicará el que otorgue mayor protección».

Capítulo VII

Tendencias

1. LOS RIESGOS DE LA IDEA DE PROTECCIÓN

En el suelo rural ha de imponerse la *ratio* de protección. Sin embargo, esta tendencia ambientalista, que propugnan las CCAA, choca con otra tendencia que ellas mismas, al mismo tiempo, afirman, por la que permiten y hasta impulsan actuaciones «urbanísticas» directamente en dicho suelo a través de cuatro vías, todas ellas al margen del fenómeno de la reclasificación:

1.–Los proyectos autonómicos de interés regional.

2.–La ordenación del territorio y las posibles actuaciones que legitima en especial la gestión territorial.

3.–La realización de proyectos con apoyo en una aplicación extensiva de la técnica de la autorización autonómica de interés utilidad pública o interés social.

4.–El impacto de la legislación turística o sectorial.

Es cierto que no es una novedad plantear el tema, en cuanto tal, de la explotación económica del suelo rural en sentido propio, ya que a este suelo no le ha sido ajena la idea de explotación, sino todo lo contrario[4]. Pero se asiste a una reconsideración del papel tradicional del suelo rural.

---

4. Sobre este tema pueden reseñarse estas publicaciones: J. Agudo González, *Incidencia de la protección del medio ambiente en los usos del suelo,* Barcelona, 2004; J. Bermúdez Sánchez, *Obra pública y medio ambiente. El Estado y la Administración ante el territorio,* Madrid-Barcelona, 2002; D. Blanquer Criado, *El golf. Mitos y razones sobre el uso de los recursos naturales,* Valencia, 2002; del mismo autor, *Ordenación y gestión del territorio turístico,* Valencia, 2002; R. Dávila Guerrero/ I. M. Sobrini Sagaseta de Ilúrdoz, *Integración ambiental de los campos de golf,* Sevilla, 2004; A. Embid Irujo, «Usos del agua e impacto ambiental: evaluación de impacto ambiental y caudal ecológico», *RAP,* 134, 1994; A. García Ureta, «Marco jurídico del procedimiento de evaluación de impacto ambiental: el contexto comunitario y estatal», *IVAP,* 1994; del mismo autor, «Evaluación de impacto ambiental y control integrado de la contaminación: algunos aspectos sobre su transposición en el ordenamiento estatal», en A. García Ureta (coordinador), *Transposición y control de la normativa ambiental comunitaria,* Oñati, 1998; V. Gutiérrez Colomina, *Régimen jurídico-urbanístico del espacio rural: la utilización edificatoria del suelo no urbanizable,*

Este suelo rural en sentido propio ha terminado identificándose tradicionalmente con «ciertas» actividades económicas (agrícolas o ganaderas) que dejan de ser atractivas muchas veces para la población o que, cuando menos, son menos valoradas que otros posibles proyectos o actividades que se abren paso como opción de futuro, en el suelo no urbanizable, ofreciendo posibilidades de desarrollo a los entornos rurales.

Dicho suelo puede permitir seguramente unas mayores opciones en un plano social y urbanístico respecto de aquellas que viene teniendo; éste es el debate.

Antes de avanzar en estas últimas afirmaciones es conveniente profundizar en el tema, esbozado inicialmente, de los nuevos planteamientos en materia de usos urbanísticos de carácter empresarial del suelo rural.

Sigue estando muy presente la creencia de que el uso del suelo rural en sentido propio ha de vincularse necesariamente a usos primarios, es decir, agrícolas, ganaderos o forestales, además de a la preservación de los valores o recursos naturales. Es el suelo *rústico*. Y son aquéllos los *usos normales*. Este planteamiento llega de forma incontestable a la legislación estatal y autonómica.

Estamos, en efecto, ante una «creencia» arraigada profundamente, fruto de una educación secular que nos lega una determinada imagen y una determinada visión del suelo rústico directamente relacionada con las nociones del debido sacrificio de la labor de la tierra y del noble y loable cultivo de la misma a través del cual el hombre logra su subsistencia misma. Así ha sido a través de los siglos. Efectivamente está presente el

---

Madrid, 1990; del mismo autor, «El régimen del suelo no urbanizable en la legislación estatal y autonómica», VV AA, *Manual de urbanismo*, INAP, Madrid, 2001; F. J. JIMÉNEZ DE CISNEROS CID/J. BERMÚDEZ SÁNCHEZ, «La ejecución de obras públicas en zonas de especial protección de aves: el supuesto del embalse de Itoiz», *RDU*, 142, 1995; A. JIMÉNEZ JAÉN, *El régimen jurídico de los espacios naturales protegidos,* Madrid, 2000; I, LAZCANO BROTONS, «La transposición de la directiva de espacios naturales protegidos», en A. GARCÍA URETA (coordinador), *Transposición y control de la normativa ambiental comunitaria,* Oñati, 1998; J. L. LORENTE TALLADA, *El patrimonio municipal del suelo. Especial referencia a la Comunidad Valenciana,* Valencia, 2001; B. LOZANO CUTANDA, *Derecho ambiental administrativo,* Madrid, 2004; M. J. MONTORO CHINER, «Objetivos, naturaleza y límites de la declaración de impacto ambiental de las infraestructuras públicas», *REDA,* 110, 2001; T. PAREJO NAVAJAS, *La estrategia territorial europea,* Madrid, 2004; T. A. QUINTANA LÓPEZ, «Patrimonio públicos del suelo. Constitución y gestión. El derecho de superficie», VV AA, *Manual de urbanismo,* INAP, Madrid, 2001; del mismo autor, *Comentario a la legislación de evaluación de impacto ambiental,* Madrid, 2002; G. SANZ-MAGALLÓN REZUSTA/J. SERRANO GARCÍA, *Agua-ocio-deporte: una valoración socioeconómica y medioambiental,* Alicante, 2004.

reflejo atávico de concepciones antiquísimas, incluso bíblicas[5]. Cuesta admitir a veces un uso plenamente legítimo de la tierra al margen de estas concepciones, a pesar de que las actividades agrícolas o ganaderas puedan llegar a ser altamente contaminantes del suelo. En fin, de una costumbre hemos construido un mito.

Éste generalmente se ha contemplado como un suelo carente de especial rentabilidad y de proyectos, frente al suelo tradicionalmente urbanizable. La línea divisoria entre ambos tipos de suelo viene marcando la línea divisoria entre agraciados y desgraciados por el urbanismo.

Pues bien, la sociedad evoluciona y surgen nuevas necesidades y tendencias que no expresan necesariamente la concepción que acaba de exponerse. El creciente interés por los usos turísticos y las actividades de ocio es un ejemplo.

Curiosamente, la concepción amplia (de la nueva LS/2007 y del TRLS/2008 del Estado), del suelo rural, acrecienta el posible interés por este tipo de proyectos que se realizan directamente en suelo rural, lo cual puede tener mucho de bueno o de malo, según se aplique esta tendencia, en la que acaso no se haya reflexionado lo suficiente. Una cierta preocupación, en todo caso, hemos de mostrar al respecto.

---

5. Es significativo observar cómo en la Biblia la tierra se asocia siempre a estos valores tradicionales, agrícolas y de esfuerzo personal (muy lejanos de la diversión y el ocio). Me ha parecido interesante seleccionar una serie de frases tomadas del texto bíblico en este sentido: «Y á toda bestia de la tierra, y á todas las aves de los cielos, y á todo lo que se mueve sobre la tierra, en que hay vida, *toda hierba verde les será para comer:* y fué así. –Y produjo la tierra hierba verde, hierba que da simiente según su naturaleza, y árbol que da fruto, cuya simiente está en él, según su género: y vio Dios que era bueno. –Y dijo Dios: Produzca la tierra seres vivientes según su género, bestias y serpientes y animales de la tierra según su especie: y fué así. –E hizo Dios animales de la tierra según su género, y ganado según su género, y todo animal que anda arrastrando sobre la tierra según su especie: y vio Dios que era bueno. –Y dijo Dios: He aquí que os he dado toda hierba que da simiente, que está sobre la haz de toda la tierra; y todo árbol en que hay fruto de árbol que da simiente, seros ha para comer. –Y toda planta del campo antes que fuese en la tierra, y toda hierba del campo antes que naciese: porque aun no había Jehová Dios hecho llover sobre la tierra, ni había hombre para que labrase la tierra. –Y había Jehová Dios hecho nacer de la tierra todo árbol delicioso á la vista, y bueno para comer: también el árbol de vida en medio del huerto, y el árbol de ciencia del bien y del mal. –En el sudor de tu rostro comerás el pan hasta que vuelvas á la tierra; porque de ella fuiste tomado: pues polvo eres, y al polvo serás tornado. –Y sacólo Jehová del huerto de Edén, para que labrase la tierra de que fué tomado. –Y despúes parió á su hermano Abel. Y fué Abel pastor de ovejas, y Caín fué labrador de la tierra. –Y aconteció andando el tiempo, que Caín trajo del fruto de la tierra una ofrenda á Jehová. –Cuando labrares la tierra, no te volverá á dar su fuerza: errante y extranjero serás en la tierra. –Habita en la tierra que yo te diré». –Y sembró Isaac en aquella tierra, y halló aquel año ciento por uno: y bendíjole Jehová.

241

No nos referimos sólo a que en dicho suelo rústico es posible potenciar actividades de recreo y turismo y deporte y las instalaciones que aquellas conllevan (casas de madera, instalaciones posibles, etc.).

También es preciso considerar proyectos urbanísticos como por ejemplo transformaciones directas sobre suelo rural para construir viviendas de protección oficial, considerando el precio asequible del suelo cuando éste es no urbanizable, etc.

Además, en el marco de una idea de gestión territorial, cierta legislación urbanística autonómica (así, la Ley 4/2004 de la Comunidad Valenciana de Ordenación del Territorio y Protección del Paisaje) permite la reclasificación o transformación de suelo cuando los propietarios de este suelo transformado en rural protegido garantizan a la Administración *una cesión en su favor de un terreno en suelo no urbanizable de iguales dimensiones que la parte «reclasificada»*. Es interesante poner de manifiesto cómo surgen, de esta forma, expectativas de los propietarios de este tipo de suelo rural, más allá de las que les son permitidas por el «urbanismo tradicional», ya que dicho suelo entra en el mercado urbanístico e inmobiliario indirectamente. El suelo rural hace posible la reclasificación en otro lugar, hace posible la actividad empresarial en estas zonas. Se beneficia, por tanto, de esa transformación que él mismo está haciendo posible.

Lo positivo del sistema viene a ser la adquisición gratuita por la Administración, para su conservación o protección efectiva, de los terrenos rurales que otros compran para conseguir urbanizar en la zona reclasificada. Y, entonces, pasando el suelo rural a tener una condición pública, es ésta la mejor manera de que dicho suelo rural quede debidamente protegido. Se trata de prevenir la construcción en el suelo rural y la urbanización desorganizada que de facto terminan llevando a cabo los propietarios del suelo rural muchas veces, ante la presión empresarial y turística que no de forma infrecuente recae sobre este tipo de suelos especialmente atractivos por sus valores ambientales.

Se genera así una especie gestión urbanística en sentido amplio que, en parte, relativiza las fronteras conceptuales entre los tres tipos de suelo a efectos del mejor logro de los fines sociales. Estamos ante una gestión de carácter territorial.

Por otra parte, la legislación urbanística autonómica es cada vez más prolija a la hora de regular el suelo «no urbanizable» y cada vez más precisa presentando matizadas «calificaciones» posibles dentro de este tipo de suelo con un régimen jurídico adecuado (actividades permitidas, autorizables o prohibidas, en función de la calificación concreta dentro del suelo clasificado como «no urbanizable»).

Desde un punto de vista jurídico es necesario conocer, asimismo, la regulación de los usos que prevé la legislación estatal en dicho suelo. Sobre esto último, para su determinación tanto el derogado artículo 20.1 de la Ley 6/1998, de 13 de abril, de Régimen del Suelo y Valoraciones como la nueva Ley 8/2007, del Suelo, de 28 de mayo, se hacen eco de los usos tradicionales o *normales,* recogiendo igualmente la otra posibilidad, es decir, el régimen de autorización administrativa para «actuaciones específicas de interés público» siempre que no sea suelo rural con algún régimen especial de protección incompatible con su transformación.

Podría discutirse si las actividades turísticas, deportivas o de ocio podrían ser consideradas «usos normales». De momento, conforme a la explicación que dábamos anteriormente, la vía para la discusión en torno a estos usos es la que presenta el régimen de autorización autonómica partiendo de su consideración de *uso excepcional.*

Informo, pues, de este tipo de circunstancias, tendencias originales que, no obstante, conllevan riesgos.

2. RÉGIMEN JURÍDICO DE LOS PROYECTOS DE INTERÉS SUPRAMUNICIPAL: «EL URBANISMO AUTONÓMICO»

Así pues, recapitulando, por un lado, en el suelo rural se abren expectativas lucrativas vinculadas a actividades empresariales de interés público. Y, por otro lado, este nuevo urbanismo se vincula a nuevas facultades dirigistas que acumula la Administración autonómica, desplazando en parte a la Administración local.

Asistimos a una tendencia de progresiva acumulación de facultades urbanísticas por parte de las Comunidades Autónomas. Facilita esta tendencia, primera y fundamentalmente, la *«ordenación del territorio».* Se está manifestando un interesante aunque discutible fenómeno de expansión de la ordenación del territorio a costa del urbanismo. Cada vez de forma más frecuente, la clave de muchos regímenes urbanísticos se encuentra en las disposiciones de la legislación territorial. La Comunidad Autónoma, directamente, en el marco de los planes de ordenación del territorio vincula al planeamiento urbanístico local y desplaza sus contenidos.

En segundo lugar, junto a esta superposición de lo territorial-autonómico sobre lo urbanístico-local las legislaciones autonómicas (o incluso la estatal) prevén la aprobación de *planes ambientales* que vinculan igualmente a los planes urbanísticos. La propia legislación territorial puede llegar a prever estos instrumentos de planificación ambiental. Un ejemplo lo representa la Directriz de Protección del Suelo No Urbanizable de La Rioja de la Ley 5/2006, de 2 de mayo, de Ordenación del Territorio y Urbanismo de La Rioja, que viene a sustituir a los Planes Especiales de Protección del Medio Ambiente Natural previstos con el mismo fin en la Ley 10/1998, dc 2 dc julio, de *Ordenación del Territorio y Urbanismo* de La Rioja[6].

En tercer lugar este contexto, del nuevo urbanismo autonómico que desplaza lo local, pueden citarse (junto a las autorizaciones de interés público y la ordenación del territorio) los **Proyectos de interés supramunicipal.** Según el artículo 34.1 de la misma Ley de Ordenación Territorial y Urbanismo 5/2006 de La Rioja, «los Proyectos de Interés Supramunicipal tienen por objeto regular la implantación territorial de las infraestructuras, dotaciones e instalaciones de interés social o utilidad pública que se asienten sobre más de un término municipal o que, asentándose en un término municipal, su incidencia trascienda al mismo por su magnitud, importancia o especiales características».

Estos Proyectos de Interés Supramunicipal pueden desarrollarse en suelo *«no urbanizable o urbanizable no delimitado»* actualmente «rural» (artículo 34.3 de la Ley 5/2006 de La Rioja; y pueden verse también los artículos 35 y siguientes para las determinaciones, para el procedimiento de elaboración y aprobación y para sus efectos).

Sin salir de este posible ejemplo de la legislación de La Rioja, también deben mencionarse las «actuaciones de **interés regional**». El punto de partida es identificar las «Zonas de interés regional». Dichas zonas tienen por objeto delimitar ámbitos en los que se pretendan desarrollar actuaciones industriales, residenciales, terciarias, dotacionales o de implantación de infraestructuras que se consideren de interés o alcance regional (artículo 30.1 de la Ley de Ordenación Territorial y Urbanismo 5/2006 de La Rioja)[7].

---

6. Según el artículo 26 de la Ley 5/2006, «La Directriz de Protección del Suelo No Urbanizable de La Rioja tiene como objeto establecer las medidas necesarias, en el orden urbanístico y territorial, para asegurar la protección, conservación, catalogación y mejora de los espacios naturales, del paisaje y del medio físico rural».

7. La iniciativa en estos casos es sólo pública (artículo 32, donde se regula el procedimiento). En el artículo 33 se determina el alcance y efectos de la delimitación y declaración de zona de interés regional: las zonas de interés regional se delimitarán en terrenos clasificados como suelo *no urbanizable* o urbanizable. Excepcionalmente, y para conseguir una adecuada integración con los sistemas y redes existentes o previstos en el resto del suelo, podrán

Pero ha sido en Murcia donde las Actuaciones de Interés Regional (AIR) han proliferado más. Son varias las AIR proyectadas o en vías de realización efectiva. Un problema que se ha manifestado es el de la posible ubicación inadecuada de la AIR (así, cuando esta Actuación se pretende desarrollar en suelos agrícolas de especial productividad, porque, sin perjuicio de la bondad y acierto de la AIR, el suelo elegido puede no ser el idóneo, lógicamente). Este debate se plantea en la AIR llamada «Contentpolis». En otros proyectos de AIR se ha presentado el problema de la adquisición de suelo: no caben las subvenciones en la adquisición del suelo, porque serían una ayuda ilegal, además de que es complejo admitir una adquisición por encima del posible justiprecio legal. Pero éste puede ser insuficiente para compensar a los afectados.

Un ejemplo de estas Actuaciones de Interés Regional lo presenta el Decreto 57/2004, de 18 de julio, por el que se aprueban las Directrices y Plan de Ordenación Territorial del Litoral de la Región de Murcia. En este contexto se sitúa la Actuación de Interés Regional de Marina de Cope, declarada como tal Actuación de Interés Regional por Consejo de Gobierno mediante Acuerdo de 23 de julio de 2004, en relación con el convenio de colaboración entre la Comunidad Autónoma de la Región de Murcia, el Ayuntamiento de Águilas y el Ayuntamiento de Lorca, para la constitución de un consorcio destinado al impulso, desarrollo, gestión y ejecución de la actuación de interés regional.

En el citado acuerdo de 23 de julio de 2004 se justifica la declaración como Actuación de Interés Regional de la zona de Marina de Cope en atención al carácter eminentemente turístico del lugar, a los desequilibrios existentes, a las mayores oportunidades de desarrollo económico del litoral sur occidental y al déficit de accesibilidad que históricamente ha tenido el litoral sur occidental.

De esta manera se justifica la actuación o repercusión de la Comunidad Autónoma en el marco de la ordenación del territorio y de las Actuaciones Estratégicas que puede llevar a cabo dicha comunidad.

---

comprender también terrenos destinados a sistemas generales (artículo 30.3). Las determinaciones de la Zona de Interés Regional vincularán al planeamiento urbanístico del municipio o municipios afectados, que deberá adaptarse a sus previsiones en la primera modificación o revisión.

Según el artículo 33.3, «la delimitación y declaración de las zonas de interés regional implicará la declaración de la utilidad pública e interés social y la necesidad de la ocupación por el procedimiento de urgencia, a efectos de la expropiación forzosa de los terrenos a que afecte».

Lo interesante es que la declaración de la zona como de interés regional, de conformidad con las Directrices Territoriales, permite a la Comunidad Autónoma regular los usos (por ejemplo destinando un 25% como mínimo de los aprovechamientos a usos turísticos, reduciendo los aprovechamientos agrícolas) o impulsar las infraestructuras y los campos de golf, así como la protección de los valores ambientales y culturales. Igualmente, la Comunidad Autónoma entra en cuestiones de detalle, tales como la construcción de una desaladora y de infraestructuras en la zona.

Este «ejemplo murciano» pone además, de manifiesto, que la Diputación provincial (de hecho Murcia es una Comunidad uniprovincial) sería la entidad territorial idónea para llevar a cabo la ordenación del territorio. La provincia es un ámbito territorial apto. Y la Diputaciones provinciales podrían ser las protagonistas en este tipo de proyectos territoriales.

Siguiendo el ejemplo ahora de la Ley 15/2001, de 14 de diciembre, del Suelo y Ordenación Territorial de Extremadura, «la definición de un nivel de planificación supramunicipal está constituido, de un lado, por las Directrices de Ordenación Territorial y los Planes Territoriales, con la función de velar por una ordenación y organización racionales del territorio, y, de otro lado, por los *Proyectos de Interés Regional, instrumentos operativos viabilizadores de la ejecución de actuaciones dotadas de una evidente proyección física o funcional supramunicipal».* En Extremadura, por ejemplo, está arraigada una tendencia de vinculación de este tipo de proyectos a operaciones residenciales de viviendas de protección pública. La calificación como proyecto de interés regional permite la actuación sobre suelo no urbanizable (rural tras la LS 2007), con la consecuencia de que, de esta forma, estos proyectos serán realizables, considerando el precio asequible del suelo sobre el que se repercute, para su reclasificación y posible realización del proyecto residencial referido (sobre este sistema es muy ilustrativa la sentencia del TSJ de Extremadura de 20 de diciembre de 2002 [JUR 2003, 101895]).

Un ejemplo práctico de proyecto de interés supramunicipal que da lugar a una decidida actuación autonómica puede ser el previsto en el Decreto 170/1998, de 1 de octubre, sobre gestión de las infraestructuras de saneamiento de aguas residuales de la Comunidad de Madrid. Este Decreto desarrolla la Ley 17/1984, de 20 de diciembre, reguladora del abastecimiento y saneamiento de agua en la Comunidad de Madrid, en adelante Ley 17/1984. Según la Exposición de motivos de la Ley «la necesaria depuración de las aguas residuales tiene un interés supramunicipal por cuanto exige la superación de los límites del término municipal o produce evidentes repercusiones fuera de ellos y declara los servicios de depuración de interés para la Comunidad de Madrid».

Curioso es que este tipo de normativa se vea siempre en la necesidad de argumentar un dato sorprendente: la consideración de un proyecto como supramunicipal consigue potenciar las facultades de la Administración local[8].

Son de interés para la Comunidad de Madrid aquellas conducciones o colectores que, aunque sólo dan servicio a un municipio y no rebasan su ámbito territorial, son de titularidad de dicha Comunidad o de sus organismos o entidades públicas, en función de la incidencia que pueden tener en la planificación general del servicio de depuración.

Adicionalmente, la Ley preveía la actuación de la Comunidad de Madrid, en sustitución o a instancia de las Entidades Locales, dentro del ámbito de competencia municipal.

Los resultados obtenidos terminan justificando este nuevo urbanismo autonómico: «el desarrollo de las competencias propias de la Comunidad de Madrid, y de las asumidas a instancia municipal, a través del Plan Integral de Aguas en Madrid (PIAM), desde la entrada en vigor de la Ley 17/1984, ha permitido que un 84,5% de las cargas contaminantes generadas en su territorio cuenten ya con un tratamiento adecuado mediante un sistema de Estaciones Depuradoras de Aguas Residuales y los correspondientes sistemas de colectores y emisarios que transportan los efluentes municipales hasta aquéllas».

Otro ejemplo puede ser el previsto en la Ley de Cantabria 2/2004, de 27 de septiembre, del Plan de Ordenación del Litoral: «por todo lo anterior, el Gobierno de Cantabria en cumplimiento del mandato previsto en la Ley de Cantabria 2/2001, de 25 de junio, ha decidido acometer la elaboración del Plan de Ordenación del Litoral con la finalidad primordial de garantizar una protección efectiva e integral de la costa, pero junto a la citada protección y, dado el carácter coordinador de la materia de ordenación territorial, la presente Ley contempla una serie de disposiciones en ámbitos sectoriales de marcada incidencia supramunicipal esencialmente en las materias de política industrial y de política de vivienda sometida a algún régimen de protección pública».

El hecho de que una acción contenga un «proyecto de carácter supramunicipal» puede ser además motivo de subvención (Orden de Andalucía de 6 de marzo de 1998, por la que se desarrollan y convocan las ayudas públicas para Experiencias Mixtas de formación y empleo, incentivos para la creación y mantenimiento de puestos de trabajo en Centros Especiales de Empleo, apoyo al empleo en proyectos de interés social y programas de Unidades y Agentes de Promoción de Empleo, reguladas en el Decreto que se cita).

Finalmente, junto a la ordenación territorial y ambiental, y junto a los referidos PIR, otro cauce para la expansión del urbanismo autonómico lo propor-

8. Según el Decreto, «*la Ley reconoce y potencia el interés municipal* en los servicios de alcantarillado o recogida de aguas residuales hasta la correspondiente depuradora. Sin perjuicio de esta competencia municipal, precisa el citado Decreto, aquellas conducciones o emisarios que sirven a más de un municipio o que rebasan los límites de aquél del que proceden son de interés para la Comunidad de Madrid en virtud del carácter supramunicipal que las circunstancias citadas le confieren».

ciona la técnica de las autorizaciones de interés público, vinculadas (como es sabido) al suelo rural.

3. EL EJEMPLO DE LOS CAMPOS DE GOLF

Durante los últimos tiempos han proliferado proyectos de campos de golf, generalmente reclasificatorios añadiendo al golf un uso residencial. Pero también cabe discutir los campos de golf que se implantan directamente en el suelo rural, al margen por supuesto de complejo residencial alguno aunque también los hay con uso residencial en el marco de una autorización de interés público en SNV.

El presente tema de los campos de golf permite plantear reflexiones de interés en el contexto del debate de las expectativas urbanísticas del suelo rural. Estamos ante una actividad que, de realizarse en suelo rural, será dirigida por las Comunidades Autónomas, surgiendo así un ámbito especialmente propicio de influencia urbanística a favor de estas Administraciones. La técnica interventora será, en estos casos, la clásica autorización por motivos de interés público o comunitario. Además, es interesante la consecuencia última de este sistema: podrán llegar a justificarse en suelo rural, por el hecho de vincularse a campos de golf. Y no del todo distante es el ejemplo que presentan los puertos deportivos, los establecimientos comerciales...

De esta forma, la propia definición de significativos proyectos económicos pasa a dirigirse por las Comunidades Autónomas, ya que los nuevos procesos constructivos no necesariamente se vincularán a planes parciales de protagonismo local. Surge un urbanismo paralelo a éste, de corte regional o autonómico, es decir el urbanismo del suelo rural (en su caso residencial) vinculado a proyectos de interés público como pueden serlo los campos de golf. En el fondo es éste un fenómeno vinculado a aquel otro de la «ordenación del territorio en sentido urbanístico», protagonizado igualmente por las Comunidades Autónomas. Otras veces este tipo de instalaciones se ubican o realizan en suelo rural, terminan atrayendo construcciones a la zona donde aquéllas se emplazan; y la propia clasificación del suelo como rural puede terminar dando paso a otra, por consolidación u otros factores, de suelo urbanizable y ahora urbanizado.

Un límite a las nuevas facultades que en su favor se están atribuyendo las CCAA puede venir, en estos casos, de la mano de la legislación estatal y los informes sectoriales del Estado, en especial el de aguas.

Los campos de golf junto a zonas residenciales ha venido siendo un exponente urbanístico desarrollista de nuestro tiempo, al igual que en otro tiempo esta tendencia tuvo otros matices y condicionantes y contenidos. Se abre paso una tendencia según la cual los procesos residenciales han de permitirse cuando se proyecten en entornos con parámetros ambientales que aumenten el nivel de calidad de vida de los ciudadanos, en especial de los residentes.

En Comunidades como Canarias (Ley 6/2001 de 23 de julio, de Medidas Urgentes en Materia de Ordenación del Territorio y del Turismo) de la excepción se hizo la regla general: las urbanizaciones quedan prohibidas en el mismísimo «suelo urbanizable», *a no ser que se vinculen a elementos de calidad: campos de golf, puertos deportivos, instalaciones hoteleras de lujo, etc.*

Otras como Baleares (Ley 12/1988, de 17 de noviembre, parcialmente modificada por la Ley 6/1990) han venido justificando zonas residenciales u hoteleras en el suelo «no urbanizable» si éstas se vinculaban a campos de golf.

Todo ello, lógicamente, siempre que se cumplieran además ciertos requisitos establecidos en dicha legislación (examen de la posible colisión entre el campo de golf y otros valores de necesaria consideración).

En todo caso, los campos de golf representan una actividad (asociada a fines deportivos, de ocio y turísticos) ilustrativa para ejemplificar las potencialidades y cambios de orientación presentes en el suelo rural. Así, en la Comunidad Valenciana, en la Ley 9/2006, de 5 de diciembre, de Campos de Golf, al prohibirse el uso residencial, es lógico pensar que los campos de golf se desarrollen sobre suelo rural con una declaración de interés comunitario, al perder interés todo intento reclasificatorio desde el momento en que el proyecto no puede ya ser residencial.

Es preciso aclarar que los campos de golf en general pueden instalarse tanto en suelo *«urbanizable»* como en suelo rural. Podrá ocurrir que el campo de golf se realice con fines exclusivamente de explotación del campo y, por tanto, con finalidades deportivas, al margen de procesos residenciales. Si el campo de golf se planifica aisladamente con estos fines deportivos, el suelo rural puede ser un lugar propicio para ello. En estos casos hará falta autorización de la Comunidad Autónoma. Además, es posible que dicho campo de golf se planifique en zonas rurales pero no lejanas de otros lugares urbanizables que adquieren así un valor añadido.

Con todo, no siempre es fácil convencer de que, junto al campo de golf, puedan construirse siquiera apartamentos o instalaciones hoteleras en suelo rural si se entiende que este tipo de construcciones no representan propiamente un interés público (en este contexto STS de 5 de junio de 1995 [RJ 1995, 4937]). El concepto de «interés público», como base del sistema normativo para poder justificar el propio campo de golf en suelo rural, origina problemas jurídicos para su determinación en el caso concreto (STS de 25 de febrero de 1985 [RJ 1985, 2642]; etc.).

En este debate algún autor ha planteado si se puede jurídicamente instalar un campo de golf u otra instalación deportiva de interés social en suelo no urbanizable protegido (un ejemplo en proyecto puede ser el campo de golf en Llanos de Aridane, Isla de la Palma). Este supuesto exige un cuidadoso examen por parte de los poderes públicos. El punto de partida es que el campo de golf sirva para proteger más adecuadamente los espacios no nucleares o zonas periféricas de las zonas no urbanizables protegidas y se sitúe en sintonía ambiental con las propias zonas no transformables protegidas, evitando así el riesgo de un posible deterioro de las zonas no nucleares del área protegida (sobre esta problemática puede verse la STS de 27 octubre 1997 [RJ 1997, 7634]). Además, la ejecución del campo puede ser compleja, ante estos especiales condicionantes ambientales.

No obstante, lo ordinario (conforme al planteamiento común de la legislación urbanística autonómica o la estatal tradicional) ha venido siendo que el campo de golf con residencias anexas se haya realizado en suelo urbanizable. En estos casos el empresario urbanizador podrá comprar suelo rústico con la expectativa de su reclasificación. En estos casos, entonces, no se plantea el tema, en principio, de las «nuevas perspectivas empresariales de los propietarios originarios» del suelo rural, ya que dichos propietarios se habrán limitado a vender su suelo, mientras que el empresario habrá asumido el riesgo de la reclasificación que permita consumar la inversión del campo de golf con urbanización anexa, donde este tipo de proyectos se permita, pues cada vez más se excepcionan por la legislación autonómica que en parte abre facultades a las CCAA al mismo tiempo que las ordena y limita.

Es común y deseable que, de permitirse edificaciones vinculadas a campos de golf, primero se exija la construcción y terminación del campo de golf para que sólo después puedan empezarse las construcciones si es ésta la forma de garantizar que concluya con éxito la instalación deportiva, pues también cabe plantear que un aval justifique la inversión de la regla expuesta.

En este contexto podemos recordar el debate, más social y económico que propiamente jurídico, en torno a la implantación de los campos de golf y si éstos representan una actividad dañosa o no para el medio ambiente, el agua y el paisaje. O si, por el contrario, generan riqueza y puestos de trabajo[9]. No sino éstas son las «cuestiones medioambientales» que están subyacentes. Desde el punto de vista del agua el hecho de que los campos de golf utilicen aguas residuales facilita indudablemente la superación de las posibles reservas. Es significativo que un campo de golf pueda tener más agua precisamente en verano por el hecho de que en este momento es cuando hay más residentes y, por tanto, más aguas residuales. No obstante, no se descarta por el momento hacer uso de la desalinización del agua del mar o de otras fuentes.

Los criterios jurídicos admiten una valoración o interpretación en función del contexto social existente. Puede observarse y admitirse una cierta proporción entre lo agrícola y lo deportivo en el suelo rural que lleve a justificar campos de golf cuando es desproporcionadamente mayor el uso agrícola en una zona, sobre todo si no es dicho uso especialmente rentable y valorado por sus habitantes. Observar esto es misión de la Administración autonómica.

La legislación de las CCAA en materia deportiva cada vez más numerosa y sus correspondientes preámbulos son además puntos de referencia interesantes para justificar el interés público o social de los campos de golf o actividades similares.

En todo caso, el debate en torno a los campos de golf no parece exclusivamente «deportivo».

Tradicionalmente, en «suelo urbanizable» el campo de golf ha venido siendo una carga de urbanización de elevado coste (así, los movimientos de tierra) que se rentabilizará por la explotación del campo y por las plusvalías que aquél genera en la venta de las viviendas anexas. El litigio podrá producirse en la concreción del porcentaje de edificabilidad que pueda correspon-

---

9. Puede verse C. Espejo Marín, «Campos de golf y medio ambiente. Una interacción necesaria», *Cuadernos de Turismo*, nº 14, 2004, pp. 67 y ss.; G. Sanz-Magallón Rezusta/J. Serrano García, *Agua-ocio-deporte: una valoración socioeconómica y medioambiental,* Alicante, 2004. Los títulos de las siguientes noticias son ilustrativos de la polémica y de los argumentos a favor y en contra de los campos de golf: «El agua para el golf rinde 15 veces más que en la agricultura», *20 minutos Alicante,* 25 de noviembre de 2004; «Crean una plataforma autonómica contra las macrourbanizaciones y los campos de golf», *Información,* 7 de diciembre de 2004; «Planean 33 nuevos campos de golf en la provincia de Alicante», *Metro Alicante,* 25 de noviembre de 2004; «Málaga dispone del triple de campos de golf que Alicante», *Metro Alicante,* 9 de diciembre de 2004; «Del polígono industrial al campo de golf», *El País* (Comunidad Valenciana), 26 de septiembre de 2004; «Blasco prepara una Ley de promoción del golf que le da plenos poderes para autorizar urbanizaciones», *Levante-El mercantil valenciano,* 30 de enero de 2005.
Más recientemente J. Agudo González, *Urbanismo y gestión del agua,* Madrid, 2007.

derles (STS de 22 de diciembre de 1997 [RJ 1997, 9615]), ya que en principio la creación de un campo de golf puede ser una carga urbanística elevada, en especial los movimientos de tierra.

La explotación del campo de golf puede ser una actividad rentable al margen de la venta de las viviendas[10], aunque empiezan a generarse casos contrarios.

Si el proyecto se autoriza habrá que seguir la tramitación prevista en la legislación urbanística correspondiente para los proyectos o programas de urbanización donde se hará constar la instalación deportiva prevista (y cómo se resuelven los condicionantes hídricos, etc.), junto a los requisitos propios del programa.

Conviene también aclarar o precisar que los campos de golf pueden ser de titularidad privada, pero también de titularidad pública (incluso el Ministerio de Defensa gestiona varios campos de golf[11]). En el primer caso, los campos de golf podrán ser de uso público o de uso privado. En el segundo son siempre de uso público.

---

10. Desde el punto de vista técnico-urbanístico parece conveniente la existencia de criterios normativos lo más atinados y perfilados posibles. Parece razonable que, cuando se pretenda promover un campo de golf para construir además conjuntos residenciales o instalaciones hoteleras, puedan exigirse condiciones mínimas de extensión del campo de golf (es decir, un determinado número de hectáreas, por ejemplo 55 ó 60) y de hoyos (mínimo 18 por ejemplo, par 70), unas condiciones mínimas de los hoteles (cuatro o cinco estrellas y capacidades máximas, por ejemplo 300 ó 400 plazas, períodos de apertura: todo el año; 11 meses al año, etc.) o de las edificaciones (una planta, dos plantas, etc.) y condiciones máximas de las instalaciones complementarias directamente vinculadas al campo de golf (por ejemplo 1.500 ó 2.000 metros cuadrados). Estos condicionantes podrán variar en función de si el campo quiere instalarse en suelo urbanizable o en suelo no urbanizable. Parece razonable partir de este tipo de condicionamientos de carácter económico de cara a establecer una limitación (el número de los campos de golf no puede ser infinito). Muchos proyectos no se llevarán a la práctica atendiendo a este tipo de consideraciones (dimensiones mínimas, número de hoyos, etc.). Sólo si la inversión supera estos primeros condicionantes económicos fijados normativamente estaríamos en condiciones de iniciar el debate sobre la posibilidad de instalar un campo de golf en función de elementos ambientales, sociales, etc., los cuales verificará la Consejería competente (sin perjuicio de la intervención o informe de otras autoridades: agencias de turismo, Ayuntamientos, etc.) en el ejercicio de su potestad autorizatoria. La idea de sostenibilidad es clave en los campos de golf. Según esto, de lo que se trata es de imponer exigencias para la implantación (también por ejemplo, que la reclasificación sea posible sólo si el promotor se compromete a adquirir suelo, para la Administración, protegido, de igual superficie al reclasificado). Pero la sostenibilidad significa la permisibilidad de los proyectos de golf si superan estas múltiples exigencias.

11. D. BLANQUER CRIADO, *El golf. Mitos y razones sobre el uso de los recursos naturales,* Valencia, 2002, p. 185.

En aras, si se desea, de fomentar incluso la instalación de campos de golf puede plantearse igualmente la posibilidad de aplicar adecuadamente las técnicas de los derechos de superficie y los patrimonios públicos del suelo. En el caso del derecho de superficie hay dos derechos de propiedad (art. 350 del Código Civil) y, de hecho, el titular del derecho de superficie puede hipotecar su derecho (art. 107.5 de la Ley Hipotecaria).

4. CAMPOS DE GOLF Y SUELO DE PROTECCIÓN AGROPECUARIA

Si el suelo es rural agrícola protegido vienen planteándose complejos problemas para la determinación de la compatibilidad o no de proyectos empresariales, por ejemplo, un campo de golf. La Ley estatal 6/1998, de Régimen de Suelo y Valoraciones, al regular el suelo «no urbanizable» protegido en el primero de los dos apartados del artículo 9 no mencionaba los valores _agrícolas_. La LS 8/2007 (y por tanto el TRLS/2008) parecen seguir esta ratio de no considerarlo _ope legis_ como protegido aunque tiene una redacción más confusa (artículo 12.2.a).

Viene entendiéndose que para que el suelo no urbanizable pueda ser de protección agrícola o ganadera, dicho suelo ha de tener alguna característica productiva especial digna de protección[12]. Esta es la doctrina en la materia.

En un plano legislativo autonómico, por ejemplo, la Ley 10/2004, de 9 de diciembre, del Suelo No Urbanizable de la Comunidad Valenciana, distingue entre el suelo no urbanizable protegido y el suelo no urbanizable común, siguiendo el marco establecido en el derogado artículo 9 de la LRSV. El régimen ordinario del suelo agrario o ganadero viene siendo el de no urbanizable común. Interesante es que un suelo agrícola podrá ser no urbanizable protegido cuando presente valores considerados definitorios de un ambiente rural digno de singular tratamiento por su importancia social, paisajística, cultural o de productividad agrícola (art. 4.2). De lo contrario, dicho suelo será no urbanizable común.

Muy matizada es la regulación del suelo no urbanizable o rústico recogida en el Reglamento de Urbanismo de Castilla y León aprobado por Decreto 22/2004, de 29 de enero. En primer lugar el suelo rústico se divide en protegido y común, y, a su vez, dentro del protegido se establecen diversas categorías. Dentro de ellas, podemos referirnos al suelo rústico con protección agropecuaria (art. 34). Básicamente para poder considerar un suelo dentro de esta categoría, sus características agrícolas, ganaderas o forestales han de tener especial interés, calidad, tradición o singularidad. Pese al matizado régimen de categorías de

---

12. Así, en el PGOU de San Sebastián de los Reyes, el suelo no urbanizable de protección agrícola es tan sólo aquel que presente «alto valor productivo» (art. 4.4.1 _in fine_). Y similares exigencias se contemplan en los PGOU (por ejemplo los de Granada de 2001 o Málaga de julio de 1998 [art. 2.1.3 y art. 3.1.3 del primero, y art. 9.2.8 del segundo]).

suelo rústico, no hay ninguna por referencia clara o expresamente a los campos de golf, sin perjuicio de que el art. 57 deje más o menos abierto el régimen de autorización de los usos excepcionales siempre que no esté prohibido expresamente dicho uso (art. 62).

Como dice la STS de 29 de diciembre de 1998 (RJ 1998, 10122), «la clasificación del suelo como no urbanizable de especial protección, conforme al artículo 80.b) del Texto Refundido de 1976, se tiene que realizar en razón de su excepcional valor agrícola, forestal, ganadero, de las posibilidades de explotación de los recursos naturales (...); la falta de esas circunstancias determinarían la anulación de esa clasificación. La clasificación por el Plan de los terrenos como suelo urbano está en función, conforme acredita una abundante jurisprudencia, de que reúna los caracteres necesarios para ello; depende del hecho físico de la urbanización básica, quedando fuera de la esfera de la voluntad de la Administración». Lo importante son las razones objetivas que subyacen a la clasificación de un suelo y que son revisables por los tribunales; prima la realidad física del terreno.

Es evidente que los campos de golf en algún lugar tendrán que implantarse. Y, no existiendo una categoría especial que mencione los usos deportivos, dichos campos de golf se ubicarán (cuando sea dentro del suelo rural) dentro de alguno de los suelos rurales chocando de esta forma con valores generalmente agrícolas o ganaderos. Se cumpliría un requisito que difícilmente se observa en la práctica, es decir que la actividad haya de emplazarse en el medio rural, tal como exige la STS de 27 de enero de 1997 citando otra de fecha 22 de abril de 1992 (RJ 1992, 3837).

Al menos, el *quid* estará en examinar concienzudamente (en la evaluación de impacto ambiental o en la propia declaración o autorización de interés público o en todo intento de reclasificación o reclasificación) posibles condicionantes ambientales o de especial productividad que exijan la protección debida del suelo no urbanizable, a efectos de determinar si es posible o no un campo de golf en este tipo de suelo.

5. CAMPOS DE GOLF EN LA LEY 9/2006, DE 5 DE DICIEMBRE, DE LA COMUNIDAD VALENCIANA

A. Originalidad de una Ley reguladora de los campos de golf

Los campos de golf en la Comunidad Valenciana han sido objeto de regulación a través de la Ley 9/2006, de 5 de diciembre.

Esta Ley Reguladora de Campos de Golf en la Comunidad Valenciana se estructura en cinco títulos, seis disposiciones transitorias y dos disposiciones finales.

Estamos ante una Ley original desde el punto de vista jurídico comparado considerando que hasta la fecha lo normal ha venido siendo que los campos de golf sigan el marco regulador general de la legislación urbanística y territorial, sin perjuicio de las especialidades propias de este tipo de proyectos.

Esta Ley tiene indudablemente mayor entidad que aquellas normas especiales sobre campos de golf que se habían elaborado por otras Comunidades Autónomas como por ejemplo Baleares y Navarra.

Como se advertía, es indudable la originalidad de esta Ley, fruto de la cultura jurídica urbanística, aun cuando el legislador quiera dar un quiebro al urbanismo para acentuar las facetas ambientales y deportivas en torno a este fenómeno del golf.

Desde este punto de vista, clave es la idea de sostenibilidad, idea central de las distintas leyes y regulaciones reglamentarias de corte urbanístico y territorial de los últimos tiempos en la Comunidad Valenciana (Decreto 67/2006, de 19 de mayo, por el que se aprueba el Reglamento de Ordenación y gestión Territorial y Urbanística Valenciana, Ley 16/2005, de 30 de diciembre, Urbanística Valenciana, Ley de Ordenación del Territorio y Protección del Paisaje 4/2004, de 30 de junio). También en la Ley de campos de golf son característicos los gravámenes sobre los empresarios para conseguir la protección de fines ambientales y, en el fondo, al mismo tiempo para frenar el «número» de proyectos «urbanísticos» o empresariales, ya que, con más gravámenes (en especial las adquisiciones de suelo que se imponen a los promotores, como vamos a comprobar) más fácil será que una parte no desdeñable de proyectos queden finalmente sin presentar o tramitar, considerando que incluso empresarialmente no saldrán las cuentas para su tramitación.

La ley se relaciona además fácilmente con las nuevas tendencias de acaparamiento de facultades por parte de las Comunidades Autónomas, tendencia constatable en todo el territorio nacional no obstante. Las facultades administrativas que se plasman en la Ley 9/2006 son facultades esencialmente regionales, no locales.

Asimismo, el medio ambiente, el deporte y el turismo parecen estar situados ahora en lugar preferente frente al urbanismo. E incluso desde esta perspectiva, puede decirse que esta Ley 9/2006 conecta más con lo territorial que con lo urbanístico. Es una Ley en el fondo de corte territorial que ordena el espacio atendiendo a los valores no tanto urbanísticos como ambientales, turísticos, paisajísticos, etc., es decir valores que se relacionan con lo territorial y con lo autonómico y no tanto con la lógica urbanística y local. Asimismo, es ésta una tendencia general de nuestro ordenamiento jurídico. Lo urbanístico pasa a relacionarse con la «tramitación» del campo.

B. El golf como deporte. Desvinculación pretendida con lo urbanístico

Los planteamientos generales de la Ley valenciana se nos descubren en su Preámbulo. Desde el comienzo se nos quiere hacer ver que el golf es deporte y que el urbanismo ha de ir por otro camino distinto al de su típica tradicionalmente asociación a esta actividad deportiva:

> «El golf, como práctica deportiva, ha experimentado un importante proceso de crecimiento en los últimos años, convirtiéndose en uno de los deportes más practicados, tanto por los valencianos como por el gran número de visitantes que recibe la Comunitat Valenciana, ya que por sus especiales características se adapta perfectamente a cualquier edad y condición física, satisfaciendo las crecientes demandas de ocio y salud de las sociedades avanzadas (...)».

El título preliminar establece el objeto y ámbito de aplicación de la Ley y define el concepto de campo de golf así como los usos complementarios y usos compatibles.

El propio Preámbulo nos vuelve a recordar la desvinculación de estas actuaciones «con cualquier otra que tenga por objeto la promoción residencial, industrial o terciaria que deberán seguir los procedimientos y adecuarse a las exigencias establecidas en la legislación territorial, urbanística, medioambiental y sectorial que le sea de aplicación». Además, «por su propia naturaleza (...) que no respondan a las estrictamente contempladas *su implantación debe hacerse al margen de otras actuaciones de carácter residencial, industrial o terciario*».

Y acto seguido se vuelve a incidir en que el golf es deporte, no urbanismo, y a incidir también en la debida coherencia con el medio ambiente que se pretende.

Coherente con estos postulados en entonces la regulación de las modalidades de explotación de los campos de golf. Importa también destacar el artículo 6 de la Ley 9/2006 de Campos de Golf en la Comunidad Valenciana («Modalidades de explotación de los campos de golf») donde se recogen reglas consolidadas en la práctica. Se consideran modalidades de explotación de campos de golf las siguientes:

a) «Campo público» es aquel a cuyas instalaciones le está permitido el acceso libre a usuarios en general.

b) «Campo mixto» es aquel en el que se compatibiliza el libre acceso a las instalaciones a usuarios en general con la figura del usuario abonado.

c) «Campo privado» es aquel en el que se restringe el acceso libre a las instalaciones a usuarios en general.

C. Los márgenes edificatorios

La pregunta que muchos se harán, al comenzar la lectura de esta ley, relativa a si tras esta ley se permite algún margen edificatorio en torno a los campos de golf se resuelve en principio conociendo los llamados «**usos complementarios,** compatibles e incompatibles» definidos en el artículo 4 de la Ley.

Como vamos a comprobar, el proyecto de campo de golf va asociado ahora a alojamientos turísticos. Este tipo de proyecto pudo manifestarse en vigencia de la legislación anterior a la nueva Ley, por ejemplo en el contexto del suelo no urbanizable y la petición de una DIC (declaración de interés comunitario, es decir autorización de interés público). Ahora son obligados.

Con anterioridad a esta Ley los proyectos dominantes han sido los reclasificatorios de suelo, de no urbanizable común a urbanizable de uso residencial. La edificabilidad del sector era baja, a veces incluso bajísima en general, pero, al concentrarse ésta en la parte edificable, tampoco resultaba, precisamente, nada desdeñable al final dicha edificabilidad en la zona afectada.

Más bien, es sabido que los campos de golf han venido siendo un reclamo urbanístico, una excusa para la realización de proyectos residenciales. El legislador ha querido frenar esta tendencia. Corresponde, en efecto, al legislador valorar el mejor modelo. Pero tampoco es o era todo negativo en los proyectos residenciales, dado que se conseguía así un aumento de la calidad residencial, al asociarse las viviendas a zonas verdes, zonas cuya consecución, como es sabido, son todo un reto para las Administraciones Públicas.

Pero es una genuina función del legislador la de decidir si este modelo estaba agotado, si estaba llegando a ser incluso impertinente, si es o era momento de corregirlo. Este tipo de factores, de tipo coyuntural y político-dinámico son importantes en torno a este tema.

En efecto, visto así el problema, no le faltan razones al Legislador para llevar a cabo «un cambio» que para nada podrá impedir ser a su vez alterado, en algún momento futuro, si se llegara a corroborar la conveniencia de retornar de alguna forma a lo urbanístico y lo residencial. Estamos ante funciones genuinamente políticas, en el fondo, propias de un Legislador, quien ha de llevarnos a los mejores opciones del momento, ambientales, turísticas, urbanísticas, etc.

Y es importante entonces considerar que aún restan por tramitar muchos campos de golf con uso residencial anexo en la Comunidad Valenciana. Y que pudo haberse más que saturado este modelo, ante la invasión de campos de golf reclasificatorios y residenciales en territorio valenciano, muchos de los cuales habrán de tramitarse durante los próximos años.

Estos usos de posible o indirecto «margen edificatorio», como vamos a observar ocupan hasta un 8% de la superficie del campo de golf y nos definen los límites posibles de tipo constructivo dentro de un campo de golf en especial por lo que se refiere a la letra «b» que seguidamente se menciona.

Se consideran usos complementarios de los estrictamente dedicados a la práctica deportiva del golf los siguientes:

a)   Otras instalaciones deportivas que no superen *el 5 por 100 de la superficie destinada al campo de golf.*

b)   **Alojamientos turísticos** de los previstos en la legislación sectorial, cuya superficie no supere el *2 por 100 de la destinada al campo de golf.* Dentro de esa superficie se admitirán pequeñas instalaciones deportivo-recreativas.

c)   Instalaciones de ocio, esparcimiento, restauración y comercio de venta al por menor dedicados exclusivamente a la comercialización de artículos deportivos relacionados con la práctica del golf u otros deportes de los previstos en el apartado a) o aquellos puntos de venta que formen parte de alojamientos turísticos, pertenecientes a la modalidad de establecimientos hoteleros dedicados al servicio de los clientes siempre que no superen *el 1 por 100 de la superficie destinada al campo de golf.*

Se considerarán usos compatibles de los estrictamente dedicados a la práctica deportiva del golf, los usos de tipo asistencial, sanitario, cultural, de seguridad o administrativo, cualquiera que sea su titularidad, siempre que su superficie no supere el 1 por 100 de la superficie mínima destinada a campo de golf, de conformidad con lo previsto en el artículo 21 de la Ley.

Nuevamente se nos recuerda en este decisivo artículo 4 que «se consideran usos incompatibles, en el ámbito de las actuaciones que tengan por objeto la promoción de campos de golf, los usos residenciales, industriales, terciarios y cualesquiera otros que no sean los complementarios o compatibles, en los términos señalados en los artículos anteriores».

D.   El problema de los alojamientos turísticos

Viene existiendo una especial polémica en torno a los alojamientos turísticos en general y a los asociados con campos de golf en particular.

La legislación administrativa impone ciertas restricciones sobre las posibilidades de disposición de los promotores de este tipo de proyectos. Finalmente, termina manifestándose una auténtica e indeseada lucha entre dichos promotores y las Administraciones Públicas, que pueden originar procedimientos disciplinarios o sancionadores y otro sinfín de consecuencias posibles de orden jurídico.

En particular, los Ayuntamientos podrán oponerse a los intentos o pretensiones de división horizontal del promotor sobre los apartamentos turísticos que han sido construidos. El promotor, en cambio, podrá afirmar que se mantiene la explotación única de los apartamentos turísticos y que el uso no va a ser residencial, además de que lo único que cambia con la división horizontal es la titularidad dominical de los apartamentos en cuestión, manteniéndose el uso no residencial y la explotación única. En su apoyo surgirá «el principio de la autonomía de la voluntad» y el artículo 1255 del Código Civil a cuyo tenor «los contratantes pueden establecer los pactos, cláusulas y condiciones que tengan por conveniente, siempre que no sean contrarios a las leyes, a la moral, ni al orden público».

La legislación reguladora no parece pensar en este tipo de proyectos de especial envergadura cuando prohíbe la segregación en suelo no urbanizable o cuando impone restricciones a este tipo de facultades amparadas en principio en la normativa civilista o incluso registral.

Se ha dicho que «la realidad normalmente va por delante de la legalidad y cuando la legalidad se quiere adelantar a la realidad, la mayoría de las veces se convierte en un corsé que frena y distorsiona la actividad económica y que debe acabar siendo revisada, muchas veces mal y demasiado tarde» (J. BELLVEHÍ, *Condohotels y figuras afines, ¿conviene su regulación?* 15 de octubre de 2006 http://www.legallink.es/webcastellanoBLLv2/articulodelmes.htm).

Según la Disposición Adicional Segunda de la Ley 10/2004 del Suelo No Urbanizable de la Comunidad Valenciana se considera parcelación urbanística toda división o segregación de terrenos en dos o más lotes cuando tenga por finalidad obtener parcelas aptas para la edificación o, en su caso, crear los elementos infraestructurales requeridos para que la edificación tenga lugar. Asimismo expresa que son también supuestos de parcelación urbanística todos aquellos que con las mismas finalidades que las descritas en el apartado precedente en los que, sin división o segregación de la finca, se subdividan, enajenen o arrienden cuotas o porcentajes indivisos de ella para uso individualizado de varios titulares, mediante asociaciones o sociedades, divisiones horizontales, copropiedades, acciones o participaciones, que conlleven la modificación del uso rústico de la finca matriz de la que procedan, con el fin de eludir el cumplimiento de esta ley.

En el caso de la propiedad horizontal conviene también tener presente que el ordenamiento jurídico español prevé un régimen especial de comunidad de bienes, regulado en la Ley 49/1960, de 21 de julio, sobre Propiedad Horizontal[13]. La especialidad viene dada porque ya no nos hallamos en un reparto de cuotas indivisas sobre un bien inmueble, sino en un reparto de la propiedad entre zonas o partes privadas y otras comunes. Aquí ya no hablamos de comuneros sino de copropietarios.

El problema sería que determinadas interpretaciones sobre regulaciones urbanísticas pueden o podrían provocar que ciertas situaciones puedan llegar a situarse al margen de la Ley o en zonas donde la ambigüedad y la duda en la interpretación se preste a frenar la actividad empresarial y, en definitiva, la economía. Desde este punto de vista parece lógico argumentar que sólo cuando exista una mayor experiencia y se haya podido comprobar cómo los operadores turísticos han resuelto sus proyectos imaginativamente y conforme a Derecho cabría regular las barreras posibles.

Interesante puede ser la Resolución de 10 de diciembre de 2003 (RJ 2004, 5494) de la Dirección General de Registros y del Notariado.

> *«Sirven de base a los Fundamentos de Derecho de esta resolución tanto la legislación civil como la urbanística donde se imponen las típicas prohibiciones de parcelación* (artículos 396 del Código Civil; 5 y 24 de la Ley de Propiedad Horizontal; 259.3 del Texto Refundido de la Ley sobre Régimen del Suelo y Ordenación Urbana aprobado por Real Decreto Legislativo 1/1992, de 6 junio; 143 y 151 de la Ley

---

13. Véase A. FUENTES-LOJO LASTRES, *Ley de propiedad Horizontal*, 7ª edición, Madrid, 2007; J. ESCRUCH ESCRUCH/R. VERDERA SERVER, *Urbanizaciones y otros complejos inmobiliarios en la Ley de Propiedad Horizontal*, Pamplona, 2006.

9/2201, de 17 julio, del Suelo de la Comunidad de Madrid; 53 del Real Decreto 1093/1997, de 4 julio; la Sentencia del Tribunal Constitucional de 20 marzo 1997; y las Resoluciones de 18 julio de 1996, 16 junio y 10 noviembre 1999 y 16 enero de 2002)».

En el supuesto de hecho planteado se divide en régimen de propiedad horizontal «tumbada» una finca de 1.450 m cuadrados de extensión superficial, en la que existen dos edificaciones independientes, cuyas obras nuevas se habían declarado en los años 1970 y 1974 con unas superficies de 110 y 125 m cuadrados de ocupación de la parcela, respectivamente, y se forman otras tantas entidades sujetas a aquel régimen, constituida cada una por uno de tales edificios con asignación como anejo inseparable del uso y disfrute del espacio libre ajardinado que rodea la respectiva edificación, con una superficie de 760,98 m cuadrados el de la primera y 441,46 el de la segunda, y la correlativa obligación de sufragar los gastos de mantenimiento y limpieza de dichas zonas ajardinadas, dándoles un uso correcto atendiendo a su naturaleza.

Y ante tal situación enfrentan recurrente y registrador, como argumentos en defensa de sus respectivas posturas, negando la primera la necesidad de licencia de parcelación que exige la segunda en la calificación recurrida, la doctrina sentada por este Centro para supuestos distintos.

«Y así, acude el recurrente a la Resolución de 18 julio 1996 que, en doctrina reiterada posteriormente (vid. Resoluciones de 10 Nov. 1999 ó 16 enero 2002), se enfrentaba al supuesto de división horizontal de una sola edificación calificada o destinada hasta entonces a vivienda unifamiliar para, tras una serie de consideraciones sobre el alcance de las exigencias de la ordenación urbanística, llegar a la conclusión de que también es ajena a la misma la configuración jurídica que los ocupantes de una vivienda le den siempre que con ello no se altere el uso residencial asignado a la misma ni su estructura y aspecto exterior». No entraba, por tanto, en el problema que ahora se plantea, el de si la asignación de uso de parte del suelo a cada finca resultante de la división horizontal requería también de esa licencia, pero sí dejaba entrever una respuesta negativa al afirmar que conforme al artículo 396 del Código Civil, el suelo de un edificio constituido en régimen de propiedad horizontal tiene carácter común y en el caso debatido ello no aparece contradicho en el título.

El Registrador, por su parte, apoya su calificación en la doctrina de la Resolución de 26 junio 1999 (RJ 1999, 4748) y muchas posteriores de igual o similar contenido que declaraban sujeta a licencia o declaración de innecesariedad la parcelación urbanística –máxime en los casos en que es objeto de la misma suelo rústico donde generalmente el legislador la prohíbe– sin que obstase a ello el hecho de que no se practicase una auténtica división de finca, sino la venta de cuotas indivisas con la atribución del uso de porciones que se delimitaban con su superficie y linderos pues, según argumentaba, para que nos mantengamos dentro de los límites de la comunidad es preciso que las porciones atribuidas carezcan de autonomía que les permita ser consideradas como objetos jurídicos nuevos y absolutamente independientes entre sí, dado que si tienen tal autonomía nos hallaremos ante una verdadera división de terrenos, cualquiera que sea la denominación elegida por las partes o el mecanismo jurídico bajo el que se pretendan encubrir.

Según la resolución que estamos comentando *«tradicionalmente el legislador, tanto en la Ley del Suelo de 1956 como en la de 1976, ha sujetado a licencia las parcelaciones urbanísticas, aunque dejando impreciso qué hubiera de entenderse por tal, con referen-*

cias a la posibilidad de formar un núcleo de población en la forma que reglamentariamente se estableciera, tarea que, por cierto, los reglamentos no cumplieron y remitieron, a su vez, a los instrumentos de ordenación. El artículo 259.3 del texto refundido que aprobara el Real Decreto Legislativo 1/1992, de 26 junio, impuso a Notarios y Registradores de la Propiedad la obligación de exigir que se les acreditase la obtención de licencia o una declaración de innecesariedad para autorizar e inscribir escrituras de división de terrenos, sin referencia ya a que implicase una parcelación urbanística y con independencia de cuál fuera su clase. Esta norma es uno de los pocos preceptos de dicho cuerpo normativo que quedó a salvo de las grandes amputaciones que le infringió la Sentencia del Tribunal Constitucional de 20 marzo 1997 (RTC 1997, 61), que vino a delimitar las competencias normativas en materia de urbanismo.

Por ello, cuando se aprueban por Real Decreto 1093/1997, de 4 julio, las normas complementarias al Reglamento Hipotecario relativas a la inscripción de actos de naturaleza urbanística, si bien tienen el amparo legal que le daba el apartado 4º-6 de la disposición adicional décima de la Ley de reforma del Régimen Urbanístico y Valoraciones del Suelo de 25 julio 1990, lo cierto es que tienen que moverse con ambigüedad, haciendo continuas remisiones a la normativa urbanística que en cada caso sea aplicable, generalmente la autonómica dictada en el ejercicio de las competencias que reconocía aquella Sentencia tan próxima en el tiempo. Y así, como ha señalado este Centro, *la exigencia de licencia para inscribir divisiones de terrenos contenida en su artículo 53 no puede considerarse absoluta o genérica pues dependerá de la normativa sustantiva a que esté sujeto el acto de división.* No parece que una aplicación general e indiscriminada de esa norma para exigir en todo caso la licencia o la justificación de su falta de necesidad pueda ampararse en el citado artículo 259.3 del Texto Refundido de 1992, de una parte, porque aunque tal norma haya quedado incólume después de la Sentencia citada –ha de recordarse que nadie la cuestionó– de poco sirve la exigencia que impone si no es ella la llamada a resolver la cuestión de fondo, si es exigible o no la licencia, ni parece admisible que a efectos registrales se exija acreditar que no existe una limitación cuando la ley aplicable, que el registrador ha de conocer y aplicar al calificar, no la establece; y por otro, la propia legalidad de esa norma ha de ponerse en cuarentena pues, aunque no sea ésta la sede para pronunciarse sobre el particular, no puede desconocerse que aparece introducida *ex novo* en un texto elaborado por el Gobierno refundiendo leyes preexistentes en las que no aparecía recogida –a diferencia, por ejemplo, de la contenida en su artículo 37.2 respecto de la licencia de obras que incorporaba el contenido del artículo 25.2 de la Ley de Reforma de 25 julio 1990– y esa creación normativa parece exceder de las facultades de regularizar, aclarar y armonizar que el legislador le había delegado. Todo ello al margen de que fuera declarada vigente por la disposición derogatoria única de la Ley 6/1998 sobre el Régimen del Suelo y Valoraciones de 13 abril 1998.

Si, por tanto, hemos de acudir a la normativa sustantiva que resulte aplicable habremos de estar (según esta resolución que estamos invocando) a la Ley 9/2001, de 17 julio, del Suelo de la Comunidad de Madrid, en la que se incluye un elenco de actos sujetos a licencia, que aparecen enumerados en su artículo 151, entre los que el único que pudiera tener relación con el supuesto planteado es el 1º-a): "las parcelaciones, segregaciones o cualesquiera otros actos de división de fincas o predios en cualquier clase de suelo, no incluidos en proyectos de reparcelación". Si los conceptos de segregación y división están acuñados en el derecho privado y tiene evidente solera en la legislación hipotecaria, *el de parcelación es más propio de la legislación urbanística al punto de que la misma Ley se ocupa de definirla en sus artículos 143 y siguientes en relación con las distintas clases de suelo.*

Pues bien, el concepto genérico se contiene en el primero de tales preceptos cuando nos dice que "tienen la consideración de actos de parcelación, con independencia de su finalidad concreta y de la clase de suelo, cualesquiera que supongan la modificación de la forma, superficie o lindes de una o varias fincas".

Habrá que decidir si encaja en dicho concepto la división horizontal, al menos tal como se estructura la del supuesto de hecho planteado.

A juicio de esta resolución, el régimen de propiedad horizontal que se configura en el artículo 396 del Código Civil parte de la comunidad de los propietarios sobre el suelo como primero de los elementos esenciales para que el propio régimen exista, mantenido la unidad jurídica y funcional de la finca total sobre la que se asienta. Se rige por la Ley especial que si bien su artículo 2º declara de aplicación no sólo a las comunidades formalmente constituidas conforme a su artículo 5.o, o a las que reúnan los requisitos del artículo 396 CC pese a la carencia de un título formal de constitución, sino también, a los complejos inmobiliarios privados en los términos establecidos en la propia Ley, no significa que tales complejos inmobiliarios sean un supuesto de propiedad horizontal.

El artículo 24, que integra el nuevo Capítulo III de la Ley especial, extiende la aplicación del régimen, que no la naturaleza, a los complejos inmobiliarios que reúnan, entre otros, el requisito de estar integrados por dos o más edificaciones o parcelas independientes entre sí y cuyo destino principal sea vivienda o locales. Y la única especialidad es que sus titulares participen, como derecho objetivamente vinculado a la respectiva finca independiente, en una copropiedad indivisible sobre otros elementos inmobiliarios, sean viales, instalaciones o tan sólo servicios. Es decir, que lo común son esos elementos accesorios, no la finca a la que se vincula la cuota o participación en ellos que han de ser fincas independientes.

Por eso, bajo el calificativo de "tumbada" que se aplica a la propiedad horizontal suelen cobijarse situaciones que responden a ambos tipos, el de complejo inmobiliario con parcelas o edificaciones jurídica y físicamente independientes pero que participan en otros elementos en comunidad, o bien auténticas propiedades horizontales en que el suelo es elemento común y a las que se adjetivan como tumbadas tan sólo en razón de la distribución de los elementos que la integran que no se superponen en planos horizontales sino que se sitúan en el mismo plano horizontal.

La formación de las fincas que pasan a ser elementos privativos en un complejo inmobiliario en cuanto crean nuevos espacios del suelo objeto de propiedad totalmente separada a las que se vincula en comunidad *ob rem* otros elementos, que pueden ser también porciones de suelo como otras parcelas o viales, evidentemente ha de equipararse a una parcelación a los efectos de exigir para su inscripción la correspondiente licencia si la normativa sustantiva aplicable exige tal requisito.

Por el contrario, *la propiedad horizontal propiamente tal, aunque sea tumbada, desde el momento en que mantiene la unidad jurídica de la finca —o derecho de vuelo— que le sirve de soporte no puede equipararse al supuesto anterior pues no hay división o fraccionamiento jurídico del terreno al que pueda calificarse como parcelación pues no hay alteración de forma –la que se produzca será fruto de la edificación necesariamente amparada en una licencia o con prescripción de las infracciones urbanísticas cometidas–, superficie o linderos.* La asignación del uso singular o privativo de determinados elementos comunes o porciones de los mismos, tan frecuentes en el caso de azoteas o patios como en el de zonas del solar no ocupadas por la construcción, no altera esa unidad. Sería lo mismo que exigir licencia para la división horizontal en los frecuentes supuestos de edificaciones integradas por varias viviendas adosadas, construidas con una licencia que así lo autoriza sobre un solar indivisible según la misma ordenación. No puede ésta limitar el derecho del constructor o promotor a explotar o comercializar una construcción perfectamente legal e integrada por distintas unidades explotables o enajenables de forma independiente acudiendo a su división en régimen de propiedad horizontal.

En consecuencia, la Dirección General acuerda estimar el recurso revocando la calificación objeto del mismo».

E. Otros temas

Otro de los temas de los campos de golf es que éstos deben constituir ejemplo del uso racional de energía y recursos naturales.

El Preámbulo de la Ley 9/2006 de Campos de Golf de la Comunidad Valenciana nos dice que «para ello, la Ley prima la utilización de fuentes de energía renovables y dedica una atención especial al uso sostenible de los recursos hídricos, exigiendo la disponibilidad de los mismos en las condiciones adecuadas para su uso, dando prioridad a la utilización de agua depurada en terciario para el riego, sin que en ningún caso puedan detraerse caudales del uso agrícola que no hubieren sido liberados de dicho uso, de acuerdo con los procedimientos y garantías establecidos por la legislación vigente».

En el contexto de la Ley 9/2006, reguladora de los Campos de Golf en la Comunidad Valenciana, a pesar de la pretendida desvinculación con el urbanismo, esta ley no puede menos que dedicar un espacio para la regulación del «régimen urbanístico» de los campos de golf (capítulo I del Título I, artículos 7 y ss.). Se nos dice en el artículo 7.1 que los campos de golf podrán implantarse **en cualquier clase de suelo** siempre que lo permitan las determinaciones de los planes urbanísticos, territoriales, sectoriales o medioambientales que les sean de aplicación, así como las condiciones reguladas en la presente Ley.

Interesante es que «se localizarán en aquellas zonas que presenten una mejor aptitud del terreno de conformidad con el artículo 14 de la Ley, siendo preferente la ubicación en aquellas **zonas de elevada degradación del territorio** donde la implantación del campo de golf contribuya notoriamente a mejorar los valores naturales y paisajísticos de la zona».

No será exigible la distancia mínima establecida por el apartado a del artículo 27.2 de la Ley 10/2004, de 9 de diciembre, de la Generalitat Valenciana, del Suelo No Urbanizable, a las instalaciones correspondientes a los usos complementarios o compatibles vinculados a un campo de golf, ni tampoco los parámetros contenidos en el artículo 27.3 de la citada Ley.

En el artículo 8 de la Ley 9/2006 de Campos de Golf de la Comunidad Valenciana se nos confirma que ha de efectuarse «Evaluación de impacto ambiental».

Esta regulación conecta con el artículo 12 de la misma ley, que establece en cuanto a la ejecución de campos de los golf de titularidad privada:

«La ejecución de campos de los golf de titularidad privada se efectuará conforme a las siguientes determinaciones:

"1. En suelo clasificado como no urbanizable se tramitará mediante el otorgamiento de la preceptiva declaración de interés comunitario.

2. No obstante lo dispuesto en el apartado anterior, el suelo necesario para la ejecución de la actuación podrá ser vinculado a uno o más sectores de suelo urbanizable en los planes que los prevean. En este sentido, se diferencian:

a) Si la implantación del campo de golf y sus instalaciones complementarias y compatibles, en su caso, ocupan suelos clasificados como urbanizables, la vinculación se materializará mediante la inclusión en una misma área de reparto.

b) Si ocupa suelos clasificados como no urbanizables, seguirá el mismo tratamiento que los parques públicos naturales, conforme a lo previsto en el apartado 5 del artículo 58 de la Ley 16/2005, de 30 de diciembre, de la Generalitat, Urbanística Valenciana, integrándose en el área de reparto resultante con los correspondientes coeficientes de ponderación de valor. Deberán ser vinculados a tales sectores cuando sean colindantes o su distancia permita un disfrute privilegiado por parte de los mismos"».

El alcance de todas estas regulaciones aún está por ver. También si toda esta regulación no va a provocar una disociación indeseable en dos proyectos (dos PAIs, por decirlo popularmente), uno para el campo de golf y otro para el proyecto residencial que compense las cargas del primero. Pero es sabido que en la Comunidad Valenciana las adjudicaciones han de hacerse por concurso a favor de la mejor oferta y ésta será generalmente aquella que acuda a la fase de adjudicación sin el lastre de tener que economizar la carga que se ha impuesto al promotor en el proyecto de campo de golf, si es que así se presentaran los hechos.

En el artículo 13 se regulan las «condiciones de las edificaciones».

1. A las instalaciones complementarias y compatibles con los campos de golf les serán de aplicación las condiciones de ocupación y edificabilidad establecidas en el planeamiento vigente, siempre que tales condiciones se encuentren

desarrolladas pormenorizadamente y no superen los parámetros previstos en los apartados siguientes.

2. En aquellos casos en que no exista planeamiento aplicable o, existiendo el mismo, no incluya la ordenación pormenorizada de las condiciones de ocupación y edificabilidad de las citadas instalaciones, se aplicarán los siguientes parámetros:

a) La edificabilidad máxima de las construcciones vinculadas al campo de golf, de conformidad con el artículo 2 de la presente Ley, no podrán superar los 1.000 metros cuadrados construidos cada 9 hoyos, sin exceder en ningún caso de 2.000 metros cuadrados construidos.

b) El coeficiente de ocupación máximo de las instalaciones destinadas a los usos complementarios previstos en los apartados a), b) y c) del artículo 4 de la presente Ley no podrá exceder del 70 por 100, 50 por 100 y 60 por 100, respectivamente. Además, los espacios cubiertos del apartado a no podrán superar el 4 por 100 de los terrenos destinados a dicho uso.

c) El coeficiente de ocupación máximo de los terrenos destinados a los usos compatibles previstos en el artículo 5 de la presente Ley no podrá exceder en ningún caso del 50 por 100 de la superficie destinada a dicho uso.

d) Las edificaciones dispondrán como máximo de dos plantas y una altura de cornisa que se medirá desde el terreno natural de 10 metros, excepto en los siguientes:

– Los edificios destinados a uso hotelero de cuatro y cinco estrellas podrán tener tres plantas y una altura de cornisa de 15 metros, disminuyendo el coeficiente de ocupación del apartado c) del presente artículo en un 15 por 100.

– Las instalaciones de los usos complementarios del apartado c del artículo 4 que tendrán una sola planta y una altura máxima de cornisa de 5 metros.

e) Las parcelas de las edificaciones que lindan con el campo de golf deberán encontrarse al menos a 60 metros del eje de la calle de juego más próximo, añadiéndose 6 metros más hasta la fachada de la edificación, e incrementando 6 metros por cada planta de la edificación.

3. El cálculo de la ocupación y edificabilidad en planta, en lo que a este artículo se refiere, así como para la superficie de los usos complementarios y compatibles, se obtendrá a partir de la superficie mínima de tamaño del campo de golf que establece el artículo 21 de la presente Ley.

F. Cargas y cesiones, reflejo claro de la idea de sostenibilidad

En el artículo 3 de la Ley 9/2006, de Campos de Golf en la Comunidad Valenciana, se regulan los «terrenos asociados a acciones ambientales o paisajísticas vinculados al campo de golf»:

1. Se consideran terrenos asociados a un campo de golf aquellos que deban ser objeto de acciones de conservación, restauración o mejora de la calidad medioambiental o paisajística a cargo del promotor del mismo.

2. Estos terrenos podrán no ser contiguos al campo de golf o a los usos complementarios o compatibles y deberán ser objeto de cesión gratuita a la Administración con una superficie igual a la cuarta parte del campo de golf.

3. Deberán responder a alguna de las siguientes características de idoneidad, jerarquizadas por el siguiente orden de preferencia:

a) Los suelos de canteras o extracciones fuera de actividad.

b) Los suelos ocupados por vertederos clausurados.

c) Los suelos forestales incendiados.

d) Los suelos contaminados.

e) Los suelos con edificaciones o instalaciones fuera de uso que constituyen un impacto visual o ambiental.

Otra consecuencia de esta Ley, en este contexto, es la cesión suelo protegido vinculado a los usos complementarios y compatibles (artículo 5): «la promoción de usos complementarios y compatibles supone la cesión de suelo protegido prevista por el apartado 6 del artículo 13 de la Ley 4/2004, de 30 de junio, de la Generalitat, de Ordenación del Territorio y Protección del Paisaje, con una superficie igual a la ocupada por dichos usos, siéndoles de aplicación cuanto se prevé en el mismo y su desarrollo reglamentario».

G. El régimen transitorio y sus posibles peculiares consecuencias

En efecto, otro dato importante es que «el régimen transitorio previsto permite *que los planes sometidos al trámite de información pública por los ayuntamientos puedan seguir su tramitación,* pero en cualquier caso deberán adaptarse a las exigencias de carácter ambiental y paisajístico previstas por la Ley».

En virtud de este criterio normativo, seguramente consciente de la realidad existente, y tal como antes advertía, restan numerosos proyectos de golf de tipo residencial por tramitar.

Es singular que, en realidad, esta Ley 9/2006 no va a ser la Ley que se aplique en mucho tiempo, con carácter prioritario o más frecuente, en la Comunidad Valenciana. El modelo va a seguir siendo el propuesto por una infinidad de planes parciales reclasificatorios o no donde se asocia lo residencial a lo deportivo. Generalmente se seguirá aplicando legislación anterior a ésta que acabamos de comentar.

El fenómeno recuerda, en lo malo (pues lo positivo ya lo hemos destacado *supra*), a las famosas moratorias que se proclaman en otras Regiones de España, en el sentido de que, las nuevas leyes donde se anuncian dichas moratorias parecen siempre ir acompañadas de una multitud de proyectos en trámite tras la aprobación de la ley en cuestión. Es decir, pese a esta Ley 9/2006, tenemos golf residencial para rato durante los próximos años.

El proyecto tipo seguirá siendo éste durante tiempo, de «golf residencial». Las moratorias parece ser que vienen generalmente asociadas a un fenómeno de acumulación de proyectos de signo contrario al de unas nuevas leyes que no terminan de mostrar sus efectos.

El fenómeno no puede ser más peculiar. La Ley que hemos tratado de comentar en sus grandes líneas lleva consigo un alto grado de inaplicación, porque lo que va a aplicarse generalmente es la legislación precedente por lo que respecta a la mayor parte de proyectos de golf presentados antes de su publicación.

Por otra parte, en torno al tema de los campos de golf, vuelvo a insistir en su conexión con el dirigismo político y económico que corresponde genuinamente a una Comunidad Autónoma. Habrá, por esencia, un número limitado de campos de golf en la Comunidad Valenciana. Y hay aún decenas de campos de golf por tramitar. ¿Cuántos son posibles una vez se tramiten éstos? Desde luego, la cuestión numérica no es baladí. Y es una función genuina de la Administración regional la de determinar cuántos campos son posibles y si son muchos o pocos los campos de golf en nuestra Comunidad.

Es decir, junto al tema jurídico está el tema político, de la conveniencia o inconveniencia de «x» campos de golf en esta Comunidad. El tema recuerda a aquel otro, igualmente ligado intrínsecamente a las facultades «políticas» propias de una Comunidad Autónoma, como es el de las declaraciones de interés comunitario o autorizaciones de interés social o público. No existe un derecho subjetivo, propiamente en todos estos casos. A diferencia de una licencia de obras municipal, que debe otorgarse si el particular cumple los presupuestos normativos, más bien en este otro tipo de proyectos de aprobación autonómica, hay un margen político de definición del modelo económico general valenciano que lleva a legitimar un margen de apreciación administrativa en el sentido de definir los proyectos convenientes, desde el punto de vista económico, turístico y ambiental, en la Comunidad.

Y, desde luego, tras la avalancha de proyectos de golf existente (en aplicación de la legislación anterior) no sabemos realmente si quedará margen para proyectos de golf tramitables en virtud de la nueva Ley 9/2006. Habrá que verlo en su momento, y aunque desde luego haya margen, lo que no sabemos realmente es si dicha ley se habrá desvirtuado en cierta medida, ante la primacía o consagración en el fondo de los otros proyectos en el mapa regional.

Por otra parte, todo esto conecta con otro fenómeno preocupante de nuestro tiempo, el de las desclasificaciones de suelos, siempre posibles, pero que pueden ser especialmente características en torno a los campos de golf. En especial ante cambios políticos de una determinada Corporación local también podrán ser característicos durante los próximos años intentos de desclasificación de suelo, es decir intentos de derogar proyectos de golf que estaban aprobados o en vías de aprobación o incluso ejecución, por parte de una Corporación local anterior. Desde luego este tipo de medidas han de adoptarse con responsabilidad y conocimiento de Derecho, por parte de las Administraciones locales, si no quieren llevar a su propio Consistorio a problemas (en su caso) de indemnizaciones por desclasificación. Pero éste es otro tema que se aborda en otra parte de este trabajo.

6. EL DECRETO 43/2008, DE 12 DE FEBRERO, REGULADOR DE LAS CONDICIONES DE IMPLANTACIÓN Y FUNCIONAMIENTO DE CAMPOS DE GOLF EN ANDALUCÍA (BOJA DE 27 DE FEBRERO DE 2008)

Otra Comunidad Autónoma marcada por la impronta del turismo y del urbanismo se suma a la tendencia de regulación de los campos de golf.

El citado decreto empieza reconociendo en su Preámbulo que la práctica del golf se ha convertido en la Comunidad Autónoma de Andalucía en un fenómeno pluridimensional que excede de lo meramente deportivo, por lo que se hace preciso dotarla de un régimen jurídico adecuado a su importancia y a sus diversas implicaciones deportivas, turísticas, territoriales y medioambientales.

Junto a la deportiva, es destacable la dimensión turística, que en la Comunidad Autónoma adquiere una relevancia indudable en un sector económico considerado estratégico por el Estatuto de Autonomía para Andalucía (...).

No obstante, el presente Decreto no sólo responde a la importancia deportiva, turística o económica del fenómeno, sino que también atiende a sus dimensiones medioambientales o urbanísticas que se proponen encauzar de forma positiva, compatibilizando la promoción del golf como nuevo eje de desarrollo deportivo y turístico con la preservación del patrimonio natural, la reducción de impactos territoriales o medioambientales y, cuando lo posibiliten los ámbitos de implantación, con la mejora y regeneración de los entornos naturales.

Así pues, se pretende fomentar la mejora y el respeto al medio natural, la restauración y protección del paisaje, el uso de suelos o zonas degradadas, la utilización de sistemas de gestión medioambiental eficaces, el uso de energías renovables y la minimización de la contaminación y de las emisiones, compaginándose todo ello con un escrupuloso respeto a las normas y principios de protección del suelo, de ordenación territorial y urbanística y de la salud pública.

En este sentido, resulta especialmente destacable la figura de los campos de golf de Interés Turístico de nueva creación, como instrumento que permite, desde los principios del desarrollo sostenible, integrar la oferta alojativa de calidad y la amplia dotación de equipamientos deportivos, de modo que se mejore y consolide la posición de la Comunidad Autónoma en la demanda de golf, posibilitando la recualificación de los destinos maduros y cualificando la oferta en los destinos de interior.

El Decreto se estructura en cinco Capítulos, una disposición adicional, tres transitorias, una derogatoria y dos finales.

El Capítulo I se dedica a las disposiciones generales, conteniendo la definición de lo que deba considerarse campo de golf y sus instalaciones complementarias, determinándose sus dimensiones mínimas y los principios de acceso público y unidad registral.

El Capítulo II regula las condiciones y requisitos generales de implantación territorial, determinándose la aptitud de los terrenos de implantación teniendo en consideración no sólo las condiciones de los terrenos, sino también la suficiencia de los recursos hídricos, la garantía de accesibilidad a las redes generales de infraestructuras y servicios generales y el mantenimiento y mejora de las condiciones ambientales del entorno natural.

En el Capítulo III se contienen las condiciones urbanísticas de implantación, bajo la exigencia de la previsión en el Plan General de Ordenación Urbanística y de que se trate de una actuación aislada que no induzca a la formación de nuevos asentamientos, en el caso de que se implante en suelo no urbanizable y asegurando, en el caso de que la implantación del campo se realice en suelos urbanos o urbanizables, la unicidad e independencia del correspondiente sector respecto de los residenciales. Asimismo, este Capítulo contiene la regulación de las condiciones de ordenación con la finalidad principal de garantizar que la actividad pueda ejercitarse en condiciones de autonomía y calidad. Por último, el Capítulo recoge las normas de gestión relativas a las actuaciones necesarias para la implantación de los campos de golf.

Bajo la filosofía de respeto del entorno, el Capítulo IV contiene las normas técnicas que deben seguirse en el diseño de los campos de golf y sus construcciones e instalaciones complementarias. Siguiendo los principios de minimización de los impactos y máxima eficiencia en la utilización de los recursos, se incorporan la normas relativas al tratamiento de los terrenos, a la vegetación y la fauna, al ciclo del agua, al diseño de las instalaciones complementarias, a los sistemas de explotación y a la eficiencia energética y tratamiento de residuos.

Por último, el Capítulo V se dedica a la nueva figura, ya referida, de los campos de golf de Interés Turístico, regulando su concepto como instalaciones de especial relevancia turística y deportiva, e incorporando los requisitos y elementos suplementarios que deben reunir las instalaciones que opten a ser declaradas, los efectos de tal declaración y el procedimiento de tramitación para la obtención de la misma.

7. OTRO EJEMPLO DE PROYECTO EN SUELO NO URBANIZABLE: EL «PARKHOME» O «COMPLEJO TURÍSTICO»

Se trata seguidamente de profundizar en las opciones que abre el Derecho para implantar complejos turísticos (pero constructivos) en suelo rural.

Es preciso poner de manifiesto, primeramente, que lo ordinario (por referencia al suelo rural) viene a ser que la implantación de las casas prefabricadas (o no prefabricadas) en suelo rural siga las reglas urbanísticas de respeto de la parcela mínima, de la autorización autonómica, y los requisitos de ausencia de formación de núcleo de población y prohibición de parcelación, que establece la legislación urbanística estatal o autonómica.

Aunque esta posibilidad no debe descartarse nos queremos referir, más bien, a otro tipo de proyecto vinculado a la realización de complejos turísticos en los suelos referidos.

Hemos de dejar al margen, pues, los usos residenciales, para abrir las puertas a otras opciones diferentes. Habrá que estudiar proyectos no tanto «urbanísticos» como «turísticos».

Habría tres acepciones de complejo turístico o «Parkhome». *En sentido amplio,* puede entenderse por tal un proyecto turístico en general tanto si el suelo donde se implantan las instalaciones lo ostenta en propiedad el promotor, como si éste ostenta la simple posesión en régimen de alquiler. *En un sentido estricto,* cabría hablar de «complejo turístico» vinculado a la idea de alquiler del suelo. Otra posibilidad sería entender que el titular del terreno (bien como propietario o como inquilino) permite la instalación de propiedad de un tercero.

En gran medida, las Comunidades Autónomas han desarrollado las técnicas jurídico-urbanísticas previstas tradicionalmente en la legislación estatal y las han adaptado a las nuevas necesidades de la sociedad del ocio y bienestar.

Se van, así, generando prácticas urbanísticas aceptadas por las distintas Administraciones, locales y autonómicas, cada vez más firmes. Es más, existe, actualmente, seguridad jurídica en cuanto a la viabilidad de este tipo de proyectos de complejo turístico.

Es posible un proyecto «turístico-urbanístico» en suelo rural según el cual se reúnen varias instalaciones (prefabricadas o no) dotando de determinados servicios a la zona donde se promuevan. En principio, las casas o el propio suelo mantendrán un uso turístico, en todo caso un régimen de alquiler. En su sentido más propio, es decir en suelo rural, se realizará un complejo edificatorio único (de licencia, igualmente única, para todo complejo turístico) y sin parcelaciones (inapropiadas en suelo rural) y evitando las características cesiones del suelo objeto de transformación.

Ciertas concomitancias existen entre el proyecto del complejo turístico *Parkhome de alquiler* y el proyecto de la energía eólica. También el carácter desmontable y provisional de las instalaciones sirve de apoyo y justificación al proyecto eólico. Se evitaría, así, la agresividad con el medio; y además representa un elemento de desarrollo rural para las zonas rústicas necesitadas.

Una clave de este tipo de complejos turísticos está en el hecho de que la ocupación del suelo rural, por parte de las viviendas o casas que quieran implantarse, ha de limitarse *a una parte del sector* donde se pretende desarrollar la actividad. Existe, pues, un máximo de superficie ocupable. Todo ello en virtud de ciertas legislaciones autonómicas (Castilla-La Mancha, Murcia, Andalucía) de referencia.

Se evitan las cesiones y demás requisitos del suelo urbanizable y no existe, propiamente, ni segregación ni parcelación en la zona donde se implantan las casas.

El complejo tiene carácter unitario y, de hecho, la licencia es única para todas las edificaciones. El uso turístico es la vía para conseguir la realización del proyecto.

La técnica general, que permite plantear el proyecto en principio en cualquier zona de España, es la autorización autonómica de interés público. Es ésta una técnica muy arraigada en la propia legislación estatal urbanística desde siempre y que las Comunidades Autónomas la han incorporado en sus textos normativos propios.

8. LOS AYUNTAMIENTOS Y EL TERRITORIO

La ordenación del suelo rural ha sido desde siempre problemática, en especial la proliferación de viviendas (irregulares legalmente) por doquier. En torno a este tema está el origen de buena parte de los problemas prácticos del urbanismo. Surge así la necesidad de ordenar o legalizar estas zonas llamadas por la legislación «áreas semiconsolidadas», es decir, un problema de viviendas en suelo rural.

En general, en relación con este suelo rural, tradicionalmente, parece haber primado la condescendencia de la Administración, como es sabido, pero las cosas están cambiando. Cada vez es mayor la presión (social, jurídica, periodística) sobre los Alcaldes o Corporaciones. Éstas se ven obligadas a actuar contra las construcciones ilegales en suelo rural. Y es entonces cuando se manifiestan fenómenos significativos; empieza a observarse que los Ayuntamientos, lejos de querer siempre afianzar necesariamente el ejercicio de sus competencias, pueden estar interesados en delegarlas a otras Administraciones ante la carga de trabajo y financiera que representan, ante la ausencia de medios y ante las responsabilidades que pueden originarse.

Del acento tradicional en la autonomía local se advierte actualmente un posible mayor interés (de las propias Administraciones locales) en la transmisión de competencias desde los Ayuntamientos hacia entidades administrativas superiores. Algún Ayuntamiento ha planteado acciones judiciales contra la Comunidad Autónoma para hacer valer la necesidad de que ésta asuma la competencia invocando los preceptos legales que expresamente prevén el necesario apoyo autonómico o incluso la asunción de la competencia de disciplina urbanística. Podemos estar ante un tema de ordenación del territorio (rural).

Estudio sobre las reclasificaciones y la cesión del «metro por metro» en el sistema valenciano

Seguidamente se comentan las disposiciones de la nueva legislación urbanística relativas a las cesiones de parque público natural en casos de reclasificaciones de suelo no urbanizable (artículo 20 del Decreto 67/2006, de 19 de mayo, del Consell, por el que se aprueba el Reglamento de Ordenación y Gestión Territorial y Urbanística de la Comunidad Valenciana, conocido como ROGTU, por referencia al artículo 13.6 de la Ley valenciana 4/2004, de 30 de junio, de Ordenación del Territorio y Protección del Paisaje –en adelante, LOTPP–).

En el contexto de la elaboración del ROGTU ésta fue la regulación en la que más tiempo invirtió el grupo de expertos de elaboración del Reglamento, debido a la complejidad de resolver distintos intereses en juego.

En general, pueden distinguirse dos tipos de retos. El primero se refiere a los objetivos que pretende la LOTPP y que comparte y desarrolla la Ley 16/2005, de 30 de diciembre, Urbanística Valenciana (en adelante, LUV). El segundo alude a los retos del ROGTU.

En resumen, sobre los primeros el sistema legislativo valenciano persigue:

1. Que la comunidad participe adecuadamente de las plusvalías que se originen como consecuencia de una reclasificación, en conexión directa con el *desideratum* constitucional plasmado en el artículo 47 de la Constitución Española.

2. Recoger la idea de sostenibilidad: lejos de impedir las reclasificaciones, por contrapartida, se trata de poner un límite frente a la fácil tramitación de los Programas (PAIs), imponiéndose este requisito añadido de la adquisición de suelo, lo que representa un freno (no un impedimento) acorde con la idea de sostenibilidad.

3. Otorgar un trato de justicia a los propietarios de suelo no urbanizable

protegido, corrigiendo un asentado criterio jurídico y jurisprudencial según el cual la ordenación urbanística no otorga derechos indemnizatorios, de modo que el propietario de suelo no urbanizable ha de ajustarse a los restrictivos usos que impone el ordenamiento jurídico para este tipo de suelo.

4. Conseguir una adecuación entre el carácter de los ingresos que proceden del urbanismo y los fines a los que deben destinarse estos ingresos, igualmente el urbanismo.

5. Impedir la circulación monetaria dentro de los Ayuntamientos, como consecuencia de las reclasificaciones, ya que éstas no originan sino una adquisición de terrenos.

6. Y, sobre todo, la adquisición de suelo gratuita para el poder público como mejor forma de evitar la presión urbanística de los propietarios o terceros sobre suelos no urbanizables protegidos.

Y, en particular, los retos que tenía ante sí el ROGTU eran los siguientes:

1. Conseguir una reglamentación capaz de resolver el problema de que este sistema conduzca a que suelos sin especial valor ambiental o interés ecológico sean los suelos beneficiados por este régimen, por ejemplo huertas o suelos agrícolas protegidos sin especiales valores dignos de protección ambiental.

2. El problema anterior se entiende considerando especialmente la facultad de los Ayuntamientos de definir en su planeamiento los suelos protegidos sobre los cuales puede recaer este régimen jurídico del artículo 20 del Reglamento y 13.6 de la LOTPP.

3. Evitar otro problema, que plantea igualmente la LOTPP, considerando la aplicación práctica que ya ha tenido en tan corto espacio vital, es decir, el posible abuso en el precio de venta por parte de los propietarios de los suelos protegidos aprovechando su valor estratégico para facilitar operaciones de reclasificación que pueden ser razonables y hasta necesarias en determinados municipios.

Lo primero se ha intentado resolver mediante una jerarquización del orden de preferencia en cuanto a la disposición de los terrenos susceptibles de cesión para poder reclasificar. De este modo, el artículo 21, primero, enumera los terrenos que pueden ser objeto de cesión y, segundo, establece la relación de jerarquía referida anteriormente.

El *desideratum* es, obviamente, que este sistema sirva para que el poder público adquiera gratuitamente espacios con especial valor ambiental. De ahí que la letra a) del artículo 21.1 enumere en primer lugar los terrenos «que estén formal y expresamente declarados como suelo protegido en aplicación de la legislación sectorial de espacios naturales protegidos, por tener la consideración de parques naturales, parajes naturales, parajes naturales municipales, reservas naturales, monumentos naturales, sitios de interés, paisajes protegidos, y otras figuras previstas en esa legislación sectorial»[14].

En segundo lugar, se citan los suelos respecto de los que «ya esté incoado un procedimiento para la declaración de los terrenos como suelo no urbanizable protegido en aplicación de la legislación sectorial de espacios enumerados en el apartado anterior, siempre y cuando en dicho procedimiento se hayan adoptado medidas cautelares y los terrenos hayan sido objeto de un informe favorable del Servicio de Ordenación Sostenible del Medio de la Conselleria competente en materia de territorio u órgano que lo sustituya».

El «informe» citado se convierte en una técnica de especial consideración en este contexto.

En tercer lugar, «suelos pertenecientes a los entornos de protección, de amortiguación de impactos, preparques, corredores biológicos y otros suelos vinculados a las figuras de protección antes señaladas, siempre que fuesen suelos no urbanizables de protección especial, y además hayan sido objeto de un informe favorable del órgano competente de la Dirección General de Planificación y Ordenación Territorial de la Conselleria competente en materia de territorio u órgano que lo sustituya».

Decisivo es que sólo en último lugar se admita que este sistema recaiga sobre «los terrenos (que) estén formal y expresamente clasificados como suelo no urbanizable protegido por el planeamiento del municipio de conformidad con la pertinente evaluación de su impacto ambiental. Ello no obstante, cuando aquéllos tengan cultivos agrícolas será informe necesario, previo y favorable del Servicio de Ordenación Sostenible del Medio u órgano que lo sustituya».

En torno a este último apartado (es decir, la débil posición jerárquica con que se ha situado esta opción a favor del planeamiento local) está la

---

14. La misma consideración tendrán: (i) los espacios pertenecientes a la red de espacios que integran Natura 2000, conforme a las previsiones de las directivas 79/409/CEE, de 2 de abril de 1979, relativa a la conservación de las aves silvestres, y 92/43/CEE, de 21 de mayo de 1992, relativa a la conservación de los hábitats naturales y de la fauna y flora silvestres, incorporando la delimitación de dichos espacios conforme a la propuesta del Consell, y previendo un régimen adecuado a lo establecido en el artículo 6 de la referida Directiva 92/43/CE, en el Real Decreto 1997/1995, de 7 de diciembre, y en las normas y planes que se aprueben en su desarrollo; y (ii) las zonas húmedas catalogadas. Los que estén formal y expresamente declarados como suelo protegido en aplicación de la legislación medioambiental, incluida la legislación sectorial de espacios naturales protegidos y la legislación forestal. Puede verse F. DE ROJAS MARTÍNEZ-PARETS, *Los espacios naturales protegidos,* Pamplona, 2006.

clave para conseguir relativizar el poder municipal y procurar evitar con ello que la protección recaiga sobre suelos sin especial valor ambiental, al menos en comparación con otros respecto de los cuales estos valores constan con mayor claridad. En todo caso, un límite que se impone frente a posibles arbitrariedades del planeamiento local es el control que permite la definición legislativa de la clasificación del suelo como no urbanizable protegido. Quiérese decir que, en todo caso, una clasificación del suelo mediante el planeamiento local ha de seguir, para clasificar un suelo como no urbanizable protegido, los criterios legalmente establecidos.

Pero toda esta reglamentación parece que no ha podido superar el posible excesivo poder municipal a la hora de facultar la repercusión de los beneficios de este sistema sobre suelos no urbanizables protegidos en otros términos municipales que sean más idóneos que los suelos de esta condición presentes en el municipio donde se efectúan la reclasificación. Sobre este particular, la LOTPP afirma que «en municipios en que no sea posible hacer efectivas estas cesiones, podrán realizarse con terrenos aptos de otro término municipal, primando el principio de proximidad territorial (...)». Por su parte, el ROGTU llega a decir que «el orden de preferencia establecido en el apartado 1 de este artículo, impide que se proponga un suelo de rango inferior cuando exista alguno de categoría superior en el mismo Término Municipal». Esta norma se limita con otra que, no obstante, tiene corto alcance: «Las cesiones podrán realizarse con terrenos situados en otros términos municipales siempre que los terrenos tengan iguales condiciones a las establecidas anteriormente, primando el principio de proximidad territorial en igualdad de condiciones» (artículo 21.2 y 3 del Reglamento; véase, no obstante, el artículo 22.1).

En todo caso, el Reglamento, de forma coherente con los fines que se propone todo este sistema jurídico, sitúa en el último lugar la posibilidad (por tanto, altamente excepcional y subsidiaria respecto de las opciones anteriores), de la «compensación económica»: «en los supuestos en que, con carácter excepcional y de forma justificada, no sea posible hacer efectivas las cesiones a las que se refiere el artículo 13.6 de la Ley de Ordenación del Territorio y Protección del Paisaje en aplicación de lo dispuesto en los artículos anteriores y deba sustituirse la cesión por aportación monetaria del valor equivalente, los Planes Generales deberán fijar los Programas y Proyectos para la Sostenibilidad y la Calidad de Vida a los que deban destinarse» (artículo 24 del Reglamento).

Incluso antes de esta opción, habría que valorar la aplicación de un mecanismo igualmente excepcional por definición, es decir, el instituto expropiatorio siempre que se cumplan los presupuestos de los artículos 20.4 *in fine* y 23 del ROGTU. Esta posibilidad de expropiar los terrenos protegidos informa de la seriedad con que se toma el cumplimiento de los objetivos inherentes a este sistema legislativo. Ahora bien, ha de entenderse en su justa medida, como un mecanismo excepcional reservado para aquellos casos en que sea necesario el crecimiento urbanístico en el municipio y, al mismo tiempo, se ponga de manifiesto el abuso de los propietarios del suelo protegido en cuanto al precio de venta del terreno (véase el artículo 23). No obstante, la expropiación podrá ser manejada por los Ayuntamientos estratégicamente, introduciendo mecanismos de este tipo que desemboquen finalmente en un convenio con los propietarios y un pago en especie.

En principio, el Reglamento ha querido dejar al mercado el funcionamiento del régimen de cesiones y adquisiciones de suelo en caso de reclasificación. No ha querido aquél, al menos de momento, partir de la potestad de la Administración de imponer directamente los precios de venta del suelo protegido, a pesar de que se discutió esta posibilidad en el momento de la elaboración del ROGTU, en torno a la creación de una bolsa de suelo dirigida por la Administración.

Técnicamente, el funcionamiento de este sistema se explica en los artículos 19 b), 20 y 21 del Reglamento.

Habrá que observar la aplicación de este sistema normativo para ir acumulando conocimientos y experiencias.

Este sistema, pese a sus virtualidades que hemos presentado, tiene algunos puntos aún poco claros y que la práctica tendrá que aclarar en un futuro inmediato.

Exponemos a continuación algunas cuestiones de interés práctico emitiendo nuestra opinión, a pesar de que podrá ser recomendable consultar, cuando exista un caso concreto, a las Administraciones competentes sobre esta materia, para confirmar los siguientes criterios con el conocimiento de su postura al respecto.

Cuestión 1: problema del funcionamiento del sistema en caso de que concurran distintas ofertas en el procedimiento de adjudicación del Programa (PAI).

Una primera cuestión puede plantearse relacionando el sistema de la LOTPP (artículo 13.6) y el urbanístico de la LUV. Es decir, en la Comunidad Valenciana siempre la adjudicación de un PAI se produce mediante *concurso*[15].

---

15. Mantenemos este vocablo a pesar de que tras la LCSP 30/2007, en vez de concurso ha de hablarse en términos de «adjudicación en que el precio no es el único criterio aplicable».

En el caso, entonces, en que se pretenda llevar a cabo una operación reclasificatoria de este tipo, se planteará necesariamente la posibilidad de concurrencia entre distintas ofertas que presenten los distintos candidatos a urbanizador y cuál de ellas habrá de merecer mayor valoración. No queda claro el funcionamiento del sistema del artículo 13.6 en estos casos.

En mi opinión, cuando concurran distintas ofertas a un mismo proyecto habrá que observar, primeramente, cuál de ellas se ajusta mejor a los fines previstos por la normativa y cuál consigue encarnar mejor las virtualidades e intereses inherentes a este modelo: mayor grado de calidad ambiental del terreno que se pretende ceder a la Administración, menor sacrificio sobre la propiedad cuando ésta la ostenten terceros, etc. En el fondo, el grado mayor o menor de cumplimiento de las regulaciones que hemos expuesto anteriormente de la LUV, LOTPP y ROGTU, serán el criterio para seleccionar la mejor oferta, junto a los demás criterios de valoración.

Cuestión 2: ¿terrenos dentro de un municipio o en otro término municipal? ¿de titularidad autonómica o de titularidad local?

A. En efecto, otra cuestión se refiere al posible conflicto que puede plantearse cuando en el municipio donde se inste la reclasificación no existan suelos protegidos o bien no existan suelos de especial protección, mientras que en otro municipio distinto o incluso contiguo sí existen suelos de este tipo (por ejemplo un paraje protegido). Tampoco cabe descartar decisiones voluntaristas de la Administración que pueden intentar imponerse sobre el contenido de la ley o sobre los intereses de los promotores, aprovechando los márgenes de interpretación abiertos que deja la LOTPP.

No quedan del todo claras las respuestas de estas cuestiones u otras similares que puedan hacerse. Lo que está claro es que un Ayuntamiento, dentro de su término municipal, no podría optar por un suelo protegido de menor calidad ambiental que un suelo protegido que, según el ROGTU, tiene una mayor protección. Y, en principio, el Ayuntamiento interesado donde se realiza la reclasificación parece conservar el poder de definir que la adquisición de suelo se haga en su término municipal.

B. También puede jugar un papel importante si el suelo que se va a adquirir por cesión va a parar a la Comunidad Autónoma o al Ayuntamiento. Es decir, a efectos prácticos, podrá plantearse un conflicto entre los intereses del Ayuntamiento en cuestión, por un lado, y los intereses públicos, por otro lado, dado que el suelo llamado a ser adquirido por la Administración puede no ser el que más interesa a la Corporación local.

En principio, al menos dentro de los suelos que se encuentren dentro del término municipal donde se realice la reclasificación, habrá que optar por el suelo protegido de grado superior de protección, a pesar de que pueda ser de titularidad autonómica.

Cuestión 3: ¿determinación del precio del terreno por el mercado o determinación por el planeamiento o el Programa?

Este sistema legislativo que parte del artículo 13.6 de la LOTPP 4/2004 está pensado para que el propio mercado resuelva el funcionamiento del sistema, debiéndose poner de acuerdo compradores y vendedores de suelo protegido, pues ambas partes han de fijar libremente el precio del suelo protegido, o bien fijar libremente la compensación que ha de merecer el propietario de este suelo a través de la concesión de un aprovechamiento urbanístico en el reclasificado.

Pero puede que el propietario del suelo llamado a ser adquirido por la Administración a costa del urbanizador pueda estar *excediéndose* a la hora de fijar el precio de venta. En un caso extremo podemos plantear un posible «abuso» del propietario del suelo protegido que consigue negar los intereses públicos inherentes a la reclasificación en otro lugar.

Ésta es, en mi opinión, una cuestión difícil del nuevo sistema normativo. En estos casos, cabe plantear si es posible acudir a un bien de menor protección, dentro del propio municipio o incluso otro término municipal, o si es posible aplicar un precio *ex lege* para forzar a vender al propietario en dicho precio. Alguna solución debe haber para resolver este problema. ¿Prima la necesidad de adquirir el suelo protegido a costa de aplicar un precio, o puede rebajarse esta exigencia admitiendo la adquisición de otro suelo? Podemos estar ante un conflicto entre un terreno protegido de primer rango pero con un precio de venta que puede ser abusivo, por un lado, y un terreno protegido de menor rango de protección pero con un precio razonable (o de mercado) en ese municipio o en otro colindante, por otro lado.

En principio, en mi opinión lo más acorde a la legislación parece ser forzar la adquisición del suelo de rango superior de protección. Lo que quiere el legislador es que los suelos que adquiera la Administración sean aquellos suelos más relevantes desde este punto de vista de su protección. La solución (1), por tanto, en este punto, estaría en un plano *público o administrativo* (y no tanto *privado o de mercado*) admitiendo el establecimiento de unos coeficientes de valoración en el propio Programa (PAI), a los debe ajustarse el propietario del suelo protegido aplicando la Ley de Suelo del Estado, y aprobados por la Administración.

Esta solución «pública», cuando no funcione el mercado, es, en principio, favorable para los intereses públicos y para el empresario promotor. Tan «favorable» que obliga al particular a recurrir si entiende que la compensación fijada, por la adquisición de su suelo, representa un abuso. No obstante, esta solución, como puede apreciarse, tampoco es óptima para el Ayuntamiento y sobre todo para el empresario, dado que ambos se someten a un posible contencioso ante la jurisdicción contencioso-administrativa, introducido por el propietario del suelo perdido, proceso que no es conveniente para promotor y Administración, por causar incertidumbre. Por tanto, esta solución no es óptima para nadie, pero especialmente para el propietario, aunque es la solución coherente con los fines que se propone la norma. En todo caso, habría que motivar el fracaso del mercado y la necesidad por tanto de la «solución pública». Las experiencias existentes hasta el momento caminan por una determinación pública del precio del terreno, pero claudicando finalmente ante el propietario siempre que pueda asumirse su oferta y no convierta en antieconómica la reclasificación que se pretende.

Otra posible solución (2), menos lesiva para el particular, sería justificar que, ante la circunstancia de que no es posible adquirir suelo protegido del primer rango (por el precio abusivo que se pide por el vendedor), se justifica acudir a un suelo de menor protección o se justifica acudir a un suelo de igual o incluso superior nivel de protección en otro municipio.

Parecería inevitable ir caso por caso admitiendo una solución concreta (3), siempre que ésta sea motivada. La regla de motivación sería fundamental entonces como solución práctica.

Parece descartarse la solución (4) según la cual, si no hay acuerdo entre ambas partes, la conclusión sería que la reclasificación no se realiza.

En general, aunque admitimos la solución «pública», la clave del sistema está en forzar la aplicación *ex ante* del «plano privado», es decir la «ley del mercado», mediante acuerdos de compraventa del suelo, ora comprando el suelo protegido, ora otorgando aprovechamientos al propietario del suelo protegido en el marco de la reparcelación. En torno a estas dos variantes se sitúa inicialmente el *quid* del sistema. Aunque no hemos de descartar las soluciones «públicas» en el caso concreto, éstas habrán de ser subsidiarias respecto de las soluciones «privadas» en estos casos.

Así todo, parece también algo incierta la solución final de este importante tema. Ciertas opciones parecen inclinarse por aplicar la solución pública que se ha presentado anteriormente. Según esto el suelo protegido será, entonces, generalmente un suelo adscrito al resto del sector donde se insta una reclasificación. En último término, dentro de las «soluciones públicas» el ROGTU ha previsto incluso la posibilidad de expropiar, en especial cuando se trate de adquirir un suelo de la primera categoría de protección según el artículo 21 del ROGTU.

En definitiva, la valoración «pública» del suelo se producirá en especial cuando existan terrenos protegidos de especial relevancia que interesen a la Administración. El hecho de que el empresario pueda adquirir suelos protegidos a menor precio dentro del mismo término municipal cedería, en principio, frente a este otro hecho de preferencia administrativa por un determinado suelo protegido, siempre y cuando la Administración así lo exponga, como es lógico. Y habría que forzar la adquisición del suelo que interesa públicamente fijando administrativamente su valor, antes que consentir en la cesión de suelos de rango inferior de protección. Un cierto margen de flexibilidad parecería exigible así como un análisis del caso concreto. Pero, ante la opción entre dar primacía al grado de protección el bien, o dar primacía a la ley del mercado en la selección y valoración de los bienes, parece triunfar el primer factor sobre éste, aunque partiendo de la exigencia de que las partes (vendedora del suelo protegido, y compradora del mismo) inicialmente agoten las posibles opciones de negociación.

El precio de venta del suelo protegido queda, en principio, a la libre fijación de las reglas del mercado. Cuando haya que fijar administrativamente el precio del suelo o establecer los coeficientes habría que acudir a los criterios de valoración de la legislación aplicable. En el primer caso en que ha tenido que intervenir la Conselleria, en aplicación del artículo 13.6 de la LOTPP se ha aplicado una regla de 1 contra 1 de valor de ambos suelos de referencia (PP de Mejora Sector Nord de Carcaixent Exp. 20050493 SS/PB). Pero este criterio es a todas luces inapropiado y de ello parece ser consciente en estos momentos incluso la propia Administración competente. En el artículo 123 del ROGTU, en materia de coeficientes, parece insinuarse el valor de 1 contra 10 de referencia, respectivamente al protegido y al reclasificado («el coeficiente a aplicar se calculará atribuyendo al suelo no urbanizable un aprovechamiento tipo virtual del 10 por ciento del aprovechamiento tipo promedio de la red primaria clasificada como suelo urbanizable en el Plan

General vigente»). En ciertos casos en que se está aplicando este sistema se ha aplicado conforme a un coeficiente de 1 contra 3 o similar.

Cuestión 4: la opción de conseguir que un mismo propietario aporte suelo protegido de su propiedad y realice la reclasificación sobre un suelo igualmente de su titularidad dominical.

Otra cuestión es la relativa a la posibilidad o conveniencia de partir de la compra de suelo protegido para, acto seguido, buscar el suelo susceptible de reclasificación, ligando ambos suelos por un mismo grupo empresarial propietario de suelo. Aunque esta opción no estaría en principio en la mente del legislador no parece prohibida o descartada. Incluso podría plantearse el fraccionamiento de una finca en dos partes siempre que, casualmente, una parte tuviera condición de protegida y otra de urbanizable.

El riesgo empresarial de estas operaciones (en especial la variante segunda) está en que podrá plantearse el escollo (frente a quien intente esta operación) de que pueda haber otros suelos protegidos más idóneos para la Administración que el suelo que es de titularidad del mismo propietario que insta la reclasificación. Es decir, podrá ocurrir que exista un suelo de rango de protección superior que el suelo protegido de titularidad de quien reclasifica. Pero, cumpliendo con las exigencias de «metro por metro» en general, podrá terminar pesando la operación que se pretende.

Cuestión 5: el sistema en el marco de la elaboración de un Plan General.

En este contexto, es preciso diferenciar las operaciones de este tipo (del artículo 13.6 de la LOTPP) en el marco de la tramitación de un Plan General o en el marco de la tramitación de un Plan Parcial.

En el marco de la tramitación de un Plan General también hay que delimitar el suelo protegido en casos en que se realice la reclasificación en un determinado sector del término municipal. En estos supuestos parece más factible la aplicación de la fórmula «pública» de valoración directa del suelo protegido, en vez de la fórmula de «mercado» de fijación del precio convenido entre las partes. De hecho, así se está entendiendo en la práctica. El coeficiente de valoración del suelo protegido será sensiblemente inferior al del suelo reclasificado. Podrá ocurrir que el número de metros de suelo protegido se agote o no sea tan extenso como el número de metros cuadrados reclasificables. En estos casos, parece lógico pensar en la aplicación acumulada del sistema monetario de compensación (que, como sabemos, queda marginado en su aplicación práctica, aunque siempre es una opción), o también en tomar suelo protegido de otro municipio, o también en poder incluso (aunque excepcionalmente en mi opinión) sacrificar un número de metros cuadrados determinado permitiendo que se haga la operación reclasificatoria con mayores metros que aquellos que tiene el suelo protegido aplicando, eso sí, unos coeficientes diferentes.

En este sentido, el Plan General podrá resolver, mediante su revisión, y por referencia a los sectores que van a reclasificarse, el problema de las valoraciones y fijar los coeficientes.

Cuestión 6: la conversión en metálico.

Nos consta que esta opción se ha configurado como excepcional. El régimen ordinario consiste en comprar suelo protegido o en atribuir edificabilidad al titular del suelo protegido. A los efectos de esta última variante, la valoración del suelo protegido será menor que la del suelo reclasificado, debiéndose aplicar en principio unos coeficientes de ponderación siguiendo las valoraciones de la nueva Ley del Suelo del Estado de 2007 y TRLS 2008.

Este sistema que se ha explicado cuenta con numerosas aplicaciones prácticas cuyo comentario y estudio desbordaría las pretensiones del presente libro.

Capítulo IX

Régimen jurídico del subsuelo

1. PROBLEMÁTICA JURÍDICA DEL SUBSUELO

Un tema que cada vez tiene mayor actualidad es el subsuelo. Seguidamente se va a hacer una referencia a este tema, en especial al subsuelo de las edificaciones privadas y su posible utilización para finalidades o actividades públicas. Es conveniente partir reconociendo que parece existir un consenso generalizado en plantear el tema del subsuelo conforme a las siguientes premisas.

Primero, el subsuelo, a pesar de que tiene un creciente e indiscutible interés jurídico, social y económico, está deficientemente regulado a todos los niveles. En un plano legislativo las alusiones en la legislación urbanística suelen ser genéricas, a modo de cláusulas de estilo que, junto al suelo y al vuelo, se extienden al subsuelo, a efectos de generalizar una regulación determinada, pero sin mayor elaboración o especificidad.

Sin embargo, existe un clamor generalizado a favor de que el planeamiento urbanístico regule adecuadamente el subsuelo.

Segundo, la temática del subsuelo se caracteriza por un debate acerca de su titularidad. En principio, es preciso partir del artículo 350 del Código Civil según el cual «el propietario de un terreno es dueño de su superficie y de lo que está debajo de ella y puede hacer en él las obras, plantaciones y excavaciones que le convengan, salvas las servidumbres, y con sujeción a lo dispuesto en las leyes sobre Minas y Aguas y en los reglamentos de policía».

La discusión doctrinal se refiere al límite del derecho de propiedad. Más allá de dicho límite la titularidad sería pública. De este modo, se nos presentan distintos criterios, todos ellos con contornos poco claros finalmente, que pretenden servir de orientación para delimitar ambas titularidades, pública y privada.

Especialmente arraigada está la explicación doctrinal que define el alcance del derecho de propiedad en función del interés del propietario o con el límite del abuso de derecho. Según esta concepción, más allá de la línea que marca el propio interés del propietario, el subsuelo sería público o, según otros, *res nullius,* incluso dominio público, o bien patrimonial. Así pues, habría dos titularidades, pública y privada que pueden convivir, a pesar de que nadie consiga explicar el límite espacial entre una y otra[16].

A nivel normativo, se nos informa en estas publicaciones de que en Japón se ha conseguido fijar el límite de 50 metros de «subsuelo próximo» frente al «subsuelo remoto», con la consecuencia de que sólo en el primero el propietario tiene un derecho indemnizatorio por las posibles servidumbres que se le impongan. Por otra parte, en el Proyecto de Carta Municipal de Barcelona, al que aludiremos después, el límite se estableció en 12 metros de profundidad (inicialmente 6 metros), pero finalmente no prosperó esta iniciativa, seguramente ante la diversidad de situaciones posibles y la complejidad existente.

La legislación sectorial (minas, aguas, etc.) también contiene límites frente a la disposición del propietario del subsuelo. En este sentido, el artículo 350 del Código Civil deja claro el derecho de propiedad *a salvo de «las servidumbres, y con sujeción a lo dispuesto en las leyes sobre Minas y Aguas y en los reglamentos de policía».* Estos reglamentos de policía son la legislación urbanística actual o el planeamiento igualmente urbanístico, evidentemente.

En mi opinión, no parece necesario forzar los planteamientos legales existentes, tampoco los del Código Civil. La propiedad existente bajo el suelo

---

16. J. M. ALEGRE ÁVILA, «El subsuelo: una propuesta para su reformulación de su estatuto jurídico», *REDA,* 130, para quien «el subsuelo no es una entidad jurídica», porque es «como el aire»; T. R. FERNÁNDEZ RODRÍGUEZ, «La propiedad urbanística del suelo, vuelo y subsuelo», *RVAP,* 41, 1995; L. M. LÓPEZ FERNÁNDEZ, «El subsuelo urbano en relación con el planeamiento urbanístico y con los artículos 348 y 350 del Código Civil», *Anuario de Derecho Civil,* Tomo XLIV fascículo IV, Madrid, 1991; J. P. LÓPEZ PULIDO, «La ordenación del subsuelo urbano»; *REALA,* 278; A. NIETO GARCÍA, «El subsuelo urbanístico», *Derecho urbanístico local,* Madrid, 1992; NIETO PEÑA, «El subsuelo urbanístico», *REDA,* 66, 1990; L. PAREJO ALFONSO, «Algunas reflexiones sobre las cuestiones básicas del régimen jurídico del subsuelo», *Ciudad y Territorio,* 109, 1996; J. ROCA CALDERA, «El valor económico del subsuelo», *Ciudad y Territorio,* 109, 1996; F. SAINZ MORENO, «El subsuelo urbano», *RAP,* 122; del mismo autor, «El régimen jurídico del subsuelo», en *Seminario de Derecho local,* 4, 1991-1992, Barcelona; L. SAURA LLUVIA, «Análisis y debate sobre la ordenación y gestión urbanística del subsuelo», *Ciudad y Territorio,* 109, 1996; M. ZABALA HERRERO, *Régimen jurídico del subsuelo urbanístico,* Madrid, 2002.
Más recientemente A. J. ARNAU ESTELLER, *Los aparcamientos en el subsuelo municipal urbano,* Madrid, 2007.

es de quien ostenta la titularidad de éste. Otra cosa es que interfiera, por interés público, una determinada servidumbre o limitación pública. Y otra cosa es que el propio titular, a pesar de serlo, tenga que pedir la pertinente licencia para conseguir el uso que pretende, el cual podrá ser pertinente y por tanto autorizado, o no.

Tercero, un estudio sobre el subsuelo privado urbano lleva a seleccionar los siguientes temas de especial interés:

– Régimen de aprovechamientos posibles en el subsuelo.

– Régimen de sujeción a licencia de los usos posibles.

– Régimen de posibles servidumbres públicas.

En cuanto a los aprovechamientos del subsuelo privado urbano, en principio es lógico entender que el plan es la pauta de referencia para fijar los límites de edificabilidad. Para LÓPEZ FERNÁNDEZ cualquier superficie edificada debería ser computable a efectos del límite de edificabilidad, a pesar de que en la práctica no es así. Más bien, nos explica que el subsuelo no es tenido en consideración a efectos del límite de edificabilidad salvo que otra cosa se produzca en el Plan. La jurisprudencia del TS (STS de 30 de septiembre de 1988) parte del principio de libertad en ausencia de determinación expresa en el plan.

De ahí la relevancia o necesidad de que el plan contenga una regulación sobre el particular. En la legislación no suelen existir regulaciones de este tipo. En ausencia de criterio expreso en el plan se ha llegado a entender que los aprovechamientos del subsuelo privado urbano son independientes a los del suelo y en consecuencia no son computables a efectos del límite de edificabilidad (NIETO GARCÍA) o, por contrapartida, que son públicos (PAREJO ALFONSO) tal como también propugna también la legislación autonómica la castellano-manchega y otras que siguen ésta, las cuales optan por fórmulas demanializadoras del subsuelo, con una presunción favorable al carácter público del aprovechamiento urbanístico del subsuelo.

En la legislación urbanística encontramos un criterio interesante en la Ley 5/1999 de Urbanismo de Castilla y León, relativo al aprovechamiento posible en el subsuelo por referencia al suelo urbano no consolidado y suelo urbanizable: el 20 por ciento del permitido sobre rasante salvo para aparcamiento o instalaciones (artículo 38).

La legislación autonómica (puede verse citada y reproducida en el trabajo citado de ZABALA HERRERO) se enfrenta con los temas o problemas expuestos sujetando a licencia los usos, o sancionando éstos si no cuentan con la pertinente licencia, o definiendo los aprovechamientos bajo el suelo urbanizable o urbano no consolidado (en el caso de la Ley 5/1999 de Urbanismo de Castilla y León).

En fin, existe un deseo generalizado de que se regule el subsuelo en el planeamiento, empezando por el General. Si no se ha regulado esta materia adecuadamente seguramente ha sido ante la dificultad del tema y la pereza o despreocupación de los propios agentes reguladores tradicionalmente. Es necesario que el planeamiento general contenga siquiera una ordenación básica aunque luego se remita a los planes especiales para su concreción.

La regulación del subsuelo merece cada vez mayor atención al legislador autonómico. Prácticamente todas las legislaciones urbanísticas someten a licencia las actividades realizadas en el subsuelo, en la línea del artículo 1.15 del Real Decreto 2187/1978, de 23 de junio, por el que se aprueba el Reglamento de Disciplina Urbanística para el desarrollo y aplicación de la Ley sobre Régimen del Suelo y Ordenación Urbana (en adelante, RDU) y del TRLS/1992 (artículo 242.2). El subsuelo suele ser objeto de la legislación del suelo. En la regulación del planeamiento las legislaciones autonómicas se refieren a las menciones que han de contener los planes generales o parciales. En el suelo urbanizable el subsuelo podrá venir regulado en el contexto de las obras y gastos de urbanización.

Sobre las posibles servidumbres públicas en subsuelo urbano privado, y demás cuestiones que plantea el subsuelo, interesa aludir a la regulación del subsuelo en Cataluña. En esta Región el referente normativo inicial es la Carta Municipal de Barcelona aprobada por Ley del Parlamento catalán 22/1998, de 30 de diciembre, gestionada en el marco de las Olimpiadas. En esta Carta se otorgaba la condición de dominio público municipal al subsuelo bajo la cota de 6 metros y por supuesto bajo suelo público, y los usos se definían incluso expresamente en la propia Carta (infraestructuras relativas a comunicaciones; abastecimiento de agua, energía o análogos; sistema de telecomunicaciones, sistemas viarios, sistemas y aprovechamientos de usos públicos no susceptibles de propiedad privada, cementerios, patrimonio arqueológico, de acuerdo con sus correspondientes Planes Especiales, presuponiéndose en todo caso el planeamiento como instrumento regulador del subsuelo). En el artículo 67 se preveía una tipología de planes especiales.

En este sentido, el propio Plan General de Barcelona, a tenor del artículo 65.2, debía contener una asignación de usos detallados del suelo, vuelo y subsuelo en las distintas zonas y una ordenación de los usos del subsuelo.

La materialización de los aprovechamientos (según el artículo 78.3) depende del Plan Especial. Y el suelo que tenga atribuido aprovechamiento susceptible de apropiación privada queda sometido a las servidumbres necesarias. Es decir, el subsuelo de propiedad privada debía soportar las servidumbres administrativas necesarias para la prestación de servicios públicos siempre que fuese compatible con el uso del inmueble privado sirviente, ya que de lo contrario procedería la expropiación.

Clave es la regulación sobre los planes especiales como instrumentos ordenadores del subsuelo. Finalmente, de esta regulación prosperó la relativa a los planes especiales y aquella otra relativa a las servidumbres. No ocurrió lo mismo con la demanialización de la franja por debajo de los seis metros aludidos.

Actualmente la regulación se encuentra en el Decreto Legislativo 1/ 2005, de 26 de julio, por el que se aprueba el Texto Refundido de la Ley de Urbanismo de Cataluña. Puede destacarse su artículo 39 («Régimen urbanístico del subsuelo»):

«1. El subsuelo es regulado por el planeamiento urbanístico y está sometido a las servidumbres administrativas necesarias para la prestación de servicios públicos o de interés público, siempre y cuando estas servidumbres sean compatibles con el uso del inmueble privado sirviente de acuerdo con el aprovechamiento urbanístico atribuido. De otro modo, hay que proceder a la expropiación correspondiente.

2. El uso del aprovechamiento urbanístico y la implantación de infraestructuras en el subsuelo están condicionados en cualquier caso a la preservación de riesgos, y también a la protección de los restos arqueológicos de interés declarado y de los acuíferos clasificados, de acuerdo con la legislación sectorial respectiva».

Asimismo, en el Título VI se contienen las pertinentes menciones en el marco de la intervención en la edificación y el uso de suelo y del subsuelo; o de los planes especiales.

2. EL QUID ESTÁ EN EL DEBATE SOBRE LAS «VALORACIONES», NO SOBRE LAS «TITULARIDADES»

No nos parece preciso alterar los postulados legales vigentes para llegar a un correcto entendimiento del régimen jurídico del subsuelo. Según nos dice el Código Civil, en principio la propiedad del subsuelo es de quien ostenta la titularidad del suelo. Y, por otra parte, ha de considerarse la legislación administrativa y urbanística, tal como afirma este mismo Código.

En cambio, es posible que el debate que se plantea siempre en torno al subsuelo no sea el debate realmente de interés, al menos en sentido práctico. El quid puede no estar en la insistencia sobre las titularidades pública o privada del subsuelo.

Por mi parte, parto de un planteamiento distinto, es decir el de las valoraciones del subsuelo privado por servidumbres públicas. Partiendo de que el subsuelo es de quien ostenta el suelo, el *quid* está en indemnizar al propietario debidamente, a salvo de cuando deja de identificarse un interés. Evidentemente, este planteamiento se enfrenta, igualmente, con la complejidad de determinar hasta dónde una servidumbre es indemnizable. Pero, por contrapartida, es claro que se evita la complicación mayor, esto es, la definición de las dimensiones de los espacios privado y público. Más bien, de lo que es trata es de establecer los límites de la valoración del suelo. Esta *ratio* se corresponde con una práctica administrativa y jurisprudencial que está acostumbrada a resolver de esta forma las posibles situaciones. En efecto, en ambos planos, que especialmente nos interesan (el jurisprudencial y el administrativo), esta manera de concebir o solucionar este asunto, no presenta mayor complicación.

Si bajo el suelo ha de realizarse una finalidad pública, es evidente en mi opinión que estaremos en todo caso ante una servidumbre administrativa. Y en caso de que aquélla no sea compatible con el uso sobre el suelo habrá de realizarse una expropiación.

El quid, entonces, está en la determinación del mayor o menor perjuicio que causa la servidumbre administrativa en función, en efecto, del interés del sujeto y del sacrificio que la servidumbre represente. Y el criterio del interés vendrá reflejado ordinariamente en la profundidad de la servidumbre. De hecho, conforme al «debate de las titularidades», el criterio normativo para fijar el límite entre la parte privada y, según se afirma, la parte pública, parte de la aplicación de un criterio de profundidad, a pesar de que a la postre nadie ha sido capaz de llegar a un resultado práctico.

Más bien, tal como postulan las leyes vigentes, el subsuelo es privado si el suelo lo es, a salvo de criterio legal en contra, que no lo hay. Otra cosa es el valor del subsuelo. Dicho valor podrá ir reduciendo hasta alcanzar un valor cero. Si queremos redactar una ordenación sobre el subsuelo en un Plan General o en una ordenanza, de poco sirve el debate de las titularidades, ante la dificultad y acaso inconstitucionalidad de fijar un límite espacial general entre el subsuelo privado y el público. En cambio, sí parece posible presentar criterios generales de valoración que habrán de servir de pauta para indemnizar en su caso, en función del caso concreto, al propietario del subsuelo.

El principio general podrá llegar a ser el de no indemnizabilidad de las servidumbres administrativas, a salvo de que el particular demuestre el perjuicio en su propiedad, conforme a un interés patrimonial legítimo y evaluable económicamente.

Todos estos planteamientos parecen acordes, sin necesidad de mayor explicación, con las distintas instituciones de Derecho administrativo de responsabilidad administrativa, expropiación, servidumbres administrativas, con el propio derecho de propiedad privada, con la función social de la misma, y muy especialmente con la jurisprudencia del Tribunal Supremo y demás instancias judiciales, tal como dejaremos constancia a lo largo de este trabajo.

El quid está, pues, en profundizar en el tema de las servidumbres administrativas y la responsabilidad administrativa.

De ahí que cambiemos de escenario doctrinal resultando más fructífero tener en cuenta el régimen jurídico de las valoraciones y de las servidumbres administrativas (J. A. Carrillo Donaire, *Las servidumbres administrativas*, Valladolid 2003 y todas las obras que se citan en este mismo libro).

La «servidumbre» permite ser relacionada con la «limitación», frente a la «expropiación». Y permite ser contrapuesta a la «delimitación», por otro lado. Algunas de las llamadas «servidumbres», por la legislación administrativa (de carreteras, autovías, etc.), son en realidad simples «delimitaciones» del derecho de propiedad, sin perjuicio de que sobre dichas zonas puedan imponerse auténticas servidumbres administrativas u ocupaciones temporales.

Precisamente, en el ámbito urbanístico las «servidumbres de uso público» pueden representar un papel «nada desdeñable» (Carrillo Donaire). En este sentido, la legislación urbanística ha previsto tradicionalmente que, cuando la consecución de un destino público no exija necesariamente la adquisición del bien afectado, no hay por qué expropiar la plena propiedad a su titular, siendo suficiente la constitución de una servidumbre que garantice el uso público pretendido. Se trata de una certera aplicación del principio general de limitar la expropiación a lo estrictamente imprescindible que plasma el artículo 15 de la LEF y el TRLS/1976 (artículos 68.1 y 64.1; igualmente, J. GONZÁLEZ PÉREZ, *Comentarios a la Ley del Suelo TRLS de 1976,* Madrid, 1981, p. 579; J. ARROYO GARCÍA, «Servidumbres y limitaciones derivadas de la Ley de régimen del suelo y ordenación urbana», *RDU,* 73, 1981; J. A. MARTÍ BAGUÉ, «Servidumbres y limitaciones generales a la propiedad inmobiliaria», *Revista Jurídica de Cataluña,* 3, 1963).

El ámbito más típico de limitaciones derivadas del planeamiento es el de los usos pormenorizados del suelo, dado que la aprobación definitiva de los planes goza de la eficacia inherente a la declaración de utilidad pública.

La indemnización del *ius utendi* que implica la servidumbre, y que origina la pertinente indemnización, podrá en materia urbanística venir establecida no sólo en metálico sino por ejemplo en el marco de una reparcelación (A. FANLO LORAS, «El contenido patrimonial de la servidumbre de acceso al mar», en: *Libro Homenaje al profesor González Pérez,* Madrid, 1993).

Por otra parte, conviene destacar la «constitución paccionada de servidumbres administrativas» que implica reconocer previamente que el objeto de una servidumbre legal de utilidad pública puede ser también el de una servidumbre voluntaria.

También puede hablarse de un consentimiento tácito de la servidumbre. En este contexto, SAINZ MORENO aporta un dato de interés, es decir el de la posible ausencia de reclamaciones de los propietarios, «porque el hecho será que los vecinos de las superficie en ningún caso han considerado que se les estaba expropiando un terreno de su propiedad al construir el túnel bajo su superficie» afirmación que se hace por referencia a la construcción del metro de Madrid.

En principio, la valoración de las servidumbres es una cuestión que corresponde fijar al legislador sectorial, en virtud de la remisión que consagra la legislación expropiatoria (artículo 2 REF) pero la legislación sectorial no acostumbra a establecer la indemnización por servidumbres y más bien se remitirá a la legislación de expropiación.

Pero en el ámbito urbanístico, el artículo 211 del TRLS/1992 y el 68 del TRLS/1976 establecían que la valoración de las servidumbres urbanísticas no puede superar la mitad del importe de lo que correspondería satisfacer por la expropiación absoluta.

La clave para la valoración de las servidumbres viene a ser un criterio de proporcionalidad. En palabras del autor citado en último lugar, «pese a esta indefinición legal, creemos que puede formularse un principio valorativo aplicable con carácter general a todos los supuestos de constitución de servidumbres administrativas, según el cual la valoración de las mismas ha de orientarse a atribuir al propietario del fundo sirviente un valor proporcional a la cuota ideal extraída al derecho de propiedad por la pérdida del uso exclusivo. Poco o más puede precisarse en orden a establecer una regla o criterio general de valoración de servidumbres»[17]. La falta de tipicidad de las servidumbres es lo propio.

Este método que proponemos parece coincidir con el que aplican los tribunales cuando se enfrentan con problemas jurídicos en el subsuelo. De lo que se trata es de fijar un porcentaje respecto del valor que obtendría el bien en caso de expropiación total. Más adelante se presentarán ejemplos de la jurisprudencia sobre esta manera de presentar el tratamiento jurídico del subsuelo.

Este porcentaje se determina en función de múltiples variantes, como el tipo de suelo afectado, la clase de servidumbre de que se trate, la intensidad del uso que represente el gravamen, la necesidad de ocupar permanentemente o no parte del terreno para establecer instalaciones, elementos de sustentación o soportes fijos, las posibilidades de uso resultantes para el propietario, etcétera; circunstancias todas ellas que aluden en definitiva al distinto impacto que las servidumbres pueden ocasionar sobre el derecho de propiedad.

Interesa, en consecuencia, profundizar en las servidumbres administrativas. Un par de reglas de Derecho podemos destacar o elaborar seguidamente. Significativo es primeramente que, a pesar de ser la servidumbre una institución de Derecho civil, las servidumbres administrativas (es decir, las impuestas por la Administración, o incluso por entidades no administrativas por motivos de utilidad pública) tienen propia entidad o sustantividad. Tal como apunta la ilustrativa STS de 25 de noviembre de 1999 (RJ 2000, 635), no puede aplicarse a las servidumbres administrativas el artículo 565 del Código Civil en el sentido de que el trazado de la servidumbre administrativa (un

---

17. Puede verse la nota a pie de página 418 de la obra citada de CARRILLO DONAIRE, con una exposición de ejemplos jurisprudenciales sobre servidumbres sobre el subsuelo; igualmente se citan ejemplos jurisprudenciales en las notas a pie de página 451 y 452; interesan las sentencias relativas a las servidumbres establecidas para el paso de conducciones de red, que sin llegar a eliminar el derecho de uso del propietario, lo restringen notablemente por ir acompañados de especiales medidas de protección y seguridad, como ocurre con los gaseoductos soterrados, donde el TS ha reconocido un derecho de indemnización del 90% del precio del suelo en casos en que la anchura de la zanja y sus medidas de protección impiden un uso normal del terreno por parte del propietario del fundo sirviente.

gasoducto) ha de discurrir por el punto menos perjudicial para el propietario, sino que habrá que considerar antes los intereses públicos.

Tal como oportunamente se ha destacado, «destaca así la corrección de esta doctrina que aboga decididamente por el carácter administrativo especial (frente al régimen general civil) de las servidumbres legales de paso establecidas *intuitu servicii*» (F. LÓPEZ MENUDO/J. A. CARRILLO DONAIRE/E. GUICHOT REINA, *La expropiación forzosa*, Valladolid, 2006, pp. 91 y ss.)

También conviene tener en cuenta algo claro, es decir que «los terrenos gravados por una servidumbre administrativa no adquieren la naturaleza pública o demanial que sí tiene el gravamen, por lo que pueden considerarse objeto de expropiación» (STS de 17 de abril de 2001 y F. LÓPEZ MENUDO/J. A. CARRILLO DONAIRE/E. GUICHOT REINA, *La expropiación forzosa*, Valladolid, 2006, pp. 91 y ss.)

Interesa observar las regulaciones *ad hoc* sobre el subsuelo en el seno de la legislación urbanística, en especial en el contexto de las servidumbres administrativas.

Podemos tomar como ejemplo la Ley 5/1999, de Castilla y León, y su artículo 63 («Declaración de utilidad pública»): «la aprobación definitiva de los instrumentos de planeamiento urbanístico implicará la *declaración de utilidad pública e interés social* de las obras previstas en ellos y la necesidad de ocupación de los bienes y derechos necesarios para su ejecución, a efectos de su expropiación forzosa, ocupación temporal o *imposición de servidumbres*. Entre dichos bienes se entenderán incluidos tanto los que deban ser materialmente ocupados por las obras, como los necesarios para asegurar su pleno valor y rendimiento y la protección del medio ambiente, y en concreto las zonas laterales de influencia y los enlaces y conexiones con las infraestructuras previstas en el planeamiento sectorial».

Otro ejemplo puede ser la Ley 5/1999, de Aragón, en concreto su artículo 69 («legitimación de expropiaciones»): «la aprobación de los Planes implicará la declaración de utilidad pública de las obras y la necesidad de ocupación de los terrenos y edificios correspondientes, a los fines de expropiación o imposición de servidumbres».

El artículo 117 regula en particular las servidumbres: «1. Cuando para la ejecución de un Plan no fuere menester la expropiación del dominio y bastare la constitución de alguna servidumbre sobre el mismo, podrá imponerse, si no se obtuviere convenio con el propietario, con arreglo al procedimiento de la legislación de expropiación forzosa, siempre que el justiprecio que procediere abonar no exceda de la mitad del importe correspondiente a la expropiación completa del dominio. 2. Cuando hubieren de modificarse o suprimirse servidumbres privadas por estar en contradicción con las disposiciones del Plan, podrán expropiarse con arreglo al procedimiento de la citada legislación expropiatoria».

En definitiva, la relación de la servidumbre con el plan será visible en el caso concreto y dicha servidumbre será la justificación de la afección sobre el subsuelo.

De las servidumbres se hace eco oportunamente el TRLS/2008: «las facultades del apartado anterior alcanzarán al vuelo y al subsuelo sólo hasta donde determinen los instrumentos de ordenación urbanística, de conformidad con las leyes aplicables y con las limitaciones y servidumbres que requiera la protección del dominio público». «Cuando, de conformidad con lo previsto en su legislación reguladora, los instrumentos de ordenación urbanística destinen superficies superpuestas, en la rasante y el subsuelo o el vuelo, a la edificación o uso privado y al dominio público, podrá constituirse complejo inmobiliario en el que aquéllas y ésta tengan el carácter de fincas especiales de atribución privativa, previa la desafectación y con las limitaciones y servidumbres que procedan para la protección del dominio público».

En particular, las ordenanzas en el mundo del subsuelo no son un fenómeno extraño, como lo corroboran las ordenanzas fiscales reguladoras de las tasas por utilización privativa o aprovechamiento especial del suelo y subsuelo del dominio público local (así la de San Martín de Unx de 21 de abril de 2004; o la de Ponferrada publicada en el BOP de 22 de diciembre de 2006).

La cuestión de interés parece ser profundizar en el régimen jurídico de las servidumbres administrativas y en especial en la determinación del justiprecio. La lógica es la proporcionalidad del perjuicio.

A estos efectos, no es infrecuente que sea preciso desentrañar si la finca es urbana o rústica y si realmente la servidumbre recae sobre el suelo o sobre el subsuelo (vid. la STSJ de Castilla y León de 11 de junio de 2004 [JUR 2004, 192615]).

En este sentido, la STS de 28 de junio de 2001 (RJ 2001, 7214) se enfrenta con un caso típico, de finca con vivienda en suelo no urbanizable, llegando a la conclusión de que la finca es rústica y no urbana; para declarar acto seguido un derecho a ser indemnizado correspondiente al 50% del valor del suelo por el paso de un oleoducto sobre la propiedad del actor. Habrá de primar, en efecto, la clasificación del suelo, por encima del dato de la edificación o la licencia.

En este contexto, la STSJ de Galicia de 22 de noviembre de 1996 (RJCA 1996, 2227) otorga una indemnización por la servidumbre en el subsuelo por el 50% del valor del suelo, considerando que la parcela, aunque ha pasado a ser urbana, en el momento del acta de ocupación era rústica y merece ser considerada por tanto como tal a efectos de las indemnizaciones pertinentes.

En todo caso, conviene profundizar en la procedencia de la pertinente indemnización en caso de imposición de una servidumbre sobre el subsuelo. Es significativa la STSJ de Castilla-La Mancha de 28 de abril de 2005 (RJCA 2005, 285) cuando se enfrenta con un caso tampoco infrecuente en la práctica, de imposición de una servidumbre de paso para la construcción de oleoducto en suelo no urbanizable, sin pérdida del dominio ni del uso superficial del terreno. En las actas previas a la ocupación consta la ocupación del subsuelo a efectos de la servidumbre y las limitaciones que la servidumbre implica (prohibición de labores de arada en profundidad superior a 70 cm, prohibición de plantar árboles en una distancia de 2 metros de la tubería, posibilidad de instalar hitos y señales de delimitación). La sentencia primero prevé de forma interesante un criterio general:

> «Lo primero que debemos indicar es que el establecimiento de la servidumbre debe conllevar la indemnización de cualesquiera perjuicios que se acredite se producen sobre la finca, de la naturaleza que sean. Así se establece por ejemplo expresamente en el caso de las servidumbres eléctricas (artículo 10 de la Ley 10/1996), en lo que no es sino una concreción de la regla general que deriva del artículo 564 del CC. No queremos decir con ello, como parece entender la codemandada, que los perjuicios derivados de un oleoducto enterrado sean los mismos que los de una línea eléctrica aérea. Pueden ser inferiores, similares o superiores, según los casos, y a cada caso habrá que atender».

En esta misma STSJ de Castilla-La Mancha de 28 de abril de 2005 (RJCA 2005, 285), acto seguido la Sala concede una indemnización atendiendo a la valoración del suelo, la ocupación temporal y la pérdida de los valores recreativos y paisajísticos sobre la finca. Sobre lo primero:

> «Sin embargo, sí asiste la razón a la parte codemandada cuando se queja de que el perito ha aplicado el valor del 100% del suelo afectado por la servidumbre, cuando, dado que no se pierde el dominio ni el uso superficial del mismo (aunque con limitaciones), la jurisprudencia viene estableciendo la indemnización en un porcentaje del valor del suelo, que suele ser del 50%, salvo que se trate de que el oleoducto impida absolutamente el aprovechamiento al que esté destinado el suelo (por ejemplo en suelo urbanizable). El 50% se ha venido dando por esta Sala para suelos de uso agrícola en los que no se impide

el cultivo, siendo por tanto el perjuicio muy escaso. En el caso de autos sin embargo se trata de superficie arbolada y arbustiva, y dado que las limitaciones al dominio pueden permitir el arranque de cualesquiera árboles o arbustos que crezcan en la misma, es claro que la zona quedará sin vegetación, y por tanto sin el más mínimo uso forestal, aunque puede seguir sirviendo como mera zona de paso; de modo que debe elevarse el valor de la indemnización hasta el 90% del valor del suelo, pero sin alcanzar el 100%. Esto supone una cantidad de 189.720 ptas. (50 ptas./m²) (4.216 m² (0,90), o 1.140,24 euros».

A efectos de ilustrar sobre las indemnizaciones procedentes en estos casos es conveniente observar cómo concluye esta sentencia, sin perjuicio de poderse recomendar su lectura:

El resumen de valoración es, pues, el siguiente:

– Indemnización por la servidumbre: 1.140,24 euros.

– Indemnización por ocupación temporal: 141,50 euros.

– Madera eliminada: 2.833,57 euros.

– Minusvalor de la finca por perjuicios al valor turístico y paisajístico: 60.000 euros.

– Premio de afección (según criterio de aplicación del Jurado): 205,77 euros. Total: 64.321,08 euros.

En términos similares se pronuncia la STSJ de Asturias de 28 de septiembre de 2004 (JUR 2006, 5612). Frente a la alegación de una de las partes según la cual la servidumbre se sitúa en el subsuelo y por tanto el aprovechamiento que venía realizándose en la finca no se verá afectado, el Tribunal apunta:

«QUINTO.–No cuestionado el valor unitario del terreno, el Jurado valora la servidumbre de gasoducto en el 60% del valor del suelo objeto de afección en 113 metros de longitud y 2 metros a ambos lados del eje (113 m.l. x 4 m), lo que no comparte este Tribunal, porque dicho porcentaje debe establecer según las limitaciones que la servidumbre impone atendida la naturaleza del suelo y su destino (sentencias del Tribunal Supremo de 20 de junio de 1994 y 19 de abril de 1996), y en el presente caso, como consta en el Acta Previa a la ocupación las limitaciones al dominio se concretan en la prohibición de efectuar trabajos de arada o similares a una profundidad superior a 50 cm., así como plantar árboles o arbustos a una distancia inferior a dos metros a contar del eje de la tubería, aparte del libre acceso del personal y equipos necesarios para poder mantener, reparar o renovar instalaciones, así como la posibilidad de instalar los hitos de señalización y delimitación, que se recogen, por lo que *es claro que dichas limitaciones suponen un fortísimo gravamen según el destino de la finca, que si no se priva de la propiedad se limita su contenido como suelo no urbanizable, próximo a suelo industrial, por lo que se estima ponderado en orden a la valoración de la servidumbre de gasoducto en la franja de dos metros a cada lado del eje de la tubería aplicar el 90% del valor del terreno, como viene reiterando este Tribunal en este tipo de expropiaciones, por lo que dicha partida debe fijarse en la cantidad de [(113 m. x 4 m.) x 1.500 ptas./m² x 0,90] 610.200 pesetas (3.667,38 €), a la que no procede aplicar el 5% por premio de afección al no tratarse de una privación del dominio sino de un gravamen sobre el mismo del que conservan su uso y disfrute, artículo 47 del Reglamento de Expropiación Forzosa».*

Otras sentencias que siguen este mismo *método resolutivo*, y que simplemente citamos ya, son: STSJ del País Vasco de 30 de noviembre de 2005 (JUR 2006, 80041); STSJ de Extremadura de 25 de mayo de 2004 (JUR 2004, 191250); STSJ del País Vasco de 11 de diciembre de 2000 (JUR 2001, 255032); STSJ de Cataluña de 30 de junio de 2005 (JUR 2006, 40461); STSJ de Asturias de 8 de junio de 2006 (JUR 2006, 211498); STSJ de Castilla y León de 30 de junio de 2006 (JUR 2006, 248379); STSJ de Madrid de 23 de noviembre de 2001 (JUR 2002, 93568); STSJ de Asturias de 20 de enero de 2003 (JUR 2003, 75623) planteando un problema de yacimientos minerales en el subsuelo que han de considerarse indemnizables; y las SSTSJ de Madrid de 1 de octubre de 2004 (RJCA 2005, 137) y 6 de mayo de 2005 (JUR 2005, 209809) planteando problemas de reversión.

En materia de servidumbres es interesante en suelo urbano consolidado la STSJ de Madrid de 11 de abril de 2002 (JUR 2003, 3730), al poner de manifiesto la legalidad de las servidumbres administrativas en este tipo de suelo (con ocasión de una canalización subterránea de una línea de alta tensión que atraviesa la parcela de la parte actora). Y también lo es, al poner en evidencia las dificultades del interesado para hacer valer sus derechos de anulación de la servidumbre, dado que se desestima el recurso contencioso-administrativo porque el actor no consigue poner de manifiesto la normativa concreta que se entiende vulnerada en estos casos en que el Plan prevé la servidumbre.

A modo de **conclusión** a mi juicio, en torno al subsuelo urbano bajo rasante privada, cabe afianzar, siguiendo el método jurisprudencial, un principio de valoración del subsuelo en función principalmente del interés del sujeto, que viene a traducirse en buena medida en un criterio orientativo esencial de profundidad.

El principio de proporcionalidad refuerza esta conclusión. Podrán ser distintos los elementos que deban valorarse para fijar la procedencia o el montante de la indemnización. Tampoco parece posible, en el marco de un Plan General, atinar la regulación hasta el punto de llegar a prever una valoración ni en función de las zonas ni menos aún con carácter general para todo el municipio, como es evidente. Pero sí procede establecer reglas generales que pueden desarrollarse, primero, en su caso, mediante planteamiento especial o de desarrollo. Y, segundo, que permiten ser aplicadas en el caso concreto a la luz de la legislación estatal del suelo o valoraciones o expropiatoria.

Según esto, podrían distinguirse tres situaciones por referencia al subsuelo, que serían el objeto de una regulación mediante Plan General, después de observar coincidencia incluso doctrinal sobre el *desideratum* de que este tipo de Plan regule el subsuelo urbano. Primera, subsuelos bajo suelos urbanos privados planteándose la posibilidad de aprovechamientos y usos privados. Segundo, subsuelos bajo suelos urbanos privados planteándose la posibilidad de servidumbres públicas. Tercero, subsuelos bajo suelos públicos planteándose la posibilidad de titularidades o usos gestionados por privados. Cuarto, subsuelos bajo suelos públicos planteándose la posibilidad de usos gestionados por los propios agentes públicos.

Capítulo X

Suelos contaminados y descontaminación suelos

1. ACTUALIDAD DEL TEMA Y NORMATIVA: LA LEY DE RESIDUOS

Un tema cada vez más importante es el de la descontaminación de suelos, que puede valorarse fruto de la repercusión creciente de la sensibilidad ambiental sobre el urbanismo y el régimen del suelo. No valdría con resolver el problema de la contaminación del suelo a través de los mecanismos tradicionales arbitrando medidas de solución: más bien, sería necesario poner en aplicación los preceptos normativos que se han dictado al efecto durante los últimos tiempos.

Empezando por la Ley de residuos 10/1998, de 21 de abril, que pretende adecuar nuestro Derecho a la importante directiva comunitaria 91/156/CEE, tal como expone en su propia Exposición de Motivos.

Por otra parte, no se limita la Ley a regular los residuos una vez generados, sino que también los contempla en la fase previa a su generación, regulando las actividades de los productores, importadores y adquirentes intracomunitarios y, en general, las de cualquier persona que ponga en el mercado productos generadores de residuos. Con la finalidad de lograr una estricta aplicación del principio de «quien contamina paga», la Ley hace recaer sobre el bien mismo, en el momento de su puesta en el mercado, los costos de la gestión adecuada de los residuos que genera dicho bien y sus accesorios, tales como el envasado o embalaje.

Asimismo, «se dictan normas sobre la declaración de suelos contaminados y se regula la responsabilidad administrativa derivada del incumplimiento de lo establecido en esta Ley, tipificándose tanto las conductas que constituyen infracción como las sanciones que procede imponer como consecuencia de ello que pueden llegar hasta un máximo de *200.000.000 de pesetas,* en el supuesto de infracciones muy graves».

En los artículos 27 y ss. la Ley de residuos 10/1998 regula los suelos contaminados. En el artículo 27 se prevé la «declaración de suelos contaminados»: «las Comunidades Autónomas declararán, delimitarán y harán un inventario de los suelos contaminados debido a la presencia de componentes de carácter peligroso de origen humano, evaluando los riesgos para la salud humana o el medio ambiente, de acuerdo con los criterios y estándares que, en función de la naturaleza de los suelos y de los usos, se determinen por el Gobierno previa consulta a las Comunidades Autónomas».

A partir del inventario, las Comunidades Autónomas elaborarán una lista de prioridades de actuación, en atención al riesgo que suponga la contaminación del suelo para la salud humana y el medio ambiente.

Igualmente, las Comunidades Autónomas declararán que un suelo ha dejado de estar contaminado tras la comprobación de que se han realizado de forma adecuada las operaciones de limpieza y recuperación del mismo.

La declaración de un suelo como contaminado obligará a realizar las actuaciones necesarias para proceder a su limpieza y recuperación, en la forma y plazos en que determinen las respectivas Comunidades Autónomas.

Estarán obligados a realizar las operaciones de limpieza y recuperación reguladas en el párrafo anterior, previo requerimiento de las Comunidades Autónomas, los causantes de la contaminación, que cuando sean varios responderán de estas obligaciones de forma solidaria y, subsidiariamente, por este orden, los poseedores de los suelos contaminados y los propietarios no poseedores, todo ello sin perjuicio de lo establecido en el artículo 36.3.

En todo caso, si las operaciones de limpieza y recuperación de suelos contaminados fueran a realizarse con financiación pública, sólo se podrán recibir ayudas previo compromiso de que las posibles plusvalías que adquieran los suelos revertirán en la cuantía subvencionada en favor de la Administración pública que haya financiado las citadas ayudas.

La declaración de un suelo como contaminado podrá ser objeto de nota marginal en el Registro de la Propiedad, a iniciativa de la respectiva Comunidad Autónoma. Esta nota marginal se cancelará cuando la Comunidad Autónoma correspondiente declare que el suelo ha dejado de tener tal consideración.

El Gobierno aprobará y publicará una lista de actividades potencialmente contaminantes de suelos. Los propietarios de las fincas en las que se haya realizado alguna de estas actividades estarán obligados, con motivo de su transmisión, a declararlo en escritura pública (...).

En el artículo 28 se regula la «Reparación en vía convencional de los daños al medio ambiente por suelos contaminados»: «Las actuaciones para proceder a la limpieza y recuperación de los suelos declarados como contaminados podrán llevarse a cabo mediante acuerdos voluntarios suscritos entre los obligados a realizar dichas operaciones y autorizados por las Comunidades Autónomas o mediante convenios de colaboración entre aquéllos y las Administraciones públicas competentes. En todo caso, los costes de limpieza y recuperación de los suelos contaminados correrán a cargo del obligado, en cada caso, a realizar dichas operaciones. Los convenios de colaboración podrán concretar incentivos económicos que puedan servir de ayuda para financiar los costes de limpieza y recuperación de suelos contaminados».

En los artículos siguientes la Ley de residuos regula la Inspección y vigilancia. Responsabilidad administrativa y régimen sancionador. Puede destacarse el artículo 34.2.g a cuyo tenor son infracciones muy graves: «g) La no realización de las operaciones de limpieza y recuperación cuando un suelo haya sido declarado como contaminado, tras el correspondiente requerimiento de la Comunidad Autónoma o el incumplimiento, en su caso, de las obligaciones derivadas de acuerdos voluntarios o convenios de colaboración».

2. LA DESCONTAMINACIÓN DE SUELOS. EL REAL DECRETO 9/2005, DE 14 ENERO, POR EL QUE SE ESTABLECE LA RELACIÓN DE ACTIVIDADES POTENCIALMENTE CONTAMINANTES DEL SUELO Y LOS CRITERIOS Y ESTÁNDARES PARA LA DECLARACIÓN DE SUELOS CONTAMINADOS

Este RD empieza diciendo que el «suelo constituye uno de los medios receptores de la contaminación más sensibles y vulnerables» (...).

A pesar de la evidente vulnerabilidad ecológica de los suelos, la legislación europea y la española han carecido de instrumentos normativos para promover su protección, y hasta la promulgación de la Ley 10/1998, de 21 de abril (RCL 1998, 1028), de Residuos, en España no se disponía de ninguna norma legal que permitiera proteger eficazmente los suelos contra la contaminación y, en el caso de los ya contaminados, identificarlos y caracterizarlos utilizando para ello una metodología normalizada y técnicamente rigurosa.

Con este Real Decreto se da cumplimiento a lo previsto en la Ley 10/ 1998, de 21 de abril, de Residuos. En el Real Decreto se precisa la definición de suelo contaminado. El suelo se declarará contaminado, mediante resolución expresa, si conforme al baremo de este Real Decreto dicho riesgo se considera inaceptable para la salud humana y el medio ambiente.

Así mismo, en el anexo I se establece la relación de actividades susceptibles de causar contaminación en el suelo, y en los anexos III, IV, V, VI, VII y VIII, los criterios y estándares que permiten decidir si un suelo está o no contaminado, incluyendo los requisitos técnicos que deberán ser tenidos en cuenta. Igualmente, se regula la forma y contenido del informe preliminar de situación que deben presentar a las Comunidades Autónomas los titulares de las actividades potencialmente contaminantes y los propietarios de los suelos que las han soportado en el pasado; en el anexo II se desglosa la información mínima requerida.

El criterio general para juzgar el grado de contaminación del suelo, así como las posibles medidas de recuperación ambiental en los suelos que hayan sido declarados como contaminados, descansa en la valoración de los riesgos ambientales ligados a la existencia de contaminantes en suelos. En este sentido, en el anexo VIII, en línea con lo estipulado en el Reglamento (CE) nº 1488/ 94 de la Comisión, de 28 de junio de 1994 (LCEur 1994, 1982), por el que se establecen los principios de evaluación del riesgo para el ser humano y el medio ambiente de las sustancias existentes de acuerdo con el Reglamento (CEE) nº 793/93 del Consejo (LCEur 1993, 983 y 2862), se recogen los elementos necesarios que debe contener una valoración de riesgos.

En el artículo 2 se define el «suelo contaminado» como aquel cuyas características han sido alteradas negativamente por la presencia de componentes químicos de carácter peligroso de origen humano, en concentración tal que comporte un riesgo inaceptable para la salud humana o el medio ambiente, **y así se haya declarado mediante resolución expresa.**

En este sentido, en el artículo 4 («Suelos contaminados») se afirma que el órgano competente de la Comunidad Autónoma declarará un suelo como contaminado para los correspondientes usos (atendiendo a los criterios expuestos en el anexo III, tomando en consideración la información recibida en aplicación del artículo 3, así como de otras fuentes de información disponibles).

En el artículo 7 se regula la «descontaminación de suelos»:

– La declaración de un suelo como contaminado obligará a la realización de las actuaciones necesarias para proceder a su recuperación ambiental en los términos y plazos dictados por el órgano competente.

– El alcance y ejecución de las actuaciones de recuperación será tal que garantice que la contaminación remanente, si la hubiera, se traduzca en niveles de riesgo aceptables de acuerdo con el uso del suelo.

– La recuperación de un suelo contaminado se llevará a cabo aplicando las mejores técnicas disponibles en función de las características de cada caso. Las actuaciones de recuperación deben garantizar que materializan soluciones permanentes, priorizando, en la medida de lo posible, las técnicas de tratamiento _in situ_ que eviten la generación, traslado y eliminación de residuos.

– Siempre que sea posible, la recuperación se orientará a eliminar los focos de contaminación y a reducir la concentración de los contaminantes en el suelo. En el caso de que por razones justificadas de carácter técnico, económico o medioambiental no sea posible esa recuperación, se podrán aceptar soluciones de recuperación tendentes a reducir la exposición, siempre que incluyan medidas de contención o confinamiento de los suelos afectados.

– Los suelos contaminados perderán esta condición cuando se realicen en ellos actuaciones de descontaminación que, en función de los diferentes usos, garanticen que aquéllos han dejado de suponer un riesgo inadmisible para el objeto de protección designado, salud humana o ecosistemas. En todo caso, un suelo dejará de tener la condición de contaminado para un determinado uso una vez exista y sea firme la resolución administrativa que así lo declare, previa comprobación de la efectividad de las actuaciones de recuperación practicadas.

3. LA LEY DE RESPONSABILIDAD MEDIOAMBIENTAL

La Ley de responsabilidad medioambiental 26/2007, de 23 octubre, también se hace eco del problema de la contaminación del suelo. Define los daños al suelo como «cualquier contaminación del suelo que suponga un riesgo significativo de que se produzcan efectos adversos para la salud humana o para el medio ambiente debidos al depósito, vertido o introducción directos o indirectos de sustancias, preparados, organismos o microorganismos en el suelo o en el subsuelo».

En general, el interés de esta Ley estaría en la aplicación, al caso concreto, de su régimen general de responsabilidades. Así, el artículo 9, «responsabilidad de los operadores», en el contexto de la «atribución de responsabilidades»: «los operadores de las actividades económicas o profesionales incluidas en esta Ley están obligados a adoptar y a ejecutar las medidas de prevención, de evitación y de reparación de daños medioambientales y a sufragar sus costes, cualquiera que sea su cuantía, cuando resulten responsables de los mismos».

En el artículo 14 se regula la «inexigibilidad de la obligación de sufragar los costes»: «el operador no estará obligado a sufragar los costes imputables a las medidas de prevención, de evitación y de reparación de daños cuando demuestre que los daños medioambientales o la amenaza inminente de tales daños se produjeron exclusivamente por cualquiera de las siguientes causas» (...).

Por otro lado, el operador no estará obligado a sufragar el coste imputable a las medidas reparadoras cuando demuestre que no ha incurrido en culpa, dolo o negligencia y que concurre alguna de las siguientes circunstancias: a) Que la emisión o el hecho que sea causa directa del daño medioambiental constituya el objeto expreso y específico de una autorización administrativa (...).

En el artículo 15 («Recuperación de costes») se prevé que el operador podrá recuperar los costes imputables a las medidas de prevención, de evitación o de reparación de daños medioambientales, ejerciendo las acciones de repetición frente a terceros a que se refiere el artículo 16 o reclamando la responsabilidad patrimonial de las Administraciones públicas a cuyo servicio se encuentre la autoridad pública que impartió la orden o la instrucción.

4. LA NECESIDAD DE UN EJERCICIO DILIGENTE DE LAS POTESTADES ADMINISTRATIVAS

En la práctica se producen a veces situaciones complejas, de inactividad administrativa, que impiden o bloquean el desarrollo de la actuación que se pretende, cuando la Administración no termine de declarar la declaración de suelo contaminado o no termine de excluir el carácter de suelo contaminado. Generalmente, no es fácil obviar dicha declaración, mediante, por ejemplo, la tramitación de un simple plan de excavación donde se contemplen medidas de descontaminación al margen de los cauces normativos explicados. A estos problemas, a veces se suma la dificultad de la adopción de las medidas pertinentes, o su alto coste financiero, o la ausencia de lugares adecuados donde poder llevar a cabo el almacenaje de los residuos contaminantes. El ejercicio de las posibles potestades que circundan el hecho de la contaminación-descontaminación de un suelo puede ser vital desde el punto de vista de las garantías de los particulares y del cumplimiento de los propios intereses públicos.

Suelo

1. CARÁCTER ESTATUTARIO DEL SUELO CONFORME AL TRLS/2008

STS de 5 de diciembre de 1996 (RJ 1996, 9202):

«La sentencia de instancia, como hemos visto, estima únicamente el recurso en razón del principio de irretroactividad de las disposiciones administrativas, al parecer para, aplicándola a los Planes urbanísticos, concluir que no puede ser modificado el régimen urbanístico de una determinada finca sin perjuicio de un comerciante próximo que confió, al instalar su negocio, que nadie le haría la competencia próxima. Un tal argumento desconoce el carácter estatutario de la propiedad urbana, según el cual su contenido será en cada momento el que derive de la ordenación urbanística (sentencias del Tribunal Supremo de 14 de mayo de 1983 y de 27 de mayo de 1987) de forma que no es legal la pretensión de que el régimen de un determinado suelo quede congelado *in eternum* porque así convenga a los intereses de unos y otros particulares» (puede verse igualmente la STS 27 de febrero de 1996 [RJ 1996, 1648] matizando, igualmente, el principio de seguridad jurídica y los derechos subjetivos).

2. LÍMITES DEL CARÁCTER ESTATUTARIO DEL CONTENIDO DEL DERECHO DE PROPIEDAD

«Esta Sala ha declarado reiteradamente que las determinaciones de los planes de ordenación que implican una afectación de suelo urbanizable privado a la construcción de viviendas de protección oficial carece de apoyo legal, puesto que si bien el artículo 33.2 de la Constitución establece que la función social de la propiedad delimitará su contenido de acuerdo con las leyes, es lo cierto que el artículo 76 TRLS contiene una habilitación legal en favor de los planes *que sólo se refiere a los contenidos urbanísticos del derecho de propiedad y no se extiende a otras limitaciones distintas, como son las del régimen* especial de viviendas de protección pública (...)» **(STS de 29 de marzo de 1999 (RJ 1999, 2645).**

3. SUELO URBANO O URBANIZADO

Sentencia del TSJ de Andalucía, de 24 de marzo de 2003 (JUR 2003, 130290):

«Frente a una postura convencional o de discrecionalidad técnica por parte de la Administración, en los supuestos claros de suelo urbano debe atenerse a una **relación de causalidad entre la clasificación del suelo y la realidad existente** de tal manera que aquélla siga a ésta cuando realmente un determinado suelo disponga de los servicios urbanísticos exigidos por la ley. Siendo ésta la línea directriz, lo cierto es que la Jurisprudencia da un giro interpretativo en torno a los requisitos que ha de reunir un terreno para que la Administración tenga la obligación de clasificarlo como suelo urbano. *Inicialmente, la jurisprudencia consideró que era suficiente con que el terreno reuniera los servicios urbanísticos referidos. Sin embargo, a partir del año 1990 requiere que tales dotaciones las proporcionen los correspondientes servicios y que el suelo se encuentra insertado en la malla urbana, es decir, que exista una urbanización básica constituida por unas vías perimetrales y unas redes de suministro de agua, de energía eléctrica y de saneamiento de que puedan servirse los terrenos, y, que éstos, por su situación no estén desligados completamente del entramado urbanístico ya existente.* STS de 30 de octubre de 1990 (RJ 1990, 8386); 25 de marzo de 1991 (RJ 1991, 2026); 21 de enero de 1992 (RJ 1992, 716); 14 de abril de 1993 (RJ 1993, 2607); 22 de febrero de 1994 (RJ 1994, 1459); 27 de marzo de 1995 (RJ 1995, 2714); 30 de enero de 1997 (RJ 1997, 309); 26 de mayo de 1998 (RJ 1998, 4265) y 4 de febrero de 1999 (RJ 1999, 672). En idéntica línea **se exige que los servicios sean adecuados,** y, lo que es más importante, que procedan de la ejecución de un plan. Por esa razón **no es posible el reconocimiento del carácter de suelo urbano a terrenos que dispongan de esos servicios por la fuerza de los hechos en contra o al margen de las previsiones del plan.** De sostener lo contrario se llegará al resultado jurídico inadmisible de que las ilegalidades urbanísticas se impondrían por la fuerza de los hechos. La STS de 6 de mayo de 1997 (RJ 1997, 4051), reiterando la línea marcada por la Sentencia de 11 de julio de 1989 (RJ 1989, 5739), mantiene que los servicios adquiridos por la vía de hecho no imponen la clasificación de los terrenos como suelo urbano».

«Ello pone de manifiesto que la obligación de la Administración de clasificar como urbanos los terrenos que disponen de los servicios urbanísticos enunciados en la legislación urbanística no tiene realmente su origen en una especial capacidad vinculadora de la realidad física, sino única y exclusivamente en la **propia legalidad.** Por ello cuando se ha actuado ilegalmente, la Administración no tiene obligación de clasificar los terrenos como suelo urbano. Por último destacar que el carácter de reglado del suelo urbano conforme al criterio de la urbanización básica, debe combinarse con el de la consolidación de la edificación de tal suerte que los terrenos que aspiren a ser conceptuados como urbanos van a precisar que una vez delimitada el área que se toma en consideración para computar los dos tercios de edificación consolidada, ésta realmente se produzca. SSTS de 21 de noviembre de 1990 (RJ 1990, 9277), 14 de abril de 1992 (RJ 1992, 3424) y 15 de febrero de 1994 (RJ 1994, 1450).»

STS de 5 de febrero de 1996 (RJ 1996, 1646):

«La Ley y los planes de ordenación del suelo, a tenor del artículo 76 del TRLS y en la interpretación jurisprudencial actual, definen el derecho de propiedad sobre los predios. Quiere decirse con ello que el contenido y alcance del derecho de propiedad sobre un predio concreto es el que la Ley y el planeamiento precise. El planeamiento no es –en esta concepción– un medio de constreñir y limitar el derecho de propiedad sino que delimita y define dicho derecho (...). Pues bien, la aplicación de esta doctrina al supuesto controvertido comporta declarar no ajustado a derecho el uso del restaurante que se pretende. Es evidente que dicho uso, en cuanto se lleva a cabo en un lugar en el que el planeamiento no lo permite, es contrario al derecho de propiedad que en ese concreto espacio físico define el planeamiento».

4. DEFINICIÓN DEL SUELO URBANO. LA DISCRECIONALIDAD DE LA POTESTAD DE PLANEAMIENTO CEDE ANTE LA CONCEPCIÓN DE LA CLASIFICACIÓN DE SUELO URBANO COMO UN ACTO REGLADO

STS de 19 de mayo de 2004 (RJ 2004, 3893):

«En efecto, aquel suelo objeto del litigio era y es legalmente suelo urbano, pues esa jurisprudencia afirma de modo reiterado: 1) que la clasificación de un suelo como urbano constituye un imperativo legal que no queda al arbitrio del planificador, de suerte que éste ha de definir o clasificar como tal el que lo sea por concurrir en él las circunstancias de hecho, físicas, descritas en la letra a) de aquel artículo 78; y 2) que en esa letra utiliza el legislador dos criterios, el de la urbanización y el de la consolidación de la edificación, que conjuga de modo alternativo, de suerte que basta con que concurra uno u otro para que devenga imperativa la clasificación del suelo como urbano.»

5. REQUISITO PARA LA CLASIFICACIÓN DEL SUELO URBANO ES LA DOTACIÓN DE SERVICIOS URBANÍSTICOS O CONSOLIDACIÓN POR LA EDIFICACIÓN Y SU INSERCIÓN EN LA MALLA URBANA

STS de 4 de abril de 2007 (RJ 2007, 3207):

«Las facultades discrecionales que como regla general han de reconocerse al planificador para clasificar el suelo en la forma que estime más conveniente, tienen su límite en el suelo urbano, pues necesariamente ha de reconocerse esa categoría a los terrenos que hallándose en la malla urbana, por haber llegado a ellos la acción urbanizadora, dispongan de servicios urbanísticos (acceso rodado, abastecimiento de agua, evacuación de aguas y suministro de energía eléctrica) con las características adecuadas para servir a la edificación que sobre ellos exista o se haya de construir, o se hallen comprendidos en áreas consolidadas por la edificación, salvo que la existencia de tales servicios o la consolidación de la edificación hayan tenido su origen en infracciones urbanísticas y aun le sea posible a la Administración imponer las medidas de restauración del orden urbanístico infringido». Doctrina ratificada por la posterior STS de 27 de abril de 2004 (RJ 2004, 3196). En esta misma línea hemos expuesto (SSTS de 3 de febrero [RJ 2003, 2044] y 15 de noviembre de 2003 [RJ 2003, 8159]) que «la mera existencia en una parcela de los servicios urbanísticos exigidos en el artículo 78 LS (RCL 1992, 1468 y RCL 1993, 485) no es suficiente para su clasificación como suelo urbano si aquélla no se encuentra enclavada en la malla urbana. Se trata así de evitar el crecimiento del suelo urbano por la sola circunstancia de su proximidad al que ya lo es, pero con exoneración a los propietarios de las cargas que impone el proceso de transformación de los suelos urbanizables. Y la propia sentencia recurrida reconoce claramente que la parcela en cuestión no se halla enclavada en la trama urbana».

6. LA INSERCIÓN DEL SUELO EN LA TRAMA URBANA PARA SU CLASIFICACIÓN COMO URBANO SUPONE LA EXISTENCIA DE UNA URBANIZACIÓN MÍNIMA

STS de 19 de octubre de 2006 (RJ 2007, 3074):

«A tal efecto, y respecto del criterio de la urbanización, no sólo consideramos necesarias legalmente las dotaciones esenciales de acceso rodado, abastecimiento de agua, evacuación de aguas residuales y suministro de energía eléctrica con las características adecuadas para servir a la edificación que sobre ellos exista o haya de construirse, sino también que tales dotaciones las proporcionen los servicios correspondientes y que el suelo se encuentre inserto en la malla urbana, es decir, que exista una urbanización básica constituida por unas vías perimetrales y unas redes de suministro de agua, energía eléctrica y saneamiento de que puedan servirse los terrenos y que éstos, por su situación, no estén completamente desligados del entramado urbanístico ya existente (...) insisten en la necesidad tanto de que los terrenos se encuentren insertos en la malla urbana como en la de que cuenten con los servicios apropiados. No es suficiente, se ha dicho, que ocasionalmente tengan los servicios urbanísticos a pie de parcela, porque pasen por allí casualmente, sino que deben estar dotados de ellos porque la acción urbanizadora haya llegado al lugar de que se trate. La sentencia de 4 de febrero de 1999 (RJ 1999, 672) declara, así, que no es suficiente que el terreno tenga los servicios urbanísticos cuando el mismo no se encuentra en la malla urbana y la de 1 de junio de 2000 (RJ 2000, 4375) precisa que el suelo urbano sólo llega hasta donde lo hagan los servicios urbanísticos que se han realizado para la atención de una zona urbanizada, y ni un metro más allá. No cabe clasificar como urbano un terreno que linda con urbanizaciones consolidadas pero que está separado de ellas por la voluntad del Municipio de mantener el suelo urbano en el límite de las urbanizaciones existentes. Dicho en otros términos: el suelo urbano no puede expandirse necesariamente como si fuera una mancha de aceite mediante el simple juego de la colindancia de los terrenos con zonas urbanizadas, como advierte la sentencia de 12 de noviembre de 1999 (RJ 1999, 8490) a propósito de un caso de suelo no urbanizable. Y todo ello porque, como ya apuntó en similar sentido la sentencia de 3 de abril de 1996 (RJ 1996, 2939), en algún punto del terreno ha de estar el límite entre el suelo urbano y el no urbanizable cuando el planificador, usando su potestad, ha previsto el crecimiento urbano en otro lugar y no quiere interponer entre los dos un suelo urbanizable».

7. PATRIMONIALIZACIÓN ÍNTEGRA DEL APROVECHAMIENTO DEL SUELO URBANO CONSOLIDADO POR EL PROPIETARIO

Sentencia del Tribunal Constitucional de 27 de febrero de 2002 (RTC 2002, 54):

«(...) Todos los propietarios de suelo urbano "consolidado" de España patrimonializan el 100 por 100 del aprovechamiento urbanístico correspondiente a cada parcela o solar».

8. DEBERES DE LOS PROPIETARIOS EN SUELO URBANO SIN CONSOLIDAR

STS de fecha 10 de mayo de 2000 (RJ 2000, 4088):

«De aquí se deduce que la obligación de costear la urbanización que el artículo 83.3.2º impone a los propietarios de suelo urbano viene referida a las partes de suelo urbano que todavía no cuentan con los servicios urbanísticos y que sólo son suelo urbano por encontrarse en áreas consolidadas [artículos 78 a) y 81.2 del TRLS de 9 de abril de 1976], pero no a los propietarios de suelo que cuenta con todos los servicios. La nueva Ley del Suelo de 13 de abril de 1998 (RCL 1998, 959) así lo especifica claramente, al imponer la obligación de costear la urbanización sólo a los propietarios de suelo urbano no consolidado, según su artículo 14.2 e), exigiendo por el contrario a los propietarios de suelo urbano consolidado no costear la urbanización, sino "completar a su costa la urbanización necesaria para que los mismos alcancen, si aún no la tuviera, la condición de solar", según su artículo 14.1 (en el bien entendido de que ese "alcanzar la condición de solar" sólo se produce una vez, y que, a partir de entonces, el suelo es ya para siempre suelo urbano consolidado)».

Sentencia del Tribunal Superior de Justicia de Murcia de fecha 30 de noviembre de 1999 (RJCA 1999, 5038):

«(...) La citada Ley del Suelo instrumenta el cumplimiento de los deberes que impone a los propietarios de suelo urbano y urbanizable (cesiones de suelo para viales, equipamientos, costes de urbanización), mediante la ejecución del planeamiento urbanístico (el PGOU en suelo urbano) en la forma que la propia Ley establece y que requiere de la previa delimitación en suelo urbano) de un polígono (o "unidad de ejecución", en la terminología de la Ley del Suelo de 26-6-1992 [RCL 1992, 1468 y RCL, 1993, 485]), que, cuando menos, permita la distribución o reparto justo y proporcionado entre todos los propietarios, en su ámbito, de los beneficios (aprovechamiento urbanístico) y cargas de la ordenación: principio éste esencial en el Derecho urbanístico, como dice la sentencia del Tribunal Supremo de 27-1-1997 (RJ 1997, 297), y que tiene su fundamento en el principio constitucional de igualdad (artículos 1, 9 y 14 de la Constitución), entendido lógica y justamente no en sentido de uniformidad sino de proporcionalidad a las aportaciones de cada propietario en la actuación urbanizadora a llevar a cabo en el conjunto del ámbito de la ejecución de esta actividad».

9. IMPORTANCIA DE LOS CONDICIONANTES AMBIENTALES PARA LA CLASIFICACIÓN DEL SUELO

STS de 1 de febrero de 2000 (RJ 2000, 583):

«Tampoco el informe pericial sobre el escaso valor agrícola de los terrenos desvirtúa las razones medioambientales que se recogen en la resolución impugnada. Efectivamente, nadie ha afirmado que los terrenos objeto del litigio tengan un alto valor agrícola susceptible de su inclusión en el Suelo No Urbanizable de Protección Especial. Lo que se mantiene es que siendo discrecional en el ámbito municipal la decisión de clasificar unos terrenos como Suelo "Urbanizable No Programado", o alternativamente, como Suelo "No Urbanizable", *la clasificación de "No Urbanizable" es la correcta si se tienen en cuenta los intereses supralocales que convergen sobre tales terrenos y se abandona la óptica estrictamente municipal, pues se encuentran próximos a otros de alto valor ecológico, cuya necesidad de defensa comunitaria es indudable. Se trata, pues, de que la defensa del "Lago de la Albufera" y el "Parque Natural" hacen conveniente, desde el punto de vista supralocal, que la clasificación de dichos terrenos sea la de "Suelo No Urbanizable".* Por supuesto que si la protección del Plan Especial de la Albufera llegara a los terrenos controvertidos su clasificación tendría que ser Suelo No Urbanizable, en virtud de las propias determinaciones del planeamiento aplicable. Lo que se sostiene es que, en ausencia de una determinación específica del planeamiento, dada la inmediatez y cercanía de tales terrenos a espacios protegidos de alto valor ecológico, y en virtud de intereses supralocales que a todos interesa preservar, la facultad discrecional de clasificación del suelo municipal queda limitada por las circunstancias supralocales que inciden sobre aquellos terrenos.

Finalmente, es indudable la corrección de la resolución al suspender el planeamiento aprobado, sin esperar a que se dicten los instrumentos de planeamiento derivado, pues en el Plan aprobado se contienen ya determinaciones que vulneran los intereses supralocales que la resolución impugnada preserva».

STS de 3 de febrero de 2000 (RJ 2000, 340):

«Se considera procedente el argumento principal de que el sector para el que se solicita licencia está clasificado en el Plan General de Ponferrada como "suelo no urbanizable de especial protección, Área II, Ecosistemas de Cumbres Montañosas", *que viene definida "por criterios ecológicos basados en sus aspectos morfológicos y biológicos";* que la actividad pretendida no queda comprendida ni en el uso principal asignado al Área II (artículo 7.3.8 bis) ni en los usos compatibles (artículo 7.3.9 NU), y altera la morfología del área, y, además, según el artículo 7.3.10, "estas áreas deben ser preservadas de cualquier actuación urbanística, agrícola o industrial"». De este modo, se confirma la denegación de la licencia.

Sentencia del TSJ de Andalucía (sede de Granada), de 2 de diciembre de 2002 (JUR 2003, 64106) «se estima el recurso contra una clasificación como "no urbanizable", en vez de "urbanizable", con ocasión de la Revisión del Planeamiento Urbanístico, considerando insuficiente para justificar esta declaración la existencia de una Declaración de Impacto Ambiental que apoyaba la clasificación como "no urbanizable" *en un caso como el presente en el cual el planeamiento de ordenación de los Recursos naturales y el Plan rector de Uso y Gestión del Parque Natural Cabo de Gata-Níjar atribuían a los terrenos objeto de litigio la consideración y clasificación de "suelo urbanizable"*».

10. LÍMITES DE LA POTESTAD ADMINISTRATIVA DE CLASIFICA-CIÓN DEL SUELO

Sentencia del TSJ de Andalucía, de 24 de marzo de 2003 (JUR 2003, 130290):

«La clasificación de terrenos como suelo urbanizable responde a la necesidad de habilitar nuevos desarrollos urbanos y de localizar esos desarrollos donde resulta más pertinente en atención a las necesidades colectivas. En consecuencia, la clasificación de suelo urbanizable *ha de ser resultado de la valoración de una serie de factores relevantes como la situación existente, las características del desarrollo urbano previsible, la necesidad de producir un desarrollo urbano coherente en función de la estrategia a largo plazo del Plan, la adecuada proporción entre los nuevos asentamientos y el equipo urbano y las previsiones sobre inversiones públicas y privadas* (art. 23 RPU). El suelo urbanizable debe, por tanto, delimitarse en función de las necesidades de desarrollo urbanístico de la población y debe servir como suficiente soporte físico para los nuevos asentamientos de población que se prevean. *Por ello, a pesar de que la clasificación de suelo urbanizable tiene en principio carácter discrecional "su ejercicio ha de ser en todo caso congruente con las previsiones de crecimiento poblacional y urbano y de las necesidades de vivienda y otros usos del suelo, establecidas por el propio plan", de tal forma que podrá controlarse la proporcionalidad de la delimitación realizada por el plan con esas previsiones.* Para la clasificación del suelo urbanizable, *la Administración deberá basarse en una actividad de prospectiva, es decir, en juicios anticipatorios* acerca del incremento demográfico de la población, de los flujos migratorios y de las futuras necesidades de vivienda de la población. Esos juicios anticipatorios consisten en una interpretación subjetiva de determinados datos o indicios relevantes. La conclusión, en la medida en que es subjetiva, podrá compartirse o no, pero no podrá rebatirse a través de una prueba pericial, porque el pronóstico es, por su propia naturaleza, insusceptible de contrastación o revisión crítica. Requiere una apreciación puramente subjetiva, que le corresponde realizar a la Administración y a ningún otro órgano. **Sin embargo, lo que sí puede controlarse es si la conclusión a la que ha llegado la Administración es coherente y congruente con los datos que le han servido de base y si la interpretación se ha realizado atendiendo a criterios plausibles.** Así lo ha reconocido el propio Tribunal Supremo, que ha mantenido que puede lograrse que los tribunales anulen la clasificación realizada por la Administración si se prueba que tal clasificación es contraria al interés público, STS 21 enero 1997 (RJ 1997, 1865)».

«Tras el análisis detenido de la diversa y variada documental, en forma de gráficos, mapas e informes, forman *nuestra convicción que no hay racionalidad en el diseño que hace las NNSS* de (...) en el particular de la atribución a los terrenos de la recurrente del carácter de terrenos no urbanizables. Es la única mancha de ese carácter que hay en la zona. Primero aparecen configurados los terrenos urbanos, con posterioridad los urbanizables, y, por último, el suelo no urbanizable, y, en este concreto apartado, el único terreno al que se le adjudica ese carácter de no urbanizable, es al de la Congregación demandante sin que ello obedezca a su proximidad con la autovía, ya se observa como el suelo apto para urbanizar también colinda con dicho sistema general. La razón para tal determinación aparece en el expediente, y descansa en la afirmación que las edificaciones que existen están fuera de ordenación y que la conceptuación como suelo no urbanizable no va a impedir su uso actual. Al mismo tiempo, apunta la coherencia de que se pudieran haber clasificado como suelo urbanizable, mas, se afirma, como la pretensión que en esos momentos se sostenía, era la de urbano, no se accedía a ésta, mas dejaba abierta, a criterio de esta Sala, la posibilidad de su reconocimiento como urbanizable, posibilidad que descartaba tan sólo en atención a la supuesta falta de voluntad de la propiedad de los terrenos a incorporarse al proceso urbanizador que tal clasificación conlleva».

«La razón apuntada es absolutamente ajena a la coherencia del planteamiento de clasificación del suelo que cabe deducir del conjunto de la revisión de las Normas Subsidiarias. La lectura detenida del proceso de elaboración y redacción a través de sus distintas etapas de las NN SS de (...), **no nos permite apreciar la menor justificación, que esta Sala pueda asumir, respecto el tratamiento diferenciado que se le da a su suelo en comparación con todos**

los suelos aptos para urbanizar que los circundan y delimitan. De hecho, los informes del equipo redactor admiten, ya lo hemos dicho, la coherencia de esta clasificación, razón que hace que, estimando en este punto la demanda, **debamos anular la clasificación como suelo no urbanizable de los terrenos de la actora y declarar su condición y carácter de suelo apto para urbanizar.** En lo que atañe a la petición que incorporaba en su demanda de que su terreno se configure a efectos de su gestión como una Unidad de Ejecución con calificación y aprovechamiento análogos a los de los suelos inmediatamente colindantes, no podemos atenderla ante la absoluta falta de precisión de esta petición. Que la atribución del aprovechamiento urbanístico debe estar presidido por los **principios de equidistribución de beneficios y cargas** no es preciso que sea declarado porque constituye piedra angular de la acción urbanística de las Administraciones públicas y así lo establece el art. 3,1º b) en relación al 144 y 145 del Real Decreto Legislativo 1/1992, de 26 de junio, por el que se aprueba el Texto Refundido de la Ley sobre Régimen del Suelo y Ordenación Urbana, en relación a la Ley 1/1997, de 18 de junio, de la Comunidad Autónoma de Andalucía, por la que se adoptan con carácter urgente y transitorio disposiciones en materia de suelo y ordenación urbana. Ahora bien, ninguna concreción a ese principio es posible a partir de las alegaciones de la actora que en absoluto acredita la identidad de su terreno con aquel que pretende su parangón, por lo que esta determinación debe quedar reservada a la Administración sin que quepa efectuar el pronunciamiento estimatorio que se pretende».

11. SUELO NO URBANIZABLE. AJUSTE A LA REALIDAD FÁCTICA

STS de 17 de febrero de 2003 (RJ 2003, 2891):

«No ha de olvidarse que el "suelo especialmente protegido" tiene unas características propias que motivan esa clasificación. La modificación de esa clasificación es posible, pero exige acreditar que han desaparecido aquellas condiciones y características que dieron lugar, en su día, a la clasificación de "especialmente protegido" de un determinado suelo. En el asunto cuestionado, sin prueba alguna, la única justificación que se ofrece para la modificación de la clasificación de suelo impugnada es "la regresión del sector agrícola en el municipio". Pero esta regresión no es, no puede ser, universal (afectando a todo el suelo municipal) ni se puede haber producido con igual intensidad en todo el término municipal salvo que ambos extremos se acrediten debidamente. En último término, esa regresión del sector agrícola a lo que verdaderamente avoca es a extremar las medidas para su conservación, si ello es posible, pero, en ningún caso, a su eliminación pura y simple, y con absoluta ausencia de justificación, que es lo que se ha hecho. Obtenida esta conclusión la Sala conjetura razonablemente sobre los motivos que han dado lugar a la modificación combatida, para lo cual analiza los fines explícitamente confesados de la modificación pretendida y los hechos que han precedido y seguido a la modificación de las Normas. Fruto de esa pesquisa es la conclusión, razonable, de que las potestades urbanísticas se han actuado no para adecuar los terrenos litigiosos a su verdadera naturaleza sino para posibilitar una actividad y una construcción que era imposible en ellos».

12. DISTINCIÓN ENTRE PROCEDIMIENTO RELATIVO A USOS PERMITIDOS O A USOS AUTORIZABLES

Puede citarse otra jurisprudencia que completa las referencias anteriores: *la sentencia de 14 de marzo de 2000 (RJ 2000, 3680)* se enfrenta con el problema de una construcción que es parte integrante de una granja avícola. A efectos de admitir dicha construcción, conforme al procedimiento seguido (aplicación del régimen del artículo 9 del Reglamento de Servicios de las Corporaciones locales) la sentencia realiza una distinción entre procedimiento ordinario y especial que puede entenderse, en el contexto de la legislación autonómica, como procedimiento relativo a usos permitidos o a usos autorizables. Obsérvese, asimismo, la mención al régimen de silencio positivo, que sirve para completar las referencias hechas hasta el momento, a dicho artículo 9:

> «El artículo 86 en relación con el artículo 85 de la Ley del Suelo de 1976, establece dos tipos de procedimientos para el otorgamiento de licencias de obra en suelo no urbanizable, a saber, el normal u ordinario regulado esencialmente en el artículo 9 del Reglamento de Servicios de las Corporaciones Locales, respecto de las construcciones destinadas a explotaciones agrícolas y de las vinculadas a la ejecución, entretenimiento y servicio de las obras públicas, y el especial o extraordinario previsto en los artículos 43.3 de la Ley del Suelo y 44 del Reglamento de Gestión Urbanística, para las licencias atinentes a edificaciones o instalaciones de utilidad pública o interés social o a edificios aislados destinados a vivienda familiar cuando no exista posibilidad de formación de núcleo de población. En el supuesto aquí contemplado, y tal como se expresa en la sentencia impugnada, del resultado de la prueba practicada en autos –Memoria de la Actividad para explotación ganadera, acto notarial, prueba testifical y pericial– se ha llegado a la inequívoca conclusión que el proyecto edificatorio objeto de la licencia cuestionada, forma parte del núcleo de explotación avícola de las granjas Koki entendiéndose todo el complejo, tanto lo construido como lo que se encuentra en fase de construcción, como integrante de una propiedad con un único fin comercial. Valoración de prueba, realizada de modo lógico y racional, exenta de indicios de arbitrariedad, y cuyo resultado no puede ser cuestionado en este recurso de casación. Es pues evidente, que la licencia para la obtención de esas construc-

ciones destinadas a explotaciones agrícola-ganaderas, ha de ser objeto del procedimiento normal u ordinario del artículo 9 del Reglamento de Servicios antecitado, que es precisamente el que ha sido observado en estas actuaciones, y en base al cual, en aplicación del apartado 7º a) de ese precepto ha sido reconocido el otorgamiento de la licencia por silencio positivo, al haberse producido los requisitos y el lapso temporal señalado en esa norma para la apreciación del silencio positivo.

Tampoco cabe apreciar la infracción de los artículos 178.3 de la Ley del Suelo de 1976 y 5 del Reglamento de Disciplina Urbanística, que sustancialmente preceptúan lo mismo, sobre la imposibilidad de ser adquiridas por silencio administrativo licencias en contra de las prescripciones legales o de los Planes, Normas Complementarias o Subsidiarias, Proyectos o Programas. Y no hay tal infracción, porque la inexistencia de esa contradicción con la normativa legal o urbanística, no ha sido apreciada por el Tribunal *a quo* en su sentencia, al entender producido el silencio, presunción de adecuación normativa de la licencia, que en todo caso corresponde desvirtuar a la parte recurrente, lo que no puede entenderse producido, porque el alegado artículo 17 de las Normas Subsidiarias de Urbanismo Provinciales, sobre requisitos de autorización de una vivienda familiar, se refieren, en relación con el artículo 36 del Reglamento de Planeamiento, precisamente a ese supuesto de vivienda unifamiliar contemplado en el último párrafo del artículo 85.1.2º de la Ley del Suelo de 1976, sujeto al procedimiento especial previsto allí, pero no al caso de construcciones destinadas a explotaciones agrícolas».

13. RÉGIMEN JURÍDICO DE «DOBLE AUTORIZACIÓN»

STS de 19 de mayo de 2000 (RJ 2000, 5466):

«La jurisprudencia de esta Sala ha advertido en forma constante que la construcción sobre suelo no urbanizable de edificaciones o instalaciones de utilidad pública o interés social que hayan de emplazarse en el medio rural está sujeta a la obtención de dos actos de autorización distintos.

Es previa la autorización del órgano competente de la Comunidad Autónoma respectiva, a efectos de intervenir en la implantación en un suelo no destinado a recibirla de una construcción que sólo en determinados supuestos puede emplazarse en él. Esta primera autorización se otorga por medio del procedimiento regulado en el artículo 43.3 del TRLS, desarrollado en el artículo 44 del Reglamento de Gestión. Una vez se haya obtenido esta primera autorización resulta necesaria la licencia de obras y de actividad del Ayuntamiento correspondiente, que se otorga por medio del procedimiento previsto en el artículo 9 del RSCL y, en su caso, del Reglamento de Actividades Molestas, Insalubres, Nocivas y Peligrosas (RAM), *siendo dicha autorización –necesariamente posterior a la primera pero no vinculada por ella– de exclusiva competencia municipal, a efectos de verificar si se cumplen las condiciones urbanísticas y de intervención en materia de edificación o actividades que son de competencia municipal».*

STS de 7 de abril de 2000 (RJ 2000, 4925):

«La jurisprudencia de esta Sala, en especial la sentencia de esta Sección de 5 de junio de 1995 (RJ 1995, 4937), ha declarado, en interpretación de los preceptos que se invocan, que la realización sobre suelo no urbanizable de edificaciones e instalaciones de utilidad pública o interés social que hayan de instalarse en el medio rural o de edificios aislados destinados a vivienda familiar, en lugares donde no exista la posibilidad de formación de núcleo de población está sujeta a la obtención de dos autorizaciones distintas. *Es precisa, en primer lugar, la autorización del órgano competente de la Comunidad Autónoma, que se otorga según el procedimiento establecido en el artículo 43.3 del TRLS/1976, desarrollado en el artículo 44 del Reglamento de Gestión Urbanística, a efectos de intervenir en la implantación de edificaciones o instalaciones en un suelo no destinado a recibirlas que sólo en determinados casos pueden emplazarse en él. Es necesaria, en segundo lugar, la licencia de obras del Ayuntamiento correspondiente, que se tramita por el procedimiento establecido en el Reglamento de Servicios de las Corporaciones Locales, a los efectos de intervención puramente urbanística que resultan de exclusiva competencia municipal».*

14. PRESUPUESTOS DE UTILIDAD PÚBLICA E INTERÉS SOCIAL EN LA CASUÍSTICA JURISPRUDENCIAL

STS de 19 de mayo de 2000 (RJ 2000, 5466):

«En cuanto a las dos únicas infracciones de fondo alegadas en la demanda será de expresar: a) Que en cuanto a la falta de utilidad pública e interés social no existen pruebas que permitan anular los actos impugnados por inexistencia de estos requisitos legales. Se afirma, en cambio, la envergadura del proyecto y de la inversión, superior a once mil millones de pesetas, con una considerable trascendencia económica y social del mismo para toda la Región, al informarse que permitirá dar salida a varios productos agrarios propios del campo aragonés. Todo ello lleva a avalar la solución adoptada, como dentro de los límites de apreciación que corresponden al órgano autonómico. *Constan, en fin, informes en el expediente que muestran la necesidad de emplazar la factoría en cuestión con proximidad a Zaragoza y al río Ebro, como empla-zamiento más idóneo en la Comunidad Autónoma*, dadas las características del proyecto y la superficie de terreno necesaria, estando acreditada la conveniencia de su emplazamiento en el medio rural, dada la falta inicial de suelo urbano o urbanizable no programado de uso industrial idóneo para el mismo, lo que lleva a desestimar las alegaciones de la demanda en este extremo; b) *En el apartado referente al impacto medio ambiental, la vulneración de la normativa medioambiental, nacional y comunitaria, que se alega, aparte de no resultar demostrada en el expediente,* no podría resultar en modo alguno de los acuerdos concretos que aquí se impugnan, ya que se trata de cuestiones sobre las que no tenía que resolver la Comisión Provincial de Urbanismo en el trámite del artículo 44 del RGU. Todo ello sin perjuicio de que, como declaran expresamente –por cierto– los propios actos impugnados, se garantice cumplidamente la observancia estricta de todos los requisitos exigibles por la normativa indicada, con carácter previo a la obtención de la licencia de obras y de la licencia de actividad, sometida expresamente al Reglamento de Actividades clasificadas (RAM) que –conforme se razonó en casación– son también necesarias y, en todo caso, previas al ejercicio de cualquier actividad».

15. LA INTERPRETACIÓN DE LOS PRESUPUESTOS DE UTILIDAD PÚBLICA O INTERÉS SOCIAL NO HA DE SER EXCESIVAMENTE RESTRICTIVA

STS de 7 de abril de 2000 (RJ 2000, 4925):

«En el presente caso es correcta la doctrina de la sentencia recurrida al entender que los actos de la Comunidad Autónoma anulados han efectuado una interpretación marcadamente restrictiva de los conceptos jurídico-indeterminados de utilidad pública o interés social que se acaban de expresar. Ha considerado, con una motivación muy escasa, que los mismos deben entenderse como requisitos concurrentes, cuando son en realidad alternativos, como se desprende de la conjunción disyuntiva que los enlaza, y que ninguno de ellos concurría en las circunstancias del caso, lo que también ha resultado desvirtuado en el proceso mediante una prueba que, como se acaba de decir, se ha practicado con plenas garantías, y muestra el interés turístico de la instalación. La misma prueba demuestra, en fin, que el planeamiento del Ayuntamiento de Montesinos no ofrece otra posibilidad que la de instalar el campo de prácticas de que se trata en suelo no urbanizable. El motivo debe, en consecuencia, decaer».

16. MOTIVACIÓN ADMINISTRATIVA EN ESTOS CASOS

STS de 23 de diciembre de 1999 (RJ 1999, 9007):

«El interés social de los campos de golf en las Islas Baleares *está afirmado genéricamente al máximo nivel, a saber, en la Ley Autonómica 12/1988, de 17 de noviembre, de Campos de Golf,* en cuya exposición de motivos se dice literalmente lo siguiente:

"Siendo Baleares una Comunidad Autónoma en la que gran parte de su economía se sustenta en el turismo, se estima altamente necesario potenciar esta importante fuente de ingresos en dos vertientes:

La primera, procurando por todos los medios una mejora de las ofertas para atraer un turismo de calidad.

La segunda, arbitrando las medidas oportunas para incentivar el turismo de invierno, dadas las graves repercusiones que sobre las actividades de hostelería y restauración tiene la ya tradicional estacionalidad veraniega de nuestro turismo".

De los estudios realizados, se ha llegado a la conclusión *de que uno de los caminos más indicados para atraer el turismo de invierno de calidad es potenciar el deporte del golf,* de fuerte arraigo en los países anglosajones y nórdicos, en los cuales, precisamente en las épocas de invierno, por las características climatológicas que tienen, los aficionados se ven imposibilitados para practicarlo, por lo que son una fuente potencial de concurrencia turística si las ofertas en este campo son atractivas».

Hasta aquí la exposición de motivos de la Ley 12/1988.

Por lo tanto, ni la Comisión Insular de Urbanismo, ni el Consejo Insular de Mallorca, ni esta Sala podrían decir que no existe interés social en la instalación de los campos de golf, ya que es el mismo legislador balear el que lo ha afirmado.

Se comprenderá *que, siendo las cosas así, la motivación de las declaraciones de interés social gozan ya de un antecedente muy valioso,* puesto que lo es a nivel legal. Y si la instalación de cualquier campo de golf, es en principio, de interés social, entonces la justificación concreta del interés de cada campo de golf debe limitarse a aspectos sectoriales, a saber, a la comprobación y exteriorización de que no existen inconvenientes a causa de posibles valores singulares señalados de la zona, o de valores especiales agrícolas, o de insuficiencia de recursos hidráulicos así como al hecho de que, según la Administración sectorial correspondiente, la promoción tenga interés turístico o deportivo (artículo 2.4 de la Ley 12/1988).

Pues bien, en el presente caso todos esos informes sobre aspectos complementarios han sido emitidos y lo han sido en sentido favorable. Así, se recabaron y se emitieron informes favorables de la Consejería de Obras Públicas y Ordenación del Territorio, sobre la suficiencia de los recursos hidráulicos; de la Consejería de Turismo, sobre el interés turístico; de la Dirección General de Deportes, sobre las instalaciones deportivas; de la Consejería de Agricultura y Pesca y de la Comisión Permanente del Medio Ambiente.

Resumiendo: «la declaración de principios de la Ley 12/1988 unida a la afirmación de que este campo de golf en concreto es útil a los intereses turísticos y deportivos y no es perjudicial para los intereses agrícolas o hidráulicos (informes todos ellos a los que se remite el acto impugnado), constituye una motivación suficiente de la declaración de interés social que aquí se impugna, y al no haberlo entendido así la Sala de instancia ha infringido los preceptos citados, lo que ha de conducir a la estimación del presente recurso de casación.

La estimación del recurso de casación conduce a la revocación de la sentencia impugnada, debiendo nosotros ahora estudiar los motivos de fondo que se esgrimían en la demanda, de conformidad con lo establecido en el artículo 102.3º de la LJCA».

En esta línea, una STS de 26 de octubre de 1999 (RJ 1999, 7216), mencionada en aquella otra, había mantenido estos mismos criterios, es decir la no necesidad de una especial motivación conforme al interés de potenciar el turismo, «sin perjuicio de las competencias municipales al otorgamiento de la licencia en relación al uso urbanístico»:

«En cuanto al argumento de que la clasificación del suelo impide la declaración de interés social, tampoco puede ser aceptado, porque en el trámite del artículo 44 del Reglamento de Gestión Urbanística sólo se controla si existe o no el interés social alegado, *correspondiendo después al Ayuntamiento, al conocer de la solicitud de la licencia municipal correspondiente examinar si el uso de que se trata es o no admisible en el suelo señalado*».

Finalmente, se ha estimado que existe un «interés público evidente», a efectos de admitir su construcción, en el caso de la construcción de un centro penitenciario *(STS de 30 de junio de 1999 [RJ 1999, 6056])*.

17. RÉGIMEN JURÍDICO DE LAS «CONSTRUCCIONES DESTINADAS A VIVIENDA UNIFAMILIAR AISLADA Y QUE NO FORMEN NÚCLEO DE POBLACIÓN»

Sentencia del TS de 12 de noviembre de 1999 (RJ 1999, 8491):

«La Sentencia recurrida declara conformes a derecho los acuerdos de la Comisión Insular de Urbanismo de Ibiza-Formentera que deniegan autorización para la construcción de una vivienda unifamiliar en una parcela de suelo no urbanizable de 5.404 m, en la finca de "Es Taulell den Farré" (C'an Pujolet) del término municipal de San José, al considerar la Administración autonómica que existía riesgo de formación de núcleo de población por colindar con suelo urbano e incumplir la prohibición de fraccionamientos en suelo rústico prevista en el artículo 85.1.4º del Texto Refundido de la Ley del Suelo de 9 de abril de 1976, aplicable al caso».

(...) «El artículo 86 en relación con el 85.1 del Texto Refundido de la Ley del Suelo de 9 de abril de 1976, admite la autorización –a través del procedimiento previsto en el artículo 43.3 del propio Cuerpo Legal– de edificios aislados destinados a vivienda familiar en lugares en los que no exista posibilidad de formación de un núcleo de población.

El riesgo o posibilidad de formación de núcleo de población constituye un concepto jurídico indeterminado que ha de ser precisado, en sus zonas de certeza positiva y negativa, con arreglo a los criterios legalmente establecidos para ello o, en su defecto, conforme a las pautas vigentes sociológicamente en la comunidad afectada, en relación con la más exacta definición del concepto núcleo de población y el riesgo racionalmente previsible de la probabilidad de su constitución. El artículo 94.1 del TRLS remite la formación de ese concepto al modo en que se determine reglamentariamente en cada supuesto aplicable y el art. 36 b) del Reglamento de Planeamiento Urbanístico de 23 de junio de 1978 establece que en suelo no urbanizable y a efectos de lo dispuesto en el art. 86 de la Ley del Suelo, el Planeamiento General del Municipio o entidad local correspondiente definirá el concepto del núcleo de población, lo que puede comprender la inclusión de los criterios de riesgo de creación de esa formación urbana.

En el caso que se examina, las Normas Subsidiarias de Planeamiento de San José establecen las condiciones mínimas para la edificabilidad en el suelo no urbanizable aquí contemplado y, en la norma 6.4, cuándo una parcela está formando núcleo de población, con la consiguiente necesidad de redes de suministro de aguas, saneamiento, alumbrado, accesos etc. Como correctamente ha declarado la Sentencia recurrida la parcela litigiosa sí cumple las previsiones de las repetidas normas subsidiarias y no está formando núcleo de población en la actualidad. Esta circunstancia, no puede determinar, sin embargo, que se acceda a la tesis de la parte recurrente, por la sencilla razón de que las normas subsidiarias a que nos estamos refiriendo no contemplan ni regulan, a diferencia de lo que ha sucedido en casos similares (véase así la Sentencia de esta Sala de 15 de octubre de 1997 [RJ 1997, 7492]), el propio concepto de riesgo de formación de núcleo de población ni los casos en los que existe la posibilidad de formación del mismo.

El margen de apreciación de la Administración autonómica o, si se prefiere, el "margen de incertidumbre" que permite en este caso el concepto jurídico indeterminado es más amplio. Era ajustado a derecho, por ello, que el órgano autonómico recurriese, en ejercicio de las competencias supramunicipales que le atribuye el artículo 85.1.2 en relación con el 43.3 del TRLS, a las circunstancias del lugar para determinar en concreto si existía o no ese riesgo de formación de núcleo de población. *Examinadas las mismas, la colindancia con suelo ya consolidado hoy como urbano ha podido ser considerada válidamente como factor de peligro de formación de núcleo de población en este caso concreto, por resultar atendible que el mismo pudiera extenderse al suelo no urbanizable colindante en forma de "mancha de aceite", tal y como ha entendido la Administración autonómica.* Las distintas pruebas practicadas han corroborado como justa, según la apreciación que de las mismas ha hecho libremente la Sala *a quo*, tal apreciación, lo que ha llevado al resultado del proceso que se recoge en el fallo recurrido.

No es posible casar la doctrina de la Sentencia recurrida como incorrecta, como se pretende en el motivo, ya que no puede recibir aplicación en este supuesto la tesis del recurrente sobre el carácter reglado de la autorización sobre la base única de los datos normativos, cuando, como queda dicho, no existen en las normas subsidiarias de San José criterios sobre qué circunstancias han de ser tenidas en cuenta como de riesgo o de posibilidad de formación de núcleo de población.

Procede la desestimación de los motivos formulados, que conlleva la del recurso, y la consiguiente imposición de las costas del mismo a la parte recurrente, por imperativo del artículo 102.3 de la Ley Reguladora de la Jurisdicción Contencioso-Administrativa».

STS de 31 de enero de 2000 (RJ 2000, 580):

«Ciertamente, las excepciones contenidas en los artículos 85 y 86 de la

Ley del Suelo de 1976, a la regla general de inedificabilidad en suelo no urbanizable, han de ser consideradas como situaciones que requieren una interpretación de carácter restrictivo, en base a tal excepcionalidad, lo que de ningún modo debe impedir, en su caso, la concesión de la autorización para la pretendida edificación familiar en dicha clase de suelo, cuando tras racional y lógica valoración de la prueba realizada, se llegue por el Tribunal _a quo_ a la conclusión de la no existencia de posibilidad de formación de núcleo de población, concepto jurídico indeterminado que ha de ser concretado en cada caso específico, tal como dispone el apartado cuarto del artículo 44 del Reglamento de Gestión Urbanística, valorando, en su caso, tal posibilidad, con arreglo a los criterios del Plan General o Normas Subsidiarias, y Complementarias del Planeamiento, sobre las circunstancias en base a las cuales puede considerarse que no existe esa posibilidad de formación de núcleo poblacional. En el supuesto ahora contemplado, al no existir previsión o criterio alguno sobre tal cuestión en el planeamiento urbanístico vigente en esa localidad de San MARTÍN de la Virgen del Moncayo, ni ser aplicables las Normas Subsidiarias de Planeamiento de la provincia de Zaragoza, dada la fecha de su entrada en vigor, posterior a los actos administrativos cuestionados, ha de valorarse la referida posibilidad de formación de núcleo de población, con arreglo a las características específicas y concretas de las condiciones del terreno sobre el que se ubica el proyecto de vivienda y los terrenos circundantes» (puede verse también la STS de 29 de junio de 1999 [RJ 1999, 5295] donde se confirma la improcedencia de la no autorización de una vivienda unifamiliar).

18. LA POTESTAD AUTORIZATORIA NO ES ESTRICTAMENTE UNA POTESTAD DISCRECIONAL

STS de 5 de junio de 1995 (RJ 1995, 4937):

«La Generalidad valenciana recurrente desarrolla su motivo de casación en considerar su potestad autorizatoria como una potestad discrecional, discrecionalidad que le permite garantizar los principios que inspiran el régimen del suelo no urbanizable y que se traduce en una interpretación restrictiva en la que se debe tener en cuenta la necesidad de conservar el espacio rural y el medio ambiente frente a otros intereses (...). Esta argumentación (...) no puede merecer la aceptación de esta Sala toda vez que, por una parte, la recurrente está confundiendo la discrecionalidad, que es esencialmente una libertad de elección entre alternativas igualmente justas o entre indiferentes jurídicos no incluidos en la Ley y remitidos al juicio subjetivo de la

Administración, y los conceptos jurídicos indeterminados o referencia legal a una esfera de la realidad cuyos límites no se dejan bien precisados en su enunciado, pero los que intenta delimitar un supuesto concreto cuya aplicación es un caso de aplicación de la Ley que trata de subsumir en una categoría legal unas circunstancias reales determinadas, siendo así que, evidentemente, los arts. 85 y 44 antes citados al utilizar los términos de utilidad pública o interés social y que "hayan de emplazarse en el medio rural" no se están remitiendo a la discrecionalidad administrativa, sino empleando conceptos jurídicos indeterminados para cuya aplicación no juega la voluntad del aplicador y sí el juicio de comprensión de unas circunstancias reales en ellos (...) y el ejercicio de la potestad autorizatoria en modo alguno puede ser restrictiva pese a la excepcionalidad de los supuestos de su ejercicio, sino acomodada a la comprensión del supuesto de hecho en la norma que ha hecho posible algo pese a hacerlo posible sólo en casos concretos».

19. EL VALOR DE LOS REQUISITOS FORMALES DE INFORMACIÓN PÚBLICA Y DEL «PROYECTO TÉCNICO COMPLETO»

STS de 19 de mayo de 2000 (RJ 2000, 5466):

«Razonan los recurrentes que se han respetado en el caso todas las formalidades exigidas en el artículo 85 del TRLS y en los artículos 44 y 45 del Reglamento de Gestión (...). *Se sostiene que el artículo 44.2 del Reglamento de Gestión no exige que el expediente que el Ayuntamiento eleva a la Comisión Provincial de Urbanismo deba contener lo que la sentencia recurrida denomina, pero no concreta, como un "proyecto completo" que deba ser sometido a la información pública,* ya que basta para justificar la petición y tramitar el expediente que el peticionario haga constar el emplazamiento y extensión de la finca, reflejado en un plano de situación, la superficie ocupada por la construcción y la descripción de las características fundamentales de la actividad, así como una justificación del interés social de la instalación y su necesidad de emplazamiento en medio rural. La Entidad SAICA pone un énfasis especial en que la sentencia no aclara qué características debe cumplir esa figura del "proyecto completo", cuando la sentencia reconoce, con la prueba pericial, que se presentó un anteproyecto bastante detallado». «Cabe concluir, en consecuencia, que la sentencia recurrida ha infringido la doctrina de esta Sala al basar claramente su razón de decidir en esta causa para anular los acuerdos impugnados y ordenar una retroacción de actuaciones. El "proyecto completo" no es exigible en el trámite del artículo 44 del Reglamento de Gestión Urbanística aprobado por Real Decreto 3288/1978, de 25 de agosto (RGU), como se acaba de decir, por lo que el motivo primero debe ser estimado, con rescisión de la sentencia recurrida».

«La sentencia de 17 de noviembre de 1998 (RJ 1998, 9332) precisó que los únicos extremos fiscalizables por la Administración autonómica son los relativos a la justificación de la utilidad pública o interés social, a la necesidad de emplazamiento en medio rural y a la no formación de núcleo de población. No podía ser de otra forma, por respeto a las competencias municipales, que garantiza la autonomía local. *Por eso la sentencia de esta Sala de 13 de julio de 1990, que invoca la Diputación General de Aragón en su recurso, entendió ya que el proyecto técnico sólo se requiere como requisito en el supuesto de obtención de la licencia regulada en el artículo 9 del RSCL –o, cabe añadir, en la del artículo 29 del RAM– pero que el mismo no resulta necesario para la autorización previa del artículo 44 del RGU. Dicho proyecto técnico –razona la expresada sentencia– resultaría superfluo, si se tiene en cuenta que lo que ha de valorarse por el órgano autorizante es la utilidad pública o interés social de la edificación o instalación y las razones determinantes de la necesidad de emplazarla en el medio rural.* Habría que añadir a tal razonamiento la improcedencia de exigir, conforme a cánones de proporcionalidad, que el peticionario deba redactar y satisfacer el importe de un proyecto de obra completo cuando aún desconoce si va a serle concedida la autorización previa que estará sometida todavía a las exigencias del artículo 9 del RSCL y, en su caso, del artículo 29 del RAM».

«Es cierto que los precedentes jurisprudenciales existentes no se refieren a proyectos de la naturaleza y envergadura del que se examina en este caso, pero es claro que conforme a lo establecido en el artículo 44 RGU, aún interpretado éste en un sentido claramente proporcionado a la necesidad de comprobar la concurrencia de los presupuestos de hecho que deben dar lugar a la autorización, no puede ser interpretado en el sentido de exigir un "proyecto de obra completo"».

«Respecto a la denuncia genérica de indefensión sufrida en el trámite de información pública del artículo 44.3 RGU, tampoco puede ser acogida en cuanto a desconocimiento de la cuestión, dada la activa participación de los Ayuntamientos demandantes, que, como ya se ha dicho, formularon las alegaciones que desearon en dicho trámite e incluso pudieron pedir que la factoría se instalase, aguas abajo de Zaragoza, en sus propios términos municipales, en lugar de en el término municipal de El Burgo de Ebro (alegación séptima de su recurso de alzada en la vía administrativa) lo que muestra un conocimiento cabal del problema, de las negociaciones previas y de las vicisitudes de su tramitación; c) en cuanto se refiere, en fin, al voluminoso proyecto presentado junto con la solicitud considera esta Sala, a la vista del mismo y de los restantes informes y pruebas practicadas que resulta suficiente, en función de las competencias ejercidas por la Comunidad Autónoma de acuerdo con los artículos 85.1 del TRLS y 44 del RGU, a que se hizo referencia en casación, ya que contiene una cumplida justificación del emplazamiento, extensión, infraestructuras, proceso de fabricación, ingeniería, tratamiento de residuos, vertedero, tratamiento de aguas residuales y estudio de impacto ambiental, con análisis complementarios de análisis de humos y mediciones de emisiones y ruidos» (puede verse también la STC 125/2000 [RTC 2000, 125]).

«No se pudo producir indefensión de cinco Ayuntamientos que comparecieron y alegaron en el trámite de información pública por la omisión de un trámite no exigible legalmente, conforme a lo que se acaba de razonar».

20. INNECESARIEDAD DE AUTORIZACIÓN AUTONÓMICA SI EL USO ES AGRÍCOLA. NECESIDAD SI ES INDUSTRIAL

STSJ de Castilla y León, Sala de Valladolid, de 9 de mayo de 2005 (JUR 2005, 128634):

«Pero ha de señalarse desde este momento que esa "autorización" de usos excepcionales que se contempla en ese art. 25 *no es aquí aplicable, porque el uso "agrícola" que pretende el recurrente con la instalación de la bodega de que se trata –para la transformación en vino de unas 78 cepas, con unos 2.000 kg de uva al año, como se indica en el Acuerdo municipal impugnado de 26 de julio de 2002–,* al estar ya previsto en el Plan General, no es un uso "sujeto a autorización de la Administración de la Comunidad Autónoma", a los que se refiere el apartado 1.b) de ese art. 25, sino un uso "permitido", al estar ya contemplado en el Plan General.

Por ello, frente a lo señalado por el apelante, no era necesario en este caso que el Ayuntamiento remitiera el expediente a la Administración de la Comunidad Autónoma, como se solicitó, con retroacción de las actuaciones, en el suplico de su demanda (...)».

STSJ de Murcia de 30 de enero de 1999 (RJCA 1999, 5192):

«Consiguientemente, en el supuesto enjuiciado, no sólo existiría el obstáculo que supone la posibilidad de emplazar la instalación en el Polígono de La Palma, sino *la prohibición existente en el planeamiento para el uso industrial pretendido para la nave.* Y esto porque no consta que esté relacionado con actividades agrícolas, lo que en todo caso incumbía acreditar a la parte actora».

STSJ de Cataluña de 26 de febrero de 2004 (JUR 2004, 156199) (confirmando la nulidad de una licencia de obras para la construcción de *nave destinada a restaurante y local de banquetes que se ubica en suelo no urbanizable*. Al no existir uso rural o agrícola es necesario informe previo y preceptivo de la Comisión de Urbanismo):

«Para el caso de suelo no urbanizable el procedimiento adecuado para el otorgamiento es el recogido en los artículos 127, párrafo 1.b) y 128, en relación con 68, del citado texto refundido, y 44, segundo párrafo, del Reglamento de Gestión Urbanística, debiendo remitirse el expediente a la Comisión de Urbanismo para la valoración de la utilidad pública o interés social de la instalación y actividad proyectadas. **Pues la construcción a realizar en esa clase de suelo no urbanizable requiere de dos actos autorizatorios sucesivos** emanados de competencias concurrentes, de una parte la autorización de la Comisión Provincial de Urbanismo u órgano de la Comunidad Autónoma al que se hubiere transferido la competencia, a otorgar por el mencionado procedimiento que regulan los artículos 127 y 128, en relación con el 68, de aquel texto refundido, y el 44 del Reglamento de Gestión, y, de otra, la licencia de obras del Ayuntamiento correspondiente, que debe concederse mediante el procedimiento previsto en el Reglamento de obras, actividades y servicios de las entidades locales en Catalunya, de 13 de junio de 1995, y en atención a lo que disponen los artículos 247 y 248 del citado Decreto Legislativo 1/1990.

La necesidad de ambas autorizaciones concurrentes en el suelo de que se trata se produce de tal suerte que la primera es previa a la segunda, controlando uno y otro acto aspectos distintos de la normativa urbanística, de tal manera que la decisión del órgano autonómico o estatal vincula al Ayuntamiento en tanto en cuanto se deniegue por aquél autorización para edificar en suelo urbanizable no programado o no urbanizable, pero no en el supuesto contrario, pues el Ayuntamiento, siendo reglada la concesión de la licencia, puede y debe denegarla con base en sus propias competencias, incluso inicialmente y sin remitir el expediente al órgano autonómico, cuando así lo imponga la normativa urbanística de aplicación».

PARTE CUARTA
PLANEAMIENTO

Capítulo I

Regulación del TRLS/2008

Aunque la competencia en materia de planeamiento es esencialmente autonómica, el Estado no ha querido mantenerse del todo al margen de la regulación de planeamiento.

La nueva legislación estatal del suelo que partió de la LS 8/2007 alude a los **títulos competenciales estatales** de planificación económica (indirectamente), protección del medio ambiente y calidad de vida para justificar la regulación de unos estándares mínimos de transparencia, de participación ciudadana real y no meramente formal y de evaluación y seguimiento de los efectos que tienen los planes sobre la economía y el ambiente (Preámbulo del TRLS/2008).

En el artículo 11.1 del TRLS/2008 se insiste en el principio de **publicidad de los planes y convenios y en la información pública,** que no podrá ser inferior al mínimo exigido en la legislación sobre procedimiento administrativo común, aunque esta regla viene siendo de cumplimiento habitual ya en los Ayuntamientos.

En este sentido, la **necesidad de información pública** en la tramitación de elaboración de los planes se declara por la STSJ de Andalucía, Granada, de 23 de julio de 2001 (JUR 2001, 277978): «Sea como fuere, lo cierto es que en la tramitación del estudio de detalle no ha existido una aprobación inicial, ni una fase de exposición pública para alegaciones ni notificación personal a los propietarios afectados comprendidos en el ámbito territorial del estudio de detalle. La aprobación inicial que figura en el acuerdo del pleno del Ayuntamiento de 6 de mayo de 1993 tiene como único objeto «aprobación inicial de unidad de ejecución número 13», y ello, según se hace constar, porque la misma reúne los requisitos fijados en el art. 117, 2º del TRLS/1992, lo cual no aclara en absoluto que lo aprobado inicialmente sea un estudio de detalle, que ni tan siquiera se identifica. La publicidad edictal efectuada al respecto no cita en ningún momento la existencia de acuerdo de aprobación inicial de estudio de detalle, como tampoco la notificación personal a propietarios, que en caso de varios de los actores tampoco consta efectuada (por ejemplo, don José Macario F. T., don Francisco P. M. y don José V. J.) dado que se hace referencia a notificación por correo en los diversos oficios de 12 de agosto de 1993, que sin embargo no constan cumplimentadas en el expediente. Así las cosas la **información pública** no se ha efectuado, y en cuanto a las alegaciones de varios propietarios sobre el estudio de detalle tienen por objeto algo que formalmente no ha sido objeto de aprobación inicial. En cualquier caso, la publicidad general no hacía constancia de la existencia de ningún estudio de detalle aprobado inicialmente, por lo que es obvio que no se han cumplido las exigencias de tramitación del art. 117, 3º del Real Decreto legislativo 1/1992, de 26 de junio, Texto Refundido de la Ley sobre Régimen del Suelo y Ordenación Urbana y artículo único de la Ley de Andalucía 1/1997, de 18 de junio, por la que se aprueban medidas urgentes en materia de suelo y ordenación urbana, en relación al art. 140 del Reglamento de Planeamiento aprobado por RD 2159/1978».

Este artículo 11 precisa seguidamente que, en los procedimientos de aprobación de los instrumentos de ordenación urbanística, los documentos deberán incluir un resumen de la delimitación del ámbito de ordenación (...), del ámbito donde se suspende la ordenación (...).

Se hace eco este TRLS en su artículo 11.4 de la **publicidad telemática** y en el artículo 11.5 del derecho del particular a ser indemnizado por el importe de los gastos en que haya incurrido para la presentación de sus solicitudes en caso de que el Plan sea de iniciativa particular y la Administración incumpla el deber de resolver en plazo.

Al régimen de informes sectoriales del artículo 15 del TRLS/2008 se hará en este trabajo referencia en otro momento en este mismo libro al igual que los **planes y proyectos están sometidos a EIA** tal como establece la normativa reguladora.

En el artículo 15.2 se nos indica además que el informe de sostenibilidad ambiental debe incluir un mapa de riesgos naturales. Dicho informe se prevé en la directiva 2001/42/CE del Parlamento Europeo y del Consejo y se incorporó al Derecho español mediante la Ley 9/2006, de 28 de abril, sobre evaluación de los efectos de determinados planes y programas en el medio ambiente (véase su anexo I).

Además, los planes han de incluir un informe o memoria de sostenibilidad económica (artículo 15.4).

Ténganse también en cuenta las Disposiciones Adicionales Octava y Novena del TRLS/2008 (y las correlativas antes de la LS/2007). Dicha DA «Novena» es relativa a la modificación de la LBRL, siendo conveniente incidir en que **la novedad se refiere a que se menciona expresamente la aprobación de los convenios como competencia del Pleno**[1].

Además, se añade en la LBRL un nuevo artículo 70 ter.

«1. Las Administraciones públicas con competencias de ordenación territorial y urbanística deberán tener a disposición de los ciudadanos o ciudadanas que lo soliciten, **copias completas de los instrumentos de ordenación territorial** y urbanística vigentes en su ámbito territorial, de los documentos de gestión y de los convenios urbanísticos.

2. Las Administraciones públicas con competencias en la materia, **publicarán por medios telemáticos el contenido actualizado de los instrumentos de ordenación territorial y urbanística en vigor,** del anuncio de su sometimiento a información pública y de cualesquiera actos de tramitación que sean relevantes para su aprobación o alteración.

En los municipios menores de 5.000 habitantes, esta publicación podrá realizarse a través de los entes supramunicipales que tengan atribuida la función de asistencia y cooperación técnica con ellos, que deberán prestarles dicha cooperación.

3. Cuando una alteración de la ordenación urbanística, que no se efectúe en el marco de un ejercicio pleno de la potestad de ordenación, **incremente la edificabilidad o la densidad o modifique los usos del suelo, deberá hacerse constar en el expediente la identidad de todos los propietarios o titulares de otros derechos** reales sobre las fincas afectadas durante los cinco años anteriores a su iniciación, según conste en el registro o instrumento utilizado a efectos de notificaciones a los interesados de conformidad con la legislación en la materia».

Sobre las cuestiones generales de planeamiento: potestad de planeamiento, discrecionalidad, control autonómico, etc., para evitar reiteraciones, se profundiza en esta temática directamente mediante la exposición de la jurisprudencia en el ANEXO de este tema.

---

1. El tenor literal es: «Se modifican los siguientes artículos y apartados de la Ley 7/1985, de 2 de abril, reguladora de las bases del Régimen Local, que quedan redactados en los términos siguientes:1. Modificación del artículo 22.2.
"Corresponden, en todo caso, al Pleno municipal en los Ayuntamientos, y a la Asamblea vecinal en el régimen de Concejo Abierto, las siguientes atribuciones:
(...)
c) La aprobación inicial del planeamiento general y la aprobación que ponga fin a la tramitación municipal de los planes y demás instrumentos de ordenación previstos en la legislación urbanística, así como los convenios que tengan por objeto la alteración de cualesquiera de dichos instrumentos.
(...)
o) Las enajenaciones patrimoniales cuando su valor supere el 10 por cien de los recursos ordinarios del presupuesto y, en todo caso, las permutas de bienes inmuebles"».

Capítulo II

Tipos de planes

Los distintos tipos de Planes están regulados por las distintas Comunidades Autónomas. Puede ser válida la siguiente estructura:

1. Planeamiento municipal:

a. Con carácter normativo:

i. Planes Generales de Ordenación Urbana (PGOU).

ii. Normas Complementarias y Subsidiarias de Planeamiento (NNCC y NNSS).

b. Sin carácter normativo:

i. Proyectos de Delimitación de Suelo Urbano (PDSU).

2. Planeamiento de desarrollo:

a. Planes Parciales (PP).

b. Planes Especiales (PE).

c. Estudios de Detalle (ED).

d. Programas de Actuación Urbanística (PAU).

En un apartado distinto y complementando tanto al Planeamiento municipal como al de desarrollo, se encuentran los:

• Proyectos de Urbanización (PU).

• Catálogos (CAT).

Si relacionamos los distintos planes según su jerarquía normativa tendremos:

– Los PGOU, las NNCC y NNSS se adaptarán a los Planes Directores Territoriales.

– Los PAU se adaptarán al PGOU.

– Los PP no podrán modificar en ningún caso las determinaciones del PGOU, NNCC, NNSS o del PAU que desarrolle.

– Los PE se adaptarán a los Planes Directores Territoriales o, en su caso, al PGOU.

– Los ED respetarán el PGOU o PP que desarrollen.

– Los PU simplemente definirán las obras de PGOU, PP o PE al que se refieran, sin poder cambiar nada respecto a ordenación, régimen del suelo o edificación.

– Los CAT complementarán PE o PGOU sin contravenirlos.

Capítulo III

Procedimiento de aprobación de los planes

El esquema básico que se sigue para la aprobación de todos los planes es el siguiente:

1.–Aprobación inicial por la Administración Urbanística actuante (Ayuntamiento).

2.–Información pública sobre el proyecto inicialmente aprobado por plazo de un mes.

3.–Audiencia de las Corporaciones afectadas por plazo de un mes.

4.–Aprobación provisional por la Administración urbanística actuante (Ayuntamiento).

5.–Aprobación definitiva por la autoridad urbanística de tutela (Comunidad Autónoma o Ayuntamiento)

Para desarrollar el punto 5 anterior, el cuadro siguiente sintetiza quién aprueba definitivamente y los plazos, para cada tipo de Plan:

Tipo de Plan	Organismo que otorga la aprobación definitiva	Plazo
Plan General de Ordenación Urbana Programas de Actuación urbanística Normas Complementarias y Subsidiarias Proyectos de Delimitación del suelo urbano	Comunidad Autónoma[1]	6 meses desde la entrada en registro (con silencio positivo).
Planes Parciales de capitales de provincia	Ayuntamiento	3 meses desde la entrada en registro (con silencio positivo).

Tipo de Plan	Organismo que otorga la aprobación definitiva	Plazo
Planes Parciales de ciudades de más de 50.000 habitantes[2]	Ayuntamiento	3 meses desde la entrada en registro (con silencio positivo).
Planes Parciales de ciudades de menos de 50.000 habitantes[2]	Comunidad Autónoma	3 meses desde la entrada en registro (con silencio positivo).
Planes Parciales cuando afecten a varios municipios	Comunidad Autónoma	3 meses desde la entrada en registro (con silencio positivo).
Planes Especiales cuando desarrollen el planeamiento general y se ajusten a sus determinaciones	Ayuntamiento	3 meses desde la entrada en registro (con silencio positivo).
Planes Especiales cuando no desarrollen el planeamiento general y/o no se ajusten a sus determinaciones	Comunidad Autónoma	3 meses desde la entrada en registro (con silencio positivo).
Estudios de Detalle	Ayuntamiento	3 meses desde la aprobación inicial (con silencio positivo).
Proyectos de Urbanización	Ayuntamiento	3 meses desde la aprobación inicial (con silencio positivo).

(1) Salvo Canarias para ordenación pormenorizada, en cuyo caso lo aprueba el Ayuntamiento.
(2) En Cantabria el límite poblacional es de 2.500 habitantes y en Madrid de 15.000 habitantes.

Cada legislación autonómica puede matizar o cambiar el cuadro previo para cada uno de los Planes y por lo tanto, éste debe considerarse genérico.

Capítulo IV

Planes generales

1. IDEA GENERAL

Los Planes Generales de Ordenación Urbana son los únicos que definen la ordenación del municipio de forma completa. Las Normas Complementarias y Subsidiarias suplen a los PGOU y los PDSU ordenan el suelo urbano cuando no hay Plan General.

Los Planes Generales de Ordenación Urbana:

– Clasifican el suelo.

– Definen los elementos de la estructura general de ordenación urbanística del territorio.

– Establecen un programa para el desarrollo y ejecución del Plan.

– Señalan el límite temporal del Plan General para prever su revisión.

El grado de concreción del Plan General está asociado al tipo de suelo que ordena. Así, cuando ordenen *suelo urbano,* el detalle sería el equivalente a un Plan Parcial, de tal manera que no sea necesario desarrollarlo por otras figuras del planeamiento, salvo su remisión a Plan Especial o Estudio de Detalle.

En suelo clasificado como *urbanizable,* simplemente se regula de forma genérica los usos y niveles de intensidad y se fijan los programas de desarrollo a corto y medio plazo mediante actuaciones públicas o privadas.

La Ley del Suelo de 1975 pretendió flexibilizar el contenido de los PGOU para hacer posible la incorporación de circunstancias imprevistas y así se creó la figura del suelo urbanizable no programado. Así podía un Plan General abstraerse de ordenar y programar una parte del suelo urbanizable. Posteriormente, mediante la redacción del Programa de Actuación Urbanística (PAU) se podía completar esta parte no realizada previamente en el Plan

General (véase art. 17 RPU). Como se sabe, el RD Ley 5/1996 y la Ley 6/ 1998 suprimieron esta distinción refundiéndose las dos categorías de programado y el no programado en simplemente suelo urbanizable. Sin embargo, la legislación autonómica ha vuelto a esta distinción llamándola normalmente suelo sectorizado y no sectorizado, delimitado y no delimitado o también con y sin ordenación pormenorizada.

En *suelo no urbanizable* el Plan General establece las medidas y condiciones apropiadas para la conservación y protección de sus elementos (suelo, flora, fauna y paisaje) para evitar la degradación, preservándolo del proceso del desarrollo urbano y establecer medidas de protección del territorio y del paisaje (huyendo de la consideración, ya caduca, de ser simplemente el resto de suelo que no es ni urbano, ni urbanizable).

2. PASOS EN LA DEFINICIÓN DE UN PLAN GENERAL

Como heredero de la ordenación territorial, el Plan General debe integrar la estructura supramunicipal y concretar la ordenación estructural municipal. En un segundo estadio, tiene la posibilidad de la concreción en la ordenación pormenorizada. Esta ordenación pormenorizada puede fijarla en su totalidad (con lo cual el plan será más concreto, pero también más rígido) o permitir que ciertas zonas se desarrollen mediante Plan Parcial, PERI y Estudios de Detalle.

Por tanto, el primer análisis a realizar en la concepción de un Plan General es la Ordenación Estructural, interconectada y relacionada con la definición de lo que será suelo urbano, urbanizable y no urbanizable en el municipio. Evidentemente, éste es un proceso iterativo, aglutinador de las directrices. En ese sentido, en la actualidad los criterios han pasado de ser casi exclusivamente económicos a tener gran importancia el factor de la Sostenibilidad y el de la Calidad de Vida de los ciudadanos.

Los puntos clave en la definición de un Plan General son los siguientes:

– Definición de las directrices definitorias de la estrategia de evolución urbana y de ocupación del territorio.

– Ordenación del suelo no urbanizable:

• Suelo no urbanizable protegido.

• Suelo no urbanizable común.

– Delimitación de los distintos sectores urbanizables.

– División en zonas de ordenación urbanística:

• El análisis de las zonas en *suelo urbano* se referirá a la diferenciación por barrios, tipos de edificaciones y usos.

• El análisis de zonas en suelo urbanizable se referirá a la calificación (residencial, industrial, terciario) y a las tipologías (manzana compacta, bloque exento o adosado, etc.). Este análisis se realizará cuando se analice pormenorizadamente.

– Tratamiento, protección y función de los bienes de dominio público no municipal (respetando su regulación específica):

• Carreteras estatales y autonómicas.

• Ferrocarriles estatales y autonómicos.

• Aeropuertos.

• Energía eléctrica.

• Costas.

• Puertos.

• Ámbitos relativos a las Confederaciones Hidrográficas.

• Vías pecuarias.

• Montes.

• Espacios Naturales protegidos.

• Patrimonio histórico.

• Instalaciones militares

– Fijación de parámetros a respetar por los Planes Parciales y Planes Especiales.

– Disposición de los equipamientos, infraestructuras y espacios libres estructurales (en función de las necesidades y de la ordenación del tráfico).

– Fijación de porcentaje y distribución de la vivienda de protección pública.

– Establecimiento de Áreas de Reparto y Aprovechamiento tipo.

– Establecimiento del programa para el desarrollo y ejecución del Plan.

– Estudio del límite temporal del Plan General para prever su revisión.

– Estudio económico y financiero del Plan General.

3. SISTEMAS GENERALES

En el punto 2 del Anexo a este tema se define y analiza los sistemas generales.

De una manera muy llana se podría decir que el sistema general es la «conexión» entre ordenación territorial y ordenación urbanística. Es algo que da sentido al Plan General, que aglutina, da servicio, analiza e integra a todo el municipio. Por tanto, constituye todo el entramado estructural de la ciudad.

Para clarificar diferencias, **los sistemas generales están al servicio de la** *generalidad o globalidad* **de los habitantes del término municipal. Los sistemas locales están exclusivamente al servicio de** *un grupo* **de ciudadanos.**

El artículo 25 del RPU define qué elementos pertenecen a sistema general. En el siguiente cuadro se pormenoriza y concreta aún más esos sistemas generales:

Tipo de sistema general	Usos concretos
Transporte y comunicaciones	Carreteras de ámbito nacional: –Autovías –Autopistas –Carreteras nacionales Carreteras autonómicas Carreteras provinciales Redes ferroviarias de RENFE (incluidas áreas de acceso y estaciones) Redes ferroviarias Regionales (incluidas áreas de acceso y estaciones) Vías pecuarias Estaciones de autobuses Puertos Aeropuertos
Espacios Libres	Parques Públicos Parques deportivos Zoológicos Recintos feriales

Tipo de sistema general	Usos concretos
Equipamiento comunitario	Centros administrativos estatales Centros administrativos autonómicos Centros administrativos provinciales Centros de uso Comercial Museos Centros culturales Centros de uso docente Hospitales Centros de Salud Centros Asistenciales Equipamientos deportivos Iglesias Cementerios
Instalaciones y obras	Centros productores de energía Embalses Líneas de conducción Líneas de distribución Vertederos Centros de tratamiento de residuos Depuradoras

Debe quedar claro que estas dotaciones son independientes de las previstas en los distintos Planes Parciales, que dan servicio al sector concreto en el que se ubican.

Evidentemente, la estructura de los espacios generales dependerá del entramado territorial concreto integrado en cada municipio y de sus necesidades también concretas dependiendo de los distintos factores socio-económico-medioambientales analizados en el Plan general. Es la razón por la que, tanto en la legislación estatal como en la autonómica, sólo se ha generalizado numéricamente el estándar de Parque Público para todo el municipio. El resto de dotaciones son «trajes a medida» territoriales.

4. ESTÁNDARES DEL PLANEAMIENTO MUNICIPAL

Como acaba de indicarse, a nivel de Plan General y de Normas Complementarias o Subsidiarias, los estándares mínimos se refieren a los espacios libres destinados a Parque Público.

Como sucede para el planeamiento de desarrollo, en la actualidad, cada legislación autonómica regula estos estándares, aunque se han mantenido valores muy parecidos al TRLS/1976 y el RPU.

En el siguiente cuadro se cita el estándar en la legislación estatal, y algunos ejemplos de la legislación autonómica:

Ámbito	Estándar de Parque Público
Estado	5 m² de parque por habitante
Andalucía	Entre 5 y 10 m² de parque por habitante
Canarias	5 m² de parque por habitante
Cataluña	20 m² de parque por cada 25 m² de techo residencial
Madrid	20 m² de parque por cada 100 m² construidos
Navarra	15 m² de parque por vivienda
Comunidad Valenciana	5 m² de parque por habitante

5. DOCUMENTACIÓN DEL PLAN GENERAL

La documentación que debe integrar un Plan General se reguló en el RPU a nivel estatal. La legislación autonómica se ha hecho eco de estos artículos y prácticamente exige la misma documentación.

Las determinaciones del Plan General se desarrollarán en los siguientes *documentos:*

1. Memoria y estudios complementarios.

2. Planos de información y de ordenación urbanística del territorio.

3. Normas urbanísticas.

4. Programa de actuación.

5. Estudio económico y financiero.

La *Memoria* del Plan General establecerá las conclusiones de la información urbanística que condicionen la ordenación del territorio, analizará las distintas alternativas posibles y justificará el modelo elegido, las determinaciones de carácter general y las correspondientes a los distintos tipos y categorías de suelo.

Los planos de información del Plan General se redactarán a escala adecuada y reflejarán la situación del territorio a que se refieran en orden a sus características naturales y usos del suelo, con especial mención de los aprovechamientos agrícolas, forestales, ganaderos, cinegéticos, extractivos y otros; infraestructura y servicios existentes, con indicación de su estado, capacidad y grado de utilización; y expresión del suelo ocupado por la edificación. Asimismo habrán de formularse, a escala adecuada, los planos que sean precisos para expresar pormenorizadamente el estado actual del suelo urbano en cuanto a su perímetro y a las características de las obras de urbanización y de las edificaciones existentes.

Los planos de ordenación del Plan General serán los siguientes:

A)   Para todo el territorio comprendido en su ámbito y a escala conveniente:

a)   Plano de clasificación del suelo, con expresión de las superficies asignadas a cada uno de los tipos y categorías del mismo.

b)   Plano de estructura orgánica del territorio, con señalamiento de los sistemas generales.

c)   Plano o planos de usos globales previstos para los distintos tipos y categorías de suelo.

B)   Para suelo urbano: Planos referidos a los extremos señalados en los apartados a), b), c), d), e), f), g), e i) del artículo 29 del RPU, redactados a escala mínima 1:2000. En aquellas áreas en las que el Plan General no señale alineaciones y rasantes, la escala mínima podrá ser de 1:5000.

C)   Para el suelo urbanizable programado:

a)   Planos de situación a escala conveniente.

b)   Planos referidos a los extremos señalados en los apartados a), c), d) y e) del artículo 30 del RPU, a escala mínima 1:500.

D)   Para suelo urbanizable no programado:

a)   Plano de situación a escala adecuada: y

b)   Planos referidos a los apartados a) y b) del artículo 34 del RPU, a escala mínima 1:5.000.

E)   Para suelo no urbanizable: Plano de situación a escala conveniente, con expresión, en su caso, de las áreas de especial protección.

Las **Normas Urbanísticas** del Plan General diferenciarán el tratamiento aplicable a los distintos tipos y categorías de suelo.

En el suelo urbano las Normas Urbanísticas tendrán el carácter de Ordenanzas de la Edificación y Uso del Suelo y contendrán la reglamentación detallada del uso pormenorizado, volumen y condiciones higiénico-sanitarias de los terrenos y construcciones, así como las características estéticas de la ordenación, de la edificación y de su entorno.

En suelo urbanizable programado, las Normas Urbanísticas, además de regular, en concordancia con las calificaciones de suelo establecidas en los planos de ordenación, el régimen general de cada uno de los distintos usos de suelo y la edificación, establecerán las características de los sistemas generales incluidos en esta categoría de suelo y las exigencias mínimas, en lo referente a infraestructuras y servicios, a que se ha de ajustar el desarrollo de los Planes Parciales o, en su caso, los Planes Especiales.

En suelo urbanizable no programado, las Normas Urbanísticas establecerán el régimen de uso de suelo a que se refieren los apartados a) y b) del artículo 34 del RPU; expresarán las características, magnitudes y dotaciones de las actuaciones a las que hace referencia el apartado c) de ese mismo artículo y definirán el concepto de núcleo de población a que alude el apartado d) del propio precepto.

En suelo no urbanizable, las Normas Urbanísticas reflejarán, en la medida que así se requiera, las determinaciones contenidas en el artículo 36 del RPU.

El programa de actuación del Plan General establecerá:

1.   Los objetivos, directrices y estrategia de su desarrollo a largo plazo para todo el territorio comprendido en su ámbito.

2.   Las previsiones específicas concernientes a la realización de los sistemas generales.

3.   Las dos etapas cuatrienales en que han de desarrollarse las determinaciones en el suelo urbanizable programado.

4.   Los plazos a que han de ajustarse las actuaciones previstas, en su caso, para completar la urbanización en suelo urbano o para realizar operaciones de reforma interior en este tipo de suelo.

Aparte de los citados documentos, la legislación autonómica junto a la estatal ha incorporado otros documentos relativos a los **aspectos medioambientales.**

La Ley 9/2006, de 28 de abril, sobre evaluación de los efectos de determinados planes y programas en el medio ambiente, obliga a la redacción de un **Informe de Sostenibilidad Ambiental.** Su contenido viene reflejado en el Anexo I de la citada Ley, aunque en realidad tiene el mismo sentido, papel y casi contenido que el Estudio de Impacto Ambiental regulado en la legislación básica estatal sobre EIA.

Además de este documento, el artículo 12 de la Ley 9/2006 obliga a la redacción de una **Memoria Ambiental.** Mediante este documento se debe explicar y razonar de qué modo y manera se han tenido en cuenta las exigencias de la protección del medio ambiente en la configuración final del Plan General. Existen paralelismos con el documento de Declaración de Impacto Ambiental. En algunos casos será la Comunidad Autónoma la encargada de redactar el citado documento y en otras será el propio Ayuntamiento el que la incorpore como documentación anexa al propio Plan General.

La normativa autonómica, hasta la entrada en vigor de la Ley 9/2006 y de forma poco uniforme, tenía establecida la obligatoriedad de someter los planes urbanísticos a evaluación ambiental estratégica o a Estudio de Impacto Ambiental. Actualmente las CCAA están regulando leyes sobre la senda de la legislación estatal básica.

Capítulo V

Planes parciales

1. OBJETO Y DETERMINACIONES DE LOS PLANES PARCIALES

Como se citaba anteriormente, los Planes Parciales son los instrumentos principales de desarrollo del Plan General. Su aportación principal es la de la ordenación pormenorizada de los sectores en suelo urbanizable contemplados en el Plan General.

El **objeto** de los Planes Parciales es el siguiente:

a) En el suelo clasificado como urbanizable programado, desarrollar el Plan General mediante la ordenación detallada y completa de una parte de su ámbito territorial.

b) En el suelo clasificado como urbanizable no programado, el desarrollo de los Programas de Actuación Urbanística.

c) El desarrollo de las Normas Complementarias y Subsidiarias de Planeamiento, en su caso.

Cuando desarrollen el Plan General los Planes Parciales, se redactarán para la ordenación de sectores completos definidos en aquél, de modo que cada Plan Parcial tenga por objeto un sector determinado por el Plan General.

Los Planes Parciales que desarrollen las determinaciones de los Programas de Actuación Urbanística incluirán el territorio completo afecto a cada etapa de ejecución de dicho Programa, o la totalidad del suelo incluido en el Programa si se hubiere previsto una sola etapa.

El desarrollo de las Normas Complementarias y Subsidiarias de Planeamiento a través de Planes Parciales se referirá a terrenos incluidos en las áreas que aquéllas declaren aptas para la urbanización, de acuerdo con lo establecido en el artículo 71.4 de la Ley del Suelo.

En su día y de forma bastante descriptiva, el RPU fijaba las determinaciones del contenido de los Planes Parciales. En este caso, la legislación autonómica ha recogido la estructura estatal, aunque con modificaciones, sobre todo en el tema de estándares urbanísticos, tal y como veremos más delante de forma comparada.

Los Planes Parciales contendrán las siguientes **Determinaciones:**

a) Delimitación del área de planeamiento, abarcando un sector definido en el Plan General o en los Programas de Actuación Urbanística, o una o varias de las áreas definidas como aptas para la urbanización en Normas Complementarias y Subsidiarias de Planeamiento.

b) Asignación de usos pormenorizados y delimitación de las zonas en que se divide el territorio planeado por razón de aquéllos y, en su caso, la división en polígonos o unidades de actuación.

c) Señalamiento de reservas de terreno para parques y jardines públicos, zonas deportivas públicas y de recreo y expansión, también públicas, en proporción adecuada a las necesidades colectivas. La superficie destinada a dichas reservas será, como mínimo, de 18 metros cuadrados por vivienda o por cada 100 metros cuadrados de edificación residencial, si no se hubiera fijado expresamente el número de viviendas que se pudieran construir. Esta reserva no podrá ser inferior al 10% de la total superficie ordenada, cualquiera que sea el uso a que se destinen los terrenos y la edificación, y habrá de establecerse con independencia de las superficies destinadas en el Plan General a espacios libres o zonas verdes para parques urbanos públicos.

d) Fijación de reservas de terrenos para centros culturales y docentes públicos y privados en la proporción mínima de 10 metros cuadrados por vivienda o por cada 100 metros cuadrados de edificación residencial, si no se hubiere determinado expresamente el número de viviendas que se pudieran construir, agrupados según los módulos necesarios para formar unidades escolares completas.

e) Emplazamientos reservados para templos, centros asistenciales y sanitarios y demás servicios de interés público y social.

f) Trazado y características de la red de comunicaciones propias del sector y de su enlace con el sistema general de comunicaciones previsto en el Plan General de Ordenación, con señalamiento de alineaciones y rasantes y zonas de protección de toda la red viaria y previsión de aparcamientos en la proporción mínima de una plaza por cada 100 metros cuadrados de edificación.

g) Características y trazado de las galerías y redes de abastecimiento de agua, alcantarillado, energía eléctrica y de aquellos otros servicios que, en su caso, prevea el Plan.

h) Evaluación económica de la implantación de los servicios y de la ejecución de las obras de urbanización.

i) Plan de etapas para la ejecución de las obras de urbanización y, en su caso, de la edificación.

2. LA REDACCIÓN DE UN PLAN PARCIAL

Tal y como hemos descrito para los Planes Generales, a continuación y de forma sintética de describen los pasos clave en la definición de un Plan Parcial, independientemente de la legislación a aplicar:

– Delimitación de las unidades de ejecución, siempre que no se modifique el área de reparto ni el aprovechamiento tipo.

– Establecimiento de la red secundaria de reservas de suelo dotacional público.

– Fijación de alineaciones y rasantes.

– Parcelación de terrenos o régimen para parcelarlos en función de los tipos edificatorios previstos.

– Asignación de usos y tipos pormenorizados en desarrollo de las previstas por la ordenación estructural.

– Regulación de las condiciones de la edificación de cada zona de ordenación, sobre y bajo rasante, como edificabilidad, altura, número de plantas, retranqueos, volúmenes, ocupación en parcela y otras análogas.

– Definición de las Ordenanzas generales de edificación.

– En suelo residencial, identificación de las parcelas que han de quedar afectas a la promoción de viviendas sociales o criterios para concretarlas en la reparcelación, de conformidad con lo que determine la ordenación estructural.

3. ESTÁNDARES DEL PLANEAMIENTO DE DESARROLLO

Como acaba de citarse, el segundo punto clave de la redacción de un Plan Parcial es el *Establecimiento de la red secundaria de reservas de suelo dotacional público*. Esta red secundaria se fija mediante los estándares del planeamiento de desarrollo.

Como se ha comentado previamente sobre el planeamiento municipal, en la actualidad, cada legislación autonómica regula estos estándares. En esta sección se va a analizar mediante cuadros, los valores de estándares de planeamiento de desarrollo a nivel estatal, fijados en el TRLS/1976 y el RPU (para los valores de VPO, el TRLS/2008). También están incluidos en los cuadros algunas diferencias o características de la legislación autonómica.

Parques y jardines, zonas deportivas y de recreo y expansión:

Ámbito	Estándar
Estado	–Superficie mínima mayor al 10% de la superficie del sector en todos los usos. –18 m² por vivienda o por cada 100 m² de edificación residencial.
Andalucía	–Dotaciones y equipamientos: 30 m² por cada 100 m² construidos. –Espacios libres arbolados: 15 m² por cada 100 m² construidos.
Aragón	–18 m² por cada 85 m² construidos de edificación residencial. –18 m² por cada 100 m² construidos destinados a industrial o servicios.
Canarias	Espacios públicos, dotaciones y equipamientos: –40 m² por cada 100 m² de edificación residencial, de los cuales más del 50% deben ser para espacios libres públicos. –50 m² por cada 100 m² de edificación turística.
Cantabria	–De 20 m² a 25 m² por cada 100 m² de superficie construida.
Castilla y León	Equipamientos públicos y privados: –15 m² por cada 100 m² de techo en suelo urbano no consolidado. –20 m² por cada 100 m² de techo en suelo urbanizable delimitado.
Extremadura	Dotaciones públicas (sin contar viario): –35 m² por cada 100 m² de techo residencial, de los cuales más de 15 m² o el 10% de la superficie neta del sector deben ser para zonas verdes. –50 m² por cada 100 m² de edificación turística.

Ámbito	Estándar
Galicia	–18 m² por cada 100 m² de edificación residencial u hotelero. –20% si es suelo terciario. –10% si es suelo industrial.
Madrid	–Dotaciones y equipamientos: 30 m² por cada 100 m² construidos. –Espacios libres arbolados: 15 m² por cada 100 m² construidos.
Comunidad Valenciana	–Dotaciones (sin incluir viario): 35 m² por cada 100 m² de techo. –Zonas Verdes: Debe ser mayor a 15 m² por cada 100 m² de techo. –Equipamientos: Debe ser mayor a 10 m² por cada 100 m² de techo.

Centros culturales, docentes públicos y privados:

Ámbito	Estándar
Estado	–10 m² por vivienda o por cada 100 m² de edificación residencial
Comunidades Autónomas	–No se pormenoriza. Es un valor que se trata conjuntamente con dotaciones y equipamientos públicos en general.

Aparcamientos:

Ámbito	Estándar
Estado	–1 plaza por cada 100 m² de edificación. –Dimensiones: 2,20 x 4,50 m. –2% de plazas para minusválidos. –Máximo en aparcamiento al aire libre.
Castilla-La Mancha Extremadura	–Número de plazas en función de la calificación del suelo. Se distingue entre Residencial u otros usos.
Andalucía Aragón Cantabria Galicia	–1 plaza por cada 100 m² de edificación residencial. –Se incrementa la proporción de plazas para uso turístico, hotelero o terciario.
Cantabria Castilla y León Comunidad Valenciana Galicia Navarra	–2 plazas por cada 100 m² de edificación.

Densidad máxima de viviendas:

Ámbito	Estándar
Estado	–75 viviendas por hectárea de sector (deducidos los sistemas generales).
Andalucía	–75 viviendas por hectárea de sector. –1,3 m^2 de techo por m^2 de suelo, en áreas de reforma interior.
Aragón	–8.500 m^2 de techo residencial por hectárea de sector (deducidos los equipamientos públicos).
Castilla-La Mancha	–10.000 m^2 de techo residencial por hectárea de sector (deducidos los equipamientos públicos).
Castilla y León	Suelo urbano consolidado: –100 viviendas por hectárea de sector y 15.000 m^2 construidos por hectárea de sector. –Suelo urbanizable y urbano no consolidado: –70 viviendas por hectárea de sector y 10.000 m^2 construidos por hectárea de sector, para población mayor de 20.000 habitantes. –30 viviendas por hectárea de sector y 5.000 m^2 construidos por hectárea de sector, para población menor de 20.000 habitantes.
Extremadura	–Suelo urbano: –75 viviendas por hectárea de sector –1,3 m^2 de techo por m^2 de suelo –Nuevos desarrollos urbanos (entre los valores siguientes, en función de la población del municipio): –65 viviendas por hectárea de sector y 0,90 m^2 de techo por m^2 de suelo. –35 viviendas por hectárea de sector y 0,50 m^2 de techo por m^2 de suelo.
La Rioja	–10.000 m^2 de techo residencial por hectárea de sector, para población mayor de 20.000 habitantes. –7.500 m^2 de techo residencial por hectárea de sector, para población menor de 20.000 habitantes.
Comunidad Valenciana	–Se elimina la densidad en Viviendas por hectárea –Se fija el índice de edificabilidad en 1 m^2 de techo residencial por m^2 de suelo del sector.

VPO o Vivienda de Protección Pública:

Ámbito	Estándar
Estado*	–30% de la edificabilidad residencial (ampliable o reducible por la legislación autonómica para determinados municipios o actuaciones).

Ámbito	Estándar
Aragón	–Máximo el 20% del aprovechamiento objetivo (sin computar los de Patrimonio Municipal de Suelo).
Cataluña Extremadura Galicia La Rioja	–Se establecen unos mínimos (por debajo del valor estatal).
Andalucía	–Habilita al Plan General de eximir este estándar a sectores con densidad menor de 15 viviendas por hectárea.

(*)   Los valores estatales –pertenecientes al TRLS de 2008– son posteriores a los valores de las autonomías.

4.   DOCUMENTACIÓN DEL PLAN PARCIAL

La documentación que debe integrar un Plan Parcial se reguló en el RPU en sus artículos 57 a 64. La legislación autonómica ha asumido la estructura básica y con algunas variaciones. Por tanto, a nivel genérico, la documentación que debe contener un Plan Parcial es la siguiente:

1.   Memoria justificativa de la ordenación y de sus determinaciones.

2.   Planos de información.

3.   Planos de proyecto.

4.   Ordenanzas reguladoras.

5.   Plan de etapas.

6.   Estudio económico financiero.

La *Memoria* de los Planes Parciales habrá de justificar la adecuación de la ordenación a las directrices del planeamiento de rango superior que desarrolle, demostrando su coherencia interna, la correlación entre la información y los objetivos del Plan con la ordenación propuesta, así como las posibilidades de llevar a la práctica sus previsiones dentro de las etapas establecidas para su ejecución.

Planos de información.–La información urbanística de carácter gráfico reflejará la situación y calificación de los terrenos en el planeamiento de rango superior que desarrolla el Plan Parcial, así como el estado de los mismos en cuanto a su morfología, construcciones, vegetación y usos existentes y estructura de la propiedad del suelo. En función de estos objetivos, se diferencian dos tipos de información gráfica:

a) Información urbanística sobre la situación y calificación de los terrenos en el planeamiento de rango superior, expresada en los siguientes planos, que se redactarán a las escalas utilizadas en éste:

De situación en relación con la estructura orgánica correspondiente del Plan General o Normas Subsidiarias que desarrolle el Plan Parcial.

De ordenación establecida en el Plan General, Programa de Actuación Urbanística o Normas Subsidiarias para el ámbito territorial incluido en el Plan Parcial y su entorno.

b) Información sobre el estado de los terrenos en los siguientes planos, redactados, como mínimo, a escala 1:2.000:

– Topográfico, con curvas de nivel de metro en metro, que deberá ser acompañado por los planos hipsométrico y clinométrico cuando éstos sean precisos para una mejor interpretación de aquél.

– Catastral.

– De edificaciones, usos, infraestructuras y vegetación existentes.

Los *planos de proyecto* se redactarán a escalas de 1:2.000 a 1:5.000 y recogerán las determinaciones exigidas en los artículos 45 y 48 al 54 del RPU.

El Plan Parcial contendrá, al menos, los siguientes planos de proyecto:

Zonificación, con asignación de usos pormenorizados, sistema de espacios libres y zonas verdes y especificación de la situación de todas las reservas de suelo para dotaciones, en relación con las demás áreas del propio Plan Parcial y en especial con la red viaria, incluida la de peatones.

Red viaria, definiendo de forma suficiente sus perfiles longitudinales y transversales, de acuerdo con las determinaciones del artículo 52 del presente Reglamento.

Esquema de las redes de abastecimiento de agua, riego e hidrantes contra incendios, alcantarillado, distribución de energía eléctrica y alumbrado público.

Delimitación de polígonos de actuación, en su caso.

Plan de etapas.

El Plan Parcial incluirá además todos aquellos planos que se consideren necesarios para su mejor definición.

Todos los planos de proyecto que contengan representación en planta se realizarán sobre el plano topográfico, y contendrán la delimitación del área de ordenación.

Las *Ordenanzas del Plan Parcial* reglamentarán el uso de los terrenos y de la edificación pública y privada y contemplarán, como mínimo, los siguientes apartados:

a)   Generalidades y terminología de conceptos.

b)   Régimen urbanístico del suelo, con referencia a:

Calificación del suelo, con expresión detallada de sus usos pormenorizados.

Estudios de detalle.

Parcelaciones.

Proyectos de urbanización.

c)   Normas de Edificación, con referencia a:

Condiciones técnicas de las obras en relación con las vías públicas.

Condiciones comunes a todas las zonas en cuanto a edificación, volumen y uso, con expresión de los permitidos, prohibidos y obligados, señalando para estos últimos la proporción mínima exigida de higiene y estética, debiendo tenerse en cuenta la adaptación en lo básico al ambiente en que estuvieren situadas.

Normas particulares de cada zona.

El *Plan de etapas* del Plan Parcial se redactará como documento separado del estudio económico financiero, y describirá detalladamente el reflejado en el correspondiente plano de la documentación gráfica.

Si el Plan Parcial contiene la delimitación de polígonos, el Plan de etapas determinará el orden de prioridades para su ejecución y señalará el sistema o sistemas de actuación aplicable a cada polígono.

En la formulación del Plan de etapas se atenderá a que la previsión de creación y utilización de suelo urbanizado para la edificación vaya acompañada de la creación de las correspondientes dotaciones.

El Plan de etapas podrá establecer, si fuera aconsejable, dos o más alternativas en cuanto a la realización en el tiempo de las determinaciones del Plan Parcial, expresando en tales supuestos las circunstancias que justifiquen la elección de una u otra alternativa.

Estudio económico-financiero.–El Plan Parcial contendrá los documentos precisos para justificar el coste de las obras de urbanización y de implantación de los servicios de acuerdo con las determinaciones contenidas en el artículo 55 del RPU.

Si los Planes Parciales desarrollan un Programa de Actuación Urbanística, el estudio económico financiero contendrá las específicas obligaciones que correspondan al adjudicatario del Programa.

Cuando con ocasión de la ejecución de un Plan Parcial hayan de realizarse obras que correspondan a los sistemas de la estructura orgánica del Plan General, el estudio económico financiero del Plan Parcial, habrá de expresar las puntualizaciones exigidas por el artículo 42.3 del RPU, en orden al señalamiento de la Entidad y Organismos que asuma la financiación de dichas obras. A estos efectos, habrá de tenerse en cuenta que el coste de las obras de urbanización, de interés para el sector o área de actuación, enunciadas en el artículo 122 del TRLS/1976, será a cargo de los propietarios del sector o área de actuación.

Además de los documentos a que se refieren los artículos 57 a 63 del RPU, los *Planes Parciales que tengan por objeto urbanizaciones de iniciativa particular* deberán contener un anexo a la Memoria del Plan, con los siguientes datos:

a) Justificación de la necesidad o conveniencia de la urbanización.

b) Relación de propietarios afectados, con su nombre, apellidos y dirección.

c) Determinaciones expresadas en el artículo 46 del RPU (Modo de ejecución de las obras de urbanización, compromisos que se hubieren de contraer entre el urbanizador y el Ayuntamiento, garantías del exacto cumplimiento de dichos compromisos y medios económicos de toda índole con que cuenten el promotor o promotores de la urbanización).

Capítulo VI

Cálculos de edificabilidad y aprovechamiento

1. IDEA INTRODUCTORIA

En el presente capítulo se va a abordar de forma completamente práctica los parámetros referentes a edificabilidad y aprovechamiento a los que continuamente se hace referencia en la legislación urbanística.

Se va a tratar este tema de forma completa, práctica, de la forma más sencilla posible porque este asunto nunca ha sido de fácil comprensión por su componente técnico.

Antes de hacer ningún tipo de cálculo, debemos saber algunos datos del sector:

1.–¿Cuál es la superficie total del sector (STS)?

2.–¿Existe alguna superficie de Sistemas Generales o Red Primaria incluida dentro del sector (SG)? ¿Cuánta?

Estas dos cuestiones son fundamentales. Para todos los cálculos, cuando hablemos de superficie del sector, nos referiremos al valor de Superficie *Computable* del Sector (SCS), que es el siguiente:

SCS = STS – (SG)

Es decir, que la Superficie Computable del Sector será la Superficie Total del Sector menos la superficie de Sistemas Generales, suponiendo que exista. Si el sector no tiene Sistemas Generales incluidos en él, la SCS será igual a la STS.

2. ¿CÓMO SE CALCULA LA EDIFICABILIDAD?

La edificabilidad es la *superficie construida total que tiene un ámbito determinado.*

– La *superficie construida* incluye las superficies construidas de todas las plantas que componen una vivienda. Salvo que el Plan disponga otra cosa, no computará la superficie de los sótanos y semisótanos. Por el contrario, siempre habrá que considerar la superficie de las entreplantas, áticos y aprovechamientos bajo cubierta (respecto de estos últimos, computarán aquellas áreas que tengan una altura libre superior a 150 m).

La edificabilidad se expresa en m^2t («metros cuadrados de techo») y la superficie de suelo en m^2s («metros cuadrados de suelo») y la relación de uno y otro es lo que expresa el Índice de Edificabilidad, o sea, cuántos metros cuadrados pueden construirse por cada metro cuadrado de suelo:

Ejemplo: $0,50\ m^2t/m^2s$

En el ejemplo se puede construir medio metro cuadrado de edificación por cada metro cuadrado de suelo existente. Este valor es el Índice de Edificabilidad.

En otras palabras, multiplicando el índice de edificabilidad por la superficie de suelo del sector (superficie *computable*), se obtiene como producto la superficie máxima edificable del sector, también llamada techo edificable.

$0,50\ m^2t/m^2s \times 200.000\ m^2s = 100.000\ m^2t$

La fórmula aplicada sería la siguiente:

IEB x Superficie Computable del Sector (SCS) = Techo edificable

IEB es el Índice de Edificabilidad *Bruto*. Le llamamos bruto porque se refiere a todo el sector computable (incluyendo las parcelas de edificación, las de zonas verdes, equipamientos y viario).

Si a la SCS le descontamos la superficie de zonas verdes (ZV), equipamientos (EQ) y viario (V), tendremos la superficie de parcelas netas dedicadas a edificación:

Superficie Parcela neta de edificación (SPN) = SCS – ZV –EQ –V

Este valor nos sirve para calcular el Índice de Edificabilidad *Neto* (IEN):

Ejemplo:

Para el ejemplo anterior de IEB = $0,50\ m^2t/m^2s$ y SCS = $200.000\ m^2s$, la reserva para dotaciones (ZV, EQ y V) es del 42,5%:

$42,5\% \times 200.000\ m^2s = 85000\ m^2s$ SD

Por lo tanto la Superficie de Parcela neta de edificación (SPN) será de:

200.000 m^{2}s – 85.000 m^{2}s SD = 115.000 m^{2}s

La totalidad del techo edificable (100.000 m^{2}t)   deberá ubicarse dentro de los terrenos de destino privado (115.000 m^{2}s).

3. CÁLCULO DEL ÍNDICE DE EDIFICABILIDAD NETO (I.E.N.)

La fórmula aplicada sería la siguiente:

IEN x SPN = EN

Es decir,

Índice de Edificabilidad Neto x Superficie de Parcela Neta de edificación = Edificabilidad Neta

Siguiendo nuestro ejemplo,

IEN x 115.000 m^{2}s = 100.000 m^{2}t

IEN = 100.000 m^{2}t/115.000 m^{2}s

IEN = 0,86956 m^{2}t/m^{2}s

Como el cálculo de IEN se lleva a cabo excluyendo la superficie de suelo dotacional, el IEN será siempre superior al IEB.

0,8695652 m^{2}t/m^{2}s > 0,50 m^{2}t/m^{2}s

Si en este sector tenemos una parcela edificable de 1.000 m^2 y queremos saber el techo que tendremos, aplicaremos la fórmula anterior

IEN x Superficie de la parcela = EN

0,86956 m^{2}t/m^{2}s x 1.000 m^{2}s = 869,56 m^{2}t

En la parcela resultante edificable de 1.000 m^2, se podrán edificar 869,56 m^2.

4. APROVECHAMIENTO URBANÍSTICO

¿Qué es el aprovechamiento Urbanístico?

– El «qué» (cualitativo) se refiere al Uso (global y complementario).

– El «cuánto» (cuantitativo) se refiere a la Edificabilidad (m^{2}t).

Aprovechamiento = Edificabilidad x Uso.

– Edificabilidad= Superficie Construible en m²t= SE

– Usos: en valores relativos de repercusión, en Euros/m²t = U

Aprovechamiento: SE m²t x U Euro/m²t

El aprovechamiento puede ser:

– Tipo: Es la edificabilidad unitaria que el Planeamiento establece para todos los terrenos comprendidos en una misma área de reparto. Iguala los derechos de los propietarios en una misma área de reparto como sistema de equidistribución.

– Objetivo: También denominado Real es la cantidad de metros cuadrados de construcción cuya materialización repercute o exige el planeamiento en un terreno dado. Es la edificabilidad. Se refiere al concepto urbanístico de carácter técnico aplicado a la disciplina del planeamiento.

– Subjetivo: También se denomina susceptible de apropiación, es la cantidad de metros cuadrados edificables que expresan el contenido urbanístico lucrativo de derecho de propiedad de un terreno, a los que tiene derecho el propietario. Para el suelo urbanizable coincide con el 90% del Aprovechamiento tipo. Para el suelo urbano coincide con el 100% del Aprovechamiento tipo. Se refiere al concepto urbanístico de carácter jurídico aplicado a la disciplina de la gestión urbanística.

5. ÁREA DE REPARTO

Es el conjunto de terrenos respecto de los que el plan determina un mismo aprovechamiento tipo. Todos los terrenos urbanos o urbanizables estarán incluidos en áreas de reparto.

El establecimiento de áreas de reparto, es una técnica para la más justa gestión y ejecución del plan, por ello:

– El área de reparto fija el referente al que tiene derecho todo propietario, en un futuro, cuando se programen todos sus terrenos.

– El fin es que a todos los propietarios de una misma área de reparto, les corresponda, en régimen de igualdad, un aprovechamiento subjetivo similar o idéntico, con independencia de los diferentes aprovechamientos objetivos que el plan permita construir, en sus fincas. De esta manera, al propietario de un terreno destinado a vial o a zona verde o con una edificabilidad baja, se le asigna una expectativa similar a la media de todos los terrenos, e igual al resto de propietarios.

– El área de reparto es una técnica de gestión, de equidistribución, NO es una técnica de diseño urbano, no tiene incidencia en la ordenación urbanística de los terrenos ni en la estructura urbana del territorio. Sus líneas delimitadoras son líneas virtuales, que sus líneas y delimitan qué terrenos vamos a comparar entres sí, de modo que tengan el mismo tratamiento en cuanto a los rendimientos.

Secuencialmente, el establecimiento de áreas de reparto sólo puede hacerse una vez estén definidos los Sistemas Generales o Red Primaria y Estructural y la sectorización con asignación de usos e intensidades.

6. REGLAS BÁSICAS DE LAS ÁREAS DE REPARTO

1. Todo el suelo urbano y urbanizable debe quedar incluido en áreas de reparto.

2. Todos los terrenos incluidos en una misma área de reparto tiene el mismo aprovechamiento tipo.

3. Las áreas de reparto deben tener un aprovechamiento similar entre sí o un valor urbanístico semejante.

4. Las áreas de reparto pueden ser uniparcelarias o pluriparcelarias; continuas o discontinuas.

5. Las áreas de reparto se establecen o delimitan en los Planes Generales o en los PP y PERI de mejora que reclasifiquen suelo; no en los PP y PERI de desarrollo del Plan General.

7. APROVECHAMIENTO TIPO. ¿CÓMO SE CALCULA?

• Hemos visto que el aprovechamiento tipo es la edificabilidad unitaria que el planeamiento establece para todos los terrenos comprendidos en una misma área de reparto.

• El cálculo más sencillo, básicamente consiste en dividir el aprovechamiento objetivo o lucrativo total de un área de reparto por su superficie (excluida la superficie de suelo de las dotaciones públicas ya existentes).

$$At = \frac{Ao}{SCS} = m^2 t / m^2 \, s$$

AT = Aprovechamiento Tipo $(m^2 t / m^2 \text{suelo})$

Ao = Aprovechamiento Objetivo del Área $(m^2$ de techo edificable)

SCS = Superficie computable del sector $(m^2$ de suelo)

Ahora bien el fin del AT (Aprovechamiento tipo) debe ser alcanzar el principio de equidistribución. Por tanto, no basta con dar los mismos metros edificables, sino que éstos deben valer lo mismo o tener la misma rentabilidad (un ladrillo de un hotel tiene más rendimiento que un ladrillo de una fábrica).

Así tenemos que un área de reparto donde se permitan por el plan usos característicos diferentes, deberemos obtener un aprovechamiento tipo homogenizado.

$$AT = \frac{AO1 \times C1 + AO2 \times C2 + AO3 + C3}{SCS}$$

A cada sector le aplicamos un coeficiente (C1, C2, C3) que corrige el aprovechamiento objetivo, obteniendo un aprovechamiento ponderado que ya no mide en m^2 techo por m^2 de suelo, sino en unidades de aprovechamiento por m^2 de suelo.

Los coeficientes correctores sirven para ponderar usos diferentes dentro de una misma área de usos de reparto. En un área de reparto que cabe calificar usos y tipologías con rendimientos económicos muy diferentes, podemos compensar a través de los coeficientes de ponderación de homogeneización dando más metros de aprovechamiento subjetivo a los menos rentables.

Ejemplo de coeficientes:

Topología y uso	Coeficiente
Residencial en Bloque	1
Residencial unifamiliar	1,20
Industrial	0,75

Regla Básica

1.   Para pasar del uso característico (UA) al específico (m^2t)   se divide por el coeficiente de ponderación.

2.   Para pasar del uso específico (m^2t)   al característico (UA) se multiplica por el coeficiente de ponderación.

EJEMPLO

1.–

Área de reparto formada por dos sectores, sin red primaria y mismo uso					
Sector	IEB m^2t/m^2s	Sup. Sector m^2s	Ao (lucrativo) total de cada sector m^2t	As total de cada sector As=SxAtx0,9	Diferencias a compensar Excesos y defectos Ao-As
S1	0,8	10.000	8.000	6.599,7	+ 1.400,3
S2	0,7	20.000	14.000	13.199,4	+ 800,6
	Σ	30.000	22.000	19.799,1	+ 2.200,9
At del área de reparto				22.000/30.000= 0,7333 m^2t/m^2s	

2.–

Área de reparto formada por dos sectores y una superficie dotacional externa que no genera edificabilidad, uso único					
Sector	IEB m^2t/m^2s	Sup. Sector m^2s	Ao (lucrativo) total de cada sector m^2t Ao=Sx IEB	As total de cada sector As=SxAtx0,9	Diferencias a compensar Excesos y defectos m^2t Ao-As
S1	0,8	10.000	8.000	5.657,13	+ 2.342,87
S2	0,7	20.000	14.000	1.314,27	+ 2.685,73
Dotación	0	5.000	0	2.828,56	– 2.828,56
	Σ	35.000	22.000	19.799,1	+ 2.200,9
Aprovechamiento tipo del arco de Reparto 22.000/35.000= 0,628571					

3.–

Área de reparto formada por dos sectores con una superficie externa a esos sectores y usos homogeneizados						
Sector	IEB m^2t/m^2s	Sup. Sector m^2s	Coeficiente homogenei-zador C	Ao=Ua Ao=SxIEBXC	As=Ua As=Sx0,9x At	Diferencias a compensar Excesos y defec-tos Ua=Ao-As
Industrial S1	0,8	10.000	0,75	6.000	5.862,85	+ 137,15
Industrial S2	0,7	20.000	1,20	16.800	11.725.70	+ 5.074,3
Dotación	0	5.000		0	2.931,42	– 2.931,42
	Σ	35.000		22.800	20.519,97	+ 2.280,03
Aprovechamiento tipo Área de Reparto 22.800 UA/35.000= 0,651428						

Capítulo VII

Planes especiales

1. RÉGIMEN JURÍDICO

Los Planes Especiales son figuras del Planeamiento de desarrollo que no pretenden analizar la globalidad del ámbito que desarrollan, más bien analizan con profundidad uno de los aspectos y luego lo contextualizan y enmarcan en la generalidad del territorio en los que se inserta. En ese sentido, ordenan recintos y conjuntos artísticos, se enfocan en la protección del paisaje y de las vías de comunicación, contemplan la conservación del medio rural en determinados lugares y enmarcan el saneamiento de poblaciones. Su fin, por tanto, es el de dar una solución específica a una problemática del término municipal.

Sólo los Planes Especiales de Reforma Interior (PERI) tienen por objeto completar o desarrollar las previsiones del planeamiento general en suelo urbano, pero eso sí, desde un punto de vista sectorial.

Nos encontramos que los Planes Especiales pueden desarrollar previsiones de la Ordenación del Territorio, de los Planes generales o de la legislación sectorial (como los Planes Especiales de Protección de un conjunto histórico declarado Bien de Interés Cultural, obligados a ser redactados por la LPHE).

En desarrollo de las previsiones contenidas en los Planes Directores Territoriales de Coordinación, y sin necesidad de previa aprobación de Plan General de Ordenación, podrán formularse y aprobarse Planes Especiales con las siguientes finalidades:

a) Desarrollo de las infraestructuras básicas relativas a las comunicaciones terrestres, marítimas y aéreas, al abastecimiento de aguas, saneamiento, suministro de energía y otras análogas.

b) Protección del paisaje, de las vías de comunicación, del suelo, del medio urbano, rural y natural, para su conservación y mejora en determinados lugares.

c) Cualesquiera otras finalidades análogas.

Algunas *Comunidades Autónomas* amplían estas tres finalidades genéricas territoriales a:

– Protección del litoral.

– Protección de las zonas de montaña.

– Ordenación de los residuos.

– Protección del subsuelo.

En desarrollo de las previsiones contenidas en los Planes Generales Municipales de Ordenación y de las Normas Complementarias y Subsidiarias del Planeamiento, podrán asimismo formularse Planes Especiales, sin necesidad de previa aprobación del Plan Parcial, con las siguientes finalidades:

a) Desarrollo del sistema general de comunicación y sus zonas de protección, del sistema de espacios libres destinados a parques públicos y zonas verdes y del sistema de equipamiento comunitario para centros y servicios públicos y sociales a nivel del Plan General.

b) Protección de los elementos a que se alude en el párrafo b) del apartado anterior.

c) Reforma interior en suelo urbano.

d) Ordenación de recintos y conjuntos arquitectónicos, históricos y artísticos.

e) Saneamiento de poblaciones.

f) Mejora de los medios urbano, rural y natural.

g) Cualesquiera otras finalidades análogas.

Algunas *Comunidades Autónomas* amplían estas tres finalidades genéricas urbanísticas a:

– Establecimiento de reservas.

– Vinculación de terrenos con destino a Patrimonios Públicos de Suelo.

– Actuaciones en zonas o núcleos turísticos.

– Regulación de masías y casas rurales.

– Ordenación del subsuelo.

– Establecimiento de camping e instalaciones de turismo rural.

– Afrontar la regulación urbanística.

En ausencia del Plan Director Territorial de Coordinación o de Plan General o cuando éstos no contuviesen las previsiones detalladas oportunas, y en áreas que constituyan una unidad que así lo recomiende, podrán redactarse Planes Especiales que permitan adoptar medidas de protección en su ámbito con las siguientes finalidades:

a) Establecimiento y coordinación de las infraestructuras básicas relativas al sistema de comunicaciones, al equipamiento comunitario y centros públicos de notorio interés general, al abastecimiento de agua y saneamiento y a las instalaciones y redes necesarias para suministro de energía siempre que estas determinaciones no exijan la previa definición de un modelo territorial.

b) Protección, catalogación, conservación y mejora de los espacios naturales, del paisaje y del medio físico y rural y de sus vías de comunicación.

En ningún caso los Planes Especiales podrán sustituir a los Planes Directores Territoriales de Coordinación, a los Planes Generales Municipales ni a las normas Complementarias y Subsidiarias del Planeamiento, en su función de instrumentos de ordenación integral del territorio, por lo que no podrán clasificar suelo, sin perjuicio de las limitaciones de uso que puedan establecerse.

La legislación autonómica sí permite modificar o mejorar la ordenación detallada o pormenorizada del Plan General, siempre y cuando no afecte a la ordenación estructural ni ordenación general vigente ni determinaciones básicas del Plan General.

Respecto a la comparación con los Planes Parciales, hay algo que los diferencia drásticamente y es la posibilidad de los ***utilizar la figura de los Planes Especiales en cualquier clase de suelo.*** Esto permite realizar Actuaciones de Interés general en Suelo no urbanizable.

2. PASOS EN LA DEFINICIÓN DE UN PLAN ESPECIAL

Debido a la variedad de objetivos de los distintos Planes Especiales, es difícil fijar un criterio genérico de concepción. De hecho, algunas veces los criterios no son los de la legislación urbanística, sino los de la sectorial. Por eso, vamos a dar unas directrices en función del «tipo» de Plan Especial.

Planes Especiales referentes al Patrimonio Histórico-Artístico:

– Definición del Catálogo de elementos existentes.

– Orden prioritario de usos en los edificios.

– Determinación de áreas de rehabilitación integrada.

– Determinación de usos económicos adecuados.

– Definición de criterios de conservación.

– Definición de criterios de ejecución de construcciones.

Planes Especiales de Protección del Paisaje y Mejora del Medio Urbano y Rural:

– Determinación del elenco de bellezas naturales.

– Determinación de edificios y fincas que deban protegerse.

Planes Especiales de Vías de Comunicación:

– División de los terrenos en zonas de utilización.

– Determinaciones respecto a edificaciones.

– Determinaciones respecto a vegetación.

– Determinaciones respecto a panorámicas.

– Definición del señalamiento de trazados.

– Definición de las alineaciones.

– Prohibiciones.

3. PLANES ESPECIALES DE REFORMA INTERIOR (PERI)

Los Planes Especiales de reforma interior en suelo urbano podrán tener por *objeto* las siguientes finalidades:

a)   Llevar a cabo actuaciones aisladas que, conservando la estructura de la ordenación anterior, se encaminen a la descongestión del suelo urbano, creación de dotaciones urbanísticas y equipamiento comunitario, saneamiento de barrios insalubres, resolución de problemas de circulación o de estética y mejora del medio ambiente o de los servicios públicos u otros análogos.

b)   Con los fines señalados en el párrafo anterior podrán realizar asimismo operaciones integradas de reforma interior.

Si las operaciones de reforma a las que se refieren los apartados a) y b) de este artículo estuvieran previstas en el Plan General, habrán de ajustarse a sus determinaciones.

Cuando se trate de operaciones de reforma interior no previstas en el Plan General, el Plan Especial no podrá modificar la estructura fundamental de aquél, lo que se acreditará con un estudio justificativo en el que se demostrará su necesidad o conveniencia, su coherencia con el Plan General y la incidencia sobre el mismo.

Los Planes Especiales de reforma interior deberán contener un estudio completo de las consecuencias sociales y económicas de su ejecución, justificando la existencia de medios necesarios para llevarla a efecto y la adopción de las medidas precisas que garanticen la defensa de los intereses de la población afectada.

Los Planes Especiales de reforma interior, a que se refiere el apartado a) anterior, se elaborarán con el grado de precisión correspondiente a los Planes Parciales en lo que se refiere a las actividades y determinaciones que constituyen sus fines; incorporarán la previsión de obras a realizar; determinarán igualmente el sistema de actuación aplicable cuando la naturaleza de aquellas obras requiera su ejecución a través de alguno de los sistemas previstos en la Ley, delimitándose en tal caso la unidad de actuación.

4.   DOCUMENTACIÓN DEL PLAN ESPECIAL

Los Planes Especiales contendrán las determinaciones necesarias para el desarrollo del Plan Director Territorial de Coordinación, del Plan General de Ordenación o de las Normas Complementarias y Subsidiarias.

En los supuestos de infraestructuras y protección, los Planes Especiales deberán contener las determinaciones propias de su naturaleza y finalidad, debidamente justificadas y desarrolladas.

Los Planes Especiales se concretarán en los documentos siguientes:

a)   Memoria descriptiva y justificativa de la conveniencia y oportunidad del Plan Especial de que se trate.

b)   Estudios complementarios.

c)   Planos de información y de ordenación a escala adecuada.

d)   Ordenanzas cuando se trate de Planes Especiales de reforma interior o de ordenación de recintos y conjuntos históricos y artísticos.

e)   Normas de protección cuando se trate de Planes Especiales de esta naturaleza.

f)   Normas mínimas a las que hayan de ajustarse los proyectos técnicos cuando se trate de desarrollar obras de infraestructura y de saneamiento.

g)   Estudio económico-financiero.

El contenido de la documentación de los Planes Especiales tendrá el grado de precisión adecuado a sus fines, y aquélla será igual a la de los Planes Parciales cuando sean de reforma interior, salvo que alguno de los documentos de éste sea innecesario por no guardar relación con la reforma.

5.   ESTUDIO DE DETALLE

La legislación aplicable precisa el alcance y ámbito de los Estudios de Detalle por referencia a *las cuestiones de rasantes, volumetrías y alineaciones, al margen en todo caso de la fijación de los aprovechamientos*. E incluso dentro de su ámbito propio las ordenaciones de un Estudio de Detalle han de hacerse en desarrollo de los objetivos definidos por los Planes Generales de Ordenación Urbanística, Parciales de Ordenación o Planes Especiales.

Así por ejemplo puede citarse el artículo 15 de la Ley 7/2002, de 17 de diciembre, de Ordenación Urbanística de Andalucía: 1. Los Estudios de Detalle tienen por objeto completar o adaptar algunas determinaciones del planeamiento en áreas de suelos urbanos de ámbito reducido, y para ello podrán: Establecer, en desarrollo de los objetivos definidos por los Planes Generales de Ordenación Urbanística, Parciales de Ordenación o Planes Especiales, la ordenación de los volúmenes, el trazado local del viario secundario y la localización del suelo dotacional público. Fijar las alineaciones y rasantes de cualquier viarIo, y reajustarlas, así como las determinaciones de ordenación referidas en la letra anterior, en caso de que estén establecidas en dichos instrumentos de planeamiento. 2. Los Estudios de Detalle en ningún caso pueden: Modificar el uso urbanístico del suelo, fuera de los límites del apartado anterior. Incrementar el aprovechamiento urbanístico. Suprimir o reducir el suelo dotacional público, o afectar negativamente a su funcionalidad, por disposición inadecuada de su superficie. Alterar las condiciones de la ordenación de los terrenos o construcciones colindantes.

El objeto del Estudio de Detalle no es otro que el de reajustar el señalamiento de alineaciones y rasantes y el de ordenar los volúmenes de acuerdo con las especificaciones del Plan del que traiga causa el Estudio de Detalle.

La doctrina destaca que el Estudio de Detalle participa de la **naturaleza jurídica** de los Planes de Ordenación Urbana. Y son «el último eslabón o nivel de planeamiento» (STS de 9 de julio de 1985 [RJ 1985, 3887]).

En cuanto a su naturaleza jurídica el Estudio de Detalle puede ser considerado como «una pieza intermedia entre los Planes de Ordenación y las licencias» (en la mencionada STS de 9 de julio de 1985 [RJ 1985, 3887]). Su función es «una función subordinada a la de los distintos Planes» (STS de 29 de abril de 1985 [RJ 1985, 3529]) teniendo «una misión humilde de adaptación y complemento» (STS de 30 de septiembre de 1980 [RJ 1980, 3497]).

Sobre sus límites o alcance se ha afirmado por la jurisprudencia que el Estudio de Detalle no constituye un medio apto para establecer determinaciones normativas originarias o de alcance innovativo respecto de las contenidas en el planeamiento de mayor rango ni, por lo tanto, puede asumir la función ordenadora propia de los instrumentos urbanísticos que desarrollan, debiéndose limitar a la especificación de las determinaciones que vengan establecidas previamente por el Plan, completándolas y adaptándolas (en parecidos términos, SSTS de 9 de junio de 1988 [RJ 1988, 5080]; 9 de julio de 1988 [RJ 1988, 5949]; 20 de febrero [RJ 1990, 1330]; y 6 de junio de 1990 [RJ 1990, 4808]).

Tampoco es, por tanto, de recibo una remisión hecha por un Plan General a favor de un Estudio de Detalle, si esta remisión afecta a determinaciones propias de aquél (STS de 10 de diciembre de 1991 [RJ 1992, 1410]).

Interesa destacar que el Estudio de Detalle no puede aumentar la edificabilidad urbanística prevista en un Plan Superior. En este sentido, la sentencia del TSJ de Cataluña de 23 de marzo de 2006 (JUR 2006, 273059) anula un Estudio de Detalle porque había variado la edificabilidad máxima de 1,6 m^2t/m^2s de las NNSS hasta un 2,687 que figuraba en el Estudio de Detalle. Igualmente, la STSJ de Castilla y León de 27 de enero de 2006 anuló un

Estudio de Detalle que cambiaba tres artículos de un Plan General, en concreto el relativo al porcentaje de edificabilidad.

Así todo, la jurisprudencia pone de manifiesto que, ni siquiera en el ámbito de la volumetría y de las alturas el Estudio de Detalle es soberano, ya que, en caso de contenerse al respecto determinaciones en un Plan General o Parcial, primarán éstas sobre las de aquél (STS de 10 de diciembre de 1997 [RJ 1997, 9458], impidiendo una reordenación de las –alturas de los bloques–; STS de 23 de noviembre de 1998 [RJ 1998, 8606], denegando un cambio de tipología –patios de manzana– por Estudio de Detalle; STS de 10 de octubre de 2006 [RJ 2006, 7645], anulando un Estudio de Detalle por ampliar el número de pasos peatonales de uso público, de dos a cuatro).

El criterio jurídico que ha venido a consolidarse en la práctica jurídica, en materia de determinación de la necesidad o no de un Estudio de Detalle, es el de observar si hace falta en la parcela en cuestión una ordenación de volúmenes, rasantes y alineaciones (STSJ de la Comunidad de Madrid de 11 de mayo de 2006, sentencia 757/2006 [RJCA 2006, 728], denegando la impertinencia del Estudio de Detalle, reclamada por el actor, en tanto en cuanto era necesaria una ordenación de volúmenes de acuerdo con la edificabilidad permitida por el Plan General para el uso compatible terciario empresarial).

La existencia del Estudio de Detalle es «eventual o no necesaria» (STS de 24 de septiembre de 1996 [RJ 1996, 8215]). Esto explica que ciertas legislaciones autonómicas, como la valenciana, lleguen a afirmar que, para que se pueda formular un Estudio de Detalle, será requisito imprescindible su previsión por el Plan General, el Plan Parcial o el Plan de Reforma Interior.

Un problema que se plantea en la práctica es el relativo a Estudios de Detalle que prevén una determinada edificabilidad menor de la prevista para la parcela en cuestión en el Plan General, no agotando pues toda la edificabilidad permitida. En este sentido, puede ser interesante conocer la doctrina elemental de la renuncia a los derechos, a efectos de sostener el derecho a tramitar el planeamiento pertinente respecto del resto de la parcela que queda por ordenar (STS [Sala de lo Civil] de 18 diciembre 1997 [RJ 1997, 9107]): «la renuncia ha de ser expresa, *no deducida de algo tan poco inequívoco como un silencio sobre la materia*» (sentencia del TSJ de Andalucía Sala de Granada de 14 de octubre de 2003 [JUR 2004, 26225]; sentencia de la Audiencia Provincial de Asturias de 23 de junio de 2006 [AC 2006, 1113]; sentencia Tribunal Supremo de 11 de octubre de 2001 [RJ 2001, 8796]; Sentencias de 5-3 [RJ 1991, 1718], 3-6 [RJ 1991, 4636], 28 [RJ 1991, 7872] y 31-10 [RJ 1991,

7879] y 5-12-1991 [RJ 1991, 8919], 14-2-1992 [RJ 1992, 1268], 31-10-1996 [RJ 1996, 7724] y 18-12-1997 [RJ 1997, 9107]; STS de 31 de octubre de 1996 [RJ 1996, 7724]).

6. LOS PLANES PARCIALES RECLASIFICATORIOS EN LA LEGISLACIÓN URBANÍSTICA VALENCIANA

Una singularidad del régimen jurídico-urbanístico de la Comunidad Valenciana viene estando en la innecesariedad de revisión del Plan General, a pesar de que se reclasifique un suelo no urbanizable en suelo urbanizable o de que se modifiquen elementos estructurales previstos en aquél. O dicha singularidad viene estando asimismo en la innecesariedad incluso de adaptación a la LRAU (mientras ésta estuvo vigente) de los Planes Generales locales una vez se promulgó dicha ley. En relación por ejemplo con la homologación[2] su sentido es evitar la rigidez inherente a dicha revisión, por bastar con

---

2. Tal como explican L. PAREJO ALFONSO/F. BLANC CLAVERO, *Derecho urbanístico valenciano*, Valencia, 1999, p. 549 «ha sido tradición en nuestro país que cada reforma legal urbanística, cada cambio en la norma de cabecera del sistema, conllevará una renovación en cadena de todo el planeamiento municipal vigente, para trasladar a las previsiones y normativas municipales las innovaciones habidas en la norma con rango de ley. Así sucedió con la reforma de la Ley del Suelo de 1975 (que dio lugar al texto refundido LS 76) o con la reforma de 1990 (que dio lugar al TRLS/1992). La LRAU ha buscado, en este sentido, una solución totalmente diferente. En el momento histórico en que se aprueba la LRAU la Comunidad Valenciana (y el resto de España) acababa de culminar un largo proceso histórico de renovación de los planeamientos municipales. La práctica totalidad de los municipios valencianos revisaron sus planes durante los años 80 para adaptarlos a la LS 76. Incluso algunos de ellos los revisaron a principios de los 90 para adaptarlos a la reforma de 1990. *Se comprenderá lo perturbador que hubiera sido, recién concluido ese esfuerzo, volver a repetirlo para adaptar los planes a la nueva legislación autonómica.* Por otra parte la LRAU es, ante todo, una ley de gestión urbanística. Sus principales novedades estriban en el modo de ejecutar los planes y en las premisas que presiden esa ejecución. Sus novedades, aun habiéndolas, e importantes, no son tantas ni tan fundamentales en la definición del planeamiento físico-espacial del territorio. De ahí que el derecho transitorio de la LRAU tenga como base el enunciado de su Disp. Transit. Primera: la *"Innecesariedad de adaptación de los Planes* (a la LRAU)"*. El principio general es, pues, que la LRAU es de directa aplicación como norma reguladora del proceso de ejecución y, en su caso, de modificación de los planes vigentes, pero sin necesidad de que su vigencia y aplicación efectiva requiera una operación previa de adaptación del planeamiento» (véase también C. AUBÁN NOGUÉS/J. M. PALAU NAVARRO, *Guía básica para la redacción de planes parciales en el ámbito de la Comunidad Valenciana*, Colegio Territorial de Arquitectos de Valencia, 1999; la cursiva es nuestra).
   Regula la LRAU la homologación en sus disposiciones transitorias 1ª y 2ª, interesándonos especialmente la DT 1ª.3, a cuyo tenor «la aprobación de Planes Parciales, Especiales o de Reforma Interior que modifiquen determinaciones de los planes generales vigentes a la entrada en vigor de esta Ley, *requiere la homologación del sector correspondiente, que podrá efectuarse directamente al aprobar dichos instrumentos, siempre que éstos contengan los documentos específicos y las determinaciones necesarias con ese fin»*. La LRAU, atendiendo al ámbito territorial afectado por la homologación, distingue entre homologación global (la realizada de una vez para

adjuntar al Programa un documento de homologación, cumpliendo eso sí con los requisitos que impone a ésta el ordenamiento jurídico, salvándose de esta forma el obstáculo –o tramitación más compleja– que representaría la revisión del Plan General[3].

todo un PGOU, tramitándose conforme al artículo 38 de la LRAU) y homologación sectorial (para un sector de planeamiento parcial o de reforma interior exclusivamente, siendo tramitada conforme al artículo 44). Puede verse igualmente la *Instrucción 1/96, de la Conselleria de Obras Públicas Urbanismo y Transporte, sobre homologación de los Planes de Urbanismo a la LRAU;* en este contexto, STSJ de la Comunidad Valenciana de 15 de junio de 2004 (RJCA 2005, 42).

Por lo que se refiere a los Planes parciales de mejora, protagonista en tiempos de la LRAU vigente hasta el nuevo ROGTU y la nueva LUV, que lo derogan, ha sido el Decreto 201/1998, de 15 de diciembre, por el que se aprueba el *Reglamento de Planeamiento urbanístico de la Comunidad Valenciana,* que aborda la cuestión de los cambios de clasificación del suelo contenidos en los Planes parciales en su artículo 83: «1. **Los Planes de mejora** no desvirtuarán los fines perseguidos por el planeamiento general en orden a la especial protección de suelos no urbanizables, debiendo respetar las medidas establecidas para ello en la Ordenación Estructural. 2. Los Planes Parciales de mejora, de modo excepcional, pueden clasificar como suelo urbanizable suelos "no urbanizables" no sujetos a especial protección, cuando con ello satisfagan una de las siguientes finalidades: A. Ampliar el suelo urbanizable que el Plan General hubiera delimitado alineado con un elemento determinado de la Red Primaria, como consecuencia de la variación justificada en su trazado o emplazamiento, en coherencia con el criterio de la originaria clasificación. B. Cambiar el emplazamiento o modificar el límite de un sector para adaptarlo a circunstancias sobrevenidas o ajustar su localización a la realidad topográfica o geográfica, pero respetando tanto los criterios de ordenación territorial que motivaron su originaria clasificación como el artículo 17 de este Reglamento. C. Clasificar terrenos como suelo urbanizable para realizar una Actuación Integrada compatible, aunque imprevista, en la estructura urbanística del Plan General, siempre que se cumplan todos estos límites y requisitos: 1º Se excluye esta posibilidad si la modificación desvirtúa las opciones de la ordenación original del planeamiento vigente o si el emplazamiento escogido no se considera adecuado para el uso o aprovechamiento que se pretenda implantar. 2º Es inadmisible cuando ello se oponga a las Directrices definitorias de la estrategia de evolución urbana y ocupación del territorio. 3º Se debe asegurar el suplemento de dotaciones de Red Primaria que exija la ampliación del suelo urbanizable y su debida integración en la estructura urbanística del Plan. 4º La mejora debe dotar de ordenación pormenorizada a todos los terrenos reclasificados "urbanizables". 5º Sólo será admisible cuando se programen, junto a la mejora, todos los terrenos reclasificados por ella y se asegure así la total ejecución de los servicios correspondientes. 3. Las mismas reglas son aplicables a las mejoras que amplíen el núcleo urbano con una nueva Unidad de Ejecución, provista de Ordenación Pormenorizada, susceptibles de tramitarse como Plan de Reforma Interior de mejora. En este caso se observarán los estándares de calidad urbana para zonas de borde regulados en el anexo de este Reglamento. Su cómputo debe referirse al conjunto del sector o ámbito delimitado».

3. Así aparece expresado en el propio Preámbulo de la LRAU, conforme al cual, podemos observar el parecer del legislador valenciano en torno a esta cuestión: «Ahora bien, nada impide que, en el momento de la Programación, del compromiso inversor, y en atención a las demandas sociales que se concreten al formularlo, se remodelen las originarias previsiones del Plan General, que deja de tener una posición jerárquicamente preeminente respecto al Parcial. Lo único que exige la Ley para admitir esa **innovación**, es que las nuevas iniciativas suscitadas se acompañen de un análisis de su impacto territorial expresado en el mismo lenguaje formal que utilizó el Plan General y adoptando el mismo enfoque que éste utilizó al plantear sus alternativas, la misma lógica propia del ordenado desarrollo general del territorio y la ciudad. Lo malo no es que se cambien las soluciones propuestas por el Plan

Tal como he expuesto en otro lugar (con I. DE LA FUENTE CABERO, *La nueva legislación urbanística valenciana,* Editorial Tirant lo Blanch, Valencia, 2006) este sistema se ha manifestado en la legislación valenciana, tanto en la derogada LRAU como en la nueva y vigente LUV[4].

Sobre este particular M. J. ROMERO ALOY explica estos fenómenos, en especial la figura del Plan Parcial de mejora, en términos realmente expresivos sobre el alcance de la posibilidad de modificar elementos de los Planes Generales a través de los Planes de desarrollo y, en particular, de los Planes

General, sino que caigan en el olvido los problemas que motivaron en origen la formulación de aquellas soluciones. Del Plan General se pueden cambiar sus respuestas, siempre que se sepa responder a sus mismas preguntas, a los mismos interrogantes que sugiere la razón pública sobre el uso del territorio y la forma de la ciudad. La filosofía de la Ley es, en resumen, de afirmación del planeamiento en cuanto decisión pública de racionalización del uso del territorio, de apuesta por un Plan rico en análisis y previsiones, así como de rechazo a toda clasificación o calificación del terreno que disponga la urbanización sin atreverse siquiera a proponer una estructura primaria del desarrollo preconizado. Pero también es una filosofía de apertura a la remodelación de las previsiones iniciales, que busca la integración ordenada de las demandas novedosas que la evolución social vaya propiciando, dentro de un paradigma unitario de formulación progresiva, **ajeno por igual a la improvisación y al inmovilismo**».

4. «La LRAU introdujo un sistema que huyó de la ratio del sistema regulativo estatal vigente en el momento de su promulgación (año 1994) consistente en la ordenación rígida y jerárquica de los planes urbanísticos, situando al PGOU en la cúpula del sistema. Este modelo clásico, pese a que tiene un contenido garantista, supone una evidente rigidez, poco compatible con el espíritu de una LRAU que pretende la flexibilidad y la facilidad para el cambio de las ordenaciones del PGOU. Con la LRAU y con la LUV el "plan inferior" desarrolla el Plan "superior" pero también lo puede modificar. El PP, o el PRI, pueden alterar las determinaciones de **clasificación,** zonificación, delimitación de red primaria o estructural de reservas dotacionales y la ordenación de los centros cívicos y de las actividades susceptibles de generar tráfico intenso previstas en el PG (art. 17.1.B, C, I y J y art. 54 de la LRAU), **con aprobación autonómica.** También la LUV admite la posibilidad de que un PP o un PRI modifique contenidos estructurales y la clasificación de un PGOU, bastando con que la Comunidad Autónoma lo apruebe y que se respeten las exigencias de los artículos 72 (coherencia con las directrices, justificación y motivación en los términos allí mencionados) y 74 (documento de justificación de la integración territorial). (...) La justificación para ello parece estar en una ratio de "mejora" de la regulación del planeamiento general. Se profundiza así en el modelo abierto por la LRAU. Ésta, antes que caracterizar los distintos tipos de Planes, procura caracterizar prioritariamente los tipos de "ordenación" que afectarán a cualquier plan: estructural o pormenorizada (el artículo 26 del citado RPCV considera acertadamente la ordenación pormenorizada de forma residual respecto de la estructural). Este sistema tiene vocación, nuevamente, de facilitar la modificación del planeamiento» (...). «Con **la LRAU se abre la posibilidad de que con un PP o un PRI se modifiquen** (aunque con aprobación autonómica) parte de los contenidos estructurales del PGOU (pero **no son así modificables,** por ejemplo, las directrices definitorias de la estrategia de evolución urbana y de ocupación del territorio, letra A del artículo 17.1 de la LRAU), presuponiéndose que en la otra parte se requiere la revisión del PGOU (con los matices de los artículos 82 a 84 del Reglamento de Planeamiento)».

Parciales (*Los planes municipales en el Derecho urbanístico valenciano,* Valencia 2002, pp. 271 y ss.). Seleccionamos algún párrafo:

«Como ya se ha apuntado anteriormente, el PP de Mejora se caracteriza por desplegar una actividad alteradora de las determinaciones del PG, aspecto novedoso dentro del panorama urbanístico nacional. Esta capacidad modificativa es de enorme calado y son muy reducidas las determinaciones del PG que quedan a salvo de su eventual alteración, si bien el legislador contrapesa esa capacidad modificatoria con el cumplimiento de muy diversos requisitos, lo que da lugar a una cierta complejidad en su regulación» (...).

«En el tratamiento que podríamos denominar histórico de las reclasificaciones, pasar de suelo no urbanizable a urbanizable suponía efectuar una reconsideración de la estructura general y orgánica del territorio, puesto que se trataba de una decisión ligada a la reconsideración de usos globales y de sistemas generales. Frente a este planteamiento la LRAU introduce las reclasificaciones de suelo urbanizable a partir del no urbanizable como una posibilidad claramente asumida».

Se discute doctrinalmente si el Plan Parcial ha de denominarse en todo caso de Mejora, en estos casos, o mejor Plan Modificativo de ordenación estructural[5].

En la STSJ de la Comunidad Valenciana de 29 de enero de 2004 (JUR 2004, 169322) se afirma expresamente la validez de un Programa en el que se incorpora un Plan Parcial de mejora a los efectos de delimitar así Unidades de Ejecución *ex novo* implicando una reclasificación:

«Llegados a este punto procede precisar que la delimitación de las Unidades de Ejecución por la vía del PGOU o del Plan de Mejora (Reforma Interior o Plan Parcial) *es una delimitación "clasificatoria" o "cautelar" "en cuya virtud el terreno queda clasificado como suelo urbanizable (no urbano)* porque su desarrollo urbanístico requerirá la programación y ejecución de la Actuación Integrada, previa a cualquier actuación Aislada" y, en tal sentido "la delimitación de la Unidad de Ejecución es ante todo una forma de expresión gráfica de la clasificación del suelo y como tal una determinación propia de la ordenación estructural, cuya alteración requiere la intervención de la Administración Autonómica". (...) *"Siendo incluso posible –por esta vía de la redelimitación– que el ámbito de la Actuación Integrada 'exceda' el Suelo Urbanizable e incluya terrenos con otra clasificación –Suelo Urbano o Suelo no Urbanizable–* lo que siguiendo igualmente autorizada doctrina 'obedece a motivos de oportunidad coyuntural para la mejor realización de la urbanización (...)'" (puede verse, de forma idéntica, la sentencia del TSJ de la

---

5. C. AUBÁN NOGUÉS/J. M. PALAU NAVARRO, *Guía básica para la redacción de planes parciales en el ámbito de la Comunidad Valenciana,* Colegio Territorial de Arquitectos de Valencia, 1999. Véase también F. ROMERO SAURA/J. L. LORENTE TALLADA, *El régimen urbanístico de la Comunidad Valenciana,* 6ª ed., Valencia, 1996 pp. 213 y ss., capítulo 12: «La innecesariedad de adaptación de los planes: la homologación», y p. 388 «el PAI de mejora o modificación». Puede verse, igualmente, R. DE VICENTE DOMINGO, *Las alteraciones del planeamiento urbanístico,* Madrid, 1994, pp. 244 y ss.

CV de 6 de julio de 2005. Número de Resolución: 841/2005, Número de Recurso: 1340/2002. El quid está, en estos casos, en incorporar los documentos exigidos y en contar con la aprobación autonómica, es decir no exclusivamente municipal)».

Otra sentencia ilustrativa es la de 18 de noviembre de 2003 (JUR 2004, 161656) del Tribunal Superior de Justicia de la Comunidad Valenciana, desestimando el recurso contencioso-administrativo contra la adjudicación del Programa, conteniendo éste, entre la documentación presentada, Proyecto de homologación modificativa y Plan Parcial en el mismo ámbito de actuación, Anteproyecto de urbanización y listado de titulares catastrales afectados. Según esta sentencia:

> «Partiendo de que el PGOU de Oliva no contenía desarrollo pormenorizado del Sector 18, se alega que era imprescindible para la transformación del suelo la aprobación previa o simultánea de un documento que efectuara esta ordenación, siendo adecuado para ello según el art. 21 de la LRAU *el Plan Parcial;* proceder que fue el seguido por la actora al presentar, además, toda la documentación pertinente para optar a la eventual adjudicación del Programa».

En este caso, «con la redelimitación se incorpora (...) una porción de suelo no urbanizable especialmente protegido en la parte sur que el actual PGOU destina a cauce público...».

En conclusión, en estas circunstancias esta sentencia desestima el recurso contencioso-administrativo y da por válida la tramitación seguida a través de la presentación de los documentos mencionados.

En este contexto, interesante es también la sentencia del TSJ de la Comunidad Valenciana de 14 de febrero de 2003 (JUR 2004, 22567), igualmente referida a un Plan derivado que reclasifica el suelo directamente. En este caso, se aprueba definitivamente éste modificando el Plan General de Valencia con Expediente de Homologación. La aprobación es impugnada por la parte actora argumentando que el suelo es de «especial protección agraria», *siendo por tanto necesaria una revisión del Plan General porque no es procedente el expediente de homologación. Argumenta el recurrente:*

> «Que desde el punto de vista urbanístico se está conculcando la legalidad urbanística en cuanto al tratarse de una zona de especial protección agraria (PA-1 Huerta) debería previamente procederse a su recalificación por vía de revisión del PGOU y no a la modificación parcial del mismo».

Sin embargo, a juicio de la Sala (apoyándose en otras referencias jurisprudenciales) es procedente este procedimiento homologativo. La clave está en determinar si existen motivos que justifiquen la reclasificación conforme a la Memoria del planeamiento y los valores medioambientales dignos de protección.

Según esta sentencia, «la figura del PE "modificativo" está claramente prevista en la Ley 6/1994, de 15 de noviembre, Reguladora de la Actividad Urbanística, tal y como resulta de los arts. 12 E), 27 y 28. Se prevé, en concreto y por lo que aquí nos interesa, la posibilidad de que modifique "parcialmente" la clasificación del suelo de cualquier Plan. Así pues, el instrumento de planeamiento que analizamos no resulta, en principio, inadecuado para acometer la modificación operada».

Otra clave para justificar este régimen normativo está en el *ius variandi* reconocido a la Administración:

> «La Jurisprudencia del TS abordando la cuestión relativa a las facultades de las Administraciones Públicas para variar las determinaciones contenidas en los planes de Urbanismo, y, en concreto y por lo que al caso interesa, de cambiar la clasificación y calificación del suelo, viene estableciendo que "la naturaleza normativa del planeamiento y la necesidad de adaptarlo a las exigencias cambiantes del interés público, justifican plenamente el *ius variando* que en este ámbito se reconoce a la Administración, y por ello es claro que la revisión o modificación de un planeamiento no puede, en principio, encontrar límite en la ordenación establecida en otro planeamiento anterior de igual o inferior rango jerárquico". Este *ius variando* reconocido a la Administración por la legislación urbanística se justifica en las exigencias del interés público actuando para ello discrecionalmente –no arbitrariamente– y siempre con observancia de los principios contenidos en el artículo 103 de la Constitución».

Relevante es, igualmente, la STSJ de la Comunidad Valenciana de 2 de noviembre de 2002 (RJCA 2003, 359):

> «En un estricto sistema de jerarquía normativa, no sería posible dicha opción, puesto que las determinaciones del Plan General se impondrían categóricamente, de forma que la desclasificación no sería posible, sino por medio, o a través de una modificación del propio Plan General en este aspecto.
>
> **Sin embargo, no es esto lo que ocurre en la Comunidad Valenciana.**
>
> A juicio de la Sala, el Plan Especial es un instrumento adecuado para llevar a efecto la desclasificación del suelo que aquí se contempla, de acuerdo con lo dispuesto en el artículo 12 de la Ley 6/1994, Ley Reguladora de la Actividad Urbanística Valenciana, ya que el Plan recurrido, cumple una de las específicas funciones que determina y señala este precepto, cual es la de "concretar el funcionamiento de las redes de infraestructura", y además a través del Plan Especial, es perfectamente posible la modificación de las previsiones del Plan General o Plan Parcial, pues como dice el citado precepto, en interpretación concordada con el 24 del mismo texto legal, el Plan Especial "desarrolla", "complementa", "mejora", o "modifica" a aquéllos.
>
> El término "modificar", ampara la acción de la Administración, en la me-

dida en que la norma no veda o limita especialmente las materias susceptibles de ser modificadas».

Esta misma sentencia pone igualmente en evidencia *que la reclasificación depende de la valoración de los aspectos ambientales, conforme a la Declaración de Impacto Ambiental* (puede verse sobre el particular el Fundamento Jurídico Quinto).

Esta doctrina jurisprudencial se completa con la sentencia del TSJ de la Comunidad Valenciana de 5 de diciembre de 2002 (JUR 2003, 73655). Sobre la vertiente procedimental reclasificatoria puede seleccionarse el siguiente párrafo ilustrativo:

> «La lectura de las citadas disposiciones autonómicas no permite apreciar la alegación actora, puesto que estamos ante un instrumento de planeamiento, el Plan Especial, que puede desarrollar o mejorar el planeamiento general, es decir, modificarlo o establecer nuevas determinaciones, más allá de la tradicional jerarquía de planes consagrada en el sistema urbanístico estatal. No estamos ante una ordenación puntual o determinada del territorio, sino ante una verdadera modificación de los planeamientos de Finestrat y Benidorm posibilitada por el ordenamiento urbanístico valenciano (...)».

La innecesariedad del procedimiento de revisión se dejaría clara en la STSJ de la Comunidad Valenciana de 14 de julio de 2003 (JUR 2004, 222831):

> «El primer reproche que se hace a la homologación global modificativa del PGOU es que esconde una verdadera revisión del Instrumento de Planeamiento General, entendiendo que este proceder es contrario a derecho, constituyendo vicio de nulidad; si bien se apunta también concurrencia de una auténtica desviación de poder al tiempo que se citan como preceptos vulnerados los artículos 494 y siguientes del Texto Refundido de la Ley del Suelo de 9 de abril de 1976, así como artículos 2.2 y 154 y siguientes del Reglamento de Planeamiento, aprobado por RD 2159/1978, de 23 de junio.
>
> Esta alegación no resulta convincente. En primer lugar porque los preceptos citados sólo son supletorios de la legislación autonómica en materia de urbanismo, en nuestro caso de la Ley Valenciana 6/1994, Reguladora de la Actividad Urbanística, cuya disposición transitoria primera, apartado segundo, posibilita que los municipios interesen de la Conselleria competente en Urbanismo la homologación a la propia Ley de Planes Generales anteriores, aprobando una modificación del planeamiento general que complemente sus determinaciones, sin que se alcance a ver aquí impedimento existente en la legislación valenciana para la homologación impugnada».

Igualmente, nos remitimos a la sentencia del TSJ de la Comunidad Valenciana de 29 de diciembre de 2005 (número de Resolución: 1546/2005; número de Recurso: 383/2003) (JUR 2006, 106363) donde se explican los conceptos de homologación y de plan parcial de mejora.

El suelo no urbanizable es reclasificable en virtud del «*ius variandi* que caracteriza a la ordenación urbanística» (STSJ de la Comunidad Valenciana de 3 de diciembre de 2002 [RJCA 2003, 264]; STSJ de la Comunidad Valenciana de 16 de septiembre de 2004 [JUR 2005, 1076]; STSJ de la Comunidad Valenciana de 2 de septiembre de 2004 [JUR 2005, 26605], admitiendo la reclasificación de un suelo de especial protección agraria y de Expediente de Homologación; STSJ de la Comunidad Valenciana de 25 de enero de 2006 [JUR 2006, 142117]).

Conforme al carácter administrativo del litigio, el interés jurídico, a la luz de la jurisprudencia, está en observar si se han seguido los trámites que implica la homologación y si las posibles insuficiencias son subsanables (STSJ de la Comunidad Valenciana de 21 de febrero de 2005 [JUR 2005, 109333]; STSJ de la Comunidad Valenciana de 23 de julio de 2004 [JUR 2005, 1312]; STSJ de la Comunidad Valenciana de 16 de septiembre de 2004 [JUR 2005, 1076]; STSJ de la Comunidad Valenciana de 10 de junio de 2004 [RJCA 2005, 157]; STSJ de la Comunidad Valenciana de 18 de noviembre de 2003 [JUR 2004, 161656]; STSJ de la Comunidad Valenciana de 29 de enero de 2004 [JUR 2004, 169322]; STSJ de la Comunidad Valenciana de 1 de octubre de 2004 [JUR 2005, 924]; STSJ de la Comunidad Valenciana de 6 de junio de 2003 [JUR 2004, 23816]; STSJ de la Comunidad Valenciana de 29 de junio de 2004 [JUR 2005, 1784]; STSJ de Extremadura de 27 de febrero de 2003 [JUR 2003, 85699]; STSJ de Madrid de 3 de noviembre de 2004 [JUR 2005, 110693] todas ellas altamente ilustrativas). El propio trámite de Evaluación de Impacto Ambiental ha sido excepcionado por la jurisprudencia (STSJ de Cataluña de 26 de septiembre de 2005 [RJCA 2006, 165]). En todo caso, en torno al debate de la clasificación de un suelo como no urbanizable protegido prima la realidad fáctica y si realmente hay o no valores que requieren un régimen especial de protección (STSJ de la Comunidad Valenciana de 7 de abril de 2004 [JUR 2005, 2969]; STS de 11 de marzo de 1997 [RJ 1997, 1870]; STSJ de Asturias de 15 de diciembre de 2004 [JUR 2006, 5331]; STSJ de Castilla y León, Burgos, de 14 de diciembre de 2001 [RJCA 2001, 1340]; STSJ de Navarra de 28 de enero de 2005 [JUR 2005, 86245], anulando el régimen de protección forestal que previó la Administración de planeamiento ya que se comprenden terrenos que no tienen esta condición forestal).

El plan parcial de mejora o modificativo es una figura que se aplica con carácter no infrecuente (STSJ de la CV de 5 de diciembre de 2005 [JUR 2006, 109142]; STSJ de CV 6 de julio de 2005 [JUR 2005, 207102]; de 14 de noviembre de 2005 [JUR 2006, 107240]; STSJ de la CV de 28 de noviembre de 2005 [JUR 2006, 107022]; de 29 de diciembre de 2005 [JUR 2006, 106363]; STSJ de la CV de 6 de junio de 2003 [JUR 2004, 23816]; STSJ de la CV de 28 de octubre de 2005 [JUR 2006, 107522]; STSJ de CV de 29 de enero de 2004 [JUR 2004, 169322]; STSJ de CV de 12 de mayo de 2003 [JUR 2004, 23380]; STSJ de CV de 26 de mayo de 2003 [JUR 2004, 23627]; STSJ de CV de 6 de junio de 2003 [JUR 2004, 23816]; STSJ de CV de 5 de junio de 2005 [JUR 2005, 211783]; STSJ de la CV de 31 de mayo de 2004 [JUR 2005, 4133]; STSJ de la CV de 1 de octubre de 2004 [JUR 2005, 924]).

El límite decisivo es que en estos casos el Ayuntamiento no apruebe definitivamente el Programa (STSJ de la CV de 1 de octubre de 2004 [JUR 2005, 924], declarando la nulidad de la aprobación definitiva del PAI –conteniendo Plan Parcial de Mejora– porque la competencia no es del Ayuntamiento que lo aprobó sino de la Conselleria).

Por su parte, el concierto previo es igualmente una figura jurídica que se aplica con carácter ordinario en estos casos si se afecta el modelo territorial municipal ante la envergadura de la operación de reclasificación (STSJ de la CV de 6 de junio de 2003 [RJCA 2004, 198]; STSJ de la CV de 20 de junio de 2003 [RJCA 2004, 251]; STSJ de CV de 9 de julio de 2003 [JUR 2004, 222887]; de 8 de julio de 2004 [JUR 2005, 1580]; 8 de septiembre de 2004 [RJCA 2004, 1094], donde se deja claro que el concierto no es necesario, y ni siquiera válido, cuando tiene corto alcance la modificación pretendida).

En el artículo 38 de la LRAU 6/1994 se afirmaba que, «tratándose de Planes Generales, son preceptivas negociaciones y consultas con los Municipios colindantes y con las Administraciones cuyas competencias y bienes demaniales resulten afectados. _En especial, será preceptivo el concierto con la Conselleria competente en Urbanismo para definir un modelo territorial municipal acorde con su contexto supramunicipal y con los Planes de Acción Territorial aplicables_»[6].

En estos casos de incidencia sobre el modelo territorial del municipio, el concierto previo podrá relacionarse tanto con una reclasificación de suelo como con una desclasificación del mismo (STSJ de la CV de 25 de enero de 2006 [JUR 2006, 142117]).

De este modo, tras la aprobación provisional del Programa por el Ayuntamiento se examinará aquél por la Administración autonómica. A esta fase podrá remitir el estudio de otras posibles incidencias, tales como repercusión del Plan sobre zonas de riegos naturales, costas, etc.

Por esta línea parece caminar el artículo 15.6 y DT 4ª de la LS 8/2007 en tanto en cuanto consideran no de recibo una actuación que trascienda del concreto ámbito de la actuación al margen de un ejercicio pleno de la potestad de ordenación del municipio.

---

6. En el Decreto 201/1998, de 15 de diciembre, por el que se aprueba el Reglamento de Planeamiento urbanístico de la CV se regulaba en el artículo 43 dicho concierto previo definiendo su función del modo siguiente: «El concierto previo tiene por objeto garantizar la adecuación del modelo territorial municipal, definido en el momento de la redacción del Plan, con su contexto supramunicipal, con los Planes de Acción Territorial aplicables y con la política urbanística y territorial de la Generalitat». Y en el artículo siguiente, 44, se menciona la documentación del concierto previo.

Capítulo VIII

Los estándares urbanísticos. Estudio sobre las densidades edificatorias

1. LOS ESTÁNDARES DE DENSIDAD MÁXIMA COMO ESTÁNDARES URBANÍSTICOS

El *estándar de densidad máxima de viviendas* se encuadra en la categoría de los llamados estándares urbanísticos, que no son sino una técnica legal de restricción de la discrecionalidad característica de la potestad de planeamiento con la que pueden legítimamente actuar los planes urbanísticos.

Para un debate correcto sobre la cuestión que nos ocupa parece conveniente conocer en primer lugar qué naturaleza y efectos tienen los estándares urbanísticos en nuestro Derecho, considerando también la doctrina científica y la jurisprudencia, para a continuación descender a la regulación de los estándares de densidad máxima en la legislación autonómica.

La acepción «estándar urbanístico» se define, en palabras de E. García de Enterría y L. Parejo Alfonso, como «una técnica de reducción de la discrecionalidad propia de la potestad de planeamiento a través de la fijación de unas reglas de fondo de carácter mínimo o máximo, que actúan como verdaderos límites legales a aquella potestad, y, por tanto, de las respectivas competencias asignadas a los distintos órganos, su incumplimiento implica de suyo una manifiesta infracción de una norma con rango formal de Ley» (*Lecciones de Derecho Urbanístico,* Editorial Civitas, Madrid, 1981, p. 220). Constituyen mandatos que tienen como destinatarios a los órganos encargados de elaborar y aprobar los planes de urbanismo (SSTS de 10 de julio de 1991 [RJ 1991, 5748] y 15 de abril de 1992 [RJ 1992, 4050]), mediante los cuales la Ley establece unos criterios mínimos o máximos que deben ser respetados, en todo caso, por los planes urbanísticos, so pena de incurrir en nulidad en aquello en que los contradigan o se opongan. Por ello, la técnica de los estándares se inserta plenamente en el mecanismo de remisión normativa al planeamiento, propio del ordenamiento urbanístico, constituyendo, en puridad, mandatos que la Ley realiza al planificador (M. López Benítez, «Estándares urbanísticos y normas de directa aplicación», en S. Muñoz Machado [Director], *Diccionario de Derecho administrativo*, Tomo I, pp. 1158 y ss.; véase también R. Gómez-Ferrer Morant, «En torno a los estándares urbanísticos», REDA 4 1975).

Como se dice en la Sentencia de 15 de febrero de 1983 (RJ 1983, 886) del Tribunal Supremo, los estándares urbanísticos «son un tope legal al poder del planificador». Efectivamente, frente a la potestad discrecional del planificador se alzan, por una parte, el límite general a la discrecionalidad por razón de su elemento teleológico, que es el interés público, y por otra parte, unas limitaciones nacidas de la Ley, las derivadas de las determinaciones materiales de ordenación, contenidas en las normas, y la fijación por ellos de criterios mínimos de ordenación, que son los estándares urbanísticos (F. Romero Hernández, «Los conciertos urbanísticos atípicos», *Revista de Derecho Urbanístico*, nº 95, octubre-diciembre 1985).

Como punto de partida, pues, podemos destacar tres notas características de los estándares urbanísticos:

a)   No son normas de directa aplicación, sino criterios materiales de obligada observancia para el planificador,

b)   Operan como límites a la discrecionalidad del planificador,

c)   Permiten un control de legalidad sobre el Plan. Es numerosa la jurisprudencia que viene situando la fiscalización del cumplimiento de los estándares urbanísticos dentro de los límites del control de legalidad del Plan (SSTS 22 de octubre de 1984 [RJ 1984, 5724], 8 [RJ 1986, 7647] y 13 de octubre de 1986 [RJ 1986, 6423], 15 de marzo de 1988 [RJ 1988, 2230] y 4 de mayo de 1990 [RJ 1990, 3800]).

Además, desde otra perspectiva, los estándares urbanísticos facilitan una uniformidad en el contenido máximo del derecho de propiedad. La desaparición del contenido mínimo uniforme del derecho de propiedad queda así sustituida por la fijación de un contenido máximo que afecta a los ámbitos aptos para urbanizar. En efecto, a través de la fijación de estándares urbanísticos, la Ley impone unas dotaciones mínimas y establece unas edificabilidades y densidades máximas, de modo que se está de alguna manera homogeneizando los derechos de los propietarios con carácter de máximos (R. Gómez-Ferrer Morant, «Régimen jurídico del suelo», *Revista de Derecho Urbanístico*, nº 55, octubre-diciembre 1977).

Finalmente, los estándares cumplen un objetivo esencial en nuestro Estado social, cual es procurar un adecuado nivel y calidad de vida de los ciudadanos. Afirma la doctrina que «en relación con la calidad de vida, existen en la ciudad unos elementos básicos que sirven para contrastar si dicha calidad es aceptable (o demostrar que es insuficiente): son las infraestructuras y los servicios públicos así como los equipamientos comunitarios –viario y aparcamientos suficientes, espacios verdes, escuelas, instalaciones sanitarias, etc.–. Y esta suficiencia es difícil de conseguir, dado que al incrementarse el nivel de vida de los ciudadanos también se incrementa la demanda que éstos hacen de las infraestructuras y los equipamientos, es decir, de los servicios públicos. Sin embargo, es exigible un mínimo suficiente de los mismos, para garantizar una adecuada calidad de vida» (SANTOS DÍEZ y CASTELAO RODRÍGUEZ, *Derecho Urbanístico. Manual para Juristas y Técnicos,* editada por Publicaciones Abella-El Consultor, Madrid, 1994, p. 116).

En este sentido, Tomás-Ramón FERNÁNDEZ señala que la finalidad del estándar urbanístico es asegurar «un mínimo inderogable de calidad de vida en el espacio urbano» (*Manual de Derecho Urbanístico,* Publicaciones Abella-El Consultor, 13ª edición, 1998).

Este mismo autor ha puesto de manifiesto cómo a partir del Texto refundido de 1976 se limita de forma importante la anterior discrecionalidad ilimitada de la Administración para ordenar la ciudad mediante los planes de urbanismo, a través de la imposición de estándares concretos de planeamiento, «llamados a asegurar desde el propio texto de la Ley un nivel determinado de calidad de la urbanización y, por tanto, de la vivienda como producto final» (*De la arbitrariedad de la Administración,* Civitas).

Ésta es, por tanto, la finalidad del estándar urbanístico: actuar como cortapisa a la libertad del planificador mediante la imposición de unos mínimos o unos máximos referidos a equipamientos, espacios libres, aparcamientos, densidad, edificabilidad, etc., tendentes a homogeneizar los derechos de los propietarios y a garantizar una adecuada calidad de vida de los ciudadanos. Con esto último se pretende, en definitiva, racionalizar el urbanismo en términos de sostenibilidad.

Entre los estándares urbanísticos nos interesa el relativo a la limitación de la densidad máxima de viviendas permitida en un ámbito de actuación, normalmente de suelo urbano no consolidado o suelo urbanizable.

La finalidad de limitar la densidad de viviendas en las actuaciones sistemáticas surge como medio que debe coadyuvar a la consecución del bienestar de la población, es decir, de la calidad de vida adecuada para los ciudadanos, de ahí que se establezca una relación directa entre la capacidad de las infraestructuras, los estándares mínimos de cesión y reservas de suelo y la densidad.

Como veremos a continuación, esta técnica se incluye por vez primera en el Texto Refundido de la Ley del Suelo y Ordenación Urbana de 1976, el cual, no debe olvidarse, se encuentra obligado a reaccionar frente a los excesos y afecciones creadas por el desarrollismo industrial de mediados del siglo XX, entre cuyas manifestaciones se encuentran las desmedidas aglomeraciones de viviendas dando lugar a tremendos desajustes entre servicios urbanos y población. En idéntico sentido reaccionario se sitúa la Ley 22/1988, de 28 de julio, de Costas, en la medida en que pretende combatir la acumulación demográfica en el litoral en contraste con el despoblamiento de las zonas interiores (Exposición de Motivos, apartado I). Con esta finalidad, el artículo 30 establece que las construcciones habrán de adaptarse a lo establecido en la legislación urbanística.

2. REGULACIÓN EN LA LEGISLACIÓN ESTATAL DE LOS ESTÁNDARES URBANÍSTICOS EN GENERAL, Y DE LOS ESTÁNDARES DE DENSIDAD MÁXIMA EN PARTICULAR

Antecedentes de la figura de los estándares urbanísticos pueden hallarse en el artículo 6 del Reglamento de Obras y Servicios Municipales de 14 de julio de 1924, y en el artículo 3.1.g) Ley del Suelo de 1956, que fijaba una proporción mínima del 10 por 100 de la superficie ordenada por el Plan para parques y jardines públicos.

La parquedad de la LS/1956 a la hora de establecer estándares fue remediada por el TRLS/1976 que, en aras de conseguir una elevación de la calidad de la vida urbana, fijó unas proporciones mínimas de equipamientos y espacios públicos y un tope máximo de densidad de viviendas, asumiendo así en el ordenamiento urbanístico un particular protagonismo esta técnica de los estándares urbanísticos. Así, el Real Decreto 1346/1976, de 9 abril, por el que se aprueba el Texto Refundido de la Ley sobre Régimen del Suelo y Ordenación Urbana señala su artículo 75 que «en los Planes Parciales se deberá fijar una densidad que no podrá ser superior a 75 viviendas por hectárea, en función de los tipos de población, usos pormenorizados y demás características que se determinen reglamentariamente. En casos excepcionales, el Consejo de Ministros, previo dictamen de la Comisión Central de Urbanismo, podrá autorizar densidades de hasta 100 viviendas por hectárea, cuando las circunstancias urbanísticas de la localidad lo exijan».

Para el desarrollo y aplicación de la Ley sobre Régimen del Suelo y Ordenación Urbana se dictó el Real Decreto 2159/1978, de 23 junio, por el que se aprueba el Reglamento de Planeamiento, el cual en su artículo 47 señala que «a efectos de la limitación de viviendas establecida en el artículo 75 de la Ley del Suelo, aquélla se entenderá referida a las acciones definidas en suelo urbanizable programado de los Planes Generales o de los Programas de Actuación Urbanística, y a las áreas declaradas aptas para la urbanización en las Normas Subsidiarias de Planeamiento. En casos excepcionales, el Consejo de Ministros, previo dictamen de la Comisión Central de Urbanismo, podrá autorizar densidades de hasta 100 viviendas por hectárea, cuando las circunstancias urbanísticas de la localidad lo exijan. La limitación a que se alude en el apartado 1 de este mismo artículo se entenderá referida a la superficie comprendida en el ámbito de planeamiento, deducidas, en su caso, las áreas no residenciales ocupadas por los sistemas generales de la estructura general del territorio, pero no así las superficies destinadas a viales, parques, jardines y demás dotaciones propias de cada actuación».

Por su parte el artículo 100 del mismo Reglamento de Planeamiento concreta que «lo dispuesto en el artículo 75 de la Ley del Suelo y 47 de este Reglamento será de aplicación a las zonas incluidas en los sectores definidos por los Planes Generales en suelo urbanizable programado y en el no programado, por los Programas de Actuación Urbanística, así como en las zonas declaradas aptas para la urbanización por las Normas Subsidiarias de Planeamiento».

Posteriormente, se dicta el Real Decreto Legislativo 1/1992, de 26 junio, por el que se aprueba el Texto Refundido de la Ley sobre el Régimen del Suelo y Ordenación Urbana que en esta materia de los estándares siguió en líneas generales la estructura del TRLS/1976 anterior. Así, en el segundo párrafo del apartado 4 del artículo 83 (Planes Parciales: Objeto y determinaciones) indica que «la densidad resultante en el sector no podrá ser superior a 75 viviendas por hectárea, en función de los tipos de población, usos pormenorizados y demás características que se determinen reglamentariamente. En casos excepcionales, el órgano competente de la respectiva Comunidad Autónoma podrá autorizar densidades de hasta 100 viviendas por hectárea, cuando las circunstancias urbanísticas de la localidad lo aconsejen».

3. REGULACIÓN EN LA LEGISLACIÓN AUTONÓMICA DE LOS ESTÁNDARES DE DENSIDAD MÁXIMA

A. Planteamiento

Para valorar y entender en su justa medida el sistema autonómico es preciso contextualizar la cuestión haciendo referencia al ámbito normativo general sobre este tema: dado que el artículo 83.4 del TRLS/1992 fue declarado inconstitucional y nulo por la STC 61/1997, de 20 marzo (RTC 1997, 61), su expresión hay que buscarla en la legislación autonómica, pues todas las Comunidades Autónomas se han proveído de una legislación urbanística propia, que, en general, se mantiene bastante fiel a la legislación supletoria contenida en el TRLS/1976 y en el Reglamento de Planeamiento.

Las Comunidades Autónomas han optado por regulaciones no coincidentes: así, en primer lugar, algunas leyes autonómicas refieren el índice de densidad a metros concretos de edificabililidad; tampoco faltan los supuestos en que la legislación autonómica juega cumulativamente tanto con el criterio del número de viviendas como con el de metros de edificabilidad; otras legislaciones autonómicas ofrecen variaciones sobre este último criterio presentando la densidad mediante el añadido del ratio metros cuadrados de edificabilidad por metro cuadrado de suelo; y, por último, también puede ocurrir que dichas legislaciones autonómicas establezcan cautelas y previsiones en orden a que el suelo urbano consolidado no aumente su densidad por encima de los parámetros de densidad que, con carácter general se fijan.

Pero también existe el caso de legislaciones autonómicas que no establecen ningún límite de densidad, algo que ha sido criticado por la doctrina, especialmente cuando al mismo tiempo dicha legislación formula entre sus objetivos generales la consecución del principio del desarrollo sostenible (así, en relación con la Ley 9/2001, de 17 de julio, del Suelo de Madrid, se ha indicado que «esta omisión contrasta con el establecimiento de límites de densidad o edificabilidades máximas en otras leyes autonómicas contemporáneas, lo que, aunque siempre se puede tachar de voluntarista, parece más acorde con las exigencias de un desarrollo urbano sostenible»: A. MENÉNDEZ REXACH/F. IGLESIAS GONZÁLEZ *Lecciones de Derecho urbanístico de la Comunidad de Madrid,* Montecorvo 2004).

Para simplificar la exposición de los diferentes sistemas autonómicos, vamos a utilizar el siguiente sistema clasificatorio (siguiendo así, en cierto sentido, el criterio de P. SÁMANO BUENO, «Algunas precisiones en torno al estándar de densidad máxima. En particular, su relación con los sistemas generales», *RDU*, nº 224, 2006, pp. 11 y ss.):

a) Comunidades Autónomas que fijan criterios de densidad o edificabilidad máxima.

b) Comunidades Autónomas que remiten al planeamiento la fijación del límite de densidad, sin establecer criterios para su cálculo.

c) Comunidades Autónomas que no establecen límite de densidad.

B. Comunidades Autónomas que fijan criterios de densidad o edificabilidad máxima

1.–Castilla y León:

La Ley 5/1999, de 8 de abril, de Urbanismo, señala en su artículo 36 (Sostenibilidad y protección del medio ambiente) que el planeamiento urbanístico tendrá como objetivo la mejora de la calidad de vida de la población mediante el control de la densidad humana y edificatoria, de modo que la legislación castellano-leonesa recoge plenamente la concepción de los estándares a la que nos hemos referido *supra*, como medios para mejorar la calidad de vida de los ciudadanos.

A tal efecto se indica en la Ley que se seguirán los siguientes criterios y normas:

a) En suelo urbano consolidado, el aprovechamiento de las parcelas y sus parámetros, tales como la altura, el volumen o el fondo edificable, no superarán los niveles que sean característicos de la edificación y construida legalmente en su entorno.

b) En suelo urbano consolidado, cuando ya existan más de 100 viviendas o 15.000 metros cuadrados construidos por hectárea, el planeamiento no podrá contener determinaciones de las que resulte un aumento del aprovechamiento o de la densidad de población totales

c) En los sectores de suelo urbano no consolidado y suelo urbanizable, el planeamiento no podrá contener determinaciones de las que resulte una densidad superior a:

1º–70 viviendas o 10.000 metros cuadrados por hectárea, en los Municipios con población igual o superior a 20.000 habitantes.

2º–50 viviendas o 7.500 metros cuadrados por hectárea, en los Municipios con población inferior a 20.000 habitantes que cuenten con Plan General de Ordenación Urbana.

3º–30 viviendas o 5.000 metros cuadrados por hectárea, en los demás Municipios con población inferior a 20.000 habitantes.

d) En sectores con uso predominante industrial o de servicios, no se permitirá una ocupación del terreno por las construcciones superior a dos tercios de la superficie del sector

e) Para la aplicación de las normas anteriores se excluirán de las superficies de referencia los terrenos reservados para sistemas generales, y se expresará la superficie construible en metros cuadrados en el uso predominante, previa ponderación al mismo de los demás usos.

Por su parte, el artículo 86.3 del Reglamento de Urbanismo, aprobado por Decreto 22/2004, de 29 de enero, indica que para cada sector de suelo urbano no consolidado o suelo urbanizable delimitado con uso predominante residencial, el Plan General debe fijar también una serie de parámetros de ordenación general, entre los que aparece el de las densidades máxima y mínima de población, o números máximo y mínimo de viviendas edificables por cada hectárea del sector, excluyendo de la superficie del sector los terrenos reservados para sistemas generales. Estos parámetros deben respetar los siguientes límites:

1º–En Municipios con población igual o superior a 20.000 habitantes: en el núcleo principal, entre 30 y 70 viviendas por hectárea; en el resto del término, entre 20 y 50 viviendas por hectárea.

2º–En los demás Municipios: entre 20 y 50 viviendas por hectárea.

Y en el artículo 86.2 del Reglamento de Urbanismo, aprobado por Decreto 22/2004, de 29 de enero, se indica que para cada sector de suelo urbano no consolidado o suelo urbanizable delimitado, el Plan General debe fijar, además de otros parámetros de ordenación general, la «densidad máxima de edificación, o edificabilidad máxima en usos privados por cada hectárea del sector, excluyendo a tal efecto de la superficie del sector los terrenos reservados para sistemas generales. Este parámetro debe respetar los siguientes límites:

1º–En Municipios con población igual o superior a 20.000 habitantes: 10.000 metros cuadrados por hectárea.

2º–En los demás Municipios: 7.500 metros cuadrados por hectárea».

Pero, de modo excepcional y exclusivamente a efectos del cálculo de densidades máxima y mínima de población, *el planeamiento que establezca la ordenación detallada puede computar como una vivienda, dos de superficie útil de entre 50 y 70 metros cuadrados y calificadas como «vivienda joven» por la Administración de la Comunidad de Castilla y León, no pudiendo superar el número de las viviendas jóvenes el límite del 40% del total de las viviendas resultantes en el sector* (artículo 86.4 del Decreto 22/2004).

Para los Municipios con Normas Urbanísticas regirá el artículo 122 del Decreto 22/2004, según el cual «para cada sector de suelo urbano no consolidado o suelo urbanizable delimitado, las Normas deben fijar, además de la delimitación, los parámetros de ordenación general: (...) c) Densidad máxima de edificación, o edificabilidad máxima en usos privados por cada hectárea del sector, excluyendo de la superficie del sector los terrenos reservados para sistemas generales. Este parámetro no puede superar 5.000 metros cuadrados por hectárea; d) Sólo para los sectores con uso predominante residencial, densidades máxima y mínima de población, o números máximo y mínimo de viviendas edificables por hectárea, que deben situarse entre 15 y 30 viviendas por hectárea, excluyendo de la superficie del sector los terrenos reservados para sistemas generales, y pudiendo aplicarse la regla del artículo 86.4».

En este marco de fijación de estándares de densidad máxima de viviendas y estándares de edificabilidad máxima se echa en falta en la legislación castellano-leonesa una regulación expresa referida a los municipios turísticos, como sucede, por ejemplo en la Ley 2/2001 de Cantabria, de 25 de junio, de Ordenación Territorial y Régimen Urbanístico del Suelo, cuyo artículo 38.3 señala que en tales municipios turísticos se podrá superar la limitación de densidad máxima, pero no la edificabilidad máxima, no pudiendo el aumento exceder del 25 por 100 de la regla general. A efectos de la aplicación de este criterio excepcional, se indica que el Gobierno de Cantabria ha de aprobar una lista de los municipios turísticos.

2.–Comunidad Valenciana:

El artículo 19 de la Ley 6/1994, de 15 de noviembre, reguladora de la Actividad Urbanística de la Comunidad Autónoma Valenciana (actualmente derogada por la Ley 16/2005, Urbanística Valenciana) fijaba los estándares de densidad señalando un número de viviendas máximo y una edificabilidad máxima. Pero, a raíz del cambio de normativa urbanística, tanto en la Disposición Transitoria Tercera 4 de la Ley Urbanística Valenciana 16/2005 y en la Disposición Transitoria Sexta del Reglamento de Ordenación y Gestión

Territorial y Urbanística 67/2006 se indica que cuando los planes aprobados al amparo de la Ley Reguladora de la Actividad Urbanística, contengan a la vez un coeficiente limitativo del número máximo de viviendas edificables y otro número máximo de metros cuadrados de edificación, se aplicará exclusivamente este último, siempre que se cumplan las cesiones dotacionales mínimas por unidad de superficie edificable exigidas por la Ley Urbanística Valenciana.

Sobre este régimen en esta Comunidad se ha emitido recientemente un Informe de Consellería sobre la aplicación de la LUV, Disposición Transitoria tercera, «Adaptación de los Planes a la presente Ley» confirmando el tenor literal de la Ley: «la LUV, a diferencia de la legislación precedente, no prevé la fijación por el planeamiento urbanístico de una densidad expresada mediante una limitación del número de viviendas por unidad de superficie ni coeficiente limitativo del número máximo de viviendas edificables, parámetro o determinación que no puede establecerse en los planeamientos aprobados o que en el futuro se aprueben, adapten o modifiquen al amparo de la misma. La LUV, a través de la transitoria citada, ha establecido las condiciones para la extensión de sus efectos, en cuanto a la desaparición de la aplicación de cualquier coeficiente limitativo del número de viviendas, a los planeamientos aprobados con anterioridad a su entrada en vigor y sin necesidad de su modificación ni adaptación, sino por aplicación directa».

Este Informe supera posibles resistencias municipales a la aplicación de la LUV y del ROGTU dejando claro que no vale alegar por ejemplo que un PGOU no cumple con la dotación de 5nr de parque (PQL) por habitante (art. 52 LUV) o que la red viaria debe incluir 0,5 plazas de aparcamiento de uso público. Ninguna de las dos objeciones puede ser tenida en consideración a raíz de este Informe.

Por su parte, interesa también el Dictamen del Consejo Consultivo de la Comunidad Valenciana 670/2007, exp. 328 en el que se recuerda que, en este contexto de la DT 3, punto 4 de la LUV, la potestad del Ayuntamiento es reglada:

> «Respecto a la posibilidad de denegar las solicitudes de licencias urbanísticas que se formulen, por el déficit de infraestructuras, expresa el Consell Jurídic que la tramitación y otorgamiento –o denegación– de las licencias urbanísticas de edificación en suelo urbano o transformado por la urbanización *tiene carácter reglado (sin discrecionalidad), por lo que sólo será posible denegar mediante resolución motivada las licencias de edificación que se soliciten cuando su contenido vulnere el planeamiento urbanístico, la legislación urbanística* y la normativa sobre ordenación de la edificación, lo que incluye el Código Técnico de la Edificación y la normativa y disposiciones sobre diseño y habitabilidad de las viviendas (...)».

Acto seguido, enfatiza este Dictamen el límite que viene en la propia LUV de las cesiones dotacionales: «Respecto a la viabilidad de condicionar el otorgamiento de las licencias urbanísticas de edificación que incrementen el número de viviendas a la obtención de mayores cesiones urbanísticas, recuerda el Consell Jurídic que la Disposición transitoria tercera impone la aplicación del coeficiente limitativo de superficie edificable, o de "número máximo de metros cuadrados de edificación", sólo en aquellos casos en los que se "cumplan las cesiones dotacionales mínimas por unidad de superficie edificable exigidas por la presente ley", esto es, los estándares urbanísticos dotacionales de la misma LUV».

Este Dictamen cuenta con un Voto particular donde se afirma que «la DT 3ª punto cuarto no "otorga derecho subjetivo alguno a nadie, y menos el de dictar unilateralmente el contenido particular de la potestad planificadora", ya que "simplemente otorga a los Ayuntamientos la posibilidad de (...) desvincularse de las de las limitaciones (señaladamente la de 25 viviendas por hectárea que refería la normativa anterior PP del sector) derivadas de la regulación efectuada por la LRAU" además de que "será el instrumento de planeamiento que surja como consecuencia de ese proyecto de adaptación el que determine (...) el desarrollo urbanístico"».

Sin embargo, no es ésta la interpretación seguida por el Dictamen citado. Así pues, en la Comunidad Valenciana, por el momento, el legislador ha querido seguir un determinado criterio político-legislativo, es decir, el que marca la LUV. Esta ley ha querido, por el momento, que las decisiones sobre el tamaño y número de las viviendas se realicen por los propios agentes sociales ajustando a la demanda existente las ofertas de viviendas, confiándose en que, de esta forma, se conseguirá mejor resolver los problemas sociales que si dejamos estas decisiones al planificador.

Ilustrativo es el siguiente Acuerdo de la Dirección Territorial de Territorio y Vivienda de Alicante, adoptado en sesión celebrada el día 20 de noviembre de 2006 lo siguiente[7]: «4. Cuando los planes aprobados al amparo de la legislación anterior contengan a la vez un coeficiente limitativo del número máximo de viviendas edificables y otro del número máximo de metros cuadrados de edificación, se aplicará exclusivamente este último, siempre que cumplan las cesiones dotacionales mínimas por unidad de superficie edificable exigidas por la presente ley». Este precepto consagra, con carácter impe-

---

7. Acuerdo: «expediente PB-168/06. Santa Pola.– Modificación Puntual número 45 del Plan General. (06/0039) Boletín Oficial de la Provincia –Alicante, 11 julio 2007– nº 137. Tercera.– Disposición Transitoria Tercera, apartado cuarto».

rativo, una *norma de aplicación directa* que determina la desaparición del parámetro de densidad de viviendas como elemento limitativo de la edificación, quedando a tal efecto como único elemento de ordenación estructural limitativo la edificabilidad materializable. Por razón de lo expuesto se entiende que el pronunciamiento de este órgano debe referirse exclusivamente a las modificaciones propuestas en lo que se refiere a la reordenación propuesta, excluyendo cualquier pronunciamiento sobre la alteración del parámetro densidad de viviendas, siendo así que corresponde al Excmo. Ayuntamiento de Santa Pola, mediante el ejercicio de sus competencias en materias de ejecución y control urbanístico, el verificar las exigencias y necesidades que el potencial crecimiento de viviendas que conlleva la modificación efectuada pueda suponer en relación con los informes y estudios que para la aprobación del Plan General de Santa Pola y del Plan Parcial del sector 1 del CJ-5»[8].

Así pues, la DT 3, punto 4, de la LUV, se aplica directamente, sin un planeamiento de desarrollo[9]. En la Comunidad Valenciana el legislador ha querido **que el estándar de densidad no sea aplicable desde el momento de entrada en vigor de la Ley Urbanística Valenciana.** El análisis sobre el modelo valenciano ha llevado a autores como J. M. PALAU NAVARRO/I. BRAVO REY, en

---

8. Este mismo criterio se sigue por la Comisión Territorial de Urbanismo, en sesión celebrada el día 11 de mayo de 2007, «Expediente 50/07. Mutxamel.– Modificación Puntual número 22 de las Normas Subsidiarias (PL05/0665)».

9. Obsérvese cómo en este sentido se aplica, y ha de aplicarse la LUV, en el propio contexto de su DT 3, punto 4 porque altamente ilustrativo al respecto es el BO de Castellón de la Plana de 9 de diciembre de 2006 nº 147 página 7448 cuando dice: «TENIENDO EN CUENTA QUE: I.–La alegación ha sido sometida a informe de los servicios jurídicos de urbanismo, del que se desprende que: Alegación presentada por D. ..., en representación de ... (20 de julio de 2006).– El número cuatro de la disposición Transitoria Tercera de la Ley 16/2005, de 30 de diciembre, Urbanística Valenciana, y la Disposición Transitoria Sexta del Decreto 67/2006, de 19 de mayo, por el que se aprueba el Reglamento de Ordenación y Gestión Territorial y Urbanística, establecen que cuando el planeamiento aprobado al amparo de la legislación anterior contenga a la vez un coeficiente limitativo del número máximo de viviendas edificables y otro del número máximo de metros cuadrados de edificación, se aplicará exclusivamente este último, siempre que cumpla las cesiones rotacionales mínimas por unidad de superficie edificable exigidas por la Ley Urbanística valenciana. En el supuesto de la unidad de ejecución 36-UE-R, la ficha de gestión del Plan General vigente incluye tanto un número máximo de viviendas (191) como una edificabilidad total máxima (31.834 2t), al que resultan exigibles las dotaciones previstas por el Plan General, *que se aplica directamente sin un planeamiento de desarrollo al que le serían exigibles los estándares del artículo 67 de la Ley Urbanística Valenciana. En consecuencia, procede estimar la alegación presentada, haciendo extensivo el criterio adoptado al resto de las adjudicaciones,* por afectar la cuestión planteada a la totalidad de los propietarios, de manera nº 147-9 de desembre de 2006 BOP DE CASTELLÓN 7449 que se excluye de la descripción de las parcelas resultantes la referencia al número máximo de viviendas».

VV AA, *Derecho urbanístico de a Comunidad Valenciana*, La Ley, Madrid, 2006, a pronunciarse en estos términos sobre el llamado «estándar de densidad»:

> «Es de destacar que en la Ley Urbanística Valenciana no se hace alusión al estándar de densidad recogido en los artículos 75 de la Ley del Suelo de 1976 [en relación con los artículos 30.c), 47 y 100 del Decreto 201/1998, de 15 de diciembre, del Gobierno Valenciano, por el que se aprueba el Reglamento de Planeamiento de la Comunidad Valenciana], 83.4 del Real Decreto Legislativo 1/1992, de 26 de junio, por el que se aprueba el Texto Refundido de la Ley sobre Régimen del Suelo y Ordenación Urbana y 19 de la Ley 6/1994, de 15 de noviembre, de la Generalitat Valenciana, Reguladora de la Actividad Urbanística.
>
> Si a lo anterior se une lo establecido en la Disposición Transitoria Tercera, punto 4, de la Ley Urbanística Valenciana, que literalmente dispone lo siguiente: "Cuando los planes aprobados al amparo de la legislación anterior contengan a la vez un coeficiente limitativo del número máximo de viviendas edificables y otro del número máximo de metros cuadrados de edificación se aplicará exclusivamente este último, siempre que cumplan las cesiones dotacionales mínimas por unidad de superficie edificable exigidas por la presente Ley".
>
> **Será necesario, por lo tanto, concluir que el estándar de densidad ya no es aplicable en el ámbito de la Comunidad Valenciana desde el momento de entrada en vigor de la Ley Urbanística Valenciana».**

3.–Canarias:

Se habla de una densidad máxima de setenta viviendas por hectárea, referida a la superficie total del ámbito objeto del Plan en el artículo 36.1.a.l del Texto Refundido de las Leyes de Ordenación del Territorio y Espacios Naturales de Canarias, aprobado por Decreto Legislativo 1/2000, de 8 de mayo.

4.–Cataluña:

La densidad del uso residencial forma parte del concepto del aprovechamiento urbanístico: «Se entiende por aprovechamiento urbanístico la resultante de ponderar la edificabilidad, los usos y la intensidad de los usos que asigne al suelo el planeamiento urbanístico; también integra el aprovechamiento urbanístico la densidad del uso residencial, expresada en número de viviendas por hectárea» (artículo 36 del Decreto Legislativo 1/2005, de 26 de julio, por el que se aprueba el Texto Refundido la Ley de Urbanismo de Cataluña). Los índices de edificabilidad bruta, los usos y las densidades a los cuales hacen referencia los apartados 5 y 7 del artículo 58 se aplican a la superficie total de cada sector (artículo 35.2). El planeamiento municipal deberá establecer un límite máximo de densidad referido al suelo urbanizable delimitado, que no puede superar en ningún caso las cien viviendas por hectárea (artículo 58.7).

5.–Cantabria:

Se remite a los Planes Generales la fijación de un límite de densidad, edificabilidad y ocupación, que estará en función del tipo de suelo y las características del municipio. En el suelo urbano no consolidado y en el suelo urbanizable la densidad máxima permitida no podrá ser superior a 70 viviendas por hectárea y la edificabilidad no será mayor de 1 metro cuadrado construido por metro cuadrado de suelo en municipios con población igual o superior a 10.000 habitantes. Los anteriores parámetros se reducirán a un máximo de 50 viviendas por hectárea y 0,5 metros cuadrados construidos por metro cuadrado de suelo en los demás municipios. El planeamiento expresará estas superficies en metros cuadrados del uso predominante, previa ponderación al mismo de todos los demás. Para la aplicación de los límites máximos de superficie construida se excluirán del cómputo los terrenos reservados para sistemas generales. Finalmente, en los municipios turísticos se podrá superar la limitación de densidad máxima, pero no la edificabilidad a que se refiere el apartado anterior. El aumento no podrá exceder del 25 por 100 de la magnitud expresada en dicho apartado (artículo 38 de la Ley 2/2001, de 25 de junio, de Ordenación Territorial y Régimen Urbanístico del Suelo de Cantabria).

6.–Galicia:

Bajo la denominación de «límites de sostenibilidad», se establece una limitación sobre la edificabilidad. El índice de edificabilidad se aplicará sobre la superficie total del ámbito, computando los terrenos destinados a nuevos sistemas generales incluidos en el mismo, y con exclusión, en todo caso, de los terrenos reservados para dotaciones públicas existentes que el plan mantenga, y de los destinados a sistemas generales adscritos a efectos de gestión que se ubiquen fuera del ámbito. Previsión de las áreas en que sea necesaria la realización de actuaciones de carácter integral, para las que deberán delimitarse los correspondientes polígonos (artículo 46 de la Ley 9/2002, de 30 de diciembre, de Ordenación Urbanística y Protección del Medio Rural). En cuanto a la densidad, únicamente se limita respecto de los Planes Especiales de Protección, Rehabilitación y Mejora del Medio Rural: en estos casos, la densidad máxima no podrá superar las 25 viviendas por hectárea, sin perjuicio del cumplimiento obligado de las condiciones de uso y edificación establecidas en la presente ley [artículo 72.3.h)].

7.–Castilla-La Mancha:

Al igual que en el caso de Galicia, se establece un límite de edificabilidad, pero no de densidad [artículo 31.b) del Texto Refundido de la Ley de Ordenación del Territorio y de la Actividad Urbanística, aprobado por Decreto Legislativo 1/2004, de 28 de diciembre].

8.–La Rioja:

Incluye entre las determinaciones del Plan Parcial «la fijación de la densidad de viviendas por hectárea en función de los tipos de población, usos pormenorizados y demás características que se determinen reglamentariamente» (artículo 75 de la Ley 5/2006, de 2 de mayo, de Ordenación del Territorio y Urbanismo), añadiendo una limitación relativa a la superficie construida, a saber: en ningún caso la intensidad del uso residencial del sector podrá ser superior a 10.000 metros cuadrados construidos por hectárea de cualquier tipología de uso residencial, en municipios cuya población supere los veinticinco mil habitantes, y 7.500 metros cuadrados construidos por hectárea de cualquier tipología de uso residencial, en municipios cuya población no supere los veinticinco mil habitantes.

9.–Extremadura:

Remite al contenido de los planes generales para el establecimiento de usos globales y compatibles y definición de las intensidades y densidades edificatorias máximas para las parcelas localizadas en cada zona de ordenación territorial y urbanística, así como delimitación de las áreas de reparto y fijación del aprovechamiento medio que les corresponda en el suelo urbanizable y, en su caso, en el suelo urbano [artículo 70.l.l.d) de la Ley 15/2001, de 14 de diciembre, del Suelo y Ordenación Territorial].

No obstante, el artículo 74 introduce unas limitaciones al planeamiento municipal, bajo la nomenclatura de «estándares mínimos de calidad y cohesión urbanas», que se concretan en los siguientes parámetros: la densidad y la edificabilidad no podrán superar los siguientes valores: 65 viviendas por hectárea y 0,90 m^2/m^2, en los Municipios con población de derecho superior a 25.000 habitantes; y 50 viviendas por hectárea y 0,70 m^2/m^2, en los Municipios con población de derecho comprendida entre 2.000 y 25.000 habitantes; y 35 viviendas por hectárea y 0,50 m^2/m^2 en los Municipios con población de derecho inferior a 2.000 habitantes. El valor relativo a la edificabilidad se entiende siempre referido a metro cuadrado de uso residencial o terciario [artículo 74.2.2.a)]. Cuando circunstancias excepcionales así lo aconsejen, previa propuesta motivada del Ayuntamiento, mediante resolución motivada del Consejero competente en materia de ordenación territorial y urbanística, dictada previo informe favorable de la Comisión de Urbanismo y Ordenación del Territorio de Extremadura, se podrá elevar los límites máximos establecidos en la letra a) del apartado 2.2 anterior hasta los que se fijen reglamentariamente, que en ningún caso podrán superar 75 viviendas por hectárea y 0,90 metros cuadrados por metro cuadrado de suelo de uso residencial o terciario [artículo 74.4.c)].

10.–Andalucía:

Atribuye a los Planes Generales las determinaciones sobre usos, densidades y edificabilidades globales para las distintas zonas del suelo urbano y para los sectores del suelo urbano no consolidado y del suelo urbanizable ordenado y sectorizado [artículo 10.l.d)], si bien deberá mantener, en lo sustancial, las tipologías edificatorias, las edificabilidades y las densidades preexistentes en la ciudad consolidada, salvo en zonas que provengan de procesos inadecuados de desarrollo urbano (artículo 9.B).

Ahora bien, el Plan General, el Plan Parcial o en su caso el Plan Especial están limitados por las reglas sustantivas y estándares de ordenación, entre los que se cuenta el establecimiento de una densidad y edificabilidad adecuadas y acordes con el modelo adoptado de ordenación general y por sectores, y, por tanto, proporcionadas a la caracterización del municipio en los términos del artículo 8.2 y ajustadas al carácter del sector por su uso característico residencial, industrial, terciario o turístico. En el primer caso, cuando se refiera al uso característico residencial, «la densidad no podrá ser superior a 75 viviendas por hectárea y la edificabilidad a un metro cuadrado de techo por metro cuadrado de suelo. Este último parámetro será, asimismo, de aplicación a los usos industriales y terciarios. Cuando el uso característico sea el turístico no se superará la edificabilidad de 0,3 metros cuadrados de techo por metro cuadrado de suelo». Esta densidad puede incrementarse hasta un máximo de 100 viviendas por hectárea y una edificabilidad de 1,3 metros cuadrados de techo por metro cuadrado de suelo. En estas áreas, cuando el uso existente sea intensivo, su ordenación requerirá el incremento de las reservas para dotaciones, la previsión de nuevas infraestructuras o la mejora de las existentes, así como otras actuaciones que sean pertinentes por razón de la incidencia de dicha ordenación en su entorno (Ley de Andalucía 7/2002, de 17 de diciembre, de Ordenación Urbanística).

11.–País Vasco:

El artículo 77 de la Ley del Suelo y Urbanismo 2/2006, de 30 junio, del País Vasco señala límites máximos (para los supuestos de suelo urbano no consolidado cuya ejecución se realice mediante actuaciones integradas con uso predominantemente residencial y suelo urbanizable con uso predominante residencial) y límites mínimos (para los supuestos de suelo urbano no consolidado, cuya ejecución se realice mediante actuaciones integradas y suelo urbanizable con uso predominante residencial) a la edificabilidad urbanística

C. Comunidades Autónomas que remiten al planeamiento la fijación del límite de densidad, pero sin establecer criterios para su cálculo

1.–Asturias:

Corresponde al planeamiento calificar el suelo estableciendo zonas distintas de utilización según la densidad de la población que haya de habitarlas, porcentaje de terreno que pueda ser ocupado por construcciones, volumen, forma, número de plantas, clase y destino de los edificios, con sujeción a ordenaciones generales uniformes para cada tipología en toda la zona, pero no la Ley no establece al respecto una limitación concreta sobre la densidad máxima permitida (artículo 5 del Texto Refundido de las disposiciones legales vigentes en materia de Ordenación del Territorio y Urbanismo en Asturias, aprobado por Decreto Legislativo 1/2004, de 22 de abril).

2.–Navarra:

Remite al Plan General la determinación de la intensidad y tipología edificatoria de cada sector (artículo 51.4 Ley Foral 35/2002, de 20 de diciembre, de Ordenación del Territorio).

D. Comunidades Autónomas que no establecen límite de densidad

1.–Madrid:

No establece límites de densidad ni edificabilidad, pero obliga a mantener la proporción entre las dotaciones públicas y el aprovechamiento (artículo 67 de la Ley 9/2001, de 17 de julio, del Suelo).

Capítulo IX

Visados y documentación del plan o programa

El visado de la documentación correspondiente a los trabajos profesionales de los arquitectos es un requisito obligatorio como consecuencia de la regulación legal general de la profesión de arquitecto en España, establecida en la Ley 2/1974, de 13 de febrero, de Colegios Profesionales del Estado.

La Ley 2/1974 define en su artículo 1 los Colegios Profesionales de la siguiente manera:

> «1.   Los Colegios Profesionales son Corporaciones de derecho público, amparadas por la Ley y reconocidas por el Estado, con personalidad jurídica propia y plena capacidad para el cumplimiento de sus fines».

También define la Ley 2/1974 las funciones de los Colegios en su artículo 5, donde se indica, entre otras, que «corresponde a los Colegios Profesionales el ejercicio de las siguientes funciones, en su ámbito territorial: (...) q) Visar los trabajos profesionales de los colegiados, cuando así se establezca expresamente en los Estatutos generales. El visado no comprenderá los honorarios ni las demás condiciones contractuales cuya determinación se deja al libre acuerdo de las partes».

Los Estatutos Generales de los Colegios Oficiales de Arquitectos y su Consejo Superior, aprobados por el Real Decreto 327/2002, de 5 de abril, establecen en su artículo 7, dentro de las funciones de los Colegios de Arquitectos, la de visar los trabajos profesionales de los arquitectos con el alcance dispuesto por las normas estatutarias, las corporativas y las leyes. El visado en ningún caso comprenderá los honorarios, ni las demás condiciones contractuales de prestación de los servicios profesionales convenidos por los arquitectos con sus clientes.

En la misma norma, dentro de los deberes de los colegiados, se indica que es un deber del arquitecto colegiado visar todos los documentos producidos en su actividad profesional, concretamente en el artículo 27 («Deberes») en concreto: *«(...) e) Presentar a visado colegial todos los documentos profesionales que autorice con su firma».*

Por su parte, el artículo 31 del mismo Real Decreto 327/2002 determina cuál es el objeto del visado colegial:

«1.   Son objeto del visado colegial los trabajos profesionales que se reflejen documentalmente y estén autorizados con la firma del arquitecto. No están sujetos a visado los trabajos que realicen como contenido de su relación de servicio los adscritos a las administraciones públicas bajo régimen funcionarial o laboral.

2.   El visado tiene por objeto:

A)   Acreditar la identidad del arquitecto y su habilitación actual para el trabajo de que se trate.

B)   Comprobar la integridad formal de la documentación en que deba plasmarse el trabajo con arreglo a la normativa de obligado cumplimiento...

C)   Efectuar las demás constataciones que le encomienden las leyes y disposiciones de carácter general.

3.   Los Estatutos particulares y Reglamentos detallarán los procedimientos a que ha de sujetarse el visado. En todo caso, el plazo para resolver no excederá de 20 días hábiles a contar desde la presentación del trabajo, salvo suspensiones acordadas para subsanar deficiencias, las cuales no podrán exceder del plazo total de un mes. Cuando la resolución fuere denegatoria habrá de ser motivada y notificada en debida forma».

De forma muy semejante, el artículo 1 de la Normativa Común sobre Regulación del Visado Colegial del Consejo Superior de los Colegios de Arquitectos de España especifica los diversos aspectos que comprende el visado, de la siguiente forma:

«El visado es un acto colegial de control de los trabajos profesionales comprensivo de los siguientes aspectos:

a)   Acreditar la identidad del Arquitecto o Arquitectos responsables y su habilitación actual para el trabajo de que se trate.

b)   Comprobar la suficiencia y corrección formales de la documentación integrante del trabajo con arreglo a la normativa, tanto general como colegial, sobre especificaciones técnicas y sobre requisitos de presentación, en correspondencia con el objeto del encargo profesional recibido.

c)   Efectuar las constataciones que al visado encomienden las disposiciones legales o reglamentarias vigentes.

En el ejercicio del visado los Colegios velarán, en todo caso, por la observancia de la deontología y demás reglas de una correcta práctica profesional».

Existe regulación específica del visado colegial en ciertas normas estatales referidas a urbanismo. Así, podemos referirnos a la regulación de los visados colegiales de proyectos técnicos para la obtención de licencias en el

Real Decreto 2187/1978, de 23 de junio, por el que se aprueba el Reglamento de Disciplina Urbanística.

«Artículo 46: Los colegios profesionales que tuvieran encomendado el visado de los proyectos técnicos precisos para la obtención de licencias denegarán dicho visado a los que contuvieran alguna infracción grave y manifiesta de normas relativas a parcelaciones, uso de suelo, altura, volumen y situación de las edificaciones y ocupación permitida de la superficie de las parcelas».

«Artículo 49: 1. La denegación del visado por razones urbanísticas no impedirá al particular interesado presentar el proyecto ante la Administración municipal o el Órgano urbanístico competente para otorgar la licencia, alegando cuanto estime procedente para justificar la inexistencia de la infracción que sirvió de base para la denegación del visado y solicitando, a la vez, la licencia.

2. En el supuesto previsto en el número anterior, los Colegios profesionales vendrán obligados, a petición del interesado, a entregar los ejemplares del proyecto sometido a visado, haciendo constar las razones urbanísticas que hubieran motivado su denegación».

Esta regulación trae causa, en realidad, del TRLS/1976, donde se prevé igual determinación.

Partiendo de toda esta regulación común, los distintos Colegios de Arquitectos han regulado, en el ámbito de su demarcación, el visado de los trabajos en sus reglamentaciones.

Otro plano es el de la mayor o menor condescendencia o rigidez en la exigencia de esta prescripción legal. Es sabido que no siempre es cumplida esta obligación, existiendo prácticas dispares.

Según la sentencia del Tribunal Supremo de 23 de enero de 1991 (RJ 1991, 597) no solamente ha de comprobarse si el técnico que ha redactado el proyecto está habilitado profesional y colegialmente sino también si el proyecto técnico redactado infringe de manera grave y manifiesta alguna de las especificaciones contenidas en los artículos 226.2 de la Ley del Suelo y 53 y 54 del Reglamento de Disciplina Urbanística.

Es especialmente ilustrativa respecto de la naturaleza y eficacia del visado colegial la doctrina jurisprudencial recogida en la STSJ de Madrid de 17 de septiembre de 2004 (JUR 2005, 50582), en la que se deniega el otorgamiento por silencio positivo de una solicitud de licencia de obras acompañada por un proyecto al que le falta el visado colegial, ya que se concluye por la Sala que la ausencia de visado colegial supone la carencia de un requisito esencial para la adquisición de la licencia.

Cuando un programa presente la documentación incompleta *al menos* resulta evidente que, sin perjuicio de otros posibles planteamientos más severos, no es de recibo optar precisamente por el Programa o Plan que presenta deficiencias (o, que, cuando menos, es menos completa) en comparación con otra u otras que merecen mayor consideración o puntuación, porque consiguen presentar la documentación de forma completa.

Por ejemplo, en relación con la ausencia de presentación de la Memoria resulta ilustrativa la STS de 25 de marzo de 1982 (RJ 1982, 2342), en la que se indica que el Plan Parcial objeto del proceso adolecía de defectos documentales insubsanables, pues, entre la documentación exigible y no presentada, se hallaba la Memoria señalada en el artículo 10.2.a) de la Ley del Suelo de 1956 («Memoria justificativa de la ordenación, de las etapas para realizarla y de los medios económico-financieros disponibles y que deberán quedar afectos a la ejecución del Plan»).

En conclusión, el visado colegial representa el ejercicio de una función pública que trasciende del marco interno de las relaciones entre el Colegio y los colegiados, al significar un control del ejercicio de la profesión que no puede ser llevado a cabo por otra Administración Pública que el Colegio profesional correspondiente, por lo que su omisión determina la anulabilidad de los actos administrativos que se hubieran adoptado de las licencias de obras concedidas según Sentencias de 3 de julio de 1996 (RJ 1996, 6129), 2 de mayo (RJ 1997, 3919) y 25 de septiembre de 1997 (RJ 1997, 6603) y 14 de octubre de 1998 (RJ 1998, 7161) y 27 de julio de 2001 (RJ 2001, 8324).

Ahora bien, en la práctica la falta de visado del proyecto no determina la facultad de denegar la licencia, sino la de notificar al peticionario la existencia de dicho defecto para su subsanación (STS 29 de septiembre de 1980 [RJ 1980, 3458]).

La aprobación provisional local del planeamiento como acto administrativo de trámite

El marco general de la legislación autonómica consiste en afirmar la posibilidad de una aprobación definitiva del planeamiento por la Administración local, o, en cambio, la posibilidad de una aprobación provisional del mismo, a la que habrá de sumarse la definitiva de la Consejería competente en urbanismo. Cuando esto último ocurre se deberá a que el plan que se somete a aprobación modifica la ordenación estructural o pretende una reclasificación.

En estos casos, de forma reiterada, la jurisprudencia ha venido considerando el acto de aprobación provisional como un mero «acto de trámite» a todos los efectos, en especial a los de declarar su inimpugnabilidad (así, Auto del TSJ de la Comunidad Valenciana de 8 de febrero de 2007, Auto de 24 de noviembre de 2006 entre un sinfín de resoluciones en este mismo sentido de declarar la inadmisibilidad de los recursos contra aprobaciones provisionales de Programas, por ser actos de trámite).

Todo esto es importante porque la impugnación jurisdiccional se producirá contra el acto final de aprobación definitiva del plan, al ser de trámite el acto de aprobación provisional local, cuando lo sea, no así en caso contrario. La competencia será de la Sala de lo contencioso-administrativo y no del Juzgado, por afectar al control de materia de planeamiento.

Es sabido que la oposición a los actos de trámite «deberá alegarse por los interesados para su consideración en la resolución que ponga fin al procedimiento» (SSTS de 11 de mayo de 1999 [RJ 1999, 4918], de 25 de septiembre de 1995 [RJ 1995, 6836], de 5 de mayo de 1998 [RJ 1998, 4624]; STS de 24 de octubre de 1990 [RJ 1990, 8326]: es un acto de trámite la aprobación inicial del cambio de sistema de actuación por no ser ese acto la resolución definitiva).

Cuando la Administración local no tiene potestad para aprobar definitivamente el Programa su potestad se limita a la aprobación provisional, siendo este acto inimpugnable, por ser de trámite. *La aprobación provisional tiene entonces carácter instrumental o medial respecto del acto autorizatorio final.* Su funcionalidad es la de integrarse en el procedimiento sustantivo como parte de él, como es propio de este tipo de situaciones. Aun cuando es un trámite de cumplimiento obligado no pone término al procedimiento ni por tanto puede hacer imposible su continuación (STSJ de Canarias de 24 de diciembre de 1996 [RJCA 1996, 2707]; STSJ de Cantabria de 2 de febrero de 2000 [RJCA 2000, 475]).

La consecuencia de su omisión se reconduciría, en todo caso, al momento de la resolución final. En principio, la omisión de un trámite esencial tendría las pertinentes consecuencias anulatorias y de retroacción de actuaciones en ese momento (STS de 13 de junio de 1988 [RJ 1988, 5334]; STSJ de Castilla y León, Sala de Burgos, de 18 de marzo de 2005 [JUR 2005, 89493]; STS de 2 de julio de 1999 [RJ 1999, 7094], rec. 2603/1995 donde se considera que la omisión de un informe o actuación preceptiva es vicio de anulabilidad; STS de 14 de mayo de 1991: «la omisión de un informe preceptivo puede suplirse con otro de contenido equivalente en tramitación de disposiciones de carácter general). En este contexto interesa también recordar (como apunta la sentencia del TS de 21 mayo 1998 [RJ 1998, 3861], Ponente Don Pedro José Yagüe Gil o la STSJ de Castilla y León, Sala de Burgos, de 24 de marzo de 2006 [JUR 2006, 280306]), que la falta de un acto de trámite (por ejemplo un previo informe) no vicia de nulidad el acto impugnado, ya que su omisión no significa necesariamente que se haya prescindido total y absolutamente del procedimiento legalmente establecido [artículo 47.1.c) de la Ley de Procedimiento Administrativo]».

Capítulo XI

Suspensión de licencias

En caso de suspensión de licencias o acuerdos de programación o planificación parcial, **la aprobación inicial del Plan General debe publicarse para surtir estos efectos suspensivos.**

A veces se ha pretendido en la práctica que la aprobación inicial ulterior a la provisional, del Plan General, prorroga dicha suspensión, lo que presupone en todo caso que sea publicado dicho acto si quiere causar el efecto suspensivo pretendido, aunque sólo sea por motivos de seguridad jurídica (artículo 9.3 de la Constitución), ya que los afectados han de conocer siempre el concreto plazo suspensivo, el cual podrá levantarse generalmente tras el transcurso de un año tras la publicación del acuerdo de aprobación provisional, momento a partir del cual, y aunque no haya culminado la tramitación del Plan General, se levanta la suspensión referida (STS de 19 de octubre de 1982 [RJ 1982, 6400]; STS de 1 de marzo de 1984 [RJ 1984, 2451]; STS de 7 de abril de 1999 [RJ 1999, 3274]; STSJ de Canarias de 1 de julio de 2005 [RJCA 2005, 768]).

Capítulo XII

La publicación de los planes

Como ya nos consta, el interesado en conocer la materia de planeamiento en España debe acudir a la legislación autonómica, donde se contienen las regulaciones principales y los tipos de planes.

La aplicación de un Plan presupone su publicación, tal como apunta la STSJ de Castilla y León, Sala de Burgos, de 24 de marzo de 2006 (JUR 2006, 280306):

«Es indudable, en todo caso, que la publicación formal y necesaria determina la entrada en vigor de la norma publicada, y así se viene exigiendo en la jurisprudencia que se cita en el motivo, para las ordenanzas y disposiciones de todos los planes de urbanismo que participan de la naturaleza de norma jurídica». Es decir malamente puede ser aplicable el Plan General en tramitación si dicho Plan no se ha publicado aún, siguiendo el criterio de las SSTS de 20 de septiembre y 9 de febrero de 2001, cuando advierten que «... la materia que nos ocupa se refiere a la eficacia de las normas jurídicas (pues los planes de urbanismo lo son), por lo que, correspondiendo la misma a la competencia exclusiva del Estado (artículo 149.1.8ª de la Constitución), cualquier norma autonómica ha de interpretarse de acuerdo con la normativa estatal, en este caso con el artículo 70.2 LBRL, en el sentido en que este precepto ha sido entendido por la jurisprudencia, es decir, en el de que la eficacia de los planes urbanísticos, ya corresponda su aprobación definitiva a los Ayuntamientos ya a las Comunidades Autónoma, exige la previa publicación de sus normas (y no sólo la del acuerdo de aprobación definitiva)».

Igualmente, pueden citarse la STSJ de Andalucía, Granada, de 12 de julio de 1999 (RJCA 1999, 2524) y la STSJ de Cataluña número 630/1994 (RJCA 1994, 319).

Capítulo XIII

La inactividad de la administración de planeamiento, o la denegación de las iniciativas de particulares de tramitación y aprobación de sus planes

1. SITUACIÓN PRIMERA: DENEGACIÓN (O INACTIVIDAD) DEL DERECHO A INICIAR LA TRAMITACIÓN DEL PLANEAMIENTO

Interés práctico tiene el tema de la inactividad de la Administración de planeamiento. Diríamos que si durante los últimos años el interés principal del urbanismo estuvo en agilizar la gestión urbanística, propiciando la creación de suelo urbanizable y propiciando la sustitución incluso del propietario inactivo por técnicas tales como el agente urbanizador o las sanciones contra dicho propietario a efectos de agilizar el sistema de gestión, en los tiempos más recientes la problemática es inversa, ya no tanto de la inactividad del sector privado como de la inactividad de la propia Administración frente a las solicitudes de tramitación o de aprobación de los planes por los particulares. De ahí que se susciten interesantes conflictos jurídicos, cuyas claves es preciso conocer aludiendo a la casuística existente.

Una primera situación puede referirse al interés mismo, del particular, en que se tramite su plan, frente a la inactividad municipal o la denegación de tal derecho, sin iniciar siquiera el procedimiento administrativo de tramitación del planeamiento.

En estos casos, lo normal será que la Administración aduzca ciertas razones convincentes o legales para no tramitar siquiera el plan, y que por lo tanto el particular tenga que someterse a este tipo de decisiones que velan por el mejor cumplimiento de los intereses públicos. Ahora bien, como cualquier otro ámbito de actuación de la Administración, podrán producirse situaciones en que no se justifique la denegación municipal. Estaremos ante situaciones excepcionales pero que conviene conocer.

Es conveniente recordar que la discrecionalidad no supone un ámbito al margen de su enjuiciamiento en Derecho. La jurisprudencia deja claro, en todo caso, que el acto administrativo de denegación de una determinada solicitud, a pesar de los elementos discrecionales de la potestad administrativa, es controlable judicialmente, pudiendo el Tribunal declarar la ilegalidad del acto denegatorio, obligando a la Administración a que dicte el acto en coherencia con las pretensiones de la parte recurrente. Tal como dice la STSJ de Madrid de 7 de noviembre de 2003 (JUR 2004, 261875) basándose en la jurisprudencia del Tribunal Supremo:

> «Se hace preciso poner de relieve, a renglón seguido, que si bien las potestades discrecionales no permiten que, en su ejercicio correcto, se sustituya la valoración del órgano que la tiene atribuida por ninguna otra, no es menos verdad que las exigencias a las que en un Estado de Derecho debe responder la actuación de dichas potestades no las excluye, en su totalidad, del control Jurisdiccional. En este sentido es claramente ilustrativa la **Sentencia** de la Sala 3ª, de lo Contencioso-administrativo, del **Tribunal Supremo de 11 de junio de 1991** (RJ 1991, 4874), en la que el Alto Tribunal resume la doctrina existente al respecto del control jurisdiccional de la actuación administrativa, consagrado en al artículo 106.1 de nuestra Constitución, control que se extiende incluso a los aspectos discrecionales de las potestades administrativas, y que viene siendo aplicada por los Tribunales a través de varias pautas que, como expresa la Sentencia citada, son: 1º El control de los hechos determinantes que en su existencia y características escapan a toda discrecionalidad; 2º la contemplación o enjuiciamiento de la actividad discrecional a la luz de los Principios Generales del Derecho, que informan todo el ordenamiento jurídico y por tanto también la norma habilitante que atribuye la potestad discrecional, de donde se deriva que la actuación de esta potestad ha de ajustarse a las exigencias de aquellos; 3º el principio de interdicción de la arbitrariedad de los poderes públicos, recogido en el artículo 9.3 de nuestra Norma Fundamental, que aspira a que la actuación de la Administración sirva con racionalidad los intereses generales –artículo 103.1 de la Constitución–».

Incluso sería discutible si, más que ante un caso de discrecionalidad, estamos ante un supuesto de conceptos jurídicos indeterminados, con la consecuencia de que sólo una solución es válida en Derecho, siendo posible judicialmente la reducción a cero de cualquier margen de apreciación posible.

Existe en la práctica algún ejemplo en el que los tribunales han accedido a la petición del particular de tramitar su plan. En general en estos casos, la defensa ha de venir de la mano de los principios generales de Derecho administrativo (motivación, igualdad de trato, interdicción de la arbitrariedad, seguridad jurídica, confianza legítima, etc.).

La sentencia del TSJ de la Comunidad Valenciana de 21 de diciembre de 2007 (JUR 2008, 116971), pese a reconocer que el Ayuntamiento en principio tiene discrecionalidad, afirma de forma interesante:

«PRIMERO **Constituye objeto del presente recurso el Acuerdo Plenario de 11/agosto/2004 del Ayuntamiento de Ondara, que resolvió la no programación de la Alternativa Técnica de PAI de los Sectores 10 y 11 de su PGOU, presentada por la AIU de dichos Sectores,** a la que se acompañaban, entre otros, Homologación sectorial modificativa. Plan Parcial de ambos Sectores, Proyecto de Urbanización y solicitud de Cédula de Urbanización».

El art. 45 LRAU (Ley 6/1994 [LCV 1994, 364, 405]) dispone:

«1. Toda persona, sea o no propietaria del terreno, puede solicitar del Alcalde que someta a información pública una alternativa técnica de programa comprensiva de los documentos expresados en los apartados A) y B) del art. 32 y, en su caso, acompañada de una propuesta de planeamiento y/o de proyecto de urbanización. **2. El Alcalde podrá: A) Proponer al Ayuntamiento Pleno que desestime la petición.** El Pleno podrá desestimarla razonadamente o establecer unas bases orientativas para la selección del urbanizador, acordando lo dispuesto en el siguiente apartado. B) Someterla a información pública, junto a las observaciones o alternativas que, en su caso, estime convenientes».

Con relación a este precepto, este Tribunal ha venido insistiendo con reiteración en que «la actividad urbanística es una función pública (art. 1.1º LRAU) y el particular no ostenta en esta materia más facultades que las de "elaborar y presentar, para su aprobación, propuestas de programa" (art. 44 LRAU), pero "excede de su derecho obtener una concreta programación" (art. 2.5º LRAU). La Corporación puede rechazar una determinada programación, bien inicialmente [art. 45.2.A) LRAU], o bien una vez concluida su tramitación (art. 47 LRAU), y resolver la no programación del terreno, todo ello razonadamente y atendiendo a los criterios que establece el nº 3 de este último precepto» (Sentencia nº 1553/2005, de 29 diciembre [JUR 2006, 106339]), y que el derecho de los particulares a participar en la actividad urbanística y promover suelo «se extiende en su contenido precisamente a la presentación, propuesta y promoción de la programación de suelo, incluso de la ordenación pormenorizada y modificación del planeamiento, pero no a que la administración municipal competente necesariamente trámite, acepte y asuma sus propuestas de programación y ordenación, pues si bien es claro que nuestro ordenamiento reconoce este derecho de iniciativa y participación en el proceso urbanizador de las personas privadas, sean propietarias o no, no lo es menos que ello no implica cesación o pérdida de **las potestades de ordenación urbana que, en lo que ahora nos ocupa, correspondan legalmente a la administración municipal** como se desprende de los artículos 1 y 2 LRAU, especialmente y en punto a la cuestión que ahora nos ocupa de lo establecido en al punto 5 del referido artículo 2 de la misma que prescribe literalmente que "La Ley reconoce a las personas privadas la facultad de redactar y promover proyectos de planes o programas en los casos previstos en la misma. No obstante, excede de su derecho obtener una concreta clasificación, sectorización, calificación o programación o que éstas se establezcan por conveniencia particular", lo que se concreta en que la administración municipal podrá desestimar razonadamente las propuestas formuladas en este sentido por la iniciativa privada, de conformidad con lo establecido en el artículo 45 de la referida LRAU» (Sentencia núm. 1189/2006, de 29/noviembre [JUR 2007, 104813]).

Pero uno de los instrumentos para garantizar la interdicción de la arbitrariedad de los poderes públicos (art. 9 CE [RCL 1978, 2836]) lo constituye la motivación de las decisiones de la Administración, que precisamente la LRAU se encarga expresamente de exigir en reiterados preceptos, y entre ellos en los que se posibilita el rechazo de las iniciativas de programación propuestas, es decir, en el 45 (rechazo inicial de la propuesta) y el 47 (rechazo en la resolución final). *Motivación que debe ser más estricta tratándose de un acto administrativo que ad limine y sin permitir siquiera su exposición al público para alegaciones, rechaza una determinada propuesta de programación que,* a priori, y como se recoge expresamente en el informe conjunto que realizan el Secretario y el Arquitecto Municipales que constituye motivación in aliunde *(art. 89.5 de la Ley 30/1992 [RCL 1992, 2512, 2775 y RCL 1993, 246]) del acuerdo plenario, contiene toda la documentación requerida por la normativa de aplicación, siendo suficiente y completa para su exposición pública;* las razones aducidas para dicho rechazo, tan escasos días después de su presentación, y la simultánea decisión de tramitar la presentada por el Grupo Generala, que conlleva asimismo la construcción de aparcamientos que facilitan el acceso público a la Serra Segaría, cuya protección se pretende, de un Campo de Golf, y de edificación de tipo residencial, entraña un anticipo de la resolución que deba adoptarse con carácter definitivo, al amparo del art. 47 LRAU (LCV 1994, 364 y 405), que, en cualquier caso, este Tribunal no puede fiscalizar en este recurso –pese a los esfuerzos probatorios de las recurrentes en este sentido–, por lo que no puede valorar lo que la misma entrañaría de incumplimiento del convenio suscrito con la actora. *En cualquier caso, y no existiendo contravenciones incuestionables de los instrumentos superiores urbanísticos, ni defectos insubsanables, la propuesta de programación de los Sectores 10 y 11 presentada por las recurrentes debió ser tramitada* y, en su día, resolverse con arreglo a las prescripciones de la normativa urbanística de aplicación, cual sea el candidato, en su caso, elegido para la programación. En tanto en cuanto el acuerdo municipal recurrido se desliga de tal proceder, es contrario a derecho y procede su anulación.

En tales términos, procede la estimación, en lo esencial, del presente recurso y la consiguiente anulación del acto administrativo recurrido por ser contrario a derecho.

SEXTO No se aprecian motivos para un especial pronunciamiento de imposición de costas, a tenor del art. 139 de la Ley reguladora de esta Jurisdicción (RCL 1998, 1741).

VISTOS los preceptos citados, concordantes y demás de aplicación al caso, FALLAMOS 1º Se estiman los Recursos Contencioso-Administrativos acumulados interpuestos por la mercantil (...), SL, y por la AIU del sector S-10 y 11 del PGOU de (...), contra el Acuerdo Plenario de 11/agosto/2004 del Ayuntamiento de dicha población, que resolvió la no programación de la Alternativa Técnica de PAI de los Sectores 10 y 11 de su PGOU, presentada por la AIU de dichos Sectores.

2º Se anulan, por ser contrarios a derecho, los actos administrativos a que se refiere el presente Recurso.

3º No procede hacer imposición de costas.

A su tiempo, y con Certificación literal de la presente, devuélvase el expediente administrativo a su centro de procedencia.

Así, por ésta nuestra Sentencia, lo pronunciamos, mandamos y firmamos.

PUBLICACIÓN.–Leída y publicada ha sido la anterior Sentencia por el Ilmo. Sr. Magistrado Ponente que ha sido para la resolución del presente recurso, estando celebrando audiencia pública esta Sala, de la que, como Secretario de la misma, certifico en Valencia, y fecha que antecede.

La causística jurisprudencial ha considerado de recibo la denegación de la petición por motivos técnicos de que la petición en cuestión contraviene elementos normativos de planeamiento (STSJ de la Comunidad Valenciana, de 28 de mayo de 2004 [RJCA 2004, 1097]):

> «En ese trámite (del artículo 45 de la LRAU) ya viene el Alcalde autorizado para proponer al Pleno del Ayuntamiento la desestimación de la petición; **desestimación que deberá ser razonada; y por motivos de suficiente entidad, de modo que no la conviertan en arbitraria.** Pues bien, sobre las deficiencias, consistentes en incumplimientos del Proyecto de determinaciones del Plan Parcial que afectan a la ordenación, y referidas a viales que figuran en algunos de los planos del Proyecto de Urbanización, y que no coinciden en cuanto a su anchura, con los establecidos en el Plan Parcial, y consiguiente variación de las dimensiones de las parcelas edificables respecto a las establecidas en dicho Plan. (...). Sin necesidad de entrar en consideración sobre las demás deficiencias observadas, referidas a las redes de servicios urbanísticos; se debe concluir con que el Proyecto de Urbanización incorporado a la alternativa técnica, contiene diferencias sustanciales, que hace razonable el acuerdo que desestima someter a información pública la alternativa de PAI presentada. No obstando a la anterior apreciación el que la Conselleria hubiere otorgado la Cédula de Urbanización; pues ello no es garantía inamovible de que no existe alteración de las determinaciones de la ordenación urbanística observadas por los técnicos y por el perito».

En algunas legislaciones autonómicas (así la valenciana, artículo 12 de la LUV) se llega a proclamar que «serán nulos los actos o disposiciones que excluyan permanentemente o sin plazo justificado la iniciativa privada en la programación del suelo urbanizable».

En suma, el caso habrá de resolverse principalmente a la luz de los principios generales del Derecho administrativo (de igualdad, interdicción de la arbitrariedad, seguridad jurídica, confianza legítima, etc.) los cuales actúan como límites o criterios de control de las potestades administrativas, en particular discrecionales, aunque partiendo de un margen de confianza a favor de la decisión local.

2. SITUACIÓN SEGUNDA: INACTIVIDAD O DENEGACIÓN DE LA APROBACIÓN DE LOS PLANES URBANÍSTICOS UNA VEZ TRAMITADOS

La «inactividad» de la Administración ha venido siendo seriamente criticada por la doctrina, al ser considerada de forma altamente negativa.

La solución a este problema parte de los términos en los que la legislación autonómica prevea la regla de silencio positivo o de silencio negativo en cuanto a la aprobación del planeamiento. Lo tradicional es que el silencio positivo en materia de aprobación de planeamiento sea la regla general tal como destaca T. QUINTANA LÓPEZ (Director), *El silencio administrativo. Urbanismo y medio ambiente,* Valencia, 2006, p. 385)[10]:

> *«El sentido positivo del silencio administrativo es conocido que viene gozando de una fuerte implantación en los procedimientos de aprobación de instrumentos de planeamiento.* Como ya hemos recordado, desde la LS 1956 se atribuye eficacia aprobatoria a la falta de comunicación por parte del órgano competente de la resolución finalizadora del procedimiento de elaboración de planes urbanísticos. Así era conforme a la ley citada y continuó siendo en el TRLS/1976 y RPU, después también en el Decreto-Ley 16/1981, de 16 de octubre y, finalmente, en el TRLS/1992, norma esta última cuyos preceptos reguladores de la aprobación del planeamiento fueron declarados inconstitucionales por motivos competenciales por la STC 61/1997, de 20 de marzo.

> La aprobación del planeamiento por silencio administrativo está hoy reconocida para buena parte de los tipos de planes, con unos u otros matices, por la normativa urbanística autonómica, incluso reforzada por lo dispuesto en el artículo 16.3 LRSV[11], como ya nos consta. *Sin embargo, ni la tradición y amplia*

---

10. Desde un punto de vista doctrinal, si ha existido un elemento de Derecho administrativo censurado y repudiado por todos unánimemente éste ha sido el de la «inactividad» de la Administración, seriamente criticada por la doctrina científica, al ser considerada como la forma más grosera de cuantas existe en torno al actuar de la Administración (M. GÓMEZ PUENTE, en T. QUINTANA LÓPEZ [Director], *El silencio administrativo. Urbanismo y medio ambiente,* Valencia, 2006).

    Otras referencias son: F. LÓPEZ RAMÓN, «Aprobación de planes de urbanismo por silencio administrativo (el cómputo del plazo», *RAP,* 82; J. M. CORELLA MONEDERO, «La doctrina del silencio positivo en la aprobación de los planes de ordenación urbana», *REVL,* 174; L. PAREJO ALFONSO, «Los límites del silencio positivo en la aprobación de planes de urbanismo», *REDA,* 14; R. MARTÍN MATEO, «Silencio positivo y actividad autorizante», *RAP,* 48, para quien el campo de las relaciones interadministrativas es en el que de forma menos controvertida puede dotarse a la pasividad de la Administración de sentido positivo; R. ENTRENA CUESTA, «Dictamen acerca de la posible aprobación por silencio de un plan parcial de ordenación urbana, emitido a petición del Excmo. Ayuntamiento de H.», *RDU,* 21.

11. Dicho artículo 16.3 de la Ley 6/1998, de 13 de abril, sobre Régimen del Suelo y Valoraciones establecía: «En todo caso, los instrumentos de planeamiento urbanístico de desarrollo que sean elaborados por las Administraciones públicas a las que no competa su aprobación, *o por los particulares, quedarán aprobados definitivamente por el transcurso del plazo de seis meses,* o del que, en su caso, se establezca como máximo por la legislación autonómica para su aprobación definitiva, contados desde su presentación *ante el órgano competente para su aprobación definitiva,* siempre que hubiera efectuado el trámite de información pública, solicitado los informes que sean preceptivos, de conformidad con la legislación aplicable, y transcurrido el plazo para emitirlos. Todo lo anterior se entenderá sin perjuicio de lo establecido por la legislación urbanística de las comunidades autónomas en cuanto a asignación de competencias, subrogación en su ejercicio y plazos y cómputo del silencio administrativo».

utilización de este mecanismo oculta las tensiones que genera su aplicación –muchas de las cuales– tienen un abundante reflejo jurisprudencial, como iremos viendo, ni tampoco eliminan los argumentos que contradictoriamente pueden ser defendidas sobre este mecanismo de aprobación de los planes urbanísticos.

No sin razón, se ha reconocido en el mismo la voluntad del legislador de *dotar* de celeridad y eficacia a la actuación de las Administraciones públicas en relaciones interadministrativas dispuestas para la aprobación del planeamiento urbanístico (...)».

En la **legislación autonómica urbanística,** cada una con sus particularidades, se reconoce esta regla de silencio positivo en el artículo 32 de la Ley 7/2002, de 17 de diciembre, de Ordenación Urbanística de Andalucía; artículos 42, 53 y 61 de la Ley 5/1999, de 25 de marzo, Urbanística de Aragón; artículos 80 y 88 del Texto Refundido de las disposiciones legales vigentes en materia de Ordenación del Territorio y Urbanismo del Principado de Asturias, aprobado por el Decreto Legislativo 1/2004, de 22 de abril; y artículo 89 del Texto Refundido de la Ley de Urbanismo de Cataluña, aprobado por el Decreto Legislativo 1/2005, de 26 de julio.

Frente a la tendencia predominante de aprobación del planeamiento por silencio administrativo, como ilustran los ejemplos anteriores, algunos de los textos normativos citados ofrecen también ejemplos de sentido desestimatorio del silencio del órgano competente para otorgar la aprobación definitiva; así, el artículo 62 de la Ley 5/1999 Urbanística de Aragón, y el artículo 87 del Decreto Legislativo 1/2004, de 22 de abril, por el que se aprueba el Texto Refundido de las disposiciones legales vigentes en materia de Ordenación del Territorio y Urbanismo del Principado de Asturias.

Ante este tipo de problemas puede intentarse argumentar, por el interesado en la aprobación del Plan, que la consecuencia jurídica de la inactividad del Ayuntamiento en cuanto a su potestad de aprobación *provisional* (conforme al hecho de que la aprobación es un «acto de trámite») no es tanto el silencio positivo como el hecho de no poder impedir la tramitación posterior de las actuaciones del procedimiento.

Dicho de forma sencilla: si estamos ante un acto de trámite no impugnable (es decir, el acto de aprobación provisional) es porque ni decide directa o indirectamente sobre el fondo del asunto **ni determina la imposibilidad de continuar el procedimiento** (artículo 25 de la Ley reguladora de la jurisdicción contencioso-administrativa de 13 de julio de 1998), salvo que el acto fuera desaprobatorio lógicamente. En el mismo sentido se pronuncia, como es sabido, el artículo 107 de la LRJAP-PAC. De este precepto interesa además recordar que «la oposición a los restantes actos de trámite podrá alegarse por los interesados para su consideración en la resolución que ponga fin al procedimiento».

No obstante esto, el derecho del particular que se está comentando depende indudablemente del modo en que esté formulado por la **legislación autonómica urbanística concretamente aplicable.** Así, en la legislación valenciana viene siendo tradicional reconocer este derecho subjetivo a que prosigan las actuaciones de aprobación del plan en caso de que exista un único licitador (artículo 47.8 de la LRAU) aunque la nueva legislación (artículo 137.2 de la LUV y artículo 319.2 del ROGTU) afirma la necesidad de una declaración expresa, aprobatoria, denegatoria o de una declaración como desierto del concurso, con los límites que impone el ordenamiento en cualquiera de estas variantes. El comentario de esta cuestión desbordaría las pretensiones de la presente obra, aunque se aportan algunas sentencias de interés en este contexto.

Aunque **la jurisprudencia** es reticente en muchas ocasiones a la posibilidad comentada, existen algunos pronunciamientos más favorables a la pretensión del particular en estos casos. La STS de 6 de noviembre de 1984 (RJ 1984, 6206), entiende aprobado provisionalmente el PERI presentado por el interesado ante el Ayuntamiento, una vez que aquél ha cumplido con los distintos requisitos legales y condicionantes expresados por el Consistorio y toda vez que la propia Corporación manifestó en distintos Informes y actuaciones que se ha producido dicho cumplimiento, sin ser de recibo que dicha Corporación permanezca inactiva en tales condiciones. En consecuencia, el Tribunal ordena la remisión de las actuaciones a la Administración con competencia de aprobación definitiva del planeamiento.

Así, según la STSJ de la Comunidad Valenciana de 15 de junio de 2000 (JUR 2001, 56653), además de entender plenamente aplicable el silencio administrativo positivo en la fase de aprobación de un Plan Parcial, se afirma:

> «No puede ser obstativa de la producción de los efectos del silencio la inactividad de cualquier Administración invocada por otra, atendido que es tal inactividad justamente la que se pretende enervar atribuyendo efectos jurídicos al silencio, máxime en el supuesto de autos en que la Administración competente para resolver sobre la aprobación definitiva pudo dirigirse a la administración del Estado solicitando ella misma el informe del servicio provincial de Costas, como finalmente hizo, y siendo que según habían manifestado quienes instaron la aprobación del Plan Parcial todos los terrenos incluidos en su ámbito eran de su propiedad.
>
> Como señaló el TS en Sentencia de 20 de febrero de 1996 "la existencia de diferentes planos administrativos estatal autonómico y local es fruto de la decisión política que establece un reparto de competencias que aunque se llegue a

calificar en la más reciente legislación con el plural (Administraciones Públicas), no puede alterar la relación esencialmente unívoca entre el ciudadano y el Poder y menos justificar la pérdida de derecho alguno por el administrado, que no puede terminar sufriendo el perjuicio de inactividades de otros y de retrasos que le sean ajenos"».

Interesa igualmente la STSJ de Andalucía, Sevilla, de 10 de enero de 2006 (JUR 2006, 90604) a cuyo tenor:

> «Como se ha indicado el procedimiento de elaboración y aprobación de los instrumentos urbanísticos posee un carácter dinámico, y para que sea aplicable los efectos del silencio administrativo, no sólo respecto de este procedimiento, sino en cualquier procedimiento, resulta elemental, como requisito primero y esencial para el inicio del cómputo del plazo para que se produzcan los efectos del silencio positivo que se encuentre completa la documentación requerida para cada supuesto, pues si lo que el silencio procura es sustituir la decisión expresa, debe reunirse los requisitos necesarios para que dicha decisión pueda producirse».

3. SITUACIÓN TERCERA: LÍMITES DE LA POSIBILIDAD DE DECLARAR DESIERTA LA SELECCIÓN DE UN PROGRAMA O DE APROBAR UN PLAN

Interesa abordar esta cuestión, primero, respecto de aquellos casos en que la selección del Programa se hace siguiendo el principio de concurrencia, por ser ésta la regla general establecida así por ley (casos de las leyes urbanísticas de la Comunidad Valenciana y de Castilla-La Mancha). Y segundo respecto de aquellos casos en que corresponda simplemente decidir sobre la posible aprobación o no por la Administración sobre un determinado Plan.

Está asentado el criterio jurisprudencial, rector en materia de adjudicaciones contractuales, según el cual la declaración de una adjudicación como desierta ha de obedecer a unas razones especiales que justifiquen dicha declaración.

Tal como apunta la Junta Consultiva de la Contratación, en su Informe 39/99 de 10 de junio de 1999, sobre la facultad de declarar desierto el contrato tras la Ley 13/1995 se ha disminuido el grado de discrecionalidad de la facultad de declarar desierto el contrato, al haber tenido una influencia decisiva en la nueva redacción las Directivas comunitarias.

Expresamente este Informe de la Junta Consultiva de la Contratación indica textualmente que «el artículo 89.2 de la Ley de Contratos de las Administraciones Públicas literalmente establece que "la Administración tendrá alternativamente la facultad de adjudicar el contrato a la proposición más ventajosa, mediante la aplicación de los criterios establecidos en el artículo 87, sin atender necesariamente al valor económico de la misma, o declarar desierto el *concurso,* motivando en todo caso su resolución con referencia a los criterios de adjudicación del concurso que figuren en el pliego". Si se observa que, a diferencia de la legislación anterior, se exige expresamente que el declarar desierto un concurso ha de hacerse por resolución motivada en todo caso y que *esta motivación ha de hacer referencia a los criterios de adjudicación del concurso que figuren en el pliego,* fácilmente puede sostenerse que, a partir de la entrada en vigor de la Ley de Contratos de las Administraciones Públicas ha disminuido el grado de discrecionalidad de la facultad de declarar desierto un concurso y sólo debe admitirse cuando las distintas ofertas no se ajustan a las condiciones exigidas en el concurso que figuran en los pliegos y, a la inversa, que cuando una o varias de ofertas se ajustan al pliego no existirá la posibilidad de declarar desierto el concurso, sino que será procedente su adjudicación a la oferta que deba *considerarse la más ventajosa económicamente».*

Conviene profundizar en los límites de esta facultad administrativa excepcional de declaración de desierto de un concurso, ya que puede desvirtuar la propia esencia del procedimiento de licitación y su principio de concurrencia.

La sentencia del TS de 11 de noviembre de 2003 (RJ 2003, 8152) declara también improcedente la no adjudicación, por haberse declarado desierto el *concurso,* por ausencia de suficiente motivación. O la STS de 31 de octubre de 1994 (RJ 1994, 7826) afirmando la improcedencia de esta declaración si se cumplen los pliegos por alguno de los concursantes (igualmente, la STS de 2 de octubre de 2000 [RJ 2000, 9125]). O la STS de 22 de diciembre de 2003 (RJ 2003, 9152) reiterando la anulación de la declaración como desierto del concurso del contrato de obras, ya que no es suficiente para ello el alegar por la Administración la conveniencia de una mayor concurrencia. De este modo, las sentencias que declaran conforme la declaración de la adjudicación como desierta son fallos referidos a una actuación motivada de la Administración pública. Igualmente, la STS de 21 de julio de 2000 (RJ 2000, 7758) y la STS de 20 de febrero de 1996 (RJ 1996, 1381) así como la sentencia del Tribunal de Justicia de Castilla y León de 28 de octubre de 2005 (JUR 2005, 257656) y la STSJ de la Comunidad Valenciana de 7 de abril de 2005 (JUR 2005, 165201). STS de 10 de junio de 1981 (RJ 1981, 2603) y STS de 27 de noviembre de 1998 (RJ 1999, 304).

Capítulo XIV

La reforma del planeamiento

Conviene empezar aludiendo a la posibilidad de reformar el planeamiento en virtud del *ius variandi* de la Administración, tal como deja claro la sentencia del TSJ de Cataluña de 10 de marzo de 2003 (JUR 2004, 39394) cuando justifica la potestad administrativa de alteración del planeamiento en los siguientes términos:

> «Hay que remitirse nuevamente a la conocida doctrina a cuyo tenor la potestad administrativa de planeamiento se extiende **a la reforma de éste;** la naturaleza reglamentaria de los planes, en un sentido, y la necesidad de adaptarlos a las exigencias cambiantes de la realidad, en otro, **justifican plenamente el *ius variandi*** que en este ámbito se reconoce a la Administración, cuyo único límite viene determinado por la congruencia de las soluciones concretas elegidas con las líneas directrices que diseñan el planeamiento, su respeto a los estándares legales acogidos en el mismo y su adecuación a los datos objetivos en que se apoyan, sin que pueda prevalecer frente a ello el criterio del particular, a menos que éste demuestre que lo propuesto por la Administración es de imposible realización o manifiestamente desproporcionado o que infringe un precepto legal».

Y, seguidamente, observa el Tribunal que la modificación de un vial, que se pretende en el caso concreto, es razonable en el supuesto que enjuicia:

> «(...) Motivación suficiente que se contiene en la memoria de la modificación, cuando se justifica en el hecho de acabar en culo de saco la calle Sant Bartomeu, justo en el límite sur de la parcela 9 de la calle Sant Mateu, por lo que para cumplir con el planeamiento habría de prolongarse por la línea de separación de tal parcela y la del Passatge Sant Sebastià, 11, hasta encontrar el límite sur de la parcela 6 del mismo Passatge; *resultando muy difícil construir la prolongación de la calle tal como se preveía en el Plan General antes de la modificación, al estar situada en un terreno de fuerte pendiente en el sentido de la sección transversal del futuro vial,* lo que obligaría, además, a derribar una parte de la edificación de la parcela 9 de la calle Sant Mateu, por lo que se propone que la calle deje de serlo y pase a ser calificada de zona de ciudad jardín intensidad 4 aislada, clave 8.4, al objeto de que las parcelas no aumenten su aprovechamiento privado, no computando la superficie que cambia de calificación a efectos de cálculo del aprovechamiento privado».

Un caso similar es el resuelto por la sentencia del TSJ de la Comunidad

Valenciana de 11 de junio de 2003 (nº 856/2003) (JUR 2004, 23885) donde se justifica también el *ius variandi* de la Administración, para alterar el planeamiento, y, con ello, la modificación de unos viales cuyo trazado debía corregirse o perfeccionarse. La decisión administrativa fue correcta ya que representó el «interés general», cumplió con la «exigencia de racionalidad» y «guardó coherencia con la realidad de los hechos».

La STSJ de Andalucía, Sala de Granada, de 9 de abril de 2007 (sentencia 173/2007 [RJCA 2007, 306]) pone de manifiesto la nulidad en virtud de la letra b del artículo 62.1 de la citada LRJAP-PAC («actos dictados por órgano manifiestamente incompetente por razón de la materia o del territorio») en tanto en cuanto una modificación de un Plan General era, en realidad, una revisión del mismo, careciendo, en consecuencia el Ayuntamiento en cuestión de competencia para ello, considerando que la competencia es de la Junta de Andalucía y que el Ayuntamiento se ha extralimitado en el ejercicio de la competencia delegada por esta otra Administración.

Según la STSJ de la Comunidad Valenciana de 11 de junio de 2003 (nº 856/2003) (JUR 2004, 23885), se justifica la modificación del plan general ante la necesidad de ampliación de un colegio público, siendo la modificación racional y acorde con los intereses generales.

En cuanto al procedimiento, la modificación de los planes ha de hacerse siguiendo las reglas generales de la aprobación de los mismos (sentencia del TSJ de Andalucía, Granada, de 20 de septiembre de 1999 [RJCA 1999, 3051]):

«QUINTO.–También es constitutiva de nulidad la irregular tramitación del estudio de detalle. Tras una primera fase de tramitación abierta después de la presentación de la solicitud de estudio de detalle (27 de enero de 1992), que fue seguida de información pública y de las publicaciones preceptivas (en BOP de 30 de marzo de 1992 y en diario "Ideal" de 12 de marzo de 1992) aunque no de la notificación a los interesados, entre otros a la hoy recurrente, se produjo la aprobación inicial el día 7 de marzo de 1992. El 13 de mayo de 1992 se presentó determinada documentación rectificando la inicialmente aportada y el 26 de junio de 1992 se sometió a consideración del Pleno la aprobación definitiva del estudio de detalle, no obteniéndose la misma al entender el Pleno que era inconveniente la misma. Aunque en tal resolución se indica que se deja pendiente la aprobación definitiva, el tenor de la motivación es claro en el sentido de que en tal sesión no se acordó la aprobación definitiva del estudio de detalle por no considerarlo conveniente a la ordenación de los predios colindantes. Tal motivación, que justificó el acuerdo adoptado por unanimidad determina el rechazo de la aprobación definitiva. En consecuencia, no cabía, como ocurrió, retomar el expediente dos años después, y sobre la base de una *nueva propuesta modificada, y sin realizar nueva fase de información pública, someter nuevamente a la aprobación inicial el expediente la cual, sin embargo, fue igualmente rechazada en la sesión de 27 de mayo de 1994,* por no obtener la mayoría absoluta para el acuerdo, que se reputó necesaria a tenor del art. 47.3º, de la Ley 7/1985, de 2 de abril, de Bases del Régimen Local. Y pese a no obtenerse dicha mayoría para la aprobación inicial, se sometió el asunto nuevamente al pleno de 4 de julio de 1994 en donde se aprobó directamente y de manera definitiva (sin previa aprobación inicial) el estudio de detalle reformado sustancialmente. No acaban aquí las irregularidades, pues en septiembre de 1994 se hace una nueva propuesta de modificación del estudio de detalle consistente en ampliar la anchura del vial que se creaba hasta 8 metros, lo que se aprueba por el Pleno municipal de 13 de octubre de 1994, sin ninguna fase previa de tramitación pese a alterar sustancialmente el contenido del propio estudio de detalle. Es evidente que se ha producido la vulneración sustancial de trámites esenciales del procedimiento, incurriendo con ello en nulidad de pleno derecho a tenor del art. 62.1º e) de la LRJAP-PAC».

Cosa distinta sería la simple aclaración de un extremo confuso en un Plan aprobado. En estos casos, parece desproporcionada la revisión de oficio o elaboración de un nuevo plan, e inadecuada la corrección de errores, y por tanto procedente una solicitud de aclaración ante la Administración.

La modificación de los planes puede perseguir, por ejemplo, dar acomodo a ciertas actividades que pretenden autorizarse pero que no son compatibles con la clasificación del planeamiento vigente, siendo exigible la debida justificación del referido cambio pretendido, cumpliendo con los informes sectoriales (STSJ de Asturias de 20 de junio de 2002 [JUR 2002, 202853]) o sin incurrir en cualquier vicio en el ejercicio de la potestad discrecional de planeamiento (STS de 25 de marzo de 1985 [RJ 1985, 2850] en relación con la modificación de un plan; STSJ de Cataluña número 840/2003 [JUR 2004, 5476]).

Capítulo XV

Condicionantes ambientales sobre el planeamiento: riesgos naturales

1. LOS RIESGOS NATURALES Y SU REPERCUSIÓN SOBRE LA DEFINICIÓN DEL SUELO

La existencia de tales riesgos implica la clasificación de un suelo como rural protegido, con todo lo que ello conlleva respecto de su protección y régimen de usos posibles por parte de los propietarios.

Más bien, la identificación de una zona de riesgos «debe» llevar a la consideración del suelo como rural. No estamos ante un criterio discrecional sino reglado.

Por contrapartida, conforme a dicho carácter reglado, sólo los suelos donde se presente esta característica deben ser clasificados de esta forma. En consecuencia, si no concurre realmente esta circunstancia no puede procederse a dicha clasificación, por este motivo.

En efecto, son varios los criterios que, según la legislación aplicable, deben ser aplicados para la clasificación del suelo como rural. Y entre ellos se presenta destacadamente el de los riesgos naturales.

Así pues, debe tenerse en cuenta que existen dos tipos de suelo rural (llamado rústico en alguna legislación autonómica): el protegido y el no protegido o común. Precisamente, la existencia de un riesgo natural en una zona determinada origina la consideración del suelo como «rural protegido» en atención a este tipo de condicionantes. Las urbanizaciones y el planeamiento parcial, y la posible reclasificación del suelo, quedan así impedidos.

En la legislación autonómica puede citarse, en primer lugar, el Decreto Legislativo 1/2004, de 22 abril, por el que se aprueba el Texto Refundido de las disposiciones legales vigentes en materia de Ordenación del Territorio y

Urbanismo del Principado de Asturias. Según su artículo 115 («Suelo no urbanizable») constituirán suelo no urbanizable:

a) Los terrenos que estén o deban estar sometidos a algún régimen especial de protección, fijado en planes o normas sectoriales, o en el planeamiento territorial, que sea incompatible con su transformación urbanística. Esa protección podrá derivarse, entre otras posibilidades, de los valores paisajísticos, históricos, arqueológicos, científicos, ambientales o culturales de los citados terrenos, **de los riesgos naturales que en ellos concurran,** de su sujeción a limitaciones o servidumbres para la protección del dominio público.

Asimismo, puede tenerse en cuenta el artículo 122 («Categorías de suelo no urbanizable») en cuya virtud «suelo no urbanizable de interés» (es el) compuesto por aquellos terrenos que, sin estar incluidos en ninguna otra de las categorías de este artículo, deban quedar preservados del desarrollo urbanístico y sometidos a un régimen específico de protección por disponerlo así el planeamiento territorial, urbanístico o sectorial, en consideración a sus valores paisajísticos, históricos, arqueológicos, científicos, ambientales o culturales, por la existencia de **riesgos naturales debidamente acreditados,** singularidades agrícolas, forestales o ganaderas, o para la preservación del peculiar sistema de poblamiento del territorio asturiano, así como en función de su sujeción a limitaciones o servidumbres para la protección del dominio público.

Interesante es el **Decreto Legislativo 1/2000, de 8 de mayo,** por el que se aprueba el Texto Refundido de las Leyes de Ordenación del Territorio de Canarias y de Espacios Naturales de Canarias, y en particular su artículo 54 («Suelo rústico: definición»):

«Integrarán el suelo rústico los terrenos que el planeamiento adscriba a esta clase de suelo, mediante su clasificación por:

g) Resultar inadecuado, conforme a los criterios establecidos por las correspondientes Normas Técnicas del Planeamiento Urbanístico, para servir de soporte a aprovechamientos urbanos, por los costes desproporcionados que requeriría su transformación o **por los riesgos ciertos de erosión, desprendimientos, corrimientos o fenómenos análogos que comporten sus características geotécnicas o morfológicas».**

En esta línea, la Ley 2/2001, de 25 de junio, de Ordenación Territorial y Régimen Urbanístico del Suelo de Cantabria, en su artículo 108 («Suelo rústico de especial protección») prevé:

«Tendrán la condición de suelo rústico de especial protección los terrenos en los que concurra alguna de las circunstancias siguientes:

a) Que estén sometidos a un régimen especial de protección incompatible con su transformación urbana conforme a los planes y normas de ordenación territorial o a la legislación sectorial pertinente en razón de sus valores paisajísticos, históricos, arqueológicos, científicos, ambientales, culturales, agrícolas, de riesgos naturales acreditados, o en función de su sujeción a limitaciones o servidumbres para la protección del dominio público».

Otro ejemplo es la **Ley Foral 35/2002, de 20 de diciembre, de Ordenación del Territorio y Urbanismo de la Comunidad Foral de Navarra. En su artículo 94 («Suelo no urbanizable») se prevé que**

«tendrán la condición de suelo no urbanizable, a los efectos de esta Ley Foral, los terrenos en que concurra alguna de las circunstancias siguientes:

a) Que, de acuerdo con la legislación sectorial, estén sometidos a algún régimen especial de protección incompatible con su transformación por sus valores paisajísticos, naturales, ambientales o agrícolas, o por sus valores históricos, artísticos, científicos o culturales.

b) Que estén excluidos del proceso urbanizador por los instrumentos de ordenación del territorio en razón al modelo de desarrollo territorial, a sus valores paisajísticos, naturales, ambientales o agrícolas, o a sus valores históricos, artísticos, científicos o culturales.

c) Que estén amenazados por **riesgos naturales o de otro tipo que sean incompatibles con su urbanización, tales como inundación, erosión, hundimiento, desprendimiento, corrimiento, incendio, contaminación o cualquier otro tipo de perturbación de la seguridad y salud públicas o del ambiente natural.**

También podrán incluirse los terrenos que habiendo tenido en el pasado los valores a que se refiere las letras a) y b), los hayan perdido por incendios, devastaciones u otras circunstancias y deban ser protegidos para facilitar su recuperación».

Según el artículo 94 de esta misma Ley 35/2002, «en el suelo no urbanizable, tanto de protección como de preservación, el planeamiento podrá distinguir las siguientes subcategorías, en atención al motivo que justifica dicha clasificación:

– Suelo de valor paisajístico.

– Suelo de valor ambiental.

– Suelo de valor para su explotación natural.

– Suelo de valor cultural.

– Suelo de salvaguarda del modelo de desarrollo.

– **Suelo de prevención de riesgos.**

– Suelo destinado a infraestructuras.

– Suelo destinado para actividades especiales».

El artículo 45.b de la Ley 5/2006, de 2 de mayo, de Ordenación del

Territorio y Urbanismo de La Rioja (al igual que ya ocurría en la anterior Ley 10/1998, de 2 de julio, de Ordenación del Territorio y Urbanismo de La Rioja –artículo 12.3–) afirma:

> «el Plan General Municipal clasificará, en todo caso, como suelo no urbanizable de categoría especial, los siguientes terrenos: c) Los terrenos cuyas características geotécnicas o morfológicas desaconsejen su destino a aprovechamientos urbanísticos, para **evitar riesgos ciertos de erosión, hundimiento, inundación o cualquier otro tipo de calamidad**».

En Aragón, la Ley 5/1999, de 25 de marzo, Urbanística de Aragón, en su artículo 20 establece:

> «1.   En el suelo no urbanizable se distinguirán las categorías de suelo no urbanizable genérico y suelo no urbanizable especial.
>
> 2.   Tendrán la consideración de suelo no urbanizable especial los terrenos del suelo no urbanizable a los que el Plan General reconozca tal carácter y en todo caso los enumerados en la letra a) del artículo anterior y los terrenos que, en razón de sus características, **puedan presentar graves y justificados problemas de índole geotécnica, morfológica o hidrológica o cualquier otro riesgo natural que desaconseje su destino a un aprovechamiento urbanístico por los riesgos para la seguridad de las personas y los bienes**».

Finalmente, en la Ley 7/2002, de 17 de diciembre, de Ordenación urbanística de Andalucía, su artículo 46 afirma:

> «1.   Pertenecen al suelo no urbanizable los terrenos que el Plan General de Ordenación Urbanística adscriba a esta clase de suelo por (...):
>
> i)   **Presentar riesgos ciertos de erosión, desprendimientos, corrimientos, inundaciones u otros riesgos naturales.**
>
> j)   Proceder la preservación de su carácter no urbanizable por la existencia de actividades y usos generadores de riesgos de accidentes mayores o que medioambientalmente o por razones de salud pública sean incompatibles con los usos a los que otorga soporte la urbanización.
>
> (...)
>
> 2.   De conformidad y en aplicación de los criterios que se establezcan reglamentariamente, el Plan General de Ordenación Urbanística podrá establecer, dentro de esta clase de suelo, todas o algunas de las categorías siguientes:
>
> a)   Suelo no urbanizable de especial protección por legislación específica, que incluirá, en todo caso, los terrenos clasificados en aplicación de los criterios de las letras a) y b) del apartado anterior, e i) cuando tales riesgos queden acreditados en el planeamiento sectorial».

2.   LOS RIESGOS NATURALES Y LOS USOS DEL SUELO

En estrecha relación con la perspectiva que acaba de apuntarse se sitúa aquella otra relativa a los usos del suelo, por referencia principalmente a los usos del suelo no urbanizable. Se trata de observar cómo los riesgos naturales condicionan dichos usos del suelo y, por tanto, los derechos de los propietarios.

Así por ejemplo, el artículo 62 del citado Decreto Legislativo 1/2000, de Canarias, establece que «sin perjuicio de otros deberes establecidos legalmente, los propietarios de suelo rústico tendrán los deberes de conservar y mantener el suelo y, en su caso, su masa vegetal, en las condiciones precisas para **evitar riesgos de erosión o incendio** o para la seguridad o salud públicas y daños o perjuicios a terceros o al interés general, incluidos los de carácter ambiental y estético; así como de usarlo y explotarlo de forma que se preserven en condiciones ecológicas y no se produzca contaminación indebida de la tierra, el agua y el aire, ni tengan lugar inmisiones ilegítimas en bienes de terceros».

Asimismo claro es el artículo 52.1.A) de la Ley 7/2002, de 17 de diciembre, de Ordenación urbanística de Andalucía, según el cual «en los terrenos clasificados como suelo no urbanizable que no estén adscritos a categoría alguna de especial protección, pueden realizarse los siguientes actos: A) Las obras o instalaciones precisas para el desarrollo de las actividades enumeradas en el artículo 50.B) a), que no estén prohibidas expresamente por la legislación aplicable por razón de la materia, por los Planes de Ordenación del Territorio, por el Plan General de Ordenación Urbanística y por los Planes Especiales. En estas categorías de suelo están **prohibidas las actuaciones que comporten un riesgo previsible y significativo, directo o indirecto, de inundación, erosión o degradación del suelo.** Serán nulos de pleno derecho los actos administrativos que las autoricen, que contravengan lo dispuesto en la legislación aplicable por razón de la materia o en los planes urbanísticos».

El *quid* puede estar, más que en una definición de usos, en una afirmación de «deberes» de los propietarios. Así, la Ley 15/2001, de 14 de diciembre, del Suelo y Ordenación Territorial de Extremadura, en su artículo 14 («Contenido urbanístico legal del derecho de propiedad del suelo: deberes») afirma:

«1. Forman parte del contenido urbanístico del derecho de propiedad del suelo, sin perjuicio del régimen a que éste esté sujeto por razón de su clasificación, los siguientes **deberes**:

1.1. Con carácter general:

(...)

b) Conservar y mantener el suelo y, en su caso, su masa vegetal en las condiciones precisas para evitar riesgos de erosión y para la seguridad o salud públicas y daños o perjuicios a terceros o al interés general, incluido el ambiental, así como realizar el uso y la explotación de forma que no se produzca contaminación indebida de la tierra, el agua y el aire, ni tengan lugar inmisiones ilegítimas en bienes de terceros. En caso de incendio o agresión ambiental que produzca la pérdida de masas forestales preexistentes, quedará prohibida la reclasificación como suelo urbano o urbanizable o la recalificación para cualquier uso incompatible con el forestal.

c)   Realizar las plantaciones y los trabajos y obras de defensa del suelo y su vegetación que sean necesarios para mantener el equilibrio ecológico, preservar el suelo de la erosión, impedir la contaminación indebida del mismo y **prevenir desastres naturales;** en particular, proceder a la reforestación precisa para la reposición de la vegetación en toda la superficie que la haya perdido como consecuencia de incendio, desastre natural o acción humana no debidamente autorizada, en la forma y condiciones prevenidas en la legislación correspondiente y los planes o programas aprobados conforme a la misma. Cuando el coste de los trabajos y obras objeto de este deber exceda de la mitad del valor, conforme a la Ley, de la explotación, podrá ser sufragado, en el exceso, por la Administración, salvo que tengan por objeto la reposición de vegetación desaparecida como consecuencia de acción del propietario no autorizada o de negligencia inexcusable del mismo».

En la legislación urbanística son características las disposiciones sobre los derechos de los propietarios en cada clase de suelo, así como los usos posibles en dichos suelos. Interesa destacar cómo los riesgos naturales suponen una restricción de los usos normales del suelo. Así por ejemplo, en el Decreto Legislativo 1/2004, de 28 de diciembre, de Castilla-La Mancha, por el que se aprueba el Texto Refundido de la Ley de Ordenación del Territorio y de la Actividad Urbanística (artículo 50), se prevé el «contenido urbanístico legal del derecho de propiedad del suelo», es decir un régimen ordinario de derechos de propiedad.

Observemos seguidamente cómo la legislación urbanística permite ciertos usos o actos, al mismo tiempo que se matizan dichos usos o actos en suelo rústico cuando estén presentes en una zona riesgos naturales. Se permite «la realización de los actos no constructivos precisos para la utilización y explotación agrícola, ganadera, forestal, cinegética o análoga a la que estén efectivamente destinados, conforme a su naturaleza y mediante el empleo de medios técnicos e instalaciones adecuados y ordinarios, **que no supongan** ni tengan como consecuencia la transformación de dicho destino o el uso residencial o de vivienda, ni de las características de la explotación, **y permitan** la preservación, en todo caso, de las condiciones edafológicas y ecológicas, así como la **prevención de riesgos de erosión, incendio o para la seguridad o salud públicas**». Disposiciones similares se contemplan en los artículos 51 y 55 del mismo Decreto Legislativo 1/2004, de 28 de diciembre, de Castilla-La Mancha por el que se aprueba el Texto Refundido de la Ley de Ordenación del Territorio y de la Actividad Urbanística.

Otro ejemplo lo aporta la Ley de la Comunidad Valenciana 4/2004, de 30 junio, de Ordenación del Territorio y Protección del Paisaje (artículo 14.7): «Las administraciones públicas tendrán en cuenta en la asignación de los usos del suelo, los objetivos de prevención de accidentes graves en los que intervengan sustancias peligrosas y de limitación de sus consecuencias».

La identificación de una zona de riesgos naturales conlleva el deber de los propietarios de soportar ciertas limitaciones de uso a favor de las acciones pertinentes de la Administración. Así, la Ley 9/2002, de 30 de diciembre, de Ordenación Urbanística y Protección del Medio Rural de Galicia, y en particular su artículo 31 («Facultades y deberes de los propietarios en suelo rústico») afirma que «los propietarios de suelo rústico deberán: d) Realizar o permitir realizar a la Administración competente los trabajos de defensa del suelo y la vegetación necesarios para su conservación y para evitar riesgos de inundación, erosión, incendio, contaminación o cualquier otro riesgo de catástrofe o simple perturbación del medio ambiente, así como de la seguridad y salud públicas».

Según su artículo 32 son usos prohibidos «los incompatibles con la protección de cada categoría de suelo o que impliquen un riesgo relevante de deterioro de los valores protegidos».

3. LA LEGISLACIÓN DE ORDENACIÓN DEL TERRITORIO

Los riesgos naturales pueden condicionar el planeamiento. Y esta cuestión puede venir regulada en la legislación territorial o en la legislación urbanística. En todo caso, la regulación tenderá a la debida consideración de los riesgos en el planeamiento a efectos de su prevención. Los propios planes de ordenación del territorio resultan condicionados por los riesgos naturales, tal como establece la legislación de ordenación territorial.

Así por ejemplo, la Ley de Andalucía 1/1994, de 11 enero de Ordenación del Territorio (en su artículo 7.1) afirma que «**el Plan de Ordenación del Territorio de Andalucía tendrá el siguiente contenido: f) La indicación de las zonas con riesgos catastróficos** y la definición de los criterios territoriales de actuación a contemplar para la prevención de los mismos».

En esta línea, la Ley Foral 35/2002, de 20 de diciembre, de Ordenación del Territorio y Urbanismo de la Comunidad Foral de Navarra, en su artículo 35 establece que «los Planes de Ordenación Territorial podrán contener las siguientes determinaciones: c) Determinaciones relativas al medio físico y sus recursos naturales, incluyendo: c.2) Indicación de las zonas susceptibles de riesgos naturales o de otro tipo, y criterios y normas referidos a estos suelos».

Otro ejemplo lo representa la Ley de Castilla y León 10/1998, de 5 diciembre, de ordenación del territorio. Su artículo 10, dentro de las determinaciones de **las Directrices de Ordenación del Territorio** de Castilla y León prevé la necesidad de que aquéllas contemplen «e) Criterios para el desarrollo urbanístico de los núcleos de población y para la implantación de nuevos usos y actividades, en función de las disponibilidades de recursos, **de los riesgos naturales y tecnológicos,** y de su incidencia sobre el territorio. g) Criterios de actuación en áreas desfavorecidas por declive económico o demográfico, por situaciones de incomunicación u otras desventajas objetivas, o por existencia de riesgos naturales o tecnológicos».

La tipología del planeamiento territorial es variada. Junto a las Directrices mencionadas, se prevén (en el artículo 17 de la mencionada Ley de Castilla y León) las «Directrices de Ordenación de ámbito subregional». Pues bien, según dicho artículo, dichas Directrices «contendrán los documentos que reflejen adecuadamente todas o algunas de las siguientes determinaciones: e) Criterios y normas para el desarrollo urbanístico y para la implantación de nuevos usos y actividades sobre el territorio, en función de las disponibilidades de recursos, **de los riesgos naturales** y tecnológicos y de su incidencia territorial».

Esta regulación es interesante porque representa una vinculación, desde la ordenación del territorio, al urbanismo, para que éste, atienda a los riesgos naturales a la hora de planificar.

En este sentido, la Ley 11/1992, de 24 noviembre, de Ordenación del Territorio de Aragón, en su artículo 23.1 afirma que «la revisión de las Directrices Generales de Ordenación Territorial se llevará a efecto cuando concurra alguna de las siguientes circunstancias: b) Catástrofes naturales u otras circunstancias que produzcan graves alteraciones en el medio físico».

En este tipo de legislación son típicas las disposiciones que justifican un determinado régimen de excepción.

Por ejemplo, la Ley 11/1992, de 24 noviembre, de Ordenación del Territorio de Aragón, en su Disposición Adicional octava afirma: «No obstante el carácter vinculante de los instrumentos de ordenación del territorio previstos en esta Ley, en casos de desastres naturales o situaciones de emergencia podrán llevarse a cabo las actuaciones que sean precisas para remediar tales situaciones sin necesidad de ajustarse estrictamente a las previsiones contenidas en aquellos instrumentos».

En este sentido, la Ley del País Vasco 4/1990, de 31 mayo, en su Disposición Adicional Tercera afirma que «se autoriza al Gobierno Vasco para la ejecución de aquellos proyectos de obras que, *desviándose de las determinaciones establecidas en los instrumentos de ordenación territorial o en los planes urbanísticos, tengan por finalidad prevenir o remediar situaciones de desastres naturales o de emergencia,* sin perjuicio de su comunicación a los Ayuntamientos afectados».

Junto al planeamiento territorial propiamente dicho se sitúan los planes territoriales *sectoriales,* **es decir planes que regulan una determinada realidad natural, como por ejemplo el litoral.** En este sentido, la Ley de la Comunidad Valenciana 4/2004, de 30 junio, Ley de Ordenación del Territorio y Protección del Paisaje, en su artículo 15.1 *(«Ordenación del litoral»)* afirma que «el litoral de la Comunidad Valenciana, por sus especiales valores ambientales y económicos, debe ser objeto de una ordenación específica. El Consell de la Generalitat aprobará un Plan de Acción Territorial del Litoral de la Comunidad Valenciana de carácter sectorial que establecerá las directrices de ocupación, uso y protección de la franja costera, y en el que deberán tenerse en cuenta los siguientes criterios: c) Se definirá el riesgo de erosión e inundación en el borde costero derivado del efecto combinado de la erosión y de la acción de los temporales marinos, estableciendo las medidas correctoras y de limitación de usos consecuentes para minimizar los impactos potenciales».

También debe profundizarse en la repercusión de los riesgos naturales sobre la planificación *urbanística,* **en virtud de la legislación territorial, comentando la delimitación de las áreas de riesgos naturales en el planeamiento urbanístico,** *en virtud de la legislación territorial.*

Es evidente que, a efectos prácticos, interesa especialmente destacar la necesidad de que los planes urbanísticos consideren debidamente la existencia de riesgos naturales, a efectos de su debida protección. Este tipo de exigencias vendrán determinadas ora por la legislación urbanística ora por la legislación territorial. Pueden ponerse algunos ejemplos relativos a esta última situación.

En este sentido, el Decreto Legislativo 1/2004, de 22 abril, por el que se aprueba el Texto Refundido de las disposiciones legales vigentes **en materia de Ordenación del Territorio y Urbanismo** de Asturias, en su artículo 59.2 («Determinaciones de carácter general») deja claro que **los Planes Generales de Ordenación contendrán las determinaciones de carácter general siguientes**:

«(...) f) Delimitación, independientemente de su inclusión en otras categorías, de **áreas de prevención,** respecto de aquellos espacios que presenten un manifiesto riesgo de inundaciones, incendios, erosión, desprendimientos o sucesos similares. Dichas áreas se ajustarán al régimen que se establezca con arreglo a su legislación específica».

Otro ejemplo puede ser la Ley de la Comunidad Valenciana 4/2004, de 30 junio, Ley de Ordenación del Territorio y Protección del Paisaje. En su artículo 13.1 («Utilización racional del suelo») se afirma, de forma interesante, que los **crecimientos urbanísticos** y los proyectos con incidencia territorial significativa deberán definirse bajo los criterios de generación del menor impacto sobre el territorio y menor afección a valores, recursos o riesgos naturales de relevancia presentes en el territorio.

En esta línea, esta misma Ley de la Comunidad Valenciana 4/2004, de 30 junio, Ley de Ordenación del Territorio y Protección del Paisaje (en su artículo 14.4) afirma que «el planeamiento territorial y urbanístico adoptará medidas activas contra la erosión del suelo, como principal causa de la desertificación de la Comunidad Valenciana y por su repercusión sobre el paisaje, la productividad vegetal y el ciclo hidrológico, controlando su avance mediante la adecuada gestión del recurso natural suelo».

También puede producirse la **limitación de desarrollos** *urbanísticos* **en zonas inundables, en virtud de la legislación** *territorial.*

Asimismo, la legislación territorial (por ejemplo, la Ley de la Comunidad Valenciana 4/2004, de 30 junio, Ley de Ordenación del Territorio y Protección del Paisaje) establece el criterio según el cual «**el planeamiento urbanístico** deberá orientar los futuros desarrollos urbanísticos hacia las zonas no inundables o, en el supuesto de que toda la superficie del municipio así lo fuera, hacia las áreas de menor riesgo, siempre que permitan el asentamiento. Cualquier decisión de planeamiento que se aparte de este criterio deberá justificar su idoneidad en un estudio de inundabilidad más específico, realizado con motivo de la actuación que se pretende».

4. LOS RIESGOS NATURALES Y SU REPERCUSIÓN SOBRE EL *PLANEAMIENTO URBANÍSTICO* EN FUNCIÓN DE LA PROPIA *LEGISLACIÓN URBANÍSTICA*

En efecto, no sólo la legislación territorial incide sobre la ordenación urbanística. Además, la propia legislación urbanística atiende a esos condicionantes.

Sin ánimo exhaustivo esta vez puede ponerse el ejemplo de la Ley 7/2002, de 17 de diciembre, de Ordenación urbanística de Andalucía. En su artículo 9 se establece: «en el marco de los fines y objetivos enumerados en el artículo 3 y, en su caso, de las determinaciones de los Planes de Ordenación del Territorio, los Planes Generales de Ordenación Urbanística deben: A) Optar por el modelo y soluciones de ordenación que mejor aseguren: g) La preservación del proceso de urbanización para el desarrollo urbano de los siguientes terrenos: Los colindantes con el dominio público natural precisos para asegurar su integridad; los excluidos de dicho proceso por algún instrumento de ordenación del territorio; aquellos en los que concurran valores naturales, históricos, culturales, paisajísticos, o cualesquiera otros valores que, conforme a esta Ley y por razón de la ordenación urbanística, merezcan ser tutelados; aquellos en los que se hagan presentes riesgos naturales o derivados de usos o actividades cuya actualización deba ser prevenida, y aquellos donde se localicen infraestructuras o equipamientos cuya funcionalidad deba ser asegurada».

Incluso así, es decir en el marco del urbanismo, podemos observar cierta relación con la ordenación territorial. Por contrapartida, existen leyes urbanísticas que no contienen mención alguna a la problemática que nos ocupa.

Así, del Decreto Legislativo 1/2005, de 26 de julio, por el que se aprueba el Texto Refundido de la Ley de Urbanismo de Cataluña interesa el artículo 9 («Directrices para el planeamiento urbanístico»), donde se prevé:

1. Las administraciones con competencias en materia urbanística deben velar para que las determinaciones y la ejecución del planeamiento urbanístico permitan alcanzar, en beneficio de la seguridad y el bienestar de las personas, unos niveles adecuados de calidad de vida, de sostenibilidad ambiental y de preservación frente a los riesgos naturales y tecnológicos.

2. Está prohibido urbanizar y edificar en zonas inundables y en otras zonas de riesgo para la seguridad y el bienestar de las personas, salvando las obras vinculadas a la protección y la prevención de los riesgos.

3. El planeamiento urbanístico tiene que preservar los valores paisajísticos de interés especial, el suelo de alto valor agrícola, el patrimonio cultural y la identidad de los municipios, y debe incorporar las prescripciones adecuadas para que las construcciones y las instalaciones se adapten al ambiente donde estén situadas o bien donde se tengan que construir y no comporten un demérito para los edificios o los restos de carácter histórico, artístico, tradicional o arqueológico existentes en el entorno.

4. El planeamiento urbanístico debe preservar de la urbanización los terrenos de pendiente superior al 20%, siempre y cuando eso no comporte la imposibilidad absoluta de crecimiento de los núcleos existentes.

La legislación territorial tiende a que no se produzcan los daños naturales. Pero si se consuman los daños, este hecho no puede dar lugar a una alteración de la clasificación del suelo prevista inicialmente. En este sentido, la Ley de la Comunidad Valenciana 4/2004, de 30 junio, Ley de Ordenación del Territorio y Protección del Paisaje (artículo 14: «Prevención de riesgos naturales o inducidos») establece que «los terrenos forestales clasificados como suelo no urbanizable que hayan sufrido los efectos de un incendio no podrán clasificarse o reclasificarse como urbano o urbanizable».

5. LA PLANIFICACIÓN PREVENTIVA DE RIESGOS NATURALES. EL PLANEAMIENTO SECTORIAL AL SERVICIO DE LA PROTECCIÓN DE LOS RIESGOS NATURALES

Junto a los planes territoriales o los planes urbanísticos, es preciso considerar los **planes sectoriales** para la prevención de riesgos naturales. Por ejemplo, la Ley de la Comunidad Valenciana 4/2004, de 30 junio, Ley de Ordenación del Territorio y Protección del Paisaje (artículo 14.3) afirma que «el Consell de la Generalitat aprobará un Plan de Acción Territorial contra el Riesgo Sísmico que tendrá por objeto prevenir daños sobre bienes y personas. A tal efecto establecerá:

a)   Orientaciones sobre usos del suelo y medidas concretas de ubicación de edificaciones e infraestructuras.

b)   División del territorio en categorías en función de su riesgo.

c)   Normativa específica para cada una de dichas zonas que regule edificaciones, infraestructuras, servicios urbanos y otras construcciones e instalaciones análogas.

d)   Medidas para corregir el riesgo sobre construcciones, instalaciones o usos ya existentes.

e)   Mecanismos de colaboración y cooperación entre los distintos departamentos del Consell de la Generalitat y entre éste y los Ayuntamientos».

6.   LOS RIESGOS NATURALES EN LA *LEGISLACIÓN AMBIENTAL* Y DE AGUAS

Sin ánimo esta vez exhaustivo puede dejarse testimonio de la tendencia, de creciente manifestación o interés, de prevención de riesgos en la **normativa ambiental.** En este sentido, la Ley de Montes, 43/2003, de 21 de noviembre, en su artículo 24 establece que «los montes catalogados y montes protectores que se correspondan con las condiciones establecidas en los párrafos a), b), c) y d) del artículo 13 se gestionarán con el fin de lograr la máxima estabilidad de la masa forestal, aplicando métodos selvícolas que persigan prioritariamente **el control de la erosión, del peligro de incendio, de los daños por nieve, vendavales, inundaciones y riadas o de otros riesgos para las características protectoras del monte».**

Otra referencia puede encontrarse en el artículo 41 («Plan Nacional de Actuaciones Prioritarias de Restauración Hidrológico-Forestal y Programa de Acción Nacional contra la Desertificación»):

3.   Asimismo, corresponde al Ministerio de Medio Ambiente, en colaboración con las Comunidades Autónomas, la elaboración y aprobación del Plan Nacional de Actuaciones Prioritarias de Restauración Hidrológico-Forestal. La aplicación y seguimiento del plan se efectuarán de forma coordinada entre el Ministerio de Medio Ambiente y las Comunidades Autónomas.

4.   **El Plan Nacional de Actuaciones Prioritarias de Restauración Hidrológico-Forestal diagnosticará e identificará, por subcuencas, los procesos erosivos,** clasificándolos según la intensidad de los mismos y su riesgo potencial para poblaciones, cultivos e infraestructuras, definiendo las zonas prioritarias de actuación, valorando las acciones a realizar y estableciendo la priorización y programación temporal de las mismas.

En la elaboración o posterior aplicación del plan, las Comunidades Autónomas podrán delimitar zonas de peligro por riesgo de inundaciones o intrusiones de nieve que afecten a poblaciones o asentamientos humanos. «Estas zonas deberán contar con planes específicos de restauración hidrológico-forestal de actuación obligatoria para todas las Administraciones públicas».

En el artículo 11 del Real Decreto Legislativo 1/2001, de 20 julio, por el que se aprueba el Texto Refundido de la Ley de Aguas (TRLA) se regulan las zonas inundables, definiéndose las mismas como los terrenos que puedan resultar inundados durante las crecidas no ordinarias de los lagos, lagunas, embalses, ríos o arroyos, conservarán la calificación jurídica y la titularidad dominical que tuvieren. El Gobierno, por Real Decreto, podrá establecer las limitaciones en el uso de las zonas inundables que estime necesarias para garantizar la seguridad de las personas y bienes. Los Consejos de Gobierno de las Comunidades Autónomas podrán establecer, además, normas complementarias de dicha regulación. Por su parte, el artículo 14.3 del Reglamento de Dominio Público Hidráulico (Real Decreto 849/1986, de 11 de abril) establece que «se consideran zonas inundables las delimitadas por los niveles teóricos que alcanzarían las aguas en las avenidas cuyo período estadístico de retorno sea de 500 años, a menos que el Ministerio de Medio Ambiente, a propuesta del organismo de cuenca, fije, en expediente concreto, la delimitación que en cada caso resulte más adecuada al comportamiento de la corriente».

Los criterios sobre estudios, actuaciones y obras para prevenir y evitar los daños debidos a inundaciones, avenidas y otros fenómenos hidráulicos son uno de los contenidos obligatorios de los planes hidrológicos de cuenca, según el artículo 42 del TRLA. Asimismo, se establece en el artículo 11 del TRLA que los Organismos de cuenca darán traslado a las Administraciones competentes en materia de ordenación del territorio y urbanismo de los datos y estudios disponibles sobre avenidas, al objeto de que se tengan en cuenta en la planificación del suelo y, en particular, en las autorizaciones de usos que se acuerden en las zonas inundables.

7. LA REGLA DE PROHIBICIÓN TAJANTE O DIRECTA DE CONSTRUCCIÓN EN ÁREAS AMENAZADAS POR RIESGOS NATURALES

La legislación urbanística debe prohibir las edificaciones en suelos amenazados por riesgos naturales.

Según la Ley 9/2002, de 30 de diciembre, de Ordenación Urbanística y Protección del Medio Rural de Galicia (artículo 104. Adaptación al ambiente) «las construcciones e instalaciones habrán de adaptarse al ambiente

441

en que estuviesen emplazadas, y a tal efecto: f) *En las áreas amenazadas por graves riesgos naturales o tecnológicos como inundación, hundimiento, incendio, contaminación, explosión u otros análogos,* **no se permitirá ninguna construcción,** *instalación o cualquier otro uso del suelo que sea susceptible de padecer estos riesgos».*

En la misma línea se sitúa el artículo 88 de la Ley Foral 35/2002, de 20 de diciembre, de Ordenación del Territorio y Urbanismo de la Comunidad Foral de Navarra: «todos los usos del suelo y especialmente las construcciones habrán de adaptarse al ambiente natural y cultural en que estuvieran situadas. A tal efecto se establecen, con independencia de la clasificación de los terrenos, las siguientes normas de aplicación directa: d) En áreas amenazadas por riesgos naturales o tecnológicos, tales como inundación, erosión, hundimiento, incendio, contaminación u otros análogos, no se permitirá ninguna construcción, instalación, ni cualquier otro uso del suelo que resulte susceptible de padecer tales riesgos».

Con este mensaje parece conveniente poner fin a estas reflexiones sobre planificación territorial y urbanística, incidiendo en la debida ordenación urbana. Los riesgos naturales deben dar lugar a restricciones del urbanismo cuando estén justificados, en aras de una ordenación adecuada del medio urbano y natural.

Capítulo XVI

Condicionantes ambientales sobre el planeamiento: evaluación estratégica de planes y evaluación de impacto ambiental de proyectos

1. NORMATIVA

La tendencia general que se ha vivido en los distintos Estados miembros de la Unión Europea, de aprobación de las correspondientes leyes de impacto ambiental, procede del Derecho comunitario europeo. El origen en Europa de la evaluación de impacto ambiental puede situarse en la directiva 85/337/CEE, de 27 de junio de 1985, sobre «evaluación de las incidencias de ciertos proyectos públicos y privados sobre el medio ambiente». Posteriormente, esta directiva se modificó por la directiva 97/11/CE, del Consejo, de 3 de marzo de 1997, que amplió su ámbito de aplicación.

También debe tenerse presente la directiva 2003/35/CE del Parlamento Europeo y del Consejo, de 26 de mayo de 2003, por la que se establecen medidas para la participación del público en la elaboración de determinados planes y programas relacionados con el medio ambiente y por la que se modifican, en lo que se refiere a la participación del público y el acceso a la justicia, las directivas 85/337/CEE y 96/61/CE del Consejo (DOCE L nº 156). Esta directiva se traspuso por la Ley 27/2006, de 18 de julio, por la que se regulan los derechos de acceso a la información, de participación pública y de acceso a la justicia en materia de medio ambiente.

En España la legislación de referencia partió del Real Decreto Legislativo 1302/1986, de 28 de junio, de Evaluación de Impacto Ambiental como legislación básica en la materia (derogado por el RDLeg 1/2008, de 11 de enero, de EIA de Proyectos). Esta legislación se modificó como consecuencia de la nueva directiva 97/11/CE por el Real Decreto-ley 9/2000, de 6 de octubre, que dio lugar a la Ley 6/2001, de 8 de mayo, de modificación del citado Real Decreto Legislativo 1302/1986 **(derogados por el vigente RD Legislativo 1/2008, de 11 de enero, de EIA de Proyectos).** Por otra parte, dicha legislación se desarrolla por el Real Decreto 1131/1988, de 3 de septiembre y por las legislaciones de las CCAA[12].

En el plano de la evaluación estratégica es preciso estar a la directiva 2001/42/CE, del Parlamento Europeo y del Consejo, de 27 de junio de 2001, relativa a la evaluación de los efectos de determinados planes y programas en el medio ambiente, la cual ha sido transpuesta en España mediante la Ley 9/2006, de 28 de abril.

Si, desde el punto de vista urbanístico y territorial, ponemos en relación evaluación de impacto ambiental y evaluación estratégica es preciso reconocer que aquélla fue un primer *impacto* sobre los proyectos de contenido directa o indirectamente urbanísticos, mientras que la evaluación estratégica ha venido a completar (aunque decisivamente) la repercusión del medio ambiente sobre el urbanismo y el territorio.

En esencia, la normativa de evaluación de impacto ambiental afecta a «proyectos» o «actividades», pensando en la realización de obras e infraestructuras. En cambio, la evaluación estratégica repercute sobre el planeamiento y la programación.

La primera recae sobre proyectos de naturaleza ejecutiva, la segunda sobre actos de naturaleza normativa. Aunque ambas tienen, por definición, carácter preventivo, este carácter está más acentuado en la evaluación estratégica.

En definitiva, la evaluación estratégica completa aquella otra evaluación. Se razona que no es suficiente con evaluar la repercusión ambiental de los

---

12. Véase S. GALERA RODRIGO, *Evaluación ambiental de planes y programas*, 2007. Y M. M. CUYÁS PALAZÓN, *Urbanismo ambiental y evaluación estratégica*, Barcelona, 2007. J. R. FERNÁNDEZ TORRES, *La evaluación ambiental estratégica de Planes y Programas Urbanísticos*, Pamplona, 2009. Para un desarrollo de estos temas puede verse VV AA, *Comentarios a la legislación de evaluación de impacto ambiental*, Editorial Civitas Madrid, 2002. En este libro puede verse también el trabajo de J. ROSA MORENO (p. 118), donde se ponen de manifiesto ciertas discordancias entre el Anexo II de la Directiva y la Ley española de Evaluación de Impacto ambiental en cuanto a los proyectos que deben someterse a EIA.
Igualmente, M. BASSOLS COMA, «La planificación urbanística: su contribución a la protección del medio ambiente», en J. ESTEVE PARDO (Coordinador), *Derecho del medio ambiente y Administración Local*, Madrid, 1996, pp. 227 y ss. y B. LOZANO CUTANDA, *Derecho ambiental...*, pp. 479 y ss.; P. CAMPOS PALACÍN/M. CARRERA TROYANO, *Parques Nacionales y desarrollo local*, Pamplona, 2007.

proyectos que van a incidir en el suelo. Además, es necesario evaluar el momento mismo de la programación o planificación de dichos proyectos. Se trata de evitar situaciones consolidadas. Aunque la evaluación de impacto ambiental es preventiva, este carácter se proyecta sobre obras o infraestructuras o instalaciones, debiéndose completar con una evaluación en la raíz misma del problema, es decir su planificación previa, para que ésta se haga con debido respeto del medio ambiente. De ahí que, expresivamente, se hable de «evaluación estratégica». Esta evaluación ambiental estratégica representa, por tanto, un nivel superior de evaluación de impacto ambiental.

Por eso dicha directiva 2001/42/CE afirma que su objeto es conseguir un elevado nivel de protección del medio ambiente y contribuir a la integración de aspectos medioambientales en la preparación y adopción de planes y programas con el fin de promover un desarrollo sostenible, garantizando la realización de una evaluación medioambiental de determinados planes y programas que puedan tener efectos significativos en el medio ambiente (artículo 1 de la directiva).

La evaluación medioambiental realizada de conformidad con la presente directiva se entenderá sin perjuicio de los requisitos de la otra directiva 85/337/CEE o de cualquier otra norma comunitaria (artículo 11: «relación con otros actos legislativos comunitarios»).

No obstante, y en esta misma línea de la coordinación entre ambas directivas, la 2001/42 prevé que, para aquellos planes y programas para los que existe obligación de efectuar una evaluación de sus efectos en el medio ambiente a la vez en virtud de la presente Directiva y de otras normas comunitarias, los Estados miembros podrán establecer procedimientos coordinados o conjuntos que cumplan los requisitos de la legislación comunitaria correspondiente, con objeto, entre otras cosas, de evitar la duplicación de las evaluaciones.

En fin, en el artículo 3 («ámbito de aplicación») se citan los planes y programas respecto de los cuales, en concreto, se extiende esta evaluación medioambiental:

a) Que se elaboren con respecto a la agricultura, la silvicultura, la pesca, la energía, la industria, el transporte, la gestión de residuos, la gestión de recursos hídricos, las telecomunicaciones, el turismo, la ordenación del territorio urbano y rural o la utilización del suelo y que establezcan el marco para la autorización en el futuro de proyectos enumerados en los anexos I y II de la Directiva 85/337/CE, o

b) Que, atendiendo al efecto probable en algunas zonas, se haya establecido que requieren una evaluación conforme a lo dispuesto en los artículos 6 ó 7 de la Directiva 92/43/CEE (Directiva de hábitat).

La determinación del grado de vinculación de la evaluación de impacto ambiental de la directiva 85/337 respecto de los proyectos mencionados en el Anexo II de esta misma directiva no ha venido siendo pacífico. En principio, la Directiva 85/337/CEE somete a evaluación de impacto ambiental la realización de las obras, instalaciones y actividades comprendidas en el Anexo I del Real Decreto Legislativo, pero deja a la libertad de los Estados someter o no a evaluación de impacto ambiental determinados proyectos descritos en su Anexo II (lo que lleva, por ejemplo, al no sometimiento de las líneas de transporte aéreo de energía eléctrica). Contra una libertad absoluta parecen situarse las sentencias del Tribunal de Justicia de las Comunidades Europeas, de 2 de mayo de 1996, Comisión/Bélgica (C-133/94) (TJCE 1996, 86) y de 22 de octubre de 1998 (Comisión/Alemania, C-301/95) (TJCE 1998, 246). Tanto una como la otra de las citadas sentencias interpretan los artículos 2.1 y 4.2 de la citada Directiva en el sentido de que no permiten «eximir por anticipado de la obligación de evaluar sus repercusiones sobre el medio ambiente a clases enteras de proyectos enumerados en el Anexo II». En este sentido, tras la directiva 97/11/CE, de 3 de marzo de 1997 (su transposición tuvo como fecha límite el 14 de marzo de 1999) los Estados determinan si procede o no la EIA, respecto de los proyectos de la Lista II, mediante estudios caso por caso y utilizando los umbrales o criterios preestablecidos. Además esta directiva amplía los supuestos de ambas listas.

Por su parte, el esquema o sumario del RDLeg 1/2008, de 11 de enero, de EIA de Proyectos es el siguiente:

Capítulo I. disposiciones generales.

Capítulo II: evaluación de impacto ambiental de proyectos.

Sección I: evaluación de impacto ambiental de proyectos del anexo I.

Sección II: evaluación de impacto ambiental de proyectos del anexo II y de proyectos no incluidos en el anexo I que puedan afectar directa o indirectamente a los espacios de la red natura 2000.

Capítulo III: control del cumplimiento de las declaraciones de impacto ambiental.

Es común (así en la Región de Murcia o en la Comunidad Valenciana), que viniera existiendo una normativa con Evaluación de Impacto Ambiental de determinados instrumentos de planificación urbanística y territorial (verdaderos planes), lo que obliga a que estas regulaciones autonómicas deberán adaptarse a la nueva normativa comunitaria y estatal, que si bien diseña un esquema procedimental similar al de la Evaluación de Impacto Ambiental, su contenido varía para ajustarse a las especialidades propias del nuevo ámbito de aplicación, los planes y programas[13].

2. PRINCIPIOS DE PREVENCIÓN Y CAUTELA

Cada vez más se afianzan en la legislación ciertos principios de interés, así el de acción preventiva en virtud del cual es mejor **prevenir o evitar el daño ambiental antes mismo de que se produzca,** no sea que, una vez producido éste, sea demasiado cara su corrección o irreversibles sus efectos. El principio de acción preventiva cristaliza en técnicas como la comentada evaluación de impacto ambiental (o la autorización previa), que permite conocer *ex ante* las repercusiones negativas de determinada obra o proyecto sobre el medio ambiente, con el fin de reducirlas o evitarlas de plano.

Por su parte, el principio de cautela aconseja tomar medidas, ante la sospecha de la existencia de un problema ambiental, **sin esperar a disponer de evidencia científica definitiva sobre su realidad y gravedad,** por lo que el principio se desenvuelve principalmente en un contexto de incertidumbre científica o de incertidumbre fáctica.

La Directiva 85/337, sobre evaluación de impacto ambiental de proyectos se refiere implícitamente al principio de acción preventiva, sin nombrarlo expresamente (dado que sería introducido en el Tratado de la entonces Comunidad Económica Europea al año siguiente). Sin embargo, la Directiva 2001/42, sobre evaluación estratégica de planes y programas (vid. el capítulo 6 de esta obra), cita en su exposición de motivos al principio de cautela (inciso primero). Por su parte, la Ley 9/2006, de 28 de abril, de evaluación ambiental de planes y programas, al transponer la Directiva 2001/42, cita en su exposición de motivos tanto el principio de prevención como el de cautela: por un lado, y como se ha reflejado más arriba, establece que introduce en la legislación española «la evaluación de planes y programas... como un instrumento de prevención»; por otro, se refiere al hecho de que la directiva que transpone está basada en el principio de cautela («los fundamentos que informan tal directiva son el principio de cautela y la necesidad de protección

---

13. Véase J. E. Serrano (codirector), *Comentarios a la legislación urbanística de Murcia,* Madrid, 2008.

del medio ambiente...»). La Directiva 85/337, de evaluación de impacto ambiental de proyectos, fue incorporada en un primer momento por el Real Decreto Legislativo 1302/1986, de 28 de junio, hoy reemplazado por el nuevo texto refundido de la Ley de Evaluación de Impacto Ambiental de proyectos, aprobado por Real Decreto Legislativo 1/2008, de 11 de enero. En su exposición de motivos, este Texto Refundido se refiere a la Directiva 85/337 y dice de ella que incorporó «uno de los principios básicos que deben informar toda política ambiental, como es el de prevención» (tercer párrafo). En cualquier caso, es preciso sostener que el RDLeg 1/2008, de 11 de enero está inspirado también en el principio de acción preventiva, al estarlo la directiva que incorpora. Por su parte, la Ley 42/2007, del Patrimonio Natural y de la Biodiversidad, establece en su artículo 2 (g) que entre sus principios informadores se encuentra el de «la precaución en las intervenciones que puedan afectar a espacios naturales y/o especies silvestres», aunque la ley no acierta al hablar de «precaución», puesto que habría sido más correcto hablar de «prevención» o de «acción preventiva». También la Ley estatal de Montes (Ley 43/2003, de 21 de noviembre, modificada por Ley 10/2006, de 28 de abril) recoge entre sus principios informadores el «principio o enfoque de precaución» [artículo 3.j)] que se explica «en virtud del mal *cuando exista una amenaza* de reducción o pérdida sustancial de diversidad biológica *no debe alegarse la falta de pruebas científicas inequívocas como razón para aplazar las medidas encaminadas a evitar o reducir al máximo esa amenaza*».

Por otro lado, la jurisprudencia, cuando ha detectado este problema de defectuosa o insuficiente evaluación de impacto ambiental, no ha dudado en anular las actuaciones administrativas de referencia. Así, esta práctica parece ser característica del Estado español, según explica A. M. Moreno Molina (*La evaluación de impacto ambiental, Urbanismo y medio ambiente,* Editorial Tirant lo Blanch octubre 2008 p. 290), cuando afirma que «el Tribunal de Justicia de las Comunidades Europeas condenó varias veces a España por defectuosa incorporación de la directiva 85/337, o por mala aplicación de la misma: sentencias del TJCE de 16 de septiembre de 2004, asunto C-227/01 (TJCE 2004, 252) y de 8 de septiembre de 2005, asunto C-121/03 (TJCE 2005, 256) aparte de las ya citadas».

3. MATERIA DE RECURSOS

Es cierto que el medio ambiente supone una limitación jurídica frente al urbanismo. Aquél es una garantía frente a éste. Pero, a su vez, interesa observar las garantías de los particulares frente a las propias decisiones de evaluación ambiental.

La Directiva del Consejo de las Comunidades Europeas 85/337/CEE, de 27 junio, relativa a la evaluación de las repercusiones de determinados proyectos públicos y privados sobre el medio ambiente, _no impone a los Estados miembros un tratamiento jurídico-procesal de tales evaluaciones que permita su control jurisdiccional autónomo o desligado del que quepa abrir contra la resolución autorizatoria del proyecto; ni impone tampoco lo contrario. La autonomía procesal de los Estados miembros en ese aspecto queda incólume, limitándose las obligaciones que el Derecho comunitario les impone, en lo que ahora importa, al necesario sometimiento de determinados proyectos a una previa evaluación de su repercusión sobre el medio ambiente, y a la necesaria_ toma en consideración de ella en el marco del procedimiento de autorización.

No obstante, siguiendo la interpretación de la STS de 17 de noviembre de 1998 (RJ 1998, 10522), en dicha directiva estaría más que latente una «relación» directa entre la evaluación y la toma de decisión sobre la realización del proyecto, haciéndolo en términos suficientemente indicativos del carácter instrumental o medial de la primera respecto de la segunda[14].

Esta interpretación vendría a justificar, en el caso del Derecho español, la solución procesal que ha venido a imponerse, según la cual la declaración de impacto ambiental se configura como un acto de trámite frente al cual las pretensiones que quieran alegarse encontrarán su cauce apropiado en el

---

14. Así, su artículo 1º, número 2, advierte que por «autorización» ha de entenderse «la decisión de la autoridad o de las autoridades competentes que confiere al maestro de obras el derecho a realizar el proyecto»; y dispone en su artículo 2º, número 1, párrafo primero, que «los Estados miembros adoptarán disposiciones necesarias para que, antes de concederse la autorización, los proyectos que puedan tener repercusiones importantes sobre el medio ambiente, en particular debido a su naturaleza, sus dimensiones o su localización, se sometan a una evaluación en lo que se refiere a sus repercusiones»; en el número 2 del mismo artículo se añade que «la evaluación de las repercusiones sobre el medio ambiente podrá integrarse en los procedimientos existentes de autorización de los proyectos en los Estado miembros o, a falta de ellos, en otros procedimientos o en los procedimientos que deberán establecerse para satisfacer los objetivos de la presente Directiva»; y en el artículo 8º que «las informaciones recogidas de conformidad con los artículos 5º, 6º y 7º deberán tomarse en consideración en el marco del procedimiento de autorización». Además de lo anterior, no puede por menos de observarse que la Directiva se refiere reiteradamente a la idea o concepto de evaluación, en el que no integra un componente de decisión propiamente dicha: y que cuando se detiene a contemplar la intervención de «las autoridades que puedan estar interesadas en el proyecto, debido a su responsabilidad específica en materia de medio ambiente», lo que impone a los Estados miembros es el deber de que adopten medidas necesarias para que dichas autoridades «tengan la posibilidad de dar su dictamen sobre la solicitud de autorización» (artículo 6.1).

momento de la impugnación de la resolución final dictada por la autoridad con competencia sustantiva sobre la base de la evaluación de impacto ambiental realizada por la autoridad ambiental.

Según la jurisprudencia del Tribunal Supremo la DIA es un acto de trámite con una eficacia condicionada a la aprobación del proyecto o norma donde dicho acto se incardina. No es que aquélla carezca de eficacia, sino que ésta queda diluida en la resolución final aprobatoria del proyecto o norma en cuestión.

Tal como afirma la jurisprudencia del Tribunal Supremo, «sin embargo, la Autoridad competente sustantiva, lejos de quedar absolutamente vinculada por aquel "juicio", puede discrepar de él en cualquiera de los aspectos que lo integran, esto es, tanto en el aspecto referido a la conveniencia de ejecutar el proyecto, como en el del contenido del condicionado al que haya de sujetarse (artículo 20 del Real Decreto)» (STS de 24 de noviembre de 2003 [RJ 2003, 8618]; STS de 5 de julio de 2006 [RJ 2006, 7211]).

En términos similares se pronuncian las STS de 19 de octubre de 2005 (RJ 2005, 7703), STS de 13 de octubre de 2003 (RJ 2003, 8871), STSJ de Andalucía, Granada, de 2 de diciembre de 2002 (RJCA 2003, 180), STSJ de Andalucía, Sevilla, de 2 de diciembre de 2005 (RJCA 2006, 229) y la STSJ de Andalucía, Granada, de 24 de noviembre de 2003 (RJCA 2004, 28).

De este modo, toda posición que no siga estos criterios de la jurisprudencia, procurando defender un carácter vinculante de la DIA, se movería en un plano *lege ferenda*.

Pero, más bien, la doctrina mayoritaria mantiene el carácter no vinculante de la Declaración de Impacto Ambiental.

No obstante, a mi juicio, a pesar del carácter no vinculante, no puede marginarse de modo alguno la importancia de la DIA. Más bien, representa ésta un criterio de legalidad sobre la necesidad de aplicar las normas en que se basa.

Tal como expresa la STS de 14 de junio de 1999 (RJ 1999, 4272), en todo caso, la vinculatoriedad se refiere al órgano administrativo, pero no a los órganos judiciales que podrán inclinarse por el resultado de otros informes o pericias que hayan podido practicarse, pues, en definitiva, lo importante son los contenidos y motivaciones (sean éstos cuales fueren) de los informes (igualmente, Auto del TSJ de la Comunidad Valenciana de 15 de enero de 2007 [RJCA 2007, 337]).

Ilustrativa es ciertamente también la sentencia del TSJ de Cantabria de 27 de abril de 2001 (JUR 2001, 182243) cuando, en alusión al citado principio de competencia, afirma que «de la anterior doctrina podemos **extraer la conclusión de que *la Administración Autonómica (ambiental) se extralimitaría en el ejercicio de sus competencias si basara la denegación de la autorización en razones urbanísticas,*** siendo así que el acomodo de lo proyectado a la legislación y planeamiento urbanístico es una cuestión que debe y, deberá en este caso, ser dilucidada por la Administración municipal».

En la práctica un problema que se está planteando es el de las DIAs que clasifican suelo incluso al margen de las categorías urbanísticas, inventando situaciones especiales de suelo.

Otras veces es preciso salvar posibles contradicciones entre la DIA y un PORN, sin que sea lógico que una DIA pueda ir más allá ambientalmente de aquellas exigencias que contiene un PORN (STSJ de Andalucía, Sala de Granada, de 2 de diciembre de 2002 [RJ 2003, 180]).

Sin embargo, la STS de 12 de diciembre de 2007 (RJ 2008, 1493) sostiene que una DIA puede contrariar el PORN aunque en el sentido de poder declarar como no urbanizable un suelo que el PORN consideraba urbanizable:

> «Ello quiere decir, no sólo que los instrumentos de planificación de los recursos naturales, y en especial de los espacios naturales y de las especies no excluyen la necesidad de las DIAs, sino también, que éstas pueden, sin que por ello entren en contradicción con aquéllos ni vulneren por tanto lo dispuesto en aquel artículo 5 de la Ley 4/1989, entender necesario u oportuno que determinados suelos queden preservados temporal o definitivamente de un desarrollo urbanístico o de un modelo de desarrollo que sin embargo no excluyó el Plan de Ordenación de los Recursos Naturales. En definitiva, éste permite, por no entrar en contradicción con él sino todo lo contrario, que el instrumento de ordenación urbana prevea una preservación medioambiental más extensa que la que el PORN consideró necesaria para proteger el concreto recurso natural objeto del mismo».

Aunque el fallo tiende a la mayor protección del medio ambiente, lo cierto es que *lege lata* lo procedente parece ser la vinculación de los instrumentos ambientales sobre los urbanísticos y no al revés.

Sobre la relación entre la EIA y las ZEPAs puede verse la STS (Sala de lo Contencioso-Administrativo, Sección 5ª) de 7 julio de 2004 (RJ 2004, 6506) y los artículos 16 y siguientes del Real Decreto Legislativo 1/2008, de 11 de enero de Evaluación Ambiental de Proyectos.

4. LOS CONTENIDOS AMBIENTALES DE LOS PLANES URBANÍSTICOS Y TERRITORIALES Y LOS CONTENIDOS TERRITORIALES Y URBANÍSTICOS DE LOS PLANES AMBIENTALES

La interrelación entre lo urbanístico y territorial por un lado y lo ambiental por otro lado justifica la existencia de regulaciones urbanísticas o territoriales en planes ambientales, por una parte, y la existencia de contenidos ambientales en los planes territoriales o urbanísticos.

En términos generales prevalece el planeamiento ambiental sobre el planeamiento urbanístico o territorial. Es expresivo el Preámbulo de la Ley 42/2007, de 13 de diciembre, del Patrimonio Natural y de la Biodiversidad cuando afirma (al igual que ya antes el artículo 5 de la Ley 4/1989, de 27 de marzo, de Conservación de los Espacios Naturales y de la Flora y Fauna Silvestres por referencia a los Planes de Ordenación de los Recursos Naturales, PORN, derogada por la presente Ley 42/2007):

> «El tercer componente del Título I alude al planeamiento de los recursos naturales y *mantiene como instrumentos básicos del mismo los Planes de Ordenación de los Recursos Naturales y las Directrices para la Ordenación de los Recursos Naturales,* creados en la Ley 4/1989, de 27 de marzo, de Conservación de los Espacios Naturales y de la Flora y Fauna Silvestres, perfilando los primeros como el instrumento específico de las Comunidades Autónomas para la delimitación, tipificación, integración en red y determinación de su relación con el resto del territorio, de los sistemas que integran el patrimonio y los recursos naturales de un determinado ámbito espacial. Las disposiciones contenidas en estos Planes constituirán un límite de cualesquiera otros instrumentos de ordenación territorial o física, prevaleciendo sobre los ya existentes, condición indispensable si se pretende atajar el grave deterioro que sobre la naturaleza ha producido la acción del hombre».

Junto a estos Planes (PORN) existen otros instrumentos de planeamiento ambiental; así las Directrices para la Ordenación de los Recursos Naturales, cuyo objeto es el establecimiento y definición de criterios y normas generales de carácter básico que regulan la gestión y uso de los recursos naturales (artículo 16.3 de la Ley 42/2007, de 13 de diciembre, de Patrimonio Natural y de la Bioviversidad). A esta Ley es preciso remitirse (artículos 24 y ss.) para una consulta de otros instrumentos de protección del patrimonio natural[15].

Además, en la legislación ambiental sectorial se contienen Planes de

---

15. Téngase en cuenta que la citada Ley 42/2007, de 13 de diciembre, de Patrimonio Natural y de la Bioviversidad deroga el RD 1997/1995, de 7 de diciembre por el que se establecen medidas para contribuir a garantizar la biodiversidad mediante la conservación de los hábitat naturales y de la fauna y flora silvestres en el territorio español.

carácter ambiental con clara repercusión territorial. Es preciso citar la planificación hidrológica de acuerdo con la Ley de Aguas, el Plan Nacional de Saneamiento y Depuración de aguas Residuales, el Plan Nacional de Recuperación de Suelos Contaminados; el Plan Nacional de Residuos Urbanos, el Plan Nacional de Lodos de Depuradoras de Aguas Residuales, el Plan Forestal Español, el Programa Nacional de reducción progresiva de emisiones nacionales de dióxidos de azufre, óxidos de nitrógeno, compuestos orgánicos volátiles y amoníaco.

5. EL PATRIMONIO NATURAL Y DE LA BIODIVERSIDAD. RED NATURA 2000. ZEPAS, LIC Y ZECONS

Es preciso empezar esta cuestión aludiendo al cambio que ha experimentado el sistema de fuentes. La reciente Ley 42/2007, de 13 de diciembre, de Patrimonio Natural y de la Biodiversidad viene a derogar y sustituir a la Ley 4/1989, de 27 de marzo, de Conservación de los Espacios Naturales y de la Flora y Fauna Silvestres que, a su vez, en parte procedía de la Ley de 2 de mayo de 1975, de Espacios Naturales Protegidos, y a las sucesivas modificaciones de aquélla.

El primer Título de la Ley 42/2007 recoge la regulación de los instrumentos precisos para el conocimiento y la planificación del patrimonio natural y la biodiversidad. En él se considera, en primer lugar, el Inventario del Patrimonio Natural y de la Biodiversidad (...).

El segundo componente del Título primero hace referencia al Plan Estratégico Estatal del Patrimonio Natural y de la Biodiversidad (...).

El tercer componente del Título I alude al planeamiento de los recursos naturales y mantiene como instrumentos básicos del mismo los Planes de Ordenación de los Recursos Naturales y las Directrices para la Ordenación de los Recursos Naturales, creados en la Ley 4/1989, de 27 de marzo, de Conservación de los Espacios Naturales y de la Flora y Fauna Silvestres (...). Se incorporan a la planificación ambiental o a los Planes de Ordenación de los Recursos Naturales, los corredores ecológicos (...)[16].

---

16. «Con el fin de mejorar la coherencia ecológica y la conectividad de la Red Natura 2000, las Comunidades Autónomas, en el marco de sus políticas medioambientales y de ordenación territorial, fomentarán la conservación de corredores ecológicos y la gestión de aquellos elementos del paisaje y áreas territoriales que resultan esenciales o revistan primordial importancia para la migración, la distribución geográfica y el intercambio genético entre poblaciones de especies de fauna y flora silvestres» (artículo 46 de la Ley 42/2007).

El Título II, recoge la catalogación y conservación de hábitat y espacios del patrimonio natural (...).

El segundo capítulo del Título II establece el régimen especial para la protección de los espacios naturales (...).

El tercer capítulo del Título II se centra en la **Red Ecológica Europea Natura 2000, compuesta por los Lugares de Importancia Comunitaria, las Zonas Especiales de Conservación y las Zonas de Especial Protección para las Aves.** Estos espacios tendrán la consideración de espacios protegidos, con la denominación específica de espacios protegidos Red Natura 2000, con el alcance y las limitaciones que las Comunidades Autónomas establezcan en su legislación y en los correspondientes instrumentos de planificación.

Las Comunidades Autónomas definirán estos espacios y darán cuenta de los mismos al Ministerio de Medio Ambiente a efectos de su comunicación a la Comisión Europea, así como fijarán las medidas de conservación necesarias, que implicarán apropiadas medidas reglamentarias, administrativas o contractuales, y asegurar su inclusión en planes o instrumentos adecuados, que respondan a las exigencias ecológicas de los tipos de hábitat naturales y de las especies presentes en tales áreas, vigilando el estado de conservación y remitiendo la información que corresponda al Ministerio de Medio Ambiente, que presentará el preceptivo informe cada seis años a la Comisión Europea.

La definición de estos espacios se realizará conforme a los criterios fijados en la Directiva 92/43/CEE del Consejo, de 21 de mayo de 1992 (LCEur 1992, 2415), relativa a la conservación de los hábitat naturales y de la fauna y flora silvestres, que ha sido objeto de transposición por norma de rango reglamentario.

Para asegurar la preservación de los valores que han dado lugar a la definición de estas zonas, se establecen las correspondientes cautelas, de forma que cualquier plan, programa o proyecto que, sin tener relación directa con la gestión de un espacio de la Red Natura 2000, o sin ser necesario para la misma, pueda afectar de forma apreciable a los citados lugares, ya sea individualmente o en combinación con otros planes, programas o proyectos, **se someterá a una adecuada evaluación de sus repercusiones en el lugar,** de forma que las Comunidades Autónomas correspondientes sólo manifestarán su conformidad con dicho plan, programa o proyecto tras haberse asegurado de que no causará perjuicio a la integridad del lugar en cuestión y, si procede, tras haberlo sometido a información pública. En este sentido, se acepta que podrá realizarse el plan, programa o proyecto, pese a causar perjuicio, si existen razones **imperiosas de interés público de primer orden que, para cada supuesto concreto, hayan** sido declaradas mediante una ley o mediante acuerdo, motivado y público, del Consejo de Ministros o del órgano de Gobierno de la Comunidad Autónoma. Por último, se establece que sólo se podrá proponer la descatalogación total o parcial de un espacio incluido en Red Natura 2000 cuando así lo justifiquen los cambios provocados en el mismo por la evolución natural, y previo trámite de información pública.

Los artículos 41 y ss. son los preceptos que regulan estos tres espacios mencionados (ZEPA, ZECONS, LIC).

Los Lugares de Importancia Comunitaria o Lugares de Interés Comunitario (LIC) son aquellos espacios del conjunto del territorio nacional o de las aguas marítimas bajo soberanía o jurisdicción nacional, incluidas la zona económica exclusiva y la plataforma continental, aprobados como tales, que contribuyen de forma apreciable al mantenimiento o, en su caso, al restablecimiento del estado de conservación favorable de los tipos de hábitat naturales y los hábitat de las especies de interés comunitario, que figuran respectivamente en los Anexos I y II de esta Ley, en su área de distribución natural.

El procedimiento para su declaración parte de una iniciativa autonómica, una intervención ministerial y una aprobación europea:

Las Comunidades Autónomas elaborarán, en base a los criterios establecidos en el Anexo III y a la información científica pertinente, una lista de lugares situados en sus respectivos territorios que puedan ser declarados como zonas especiales de conservación. La propuesta, que indicará los tipos de hábitat naturales y las especies autóctonas de interés comunitario existentes en dichos lugares, se someterá al trámite de información pública.

El Ministerio de Medio Ambiente propondrá la lista a la Comisión Europea para su aprobación como Lugar de Importancia Comunitaria.

Desde el momento que se envíe al Ministerio de Medio Ambiente la lista de los espacios propuestos como Lugares de Importancia Comunitaria, para su traslado a la Comisión Europea, éstos pasarán a tener un régimen de protección preventiva que garantice que no exista una merma del estado de conservación de sus hábitat y especies hasta el momento de su declaración formal. El envío de la propuesta de un espacio como Lugar de Importancia Comunitaria conllevará, en el plazo máximo de seis meses, hacer público en el boletín oficial de la administración competente sus límites geográficos, los hábitat y especies por los que se declararon cada uno, los hábitat y especies prioritarios presentes y el régimen preventivo que se les aplicará.

Una vez aprobadas o ampliadas las listas de Lugares de Importancia Comunitaria por la Comisión Europea, éstos serán declarados por las Comunidades Autónomas correspondientes como Zonas Especiales de Conservación lo antes posible y como máximo en un plazo de seis años, junto con la aprobación del correspondiente plan o instrumento de gestión. Para fijar la prioridad en la declaración de estas Zonas se atenderá a la importancia de los lugares, al mantenimiento en un estado de conservación favorable o al restablecimiento de un tipo de hábitat natural de interés comunitario o de una especie de interés comunitario, así como a las amenazas de deterioro y destrucción que pesen sobre ellas, todo ello con el fin de mantener la coherencia de la Red Natura 2000.

En el artículo 43 de la Ley 42/2007 se definen las ZEPA como «los espacios del territorio nacional y de las aguas marítimas bajo soberanía o jurisdicción nacional, incluidas la zona económica exclusiva y la plataforma continental, más adecuados en número y en superficie para la conservación de las especies de aves incluidas en el anexo IV de esta Ley y para las aves migratorias de presencia regular en España, serán declaradas como Zonas de Especial Protección para las Aves, estableciéndose en ellas medidas para evitar las perturbaciones y de conservación especiales en cuanto a su hábitat, para garantizar su supervivencia y reproducción. Para el caso de las especies de carácter migratorio que lleguen regularmente a territorio español, se tendrán en cuenta las necesidades de protección de sus áreas de reproducción, alimentación, muda, invernada y zonas de descanso, atribuyendo particular importancia a las zonas húmedas y muy especialmente a las de importancia internacional».

El procedimiento para su declaración parte de una iniciativa autonómica, una intervención ministerial y una aprobación europea:

«Las Comunidades Autónomas, previo procedimiento de información pública, declararán las Zonas Especiales de Conservación y las Zonas de Especial Protección para las Aves en su ámbito territorial. Dichas declaraciones se publicarán en los respectivos Diarios Oficiales incluyendo información sobre sus límites geográficos, los hábitat y especies por los que se declararon cada uno. De ellas se dará cuenta al Ministerio de Medio Ambiente a efectos de su comunicación a la Comisión Europea, de conformidad con lo establecido en el artículo 10 de la Ley 30/1992, de 26 de noviembre (RCL 1992, 2512 y 2775; RCL 1993, 246), de Régimen Jurídico de las Administraciones Públicas y del Procedimiento Administrativo Común» (artículo 44 de la Ley 42/2007).

En el artículo 45 de la Ley 42/2007 se prevé la regulación de las medidas de conservación de la Red Natura 2000, afirmando que «respecto de las Zonas Especiales de Conservación y las Zonas de Especial Protección para las Aves, las Comunidades Autónomas fijarán las medidas de conservación necesarias, que respondan a las exigencias ecológicas de los tipos de hábitat naturales y de las especies presentes en tales áreas, que implicarán (...)». Además, las Administraciones competentes tomarán las medidas apropiadas, en especial en dichos planes o instrumentos de gestión, para evitar en los espacios de la Red Natura 2000 el deterioro de los hábitat naturales y de los hábitat de las especies, así como las alteraciones que repercutan en las especies que hayan motivado la designación de estas áreas, en la medida en que dichas alteraciones puedan tener un efecto apreciable en lo que respecta a los objetivos de la presente Ley.

Se entiende así que cualquier plan, programa o proyecto que, sin tener relación directa con la gestión del lugar o sin ser necesario para la misma, pueda afectar de forma apreciable a los citados lugares, ya sea individualmente o en combinación con otros planes o proyectos, se someterá a una adecuada **evaluación de sus repercusiones en el lugar,** que se realizará de acuerdo con las normas que sean de aplicación, de acuerdo con lo establecido en la legislación básica estatal y en las normas adicionales de protección dictadas por las Comunidades Autónomas, teniendo en cuenta los objetivos de conservación de dicho lugar. A la vista de las conclusiones de la evaluación de las repercusiones en el lugar y supeditado a lo dispuesto en el apartado 5 de este artículo, los órganos competentes para aprobar o autorizar los planes, programas o proyectos sólo podrán manifestar su conformidad con los mismos tras haberse asegurado de que no causará perjuicio a la integridad del lugar en cuestión y, si procede, tras haberlo sometido a información pública. Si, a pesar de las conclusiones negativas de la evaluación de las repercusiones sobre el lugar y a falta de soluciones alternativas, debiera realizarse un plan, programa o proyecto por razones imperiosas de interés público de primer orden, incluidas razones de índole social o económica, las Administraciones Públicas competentes tomarán cuantas medidas compensatorias sean necesarias para garantizar que la coherencia global de Natura 2000 quede protegida.

La concurrencia de razones imperiosas de interés público de primer orden sólo podrá declararse para cada supuesto concreto (...).

En el artículo 48 se regula la posibilidad de la descatalogación total o parcial de un espacio incluido en Red Natura 2000: sólo podrá proponerse cuando así lo justifiquen los cambios provocados en el mismo por la evolución natural, científicamente demostrada, reflejados en los resultados del seguimiento definido en el artículo anterior. En todo caso, el procedimiento incorporará un trámite de información pública, previo a la remisión de la propuesta a la Comisión Europea.

Este precepto se completa con el artículo 51 («alteración de la delimitación de los espacios protegidos») de la misma Ley y con el artículo 13 del TRLS de 2008. Según el artículo 51 de la Ley 42/2007 «sólo podrá alterarse la delimitación de espacios naturales protegidos o de la Red Natura 2000, reduciendo su superficie total o excluyendo terrenos de los mismos, cuando así lo justifiquen los cambios provocados en ellos por su evolución natural, científicamente demostrada. En el caso de alteraciones en las delimitaciones de espacios protegidos Red Natura 2000, los cambios debidos a la evolución natural deberán aparecer debidamente reflejados en los resultados del seguimiento previsto en el artículo 47».

Además: «toda alteración de la delimitación de áreas protegidas deberá someterse a información pública, que en el caso de los espacios protegidos Red Natura 2000 se hará de forma previa a la remisión de la propuesta de descatalogación a la Comisión Europea y la aceptación por ésta de tal descatalogación. El cumplimiento de lo previsto en los párrafos anteriores no eximirá de las normas adicionales de protección que establezcan las Comunidades Autónomas».

En un plano europeo, estas referencias han de entenderse en relación con la Directiva 79/409/CEE del Consejo, de 2 de abril de 1979, relativa a la conservación de las aves silvestres, cuando impone a los Estados miembros de la Unión Europea la obligación de clasificar como Zonas de Especial Protección para las Aves (ZEPA) los ámbitos territoriales necesarios para la adecuada conservación de las especies de aves consideradas en la Directiva.

Las ZEPA, junto con las Zonas de Especial Conservación que se declaren a partir de los Lugares de Interés Comunitario (LIC) designados en virtud de la Directiva 92/43 CEE, del Consejo, de 21 de mayo, relativa a la Conservación de los Hábitat Naturales y de la Flora y Fauna Silvestres, forman parte de la red ecológica europea coherente de zonas especiales de conservación denominada «Natura 2000», según lo establecido en la misma Directiva 92/43 CEE.

En un plano autonómico, y profundizando en el caso de las ZEPA, de acuerdo con las competencias de las CCAA corresponde a éstas la designación de las áreas que serán clasificadas como ZEPA, a propuesta de la Consejería competente sobre medio ambiente.

La Comisión Europea consideró que las ZEPA de siete Comunidades Autónomas españolas eran manifiestamente insuficientes para asegurar la protección de todas las áreas que cumplen los criterios técnicos objetivos para ser clasificados como ZEPA atendiendo a la Directiva 79/409/CEE.

Esta insuficiencia motivó la remisión por la Comisión al Reino de España, el 26 de enero de 2000, de un primer escrito de requerimiento. Posteriormente, al considerar que las respuestas de las autoridades españolas y las informaciones y propuestas para designar nuevas ZEPA, remitidas por el Ministerio de Medio Ambiente entre mayo de 2000 y enero de 2001, no eran convincentes, la Comisión emitió el 31 de enero de 2001 un Dictamen Motivado en el que instaba al Reino de España a tomar las medidas necesarias en el plazo de dos meses, prorrogado después hasta el 3 de mayo de 2001.

Entre abril de 2001 y octubre de 2002, el Ministerio de Medio Ambiente comunicó a la Comisión la designación de nuevas ZEPA y la ampliación de otras ya existentes.

Sin embargo, la Comisión consideró que estas respuestas al Dictamen Motivado eran insuficientes. Por esta razón, tras recibir durante 2003 y 2004 nuevas informaciones y propuestas de ampliación de ZEPA en España, la Comisión interpuso ante el Tribunal de Justicia de las Comunidades Europeas, el 4 de junio de 2004, un Recurso contra el Reino de España por incumplimiento de la Directiva 79/409 CEE (asunto C-235/04), conforme al artículo 226 del Tratado Constitutivo de la Comunidad Europea.

Este Recurso, tras la vista oral celebrada el 22 de junio de 2006 con asistencia de representantes del Ministerio de Medio Ambiente y de las Comunidades Autónomas afectadas, dio lugar a la Sentencia de 28 de junio de 2007 (TJCE 2007, 174), la cual es favorable a las tesis de la Comisión sobre el incumplimiento de la Directiva.

La Sentencia declara literalmente que «... *el Reino de España ha incumplido las obligaciones que le incumben en virtud del artículo 4, apartados 1 y 2, de la Directiva 79/409/CEE del Consejo, de 2 de abril de 1979, relativa a la conservación de las aves silvestres, en su versión modificada, en particular, por la Directiva 97/49/CE de la Comisión, de 29 de julio de 1997, al no haber clasificado como zonas de protección especial para las aves territorios suficientes en superficie en las Comunidades Autónomas de Andalucía, Baleares y Canarias y territorios suficientes en número en las Comunidades Autónomas de Andalucía, Baleares, Canarias, Castilla-La Mancha, Cataluña, Galicia y Valencia para ofrecer una protección a todas las especies de aves enumeradas en el anexo I de esta Directiva, así como a las especies migratorias no contempladas en dicho anexo».*

El incumplimiento indicado en la Sentencia se refiere únicamente a las áreas que no están incluidas en la actual red de ZEPA, pero que potencialmente reúnen condiciones para ello atendiendo a la Directiva. El criterio determinante que define esta potencialidad es, para la Comisión Europea, el Inventario de Áreas de Interés para las Aves *(Important Bird Areas)* de la Unión Europea («Inventario IBA 98»), elaborado por la asociación *Bird Life International* (representada en España por la Sociedad Española de Ornitología, SEO). De hecho este criterio es prácticamente el argumento único del citado Dictamen Motivado de 31 de enero de 2001.

Incidentalmente, fuera de la línea argumental de esta Memoria, cabe recordar aquí que el Tribunal desestimó los reparos técnicos manifestados por la parte española en su conjunto (Ministerio de Medio Ambiente, Comunidades Autónomas afectadas y Abogacía del Estado) sobre el carácter determinante que ha tenido el «Inventario IBA 98» en la exigencia de la Comisión sobre ampliación de las ZEPA, según indica extensamente la Sentencia. Posteriormente, la STJCE Luxemburgo (Sala Segunda) de 25 octubre 2007 (TJCE 2007, 296), ha vuelto a incidir en la línea del fallo anterior aunque por referencia a Grecia.

Importante es conocer el procedimiento administrativo que se propone en estos casos, para la tramitación de los obligados Acuerdos autonómicos de ampliación de la red de ZEPA, el cual viene a ser el siguiente (tomo como referencia el ejemplo referido de la Comunidad valenciana):

• Información pública del proyecto, al menos durante dos meses.

• Audiencia a los Ayuntamientos afectados territorialmente.

• Comunicación preliminar del proyecto al Ministerio de Medio Ambiente.

• Consulta a todas las Consellerias (tomo como referencia el ejemplo referido de la Comunidad valenciana).

• Estudio e informe de las alegaciones y observaciones recibidas.

• Informe jurídico sobre el expediente.

• Dictamen del Consejo Asesor y de Participación del Medio Ambiente (CA-PMA).

• Acuerdo del Consell, con publicación en el Diario Oficial de la Comunidad Valenciana.

• Comunicación del Acuerdo al Ministerio de Medio Ambiente.

Sobre este sistema merece decirse lo siguiente: los LIC y ZEPA representan un fenómeno que se ha extendido por toda la geografía peninsular planteando el debate sobre las garantías del propietario desde el punto de vista de su derecho de propiedad y de su posible derecho a trasformar el suelo en especial en aquellos casos en que tenía reconocido este derecho con anterioridad a la ZEPA (o al LIC).

Estos espacios se declararon en su día, por las CCAA, con un cierto efecto sorpresa, sin que el trámite de información pública haya representado un mecanismo real de defensa de los afectados. El sistema jurídico parece, además, estar pensando en que esta declaración inicial como LIC, por las Comunidades Autónomas, es un acto de trámite a expensas de la decisión de las instancias comunitarias europeas.

Y, en esta sede europea, tampoco parece fácil la contestación, que puede interesar al particular, de la zona LIC o ZEPA, a efectos de su debate o discusión. No consta la realización de una información pública a este nivel europeo, o de unas garantías de alegación o de recurso.

Además, estos espacios han podido identificarse por las CCAA siguiendo una cartografía o unos medios técnicos que han podido revelarse como inadecuados.

Desde el punto de vista de las garantías de los afectados estamos ante un tema que posiblemente en el futuro inmediato tenga un mayor desarrollo. Hasta la fecha lo propio ha sido la ausencia de garantías efectivas de recurso en torno a toda esta temática de las declaraciones como ZEPA o LIC de este tipo de espacios. Pero por pura lógica tendrán que poder ser revisables judicialmente este tipo de declaraciones porque en Derecho administrativo, si hay una realidad clásica y consustancial a dicho Derecho es que hasta las más loables finalidades públicas llevan consigo las debidas garantías anulatorias, de audiencia, de recurso, de revisión judicial adecuada, o dado el caso indemnizatorias.

Interesantes son, por ello, los pronunciamientos judiciales que se están dictando sobre el particular. Así, la sentencia del TSJ de Murcia, de 27 de mayo de 2005 (RJCA 2007, 112) es un ejemplo de revisión de un Acuerdo del Consejo de Gobierno de la Comunidad Autónoma de la Región de Murcia (de 30 de marzo de 2001) por el que se designan como ZEPA ciertas Sierras citadas en la sentencia. Los interesados, propietarios de la zona, solicitan la anulación del Acuerdo, porque lo consideran no motivado, carente de debido fundamento, perjudicial para el derecho de propiedad y atentatorio del derecho de audiencia por no haberse tramitado siquiera una información pública. Esta sentencia ejemplifica el control judicial que se realiza sobre este tipo de Acuerdos examinando estas cuestiones de Derecho. Finalmente, se desestima el recurso contencioso-administrativo, por no haberse acreditado los primeros extremos mencionados. El punto más escabroso es el que resulta del examen de la ausencia de información pública (F. 8º), ya que la sentencia se ve en la necesidad de afirmar que dicho defecto formal no puede llevar a la anulación del Acuerdo, considerando además que en fase de recurso de reposición pudieron alegar los interesados.

Otro ejemplo de revisión de un Acuerdo del Consejo de Gobierno de la Región de Murcia (en este caso de nuevo el de fecha 30 de marzo de 2001) es la STSJ de 23 de octubre de 2003 (JUR 2003, 276893). En esta sentencia, de nuevo se insiste en la necesidad de un trámite de información pública (frente a la alegación de la Administración), pero finalmente se concluye de igual modo que en la sentencia citada anteriormente.

Al igual que en estas sentencias, también termina pesando el hecho de que el Acuerdo impugnado sea aplicación del Derecho europeo, en la sentencia del TSJ de 15 de junio de 2007 (RJCA 2007, 672). En el presente supuesto la designación del espacio como ZEPA ayudó al convencimiento del tribunal de que el espacio en cuestión debía ser clasificado como suelo no urbanizable, contra la pretensión de la parte recurrente de una clasificación como urbanizable del suelo de su propiedad en el marco de un litigio contra la impugnación de un Plan General (similar la STSJ de Murcia de 23 de febrero de 2007 [JUR 2007, 368684]).

El auto del TSJ de Murcia, de 26 de julio de 2007 (JUR 2007, 368588) ilustra, por otra parte, de la posibilidad de pedir medidas cautelares. En este caso, más bien, la Sala accede a una medida cautelar de suspensión del Plan General, por afectar dicha modificación del Plan General a un espacio designado como ZEPA, ya que los intereses públicos no sufren perjuicio por esta suspensión, considerando además los beneficios ambientales que puede causar esta medida cautelar (el caso es el polémico asunto conocido como «Zerrichera»).

En la STSJ de Murcia, de 28 de febrero de 2005 (RJCA 2007, 402) se enjuicia la alegación de la parte recurrente según la cual la modificación de un PGOU vulnera la normativa ambiental por existir una ZEPA que no es suficientemente considerada. No obstante, no fue el caso conforme a los hechos del supuesto.

También puede ocurrir lo contrario de lo planteado hasta el momento (una impugnación contra la designación del terreno como ZEPA o para la desaparición de la afección ambiental), ya que la pretensión podrá ser, más bien, que se extienda la protección a otros lugares diferentes de los que contempla el Acuerdo del Consejo de Gobierno donde se designan las ZEPA. Así ocurre en la STSJ de Murcia de 24 de febrero de 2006 (JUR 2007, 87303). La pretensión se desestima considerando que la Comisión Europea y los Informes técnicos acreditan sobradamente que es correcta la delimitación realizada, además de que la queja de los recurrentes fue examinada ya y rechazada a nivel regional y comunitario.

En suma, se realiza un examen de este tipo de decisiones, a nivel judicial, aunque se manifiesta cierta complejidad en realizar el enjuiciamiento y una especial dificultad en pretender que, a través de la vía de recurso contencioso-administrativo, el Tribunal pueda llegar a contrariar este tipo de decisiones avaladas por el propio Derecho europeo y decisiones comunitarias.

Capítulo XVII

Planes de protección civil y planeamiento territorial y urbanístico

Un tema interesante, y poco tratado, es el de la posible vinculación de los planes de protección civil sobre el planeamiento urbanístico. Generalmente, la doctrina que ha estudiado la protección civil (hasta la más completa) no desarrolla el tema de la relación entre los planes de protección civil y el planeamiento territorial o urbanístico, refiriéndose únicamente, cuando más, a ciertas recomendaciones acerca de la posibilidad de seguir las pautas establecidas por los servicios de protección civil, por parte de la Administración con competencia urbanística o territorial[17]. Por su parte, los estudios de Derecho urbanístico suelen obviar referencia alguna a esta misma cuestión, a pesar de que no faltan en la legislación urbanística o territorial menciones, por ejemplo, a la necesidad de prevenir «desastres naturales» o fenómenos similares.

En efecto, la legislación territorial o urbanística se hace eco de la necesidad de prevenir este tipo de desastres naturales.

Interesante es observar (a la luz de la Ley 11/1992, de 24 noviembre, de Ordenación del Territorio, de Aragón) cómo los desastres naturales pueden justificar una situación de excepción o quiebra de los mecanismos reguladores ordinarios de la normativa[18].

---

17. F. J. AYALA-CARCEDO/J. OLCINA CANTOS, *Riesgos naturales,* Barcelona, 2002, pp. 1359, 1383 y 1398; J. OCHOA MONZÓ, *Riesgos mayores y protección civil,* Madrid, 1996, pp. 177, 256, 263, 264 y 296, y la bibliografía citada, en ambas obras, en materia de protección civil.

18. Así en la disposición adicional octava de la Ley citada se establece que «no obstante el carácter vinculante de los instrumentos de ordenación del territorio previstos en esta Ley, en casos de desastres naturales o situaciones de emergencia podrán llevarse a cabo las actuaciones que sean precisas para remediar tales situaciones sin necesidad de ajustarse estrictamente a las previsiones contenidas en aquellos instrumentos». Esta *ratio* de excepción no es, evidentemente, exclusiva de la legislación urbanística o territorial. Por ejemplo, el Convenio de la OIT de 22 junio 1995, nº 176, ratificado por Instrumento de 24 abril 1997, Convenio sobre Seguridad y Salud en las Minas (número 176 de la OIT), hecho en Ginebra se requiere a la legislación nacional a medidas relativas a «los procedimientos para la notificación y la investigación de los accidentes mortales o graves, los incidentes peligro-

La repercusión, en general, de la protección civil en el urbanismo y la ordenación territorial puede básicamente producirse de dos modos. Primero, y fundamentalmente, a través de los informes de la Dirección General de Protección Civil (en el marco de los propios informes de la Consejería autonómica con competencia en medio ambiente) en el momento de la declaración de impacto ambiental de un determinado proyecto. Los informes de la citada Dirección General cuentan con una especial *auctoritas,* debido en el fondo a la propia importancia que tienen sus contenidos (por aludir a materias tan trascendentales como las inundaciones, los fenómenos sísmicos, los riesgos de incendios, etc.) para una planificación urbanística adecuada.

La tensión entre, por un lado, protección civil (a la hora de recomendar que no se urbanice en determinadas zonas, por motivos de este carácter preventivo frente a posibles inundaciones o terremotos por ejemplo) y, por otro lado, los urbanizadores y poderes públicos está servida, por la propia

---

sos y *los desastres acaecidos en las minas,* según se definan en la legislación nacional, entre otras medidas (puede verse el artículo 8 del citado Convenio). Por completar estas referencias, relativas a cómo los desastres naturales, en cuanto tales, justifican regímenes jurídicos de excepción, puede citarse el Protocolo por el que se adapta el Acuerdo sobre el Espacio Económico Europeo, hecho en Bruselas el 17 de marzo de 1993, y Acuerdo sobre el Espacio Económico Europeo hecho en Oporto el 2 de mayo de 1992 cuyo artículo 61 logra excepcionar el régimen ordinario de ayudas otorgadas por los Estados miembros ("bajo cualquier forma, que falseen o amenacen con falsear la competencia") a favor de determinadas empresas o producciones, en el caso de las "ayudas destinadas a reparar los perjuicios causados por desastres naturales o por otros acontecimientos de carácter excepcional". También, por ejemplo, en el ámbito del transporte puede citarse el Acuerdo de 6 de julio de 1994, con Lituania, de Transporte internacional por carretera, cuyo artículo 10 dispone que todo transporte internacional de mercancías al (y procedente del) territorio de una Parte Contratante, realizado por un vehículo matriculado en la otra Parte Contratante, estará sujeto al régimen de permiso previo, salvo en los casos siguientes: "e) Transporte de medicamentos, equipo médico y otros artículos destinados a ayuda de emergencia, en particular en el caso de desastres naturales".
En la jurisprudencia, los "desastres naturales" suelen jugar un papel importante a la hora de determinar la fuerza mayor (sentencia de la AP de Madrid, de 18 de diciembre de 2001, [JUR 2002, 89745]; STSJ de la Comunidad Valenciana de 2 de febrero de 2001 [AS 2001, 2794]; STSJ de Extremadura de 10 de abril de 2003 [JUR 2003, 143024]).
En materia de seguros, la garantía de daños excepcionales incorpora los riesgos considerados como desastres naturales (Resolución de 4 de diciembre de 2003, por la que se publica el Acuerdo del Consejo de Ministros de 28 de noviembre de 2003, por el que se aprueba el Plan de Seguros Agrarios Combinados para 2004).
Los desastres naturales originan, asimismo, subvenciones y ayudas (Ley Foral 19/2003, de 25 de marzo, por la que se establecen medidas a favor de los afectados por las inundaciones producidas en la Comunidad Foral de Navarra en el mes de febrero del presente año; Orden PRE/5/2004, de 12 de enero, por la que se regula la concesión de subvenciones de la Administración del Estado a la suscripción de seguros incluidos en el Plan de Seguros Agrarios Combinados para 2004; Ley 87/1978, de 28 de diciembre, por la que se establece el Seguro agrario combinado, con indemnizaciones por siniestros)».

naturaleza de los fines propios que uno y otro representan. Los informes de protección civil son, en parte, a veces recomendaciones (basadas en experiencias pasadas o en datos técnicos) que informan de la «probabilidad» de un determinado riesgo, simplemente de la «probabilidad», aunque sea sobre un riesgo mayor y de extrema gravedad.

La otra vía que permite repercutir en el urbanismo, desde la protección civil, son los planes de este carácter. La Ley 2/1985, de 21 de enero, de Protección Civil, en sus artículos 8 y siguientes, regula los planes territoriales y especiales y municipales de protección civil, indicando sus contenidos (en suma, medidas que deben adoptarse para casos de emergencia), cuestiones éstas que desarrolla el Real Decreto 407/1992, de 24 de abril, «Norma básica de protección civil»).

Por ejemplo, en la Comunidad Valenciana se han dictado los pertinentes planes especiales de incendios forestales, los de mercancías peligrosas y los de inundaciones, junto al Plan Territorial de Emergencia de la Comunidad Valenciana. La suma de estos planes, a nivel autonómico, viene a representar, a la postre, un Plan territorial de alcance nacional[19].

Pero la cuestión es hasta dónde puede hablarse de una vinculación, de la protección civil, sobre el urbanismo, en el sentido de una vinculación de planes y acciones autonómicos de este tipo sobre los planes de urbanismo de las colectividades locales.

En el Real Decreto 967/2002, de 20 de septiembre, que regula la Comisión Nacional de Protección Civil, se atribuye a ésta la competencia para «promover iniciativas de las diferentes Administraciones Públicas para la realización de actuaciones de prevención de riesgos catastróficos» (art. 2.2).

Interesante es que, en los propios planes especiales de protección civil, se incluyen listados, por ejemplo, de «zonas inundables detectadas» o de «municipios afectados por riesgo de incendios forestales» (en concreto, en el Plan citado de Incendios forestales de la Comunidad Valenciana).

También importa destacar la obligación, de integrar la cartografía de protección civil, como «documentos» en la fase de la elaboración de los planes urbanísticos. Siguiendo con el ejemplo de la Comunidad Valenciana,

---

19. En cuanto a esta referencia indirecta, en el texto, a la distribución de competencias, es preciso cuando menos apuntar que, tanto la legislación como la jurisprudencia constitucional (STC de 19 de julio de 1990, rec. 355/1985 [RTC 1990, 133]), dejan campo a las distintas esferas de poder (estatales y autonómicas, junto a las locales) en el ámbito de sus respectivos intereses.

interesante es en este sentido la Orden de 8 de marzo de 1999, de la Conselleria de Obras Públicas, Urbanismo y Transportes: después de afirmar (en su artículo 1) de «necesaria observancia», en la redacción de los planes urbanísticos o territoriales, las cartografías temáticas y estudios integrantes del Sistema de Información Territorial publicadas por la Conselleria de Obras Públicas, Urbanismo y Transportes (con contenidos que tienden a evitar los riesgos naturales), se afirma igualmente que «los órganos que ejerzan la potestad de planeamiento verificarán la adecuación de sus previsiones a la información suministrada por las referencias cartográficas y estudios (...)», precisándose que «sólo serán admisibles decisiones de planeamiento urbanístico y territorial que se aparten de la información suministrada por estas cartografías y estudios cuando se fundamenten en un análisis territorial que, efectuado con ocasión de la redacción de aquél, permita refutar la presente información por obsoleta, incompleta o insuficiente».

Es claro que el sentido de este último inciso no es excepcionar la aplicación de la norma. Estamos, más bien, ante un fenómeno, habitual en el Derecho, consistente en abrir la vía para aplicar criterios técnicos de superior autoridad a los previstos en los documentos oficiales, aplicables en principio, y que lo serán salvo prueba rigurosa en su contra.

Los desastres naturales, propios de la protección civil, pueden además abordarse, normativamente, por la vía de los Planes de Acción Territorial de carácter sectorial (por ejemplo, con apoyo en la ya derogada Ley 6/1989, de Ordenación del Territorio de la Comunidad Valenciana se puso en marcha el Plan de Acción Territorial sobre Prevención del Riesgo de Inundación, conocido como «Patricova», cuyos contenidos son los propios de un Plan que tiende a prevenir inundaciones; y en la actual Ley 4/2004, de Ordenación del Territorio y Protección del Paisaje de la Comunidad Valenciana, se prevé la aprobación de un Plan de Acción Territorial contra el Riesgo Sísmico). Por esta «vía» los citados Planes realizan frecuentes alusiones a que la planificación urbanística ha de respetar al citado Plan de Acción Territorial.

Pero este supuesto, mencionado en último lugar, alude en puridad a una vinculación, desde lo territorial autonómico, sobre lo urbanístico local. Y no tanto a una vinculación desde lo sectorial (planes propiamente de protección civil) sobre lo territorial o urbanístico.

No obstante, hemos podido comprobar que existen cauces a través de los que podemos corroborar la vinculación sobre el planeamiento urbanístico, aunque con un planteamiento evidentemente distinto al presente en torno a los casos estudiados hasta el momento (relativos a las actuaciones sectoriales del Estado, o de la propia Comunidad, en materia de infraestructuras, obras públicas, puertos, etc.). En estos supuestos, directamente el Estado remite el proyecto a la Administración con competencia territorial o urbanística, vinculando al urbanizador, desde el momento en que, en la zona reservada para la infraestructura, la Comunidad Autónoma o la entidad local, no pueden disponer del terreno afectado para otros posibles usos. En cambio, en la protección civil, sin perjuicio de los cauces indirectos de repercusión, no se llega a este extremo, cuando menos por el momento. Generalmente, además, la propia cartografía, en materia de desastres y riesgos naturales, o bien está aún por elaborar, o bien contiene descripciones acerca de los grados o niveles de riesgo, sin llegar a precisar las consecuencias urbanísticas inherentes a estos niveles de riesgo.

Acaso la vía de futuro esté en distinguir, dentro de los documentos (o planes o mapas o similar) que proceden de los servicios de protección civil, aquello que es recomendación de aquello que es vinculación jurídica estricta, matizando, por ejemplo, entre los distintos niveles o grados de riesgo que aquéllos exponen, para que, cuando menos, en los niveles de riesgo más elevado (o *claros*) la Administración con competencia urbanística o territorial quede vinculada por completo (con eficacia jurídica) a lo dispuesto en aquellos otros planes o documentos. Todo ello sin perjuicio de seguir profundizando en la vía que actualmente se revela como más cotidiana, es decir la de los informes en el trámite de evaluación de impacto ambiental.

En torno al presente tema, el futuro puede estar, asimismo, en procurar una vinculación sobre el urbanismo por referencia no sólo a los terrenos que quedan por urbanizar (a efectos de corregir ésta) sino también a los terrenos o solares ya edificados, para exigir la toma de medidas que eviten el riesgo de desastres naturales.

Capítulo XVIII

Informes vinculantes o no vinculantes emitidos durante la tramitación de los instrumentos de planeamiento. Planeamiento y bienes públicos

1. DOCTRINA GENERAL EN MATERIA DE INFORMES DICTADOS DURANTE LA TRAMITACIÓN DE LOS INSTRUMENTOS DE PLANEAMIENTO (LOS CASOS DE COSTAS Y DE CARRETERAS)

Un tema de gran significación práctica, y acaso el quid mismo de la tramitación de un plan urbanístico o Programa actualmente, es el relativo a los informes sectoriales que dictan las Administraciones con competencia en materia de aguas, cultura, carreteras, vías pecuarias, costas, aviación civil, etc.

Al mismo tiempo seguidamente quiere estudiarse la relación entre bienes públicos y el urbanismo, ya que las implicaciones del régimen jurídico de los distintos bienes de la Administración sobre el urbanismo son trascendentales en la práctica[20].

A continuación se expone el régimen jurídico administrativo de los distintos informes que pueden producirse en la tramitación de un plan urbanístico, pero téngase en cuenta la parte de este libro dedicada a ordenación del territorio donde pudo incidirse igualmente en la repercusión de las Administraciones con competencia sectorial sobre el urbanismo. En realidad, el presente tema que va a ocuparnos está intrínsecamente ligado a la ordenación del territorio. Las incidencias de la protección de las aguas o de las carreteras por ejemplo se contienen a veces en la legislación territorial y vienen de la mano de actuaciones autonómicas territoriales o sectoriales.

La clave en la tramitación de un plan no está generalmente en sede local. Más bien, el interés se ha desplazado hacia el mundo de las Administra-

---

20. Véase M. J. Gallardo Castillo, *Derecho de Bienes de las Entidades Locales*, Madrid, 2007.

ciones con competencia supralocal o sectorial, el Estado o la Comunidad Autónoma en función de la competencia de que se trate.

Surgen en la práctica muy numerosos conflictos y es importante conocer los cauces de solución de los mismos.

La legislación sectorial va distinguiendo casos en que los informes son vinculantes (carreteras, costas, aviación civil) y otras veces guarda silencio (aguas[21], vías pecuarias) sin olvidar casos en que más bien estamos ante un régimen de doble autorización autonómica y local. También es preciso diferenciar entre informes sectoriales del Estado (costas, carreteras, aguas) e informes sectoriales de las CCAA (carreteras, medio ambiente, cultura, vías pecuarias).

Estamos ante un tema complejo. En principio, es lógico que lo propio es cumplir en sus propios términos el informe emitido, tanto si es vinculante como si no lo es (veremos *infra* que la diferencia entre ambos no es finalmente lo sustancial).

Lo excepcional será poder emitir un criterio al margen de lo contenido en el informe. Pero es claro que en un libro jurídico lo interesante es exponer la patología jurídica, es decir los casos conflictivos.

Así todo, persiste el problema a veces entre competencia resolutoria por parte de la Administración con competencia urbanística y competencia sectorial en manos de la Administración con competencia ambiental, de carreteras, etc.

Se trata seguidamente de exponer la doctrina relativa al alcance de los informes sectoriales vinculantes o no vinculantes, y de valorar la posibilidad en Derecho de proseguir las tramitaciones pendientes, desde una perspectiva jurídica.

Es evidente la dificultad, por parte de una determinada Administración, de evitar los efectos de un informe vinculante que le afecta, pero es igualmente evidente que el informe vinculante, para surtir sus efectos, ha de reunir una serie de presupuestos básicos.

---

21. Sin embargo, en el caso de las aguas reutilizadas, según el artículo 272 del Reglamento del Dominio Público Hidráulico «en todos los casos de reutilización directa de aguas residuales se recabará por el Organismo de cuenca informe de las autoridades sanitarias, que tendrá carácter vinculante».

Además, aunque el informe no precise para su validez de una confirmación judicial, podrá plantearse finalmente un litigio en sede judicial que confirmará ora la plena legalidad y alcance del informe vinculante ora, dado el caso, la prevalencia de otros argumentos contrarios al informe y que invoquen terceros o la propia Administración «vinculada».

Puede observarse si el informe tiene un *carácter suficiente* como para poder mantener una estricta o tajante vinculatoriedad.

Cuando existen distintas Administraciones llamadas a pronunciarse sobre un mismo asunto o en un mismo procedimiento, el Derecho administrativo contempla muy diversas técnicas de coordinación o intervención, como por ejemplo la «coordinación forzosa» prevista en la Ley 6/1998, del Régimen del Suelo y Valoraciones (Disposición Adicional Primera), según la cual se llega a permitir al Estado coordinar las acciones de otras Administraciones; o como por ejemplo los informes preceptivos, que pueden ser vinculantes o no vinculantes.

Ni un informe no vinculante carece propiamente de efectos vinculantes, ni, por contrapartida, un informe vinculante puede entenderse en Derecho, a mi juicio, como una verdad absoluta de imposible contestación (o insusceptible de ser matizado en cuanto a sus efectos). De hecho, los informes preceptivos pueden ser vinculantes y no vinculantes al mismo tiempo, como ocurre cuando (lo primero) la Administración deniega una determinada autorización de interés público o comunitario para permitir la apertura de una determinada actividad; o cuando (lo segundo) el informe es favorable, ya que en este último caso la Administración municipal deberá valorar por su parte la procedencia de la licencia de obras (por todas, STS de 5 de diciembre de 2000 [RJ 2000, 10091]).

En principio es cierto que «en el caso de los informes no vinculantes el criterio, parecer o los datos que en él se incorporen servirán como criterios *orientativos* para que el órgano competente para su aprobación pueda formar su criterio, pero el resultado final pueda no coincidir con el contenido de los informes emitidos sin que ello vulnere el ordenamiento jurídico» (sentencia de la Audiencia Nacional de 11 de noviembre de 2005 [JUR 2006, 122138]).

Sin embargo, no puede negarse la existencia de una vinculación también a los informes no vinculantes. En este sentido, según la sentencia de la Audiencia

Nacional de 26 de enero de 2005 (JUR 2006, 124225), «si bien de los artículos 12 de la Ley de Costas y 83 de Procedimiento administrativo se desprende que los informes son facultativos y no vinculantes, la doctrina ha establecido reiteradamente que, de existir discrepancia entre la resolución y el informe, aquélla ha de ser obligatoriamente motivada, lo que en el fondo significa que sólo cuando existan razones que lo justifiquen puede la Administración apartarse válidamente de los Informes emitidos por los órganos consultivos» (igualmente SAN de 1 de diciembre de 2004 [RJCA 2005, 899]; sentencia del TSJ de Canarias de 22 de julio de 2004 [JUR 2004, 266035]).

Así todo, generalmente cuando se anula una decisión es porque se advierte la ilegalidad de lo acordado o la falta de motivación en general de que adolece la decisión adoptada. Podrá ser la suma de las distintas omisiones lo que originará en realidad la invalidez de la decisión adoptada (sentencia del TSJ de Baleares de 15 de febrero de 2000 [RJCA 2000, 527]; sentencia del TSJ de Castilla-La Mancha de 6 de febrero de 2006 [JUR 2006, 105515]; sentencia del TSJ de Canarias, Las Palmas, de 16 de junio de 2000 [RJCA 2000, 1957]).[22]

Quedando a determinación del legislador, sin especiales condicionantes constitucionales, la definición del informe como vinculante o no vinculante, la

---

22. Junto al «principio de vinculación» ha de afirmarse también la necesidad de seguir un «principio de responsabilidad» a la hora de tomar las mejores decisiones, conforme a los intereses públicos que la Administración con capacidad de decisión representa (sentencia del TSJ de Asturias de 26 de febrero de 2002 [RJCA 2002, 360]).
Es además doctrina constitucional la de que, siempre que sea posible, es preciso atenuar los radicales efectos de un informe vinculante.
Por su parte, la autonomía local, aunque no consiga desvirtuar *ab initio* un informe vinculante (STS de 24 de octubre de 1997 [RJ 1997, 7543]), no puede ser completamente irrelevante en este contexto, máxime considerando el fenómeno preocupante de creciente desapoderamiento de facultades que afecta a los Ayuntamientos.
Es precisa una interpretación de la vinculatoriedad de los informes coherente con la autonomía local, procurando (siempre que sea posible, o en la medida que lo fuere) atenuar sus efectos o acompasarlos a los que se desprenden de otros principios. En un ámbito político la decisión estatal no puede prevalecer sobre la local.
Finalmente, aunque sin distanciarnos de la autonomía local, la necesidad de atenuar los efectos radicales que pudieran pretenderse, de un informe vinculante, se desprende de considerar el fenómeno, evitable en la medida de lo posible, de creciente desapoderamiento de las competencias locales como consecuencia de la intervención de otras instancias de poder estatales o regionales.
Hablar de «informes vinculantes» puede ser una forma de introducir un nuevo régimen jurídico que suplanta tradicionales prerrogativas o facultades locales. Pero no debemos incurrir en un posible «*abuso de la vinculación* de los informes». Es decir, sin perjuicio de los fines loables que éstos representen, no podemos convertirlos en una especie de fórmula mágica que nos sirva para marginar todo tipo de actividad urbanística local.

barrera entre ambos tipos de informes no puede ser entonces tajante y absoluta, partiendo siempre de que, conforme al artículo 83 de la Ley 30/1992, de 26 de noviembre, del Régimen Jurídico de las Administraciones Públicas y del Procedimiento Administrativo Común, la regla general es que los informes son facultativos y no vinculantes. El matiz, respecto de los informes no vinculantes, sería que además «la Administración siempre conserva sus facultades resolutivas, con independencia de lo que se haya informado» (STS de 21 de octubre de 1974 [RJ 1974, 4008]; STS de 3 de febrero de 1986 [RJ 1986, 1576]; STS de 23 de diciembre de 1964 [RJ 1964, 5864]; sentencia del TSJ de Castilla-La Mancha de 26 de septiembre de 2003 [RJCA 2004, 193]; sentencia del TSJ de Castilla y León, Valladolid, de 30 de noviembre de 2001 [JUR 2002, 55742]).

Asimismo, el propio Tribunal Constitucional ha tenido ocasión de matizar el carácter vinculante de los informes. El TC ha considerado la necesidad de considerar la vinculación de una forma atenuada siempre que sea posible.

El ejemplo de referencia lo aporta la legislación de costas. Según el artículo 112 de la Ley 22/1988, de 28 de julio, de Costas, corresponde a la Administración del Estado emitir informe en el supuesto de los Planes y normas de ordenación territorial y urbanística y su modificación o revisión.

La STC 149/1991 (RTC 1991, 149) confirma la constitucionalidad de este artículo siempre y cuando se considere «atenuado» el carácter vinculante que a tales informes preceptivos aquél otorga, pues la «fuerza que así adquieren esos informes convierte de hecho la aprobación final del Plan o proyecto en un acto complejo en el que han de concurrir dos voluntades distintas».

En definitiva, esta jurisprudencia es expresión de los criterios que estamos exponiendo.

La jurisprudencia constitucional ha matizado, pues, el carácter vinculante del informe preceptivo de la Administración del Estado establecido en el artículo 112 de la Ley 22/1988, de 28 de julio, de Costas. Según el TC se atenúa notablemente el carácter vinculante del informe estatal cuando la Administración «vinculada» o decisoria actúe dentro de sus competencias de ordenación del territorio o urbanismo.

Entendemos que, en el ámbito de carreteras, la Ley de Carreteras es anterior a la STC 61/1997 (RTC 1997, 61) y a la jurisprudencia que estamos citando y a esta sentencia ha de acomodarse.

La STC 149/1991 (RTC 1991, 149) ha precisado que la intervención de la Administración del Estado es sólo legítima si las «actuaciones» se refieren al dominio público, ya que «no serán constitucionalmente legítimas cuando se desarrollen fuera de ese espacio o aun dentro de él en sectores adscritos a una Comunidad Autónoma (...)».

Corresponde también a la Administración del Estado emitir informe con carácter preceptivo y vinculante respecto de los planes y normas de ordenación territorial o urbanística y su modificación y revisión en cuanto al cumplimiento de las disposiciones de esta Ley y de las normas que se dicten para su desarrollo y aplicación (art. 112 de la Ley 22/1988, de 28 de julio, de Costas, y los intensos matices de interpretación que añade sobre el particular la STC 149/1991 [RTC 1991, 149], centrando la actuación del Estado en torno a la protección del demanio).

Dichos «matices» no son sino los matices con los que debe entenderse el carácter vinculante del informe de la Administración del Estado. Vamos a verlos tomando como referencia la jurisprudencia del Tribunal Supremo.

Es preciso partir reconociendo la legitimidad constitucional del carácter vinculante del informe, siendo éste un «acto complejo en el que han de concurrir dos voluntades»: «ante todo ya hemos dicho en alguna ocasión –Sentencia de 18 de noviembre de 1991– que el informe estatal introducido por la Ley de Costas tiene sentido porque previamente el Estado ha hecho ya sugerencias y observaciones. Ya antes la Sentencia 149/1991, de 4 de julio (RTC 1991, 149), del Tribunal Constitucional había dicho que la existencia de un informe previo y preceptivo, refiriéndose al del artículo 112 de la Ley de Costas, es un medio razonable para asegurar que la realización de los Planes y Proyectos no encuentre al final un obstáculo insalvable» (STS de 30 de enero de 1996 [RJ 1996, 220]).

En esta línea, «el hecho de que el art. 9.9 del Estatuto de Autonomía para Cataluña atribuya a la Generalidad de Cataluña competencia exclusiva en la materia relativa a ordenación del territorio, urbanismo y vivienda (...) no empece a que en la formulación y aprobación de los planes de ordenación del litoral deba recabar informe de los organismos de la Administración del Estado competentes en materia de dominio público marítimo» ya que se han asumido «únicamente las competencias que no sean exclusivas del Estado» (STS de 31 de marzo de 1993 [RJ 1993, 1608]).

Pero el grado de vinculación debe verse en relación con cada uno de los supuestos contemplados en el propio artículo 112 de la Ley 22/1988, de 28 de julio, de Costas, donde se prevé dicho informe vinculante. La «concurrencia necesaria» que persigue el informe «sólo es constitucionalmente admisible cuando ambas voluntades resuelven sobre asuntos de su propia competencia» (STS de 3 de mayo de 1995 [RJ 1995, 4170], F. 2º).

Por tanto, «su carácter vinculante se encuentra considerablemente atenuado en lo que respecta a planes y normas de ordenación territorial o urbana por lo dispuesto en el artículo 117 de la propia Ley». Por consiguiente:

– «Cuando esos planes o normas infrinjan otras normas de protección del medio ambiente costero cuya ejecución corresponde a las Comunidades Autónomas, podrá objetarlas pero la objeción de la Administración estatal no será vinculante, pues es a los Tribunales de Justicia a quienes corresponde el control de legalidad de las Administraciones Autónomas y a éstos deberá recurrir aquélla para asegurar el respeto de la Ley cuando no es la competente para ejecutarla».

– «Pero cuando el informe de la Administración estatal verse sobre ejercicio de facultades propias tendentes a la defensa del demanio costero marítimo que se propone la Ley de Costas, como dice su Preámbulo, y hemos recogido en Sentencia de 13 de junio 1995 (RJ 1995, 4953), su voluntad debe vincular a la Administración Autonómica» (STS de 30 de enero de 1996 [RJ 1996, 220], reafirmando por tanto el carácter vinculante del informe en el caso planteado).

Dentro de este tipo de facultades propias tendentes a la defensa del demanio costero marítimo, respecto de las cuales el informe es vinculante, se incluyen como ya nos consta las facultades para otorgar títulos para la ocupación o utilización del demanio o preservar las servidumbres de tránsito –art. 27–, acceso al mar –art. 28– a las que cabe añadir las derivadas de las competencias sectoriales de defensa, iluminación de costas, puertos de interés general, etc. (STS de 3 de mayo de 1995 [RJ 1995, 4170], negando el carácter vinculante del informe en el caso planteado por referirse éste a una autorización de los usos permitidos en la zona de protección, en relación con las cuales la Administración del Estado no es competente según la STC 149/1991 [RTC 1991, 149]).

En todo caso, si un Plan urbanístico agrede el dominio público marítimo, dicha agresión deberá ser atajada con el ejercicio de las facultades que la Ley de Costas y el Reglamento confieren a la Administración estatal ya que «dado al respecto lo establecido en el art. 57.2 del Texto Refundido de la Ley sobre Régimen del Suelo y Ordenación Urbana, las previsiones de un Plan General de Ordenación Urbana nunca limitan las facultades que corresponden a los distintos Departamentos ministeriales para el ejercicio de sus competencias, según la legislación aplicable por razón de la materia». En cambio, no podrá atajarse alegando la incompatibilidad de una clasificación determinada del suelo con el carácter demanial del suelo sobre el que recae la agresión ya que «no existe incompatibilidad alguna entre la condición de dominio público de un bien y el que el mismo sea calificado como suelo urbano» (STS de 28 de enero de 1992 [RJ 1992, 755]).

Así pues, cuando las facultades ejecutivas correspondan a otras Administraciones, el informe no es estrictamente vinculante, aunque, en su caso, la Administración del Estado, podrá recurrir la decisión ante los Tribunales de justicia, a quienes corresponde el control de su legalidad[23].

Por otro lado, es común en la práctica procesal que existan informes contradictorios entre sí y que los tribunales salven la contradicción mediante la selección, por el órgano jurisdiccional, del Informe más certero de los dos en controversia o imponiendo su criterio frente a los mismos o proveyendo un tercer Informe judicial (como hacen por ejemplo las sentencias del TSJ de Castilla y León de 25 de enero de 2002 [RJCA 2002, 500], STSJ de Asturias de 12 de septiembre de 2005 [JUR 2005, 263274]; STSJ de Asturias 31 de marzo de 2004 [JUR 2004, 222112]; STSJ País Vasco 17 de junio de 2005 [JUR 2005, 211544]; STSJ Cataluña 3 de diciembre de 2004 [JUR 2005, 35006]).

_____

23. Cierta doctrina incluso ha criticado este régimen de la Ley de Costas de 1998 por considerarlo demasiado riguroso. Así, A. PÉREZ MORENO, «La Ley de Costas y el planeamiento urbanístico», *RDU*, 117, 1990, p. 29, critica el hecho de que el planificador municipal queda sin pautas de actuación, pese a que es la Administración que realmente tiene la visión de conjunto y un más ajustado conocimiento de la realidad, opinión que comparte A. MORENO CÁNOVES, *Régimen jurídico del litoral*, Madrid, 1990; y en la misma línea crítica *lege ferenda* este sistema, F. PERALES MADUEÑO, *La ordenación del litoral. Implicaciones urbanísticas de la Ley de Costas*, 1992, p. 258; y E. CALVO ROJAS, «Ordenación portuaria y planeamiento urbanístico de instalaciones en el ámbito portuario», *Praxis urbanístico*, 1994.

2. PRESUPUESTOS DE LA VINCULATORIEDAD

Cierta jurisprudencia (así la sentencia del TSJ de Cataluña, núm. 910/ 1993 [RJCA 1993, 43]) afirma la *necesidad de motivación del* informe preceptivo y vinculante, entrando a valorar la existencia de motivación suficiente en el supuesto enjuiciado en relación con un informe preceptivo y vinculante del Ministerio del Interior.

Para la sentencia del TSJ de la Comunidad Valenciana de 20 de junio de 2005 (RJCA 2005, 601), a pesar de que el informe era preceptivo y vinculante, «es manifiesta la falta de motivación de dicho informe». En el presente supuesto, el órgano jurisdiccional entendió que el informe vinculante no era completo. Además privaba «del conocimiento de las razones que lo justificaban» colocando al afectado en situación de indefensión. Interesante es la doctrina de esta sentencia porque también en el supuesto enjuiciado ocurría que, con anterioridad al informe, se había emitido otro anterior que no coincidía con el criterio expuesto en aquel segundo[24].

A mi juicio, sin negar valor a esta doctrina y jurisprudencia, tampoco puede llegarse a una exigencia apriorística o general de completa motivación frente a un informe vinculante. Más bien, el punto de partida está en que es la Administración vinculada la encargada de superar los obstáculos que le imponga la Administración informante. Es más, es la Administración que decide, y no la que informa, la que debe motivar en la línea de lo que el informe prevé, siempre que sea vinculante. Aquélla habrá de dar muestra de cumplimiento con las exigencias que se le impongan en el informe de este carácter. Pero es también cierto que, en último extremo, cumplido esto, también la Administración que informa habrá de mostrar su voluntad cooperante y su informe habrá de contener razones y no sólo requerimientos, porque, de lo contrario, podría llevarse a otra Administración a una situación completamente irracional.

Es en este punto cuando entraría en aplicación el *principio de proporcionalidad*[25].

---

24. También la doctrina ha invocado la necesidad de motivación en el contexto de los informes vinculantes o similares, con citas incluso de Derecho comparado (L. CASES PALLARÉS/F. PONS CÁNOVAS, *La implantación de grandes establecimientos comerciales,* Madrid, 1998, p. 58; vid. igualmente J. M. PÉREZ FERNÁNDEZ, *Urbanismo comercial y libertad de empresa,* Madrid, 1998, pp. 311 y ss. y 502 y ss.).

25. Éste es un principio que ha sido acogido por la jurisprudencia del orden jurisdiccional contencioso-administrativo en muy numerosas sentencias, así como por el propio Tribunal Constitucional (ejemplarmente: STC 98/2000 [RTC 2000, 98] y STC 186/2000 [RTC 2000, 186]) siguiendo en este punto los desarrollos de la doctrina constitucional del TC alemán *(Verhältnismäwigkeitsprinzip)*. En el Derecho administrativo español encontramos plasmación expresa de este principio de obligado cumplimiento (artículos 4 y 6 del Reglamento, vigente, de Servi-

Junto a este principio deben considerarse otros. La jurisprudencia ha desarrollado una serie de presupuestos generales para la validez del informe vinculante. El informe es admisible cuando se refiera a asuntos de estricta competencia de quien lo emite, sin que sea posible *vis expansiva* alguna en el entendimiento de la **competencia.** Este planteamiento nos lleva al interesante enfoque de la necesidad de observar si la materia es predominantemente urbanística o de otro carácter, es decir más propia de un ámbito sectorial como por ejemplo el cultural.

Además, «resulta inevitable determinar en cada caso el título competencial predominante por su vinculación directa e inmediata, en virtud del principio de **especificidad** (...), sin que en ningún caso pueda llegarse al vaciamiento de las competencias (...), pues es claro que la transversalidad predicada no puede justificar su *vis expansiva*» (STS de 10 de julio de 2002 [RJ 2002, 9958], con numerosas citas de la jurisprudencia constitucional y del Tribunal Supremo en este mismo sentido).

Los principios (fundamentales en la jurisprudencia constitucional) de *coordinación y colaboración* rigen también la materia que nos ocupa, es decir, todos aquellos ámbitos en que se relacionan competencias sectoriales y competencias urbanísticas o territoriales. Al menos doctrinalmente, la coordinación se entiende como un deber de cooperación en la aportación de soluciones, y no sólo obstáculos, en relación con los posibles conflictos que puedan plantearse. La doctrina científica sobre el particular es muy numerosa[26].

En definitiva, el quid de este tema es procesal: cuando la Administración que informa entienda que los Planes urbanísticos no son de recibo, podrá

---

cios de las Corporaciones Locales y artículo 84.2 de la Ley de Bases de Régimen Local 7/1985) y procedimental (ya el artículo 40.2 de la Ley de Procedimiento Administrativo anterior a la vigente de 1992 lo recogía). La propia Constitución, en sus artículos 103 y 106 ofrece fundamentos más que suficientes para calificar al principio de proporcionalidad como un principio institucional de la Administración.

La doctrina que ha estudiado este principio (en especial J. I. López González, *El principio general de proporcionalidad en Derecho administrativo,* Sevilla, 1988 y M. González Beilfuss, *El principio de proporcionalidad en la jurisprudencia del Tribunal Constitucional,* Pamplona, 2003; J. Barnés, en: *Cuadernos de Derecho Público,* 5, 1998) declara que el citado principio consiste esencialmente en una «prohibición de exceso» («Übermaâverbot» en la gráfica terminología jurídica alemana) por parte de la Administración, en una relación adecuada y no desproporcionada entre el fin perseguido por la acción administrativa y los instrumentos empleados para su alcance, en el hecho de que las restricciones han se ser estrictamente necesarias.

En efecto, el principio de proporcionalidad representa un límite sustancial de la actividad de la Administración, al requerir un proceso de conocimiento valorativo y de decisión en el que aparecen implicados la situación de hecho, el contenido de la potestad y el fin de la misma. Representa dicho principio una escala de medibilidad, un punto de equilibrio y racionalidad necesario. Su ámbito de aplicación es interesante cuando colisionan intereses públicos y privados o cuando nos hallamos ante potestades con márgenes de apreciación como ocurre en el ámbito urbanístico frecuentemente.

26. Véase, entre una numerosa bibliografía, A. Menéndez Rexach, «Coordinación de la Ordenación del Territorio con políticas sectoriales que inciden sobre el medio físico», *Documentación Administrativa,* 230-231, 1992; M. Sánchez Morón «La coordinación administrativa como concepto jurídico», *Documentación Administrativa,* 230-231, 1992.

objetarlos, pero no será a la Administración estatal, sino a los tribunales de justicia a quienes corresponderá el control último de legalidad de la Administración actuante (STS de 7 de junio de 2001 [RJ 2001, 5783]).

Así pues, el informe vinculante presupone que tiene un carácter suficiente cuando reúne unos requisitos mínimos que estamos comentando. *No obstante, lo ordinario es la imposibilidad de obviar el informe, ya que muy difícilmente se manifestarán estos principios atenuantes.*

Por contrapartida, si la Administración que informa tuvo ocasión de pronunciarse en un determinado sentido, este hecho puede tener las pertinentes consecuencias jurídicas. Es importante en tal caso la aplicación de la doctrina de los actos propios, de los principios de seguridad jurídica, de buena fe y de confianza legítima. La jurisprudencia ha puesto límites lógicos a la posibilidad de cambiar de criterio por parte de la Administración. Según la interesante STS de 3 de julio de 2002 (RJ 2002, 6577) (apoyándose en otra STS de 17 de mayo de 1990 [RJ 1990, 4250]), *en relación con los posibles «cambios de criterio de la Administración», «el principio de seguridad jurídica no puede admitir que un expediente esté permanentemente abierto, de forma que una Administración pueda variar las bases impositivas durante el tiempo que quiera hacerlo».* En estos casos de cambio de criterio es precisa una motivación reforzada. Es necesaria, al menos, una explicación suficiente del cambio de criterio con perjuicio para terceros. En efecto, la jurisprudencia no duda en exigir la debida motivación en casos de cambio de criterio por parte de la Administración (STS de 30 de enero de 1996 [RJ 1996, 467]; STS de 17 de octubre de 1983 [RJ 1984, 3765]; STS de 14 de julio de 2005 [RJ 2005, 9618]; STS de 28 de marzo de 2006 [RJ 2006, 2124]; E. García de Enterría y T. R. Fernández Rodríguez, *Curso de Derecho administrativo*, 12ª edición, Madrid, 2004 p. 96).

En general, como estamos viendo, los principios generales del Derecho tienen un especial valor en casos en que hace falta un examen de legalidad algo más pormenorizado que en aquellos casos en que están simplemente en juego potestades administrativas estrictamente regladas o en todos aquellos supuestos en que hace falta interpretar la aplicación de la norma con el rigor necesario que exige el Derecho. F. De Castro y Bravo (en su magna obra *Derecho civil de España*, Tomo I, Madrid, 1949, páginas 427 y ss.) afirmaba que dichos principios manifiestan su eficacia en el ordenamiento jurídico, a través de una triple función: como fundamento, *como orientadores de la labor interpretativa y como fuente en caso de insuficiencia.*

Como ha puesto de manifiesto la mejor doctrina administrativista, de necesaria invocación en este contexto, «hay razones más específicas para asignar un valor más relevante que en otros sectores a la técnica de los principios generales del Derecho en el Derecho administrativo (...)». En éste, en efecto, «se producen, necesariamente, problemas de justicia, o, si se prefiere, de ajuste entre situaciones, intereses y derechos (...). Si la Administración, sujeto de relaciones jurídico-administrativas, tiene calidad para producir por sí misma normas jurídicas, no será excepcional que en estas normas se sobrevaloren los intereses propios de la Administración como sujeto» (E. García de Enterría, T. R. Fernández Rodríguez, *Curso de Derecho administrativo*, 12ª edición, Madrid, 2004, p. 87).

El hecho de que la legislación prevea una facultad de la Administración autonómica que le permite sin más informar de este modo, plantea el riesgo de que la

Administración se escude en dicha facultad para intentar denegar sistemáticamente la tramitación de toda posible alternativa del interesado. Ante tales circunstancias es complejo, al mismo tiempo que tremendamente necesario desde el punto de vista de las garantías de todo sujeto afectado por este tipo de decisiones, dilucidar cuándo la Administración puede estar actuando ilegalmente abusando de sus potestades administrativas. En efecto, a dicha Administración le bastaría con invocar o simplemente ejercitar esas potestades administrativas para poder denegar sistemáticamente todo posible intento urbanizador del particular interesado. La propia legislación, con este planteamiento, nos está advirtiendo del riesgo de posibles desviaciones de poder por parte de la Administración competente. Ante este planteamiento legislativo, no será siempre fácil verificar o dilucidar cuándo aquélla ejercita correctamente sus potestades inicialmente discrecionales o cuándo está desviándose de las mismas. Bastaría a la Administración con seleccionar algún motivo en cuya virtud la alternativa es incorrecta. La propia motivación de la resolución administrativa podrá, en su caso, encubrir otro tipo de intenciones reales diferentes de la aparente defensa del interés público.

En otro orden de cosas, un informe es *un acto de trámite que no necesariamente ha de impedir la continuación del procedimiento,* hecho éste coherente con la regla general de irrecurribilidad de los informes como «actos de trámite dictados en el expediente» (STS de 5 de febrero de 1992 [RJ 1992, 2297] y también STS de 6 de abril de 2004 [RJ 2004, 5296]; Sentencia del TSJ de Cantabria de 26 de septiembre de 2005 [JUR 2005, 242480]).

Merece la pena insistir en que el quid de este tema está en ver quién, motivadamente, ha de poder resolver finalmente y sobre quién va a recaer la carga de accionar. En caso de conflicto entre Administración Local y autonómica o estatal decidirán los órganos jurisdiccionales.

Finalmente, es oportuna una alusión al nuevo TRLS/2008, al contener en su artículo 15 una regulación sobre la materia, por referencia a los Informes del Estado (en los ámbitos del agua, costas y carreteras). En el contexto de esta legislación, preocupada por la sostenibilidad, es claro que la intención del legislador ha sido buena en el sentido de regular los informes sectoriales haciéndose eco de la importancia creciente de los mismos, ya que son el baluarte frente a posibles atropellos urbanísticos sobre los recursos naturales.

No obstante, su importancia parece atenuarse, curiosamente, cuando se afirma que los informes «serán *determinantes para el contenido de la memoria ambiental, que sólo podrá disentir de ellos de forma expresamente motivada*».

Lo propio venía siendo que no se podía eludir un informe con tal de motivar en sentido contrario. Por otra parte, téngase en cuenta que en el mismo artículo 15 se regulan sendos informes de «sostenibilidad económica» y de seguimiento de la actividad de ejecución urbanística.

3. EL QUID DE ESTE TEMA ES PROCESAL: RIESGO DE DESVIRTUACIÓN DE LOS ARTÍCULOS 65 Y 66 DE LA LBRL

En el ámbito local, es decir de las decisiones que adopte la Administración local en ejercicio de sus competencias, nuestro Derecho parte de que dichas decisiones son impugnables por otras Administraciones públicas (el

Estado o las Comunidades Autónomas) mediante los cauces que habilita o abre al efecto la Ley de Bases de Régimen Local y, en particular, los artículos 65 y 66, por posibles vulneraciones de legalidad o del marco competencial interadministrativo, respectivamente a ambos preceptos.

Éste es el sistema previsto en nuestro Derecho español, en el marco de la judicialización de las posibles controversias, una vez que se supera, como es sabido, el sistema precedente en que los litigios no necesariamente se resolvían en sede judicial sino a través de la primacía de la Administración del Estado sobre la Administración local. Junto a este cauce de la legislación local se sitúa o puede presentarse la vía prevista en el artículo 44 de la Ley jurisdiccional. Antes de seguir avanzando en estas afirmaciones conviene reproducir los distintos preceptos que han sido citados y que presentan el marco de discusión en torno a la cuestión que nos ocupa[27].

---

27. Empezando por el artículo 44, dice éste: 1. En los litigios entre Administraciones públicas no cabrá interponer recurso en vía administrativa. No obstante, cuando una Administración interponga recurso contencioso-administrativo contra otra, podrá requerirla previamente para que derogue la disposición, anule o revoque el acto, haga cesar o modifique la actuación material, o inicie la actividad a que esté obligada. 2. El requerimiento deberá dirigirse al órgano competente mediante escrito razonado que concretará la disposición, acto, actuación o inactividad, y deberá producirse en el plazo de dos meses contados desde la publicación de la norma o desde que la Administración requirente hubiera conocido o podido conocer el acto, actuación o inactividad. 3. El requerimiento se entenderá rechazado si, dentro del mes siguiente a su recepción, el requerido no lo contestará. 4. Queda a salvo lo dispuesto sobre esta materia en la legislación de régimen local.
Por su parte, los artículos de la LBRL establecen lo siguiente: Artículo 65. 1. Cuando la Administración del Estado o de las Comunidades Autónomas considere, en el ámbito de las respectivas competencias, que un acto o acuerdo de alguna Entidad local infringe el ordenamiento jurídico, podrá requerirla, invocando expresamente el presente artículo, para que anule dicho acto en el plazo máximo de un mes. 2. El requerimiento deberá ser motivado y expresar la normativa que se estime vulnerada. Se formulará en el plazo de quince días hábiles a partir de la recepción de la comunicación del acuerdo. 3. La Administración del Estado o, en su caso, la de la Comunidad Autónoma, podrá impugnar el acto o acuerdo ante la jurisdicción contencioso-administrativa dentro del plazo señalado para la interposición del recurso de tal naturaleza señalado en la Ley Reguladora de dicha Jurisdicción, contado desde el día siguiente a aquel en que venza el requerimiento dirigido a la Entidad local, o al de la recepción de la comunicación de la misma rechazando el requerimiento, si se produce dentro del plazo señalado para ello.
4. La Administración del Estado o, en su caso, la de la Comunidad Autónoma, podrá también impugnar directamente el acto o acuerdo ante la jurisdicción contencioso-administrativa, sin necesidad de formular requerimiento, en el plazo señalado en la Ley Reguladora de dicha Jurisdicción.
Artículo 66: Los actos o acuerdos de las Entidades locales que menoscaben competencias del Estado o de las Comunidades Autónomas, interfieran su ejercicio o excedan de la competencia de dichas Entidades, podrán ser impugnados por cualquiera de los procedimientos previstos en el artículo anterior. La impugnación deberá precisar la lesión o, en su caso, extralimitación competencial que la motiva y las normas legales vulneradas en que se funda. En el caso de que, además, contuviera petición expresa de suspensión del acto o

El riesgo a que aludimos consiste en la tendencia que se está acusando en nuestro Derecho de obligar a las entidades locales a impugnar el «acto» desaprobatorio autonómico si pretenden aprobar un proyecto de su competencia (por ejemplo urbanística). Según esto, los Ayuntamientos no pueden dictar el acto administrativo autorizatorio hasta que no cuenten con la aprobación de la Comunidad Autónoma o del Estado en ejercicio de sus competencias sectoriales.

A la luz de la normativa citada habrá que dilucidar si puede ser la Administración autonómica quien asuma la cómoda posición de demandada o si, más bien, debe ser dicha Administración quien asuma la posición de demandante frente a un acto de la Administración local dictado en ejercicio de sus propias competencias, *presuponiendo entonces la facultad de aprobación municipal.* Pues bien, dicha normativa está partiendo de que, teniendo la Administración con competencia urbanística potestad fuera de discusión para aprobar un plan o proyecto, ha de ser ordinariamente dicha Administración quien decida sobre la aprobación o no, de tal modo y manera que cualquier otra Administración (en este caso, autonómica) impugne, en su caso, la decisión adoptada en este sentido ante la jurisdicción contencioso-administrativa, siguiendo el cauce de los artículos 65 y 66 de la LBRL, cuyo sentido no es sino éste precisamente. Pretender invertir este planteamiento, y que sea la Administración local quien deba impugnar los actos de otra Administración (en casos en que tiene tradicionalmente plena potestad decisoria), se entendería dentro de las tendencias de paulatino desapoderamiento de facultades de las Administraciones locales, incluso en una materia como la urbanística en que tradicionalmente venían o vienen gozando de una posición más resistente frente a dicha tendencia.

El hecho de que cada vez con más fuerza las Administraciones autonómicas con competencia sectorial irrumpen en el marco de las decisiones locales de autorización, atribuyéndose la potestad de aprobar o autorizar también un determinado proyecto, por motivos relacionados con sus competencias propias, parece llevar consigo la sustitución de los artículos 65 y 66 de la LBRL y la mera aplicación del artículo 44 de la LJCA.

_____

acuerdo impugnado, razonada en la integridad y efectividad del interés general o comunitario afectado, el Tribunal, si la estima fundada, acordará dicha suspensión en el primer trámite subsiguiente a la presentación de la impugnación. No obstante, a instancia de la entidad local y oyendo a la Administración demandante, podrá alzar en cualquier momento, en todo o en parte, la suspensión decretada, en caso de que de ella hubiera de derivarse perjuicio al interés local no justificado por las exigencias del interés general o comunitario hecho valer en la impugnación.

Las competencias autonómicas principalmente de aprobación tienen un carácter más estricto que las competencias sectoriales no resolutorias sino de informe, ya que en estos casos es más complejo negar o condicionar la potestad de resolución de la Administración competente para ello.

Para realizar esta exposición de la doctrina aplicable es conveniente acudir inicialmente a la doctrina jurisprudencial.

Lo normal viene siendo que, si una Administración estatal o autonómica, considera que la Administración local ha vulnerado sus competencias o ha actuado infringiendo el ordenamiento jurídico, dichas Administraciones planteen un recurso contencioso-administrativo siguiendo el *iter* de los artículos 65 y 66 de la LBRL recurriendo al acto (o solicitando la revisión de oficio).

Así ocurre en la STSJ del País Vasco de 16 de septiembre de 2005 (JUR 2006, 3542) por entender el Estado que un determinado Ayuntamiento carecía de competencia para subvencionar una determinada actividad que no entra dentro de sus facultades y que además es claramente ilícita (un caso similar es el de la STSJ del País Vasco de 30 de octubre de 2001 [JUR 2002, 40067], ya que el Ayuntamiento había financiado el funeral de uno de sus vecinos por motivaciones políticas de sobra conocidas por todos los lectores).

Es decir, incluso en casos extremos como el citado (de la sentencia de 16 de septiembre de 2005 [JUR 2006, 3542]) en que se observa clara la ausencia de competencia del Ayuntamiento, así como el abuso y distorsión de los planeamientos normativos que la Corporación provoca, es el Estado quien impugna la decisión local por entender que está dictada sin apoyo en habilitación competencial normativa.

Es en todo caso la Administración estatal quien debe accionar contra el Ayuntamiento, y no al revés, ante una hipotética resolución que siempre podría dictarse por el Estado o CCAA y que obligara al Ayuntamiento a recurrir en todo caso esta decisión, si quiere válidamente dictar un acto que considera de su competencia.

Eso sí, el juego de los artículos 65 y 66 de la LBRL presupone la obligación de la Administración local de notificar el acto adoptado al Estado y la Comunidad Autónoma, en los términos previstos en el artículo 56 de la LRJAP-PAC 30/1992, de 26 de noviembre, para que dichas Administraciones puedan hacer uso de la facultad prevista en su favor en los artículos 65 y 66 de la LBRL, remisión que se hace a los efectos de comprobar su efectividad y no su legalidad (según la STS de 13 de marzo de 1999 [RJ 1999, 2955]).

Si la vulneración de las competencias autonómicas es clara, este hecho no impide que la Comunidad deba recurrir el acto de la Administración local, tal como ocurre con el caso de la STSJ de Castilla y León (Sala de Burgos) de 18 de noviembre de 2005 (RJCA 2005, 1078), en que el Ayuntamiento de Treviño había celebrado convenios con la Administración del País Vasco, a pesar de que la Administración de Castilla y León tenía competencias sobre las materias objeto del convenio y que, por tanto, se habían vulnerado abiertamente (un caso similar, aunque afectando esta vez a Cantabria, es el resuelto por la STS de 11 de febrero de 2004 [RJ 2004, 2524]).

En este sentido, si la licencia local es ilegal, la Administración autonómica impugnará el acto por la vía del artículo 66 de la LBRL (STSJ de Andalucía, Sala de Málaga, de 29 de enero de 2001 [RJCA 2001, 611]), lo mismo que si la contravención es originada por una cesión gratuita de bienes patrimoniales que el Estado considera ilegal (STS de 19 de julio de 2000 [RJ 2000, 7431]) o por una licencia municipal otorgada en una zona marítimo-terrestre (ATS de 3 de mayo de 1991 [RJ 1991, 4259]) o por una subvención que se invierte por el Ayuntamiento para fin distinto del concedido por el Estado (STSJ de Cantabria de 28 de marzo de 2003 [JUR 2003, 137541]).

La jurisprudencia diferencia los artículos 65 y 66 de la LBRL, reconociendo que el primero es el artículo de referencia para cuando se infrinja por la entidad local el ordenamiento jurídico, mientras que el segundo es el precepto que contempla la imposibilidad de que las Corporaciones locales invadan o ignoren las competencias del Estado o CCAA. Pero reconociendo al mismo tiempo que «el menoscabo, la interferencia o el exceso competencial por los entes locales siempre será una infracción más o menos grave del ordenamiento jurídico» (STSJ de Asturias de 7 de junio de 2002 [JUR 2002, 201496]).

> La diferenciación de los casos recogidos en los artículos 65 y 66 de la LBRL es importante porque los plazos son diferentes en uno y otro precepto. En este sentido, la STS de 20 de octubre de 2005 (RJ 2006, 53) declara inadmisible la acción interpuesta por una Comunidad Autónoma contra un Ayuntamiento por el hecho de haber optado erróneamente por la vía del artículo 65 de la LBRL, en vez de la prevista en el artículo siguiente, donde se prevé el plazo de 15 días y no de 2 meses.
>
> En el contexto de toda esta pacífica doctrina, legal y jurisprudencial, se plantea el problema de la previsión –cada vez más frecuente– de facultades aprobatorias o resolutorias por parte de la legislación autonómica, a favor de las Administraciones de las CCAA, menoscabando capacidades de decisión de la Administración local.
>
> Pues bien, aun así, nuestro Derecho mantiene en principio el esquema procesal básico de impugnación judicial de los actos locales, que estamos

viendo, en aquellas situaciones en que la Administración autonómica entiende que el acto local no es de recibo porque está condicionado a un previo acto autorizatorio de su parte. E, incluso si el Ayuntamiento obvia la facultad aprobatoria autonómica y resuelve directamente, se mantendría en lo procesal el mismo esquema jurídico basado en la necesidad de que la Administración autonómica o estatal introduzca un proceso contencioso-administrativo contra la Administración local. La actuación, legal o por contrapartida grosera del Ayuntamiento, tendrá repercusión, según este esquema jurídico propio de nuestro Derecho, a los efectos de ganar o perder el contencioso, o en su caso a efectos de la imposición de costas cuando resulte evidente la competencia autonómica de aprobación y que el Ayuntamiento ha actuado al margen de la misma (STSJ de Canarias, Sala de Las Palmas, de 22 de julio de 1998 [RJCA 1998, 3280]). Pero la carga de accionar correspondería a la Administración autonómica o estatal incluso en los casos referidos, *sin privar en principio al Ayuntamiento de su facultad de dictar el acto de su competencia.*

Así, en la interesante STS de 20 de octubre de 2005 (RJ 2006, 53) el Supremo, revocando la sentencia impugnada, se enfrenta con un supuesto en que la Comunidad Autónoma invocaba la anulación del acto de la Administración local considerando que las tarifas que el Ayuntamiento había aprobado no habían sido autorizadas por la Consejería de Industria, concretamente prescindiendo de la autorización de la Comisión Territorial de Precios. *El Alto Tribunal parte de que el «artículo 66 de la LBRL contempla la posibilidad de que los Entes locales invadan o ignoren las competencias de la Administración estatal o autonómica, pero no el fenómeno inverso.* Que también es posible, porque, al igual que en el artículo 65, late en ambos preceptos el recuerdo histórico de la superioridad del Estado sobre los Entes Locales». Esta doctrina es ilustrativa para explicar el porqué de la carga de accionar que corresponde al Estado y a las CCAA.

El objeto del proceso es, en el supuesto de esta sentencia mencionada en último lugar, si el Ayuntamiento tenía que pedir o no la autorización autonómica para dictar el acto, es decir si pudo dictar éste legítimamente o si precisaba para ello de aprobación autonómica. Como puede comprobarse, este tipo de litigios pueden residenciarse ante la jurisdicción contencioso-administrativa. Más bien, cabe afirmar que si un Ayuntamiento considera que no precisa de autorización autonómica, puede dictar el acto, sin perjuicio de la posibilidad igualmente abierta de impugnar procesalmente la decisión local por parte de la Administración estatal o autonómica.

Y es que la cuestión material objeto de litigio (es decir la necesidad misma de autorización autonómica) puede no estar tan clara como la ve la Administración autonómica. En efecto, para ella la cuestión será sencilla en el sentido de someter a aprobación las decisiones locales. Pero, tal como ilustra la presente sentencia del Tribunal Supremo, apoyándose en un largo listado de sentencias del TS en este mismo sentido, podrá ocurrir que sea el Ayuntamiento quien estaba en lo cierto sin precisarse autorización de la Comunidad, como ocurre cuando la tarifa de suministro de agua potable se corresponde con la prestación de un servicio por un concesionario, al tratarse de un precio privado no sujeto más que a decisión local, a diferencia de cuando el servicio se presta por gestión directa en que la tarifa tiene naturaleza de tasa, hecho que conlleva una tramitación diferente (la propia de las ordenanzas fiscales) con intervención autonómica.

Así pues, este escenario procesal podrá manifestarse en diversos casos, en todos aquellos en que en realidad la Comunidad Autónoma se extralimite en el ejercicio de sus competencias.

Sin embargo, la cuestión empieza a no ser tan sencilla. Cobra especial intensidad el fenómeno normativo autonómico de privación a las Corporaciones locales de su potestad tradicional resolutoria, queriéndose afirmar la improcedencia de la emisión misma del acto administrativo en tales circunstancias, ya que es necesario contar con un pronunciamiento previo autorizatorio de la Comunidad Autónoma, so pena de incurrir incluso en riesgo de posibles responsabilidades administrativas que pueden ser graves tanto para el Ayuntamiento afectado como para los posibles terceros interesados.

Este tipo de riesgos se ponen en evidencia citando la sentencia del TSJ de Galicia de 8 de octubre de 2003 (JUR 2004, 63790), relativa a un caso en que la Xunta invocaba la necesidad de contar con la aprobación de la Dirección General de Patrimonio Cultural, si el Ayuntamiento quería legítimamente autorizar una determinada obra. No observamos en este caso que la Administración autonómica haya seguido la vía de los artículos 65 y 66 de la LBRL, entendiendo en tal caso que la omisión referida ha vulnerado la legalidad administrativa. Más bien, ante el acto administrativo dictado por el Ayuntamiento, la Administración Autonómica procede directamente a sancionar al Ayuntamiento, por haber obviado las competencias de aquélla y haber dictado directamente la licencia municipal. El proceso contencioso-administrativo se plantea o introduce, pues, por el Ayuntamiento, a modo de un recurso de anulación contra la sanción impuesta. Y la sentencia confirma la sanción.

El supuesto en puridad no se refiere al caso en que el Ayuntamiento resuelve, pese al criterio contrario a la aprobación de la Administración autonómica, ya que aquél alude más bien al caso en que el Ayuntamiento ha omitido el deber de notificación del acto a la Administración regional privando a ésta del ejercicio de sus competencias. Pero no se evita del todo este mismo riesgo (de recibir una sanción) en caso de que el Ayuntamiento más que obviar las competencias autonómicas, simplemente, siga un criterio contrario dictando el acto administrativo en consecuencia.

Lo lógico es mantener, al menos en este último tipo de situaciones referidas, la necesidad de que el supuesto se reconduzca a través de los cauces de los artículos 65 y 66 de la LBRL y no a través de la vía del artículo 44 de la LJCA/1998, en el sentido de obligar al Ayuntamiento a recurrir la desaprobación autonómica en ejercicio de una competencia sectorial. En buena lógica, las resoluciones en este sentido que empiezan a aumentar en número en nuestro país, podrían entenderse como una simple opción, por si el Ayuntamiento quiere optar por ese cauce de directa impugnación, en vez de autorizar directamente el proyecto, a los efectos de que sea (en este caso) la Administración autonómica quien impugne el acto municipal.

Así se ha planteado el caso en el proceso de la STSJ de Canarias (Sala de Las Palmas), de 17 de julio de 2000 (JUR 2001, 15412), en un supuesto en que el Ayuntamiento autorizó una determinada construcción en suelo no urbanizable, pese a que la legislación urbanística afirma que no se puede otorgar una licencia municipal sin autorización de la Comunidad Autónoma. Incluso así, el litigio se planteó a través de una impugnación autonómica de la decisión local, venciendo la Administración recurrente frente al Ayuntamiento, porque le asistía derecho (igualmente STSJ de Canarias, Sala de Las Palmas, de 22 de julio de 1998 [RJCA 1998, 3280], con imposición de costas al Ayuntamiento).

En estos casos en que se desconsidera a la Administración autonómica, lógicamente, podrá incurrirse en nulidad absoluta por haber dictado un acto con ausencia de las reglas de procedimiento (STSJ de Canarias de 6 de abril de 2001 [RJCA 2001, 840]). En estos casos, por pura lógica, no queda más remedio a la Administración autonómica que impugnar las decisiones del Ayuntamiento. La institución de la nulidad absoluta llevará a la anulación del acto, sin que ésta conlleve la inversión de la carga de accionar, ni menos aún que caigan en desuso los artículos 65 y 66 de la LBRL.

Es cierto que la autonomía local no se entiende vulnerada por el hecho de que tenga que intervenir otra Administración, estatal o autonómica (en este contexto STS de 9 de junio de 2008, número de recurso 4274/2004 [RJ 2008, 5547]), pero sí podría discutirse esta posible vulneración si se abusa de la exigencia de que el Ayuntamiento, frente a un acto desaprobatorio autonómico, tenga que impugnarlo necesariamente si es contrario a sus intereses (privando a la entidad local de la facultad decisoria). Más bien, habrán de aplicarse los artículos 65 y 66 de la LBRL, siendo entonces la regla general la de poder adoptar un acuerdo en desacuerdo con otra Administración, eso sí, si existen poderosas razones y notificando la decisión al Estado o las CCAA para que tengan abierta siempre la vía de recurso respecto de las decisiones locales adoptadas.

La importancia de esta cuestión, de la carga de accionar, es evidente, sin necesidad de mayores comentarios. Un rigor extremo llevaría a bloquear las iniciativas locales (urbanísticas) vía sectorial. Bastaría con incluir (en un simple párrafo final de un Informe estatal o autonómico) mención a que no se apruebe el Plan en cuestión por el Ayuntamiento para impedir la tramitación en masa de los distintos planes urbanísticos. Por contrapartida, si al Ayuntamiento le basta con notificar a aquellas otras Administraciones no siempre éstas accionarán en contra y en plazo debido. La carga de accionar de las CCAA, por otra parte, no necesariamente lleva consigo la carga de la prueba, pues en este ámbito no habría inconveniente para mantener el criterio de la STSJ de Cataluña de 14 de abril de 2004 (JUR 2004, 195264) cuando afirma que es el Ayuntamiento (y la Comisión de Urbanismo de Tarragona) quienes tienen que poner de manifiesto no haber invadido las competencias sectoriales de defensa del litoral marítimo-terrestre que ostenta el Estado. En esta línea, es un «exabrupto jurídico» llegar a afirmar posibles responsabilidades penales, de los técnicos locales, por no haber seguido, motivadamente, un Informe Autonómico.

Este planteamiento procesal (propio de la LBRL) es coherente con el hecho de que, desde el punto de vista de los terceros interesados, éstos aparezcan en su posición lógica y natural de codemandados. El planteamiento de obligar al Ayuntamiento a recurrir los actos autonómicos nos lleva a un terreno no bien perfilado procesalmente en cuanto a la posición jurídica de los terceros a quienes interesa mantener el criterio jurídico del propio Ayuntamiento. También en el correcto escenario jurisprudencial, estos sujetos que actúan como «terceros» aparecen como codemandados, partiendo de que el Ayuntamiento actúa procesalmente como parte demandada, al haberse impugnado uno de sus actos. De lo contrario, el terreno procesal no es tan firme acerca de cómo puede defenderse un particular si la Administración autonómica o estatal invierte los planteamientos de nuestro Derecho pretendiendo que sea el Ayuntamiento quien impugne los actos de negativa del Estado o de las CCAA.

Así, en la sentencia del TSJ de Castilla y León de 12 de enero de 2005 (JUR 2005, 64798), examinando la legalidad de la aprobación de la oferta de empleo y modificación de la plantilla de persona mediante funcionarización de personal laboral, es recurrente la Administración del Estado, y demandado el Ayuntamiento y codemandado el particular afectado por la impugnación del Estado (un caso idéntico, procesalmente, es el de la sentencia del TSJ de Baleares de 24 de enero de 2006 [JUR 2006, 63541]; también son codemandados los terceros afectados en la STS de 11 de febrero de 2004 [RJ 2004, 2524]; o la SAN de 2 de diciembre de 2003 [JUR 2003, 51046], con multitud, igualmente, de codemandados).

Significativa parece, en este contexto, la STSJ de Canarias de 19 de mayo de 2004 (JUR 2004, 189429) (Sala de Las Palmas), en el punto relativo a la posición jurídica de los terceros afectados por las decisiones que adopten las Administraciones públicas en el marco de relaciones jurídicas aparentemente interadministrativas pero que, en el fondo, afectan (y decisivamente) los derechos de terceros.

En el supuesto enjuiciado por esta sentencia, una Administración Pública había requerido a otra, sin que se hubiera dado opción a los terceros afectados a defenderse en el marco de estas relaciones jurídicas interadministrativas. Se entiende así el interés de mantener la doctrina de esta sentencia en el sentido de afirmar que, en todo caso, los terceros interesados han de tener libre el acceso a la justicia administrativa aunque sea por los cauces ordinarios del recurso de reposición y posterior jurisdiccional contra las decisiones administrativas que les afecten. Frente a este riesgo procesal, la sentencia citada, oportunamente, mantuvo la viabilidad en todo caso de la acción procesal de los terceros afectados, contra los argumentos invocados por la Administración en el proceso[28].

_____

28. «Al respecto, el artículo 44 de la LJCA establece en su apdo 1º que "En los litigios entre Administraciones Públicas no cabrá interponer recurso en vía administrativa. No obstante, cuando una Administración interponga recurso contencioso-administrativo contra otra, podrá requerirla previamente para que derogue la disposición, anule o revoque el acto, haga cesar o modifique la actuación material, o inicie la actividad a que esté obligada". El precepto nuevo en el orden procesal contencioso-administrativo (pues no existía en la LJCA/ 1956), regula lo que denomina "Diligencias Preliminares" en los litigios entre Administraciones Públicas en sintonía con ese imposibilidad de las Administraciones de interponer recursos en vía administrativa. Dicho artículo ha merecido dudas importantes en la doctrina científica sobre su correcta interpretación y alcance, dando la impresión, por su literalidad, que se suprimen los recursos administrativos en cualquier litigio entre Administraciones, si bien, esta Sala considera que no es aplicable en casos como el que nos ocupa, en el que, en puridad, no existe litigio alguno entre Administraciones, sino un procedimiento ante un órgano técnico de la Administración creado *ex lege* con asunción de competencias en materia de determinación del justiprecio de bienes y derechos. Por tanto, ni el Jurado puede litigar en defensa de sus derechos e intereses frente a la Administración Local ni ésta frente a aquél, sino que, en su condición de órgano técnico, tiene atribuida una función de cierre de la vía administrativa en procedimientos expropiatorios sea cual sea la Administra-

En este plano procesal relativo a la posición en el proceso de los agentes interesados tampoco puede pasarse por alto la acción popular en el marco de las posibles relaciones interadministrativas para exigir el obligado cumplimiento de la ley, caso de la sentencia de la Audiencia Nacional de 17 de marzo de 2004 (JUR 2004, 166148).

El propio artículo 44 de la LJCA deja abierta la posibilidad de acudir a los artículos 65 ó 66 (o 67 claro está) de la LBRL. Dicho artículo 44 procederá cuando, por ejemplo, el Estado intente imponer la legalidad frente a las CCAA (caso de la STSJ del País Vasco de 25 de febrero de 2004 [RJCA 2004, 417]; STSJ de Madrid de 28 de mayo de 2003 [JUR 2004, 223154]; SAN de 2 de diciembre

---

ción litigante. Ahora bien, lo cierto es que el Jurado Provincial aceptó el requerimiento previo y consideró que ello era título bastante para llevar a cabo una nueva valoración con rebaja sobre el Acuerdo inicial del Jurado. Existe, por tanto, un Acuerdo del Jurado pero sin que conste que los aquí actores (con interés directo en cuanto propietario de la parcela expropiada) ni siquiera fuesen oídos, y sin que tampoco conste que le hubiese sido notificado. Precisamente, al no constar que hubiese sido notificado a los interesados (aquí actores), ni la formulación del requerimiento, ni haber tomado parte en el procedimiento tanto ante la Administración Local como ante el Jurado, ni haberles sido notificado tampoco el Acuerdo final de modificación del justiprecio, es evidente que dicho Acuerdo carece de eficacia respecto a los mismos, si bien lo que aquí se dilucida, dado el carácter revisor de esta jurisdicción, es si existió una verdadera inactividad de la Administración Local por incumplimiento de su obligación de pago del justiprecio fijado. Pues bien, el requerimiento previo, cuya naturaleza es de una vía administrativa previa al proceso contencioso-administrativo (algunos dicen que viene a cumplir una función semejante al recurso de reposición), paralizó el cómputo del plazo para que la Administración Local interpusiese el recurso contencioso-administrativo contra el primer Acuerdo del Jurado. *Pero, aún con esta puntualización, para el particular interesado (los aquí actores), en tanto en cuanto no se les comunicó, ni tuvieron conocimiento de la existencia del requerimiento previo, de la tramitación posterior o del Acuerdo final del Jurado, es evidente que carecía de eficacia alguna y que la Administración incurrió en la inactividad denunciada.– Por tanto, se trataba para los interesados de un acto que había agotado la vía administrativa (primer Acuerdo), y que, por tanto, el Ayuntamiento estaba obligado a cumplir, y dicho cumplimiento se traducía en el pago del justiprecio* fijado o, en su caso, advertir de la existencia de un procedimiento con base en el artículo 44 de la LJCA. Entender lo contrario sería llevar a cabo una interpretación *contra constitutione* de las normas procesales y consumar una verdadera injusticia procesal, esto es, supondría inadmitir ahora un recurso contencioso-administrativo so pretexto de que no se había agotado la vía administrativa, a quien nunca se le comunicó, ni por el Ayuntamiento ni por el Jurado, que se hallaba en marcha el procedimiento del precitado artículo 44 de la LJCA. En el mismo sentido, en tanto en cuanto faltó esa comunicación al interesado, pese a que cuando formuló su solicitud al Ayuntamiento ya se había dictado el Acuerdo de la Comisión de 6 de junio de 2002 que acordaba formular el requerimiento al Jurado para modificación de su inicial Acuerdo, debe declararse la inactividad y ser acogida la pretensión, cuando menos parcialmente, en el sentido de declarar su derecho al cobro de las cantidades fijadas por Acuerdo del Jurado Provincial de Expropiación de 11 de abril de 2.002, con los intereses de demora procedentes. Otra cosa es que dicha suma deba minorarse, si es que el segundo Acuerdo (de rectificación) ganó firmeza en vía administrativa para el interesado, que solo se producirá (o se produjo) con la previa notificación. CUARTO.– Debe, por tanto, estimarse el recurso, si bien sin hacer pronunciamiento sobre sus costas, al no apreciarse temeridad o mala fe procesal (art 131.1 LJCA)».

de 2003 [JUR 2004, 51046], Estado contra CMT), aunque tampoco puede declararse su inaplicación por referencia a las Administraciones locales.

Pero, considerando los artículos 65 y 66 de la LBRL, en el ámbito local es lógico pensar que los litigios que han de sustanciarse ordinariamente por la vía del artículo 44 son los relativos a, primero, recursos de inactividad por parte del Estado o de las CCAA, caso de la interesante sentencia de la Audiencia Nacional de 11 de febrero de 2004 (JUR 2004, 145229) en que el Ayuntamiento de Alcarrás se vio obligado a emplear el cauce del citado artículo 44 ante la pasividad del Ente Gestor de las Infraestructuras de mantener la línea férrea en un determinado punto, estimándose el recurso contencioso-administrativo de la Corporación local.

O también es lógico argumentar que dicho artículo 44 encuentre aplicación cuando estemos ante imposiciones directas estatales o autonómicas, es decir actos que inician una relación jurídica por parte del Estado o Comunidad Autónoma y cuyo destinatario directo es un Ayuntamiento, caso de la sentencia del TSJ de Cataluña de 16 de diciembre de 2005 (JUR 2006, 56358), relativo a la imposición de tasas por la Agencia Catalana del Agua al Ayuntamiento de Reus, interesando al Ayuntamiento la anulación de la liquidación girada en concepto de canon (un caso prácticamente idéntico es el resuelto por la STSJ de Galicia de 12 de febrero de 2003 [JUR 2003, 266821]: Ayuntamiento contra Puerto de Vigo).

Pero este sistema no sería el previsto en nuestro Derecho, al menos por el momento, para resolver los litigios en casos en que la intervención directa es municipal, de tal modo y manera que la intervención autonómica es tangente o sectorial. O, dicho de otro modo, no es el sistema previsto ordinariamente para resolver las relaciones jurídicas complejas o interadministrativas marcadas por la idea de colaboración en que las Administraciones no defienden sus propios intereses en esferas jurídicas separadas (caso de la sentencia del TSJ de Cataluña de 16 de diciembre de 2005 [JUR 2006, 56358]) sino que actúan en el marco del principio de colaboración en la resolución de un determinado asunto, planteándose alguna controversia (pues puede surgir) sobre el mayor o menor acierto de las decisiones que se producen en el marco de la aprobación (que corresponde a la Administración con competencia urbanística) de un determinado proyecto urbanístico de competencia diferente a los asuntos sectoriales. La defensa de estos intereses públicos deberá o debería hacerse en el marco de la impugnación autonómica por la vía de los artículos 65 y 66 de la LBRL.

A la luz de la doctrina expuesta podrían valorarse las resoluciones de la Administración autonómica (con competencia sectorial) que afirman que el Ayuntamiento no puede aprobar un determinado proyecto de urbanización, añadiendo que «contra esta resolución podrá requerirse previamente a interponer el recurso contencioso-administrativo, a la Consejería de (...), en el plazo de dos meses, de conformidad con lo dispuesto en el artículo 44 de la Ley 29/1998, de 13 de julio, reguladora de la Jurisdicción Contencioso-Administrativa».

Es evidente que toda opción de decidir en contra de esta resolución autonómica, por parte de un Ayuntamiento, conlleva el pleno convencimiento de la Corporación en su derecho a resolver. En todo caso, el quid de este tema es, simplemente, procesal: sobre el Ayuntamiento pesa la facultad de resolver y sobre la Administración estatal autonómica la de accionar.

4. ACTUACIÓN SECTORIAL EN EL ÁMBITO DE LA CULTURA

A. Relaciones generales entre cultura y urbanismo

Empezamos acto seguido el estudio de los distintos ámbitos de un informe sectorial, considerando que cada uno de ellos (cultura, agua, carreteras...) guarda diferencias sustanciales y caracteres propios.

El primer ejemplo que se trata seguidamente es el relativo a la repercusión de las posibles competencias de la Administración con competencia cultural en la tramitación de un plan o programa (o incluso una licencia).

Sobre la protección de los bienes culturales, obligada mención ha de hacerse a la Ley estatal 16/1985, de 25 de junio, de Patrimonio Histórico Español (en adelante, LPHE), junto a la legislación autonómica. En términos generales es importante hacer notar que en la citada Ley estatal la protección se refiere a los Bienes de Interés Cultural (BIC) y a los bienes que pueden alcanzar esta misma condición de BIC. En el contexto de los BIC se prevén distintas categorías (monumentos, conjuntos históricos, etc.) y se prevé además un régimen de potestades administrativas tendentes a su protección. Existe, por otra parte, una relación directa con el urbanismo. En este sentido, la Declaración de un conjunto histórico lleva consigo la obligación del Ayuntamiento de elaborar un Plan Especial. Hasta que no se apruebe este Plan Especial o norma de planeamiento equivalente, las licencias están sujetas a un régimen de aprobación previa por parte de la Administración con competencia cultural. Con posterioridad a la aprobación de dicho Plan urbanístico, las licencias pueden otorgarse directamente por los Ayuntamientos. Característica es, por tanto, la posible aplicación de un sistema de doble autorización, por parte de las Administraciones de Cultura y Urbanismo, respectivamente. Asimismo, está asumida legal, jurisprudencial y doctrinalmente, la necesidad de protección de los entornos de los Bienes de Interés Cultural, en especial de los monumentos. Por otra parte, está generalmente asumido que la propia legislación de Patrimonio Histórico implica –o al menos justifica– el hecho de la catalogación urbanística a efectos de la protección de edificios de singular relevancia que, por sus características, no consiguen la condición de BIC. Así pues, en esencia, la Ley de Patrimonio Histórico estatal prevé un sistema de medidas protectoras *de los Bienes (inmuebles) de Interés Cultural.*

En el ámbito autonómico también existe normativa de referencia, así por ejemplo en Galicia: Ley gallega 8/1995, de 30 de octubre, de Patrimonio Histórico-Artístico. Asimismo, es preciso considerar la Ley 9/2002, de 30 de diciembre, de Ordenación Urbanística y Protección del Medio Rural de Galicia. Y, finalmente, la Resolución de 14 de mayo de 1991 de la Conselleria de Ordenación del Territorio y Obras Públicas, de Aprobación de las Normas Complementarias y Subsidiarias del Planeamiento de La Coruña, Lugo, Orense y Pontevedra.

En las CCAA pueden establecerse regulaciones sobre los distintos bienes culturales. Así, en Galicia (como también por ejemplo en Aragón o Castilla y León o Cantabria), la citada Ley 8/1995 establece algunas particularidades, en el sentido de distinguir tres categorías de bienes dentro del Patrimonio Histórico-Artístico, es decir, los Bienes de Interés Cultural propiamente dichos (en sintonía con la Ley estatal), los Bienes Catalogados a efectos de la legislación cultural; y los Bienes Inventariados. En la citada Ley estatal estos bienes inventariados se refieren a bienes muebles, no a edificaciones o áreas urbanas. Por su parte, el régimen de protección de los Bienes de Interés Cultural en la citada Ley de Galicia es próximo en esencia al de la Ley estatal (en cuanto a que se prevé un procedimiento de declaración, la suspensión de licencias municipales de parcelación, edificación o demolición con tal de incoar dicha declaración, el régimen de autorización de la *Consellería* de Cultura para justificar intervenciones en este tipo de bienes, la imposibilidad de conceder licencia municipal hasta que no se otorgue autorización de la Administración cuando sea ésta necesaria *ope legis,* la elaboración de un Plan Especial cuando el BIC sea un conjunto histórico). En efecto, todas estas reglas bien conocidas se prevén por referencia, también en la referida legislación autonómica, a los BIC. De hecho, el artículo 24 de la Ley 8/1995 de Galicia quiere distinguir claramente entre los Bienes declarados como BIC, los Catalogados y los Inventariados. Sólo los mencionados en primer lugar gozan de las exorbitancias administrativas mencionadas. En relación con los Inventariados los regula el artículo 54. Conforme a sus características culturales menos relevantes, éstos «gozarán de una protección basada en evitar su desaparición, y estarán bajo la responsabilidad de los Ayuntamientos y de la Consellería de Cultura, que habrá de autorizar cualquier intervención que les afecte». Conviene, pues, partir del dato de la diferencia entre un bien inventariado y un BIC, sin que ambos puedan equipararse. Así lo pone de manifiesto, por ejemplo, la STSJ Aragón nº 307/2004 (RJCA 2004, 823), desestimando la Sala el recurso contencioso-administrativo interpuesto por el particular con la pretensión de que un determinado bien cultural no se declarara como inventariado, sino como BIC, considerando que (en la legislación cultural de Aragón) son tres las categorías posibles por este orden decreciente de importancia: BIC, catalogados e inventariados. El Tribunal, en esta sentencia, se basa en los informes técnicos existentes y llega a la conclusión de que la categoría de bien inventariado no es inadecuada. Ello es así porque las consecuencias, en cuanto a la determinación del régimen de protección del bien, son diferentes en uno y otro caso, sin que, por tanto, el bien objeto de litigio pueda merecer la protección mayor que otorga la legislación al BIC.

B. Riesgos del sistema: posibilidad de que el Ayuntamiento otorgue la licencia presuponiendo o interpretando que tiene plena competencia

Las relaciones triangulares (entre particulares y Administración autonómica con competencia cultural y Ayuntamientos) pueden presentarse o manifestarse de distinta forma, pues, en efecto, las situaciones que pueden originarse son diferentes entre sí, tal como vamos a comprobar seguidamente. Interesa observar asimismo la posición del Ayuntamiento cuando *a priori* dice tener que intervenir dicha Administración autonómica en el caso concreto.

En primer lugar puede distinguirse la situación en que el Ayuntamiento autoriza directamente el proyecto otorgando licencia al particular, por entender que tiene competencia para ello o que no se requiere intervención de otra Administración con competencia sectorial.

En principio, el Ayuntamiento tiene su propio ámbito de decisión en el marco del urbanismo, donde puede ser soberano. Puede que el Ayuntamiento entienda que el asunto tiene un cariz puramente urbanístico que entra dentro de su propio y exclusivo ámbito competencial local. Dado el caso, la Corporación local no puede ni siquiera imaginar que Cultura tenga competencia en el caso concreto y otorga directamente la licencia. También cabe que dicha Corporación conceda la licencia a pesar de la negativa expresa de Cultura, como vamos a comprobar, incluso a pesar de que Cultura simplemente manifieste querer intervenir en el supuesto concreto.

La jurisprudencia ilustra que el Ayuntamiento puede conceder la licencia de obras dentro de su propio ámbito competencial (independientemente del mayor o menor acierto final de la decisión tomada). También informa aquélla de que el Ayuntamiento tiene un ámbito propio competencial que le permite incluso recurrir posibles intromisiones de Cultura que considere ilegítimas.

Todo ello no impide para que la Administración cultural entienda, por su parte, que debe actuar en el caso concreto y así se lo haga valer frente al particular o frente al propio Ayuntamiento, paralizando la obra autorizada por éste, o impugnando la licencia, respectivamente a ambas situaciones, bien de oficio o bien ante la denuncia en este sentido de un tercero.

Antes de profundizar en estas afirmaciones, conviene corroborar esta primera situación poniendo algún ejemplo que lo evidencie. Así, la STSJ de la Comunidad Valenciana de 8 de septiembre de 2004 (JUR 2005, 24862) sirve de claro ejemplo de cómo un Ayuntamiento puede legítimamente aprobar el proyecto del particular, entendiendo *que no se requiere* o no es de recibo la intervención o autorización de la Administración autonómica con competencia en cultura, ya que el asunto tiene una faz exclusivamente urbanística a su juicio.

> Por tanto, en torno a esta primera situación que se está comentando, es posible que el Ayuntamiento considere que procede la licencia de obras y, además, que no se requiere finalmente la intervención de la Administración autonómica. Ello no impide para que ésta pueda intervenir contra las obras del particular o para que la propia decisión local pueda ser impugnada *a posteriori* por la Administración autonómica por entender que la autorización es ilegal, ya que

no cuenta con su aprobación, o por un tercero, mediante una acción popular, como ocurre en el caso de esta sentencia.

De la citada STSJ de 8 de septiembre de 2004 (JUR 2005, 24862) interesa la propia exposición de los hechos. Ejemplifican éstos el caso de incluso una posible actitud de especial resistencia del Ayuntamiento contra la intromisión, a su juicio, de otra Administración. Aquéllos parten de una denuncia de un particular contra una construcción que afectaba *a un BIC*. Acto seguido, dice la sentencia, «la Directora General de Patrimonio artístico de la Conselleria de Cultura ordenó al Ayuntamiento de Alicante "la inmediata paralización con carácter cautelar, de las obras mencionadas, las cuales no podrán ser reanudadas mientras no se obtenga autorización de este centro Directivo", advirtiendo al interesado y al Ayuntamiento de que los hechos podían ser objeto de sanciones, ordenando al Ayuntamiento de Alicante "disponga lo necesario para la ejecución de la presente resolución, dando cuenta seguidamente a esta Dirección general de haberla efectuado..."».

Sin embargo, el Ayuntamiento de Alicante contestó que no procedía la paralización de las obras por estar amparadas en una licencia legítima, negando que la protección de un BIC se extendiera a la superficie que lo rodea. Seguidamente, el actor solicita al Ayuntamiento de Alicante que adopte las medidas de protección a la vista del avance de las obras y su negativa incidencia en el BIC, tanto por su proximidad como por la ruptura de la rasante originaria, interesando que se paralicen las obras, que se incoe expediente de delimitación del BIC y del entorno de protección y la restitución del entorno a su estado anterior.

De esta forma, interesa especialmente observar la posibilidad de que el Ayuntamiento o el particular receptor de la licencia defiendan estos intereses que consideran legítimos, ya que la intervención de la Comunidad Autónoma puede no ser de recibo en el caso concreto. Dado el caso, puede producirse un abuso en el ejercicio de sus competencias culturales, las cuales han de tener un límite lógico. Todo ello sin perjuicio de que en el presente supuesto ocurrió finalmente lo contrario, es decir una invocación en términos excesivos de una competencia local urbanística que no podía agotar las competencias autonómicas de carácter cultural[29].

En todo caso, el Ayuntamiento puede entender legítimamente que tiene plena competencia en el caso concreto, o sencillamente que no se requiere

_____

29. «Nos encontramos, pues, ante un supuesto litigioso que se ve afectado por dos ámbitos materiales (urbanístico y cultural) y por la concurrencia de dos Administraciones públicas cuyas competencias vienen referidas a dichos ámbitos: la competencia cultural corresponde a la Administración de la Generalitat Valenciana y la urbanística al Ayuntamiento de Alicante, debiendo responder cada una tanto por sus hechos como por las potestades que detentan. Sin embargo, no debe olvidarse que la relación jurídico-procesal está constituida en este proceso por el recurrente y por el Ayuntamiento de Alicante, así como por la promotora inmobiliaria, debiendo reconducir el debate a los ámbitos que son propios de esa Administración municipal. (...). Convendría indicar al Ayuntamiento de Alicante que sus competencias urbanísticas no son absolutas ni ajenas a los demás intereses públicos, debiendo someterse a la existencia de valores superiores (los relativos al patrimonio cultural valenciano) y a competencias concurrentes (las de la Generalitat Valenciana en su ámbito cultural), con estricto acatamiento a lo dispuesto en el artículo 4 de la citada Ley 4/1998».

intervención de otra Administración, porque así lo corrobora de oficio, o porque así lo ponen de manifiesto las alegaciones fundadas del particular.

El Ayuntamiento tiene un ámbito competencial o decisorio propio. Significativa es, en este contexto, la STSJ de Extremadura de 21 de febrero de 2003 (RJCA 2003, 452), estimando la demanda de un Ayuntamiento contra la Administración autonómica de Cultura y la decisión de ésta de suspender unas obras que habían sido autorizadas por el Ayuntamiento, entendiendo éste que la protección sobre el entorno del bien (decretada por dicha Administración) no encontraba refrendo en la normativa aplicable.

El Ayuntamiento, receptor de la solicitud de licencia de obras del particular, podrá entender que ostenta plena competencia, aunque finalmente se ponga en evidencia que no es el caso.

Así por ejemplo, incluso tratándose de un BIC, y más concretamente de un Conjunto histórico, si se ha aprobado el Plan Especial que conlleva dicha declaración como BIC del Conjunto Histórico, *la Administración local puede conceder directamente las licencias,* ya que cuenta con una normativa de aplicación que ha sido aprobada previamente por la Administración cultural autonómica. Pero no es esta regla sino plasmación de un principio general más amplio, es decir aquel que informa en general de los distintos casos en que la competencia de la Administración cultural no tiene que ver con el asunto planteado, no justificándose su intervención.

Así pues, el Ayuntamiento puede entender que ostenta la competencia plena en el caso concreto hasta el punto de que, si ha intervenido la Administración cultural de oficio o a instancia de un particular, dicho Ayuntamiento podrá defenderse para que se anule la intervención autonómica en el caso concreto[30].

C. Necesidad de identificar el caso concreto y de distinguir entre las diversas soluciones en función de la normativa aplicable y el carácter del supuesto, evitando enfoques generalistas

El asunto planteado en el caso concreto puede tener un doble carácter,

---

30. Lo ejemplifican dos sentencias muy ilustrativas al efecto. Primero, la STSJ de Castilla y León de 10 de enero de 2004 (JUR 2004, 79571), donde se deja claro el ámbito propio independiente de competencias del Ayuntamiento frente al ámbito competencial cultural de la Administración autonómica de cultura. En el presente supuesto se había autorizado al particular el proyecto de obras por parte de Cultura. Sin embargo, el Ayuntamiento denegó la licencia de obras para la construcción de vivienda unifamiliar y garaje en un Conjunto Histórico BIC declarado como tal aunque no contaba aún con Plan Especial. La Sala declara procedente la denegación de la licencia del Ayuntamiento, entendiendo que las competencias autonómicas se refieren a la emisión de un informe no vinculante que se integra como acto de trámite en el expediente y que estas competencias autonómicas no vinculan a la Administración local. Además, la Sala se basó en la autonomía local y en el artículo 20.3 de la LPHE y ciertas referencias jurisprudenciales que cita la sentencia.
Ilustra también, segundo, la STSJ de Castilla y León de 31 de enero de 2003 (JUR 2003, 115563). El caso enjuiciado se refiere a la impugnación por parte de un Ayuntamiento de una resolución de la Administración autonómica de cultura relativa a una delimitación de un entorno de protección de un BIC. En su defensa el Ayuntamiento invocaba una invasión de las competencias locales urbanísticas y una desproporcionada inclusión de inmuebles privados dentro del entorno, a pesar de que por motivos formales fue desestimada la demanda.

urbanístico y cultural, pero puede tener un carácter sólo urbanístico (tal como acabamos de comentar) o sólo cultural dependiendo del caso concreto. Esto último ocurrirá cuando el tenor de la norma aplicable permita afirmar una competencia cultural junto a la ordinaria de carácter urbanístico.

Por tanto, ante la solicitud de una licencia, cabe que el Ayuntamiento otorgue ésta si entiende que el tema se agota en lo urbanístico, tal como acabamos de comprobar. Lo cual no impide que la Administración autonómica (o un tercero) impugne la licencia de obras por entender que el asunto entra dentro de una órbita cultural, a la luz de la normativa aplicable. Y, más fácilmente, también puede ocurrir que dicha Administración cultural intervenga. O que no intervenga debiendo hacerlo y es denunciada por un tercero. Dado el caso, los órganos jurisdiccionales del orden contencioso-administrativo confirmarán entonces si, en realidad, debió o no actuar dicha Administración autonómica.

Lo procedente podrá ser, en efecto, que Cultura intervenga, frente a su decisión de no intervenir. Así, la STS de 23 de junio de 2003 (RJ 2003, 4443) obliga a Cultura a denegar una autorización, frente a la decisión adoptada de no intervenir, en un caso relativo a la solicitud de una licencia de cambio de uso como bodega en un edificio próximo a un BIC. Según la Sala, la denegación de la autorización que aquélla debe realizar se justifica considerando que el cambio de uso se refiere a un bien es colindante con un BIC que perturba su visión. De esta forma la jurisprudencia informa de las posibles incidencias, en especial en el contexto de las posibles impugnaciones de terceros mediante acciones populares.

Por contrapartida al caso anterior, Cultura podrá haber autorizado una obra pero lo procedente es en cambio la denegación de la autorización por contravenir la normativa. En este sentido, la STS de 21 de enero de 2002 (RJ 2002, 6879), confirmando la sentencia impugnada, estima el recurso de un tercero contra sendas autorizaciones, local y autonómica, demostrando que la construcción (un Hotel en el conjunto histórico del Sardinero aún sin Plan especial) contraviene las normativas urbanística y cultural. Según esta sentencia la autorización de cultura es un acto de trámite que se incardina en el procedimiento general de autorización local de las obras.

Pero la sentencia podrá confirmar la legalidad de la autorización autonómica pese al recurso del tercero (STSJ de Galicia de 19 de noviembre de 2003 [JUR 2004, 64166]; STSJ de Cataluña de 27 de marzo de 2003 [JUR 2004, 39727]; STSJ de Aragón de 21 de febrero de 2005 [RJCA 2005, 577]).

Las situaciones no pueden reducirse, en consecuencia, al simplismo, ya que pueden presentarse distintas variables. Los hechos del caso concreto, y el propio contenido de la norma aplicable, nos informarán acerca de ante qué situación estamos. En principio, puede hablarse de una presunción clara a favor de lo cultural en el ámbito del bien protegido o de su entorno si dicho bien es un BIC.

Importancia tiene, pues, el posicionamiento del Ayuntamiento en el caso concreto; no tanto en cuanto al fondo (porque éste permanece invariable en cuanto a la resolución final de la posible controversia independientemente de la posición que adopte el Ayuntamiento) sino en cuanto a quién va a ser el sujeto que finalmente se ve obligado a hacer valer sus derechos. Es decir, si, ante la negativa de Cultura, el Ayuntamiento deniega la licencia (siempre que no esté otorgada por silencio positivo) el particular se verá obligado a recurrir. Si el Ayuntamiento concede la licencia de obras, Cultura será quien hará uso de su régimen de autotutela para interrumpir o suspender las obras, o recurrirá judicialmente la decisión local. Todas estas variantes tienen refrendo en la doctrina jurisprudencial.

Como puede apreciarse, un estudio sobre las situaciones exige hacer un esfuerzo por racionalizar o analizar, huyendo de los planteamientos simplistas que quieran reducir la presente problemática a un marco de relaciones entre la Administración de Cultura que puede decidir lo que estime conveniente y un particular o un Ayuntamiento supeditado absolutamente a estas decisiones.

D. Garantías del particular

Confirmando la posibilidad de que el asunto permanezca en la única esfera municipal, sin posible intervención autonómica, informa cierta jurisprudencia cuando concluye que Cultura no debe intervenir en el caso concreto.

En general, conviene aludir a este supuesto en el contexto de las garantías del particular frente a las decisiones de la Administración de Cultura. Es preciso insistir en que la intervención de esta Administración estará legitimada cuando cuente con los debidos informes que lo justifiquen, cuando la decisión esté motivada y cuando conste que tiene competencia para ello.

Es significativa, en este contexto, la sentencia STSJ Comunidad Valenciana de 4 de noviembre de 2002, nº 1389/2002 (RJCA 2004, 57).

En principio, la controversia se planteó entre el particular y la Administración autonómica cultural, al pretender aquél desarrollar la construcción de un hotel en el entorno de varios BIC. A tal efecto dicho particular solicita autorización de Cultura, denegando ésta el proyecto por motivos de impacto visual en dicho entorno (hasta tres autorizaciones fueron solicitadas por aquél).

Principalmente, el Tribunal afirma el exceso competencial en que habría incurrido la Administración Autonómica. La sentencia incide en la necesidad de que sus competencias se ejerciten con estricto respeto de las competencias locales, por un lado, y del marco habilitante previsto en la propia norma por otro lado.

En principio, la competencia cultural en estos casos[31] tiene como finalidad la protección de los valores culturales de los bienes especialmente protegidos por tal condición, que es la que justifica que las edificaciones de su entorno hayan de obtener, además de la licencia municipal de obras, en los términos de la correspondiente legislación urbanística, la autorización previa de los órganos correspondientes de la Administración de la Generalidad Valenciana.

Tal autorización, por tanto, dice el Tribunal, ha de venir referida necesariamente, en su concesión o su denegación, a la finalidad de protección del dicho patrimonio cultural y no a otras cuestiones, como es el caso de las urbanísticas, cuyo control y protección vienen atribuidas a otras Administraciones públicas, como se desprende, además, del propio precepto que diferencia claramente la autorización a efectos de patrimonio cultural de la licencia, ya que para la edificación la obtención de esta autorización no sólo no excluye, sino que requiere de licencia municipal en los correspondientes términos urbanísticos, licencia ésta que, por lo demás, no puede otorgarse sin la previa autorización cultural como establece el artículo 36 de la Ley estatal 16/1985, de 25 de junio, de Patrimonio Histórico Español (LPHE).

> En este sentido, «*la competencia para valorar el ajuste o no del proyecto a la ordenación urbanística correspondiente se ha de residenciar en la Administración municipal correspondiente,* en este caso en el Ayuntamiento de Valencia, tanto desde la perspectiva de la normas urbanísticas, en este caso tanto el todavía vigente artículo 243 del Texto Refundido de la Ley del Suelo aprobado por RDLeg 1/

---

31. Argumenta la sentencia: «la competencia del Departamento de Cultura de la Generalidad Valenciana para autorizar o no el proyecto presentado le viene habilitada por la Ley de la Generalidad Valenciana n(4/1998, de 11 de julio de 1998, del Patrimonio Cultural Valenciano, que en su artículo 35.1 establece que, hasta tanto no se apruebe definitivamente el correspondiente Plan Especial de protección o se convalide en su caso el instrumento preexistente –como es el caso– toda intervención que afecte a un bien inmueble declarado de interés cultural o incluido en el entorno de protección de un Monumento o Jardín Histórico deberá ser autorizada por la Conselleria de Cultura, Educación y Ciencia, previamente a la concesión de la licencia municipal cuando fuere preceptiva».

1992, de 26 de junio, en relación con los artículos 21.1.g) y 24.e) de la Ley 7/ 1985, reguladora de las bases del Régimen Local, como de las propias normas autonómicas relativas a la protección de los bienes culturales, en especial las contenidas en los citados artículos 35 y 36 de la Ley de la Generalidad Valenciana 4/1998, de 11 de junio, del Patrimonio Cultural Valenciano, que exigen en todo caso la licencia municipal de obras y con ello de la competencia municipal para el otorgamiento de las licencias».

Destaca la Sala que «*lo que no cabe en el presente caso es que el otorgamiento o denegación de la autorización por la Administración de la Generalidad Valenciana se haga en función de las normas urbanísticas y no de las culturales,* ni tampoco que el otorgamiento o denegación de la licencia municipal de edificación se produzca en atención a las normas de protección del patrimonio cultural, atendido en este caso que la legislación protectora exige la previa intervención de la autoridad cultural autonómica, ya que, si ello concurre, nos encontraríamos en el caso de un claro vicio de incompetencia o cuanto menos en un caso de exceso de poder».

En consecuencia, «es de estimar la impugnación de la resolución recurrida, en cuanto se refiere a la falta de competencia de la Administración autonómica en lo tocante al control y adecuación a la legalidad urbanística del proyecto presentado, por lo que no procede más pronunciamiento que éste acerca de las infracciones urbanísticas recogidas en la resolución recurrida, ni por tanto tener en cuenta este fundamento de la denegación de autorización objeto del recurso».

Pero lo más relevante de esta doctrina jurisprudencial no está sólo en el hincapié que hace en el principio de competencia por referencia a la Administración local, sino también y especialmente en dicha regla de competencia en relación con el principio de legalidad. En el presente caso, el particular pretendía un proyecto constructivo con una volumetría edificatoria que no autorizaba la Administración alegando su impacto visual negativo sobre el entorno de los BIC de la zona. Según la Sala, la Administración cultural no tiene una *competencia abierta.*

La protección que se establece en la legislación viene referida al establecimiento de un plan especial de protección propio de los bienes declarados de interés cultural, que habrá de integrarse en la ordenación urbanística del municipio, disponiendo dicha legislación reguladora (obviamos cita) que en tanto no se aprueben estos planes especiales se estará a la reglas de especial protección que establezca la declaración de bien de interés cultural. En el presente caso no existe plan o planes de especial protección de los bienes culturales en cuestión. «*En consecuencia y en el presente caso, las reglas de protección a las cuales se ha de adecuar el proyecto han de ser, las establecidas con tal carácter en el planeamiento urbanístico, las propias de la declaración de estos bienes, y, atendido que no existe plan especial de protección, los criterios que la Ley establece han de seguir estos planes*».

La doctrina jurisprudencial determinante es la siguiente contenida en los F. 24 y siguientes:

«Esta resolución recurrida, en lo que a esta cuestión se refiere (fundamento de derecho sexto de la misma), **se limita a fundar su valoración negativa del diseño del proyecto presentado, de una parte, en la consideración de la inmediatez de los** "Bienes de Interés Cultural afectados (Jardín Botánico y entorno de la Iglesia de San Miguel y San Sebastián)", **aunque sin señalar en qué extremos concretos afecta el proyecto a los mismos,** y, de otra parte, en la discrecionalidad técnica para resolver en cada caso según las peculiares circunstancias de apreciación estética y de ambientación histórica, reproduciendo en justificación a su valoración discrecional parte del informe técnico de 8 de junio de 1999, que viene referida evidentemente al segundo de los proyectos presentados –critica entre otros aspectos la fachada de vidrio plano– y no al tercero de los presentados que es objeto de este recurso, cuya fachada y aspecto visual es diferente –como ya se ha expuesto antes– a la estudiada en el informe referido. *Todo ello lleva a considerar que la resolución impugnada no es que carezca de motivación en este punto, como alega la demandante, ya que sí la tiene, sino que ésta es genérica y sin precisar las concretas infracciones de la reglas de protección que han de determinar la denegación de la autorización producida, lo que se traduce, en suma, en que la denegación de autorización impugnada se funda en la inadecuación del proyecto presentado al entorno de los Bienes de Interés Cultural para cuya protección se instituye esta autorización previa, estimada en los términos de la discrecionalidad técnica de la Administración para apreciar la adecuación».*

«Por lo expuesto no cabe apreciar que el proyecto presentado infrinja las reglas de protección de los bienes de interés cultural en cuestión aplicables al caso, sin que sea admisible que la Administración cultural de la Generalidad Valenciana, que dispone de la potestad y la obligación de establecer las concretar reglas de protección de cada bien cultural a través de los planes especiales de protección previstos en la citada legislación reguladora, no habiéndolas establecido, pueda sustituirlas por unos criterios de discrecionalidad técnica variables y no especificados, ni detallados, más allá de las reglas que se derivan de la propia legislación protectora. *La norma reguladora establece, desde luego, la necesidad de autorización previa, pero ésta, en absoluto, puede considerarse no reglada,* como señala la resolución impugnada, ni mucho menos, que el hecho de que no exista plan especial de protección, que depende de la propia decisión de la Administración autonómica, ni otras reglas específicas de protección de determinados bienes, pueda llevar a la conclusión que el acto de autorización establece sus propias reglas de protección *ad hoc,* convirtiendo así lo que es un mero acto de constatación de la adecuación de las reglas de protección de cada bien en cuestión, que es lo que debe ser la autorización, en un acto discrecional, sin referentes normativos derivados de la propia inactividad de la misma administración, y que de hecho cree las propias reglas de adecuación que considere oportunas en cada momento. Por todo lo expuesto procede en consecuencia la estimación del recurso, ya que cabe apreciar que el acuerdo impugnado es contrario a Derecho, porque deniega la autorización solicitada sin que quepa apreciar en el proyecto presentado infracción de las reglas de protección de los bienes afectados, por lo que procede la anulación de la resolución impugnada y consecuentemente del acto de denegación inicial cuyo recurso de alzada desestima».

Esta sentencia permite argumentar que ni siquiera en los BIC (y, por tanto, con menor motivo en los bienes inventariados) procede una interpretación amplia o imprecisa o indeterminada de las competencias de Cultura en aras de exigir los requisitos de un proyecto concreto de obras o de precisar la delimitación del entorno. Más bien, la Administración ha de actuar aplicando las concretas reglas de la norma de referencia que habilite sus potestades en el sentido en que éstas estén previstas. Además no puede limitarse a «fundar su valoración negativa del diseño del proyecto presentado», en la simple consideración de la inmediatez respecto del bien protegido. Ha de «señalarse en qué extremos concretos afecta el proyecto a los mismos». No es de recibo invocar «la discrecionalidad técnica para resolver en cada caso según las peculiares circunstancias». No es suficiente una razón «genérica y sin precisar las concretas infracciones de la reglas de protección que han de determinar la denegación de la autorización producida».

El carácter reglado y no discrecional de la decisión autonómica, así como la necesidad de que la competencia se ejerza dentro de los límites que prevé en concreto la norma habilitante, son presupuestos jurídicos que se reconocen igualmente en la STSJ de Galicia 27 de febrero de 2004 (RJCA 2004, 722) o en la STSJ del País Vasco de 22 de julio de 2002 (JUR 2002, 261975).

Asimismo, la STSJ de Castilla y León de 21 de noviembre de 2005 (JUR 2006, 788) deja clara igualmente la necesidad de motivación y de contar con los informes pertinentes, para que pueda delimitarse un entorno de un BIC (anulando la decisión autonómica por no estar suficientemente motivada).

Siguiendo esta jurisprudencia, para que los efectos de protección de un BIC puedan proyectarse o recaer sobre los bienes privados de su **entorno,** se requiere:

Primero, cumplir con el artículo 12 del RD 111/1986, 1986, de 10 de enero, de desarrollo parcial de la Ley 16/1985, de 25 de junio, del Patrimonio Histórico Español, modificado por el Real Decreto 64/1994, de 21 de enero, a cuyo tenor «el acto por el que se incoa el expediente deberá describir para su identificación el bien objeto del mismo», añadiendo que «en caso de bienes inmuebles, el acto de incoación deberá además delimitar la zona afectada».

Segundo, que esta decisión esté motivada y que cuente con los debidos informes que justifiquen el régimen de protección del entorno y sus límites concretos.

Tercero, que el entorno se realice dando trámite de audiencia a los afectados para que ésos puedan presentar alegaciones (STSJ de Navarra 4 de diciembre de 2001 [RJCA 2002, 215]), siendo uno de los contenidos posibles de las alegaciones el relativo a la posible invasión de las competencias locales urbanísticas (STS de 1 de octubre de 2001 [RJ 2001, 9025]) o la necesaria aplicación del principio de proporcionalidad que puede invocar el propio

Ayuntamiento en su defensa contra la delimitación del entorno por considerarlo excesivo en sus dimensiones (STSJ de Castilla y León de 31 de enero de 2003 [JUR 2003, 115563]).

Tal como destaca la STSJ de Galicia de 29 de septiembre de 2004 (JUR 2005, 189926), el hecho de que un inmueble se encuadre dentro de un entorno de BIC no significa que este régimen protector se proyecte sobre aquél. Todo esto, evidentemente, no significa que el bien inventariado tenga que quedar desprotegido, pues incluso será procedente la sanción del Consejero de Cultura cuando se realicen obras sin la autorización de Cultura en el bien inventariado (STSJ de Galicia 31 de octubre de 2002 [JUR 2003, 112930]), lo cual es responsabilidad única y directa de quien incumple.

En puridad, la protección de los entornos se refiere a los BIC (tal como hace la LPHE) y no a los inventariados.

En todo caso, las garantías de los particulares afectados por áreas de protección de bienes inventariados no deberían ser superiores a las que corresponden a los particulares afectados por BIC, sin ser de recibo cláusulas abiertas de interpretación.

Lo pone de manifiesto ejemplarmente una ilustrativa STSJ de Extremadura de 21 de febrero de 2003 (RJCA 2003, 452). El litigio se refiere a unas obras autorizadas por el Ayuntamiento a un particular en una zona próxima a un bien inventariado (una iglesia), siendo parte recurrente (y que vence en el proceso) el Ayuntamiento contra la resolución de suspensión de las obras que decretó la Administración autonómica, «obras que no afectan directamente al bien inventariado sino a su entorno» sin que hubiera una previa delimitación del entorno donde se incluyera el solar objeto de litis.

La legislación, por ejemplo, extremeña, distingue entre bienes inventariados, catalogados y BIC y prevé una mención a la necesidad de proteger el entorno de los bienes inventariados. Sin embargo, la protección de los entornos no puede ser genérica. En efecto, «ahora bien (dice la sentencia), el entorno del "monumento", no tiene una delimitación genérica de tal forma que la Administración pueda actuar en su defensa en función de las concretas peculiaridades que concurran ante cualquier actuación que pudiera considerarse lo altera, *sino que muy al contrario, exige el Legislador que en la declaración "se concretarán exactamente los términos respecto al entorno del monumento a proteger...* se delimitará en la correspondiente resolución y gozará de la misma protección que el bien inmueble de que se trate" (artículo 38 1º, párrafo segundo). En suma y por lo que al caso de autos se refiere, no es que, como entiende la Administración Regional, la existencia de un Bien Patrimonial legitime la actuación en su entorno, sino que la misma declaración de Monumento, en concreto, comporta una delimitación de su entorno que tiene el mismo régimen de protección; no se protege el entorno por el Monumento, sino que en la protección de éste ya va incluido y delimitado y con el mismo régimen de protección. Y si ello es así, no se aduce por la Administración Autonómica que el concreto solar donde se ejecutaban las obras estuviese delimitado como entorno de la Iglesia, por lo que no podía actuarse las potestades de protección. *Y es que, en definitiva, de la mera colocación sistemática de la protección del entorno, y de los términos empleados por los artículos 37 y siguientes de la Ley, se viene a concretar que el entorno es consustancial al "Monumento", como una categoría de los Bienes de Interés Cultural (artículo 6) que requiere declaración expresa;* pero no se contempla esa protección para el menor grado de intervención que comportan los Bienes Inventariados, la que goza la Iglesia de autos. Y a esa mi conclusión se llega por la vía de la aplicación de la Ley (Estatal) 16/1985, de 25 de junio, del Patrimonio Histórico Español que en su artículo 19 condiciona las obras en el entorno sólo respecto de los "Monumentos declarados Bienes de Interés Cultural"».

Además: «se hace referencia también en la fundamentación de la resolución que se revisa a las exigencias que se imponen en el artículo 138 a) del Texto Refundido de la Ley del Suelo y Ordenación Urbana, aprobado por Real Decreto Legislativo 1/1992, de 26 de junio, vigente en nuestra Comunidad al momento de las actuaciones, por aplicación de la Ley Autonómica 13/1997, de 23 de diciembre, Reguladora de la Actividad Urbanística de la Comunidad Autónoma de Extremadura, precepto que impone que "las construcciones habrán de adaptarse, en lo básico, al ambiente en que estuvieran situadas, y a tal efecto: a) Las construcciones en lugares inmediatos o que formen parte de un grupo de edificios de carácter artístico, histórico, arqueológico, típico o tradicional habrán de armonizar con el mismo, o cuando, sin existir conjunto de edificios, hubiera alguno de gran importancia o calidad de los caracteres indicados". Es manifiesto que dicho precepto no habilita a la Administración Autonómica a ejercer las potestades de suspensión de las obras; en primer lugar, porque desde el punto de vista urbanístico y habiendo otorgado el Ayuntamiento la licencia, era a éste a quien compete haber adaptado las obras a lo en ella establecido, y si lo dispuesto en ella no era conforme al planeamiento, procedería haber promovido su anulación; *porque desde la óptica urbanística era el planeamiento a considerar y en ese ámbito las potestades autonómicas son, en su caso, subsidiarias de las locales.* Pero además, es manifiesto que el precepto se refiere a la concreta obra a ejecutar, no a la posibilidad de acometer o no la edificación, que le da el Plan, de tal forma que esas normas directas no hacen referencia a ello porque ya el Plan habrá de valorar la posibilidad de edificación».

En Galicia la Ley 8/1995, de 30 de octubre, de Patrimonio Histórico-Artístico admite también esta interpretación en tanto en cuanto distingue las tres categorías de bienes (declarados, catalogados e inventariados) previendo el característico régimen de protección de los entornos por referencia a los primeros y los segundos de los bienes mencionados, no para los terceros. La diferencia es nítida en la citada Ley: artículos 44 y 52.2 (protección de los entornos en los BIC y catalogados) por un lado, y artículo 54 que no sólo no menciona los entornos sino que además se refiere al bien individualmente considerado.

En la jurisprudencia no falta alguna sentencia algo confusa en cuanto a la definición de los preceptos aplicables en el caso concreto. En efecto, preceptos de distinta procedencia se citan conjuntamente a pesar de su procedencia diversa. Así, la sentencia del TSJ de Galicia de 30 de abril de 2003 (JUR 2003, 267615) pese al parecer referirse a una iglesia inventariada y a unas obras en su «área de protección» se apoya (para mantener la legalidad de la orden sancionadora de la Conselleria de Cultura), en el artículo 52.1 de la Ley 8/1995 que no se refiere a dicho área sino al «entorno» de los «bienes catalogados» además y no de los bienes inventariados, así como en el artículo 36 de la misma Ley relativo igualmente a los BIC y, finalmente, en una sentencia del TS de 1997 que alude igualmente al entorno de un *BIC*. Todo ello a pesar de reconocer expresamente que la facultad de la Conselleria se limita a «informar» de forma preceptiva y vinculante, no a autorizar. Puede ponerse de manifiesto una cierta confusión de esta sentencia en sus apoyos normativos referidos indistintamente a BIC, bienes catalogados y bienes inventariados.

Y en el caso de la STSJ de Galicia de 20 de febrero de 2004 (RJCA 2004, 790) ni siquiera se sabe si el fallo se refiere al entorno de los BIC o si se refiere al área de protección de una iglesia inventariada.

Puede finalmente citarse la STSJ del TSJ de Galicia de 27 de febrero de 2002 (JUR 2002, 136756). Consistiendo el supuesto enjuiciado en la construcción de una obra (un área depuradora) dentro de un «área de protección» de un bien inventariado (una iglesia) la sentencia toma como referencia el artículo 30 de la Resolución (...) y exige la retroacción de actuaciones en tanto en cuanto no se ha emitido válidamente el Informe de la Conselleria de Cultura, ya que el que se ha emitido es confuso y no queda claro si la obra se encuentra o no dentro del perímetro de los cien metros. No consta en la sentencia si la construcción afectaba a suelo no urbanizable, pese a que hubiera sido deseable una mención en la sentencia a esta cuestión que comenta o trata de modo genérico o indeterminado.

E. El régimen de doble autorización

El régimen de dos autorizaciones presupone que ambas Administraciones referidas (autonómica y local) tienen competencia en el caso concreto. En estos supuestos, puede que Cultura deniegue la autorización al particular, impugnando éste judicialmente la denegación previo recurso en vía administrativa. En el caso de los bienes inventariados, según por ejemplo el artículo 54 de la Ley gallega, se requiere de autorización en tanto en cuanto la obra afecte al bien inventariado. Toda posible extralimitación requerirá una fundamentación necesaria en el sentido expuesto a la luz de la jurisprudencia precedente en materia de protección de entornos de BIC en tanto en cuanto no esté redactado un planeamiento especial de protección.

Cuando interviene Cultura otorgando la primera autorización es porque existe una norma que justifica la intervención en el caso concreto.

Puede servir de ejemplo de esta situación ordinaria, de doble autorización, la STSJ de Galicia de 12 de diciembre de 2001 (sentencia nº 1563/2001), siempre Sala de lo Contencioso-Administrativo (JUR 2002, 94324) cuando se enfrenta con un supuesto en que, aun cuando el particular contaba con licencia local de obras, la resolución del Director General de Patrimonio Cultural de la Conselleria de Cultura, Comunicación Social y Turismo de la Xunta de Galicia, sin embargo, acordó no autorizar legalización de ático. Según esta sentencia «en primer lugar, lo que aquí ha de controlarse y revisarse no es la adecuación a la normativa urbanística sino a la reguladora del patrimonio histórico-artístico en cuanto el inmueble está radicado dentro del conjunto histórico-artístico de M.

de Lemos. (...) *Por tanto, ninguna relevancia tiene, a los efectos que aquí interesan, que la Comisión de Gobierno del Ayuntamiento de M. y el arquitecto municipal dieran su aprobación al proyecto de legalización del ático presentado por el actor, pues ello lo hicieron desde la perspectiva de la normativa urbanística que les afectaba, siendo los órganos competentes en materia de patrimonio histórico-artístico los que han emitido informe negativo e impiden la ejecución de la planta retranqueada propuesta, en aplicación de su regulación propia y autónoma de la primera*».

En este caso, pesó el hecho del «aumento de volumen respecto a lo proyectado y aprobado por la Comisión de Patrimonio, el cual ha quedado constatado tanto en vía administrativa, con los informes técnicos antes reseñados, como en esta Jurisdiccional, a través de la prueba pericial practicada, hasta el punto de que lo que había sido autorizado como planta bajo cubierta se transformó en no legalizable cuarta planta retranqueada, por lo que se ha excedido claramente lo que en 1986 autorizó la Comisión Territorial del Patrimonio Histórico-Artístico». También pesó el hecho de que «tampoco puede afirmarse que se haya respetado la armonía y estética (...)»[32].

Otro ejemplo puede ser la sentencia del TSJ de Cantabria de 29 de octubre de 2004 (JUR 2004, 291258). Aunque el particular impugna la denegación de la licencia local, el motivo de la denegación es la negativa que previamente ha pronunciado la Administración Autonómica en relación con unas obras urbanísticas de gran envergadura que causaban un impacto visual notoriamente contrario a las características arquitectónicas de un BIC relevante como es la Universidad Pontificia de Comillas[33].

Así pues, puede ocurrir que el litigio se origine directamente entre el particular y la Administración autonómica cultural. Así ocurre en el caso enjuiciado en la STSJ Castilla y León, Valladolid, nº 611/2005 (JUR 2005, 106543), en el cual dicha Administración autonómica había informado desfavorablemente el Plan Parcial de aquél por entender que causaba un impacto visual negativo en la contemplación de un BIC (conjunto histórico). El particular actúa, pues, como demandante y la Administración autonómica como demandada, siendo code-

---

32. Por otro lado, argumenta esta sentencia, si se alega que existen otros edificios próximos al del actor a cuyos titulares se ha dispensado tratamiento distinto y más favorable, en lo que se basa la invocación de vulneración del principio de igualdad. En torno a este aspecto, no consta que «la Comisión Territorial de Patrimonio Artístico de Lugo haya otorgado informe favorable a la construcción de edificio con igual o mayor volumen que el proyectado o el informado (...)» «pero, aunque se admitiese lo que se alega, el hecho de que puedan existir otras situaciones de ilegalidad no puede permitir, bajo el manto de la supuesta igualdad, que esa ilegalidad se extienda más, pues la igualdad ha de tener lugar siempre dentro de la legalidad, no al margen de ella, además de que aquella extensión de lo ilegal sería el mejor modo de destruir el entorno cultural y artístico y de desvirtuar la aplicabilidad de las leyes protectores de dicho patrimonio. Ha de recordarse que no constituyen adecuados términos de comparación los precedentes administrativos que no hayan sido sometidos a revisión judicial con los que sí lo han sido (sentencia Tribunal Constitucional 14/1985 [RTC 1985, 14]), existiendo prevalencia de estos últimos (sentencia TC 62/1987 [RTC 1987, 62])».

33. En términos muy similares se plantea el conflicto en la STSJ de Extremadura de 26 de febrero de 2002 (JUR 2002, 117647), denegando el Ayuntamiento la licencia, pese al Informe técnico favorable, porque la Administración cultural se había pronunciado en contra. El particular entonces se ve obligado a recurrir.

mandado el Ayuntamiento. El objeto del recurso es el Acuerdo de la Comisión Territorial de Urbanismo por el que se deniega la aprobación del Plan Parcial, aunque con fundamento en los informes referidos.

En este contexto, conviene matizar que el litigio podrá producirse entre particular y Cultura, pero no con ocasión de la aprobación de un plan sino con ocasión de la solicitud de una licencia de obras. El recurso contencioso-administrativo podrá plantearse directamente contra la denegación de la autorización por parte de Cultura. Éste es el supuesto de la STS de 8 de marzo de 2006 recurso 2375/2001 (RJ 2006, 5702), donde se dilucida si está motivada la denegación de la Administración autonómica alegando que las obras causarían un impacto visual negativo en el BIC[34].

Surge la pregunta acerca de si el régimen que debe seguirse es el de doble autorización o, simplemente, el de Informe por parte de la Administración con competencia cultural.

La respuesta a esta pregunta dependerá, evidentemente, de cómo esté formulada la norma aplicable, a pesar de que no es infrecuente una cierta confusión sobre el particular.

Cuando procede la autorización de Cultura (en casos en que junto a los aspectos urbanísticos, también existe una norma que habilita la intervención de la Administración con competencia en Cultura) el supuesto no se refiere, en puridad, a un Informe no vinculante, como es regla general (tal como ocurre en los casos en que ha de informar la Administración competente en materia de vías pecuarias o las confederaciones hidrográficas cuando se pretende la aprobación de un Plan Parcial) o a un Informe vinculante (como sucede por ejemplo cuando informa el Ministerio de Fomento en relación igualmente con Planes parciales).

En estos casos, estamos ante ámbitos de competencias concurrentes. En principio, el proyecto del particular ha de contar con dos autorizaciones, siendo

---

34. Hasta tal punto el litigio puede presentarse de esta forma que la posición del Ayuntamiento puede ni siquiera constar en la sentencia; o presuponerse que el particular se ha dirigido o tenido que dirigir (por indicación del propio Ayuntamiento) ante la DG de Cultura para que autorice las obras en el caso de que éstas se sitúen en un conjunto histórico declarado BIC considerando que no se había aprobado aún el Plan Especial posterior a dicha declaración (STSJ de Galicia 27 de febrero de 2004 [RJCA 2004, 722]; STSJ de Cataluña de 9 de enero de 2002 [JUR 2002, 133554]).

No obstante, el Ayuntamiento podrá figurar nominalmente como codemandado como ocurre en la STSJ de Galicia de 19 de febrero de 2003 (JUR 2003, 266860) en relación con una construcción que, esta vez, no afectaba a un BIC sino a «un casco antiguo»; la sentencia desestima el recurso del particular contra la orden de Conselleria de denegación de instalación de antenas de telefonía. El Ayuntamiento había concedido licencia de obras pero este hecho no impidió que se sustanciara el conflicto con Cultura (puede verse también la STSJ de Baleares de 19 de enero de 2001 [RJCA 2001, 328]).

El propio Ayuntamiento podrá remitir las actuaciones a la Conselleria de Cultura planteándose el litigio entre el particular y Cultura. Así es el caso igualmente resuelto por la STSJ de Galicia de 25 de febrero de 2004 (JUR 2004, 260811) en un supuesto en que un proyecto urbanístico era conforme con el PGOU pero que según Cultura debía reducirse de altura las construcciones, por su impacto negativo en el entorno de un BIC (más bien un bien contiguo) BIC que según la Sala era además especialmente relevante.

la autonómica en estos casos previa a aquella otra local (artículo 23.1 de la Ley 16/85)[35]. El asunto, además de urbanístico, será cultural cuando se subsuma dentro de algún supuesto recogido en la legislación de patrimonio cultural. Generalmente esto se refiere a la protección de un BIC o de su entorno, con las limitaciones previstas en la propia Ley. También podrá referirse a un bien catalogado individualmente considerado o a su entorno. O a un bien inventariado.

Cuando la jurisprudencia alude a la competencia de Cultura de informar en el procedimiento local de otorgamiento de la licencia (caso por ejemplo de la sentencia del TSJ de Cantabria de 29 de octubre de 2004 [JUR 2004, 291258], F. 3º); o también de la STSJ Andalucía, Granada, nº 838/2000 (Sala de lo Contencioso-Administrativo [RJCA 2000, 1408] o de la STSJ de Cataluña de 27 de marzo de 2003 [JUR 2004, 39727]) es preciso entender que el caso se refiere a algún precepto concreto que formule en estos términos la competencia de la Administración cultural.

El riesgo está en que la norma se exceda en la atribución de un régimen de autorización cultural, previa a la local, en el caso concreto.

F. La licencia local no impide que Cultura pueda intervenir en el caso concreto

En efecto, como antes se advertía, el hecho de que el particular disponga de licencia de obras del Ayuntamiento no impide que pueda intervenir la Administración cultural si ésta entiende que tiene competencia en el caso concreto. Según esto, el Ayuntamiento concede licencia de obras por entender que dispone de competencia para ello, pero la Administración cultural quiere intervenir.

Esta situación es diferente de aquella otra (ya referida) en que ambas

---

35. Como han declarado las sentencias del Tribunal Supremo de sentencia de 23 de julio de 1992 (RJ 1992, 6173) y 21 de noviembre de 2000 (RJ 2000, 9864), «[...] no puede olvidarse que en materia del Patrimonio Histórico-Artístico, incluso con arreglo a la vieja normativa, se da un supuesto de competencias concurrentes; de una parte, la competencia municipal que interviene en aras de lograr que las construcciones y edificaciones se sometan a la legalidad urbanística, y de otra, la competencia estatal o autonómica, que persigue el ajuste de las obras al interés cultural, histórico y artístico; concurrencia que no supone interferencias, pues cada orden competencial ha de resolver el supuesto de acuerdo con la normativa que le es aplicable [...]»; «[...] la vía municipal y autonómica, como se ha dicho, son independientes desarrollando cada una su vida propia, tanto a los efectos procedimentales, como a los posibles efectos impugnatorios de los actos que en una y otra pudieran dictarse [...]»; añadiendo, ya en sus propios razonamientos, que la dualidad de intereses públicos a proteger en este campo del Patrimonio Histórico ha dado lugar, tanto en la Ley de 13 de mayo de 1933 como en la Ley 16/1985, de 25 de junio, a una dualidad de competencias, por virtud de la cual, con anterioridad al otorgamiento de la licencia urbanística, de competencia municipal, ha de obtenerse la preceptiva licencia en el ámbito del Patrimonio Histórico, de competencia en otro tiempo estatal y hoy ordinariamente autonómico.

Administraciones (local y autonómica) ejercitan su competencia, debiendo contar el particular con dos autorizaciones.

Más bien, esta situación se refiere al caso en que el Ayuntamiento otorga la licencia por entender que no se requiere autorización de alguna otra Administración.

Esta situación permite ser explicada desde tres posibles situaciones a su vez. Primero, puede llevar a una intervención contra las obras en curso autorizadas por el Ayuntamiento. Segundo, puede llevar a una impugnación de la licencia local por parte de Cultura. Tercero, puede llevar a un requerimiento, por parte de esta Administración Autonómica, al particular para que éste le solicite autorización.

Precisamente, esta posibilidad de dejar abierta la intervención de Cultura facilita el hecho mismo del otorgamiento de la licencia por parte del Ayuntamiento, en casos en que no quede claro que Cultura debe intervenir, a sabiendas de que este otorgamiento no impide la intervención de la Administración Autonómica.

Es cierto que en este contexto puede presentarse la situación concerniente a la realización de obras por el particular en una zona BIC sin la autorización de la Administración de Cultura o, dado el caso, sin siquiera la de la Administración local, asumiendo dicho particular el riesgo de la imposición de una sanción (STSJ de Castilla y León de 28 de enero de 2005 [JUR 2005, 60085] y Galicia de 30 de enero de 2002 [JUR 2002, 134786] declarando, respectivamente, conformes a Derecho las sanciones que imponen el Consejero de Educación y Cultura y el Conselleiro de Cultura, Comunicación Social y Turismo).

G. En este contexto la posibilidad de las licencias condicionadas

Otra posible situación se refiere a los casos de licencias condicionadas, es decir el otorgamiento de la licencia con expresa mención en la misma de que se otorga sin perjuicio de lo que puedan declarar otras posibles Administraciones. En principio, esta opción no aporta nada singular al hecho mismo de la concesión de la licencia, ya que, en general, toda licencia significa que quedan a salvo las posibles intervenciones o competencias de otras posibles Administraciones.

Aun así, posible es en Derecho este condicionamiento expreso formulado en términos posiblemente genéricos sin precisar el contenido concreto del significado de la condición. De no precisarse el contenido de la condición, ésta no significa necesariamente que el particular deba someterse al trámite de autorización de la Administración con competencia en el ámbito de Cultura. Salvo que ésta le requiera, quedará el promotor de la misma asumirá el riesgo de que dicha Administración pueda intervenir ordenando la paralización de las obras autorizadas por el Ayuntamiento al particular. También significará dejar abierta la posible impugnación de la licencia misma. O un requerimiento al particular para que solicite la autorización de Cultura.

Es decir, cauces sobrados tiene de intervención, conforme al principio de autotutela, la Administración Autonómica. Todo ello no impide al particular para que, por motivos de seguridad jurídica, solicite la autorización de la Administración cultural.

Sobre esta opción del otorgamiento condicionado de la licencia, que puede acaso ser oportuno en casos en que el Ayuntamiento tenga dudas sobre la posible competencia de Cultura, a pesar de que, como ya nos consta no añade nada sustancial, informa la ilustrativa STSJ Andalucía, Granada, nº 838/2000 (Sala de lo Contencioso-Administrativo) (RJCA 2000, 1408). Nos informa este fallo de las posibles incidencias comentadas. El litigio se refiere a un posible problema de alturas y retranqueos con ocasión de la solicitud de licencia del particular de un edificio (una mezquita) en un conjunto histórico (BIC) que contaba con Plan especial de la LPHE, no siendo por tanto necesaria la autorización de la Consejería de Cultura[36].

Después de que el particular subsanara los defectos de la licencia, el Ayuntamiento la concedió aunque con un condicionamiento que en este caso se matizaba o concretaba especialmente diciéndose expresamente que «la presente au-

---

36. Dice la sentencia: «La Academia actora denuncia la nulidad de la licencia (art. 23.1 de la Ley de Patrimonio Histórico Español de 25 de junio de 1985) por no constar con la autorización previa de la Consejería de Cultura y Medio Ambiente. Entiende de la lectura conjunta de los artículos 20.4 de la Ley de Patrimonio Histórico Español y 33 de la Ley 1/ 1991, de 3 de julio, del Patrimonio Histórico de Andalucía, que para actuación como la de autos se precisaba la autorización de la Consejería, al no existir a favor del Ayuntamiento de Granada ninguna de las delegaciones que en ese aspecto contemplan los artículos 38 y 39 de la Ley de Patrimonio Histórico de Andalucía. No compartimos ese parecer al considerar que la licencia otorgada para la construcción de la Mezquita contó con la autorización previa de la Consejería de Cultura y Medio Ambiente, al entender que la concesión de la licencia era de competencia exclusiva del Ayuntamiento de Granada. La Ley del Patrimonio Histórico Español 16/1985 de 25 de junio, artículo 20.4 establece expresamente: "desde la aprobación definitiva del Plan a que este artículo se refiere, los Ayuntamientos interesados serán competentes para autorizar directamente las obras que desarrollen el planeamiento aprobado, y que afecten únicamente a inmuebles, que no sean monumentos ni jardines históricos, ni estén comprendidos en sus entornos..."».

torización se otorga sin perjuicio del informe que en su día pudiera emitir el Director General de Bienes Culturales».

Insuficiente se considera esta mención por parte de un tercero que impugna la licencia (la Academia de Bellas Artes) sosteniendo la improcedencia del «otorgamiento de la licencia condicionada a la autorización previa de la Consejería de Cultura de la Junta de Andalucía».

A juicio del Tribunal, «*en principio, destacar que la mención transcrita no la consideramos como condición de la que gravita la validez y eficacia de la licencia, que es el efecto propio de toda condición incorporada a una licencia urbanística.* Su sentido nos parece más una cautela de la licencia respecto de un futuro informe, que a la vista de los antecedentes descritos no parece probable, aunque, es tal la profusión de comunicados entre la Delegación Provincial de Granada y la Dirección General de Bienes Culturales de la Consejería de Cultura de Sevilla, que la Corporación no descartó de manera absoluta su emisión. Por último la *condictio iuris* que puede acompañar a la licencia urbanística es aquella que tiene pleno respaldo legal y a la que obedece; y en el supuesto de autos, la conclusión de esta Sala es que, en virtud de los informes de la Dirección General de Bienes Culturales de la Junta de Andalucía, el informe de la Consejería no era preceptivo y en consecuencia no exigible legalmente y por tanto no se podía erigir en condición de la licencia».

Aconsejable, en caso contrario, puede ser, una vez concedida la licencia local, negociar las «medidas correctoras» con la Administración autonómica. El particular, para defender sus derechos, quedaría obligado a recurrir (o el Ayuntamiento, a pesar de que parezca más improbable, aunque nos constan ejemplos jurisprudenciales en este sentido). En conclusión, es preciso combinar la autonomía local a favor del Ayuntamiento con la autotutela administrativa a favor de la Administración autonómica.

5. INFORMES DE VÍAS PECUARIAS POR PARTE DE LA ADMINISTRACIÓN COMPETENTE EN ESTA MATERIA

En principio, el Informe de vías pecuarias se emitirá por la Administración autonómica y no es estrictamente vinculante, a pesar de que, como ya nos consta, en el fondo pondrá de manifiesto, en todo caso (dicho Informe), una posible contravención legal si se aprueba el Plan por parte de la administración con competencia urbanística.

Lo normal en materia de vías pecuarias viene siendo el debate en torno a las potestades de deslinde y de clasificación y de recuperación de oficio de la vía pecuaria en caso de haber sido usurpada por los particulares.

Desde el punto de vista de los posibles Informes de la Administración competente en vías pecuarias, en principio cabrá discutir, aunque en casos generalmente excepcionales o extremos, la corrección misma del trazado o del acto de clasificación de la vía pecuaria, por parte del particular afectado o del Ayuntamiento que ha aprobado o pretende aprobar un determinado Plan urbanístico.

Algunas veces los actos de clasificación, realizados mediante Decretos de hace décadas, mantienen puntos oscuros sobre los hitos mismos que citan y que sirven de delimitación de la vía pecuaria. Su existencia misma cabe ser discutida o, cuando menos, su trazado.

En la práctica es habitual que el interesado pretenda hacer valer que la vía pecuaria es totalmente inadecuada a la realidad social o urbanística existente. Pero este cauce de argumentación choca con potestades administrativas bien asentadas en el ordenamiento jurídico. Por contrapartida, desconocer el grado de consolidación urbanística de la zona, intentando la recuperación posesoria de la vía pecuaria, puede no ser la solución para los intereses públicos desde el momento en que esta solución no logrará imponerse.

En todo caso, ignorar el régimen jurídico demanial de las vías pecuarias, intentando imponer el interés privado, alegando que la vía pecuaria es inservible, puede no ser una solución jurídica para los particulares, porque a la Administración le basta con oponer sencillamente los privilegios derivados de la demanialidad. La vía de resarcimiento de los intereses privados razonables, y de los propios intereses públicos cuando la vía pecuaria no sirve a sus fines propios o genuinos o inherentes, podrá venir de la mano de la resolución expresa de desafectación o del cambio de modificación del trazado, lo que puede producirse en el marco del planeamiento urbanístico.

Tal como dice expresivamente la STSJ de Extremadura de 24 de noviembre de 2005 (JUR 2006, 20791): «... *la vía de pretender la anulación por inadecuado del acto de clasificación, que es la resolución firme en el caso, determina la inviabilidad del recurso*».

Igualmente, lo pone de manifiesto la ilustrativa STSJ de Murcia de 9 de diciembre de 2005 (JUR 2006, 7535), declarando que la existencia de licencia y el hecho de que la edificación sea legal son factores que no logran prevalecer frente a la vía pecuaria y su demanialidad.

El *iter* discursivo, consistente en argumentar que la vía pecuaria no existe, es igualmente complejo y, cuando menos, ha de acreditarse especialmente, frente a la clasificación realizada, así como el razonamiento de la posible desafectación tácita (STSJ de Andalucía, Granada, de 25 de marzo de 2002 [RJCA 2002, 655]; SAP de Madrid de 30 de mayo de 2000 [AC 2000, 1996], llegando a admitir la realización de una obra en una vía pecuaria, presuponiendo su recuperación de oficio, a pesar de no haberse instado ésta formalmente por la Administración, y negando la posibilidad al particular afectado de interponer un interdicto contra la obra).

Tal como expresa la STSJ de Castilla y León (Valladolid) de 18 de enero de 2001 (RJCA 2001, 539), F. 5, lo procedente en estos casos es instar la modificación del trazado de la vía pecuaria.

Junto a la potestad de deslinde, existe la potestad de modificación del trazado, igualmente legítima en aplicación de la vigente legislación de vías pecuarias.

El *quid* está en que la Administración sea sensible a la realidad existente a los efectos de determinar la propia realización de los intereses públicos. En último término, judicialmente deben apoyarse las pretensiones de posibles particulares interesados en un razonable ejercicio de la potestad administrativa de modificación del trazado de la vía pecuaria, en casos de resistencias arbitrarias al ejercicio de este tipo de potestades.

En efecto, aquellas otras opciones chocarán con la doctrina legal y jurisprudencial básica de las vías pecuarias según la cual los bienes de dominio público sólo pierden este carácter por el acto formal de la desafectación dado su carácter de inalienables, imprescriptibles e inembargables (tal como deja claro la ejemplar STSJ de Andalucía, Granada, de 22 de diciembre de 2003 [RJCA 2004, 340]; STS de 25 de junio de 1987 [RJ 1987, 4550]; STS de 11 de diciembre de 1980 [RJ 1980, 4746]).

La Ley estatal 3/1995, de 23 de marzo, de Vías Pecuarias (LVP en lo sucesivo), que *«establece el régimen jurídico de las vías pecuarias»*, afirma expresamente que *«la red de vías pecuarias –con sus elementos culturales anexos– (contiene) un legado histórico de interés capital, único en Europa»*. De ahí que no pueda extrañar la condición de dominio público de las vías pecuarias. La doctrina científica especializada no ha dudado incluso en hablar de la existencia, en el caso concreto de las vías pecuarias, de un *«dominio público superreforzado»*[37].

_____

37. J. F. Alenza García, *Vías pecuarias*. Ed. Civitas, Madrid, 2001, *in toto*. Y del mismo autor, *Vías pecuarias*, en S. Muñoz Machado, *Diccionario de Derecho administrativo. Tomo II*, Madrid, 2005, pp. 2660 y ss.: «con la LVP de 1995 las vías pecuarias dejan de ser una especie de dominio público relajado. La desaparición de las excepciones de imprescriptibilidad, del énfasis desamortizador, la emancipación de la antigua subordinación a las obras públicas, las nuevas finalidades de las vías pecuarias y en definitiva, el nuevo paradigma de las vías pecuarias han hecho que suban varios peldaños en esa escala de demanialidad. Las vías pecuarias han pasado de ser un dominio público atenuado a convertirse en un dominio público superreforzado. Porque no sólo se afianzan las típicas notas del demanio (imprescriptibilidad, inalienabilidad) sino que se refuerzan otros sistemas de protección (como, por ejemplo, el deslinde que tiene eficacia bastante para rectificar las situaciones registrales que lo contradigan)».

A diferencia de otros bienes de dominio público, lo singular de las vías pecuarias es que el deslinde no sea preciso, en puridad, para otorgar la condición demanial del bien en cuestión. Lo determinante es la existencia de la vía pecuaria a todos los efectos de otorgar a esta vía la condición de demanial y lo que ello conlleva. Esto es así hasta el punto de que llega a razonarse que la protección que otorga el deslinde, en el caso de las vías pecuarias, es *«innecesaria»*[38].

En el fondo, la escasa trascendencia de la *«afectación»* en el caso de las vías pecuarias, se ha visto compensada por la importancia de la *«clasificación»* de las mismas. La *«clasificación»* ha sido la singularidad de la vía pecuaria como institución. Ha tenido aquélla distintos motivos a lo largo de los tiempos: clasificar las cañadas en necesarias e innecesarias; determinar la dirección, anchura y eje de las vías; determinar los terrenos sobrantes; resolver las modificaciones de trazado y permutas planteados en los procedimientos de clasificación. En todo caso, la *«clasificación»*, y no tanto el *«deslinde»*, es el acto que marca la existencia de una vía pecuaria y su anchura o dimensiones[39].

La imprescriptibilidad, en particular, supone para los bienes demaniales la inaplicación de las normas recogidas en los artículos 1930 y siguientes del

---

38. «Esta reforzada eficacia del deslinde era innecesaria. Primero porque en materia de vías pecuarias las inscripciones registrales por sí solas no han invalidado, ni paralizado nunca el deslinde de las vías pecuarias. Según la jurisprudencia el deslinde sólo debía respetar las inscripciones registrales cuando eran corroboradas por otras pruebas que acreditaran la prescripción o la inexistencia de la vía pecuaria. Segundo, porque es la clasificación la determinante de la existencia de las vías pecuarias. El deslinde es un acto subordinado a la clasificación, o bien, un acto de ejecución y complemento de la clasificación. Por ello, el deslinde de vías pecuarias siempre ha tenido eficacia más limitada que el practicado sobre otros bienes del dominio público.» (ALENZA GARCÍA, J. F., en MUÑOZ MACHADO, S. *Diccionario de Derecho Administrativo,* Tomo II, Madrid, 2005, pp. 2660 y ss.)

39. La *«clasificación»* concreta o especifica la declaración legal del dominio público sobre unos terrenos determinados. O dicho de otra forma: la *«clasificación»* de una vía pecuaria es el acto expreso de afectación singular de unos terrenos al dominio público cañadiego. La *«clasificación»* fijará la anchura, trazado y demás características físicas generales de cada vía pecuaria (artículo 7 de la citada LVP). Aquélla se refiere, por tanto, a la determinación de la existencia y a la fijación de las características físicas generales de cada vía pecuaria, mientras que el deslinde se ocupará de las características concretas sin que pueda modificar lo dispuesto en la clasificación.

En general, conviene recordar (con la STC 227/1988, de 29 de noviembre [RTC 1988, 227]) que la incorporación de un bien al dominio público supone no tanto una forma específica de apropiación de los poderes públicos, como una técnica dirigida primordialmente a excluir el bien afectado del tráfico jurídico privado, protegiéndolo de esta exclusión mediante una serie de reglas exorbitantes de las que son comunes en dicho tráfico *iure privato*.

CC[40]. Dichos preceptos permiten la adquisición de los bienes privados por quien los posee durante cierto tiempo con ciertas condiciones (artículos 1957 y 1959 CC)[41].

Es cierto que podría afirmarse la desafectación tácita respecto de los bienes demaniales, incluso siguiendo la doctrina que así lo admite. Pero en el caso de las vías pecuarias la desafectación tiene tintes particulares ya que exige la necesidad de seguir un procedimiento formal al efecto (artículos 10 Ley de Vías Pecuarias y, en la legislación autonómica, por ejemplo, 15 de la Ley 9/2003, de 20 de marzo, de Vías Pecuarias de Castilla-La Mancha).

Por lo expuesto, parece oportuno plantear la discusión acerca de la posible potestad de modificación del trazado de la vía pecuaria en el marco de las soluciones efectivas o prácticas frente a los problemas jurídicos existentes en muchas zonas. En este sentido, la mejor forma de tutelar los intereses públicos puede no ser el mero ejercicio de la potestad de deslinde.

En realidad, junto a la potestad de deslinde, la Administración competente en materia de vías pecuarias tiene otra serie de potestades que en el caso concreto pueden servir para encauzar los intereses públicos de una forma adecuada. La realidad existente, marcada por el alto grado de consolidación urbana de la zona, puede *en su caso* aconsejar el ejercicio asimismo de las potestades de modificación del trazado de la vía pecuaria o las potestades de desafectación. Gráficos ejemplos jurisprudenciales nos informan de cómo ha de resolverse el caso a través de las potestades mencionadas en último lugar.

Un sentencia ilustrativa es la STSJ Andalucía, Sevilla (Sala de lo Contencioso-Administrativo, Sección 2ª) de 9 diciembre 2005 (JUR 2006, 56802).

Este fallo maneja con total perfección los argumentos *supra* expuestos, es decir el debido realismo para realizar los propios intereses públicos. En el supuesto enjuiciado por esta resolución judicial se había alcanzado un alto grado de consolidación en la zona, como consecuencia del desarrollo urbanístico. Lo primero que hace la Sala es lamentar que este estado se haya

---

40. Señala la SAP Teruel de 31 de mayo de 2000 (AC 2000, 1181), que «... *siguiendo la línea que ha fijado dicho Alto Tribunal es, pues, requisito fundamental e inexcusable, la posesión del inmueble que se pretenda adquirir por usucapion. Esto nos lleva a resaltar las características del objeto a usucapir que, como dice el art. 1936 debe estar en el comercio de los hombres y ser susceptible de apropiación*».

41. Según comenta Bermejo Vera, J. (dir.). *Derecho Administrativo. Parte especial,* Madrid, 1996, p. 323.

producido respecto de la vía pecuaria en cuestión por culpa (no lo olvidemos) de la propia Administración Pública:

> «QUINTO: Desde luego a nuestro entender resulta intolerable que la inactividad, desidia y, a veces incluso, connivencia de las autoridades y entes públicos provoquen situaciones fácticas irreversibles que desde luego no pueden tener amparo jurídico alguno; y no le falta razón a la parte actora cuando denuncia que ha sido la dejadez competencial de los entes públicos la que ha dado ocasión a que sobre el trazado original de la vía pecuaria, insistimos por ley suelo no urbanizable de especial protección, se haya dejado crear ciudad, convirtiendo por la vía de los hechos un suelo con la citada clasificación y destino en lo que a decir de la demandada son zonas pseudourbanas. Lo cual constituye una realidad innegable».

Pero, acto seguido, el órgano jurisdiccional reconoce que, ante esta realidad existente, el planificador ha de optar por soluciones. La lectura de la sentencia es expresiva en sus propios términos:

> «Ha de recordarse que la planificación, el diseño de la ciudad y de la superficie que comprende la superficie municipal, es labor propia del planificador, el cual discrecionalmente tiene un amplísimo margen de decisión, sin otro límite que éste no sea arbitrario, irracional o contrario a las determinaciones legales. Junto a este poder discrecional, el planificador se haya sujeto a la imposibilidad de desnaturalizar la realidad al momento de definir las soluciones posibles, es decir existe una vinculación a lo que se ha venido a conocer como fuerza normativa de lo fáctico».

El Tribunal reconoce igualmente la realidad existente, como hecho insoslayable, y justifica entonces la modificación del trazado de la vía pecuaria como mejor solución jurídica en estos casos.

> «Ya se ha comentado la protesta y denuncia de la parte actora, que señala directamente a las Administraciones públicas competentes, responsables de una realidad al margen de toda legalidad urbanística; pero a nuestro entender, igualmente resulta insoslayable esa realidad, realidad de la que debe partir el planificador y que nos conduce a considerar que, ante el deber legal de conservar las vías pecuarias al planificar, ante la imposibilidad real de mantener el trazado originario por las construcciones existentes sobre el mismo, el aportar una alternativa mediante el cambio de trazado, en absoluto resulta arbitrario o irracional, por lo que la solución por la que se opta resulta plenamente correcta jurídicamente».

Por otro lado, es quien muestre su disconformidad con el nuevo trazado quien ha de probar su inadecuación:

> «Con todo, dado que la parte actora no sólo impugna el nuevo trazado sino a su entender un posible exceso o inadecuación, era a la parte actora a la que correspondía acreditar dichos extremos, lo cual evidentemente no sólo no hace, sino que ni tan siquiera intenta. Ante ello, la Sala sólo puede acoger dichas alegaciones como lo que son, simples opiniones sin más, respetables desde luego, pero de todo punto insuficiente para prevalecer e imponerse a las soluciones por las que ha optado el planificador».

Dicha potestad de modificación se reconoce jurisprudencialmente (STSJ de Castilla y León, Burgos, de 21 de enero de 2005 [RJCA 2005, 145], FJ 6; SAP de

Córdoba de 28 de marzo de 2001 [JUR 2001, 155341]) y no en vano existen testimonios en la práctica que ejemplifican esta posibilidad o régimen (por ejemplo, «modificación parcial del trazado de las vías pecuarias colada de la Cala, colada del Alto Vicens, colada de Camposanto, y colada de Baldó en los términos de los municipios alicantinos de Benidorm y Finestrat, etc.»). Las propias carreteras y caminos admiten este ejercicio de potestades administrativas de alteración de trazados (STS de 5 de marzo de 2004 [RJ 2005, 3287]; STS de 30 de junio de 1983 [RJ 1983, 3679]; STS de 23 de enero de 1979 [RJ 1979, 207]; STSJ de Madrid, de 5 de octubre de 2004 [RJCA 2005, 121]; STSJ de Galicia de 23 de abril de 1998 [RJCA 1998, 1710]; reconociendo la validez del instituto de la «*mutación demanial*»).

Igualmente importante es otra sentencia (STSJ de Andalucía –Málaga– de 30 de junio de 2004 [RJCA 2005, 305]) según la cual se justifica la potestad de modificación del trazado de una vía pecuaria como consecuencia de la realización de una obra pública que tuvo que ejecutarse en la zona, una vez que la vía pecuaria resultaba inviable conforme a su trazado originario, al haberse producido un deslizamiento de la calzada, «*con lo cual no podía ya ser restituido el antiguo camino por el mismo sitio*». El pronunciamiento del órgano jurisdiccional se extiende a considerar que en el nuevo trazado debe facilitarse un nuevo acceso.

También es significativa la STSJ de Madrid de 24 de noviembre de 2004 (JUR 2005, 5942) donde se lleva a cabo un interesante enfoque histórico de la potestad administrativa de modificación del trazado de las vías pecuarias que consigue arraigar y fundamentar debidamente esta potestad. En suma, de esta larga sentencia, se deduce lo siguiente:

Primero, que los Tribunales refuerzan las potestades de modificación y de desafectación de las vías pecuarias cuando aquéllas sean el mejor modo de resolver los intereses jurídicos existentes. En este sentido, la sentencia citada afirma que el peso del ejercicio de la potestad de modificación del trazado de la vía pecuaria recae sobre la Administración local, por ostentar ésta la competencia urbanística de planeamiento, aunque dejando a salvo la intervención (mediante la técnica del Informe) de la Administración con competencia en materia de vías pecuarias.

Segundo, que es aconsejable que el particular argumente el cambio de trazado de la vía pecuaria y espere a la resolución de la Administración, en vez de sostener el razonamiento de la desafectación tácita, o aquel otro en cuya virtud se ha producido *de facto* una mutación demanial, ya que mediante esta última argumentación no se consigue resarcir el interés jurídico de la parte contraria a una vía pecuaria carente de interés.

Por otro lado, tanto esta sentencia, como otras en la misma línea, aluden igualmente al hecho de que la clasificación como urbano del suelo no es por sí misma suficiente como para desvirtuar la legalidad del deslinde, *«pues la calificación del suelo en los instrumentos de planeamiento no puede afectar a la naturaleza del mismo desde el punto de vista de su demanialidad, al tener los instrumentos de planeamiento una finalidad distinta, la de la ordenación de los usos del suelo»* (STS de 2 de junio de 1989 [RJ 1989, 4322]). En estos casos, o también cuando se construye una carretera sobre la vía pecuaria o un embalse (STS de 16 de diciembre de 1999 [RJ 1999, 8779]), el órgano jurisdiccional no dudará en proclamar la inconsistencia de las ocupaciones existentes frente a la consistencia de la demanialidad de la vía pecuaria (STSJ de Murcia de 9 de diciembre de 2005 [JUR 2006, 7535]).

Otro plano diferente es, como ya nos consta, el de si este tipo de pronunciamientos judiciales sirven realmente para algo efectivo, lo que dependerá en el caso concreto del grado de consolidación existente.

Todas estas afirmaciones llevan a la posibilidad de la aplicación de las potestades de *«modificación»* del trazado de las vías pecuarias (artículos 11 de la Ley estatal y 17 y ss. de la Ley autonómica). De la Ley citada en último lugar puede seleccionarse el artículo 19 para el caso de vías pecuarias que transcurran por tramos urbanos, *admitiendo la modificación de sus itinerarios por trazados alternativos;* o el propio artículo 17, cuando aprueba la *modificación «por interés particular»*.

Este cauce de la modificación puede ser oportuno si excepcionalmente se quiere consolidar la ocupación de una vía pecuaria legítimamente, tal como deja corroborar la jurisprudencia. La STSJ Andalucía (Sevilla) de 2 de febrero de 2001 (JUR 2001, 116230) frente a la invocación de usurpación de terrenos de dominio público no desafectados, hecha por la parte actora, afirma que no hay usurpación alguna porque se ha producido la *«modificación»* de la vía pecuaria: *«Se alega por la parte actora la usurpación por el Plan Parcial de terrenos de dominio público no desafectados. El art. 11 de la Ley 3/1995, de 23 de marzo, recoge la modificación de vías pecuarias por razones de interés público, sin duda la finalidad de los planes es la ordenación del territorio, razón en definitiva de interés público que justifica la modificación del trazado de las vías pecuarias, conforme al art. 12 de la Ley, si bien debe entenderse referida al período de ejecución. Por otra parte, está acreditada la conformidad de la Consejería de Medio Ambiente a la propuesta de modificación del trazado de las vías».*

Esta solución concilia intereses públicos y privados.

La posición generalmente comprometida del Ayuntamiento queda igualmente satisfecha. De lo contrario, si un Consistorio procede a autorizar licencias de obras sobre una vía pecuaria, sin mayor consideración, este hecho puede acarrear precisamente responsabilidad administrativa del propio Ayuntamiento (STSJ Comunidad Valenciana de 22 de diciembre de 2000 [JUR 2001, 70434]): *«... se desprende que la situación relatada y los daños y perjuicios alegados por los recurrentes tienen su causa inmediata y eficaz en la sucesiva concesión de licencias por parte del Ayuntamiento de Godelleta, que autorizó de forma explícita la segregación de una finca, la construcción de vallado y, finalmente, la edificación de una vivienda sobre una vía pecuaria, en contra de la realidad jurídica de la existencia de la Cañada Real de Cuenca en la forma descrita por la OM de 6-11-1970. Se darán, pues, los requisitos legales para estimar la pretensión actora, toda vez que existen unos daños y perjuicios económicamente cuantificables, indebidamente causados por el funcionamiento de un servicio público municipal, en clara conexión de causalidad. [...]. En consecuencia, procederá estimar el recurso contencioso-administrativo planteado contra el Ayuntamiento de Godelleta, absolviendo a la Generalitat Valenciana de la pretensión actora»).*

Frente al problema que ha sido planteado la solución urbanística puede revelarse como la más adecuada, tal como por otra parte se ha puesto de manifiesto[42] partiendo de que las vías pecuarias han de integrarse en los núcleos urbanos como elementos del sistema general de comunicaciones (considerando que las vías pecuarias son vías de comunicación) o del sistema general de espacios libres (enlazando con parques y jardines urbanos o como accesos peatonales o cicloturísticos en el contexto de los usos recreativos-turísticos o culturales).

Soluciones de este tipo ya han sido llevadas a la práctica con el refrendo de los Tribunales de Justicia, como es el caso de la STSJ Canarias, Las Palmas, Sala de lo Contencioso-Administrativo, Sección Única, de 29 de julio de 2002 (RJCA 2003, 360):

> *«En primer lugar, conviene señalar que la aprobación de un trazado alternativo del camino tradicional de Los Marqueses, como solución a los problemas derivados de la ocupación del camino de uso público por los propietarios de terrenos colindantes, implica una modificación puntual del Plan General de Ordenación de Tacoronte, en cuanto que el camino rural está contemplado dentro de la red de caminos rurales de dicho municipio. Por lo tanto, lo que atañe a la aprobación de este trazado alternativo no es materia de gestión urbanística –como afirma la asesoría jurídica del Ayuntamiento– sino de planeamiento; la modificación del mismo requiere el mismo procedimiento seguido para su aprobación (artículo 49.1 LS/1976); la Ley 9/1999 de 13 de mayo, no es aplicable a este caso).*
>
> *El Ayuntamiento tenía dos opciones: o ejercer su potestad de recuperación de oficio del camino público o desafectar del uso público la parte del camino ocupada por los propietarios colindantes y proceder a la modificación del planeamiento para la aprobación de un trazado alternativo; pues sólo este instrumento permite la actuación que se propone de ejecutar un nuevo trazado para el camino rural. Para llevar a cabo esta segunda opción, sin duda, el convenio urbanístico con los propietarios afectados era un instrumento idóneo, a fin de resolver el problema de compensación al Ayuntamiento por los terrenos desafectados».*

En consonancia, el Ayuntamiento, en ejercicio de su potestad de planeamiento, podrá buscar el emplazamiento más adecuado a favor de la vía pecuaria.

_____

42. E. Porto Rey y C. Franco Castellanos, *Urbanismo y vías pecuarias*. Ed. Montecorvo, Madrid, 2000, pp. 38 y ss.

La mejor satisfacción de los intereses públicos puede pasar por esta *«solución urbanística»* del problema. Incluso si hubiera uso ganadero lo razonable es que la vía pecuaria salga del entorno urbano creando *«una especie de circunvalación»*.

La posibilidad de hacer esta operación sustituyendo la vía pecuaria afectada por un trazado alternativo a través de los correspondientes espacios en caminos públicos locales, siempre que se garantice la continuidad del trazado original de aquélla, no parece excesivamente compleja, hasta el punto de que *«frecuentemente las vías pecuarias suelen ser confundidas con caminos públicos (...)»* según L. MARTÍN REBOLLO «Régimen jurídico de los caminos», en *Homenaje al Prof. M. S. Marienhoff*, Buenos Aires, 1998, p. 1123) y una constante jurisprudencia, que viene incluso equiparándolos (cfr. STS de 19 de mayo de 1962; STS de 5 de marzo de 1977, STS de 3 de junio de 1998 [RJ 1998, 4380], etc.).

Las claves para dilucidar cuándo procede o *puede ser exigible,* la potestad de modificación del trazado de la vía pecuaria, las proporciona la propia legislación reguladora de vías pecuarias. Según la Ley estatal 3/1995, de 23 de marzo, se prevén con los siguientes contornos las potestades de desclasificación y de modificación del trazado de las vías pecuarias:

La potestad de desafectación se recoge en el artículo 10 de la citada Ley estatal y en el artículo 11 la de *«modificaciones del trazado»* (o en el 13) *«modificaciones por la realización de obras públicas sobre terrenos de vías pecuarias»*, y artículo 12 (*«modificaciones del trazado como consecuencia de una nueva ordenación territorial»*). Los presupuestos son similares en uno u otro caso de modificación del vial pecuario, pero interesa incidir en el artículo 12.

En esencia, en estas zonas objeto de cualquier forma de ordenación territorial (por tanto, también urbanística), se permite realizar un nuevo trazado siempre y cuando se asegure el mantenimiento de la integridad superficial, la idoneidad de los itinerarios y la continuidad de los trazados (...).

En estos casos de modificaciones de trazado doctrinalmente se destaca que estamos ante una desafectación previa o simultánea de la vía pecuaria para ser destinada ésta a otros fines de interés público o *particular,* modificación que representará generalmente una carga del promotor del proyecto asumiendo los costes del nuevo trazado si los hubiere o salvo pacto de otra forma, siendo obligada una remisión a la legislación de patrimonio y de bienes de las entidades locales para completar la regulación de estos actos de disposición. Ya el sentido incluso histórico de la clasificación de las vías pecuarias estaba en hacer posible su posterior enajenación o *permuta* o cambio de trazado.

En relación con las *«modificaciones del trazado como consecuencia de una nueva ordenación territorial»* se destaca que *«la ordenación territorial es fundamental en la protección y conservación de las cañadas»*.

En lo competencial corresponde en principio a los planes territoriales o urbanísticos decidir sobre la alteración del trazado de las vías pecuarias, aunque con la conformidad de la Administración competente en materia de vías pecuarias[43]. Así, la STSJ Castilla y León, Valladolid, Sala de lo Contencioso-Administrativo, de 8 de julio de 2000 (JUR 2000, 286103) indica las necesarias formalidades que ha de seguir una actuación de esta naturaleza:

> *«En lo referente a la modificación del trazado de las vías pecuarias a través de la modificación del PGOU, si bien el art. 12 de la Ley 3/1995 de 23 de marzo sobre vías pecuarias admite que ésta pueda realizarse con ocasión de una nueva ordenación del territorio, ello no implica que ésta se efectúe de forma totalmente arbitraria, sin sometimiento a información pública y sin las consultas preceptivas que establece la Ley en su art. 11, ya que el hecho de que el legislador haya querido facilitar el que se produzca una modificación de las vías pecuarias en el seno de una modificación urbanística no implica el que se vulneren los derechos de los particulares y asociaciones interesadas con modificaciones carentes de procedimiento»*[44].

Desde el punto de vista sustantivo, la propuesta de la modificación del trazado original de la vía pecuaria, que pasaría a asentarse sobre un camino rural de titularidad originariamente municipal, resulta posible mediante el empleo del instrumento jurídico de la *«mutación demanial»*.

La originaria vía pecuaria pasaría (como hemos visto, a través de la oportuna modificación del planeamiento urbanístico) a cobrar naturaleza de vía urbana (ya sea sistema local, ya sea general de comunicaciones). Por su parte, el camino rural municipal configuraría el nuevo trazado alternativo de la vía pecuaria, asegurando el mantenimiento de su integridad, la idoneidad del nuevo itinerario para el tránsito ganadero, sin discontinuidades ni obstáculos que lo dificultasen, y sin impedir los usos compatibles y complementarios de la propia vía.

Cuestión que se suscita es la relativa al mantenimiento en el nuevo trazado de la integridad superficial de la vía pecuaria originaria a que hace referencia el artículo 11.1 LVP. Una solución puede ser la de resolver el déficit superficial entre la vía primera y su alternativa, a través de la dotación a ésta de, llamémoslos, *«elementos accesorios al servicio de la vía pecuaria»*, los cuales vienen definidos en el artículo 4.3 LVP estatal.

Así, si por vías pecuarias se entienden, conforme al artículo 1.2 LVP, *«las rutas o itinerarios por donde discurre o ha venido discurriendo tradicionalmente el tránsito ganadero»*, conforme al citado artículo 4.3 LVP también formarán parte de las mismas *«los abrevaderos, descansaderos, majadas y demás lugares asociados al tránsito ganadero tendrán la superficie que determine el acto administrativo de clasificación de*

---

43. Las legislaciones autonómicas pueden variar en cuanto a la determinación del alcance de los efectos del informe o aprobación de la Administración referida en último lugar (J. F. ALENZA GARCÍA, *Vías pecuarias*. Ed. Civitas, Madrid, 2001, pp. 342 y ss.).

44. Véase en el mismo sentido también la en parte anteriormente trascrita STSJ Canarias, Las Palmas, Sala de lo Contencioso-Administrativo, Sección Única, de 29 de julio de 2002 (RJCA 2003, 360).

vías pecuarias. Asimismo, la anchura de las coladas será determinada por dicho acto de clasificación».

En suma se trataría de, garantizados los aspectos esenciales de la vía alternativa, en particular su itinerario y fines, colmar la exigencia de la cabida superficial del artículo 11.1 LVP por medio de extensiones colindantes con su recorrido que tuviesen la naturaleza y destino de *abrevaderos, descansaderos, majadas y demás lugares asociados al tránsito ganadero* a que se refiere el artículo 1.2 de esa misma norma[45].

6. REPERCUSIÓN DE LAS COMPETENCIAS EN MATERIA DE AGUAS SOBRE EL PLANEAMIENTO URBANÍSTICO

A. Planteamiento

La Confederación Hidrográfica ha adquirido una importancia creciente en el urbanismo. La repercusión de sus competencias es clara en lo urbanístico. La Confederación informa por ejemplo acerca de si la zona es inundable y no procede ser urbanizada. Informa acerca de si algún cauce debe ser preservado frente a intentos urbanizadores. Informa acerca de la disponibilidad de agua necesaria para llevar a cabo la actuación pretendida.

Vamos a pormenorizar esta casuística, al margen del supuesto de los informes sobre zonas inundables, ya que esta materia se abordó en otra parte de este libro.

B. La protección de los cauces

a) *Titularidad de los cauces*

Encontramos que en la Ley de Aguas de 1879, en sus artículos 28 y 29

---

45. Naturaleza y destino que podrían ser considerados en un sentido amplio y en todo caso acorde con los nuevos usos y fines que, hoy en día, y con reflejo en su propia normativa, presentan las vías pecuarias. En particular nos referimos a la posibilidad de que la superficie de la vía pecuaria no cubierta por el nuevo trazado –digamos *propio* o *esencial*– de ésta pudiera cubrirse, por ejemplo con la dotación de un espacio libre –parque– periurbano a la misma, uso perfectamente compatible con esa nueva configuración de uso de nuevas actividades de las vías pecuarias de esparcimiento, recreo y ocio, que ha sido expresamente recogida en el artículo 1.3 LVP: *«Asimismo, las vías pecuarias podrán ser destinadas a otros usos compatibles y complementarios en términos acordes con su naturaleza y sus fines, dando prioridad al tránsito ganadero y otros usos rurales, e inspirándose en el desarrollo sostenible y el respeto al medio ambiente, al paisaje y al patrimonio natural y cultural».* En este sentido señala el artículo 4 Ley de Vías Pecuarias de Castilla-La Mancha: *«El destino específico de las vías pecuarias es el tránsito ganadero, y aquellos otros de carácter rural que sean compatibles y complementarios de aquél, conforme se dispone en la Ley 3/1995, de 23 de marzo, de Vías Pecuarias, y respetuosos con el medio ambiente, el paisaje y el patrimonio natural y cultural».*

referencias a que se considera de titularidad privada «el alveo o cauce natural de las corrientes discontinuas formadas con aguas pluviales, es decir, **el terreno que aquéllas cubren mediante sus avenidas ordinarias en los barrancos o ramblas que los sirven de recipiente**» (http://ropdigital.ciccp.es/public/

En el Código Civil (artículo 407) se afirmó que son de dominio público los ríos y sus cauces naturales, aunque en su artículo 408 se consideran de dominio privado «los cauces de aguas corrientes, continuas o discontinuas, formados por aguas pluviales y los de arroyos que atraviesen fincas que no sean de dominio público».

Este panorama cambia a raíz de la Ley estatal 29/1985, de 2 de agosto, de Aguas, a cuyo tenor constituyen el dominio público hidráulico del Estado, con las salvedades expresamente establecidas en esta Ley:

a)   Las aguas continentales, tanto las superficiales como las subterráneas renovables con independencia del tiempo de renovación.

b)   **Los cauces de corrientes naturales, continuas o discontinuas.**

c)   Los lechos de los lagos y lagunas y los de los embalses superficiales en cauces públicos.

d)   Los acuíferos subterráneos, a los efectos de los actos de disposición o de afección de los recursos hidráulicos.

La legislación vigente (TRLA 1/2001), igualmente, define los cauces, que considera demaniales, aunque admite que son cauces de dominio privado (artículo 5) los cauces por los que ocasionalmente discurran aguas pluviales en tanto atraviesen, desde su origen, únicamente fincas de dominio particular. También se definen las riberas y las zonas inundables.

En principio, la iuspublificación de la Ley de Aguas de 1985 no ha pasado desapercibida a la doctrina. Así, S. Martín-Retortillo Baquer (*Derecho de aguas,* Madrid, 1997, pp. 174 y ss.) afirma que «hay que señalar, en primer lugar, que las excepciones del artículo 5 Lag., en sí mismas, no permiten concluir que entre ellas se recoja el supuesto de los barrancos (igualmente González Berenguer) o ramblas que sancionaba el artículo 28 de la Ley anterior; tampoco el de los cauces de los arroyos a los que se refería su artículo 33 (...)».

Acto seguido, cita este autor a J. L. Lacruz, para llegar a la conclusión de que es harto criticable *lege ferenda* esta legislación que priva del derecho a ser indemnizado a los particulares afectados por la demanialidad de los cauces.

Pero interesa especialmente aportar a continuación una serie de criterios prácticos resolutivos, por tanto de carácter jurisprudencial. En efecto, pueden elaborarse una serie de criterios a los efectos de informar al Ayuntamiento sobre los principios y criterios aplicables en estos casos en que existen titularidades «privadas» o registrales en zonas demaniales:

b) La realidad natural y fáctica como criterio esencial

Desde una primera perspectiva general, en principio, es cierto, tal como explica S. MARTÍN-RETORTILLO BAQUER (*Derecho de aguas,* Madrid, 1997, pp. 174 y ss.), que «la tutela de los cauces (...) la ha llevado a cabo de modo constante la Administración, y ha dado lugar a una muy extensa jurisprudencia que, aparte de los aspectos institucionales del tema, en los que en general, se ha mostrado extraordinariamente coherente con las prescripciones establecidas para la defensa de los cauces, no ha dejado de referirse también a supuestos concretos de notable interés», citando, en la inevitable casuística, la numerosísima jurisprudencia que ha mantenido la legalidad de las sanciones contra actos de ocupación de los cauces, aquella otra que considera los intereses públicos, **pero sin olvidar tampoco la relativa a la necesidad de atender a la realidad fáctica de los terrenos, pues, si existen cultivos existentes los terrenos controvertidos no tienen la condición de cauces, «pues, en efecto, la existencia en la finca de cultivos y aun de alguna construcción, parece desmentir que sea cauce del río Torrox»** (STS de 27 de abril de 1983 [RJ 1983, 6042], o la STS de 19 de enero de 1967).

En este punto de la realidad fáctica o natural, como factor de ineludible consideración, querría por mi parte incidir, a la luz de la jurisprudencia.

En efecto, interesa resaltar la inconsistencia de todo efecto demanializador en aquellas zonas donde, en puridad, los terrenos no tienen condición de rambla o cauce. Está asentado el criterio según el cual prima la realidad física sobre las clasificaciones administrativas.

En este contexto, la sentencia de la Audiencia Nacional de 6 de julio de 2006 (JUR 2006, 198177) y la STS de 25 de enero de 2005 (recurso 1315/2001) (RJ 2005, 1071) hacen depender el fallo, y la validez de la demanialidad propuesta de la Administración, de la realidad fáctica y de si realmente el suelo objeto de litigio pueda ser realmente o no considerado como una playa (por referencia a una zona con indicios de arenas sueltas).

No es infrecuente que se anule un deslinde, y por tanto todo intento demanializador en una determinada zona, por no estar afectado por los criterios legales que lo permiten. Así, interesa la doctrina de la sentencia de la Audiencia Nacional de 5 de octubre de 2005 (JUR 2005, 262100):

> «Es necesario poner de manifiesto como (sic) la administración demandada no ha acreditado de modo suficiente que los terrenos en cuestión hayan sido inundables en algún momento y que si ahora no se inundan sea por el efecto de las obras de contención realizadas; habría sido fundamental a estos efectos la incorporación al expediente de un estudio geomorfológico que hubiera determinado la naturaleza de los terrenos controvertidos. La falta de este fundamental informe debe perjudicar a la Administración demandada que debía acreditar las razones por las que traza la poligonal por un determinado punto desatendiendo las alegaciones del recurrente que ya se formularon a lo largo del expediente administrativo». La parte fundamenta su pretensión anulatoria de la resolución recurrida «en el hecho de que los terrenos en cuestión hace un siglo y medio que no están integrados dentro del curso ordinario de la ría, entiende que en el punto en cuestión la ría siempre ha hecho un meandro o curva y que no puede pretenderse por la Administración que la ría siga una línea recta. Aporta diversa documentación para justificar que los terrenos siempre han estado destinados a huerta, que carecen de salinidad y que aparecen como destinados a huerta tanto en el catastro como en el registro de la propiedad. Por lo tanto, concluye, que los terrenos no son de dominio publico sino de dominio privado y al deslindarse como se ha hecho se está privando al recurrente del derecho de propiedad privada por lo que procede anular la Orden Impugnada».

Igualmente, según la sentencia de la Audiencia Nacional de 17 de marzo de 2004 (JUR 2004, 166145) «la inclusión de terrenos en el dominio público carece de justificación, ante la falta de acreditación de que sus características físicas cumplan los requisitos exigidos para su inclusión como tal pertenencia demanial».

Otro ejemplo lo ofrece la sentencia del TSJ de Madrid de 10 de marzo de 2004 (JUR 2004, 229997) haciendo depender el fallo, y con ello la demanialidad del cauce de un río, de la «observación del terreno y manifestaciones de ribereños».

Igualmente, la STS de 16 de diciembre de 1985 (RJ 1986, 658) declara público el bien porque, «por sus características explicitadas en lo actuado o deducidas de los datos indiciarios aceptados por las partes, es la plasmación externa de un antiguo cauce natural de aguas continuas o discontinuas de manantiales, fuentes o arroyos (perteneciente, en principio, al Ayuntamiento demandado, según los arts. 407.2º y 344 del Código Civil y 3.1º, último inciso, del RBCL, sin prejuzgar los derechos concurrentes, de policía o de índole dominical, que, conforme al 339.1º del primer Texto y demás preceptos concordantes, pueda titularizar el Estado), o de un antiguo cauce, rambla o barranco de aguas pluviales (al que, de acuerdo con el art. 407.5º del Código Civil, en combinación con los otros artículos hasta ahora citados, se le pueden aplicar las mismas consideraciones contenidas en el paréntesis precedente)».

Acerca del método que debe emplearse en estos casos informa la STSJ de Murcia 31 de enero de 2005 (JUR 2007, 6390) (en un caso en que se impugna la Resolución del Deslinde de los Bienes del Dominio Público Hidráulico en el río Nacimiento de 28 de junio de 2001):

«La cuestión principal que debe resolver este recurso, estriba en si en el espacio deslindado existe cauce de un río, con lo cual debería considerarse como bien de dominio público. El demandante acredita, efectivamente, la titularidad privada de los terrenos y califica al cauce objeto del deslinde de "supuesto" (sic). Así es que, como se ha indicado, esta cuestión es la sustancial ¿Hay o no cauce? El demandante dice literalmente que "el denominado río Nacimiento no existe como tal, o no al menos en la finca de mi patrocinado".

"Debe comprenderse que si el litigio se centra en una, tan evidente cuestión de hecho, lo que debe la Sala es recurrir a la prueba practicada para resolver una evidencia, si existe en los terrenos deslindados un río; o si, por el contrario, se trata de una suposición".

"Dice el demandante que existe 'una rambla', que sólo lleva agua de lluvias y que 'no se alimenta de cauce natural o de otros manantiales...'. Dice más adelante que en el terreno objeto de controversia es 'muy poca la corriente que puede verse'".

"SEGUNDO.–Como puede comprenderse sólo una pericial correctamente practicada, puede dar luz sobre el asunto principal de este litigio. Efectivamente el art. 4 de la Ley de Aguas se refiere al 'alveo o cauce natural de una corriente continua o discontinua, como el terreno cubierto por las aguas en las máximas medidas ordinarias.' Volvemos pues a la cuestión de hecho inicialmente planteada; si se trata de un cauce natural".

"Los Estudios que obran en el voluminoso y completo expediente, demuestran, con todo detalle, que el supuesto de hecho del precepto anteriormente citado, se da en el terreno objeto de deslinde".

"Pero la pericial practicada de Don Ildefonso, llega, entre otras, a las siguientes conclusiones, cuyo extracto reproduce la Sala literalmente: Parte de que "el vallado coincide con el límite de la propiedad, según figura en los planos catastrales". Añade que "aparecen estacas de delimitación del D.P.H. en el tramo de cauce incluido en la finca". Obsérvese que dice "cauce incluido en la finca", luego, es evidente que se apunta ya a la existencia de un cauce. Más adelante (cuestión nº 3) se dice que, "se deduce la existencia de un cauce" y que "para concluir si el cauce es de dominio público hay que estudiar criterios hidrológicos"; es decir lo que guía, como se ha visto, al art. 4 de la Ley de Aguas. Concluye por fin que, "tras una visita a los terrenos se confirma la existencia de un cauce natural, identificado con Río Nacimiento"; y, más aún, que, "en todo caso parece difícil despreciar un caudal de 3,70 m³/s como caudal mínimo para justificar y concluir la improcedencia del deslinde". Y por fin, que "se concluye que es procedente el deslinde y que dichos terrenos no son de dominio privado".

TERCERO.–**Dice el demandante que adquirió amparándose por la fe pública registral; y que, *ex* art. 34 LH, su adquisición debe ser protegida, pues, como dice ese precepto, no puede ser deshecha por causas que no aparezcan en el Registro de la Propiedad.**

"Pero debe tener en cuenta que el artículo 2.b de la Ley de Aguas atribuye al dominio público hidráulico del Estado, los cauces de corrientes naturales. Y, como señala el Sr. Abogado del Estado, el art. 132.1 de la CE, establece la inalienabilidad de esta clase de bienes. *De manera que, en todo caso, el art. 34 LH, básico para los efectos de protección que confiere el RP a las titularidades inscritas, no es aplicable a bienes cuya adquisición está vedada por tan importantes preceptos. Y así debe comprender el demandante que no se produjo adquisición que el Registro pueda proteger"»*.

c) *Reconocimiento de la primacía de la condición demanial sobre los títulos registrales*

Es preciso reconocer, asimismo, con la STSJ de Murcia de 9 de diciembre de 2005 (JUR 2006, 7535), por referencia en este caso a una vía pecuaria, que aunque no se respete la presunción del art. 38 de la Ley Hipotecaria «las inscripciones del Registro de la Propiedad (no) pueden prevalecer frente a la naturaleza demanial de los bienes deslindados» (igualmente, STSJ de Andalucía de 22 de diciembre de 2003 [RJCA 2004, 340]; sentencia de la Audiencia Nacional de 3 de noviembre de 1999 [RJCA 1999, 4379]).

Esto no impide para que la jurisprudencia haya realizado **matices de interés y necesaria consideración.** Así, la STSJ de Canarias (sede de Las Palmas de Gran Canaria) de 3 de mayo de 2006 (JUR 2006, 236758), confirmando la sentencia apelada, admite que «la anulación de dicho Decreto se basó en que la titularidad registral a favor de los actores constituía un obstáculo insalvable para la aprobación del deslinde al venir amparada por los principios de legitimación y fe pública registral, que impiden a la Administración hacer una declaración provisional de posesión que entre en contradicción con el artículo 38 de la Ley Hipotecaria, conforme al cual». A todos los efectos legales se presumirá que «los derechos reales inscritos existen y pertenecen a su titular en la forma determinada por el asiento respectivo.... *La conclusión fue que la presunción legal nacida del documento inscrito produce todos sus efectos mientras no se declare su inexactitud por los Tribunales competentes,* que son los civiles, en los términos establecidos en la propia Ley Hipotecaria».

Esta sentencia afirma que «en definitiva, la anulación se basa en que si la Administración le da al deslinde carácter declarativo de la posesión, la inscripción constituye efectivamente un obstáculo insalvable al venir amparada por la legitimación y fe pública registral».

Y todo ello, pese a conocer el importante cambio que ha sufrido esta cuestión tras el nuevo artículo 95 del TRLA de 20 de julio de 2001: dice el apelante que «hasta la reforma de 1999 de la Ley de Aguas, como sostenía la Jurisprudencia del Tribunal Supremo, el deslinde era una mera operación que materializaba la extensión de una propiedad administrativa de tal forma que con la aprobación del mismo se determinaba la extensión de la propiedad privada afectada, declarando un estado posesorio de esta propiedad, a reserva de lo que pudiera, en su caso, resolver la jurisdicción civil. *Sin embargo, esta situación cambió radicalmente con la Ley 46/1999, de reforma de la Ley de Aguas del Estado, al modificar los tradicionales efectos del deslinde administrativo del demanio hidráulico, disponiendo, como efectos del deslinde, la declaración de posesión y la atribución de la titularidad dominical a favor del Estado, de tal forma que las inscripciones registrales no pueden prevalecer ante la naturaleza demanial de los bienes deslindados».* «En el mismo sentido, se insiste en que "... hasta la reforma de la Ley de Aguas efectuada en el año 1.999, las actas de deslinde sólo resolvían cuestiones de límites, pero no contenían declaración de posesión o de propiedad. Sin embargo, ahora los Tribunales de Justicia –tanto en el ámbito jurisdiccional contencioso-administrativo como en el civil– tienen que atenerse al criterio legal del artículo 95 del Texto Refundido de la Ley de Aguas, aprobado por Real Decreto Legislativo 1/2001, de 20 de julio (antes artículo 87.3), que dispone que el deslinde aprobado declara la posesión a favor del Estado y que la resolución aprobatoria del deslinde será título suficiente para que la Administración proceda a la inmatriculación de los bienes de dominio público cuando lo estime conveniente. El deslinde, en la vigente legislación estatal básica y aplicable al tratarse de la definición del dominio público hidráulico, se ha configurado como un acto constitutivo de la titularidad dominical de la Administración Pública..."»

Esta doctrina se apoya en que «la Administración no puede pretender que el deslinde practicado produzca efectos declarativos de la propiedad y de rectificación de las titularidades inscritas, pues es la propia Administración la que le niega dichos efectos: a la vista de los motivos en los que se basó la aprobación del deslinde». El Juzgador de instancia hace correcta aplicación de la doctrina que impide empeorar la situación del administrado en un recurso por él interpuesto de forma que al declarar la Administración competente que el deslinde no era declarativo de la propiedad no puede ahora pretender que los efectos de dicha resolución se desplieguen en orden a ser título para rectificar la titularidad inscrita: eso sería tanto como estimar conforme a derecho una resolución con una clara y abierta contradicción entre sus fundamentos y su parte dispositiva» (igualmente, STSJ de Canarias de 16 de noviembre de 2005 [JUR 2006, 35376]; STSJ de Canarias de 11 de noviembre de 2005 [JUR 2006, 35527], etc.).

También es preciso reconocer la dificultad de admitir **la desafectación** en estos casos de los bienes demaniales. En este sentido, la STSJ de Murcia de 9 de diciembre de 2005 (JUR 2006, 7535), afirma que cabe que la Administración, en el ejercicio de sus facultades, desafecte del dominio público los terrenos que no sean adecuados conforme a los fines de protección de la norma, aunque es de dificultad aceptar la desafectación tácita de los bienes de dominio público y la propia Constitución Española reconoce en su art. 132 la imprescriptibilidad del dominio público, para reconocer su existencia sería preciso que se hubieran producido los hechos concluyentes y rotundos mantenidos en el tiempo por el titular demanial que tal forma de desafectación, caso de que eventualmente se admitiera, exige. Además no todas las actuaciones de las que pudiera eventualmente deducirse la desafectación tácita han sido realizadas por el titular demanial, el Estado (cfr. STS de 2 de junio de 1989 [RJ 1989, 4322]).

d) *Usos compatibles; valor del planeamiento urbanístico*

Otro principio se refiere a la dificultad de admitir usos compatibles con la naturaleza demanial del bien (STSJ de Murcia de 9 de diciembre de 2005 [JUR 2006, 7535], por referencia a una vía pecuaria).

Cabe en efecto buscar un uso compatible, pero en principio difícilmente el residencial, en la zona deslindada, por ejemplo infraestructuras, aunque más bien los usos compatibles en estos lugares suelen estar pensados para otro tipo de circunstancias.

Otro principio se refiere a la primacía de la legislación donde se atribuye carácter demanial a los bienes sobre las calificaciones urbanísticas o el propio otorgamiento de licencias. Así, lo declara por ejemplo la STSJ de Murcia de 9 de diciembre de 2005 (JUR 2006, 7535), afirmando que la calificación del suelo en los instrumentos de planeamiento no puede afectar a la naturaleza del mismo desde el punto de vista de su demanialidad, es decir, la naturaleza de los bienes que forman parte del dominio público, que no puede desvirtuarse por su calificación urbanística, al tener los instrumentos de planeamiento una finalidad distinta, la de ordenación de los usos del suelo (STS 2 junio 1989 [RJ 1989, 4322]).

En igual sentido se pronuncia la STS de 29 de julio de 2005 (RJ 2005, 6661) enfrentándose con un supuesto en que los terrenos tenían edificaciones o urbanizaciones, siendo irrelevante y el deslinde procedente.

Asimismo, ha de recordarse (con la STS de 25 de noviembre de 1983

[RJ 1983, 6781]) que «las cuestiones de propiedad, posesión o cualesquiera otras de naturaleza civil pueden ser planteadas para su resolución ante los Tribunales de dicho orden, a los que corresponde conocer de las mismas».

Tampoco cabe ignorar que las actividades o labores no autorizadas en el demanio pueden ser objeto de sanción (STSJ de Murcia de 14 de marzo de 2003 [JUR 2003, 193894]).

Los temas tratados enmarcan el posible contenido razonable del Informe de la Confederación Hidrográfica. En todo caso, habrá que observar si existen opciones no lesivas para los administrados. Por ejemplo si son posibles soluciones técnicas tales como *la desviación del cauce de la rambla,* de modo similar a como ocurre con las vías pecuarias afectadas por un grado amplio de consolidación urbanística y la aceptación de la solución de la modificación del trazado de la vía.

O también habrá que observar si realmente los bienes en cuestión tienen la condición de cauce u otra ya diferente.

Finalmente es preciso considerar la doctrina sobre Informes sectoriales que realicé y expuse en otra parte de esta libro.

C. Referencia al Informe de la Confederación Hidrográfica en materia de disponibilidad de recursos hídricos

Cuestión especialmente debatida es el alcance del Informe de la Confederación Hidrográfica sobre la tramitación de los Planes Parciales por motivo de insuficiencia de recursos hídricos. En principio, hemos de recordar la doctrina general en materia de informes sectoriales que se ha estudiado anteriormente.

Un problema afecta a aquellos casos cuya tramitación es anterior a la publicación y entrada en vigor de la Ley 11/2005, de 22 de junio, de reforma de la Ley de Aguas o incluso de leyes territoriales o urbanísticas autonómicas que impongan este mismo requisito. La reforma de 2005, sobre el TR de la Ley de aguas, comenzó su vigencia el 23 de junio de 2005, es decir, el día en que se publica la Ley 11/2005, de 22 de junio en el BOE. Interesa resaltar que la Ley 11/2005 no contiene una disposición transitoria, limitándose a apuntar (en su disposición final cuarta) que «la presente Ley entrará en vigor el mismo día de su publicación en el BOE».

En ausencia de mayores pormenores, la Ley de Régimen Jurídico de las Administraciones Públicas y del Procedimiento Administrativo Común 30/

1992, de 26 de noviembre, afirma que ha de aplicarse la norma vigente en el momento de iniciarse y tramitarse el Plan Parcial.

Así lo declaran también las SSTS de 22 de enero de 1992 (RJ 1992, 631), de 18 de noviembre de 1991 (RJ 1991, 9744) y de 11 de mayo de 1990 (RJ 1990, 5206).

Podrá ponerse de manifiesto que la normativa aplicable es el Texto Refundido de la Ley de Aguas en la versión anterior a la reforma de 2005. Esto significa que no se requiere el cumplimiento de las exigencias o requisitos expresados anteriormente, ya que basta con estar a *«lo previsto en la planificación hidráulica y en las planificaciones sectoriales aprobadas por el Gobierno»*.

Importante es estar en este contexto al tenor literal del vigente artículo 25.4 del TR de la Ley de Aguas aprobado por Real Decreto Legislativo 1/2001: «Lo dispuesto en este apartado será también de aplicación a los actos y ordenanzas que aprueben las entidades locales en el ámbito de sus competencias, *salvo que se trate de actos dictados en aplicación de instrumentos de planeamiento que hayan sido objeto del correspondiente Informe previo de la Confederación Hidrográfica»*.

En efecto, si un Plan de desarrollo está basado en un Plan General que fue ya informado favorablemente desde la perspectiva hídrica que nos ocupa, es más complejo aplicar las exigencias de la nueva legislación de aguas y territorial, estatal y autonómica respectivamente.

La aplicación de esta norma podrá afectar a los Planes parciales de mejora pero, en todo caso, a los Planes parciales de desarrollo, pues éstos se configuran como planes que precisan la ordenación del plan general.

No obstante, incluso en los Planes reclasificatorios o de Mejora la regla de excepción mencionada será aplicable en función de los contenidos concretos del Plan, ya que algunos de ellos para nada tendrán relación con el sentido mismo de emitir un Informe de aguas por parte de la Confederación Hidrográfica en los propios términos que la legislación de aguas expone. Éste sería por ejemplo el caso de la alteración de una zona verde, al no poder estar comprendida dentro del ámbito del artículo 25.

Concretamente, los artículos 6.1 y 96 del TRLA especifican los casos en que cabe plantear siquiera la posibilidad de un Informe de la Confederación (actos y planes que afecten al régimen y aprovechamiento de las aguas continentales o a los usos permitidos en terrenos de dominio público hidráulico y en sus zonas de servidumbre y policía). Por contrapartida, si el plan no afecta al demanio hídrico ni a sus zonas de servidumbre o policía, el Informe, aunque fuera exigido, carecería de objeto, ya que la autoridad hidráulica emitiría un Informe verificando que no se produce afección en el ámbito de sus competencias.

El sentido de la intervención de la Confederación está en la idea de colaboración entre Administraciones. De hecho, el artículo 25 del TRLA lleva por título «Colaboración con las Comunidades Autónomas». Éste fue el *quid* de la reforma de la Ley de Aguas por la Ley 46/1999. La Confederación no puede convertirse en una Administración de quien dependan las decisiones urbanísticas, ya que la competencia de este carácter la ostentan las Administraciones regionales y locales.

En todo caso, es esencial el trámite de Informe de la Confederación. Su significado está en el criterio técnico que aporta, a los efectos de que sea tenido en cuenta en el procedimiento [STS de 29 de junio de 2004 [RJ 2004, 8157] y artículo 54.1.c) de la LRJAP-PAC].

Por tanto, su virtualidad se relaciona con el principio de motivación de las Administraciones con competencia resolutoria (la Local y la Autonómica). El caso del Informe desfavorable tácito es, o sería, singular porque obligaría al Ayuntamiento a motivar sin conocer las razones por las que no se informa favorablemente al plan urbanístico.

7. LAS SERVIDUMBRES AERONÁUTICAS Y SU INCIDENCIA SOBRE LOS PLANES DE URBANISMO, EL DERECHO DE PROPIEDAD Y LA AUTONOMÍA LOCAL[46]

A. Planteamiento

En el marco de las relaciones jurídicas interadministrativas de ordena-

---

46. En relación con el tema que va a ser tratado seguidamente en el texto pueden verse estas obras: P. ACERO IGLESIAS, *Organización y régimen jurídico de los puertos estatales,* Pamplona, 2002; J. ARROYO GARCÍA, «Servidumbres y limitaciones derivadas de la Ley de Régimen del Suelo y Ordenación Urbana», *Revista de derecho urbanístico,* nº 73, 1981, pp. 49 y ss.; J. BARNÉS (Coordinador), *Propiedad, expropiación y responsabilidad. La garantía indemnizatoria en el Derecho europeo y comparado,* Madrid, 1995; J. A. CARRILLO DONAIRE, *Las servidumbres administrativas (delimitación conceptual, naturaleza, clases y régimen jurídico),* Valladolid, 2003; E. COLOM PLAZUELO, *La expropiación forzosa en el sector eléctrico,* Barcelona, 1998; J. ESTEVE PARDO, *Régimen jurídico de los aeropuertos,* Valencia, 2001; A. FANLO LORAS, «El contenido patrimonial de la servidumbre de acceso al mar (A propósito de la STC 149/1991, de 4 de julio)», en: *La protección jurídica del ciudadano, Homenaje al profesor J. González Pérez,* tomo III, Madrid, 1993, pp. 1999 y ss.); J. R. FERNÁNDEZ GARCÍA, *El catastro y el justiprecio del suelo,* Pamplona, 2004; J. R. FERNÁNDEZ TORRES, *Las expropiaciones urbanísticas,* Pamplona, 2001; J. R. FERNÁNDEZ TORRES, «Aeropuertos de interés general, ordenación del territorio y urbanismo y autonomía local

ción del territorio, los derechos reconocidos en un plan urbanístico a favor de los particulares pueden resultar altamente mediatizados por el ejercicio de las competencias sectoriales del Estado.

Como tendremos ocasión de comprobar, el ejercicio de las competencias sectoriales del Estado puede llevar a una corrección de los planes urbanísticos o, incluso, a bloquear su tramitación y aprobación.

De ahí la necesidad de observar las garantías de los ciudadanos en el contexto de las relaciones interadministrativas de ordenación del territorio. En particular, es ilustrativo el caso de las servidumbres aeronáuticas, previstas en la legislación sectorial[47] y cómo éstas pueden llegar a tener una incidencia importante sobre el urbanismo.

B. La repercusión de las competencias sectoriales del Estado en el urbanismo desde el punto de vista del interés de los ciudadanos

a) Solución expropiatoria

En principio, la jurisprudencia del Tribunal Supremo, Sala de lo conten-

_____

(Comentario a la STC 204, 2002, de 31 de octubre)», *Revista Urbanismo y Edificación*, nº 1, 2003, pp. 119 y ss.; F. García Gómez de Mercado, *El justiprecio de la expropiación forzosa*, Granada, 2001; F. García Gómez de Mercado, *Legislación de expropiación forzosa*, Granada 2001; F. García-Moreno Rodríguez, «Instrumentos de planificación territorial y urbanística versus zonas afectas a la defensa nacional: regulación y problemática jurídica», *RDU*, 2003, pp. 61 y ss.; T. Quintana López (coordinador), *Derecho urbanístico estatal y autonómico*, Valencia, 2001; J. A. López Pellicer, *Lecciones de Derecho administrativo*, Murcia, 1989; F. Sosa Wagner/ L. Tolívar Alas/T. Quintana López/M. Fuertes López, *Expropiación forzosa y expropiaciones urbanísticas*, Pamplona, 2003.

47. Sobre el tema que nos va a ocupar en el texto es conveniente tener en cuenta la normativa que se cita seguidamente:

–Artículo 149.1.20ª de la Constitución, donde se reconoce una competencia exclusiva del Estado en materia de «aeropuertos de interés general».

–Ley 48/1960, de 21 de julio, sobre Navegación aérea, modificada por los artículos 63 y 64 de la Ley 55/1999, de 29 de diciembre, de Medidas Fiscales, Administrativas y del Orden Social.

–Real Decreto 2591/1998, de 4 de diciembre, sobre Ordenación de los Aeropuertos de Interés General y su Zona de Servicio en ejecución de lo dispuesto por el artículo 166 de la Ley 13/1996, de 30 de diciembre, de Medidas Fiscales, Administrativas y del Orden Social.

–Decreto 584/1972, de 24 de febrero, de servidumbres aeronáuticas parcialmente modificado (artículos 7 y 30) por el Decreto 2490/1974, de 9 de agosto y por el Real Decreto 1541/2003, de 5 de diciembre, respectivamente.

–Real Decreto 1257/2003, por el que se regulan los procedimientos para la introducción de restricciones operativas relacionadas con el ruido de los aeropuertos.

–Real Decreto 2289/1986, de 25 de septiembre, por la que se establecen las servidumbres aeronáuticas en el aeropuerto de Alicante.

–Ley 37/2003, de 17 de noviembre, del Ruido.

cioso-administrativo, deja claro que las servidumbres o limitaciones impuestas, aunque puedan ser conformes al ordenamiento jurídico, pueden suponer «la efectiva privación del derecho a edificar en un suelo urbano calificado como residencial de baja intensidad».

En estos casos, la servidumbre implica *la privación de un derecho patrimonializado* que, «como tal debe ser indemnizado o compensado mediante el pago del justo precio (...), según lo establecido concordadamente por los artículos 1, 3, 15 y 17 a 21 de la Ley de Expropiación Forzosa».

Interesante es que, en estos supuestos, no estamos ante daños o perjuicios derivados para un tercero que deban ser indemnizados conforme a las reglas de la responsabilidad patrimonial de la edificación. Por contra estamos «ante la *privación* de un derecho a edificar sobre un suelo urbano».

En realidad, podrán darse dos situaciones: primero, que el particular no esté obligado a soportar la servidumbre; y, segundo que, estando obligado a soportarla, haya que abonarle la correspondiente indemnización, ya que «el instituto expropiatorio comprende cualquier forma de privación singular de la propiedad privada o de derechos o intereses patrimoniales legítimos y entre éstos debe considerarse la privación del *ius aedificandi reconocido en el planeamiento urbanístico al propietario del suelo,* como en este caso sucede al impedirse (...) que se edifique con arreglo al aprovechamiento permitido por las ordenanzas municipales».

Así pues, esta doctrina afirma ante todo la necesidad de compensar debidamente al afectado aplicando el beneficio expropiatorio.

Pero no sólo existe una garantía expropiatoria de carácter indemnizatorio. Más bien, ésta procederá sólo en defecto de una garantía urbanística, ligada a aquella otra, pero que tiene primacía en cuanto a su aplicación en el caso concreto. Es decir, antes de proceder a fijar el justiprecio es preciso observar si los propietarios afectados por la línea de servidumbre pueden concretar el volumen de edificación que les corresponda en el terreno situado del otro lado de dicha línea. Seguidamente, se desarrolla este importante criterio.

b) *Solución urbanística*

En efecto, los afectados por las servidumbres tienen un derecho a ser

---

–Realización de las obras en los aeropuertos sin acto de control preventivo del artículo 84.1.b) de la Ley 7/1985 (LBRL).

compensados aumentando el volumen de edificación al otro lado de la zona afectada por la línea de servidumbre aeronáutica. En estos casos, si no se indemniza es porque el aprovechamiento no se pierde, debido a que la edificabilidad puede concentrarse en otra zona de la misma parcela. De no ser así procederá la garantía indemnizatoria.

Como afirma la STS de 2 de noviembre de 1979 (RJ 1979, 3776), el propio urbanismo (mediante técnicas de reparcelación u otras) puede resolver el problema de compensación frente a una servidumbre aeronáutica. Y a esta misma conclusión parece llegar la doctrina que ha estudiado estos problemas jurídicos[48].

c) *En todo caso, las servidumbres aeronáuticas originan un derecho de indemnización en favor del afectado por la privación del* ius aedificandi

En conclusión, las servidumbres, por ejemplo las derivadas de la legislación de carreteras, originan un derecho de indemnización por la privación que suponen del *ius aedificandi* (STS de 17 de mayo de 1994 [RJ 1994, 4269], citando otras; STS de 18 de diciembre de 1991 [RJ 1991, 9220] y STS de 13 de marzo de 1981 [RJ 1982, 8131]; STS de 7 de abril de 2001 [RJ 2001, 5757], citando la STS de 18 de febrero de 1991 [RJ 1991, 1047] y la STS de 2 de febrero de 1995 [RJ 1995, 1088]; STS de 12 de diciembre de 1996 [RJ 1996, 8855]).

Esto se explica:

Primero, porque es indemnizable toda privación del *ius aedificandi,* no sólo la que procede de una servidumbre. Así, la STS de 30 de marzo de 1982 (RJ 1982, 1430) reconoció una indemnización expropiatoria por haberse limitado el derecho a edificar de un particular como consecuencia de la instalación junto a su propiedad de un cementerio.

Segundo, se indemniza la privación o merma del *ius aedificandi* porque, en general, deben siempre indemnizarse las «limitaciones singulares» que se produzcan sobre el derecho de propiedad.

Tercero, también se explica este criterio considerando que asiste al afectado un derecho a ser indemnizado «por las expectativas urbanísticas».

Así, la STS de 6 de junio de 2000 (RJ 2000, 7374), citando otras, afirma que «la jurisprudencia ha venido manteniendo que las expectativas urbanísti-

---

48. A. Fanlo Loras, «El contenido...», pp. 2003 y ss.; J. A. López Pellicer, *Lecciones...,* p. 549.

cas son una circunstancia transcendental y definitiva para hallar el valor real del suelo rústico a efectos de expropiación», consistiendo dichas expectativas en «la razonable previsibilidad de que en un tiempo significativo en términos económicos el terreno va a ser incorporado al proceso urbanizador, recibiendo la adecuada clasificación en la modificación o revisión del planeamiento» (igualmente, STS de 18 de noviembre de 1995 [RJ 1995, 9168]: las expectativas urbanísticas del terreno son una circunstancia transcendental, e incluso definitiva, para hallar el valor real de aquél; STS de 2 de febrero de 1995 [RJ 1995, 1088], etc.).

Se reconoce la aplicación del instituto expropiatorio en favor de las expectativas urbanísticas incluso en suelo no urbanizable (STS de 20 de enero de 1999 [RJ 1999, 1080]).

d) La reforma de la Ley 48/1960, de 21 de julio, sobre Navegación Aérea

El supuesto de la privación, mediante servidumbre aeronáutica o acústica, del *ius aedificandi* encuentra hoy mención expresa en la legislación, a raíz del artículo 63 de la Ley 55/1999 de Acompañamiento a la Ley de Presupuestos para el año 2000, que modifica la Ley 48/1960, de 21 de julio, sobre Navegación Aérea: *«sólo dará lugar a expropiación forzosa la imposición de servidumbres aeronáuticas, incluidas las acústicas, que impidan el ejercicio de derechos patrimonializados».*

De esta forma, la Ley 48/1960, de 21 de julio, sobre Navegación Aérea, viene a reconocer la doctrina jurisprudencial consolidada en nuestro Derecho que se ha expuesto *supra*.

Obviamente, este régimen jurídico expropiatorio (o, en su caso, de traslado) no ampara sólo a los vecinos que vivan en edificaciones ya consolidadas. En este sentido, la STS de 14 de julio de 1981 (RJ 1981, 2990) reconoce al particular el derecho a ser indemnizado por la expropiación de dos plantas de un edificio al existir una servidumbre aeronáutica. Además, el particular puede ejercitar un derecho a que la Administración adopte medidas adecuadas de insonorización.

En efecto, como ya nos consta, procederá el beneficio expropiatorio en favor de los particulares que estuvieran construyendo, o que tuvieran licencia urbanística o que ostenten «derechos patrimonializados», como es el caso de los titulares de derechos otorgados por el planeamiento urbanístico.

El supuesto que queda al margen del beneficio expropiatorio es aquel en cuya virtud los terrenos tienen calificación de no urbanizable según el planeamiento aplicable.

Por otra parte, y en puridad, habría a mi juicio que distinguir servidumbres aeroportuarias, por un lado, y servidumbres acústicas, por otro lado. El propio artículo 63 de la Ley 55/1999, *cit.,* considera las servidumbres acústicas como un tipo de servidumbre incluida dentro de las servidumbres aeronáuticas.

Las servidumbres aeronáuticas derivan del aeropuerto como instalación (las relativas a radiobalizas, instalaciones radioeléctricas, centros emisores de VHF, torre de control, equipos de trayectorias de planeo del sistema de aterrizaje instrumental y radiofaros, entre otras). La limitación que supone la servidumbre aeronáutica con respecto al derecho de propiedad se refiere no a la prohibición total de construir sino a las limitaciones de altura que se establecen en función de la operatividad de dichos instrumentos de ayuda a la navegación.

En cambio, la servidumbre acústica de aeropuertos establece una zonificación en función de la molestia acústica de manera que, en las zonas más afectadas, las limitaciones de la propiedad parecen llegar a la prohibición de cualquier tipo de edificación destinada a vivienda.

En este sentido, la STS de 2 de noviembre de 1979 (RJ 1979, 3776) centra las servidumbres aeronáuticas en torno a un régimen de limitación de alturas sin «impedir la aplicación de las posibles técnicas urbanísticas de actuación (reparcelación, concentración de volúmenes, expropiación, etc.) que puedan permitir la continuidad de los planes urbanísticos».

e) *La constitución de servidumbres genera además responsabilidad por los daños causados*

Al margen del caso de la privación del *ius aedificandi,* la constitución de servidumbres genera un derecho indemnizatorio por los posibles «daños» que aquéllas puedan causar (STS de 14 de julio de 1981 [RJ 1981, 2990] en materia de servidumbres aeronáuticas; STS de 2 de julio de 1991 [RJ 1991, 6943], reconociendo el derecho a ser indemnizado por los daños causados por la constitución de una servidumbre de acueducto). Y lo mismo puede decirse por referencia a las servidumbres de etilenoducto, viaducto, etc.

Este supuesto mencionado en último lugar, daños desvinculados del *ius aedificandi,* se prevé en el propio artículo 54 de la Ley 48/1960 de Navegación Aérea de 21 de junio: «los daños y perjuicios que se causen en los bienes afectados por las servidumbres a que se refieren los artículos 51 y 53 serán indemnizables, si a ello hubiere lugar aplicando las disposiciones sobre expropiación forzosa».

Todo esto no obsta para que existan limitaciones del *ius aedificandi* no indemnizables, tales como las denegaciones de licencias para la instalación de una torre de telefonía móvil (SAN de 14 de marzo de 2002 [RJCA 2002, 631]; igualmente STS 15 de abril de 1998 [RJ 1998, 5727] o STS de 2 de enero de 1987 [RJ 1987, 422]).

f) Pautas para las valoraciones

Solucionado este aspecto, el conflicto jurídico puede presentarse en torno a la fijación de las cifras o porcentajes de depreciación por defecto o pérdida de edificabilidad (STS de 12 de mayo de 1996 [RJ 1996, 4359]), es decir la fijación del justiprecio correspondiente a la pérdida de edificabilidad (en este sentido, la STS de 12 de febrero de 2004, recurso nº 2215/2000 [RJ 2004, 1871], ejemplifica los recursos existentes sobre justiprecios por expropiaciones realizadas en zonas aeroportuarias; también la STS de 3 de diciembre de 2002 [RJ 2003, 705] y la STS de 12 de diciembre de 2003 [RJ 2003, 8533]).

En estos casos, de servidumbres que privan al particular del *ius aedificandi* que el planeamiento urbanístico le reconoce, el justiprecio vendrá referido al valor patrimonializado en el momento de la constitución de la servidumbre, esto es, el valor del terreno urbano.

Cierta jurisprudencia (SSTS de 28 de octubre de 1995 [RJ 1995, 8756] y de 17 de junio de 1995 [RJ 1995, 5871]) ha aplicado coeficientes de ponderación a efectos de compensar íntegramente al particular en casos en los cuales se produjo una depreciación de la parcela como consecuencia de una expropiación: «en nuestras sentencias de 22 de marzo de 1993 F. 3º y de 17 de junio de 1995 F. 7º hemos considerado, como la fórmula más correcta para indemnizar el demérito de la porción de finca no expropiada, la aplicación a ésta de un coeficiente de ponderación, atendida su configuración, superficie y uso en relación con su situación y circunstancias anteriores a la división, por lo que en supuestos de virtual inutilidad de aquélla, como sucede en este caso, se consideró, como compensación suficiente y adecuada al demérito, aplicar el coeficiente de un ochenta por ciento del valor a la porción restante»[49].

---

49. Pueden verse otras referencias jurisprudenciales en: VV AA, *Expropiación forzosa y expropiaciones urbanísticas*, Pamplona, 2003 p. 251 § 101. Véase también M. Gómez Puente, *Derecho administrativo aeronáutico*, Pamplona, 2006.

C. La garantía anulatoria o primaria contra las servidumbres aeronáuticas y acústicas

a) Planteamiento

Hemos visto cómo las servidumbres aeuronáuticas, incluyendo las acústicas, originan una garantía indemnizatoria ante las limitaciones o privaciones que producen en el *ius aedificandi*.

Ahora bien, junto a esta garantía, el afectado por las servidumbres (e interesado en edificar) podrá pretender la anulación misma de las citadas servidumbres. O podrá pretender la vigencia del plan urbanístico frente al Informe desfavorable del Ministerio de Fomento frente al plan urbanístico.

Por otra parte, el problema jurídico de las servidumbres citadas, desde el punto de vista de las garantías primarias o anulatorias, puede plantearse primero desde el punto de vista del derecho de propiedad y segundo desde la perspectiva del derecho de autonomía local.

En todo sistema administrativo procesal evolucionado han de existir dos niveles o planos en cuanto a las posibilidades de defensa de los ciudadanos frente a las actuaciones de la Administración. El primero (es decir, la garantía primaria) se refiere al derecho anulatorio que ha de asistir al interesado en caso de que la decisión administrativa sea disconforme con el ordenamiento jurídico. El segundo, la garantía secundaria, se refiere a las compensaciones o indemnizaciones procedentes en caso de que no se pueda hacer valer la anulación de la decisión administrativa. Es más, tal como ejemplarmente ha desarrollado el Tribunal Constitucional alemán, si la actuación administrativa (por ejemplo una expropiación) es ilegal no debería proceder nunca una indemnización compensatoria, por quedar ésta reservada al caso de las actuaciones realizadas por la Administración conforme al ordenamiento jurídico (Auto del Tribunal Constitucional Alemán de 15 de julio de 1981, BVerfGE 58 p. 300).

Este planteamiento arraiga en cualquier ámbito del Derecho público, aunque tiene una especial virtualidad en el ámbito de las expropiaciones forzosas y, por tanto, de las servidumbres aeronáuticas. En estos casos, la propia legislación reguladora afianza la garantía indemnizatoria junto a la posibilidad de discutir la expropiación misma, es decir, el acto de necesidad de ocupación (artículos 15 y siguientes de la LEF de 16 de diciembre de 1954).

En este sentido, la jurisprudencia ha dejado claro el derecho de anulación del particular afectado por la expropiación en casos en que la Administración «no relate o concrete los bienes que constituyen objeto de la expropiación» (STS de 30 de mayo de 1991 [RJ 1991, 5105]) o en supuestos en los que la Administración (incurriendo en desviación de poder) no atienda a la utilidad pública sino al beneficio de un particular (STS de 29 de mayo de 2001 [RJ 2001, 7976]) o en situaciones en las que «se expropien bienes que no resulten indispensables» (STS de 9 de marzo de 1993 [RJ 1993, 1672]) o por faltar la debida información pública (STS de 16 de junio de 1986 [RJ 1986, 3773]).

Estas mismas exigencias rigen en materia de servidumbres aeronáuticas. El propio planteamiento de las garantías primarias o anulatorias está presente, de forma ilustrativa, en dos interesantes SSTS de 2 de noviembre de 1979 (RJ 1979, 3776) y de 31 de octubre de 1980 (RJ 1980, 4004).

En la STS de 2 de noviembre de 1979 (RJ 1979, 3776) el Tribunal Supremo admite la pretensión de anulación de la parte y verifica la legalidad de una resolución del Consejo de Ministros que confirma un régimen de servidumbres aeronáuticas en torno al aeropuerto de Bilbao.

Es decir, es posible un enjuiciamiento de la legalidad o no de las servidumbres aeronáuticas, más allá del planteamiento procesal puramente indemnizatorio. Ahora bien, antes de avanzar en este planteamiento, es preciso lógicamente poner de manifiesto, a la luz de las sentencias citadas, las limitaciones de este tipo de garantías primarias y las dificultades con las que se enfrenta la parte en estos supuestos.

b) *Limitaciones de las garantías primarias*

    a') *Apoyo del Informe y de las servidumbres en la legislación administrativa*

En este sentido, en la citada STS de 2 de noviembre de 1979 (RJ 1979, 3776) el Tribunal Supremo expone las dificultades para conseguir la anulación de este tipo de servidumbres en tanto en cuanto el ordenamiento jurídico las ampara. En el caso enjuiciado se citan los artículos 51 de la Ley de Navegación Aérea y los artículos 11 a 15 de la Ley de Aeropuertos de 17 de julio de 1945 para afirmar la legalidad de las «servidumbres aéreas como limitaciones del dominio que afectan, como algo normal, a los terrenos, construcciones e instalaciones que circundan los aeropuertos en aras de la seguridad de la navegación (...)», reconduciendo finalmente las garantías del particular recurrente hacia un planteamiento indemnizatorio en este caso: «también es cierto que la servidumbre aérea, en determinados casos: demolición de edificaciones existentes (...), puede determinar actuaciones de carácter positivo, con privación o limitación de bienes o derechos preexistentes que dan lugar a indemnización».

La legislación administrativa justifica la existencia de Informes ministeriales antes de la aprobación del plan urbanístico. Y justifica la existencia de servidumbres aeroportuarias (Decreto 584/1972, de 24 de febrero, de servidumbres aeronáuticas) y de planes directores de aeropuertos (Real Decreto 2591/1998, de 4 de diciembre, sobre Ordenación de los Aeropuertos de Interés General y su Zona de Servicio) que puedan vincular a los planes urbanísticos (artículo 63 de la Ley 55/1999, que modifica la Ley 48/1960, de 21 de julio, sobre Navegación Aérea y artículo 17 de la Ley 37/2003, de 17 de noviembre, del Ruido).

b') Discrecionalidad técnica

En la STS de 31 de octubre de 1980 se reconoce el margen de discrecionalidad técnica, de que goza la Administración, para fijar las servidumbres aeronáuticas y la dificultad que los órganos jurisdiccionales pueden tener en algún caso, por lo que «el proceso va encaminado a la obtención de un resultado de carácter indemnizatorio».

c') Arraigo de las servidumbres en el planeamiento director de aeropuertos

Las dificultades para contestar la legalidad de las servidumbres aeronáuticas se entienden también desde el punto de vista de la relación que éstas guardan con los Planes Directores de los Aeropuertos.

En el Plan Director se examinan las infraestructuras *y las cuestiones ambientales y acústicas, concretamente la incidencia que supone en el territorio la ampliación del aeropuerto en los aspectos relativos a la planificación urbanística, planes de infraestructuras, los derivados de las servidumbres aeronáuticas,* los medioambientales, en particular los derivados del impacto acústico y los relativas al medio natural y patrimonio cultural. El Plan Director del Aeropuerto representa el mecanismo de colaboración preciso entre la autoridad aeronáutica y las Administraciones urbanísticas competentes (STS de 12 de junio de 2002 [JUR 2003, 67939]).

El Plan Director del Aeropuerto (Madrid-Barajas) es el instrumento que declara la ocupación de los bienes y derechos afectados por las obras de infraestructura del aeropuerto (STS de 21 de mayo de 2002 [RJ 2002, 4500]).

Esto explica que, frente a posibles impugnaciones de terceros, si la actividad no es incompatible con las servidumbres aeronáuticas, aquélla ha de autorizarse (STS de 3 de febrero de 1999 [RJ 1999, 670]; STSJ de Madrid de 28 de diciembre de 2001 [JUR 2002, 147408]).

Por contra, el Tribunal Supremo refuerza la legalidad de la suspensión de las licencias urbanísticas si existen servidumbres aeronáuticas que deban respetarse (STS de 25 de mayo de 2001 [RJ 2001, 3797]), ya que los Ayuntamientos no pueden autorizar las instalaciones o construcciones en zonas gravadas con las servidumbres aeronáuticas sin la previa resolución favorable del Ministerio (STS de 3 de mayo de 1990 [RJ 1990, 3789]).

c) *Opciones de defensa (en este plano de las garantías primarias o de anulación y no sólo indemnizatorias)*

a') *Posibilidad de impugnación y control judicial*

En principio, cada una de las tres limitaciones que acaban de destacarse por referencia a las garantías primarias o anulatorias contra las servidumbres aeronáuticas o acústicas (apoyo de las servidumbres en la legislación, discrecionalidad técnica y arraigo en el planeamiento director de aeropuertos), tienen a su vez limitaciones propias, ya que no pueden entenderse en términos absolutos.

Primeramente, las normas son controlables judicialmente y éste es el sentido de los recursos contencioso-administrativos directos o indirectos contra los propios planes directores de aeropuertos y las medidas que en éstos se contemplan.

Por tanto, cuando las decisiones son actos o reglamentos, la propia jurisdicción contencioso-administrativa concede una «garantía primaria» de carácter anulatorio, pudiéndose enjuiciar la legalidad misma de las servidumbres establecidas, conforme al ordenamiento y sus valores jurídicos superiores. Y en el fondo el Derecho constitucional viene a suponer una vía de refuerzo de la (mencionada *supra*) garantía primaria, en tanto en cuanto aquél abre cauces de defensa frente a las decisiones legislativas del poder público. De lo contrario, no quedaría más remedio procesal que el propiamente indemnizatorio ante la imposibilidad de controlar este tipo de decisiones.

Igualmente, la discrecionalidad, incluso la técnica cuenta, como es sabido, con límites jurídicos.

Por otra parte, la vinculación de los planes de aeropuertos sobre los planes locales tiene también limitaciones derivadas de la autonomía local.

Entre una ingente jurisprudencia (constitucional y ordinaria) sobre el particular puede recordarse la STC 204/2002, de 31 de octubre (RTC 2002, 204).

Enjuicia el Tribunal Constitucional la constitucionalidad del artículo 166 de la Ley 13/1996 en virtud del cual, primero, se habilita al Ministerio para delimitar en los aeropuertos de interés general una zona de servicio y para aprobar el correspondiente Plan Director y, segundo, se establece el característico régimen de primacía de la ordenación aeroportuaria sobre la ordenación urbanística, tanto en la vinculación material de aquél sobre éste como en lo procedimental, ya que en caso de conflicto o desacuerdo informa de forma vinculante el Consejo de Ministros (sobre este extremo véase el Real Decreto 2591/1998, de 4 de diciembre, sobre Ordenación de los Aeropuertos de Interés General y su Zona de Servicio, en ejecución de lo dispuesto por el artículo 166 de la Ley 13/1996, de 30 de diciembre, de Medidas Fiscales, Administrativas y del Orden Social; y la nueva redacción dada al artículo 166.3 de la citada Ley por la Ley 53/2002, de 30 de diciembre, de Medidas Fiscales, Administrativas y del Orden Social).

Ahora bien, la vinculación de los planes directores de aeropuertos para los planes urbanísticos (y por tanto también para el régimen de licencias que debe seguirse en aplicación de aquél) tiene que compensarse mediante el debido respeto de la autonomía local otorgando a los Ayuntamientos un margen de actuación coherente y adecuada en estos casos, tanto a la hora de conceder licencias (en los casos de obras no estrictamente aeroportuarias, recuerda la STC citada) como también a la hora de conceder adecuada participación a los Ayuntamientos en los procedimientos de aprobación de los planes aeroportuarios que quieran aprobarse por el Estado.

Pero, más que profundizar en estos consabidos cauces generales interesa explorar, asimismo, otras posibles vías (dos a mi juicio) en este complejo contexto de las garantías primarias o anulatorias. Ambas se apuntan seguidamente.

b') Posibilidad de márgenes de negociación

Desde un prisma garantista la primera vía para poder frenar los efectos de las servidumbres aeronáuticas sería la posibilidad de admitir la constitución paccionada o voluntaria de las servidumbres administrativas. En este sentido, tanto la doctrina civilista como la administrativista (en España y en otros países) admite esta posibilidad con apoyo en el artículo 88.1 de la LRJAP-PAC 30/1992, de 26 de noviembre (terminación convencional del procedimiento administrativo) y en la LCSP 30/2007 (artículo 25, libertad de pactos) así como en el artículo 24 de la Ley de Expropiación Forzosa (posibilidad de mutuo acuerdo en la expropiación y por tanto servidumbre).

De esta forma convenida cabe estipular en principio los gravámenes objeto de la servidumbre que la Administración pretende imponer[50].

Incluso, se ha dado el caso (por ejemplo, en un aeropuerto en Bucarest) de que la lucha entre propietarios y aeropuertos ha conducido al mantenimiento de las viviendas en la zona y el cierre del aeropuerto para tener que abrir éste en otro lugar.

c') El régimen de excepción del Real Decreto 1541/2003, de 5 de diciembre

La segunda posibilidad, en el marco de las garantías primarias, se abre a la luz del Real Decreto 1541/2003, de 5 de diciembre, por el que se modifica el Decreto 584/1972, de 24 de febrero, de servidumbres aeronáuticas. Es decir, la propia normativa vigente prevé un marco jurídico que se corresponde plenamente con las garantías de carácter primario y no sólo secundario o indemnizatorio.

Antes de esta reforma, el artículo 7 del Decreto 584/1972 afirmaba que «ningún *obstáculo* podrá sobrepasar en altura los límites establecidos por las superficies anteriormente definidas».

Tras la reforma se admiten excepciones: «no obstante, el Ministerio de Defensa o el Ministerio de Fomento, según corresponda, podrán autorizar la construcción de edificaciones o instalaciones en aquellos casos en que, aun superándose dichos límites, los estudios aeronáuticos requeridos por la autoridad aeronáutica civil o militar competente acrediten que no se compromete la seguridad, ni queda afectada de modo significativo la regularidad de las operaciones de aeronaves. Asimismo, podrán autorizar la construcción de edificaciones o instalaciones en los supuestos de apantallamiento, tal como se determina en el artículo noveno».

Conforme al Preámbulo del citado Real Decreto 1541/2003, la incorporación a las normas vigentes de esta nueva excepción dará solución a aquellos casos, relativamente frecuentes, en que la realización de actuaciones urbanísticas, o constructivas en general, se encuentra imposibilitada por la taxativa prohibición establecida en el artículo séptimo del Decreto 584/1972, de 24 de febrero (...), a pesar de que técnicamente se puede demostrar que tales

---

50. Véase, en este sentido, con otras referencias, J. A. CARRILLO DONAIRE, *Las servidumbres...*, pp. 217 y 218.

actuaciones no entrañan degradación alguna de los niveles de seguridad en las operaciones de las aeronaves, ni imponen restricciones apreciables en la regularidad de aquéllas.

De esta forma se pretende perfeccionar la adecuación de nuestro ordenamiento jurídico al contenido del anexo 14 al Convenio sobre Aviación Civil Internacional y se pretende también evitar innecesarias e injustificadas limitaciones a determinadas actuaciones que objetivamente sean compatibles con el uso de los aeropuertos.

En definitiva, los Ayuntamientos situados en un entorno aeroportuario disponen de un cauce legal que permite en ciertos casos una reducción de las afecciones derivadas de las servidumbres aeronáuticas, con evidente impacto en los desarrollos urbanísticos de su demarcación, especialmente significativos en aquellos afectados por una orografía abrupta a las que la norma vigente restringía ciertas posibilidades, incluso cuando el propio terreno perfora a las servidumbres establecidas (Ministerio de Fomento, noticia de 5 de diciembre de 2003: «El Ministerio informa»).

Existen, pues, cinco vías o cauces de defensa en el presente supuesto relativo a los Informes ministeriales en el seno de un procedimiento de planeamiento urbanístico y a las servidumbres aeronáuticas.

Se enumeran seguidamente por orden de preferente aplicación. Las tres primeras son garantías primarias o anulatorias que, en principio, interesarán más al afectado, a pesar de su posible limitado alcance. Las dos restantes se corresponden con las garantías secundarias o indemnizatorias.

– La primera remite a los mecanismos generales de control de las decisiones de la Administración, aplicando (entre otros) las técnicas procesales generales de control de la discrecionalidad y el principio de autonomía local.

– La segunda vía consiste en la posibilidad de convenir el régimen de la servidumbre dentro de ciertos límites legales.

– La tercera no es otra que el propio régimen de excepción previsto en el Real Decreto 1541/2003, de 5 de diciembre.

– La cuarta, urbanística, afirma la posibilidad de compensar la privación o merma de edificabilidad en la zona afectada por la servidumbre aumentando la edificabilidad en la zona no afectada por dicha servidumbre o mediante mecanismos urbanísticos (entre otros posibles) de reparcelación.

– La quinta y última, expropiatoria, reconoce la indemnización como medio de reparación integral de la privación del *ius aedificandi.*

Las garantías secundarias o indemnizatorias deben en todo caso aplicarse sólo en caso de no poder proceder las garantías primarias o anulatorias.

8. LA TRAMITACIÓN DE LOS PLANES Y PROGRAMAS Y LAS AGUAS RESIDUALES

A. El planteamiento de las legislaciones urbanísticas y de aguas

En las distintas **legislaciones urbanísticas o territoriales** de las Comunidades Autónomas se afirma claramente la obligación de los propietarios de costear y, en su caso, ejecutar las infraestructuras de conexión con los sistemas generales y las obras de ampliación requeridas por las dimensiones o características del sector.

Por su parte, la **legislación de aguas,** o más precisamente de saneamiento establece un canon de saneamiento para «atender los gastos de explotación y conservación de las instalaciones de saneamiento y depuración» (por ejemplo Ley 3/2000, de 12 de julio, de Saneamiento y Depuración de Aguas Residuales de la Región de Murcia), refiriéndose esta misma Ley de forma genérica en ocasiones a que «en alguna medida» o, «en su caso», dicho canon servirá para «la construcción de nuevas infraestructuras públicas» (Preámbulo, artículos 1 y 4, entre otros posibles).

La legislación autonómica es, en efecto, bastante imprecisa sobre el particular, aunque justifica en todo caso la obligación del promotor de asumir los costes que generan los crecimientos urbanísticos. Faltaría la concreción del modelo, una vez que existe una base normativa que fundamenta la repercusión, de los costes relacionados con los saneamientos que provocan los nuevos agentes urbanizadores, a este sector privado que los promueve y se beneficia de los mismos.

En suma, esta normativa de referencia justifica el hecho de que a los desarrollos urbanísticos corresponde asumir el coste que representa la depuración y saneamiento de las aguas residuales, en especial por lo que se refiere a los gastos de obras de urbanización de conexión con la estación de depuración de aguas residuales (EDAR) correspondiente.

Es evidente que, desde el punto de vista del saneamiento, de *algún modo* se financian –ya actualmente– las obras necesarias que son consecuencia de los crecimientos urbanísticos. El coste de las infraestructuras en general podrá en principio asumirse por las propias Administraciones estatal o autonómica, sin perjuicio de la ayuda de fondos comunitarios europeos. En urbanizaciones nuevas, separadas de los núcleos urbanos existentes, el coste de depuración podrá recaer sobre el propio urbanizador, previo compromiso del urbanizador de resolver este problema si quiere conseguir la aprobación del planeamiento urbanístico que él mismo promueve. Por otra parte, al ser competencia local (la de aprobar el planeamiento pertinente, en especial en casos de ensanchamientos urbanos), los Ayuntamientos podrán pactar este tipo de costes de urbanización con los promotores. En la aprobación de un Programa urbanístico se tiene en cuenta, por otra parte, que la repercusión en la propiedad no sea abusiva o desproporcionada y que el proyecto no resulte antieconómico (tal como deja claro por ejemplo la ilustrativa sentencia del TSJ de la Comunidad Valenciana de 30 de marzo de 2005 [RJCA 2005, 675]).

Este mismo ambiente de cierta ambigüedad o indefinición, en el plano de la concreción del sistema jurídico de financiación de las obras en el ámbito de las aguas residuales como consecuencia de los crecimientos urbanísticos, impregna el panorama doctrinal (acaso por la novedad del tema[51]) y también la legislación autonómica[52].

Por tanto, el reto regulador actualmente no pasa por resolver este pro-

---

51. S. Álvarez Carreño, *El régimen jurídico de la depuración de aguas residuales urbanas*, Madrid, 2002; D. Blanquer, *La iniciativa privada y el ciclo integral del agua*, Valencia, 2005, pp. 169 y ss.; A. Fanlo Loras, «El saneamiento de aguas residuales en la cuenca del Ebro: modelos organizativos. Los casos de Aragón, Cataluña, La Rioja, Navarra», *Revista Aragonesa de Administración Pública*, 27 (2005), pp. 61 y ss.; M. Puchalt Ruiz, «La evacuación y depuración de las aguas residuales urbanas: una visión de conjunto desde la normativa medioambiental y urbanística», *RDU*, nº 219, pp. 177 y ss.; B. Setuain Mendía, *El saneamiento de las aguas residuales en el ordenamiento español. Régimen jurídico*, Valladolid, 2002; de la misma autora, «Un aspecto de la política del agua en Navarra: el saneamiento y depuración de las aguas residuales», *Revista Jurídica de Navarra*, 17, 1994.

52. Así por ejemplo, en Asturias, el pago de las obras de ampliación de infraestructuras vinculadas a los nuevos crecimientos urbanísticos puede correr a cargo del Estado, o del Principado o financiarse con cargo al canon de saneamiento si cumplen el Plan de Saneamiento, conforme a la Ley 1/1994, de 21 de febrero, desarrollada por el Decreto 19/1998, de 23 de abril (los vertidos industriales se regulan, por su parte, en la Ley 5/2002, de 3 de junio, siendo la Entidad pública de saneamiento la Junta de Saneamiento del Principado de Asturias). En Galicia, por su parte, este tipo de costes se determina en principio, igualmente, por los Ayuntamientos en el contexto de la tramitación del planeamiento (Ley 8/1993, Ley de Administración Hidráulica de Galicia y Decreto 8/1999, donde se regula el canon, siendo la Entidad pública «Augas» de Galicia). En otras CCAA se están reformando al parecer sus legislaciones para llegar al modelo de «importe por suplementos o adecuación de infraestructuras».

blema *en general,* ya que «en general» de alguna forma se consigue resolver el problema. Más bien, *el quid* es encontrar un modelo idóneo o al menos coherente que supere la actual imprecisión, considerando además ciertos fines e intereses que precisan de una solución actualmente.

Primero, sería preciso conseguir un modelo plenamente coherente con el *desideratum* legal consistente en que sean exactamente los que promueven las actuaciones quienes garanticen que asumen este tipo de costes, sin perjuicio del pertinente convenio entre éstos y las Administraciones responsables (Ayuntamiento y Entidad de Saneamiento concretamente) donde se perfilen las obligaciones y la repercusión económica concreta.

Segundo, no es sólo una exigencia coherente con las legislaciones urbanísticas y de aguas la previsión de un criterio certero y *ex ante* de aplicación. Representa al mismo tiempo una exigencia desde el punto de vista de la debida seguridad jurídica (artículo 9.3 de la Constitución Española) con que han de contar los propios promotores, pues dejar en el marco de la imprecisión o del convenio *ad hoc,* la solución de este tipo de cuestiones o controversias, puede ser asimismo indeseable para el propio promotor afectado. Más razonable es que los operadores urbanísticos puedan conocer la carga económica que puede representarles este tipo de costes de urbanización y evitar posibles excesos de la Administración pública o situaciones no previstas. En este sentido, la posible consulta a la Entidad autonómica competente en aguas residuales es oportuna para conocer el montante económico, aproximado o preciso, en función del contenido de la respuesta, de los costes de urbanización de saneamiento.

Tercero, en términos más teóricos, otro fin normativo es dar cumplimiento a las exigencias de la Unión Europea en materia de depuración de aguas. En este sentido, destaca la conocida directiva 91/271/CEE, del Consejo, de 21 de mayo, sobre el tratamiento de las aguas residuales urbanas, donde se prevé que los Estados miembros adoptarán medidas para *garantizar* el tratamiento correcto del vertido, con fechas concretas y niveles de calidad de las aguas depuradas de acuerdo con el medio receptor y la importancia de la correspondiente aglomeración urbana.

Cuarto, en el fondo, el respeto del medio ambiente y de la depuración de las aguas son claves para justificar la necesidad de una mayor precisión o corrección en el criterio de financiación de los gastos de urbanización por saneamiento y depuración que originan los nuevos crecimientos urbanísticos. Debe garantizarse, en especial, que las instalaciones de depuración y saneamiento estén en debidas condiciones por parte de las nuevas urbanizaciones.

La articulación o concreción del modelo exige la distinción entre situaciones diversas entre sí. Por un lado, cabe diferenciar, en la repercusión del coste, los usos residenciales de los industriales o de equipamientos. Por otro lado, es determinante matizar en función de si estamos ante crecimientos apegados a un núcleo urbano, o si estamos ante actuaciones urbanizadoras separadas de los mismos. Lógicamente, habrá que observar la concreta repercusión de la actuación urbanística, conforme a la necesidad o no de ampliación de las depuradoras.

Además, habría que considerar otros factores:

Primero, conviene partir del principio de libertad del propio agente urbanístico para resolver el problema de la depuración siguiendo, eso sí, las pautas de la Entidad autonómica de saneamiento, junto a la posibilidad (en realidad, el «régimen ordinario») de que la ejecución de las obras se haga por la propia Entidad Pública de Saneamiento y Depuración, encargándose ésta, entonces, de resolver el problema de conexiones o ampliación de servicios, aunque la financiación de este coste corresponderá a la empresa promotora o causante de los mismos.

Urbanísticamente, es elemental la obligación que recae sobre el planeamiento municipal de reservar el suelo necesario, mediante la calificación urbanística adecuada, para la implantación o ampliación o extensión de la depuradora como servicio público, independientemente de quién sea la Entidad de gestión o mantenimiento de la depuradora o incluso de quién sea la Entidad que asuma la realización de la obra.

Un problema urbanístico complejo, que afecta a la posible repercusión de este tipo de costes de saneamiento o depuración, es el relativo a las edificaciones o urbanizaciones en áreas semiconsolidadas cuyos servicios suelen ser deficientes y cuya situación urbanística puede no estar amparada por el planeamiento y por la legislación urbanística. En estos casos generalmente no han conectado las viviendas aún a las redes públicas de saneamiento o, si se estuvieran beneficiando de ellas, se plantea igualmente el problema del coste repercutible. En todo caso, parece razonable sostener que la conexión a las redes públicas presupone que se ha tenido que legalizar antes urbanísticamente la situación del interesado en realizar dicha conexión.

B. El canon de saneamiento y el «importe por suplemento de infraestructuras»

Corresponderá a la Entidad autonómica de saneamiento y depuración de aguas ejercer las funciones fundamentales en todo este sistema urbanístico que estamos comentando por referencia a la mejora de las conexiones e infraestructuras de aguas residuales, tales como la precisión del coste que deben asumir los promotores; o la emisión del informe sectorial en relación con los planes parciales de los promotores desde el punto de vista de su adecuación a las exigencias de saneamiento y de depuración; o la propia realización de las obras en caso de que el promotor no quiera realizarlas por sí mismo; o la gestión misma o conservación de las plantas depuradoras.

Esto último puede llevar a aplicar el canon de saneamiento en caso de que dicha Entidad asuma la explotación de la depuradora, pero no en caso contrario. El caso en que mantenga las instalaciones será diferente de aquel otro en que esta Entidad se limite a inspeccionarlas. El canon se limitará al coste económico relacionado con la prestación del servicio que aquélla realmente lleve a cabo.

Una consecuencia, de perfilar o corregir el sistema de saneamiento en los nuevos desarrollos urbanísticos mediante la previsión de un nuevo concepto (cuya denominación puede ser, por ejemplo, «importe por suplemento de infraestructuras»), es que dicho canon pasa a referirse a su situación ordinaria de repercusión en concepto de explotación, mantenimiento y gestión de las instalaciones, sin aplicarse a la financiación de la construcción de las nuevas plantas o conexiones que provoquen los crecimientos urbanísticos *ex novo*.

Habrá que tender a un modelo que distinga claramente el canon referido por la gestión o conservación de las instalaciones de saneamiento, por un lado, del otro mecanismo financiero que han de asumir *ope legis* los promotores urbanísticos (sin perjuicio de su repercusión en la propiedad o el adquirente final de la vivienda) por otro lado.

El canon de saneamiento suele contemplarse como un tributo finalista cuyo hecho imponible consiste en la producción de aguas residuales a las redes públicas de saneamiento, manifestada por el consumo de agua[53].

---

53. Simple mención puede hacerse (por no ser el tema de este trabajo) a los títulos habilitantes por la reutilización de las aguas depuradas, considerando que, conforme al artículo 109 del RDLeg 1/2001, de 20 de julio, por el que se aprueba el TR de la Ley de Aguas, se requiere concesión administrativa, salvo que fuera solicitada la reutilización por el titular de una autorización de vertido de agua ya depurada, ya que en este caso sólo se requiere autorización administrativa del Organismo de Cuenca. Puede verse A. EMBID IRUJO, «Reutili-

C. Referencia normativa al modelo de la Comunidad Valenciana

En la Comunidad Valenciana se ha conseguido deslindar el canon de saneamiento de otro concepto (el llamado «importe por suplemento de infraestructuras») previsto a los efectos de que los agentes urbanizadores (propietarios o no de los terrenos) asuman el coste de las conexiones y obras de ampliación de Depuradoras, a pesar de que finalmente lo repercutan en los propietarios como gasto de urbanización aprobado por la Administración pública.

En este contexto, la actividad fundamental de la Entidad pública de saneamiento y depuración es la de informar los expedientes de autorización de conexión de las aguas residuales generadas por los desarrollos urbanísticos a la Red General del Sistema de Saneamiento y Depuración.

En definitiva, en la Comunidad Valenciana arraiga este sistema bien conocido en la práctica por los operadores urbanísticos, y justificado según veremos por los propios órganos jurisdiccionales del orden contencioso-administrativo, a pesar de que la base normativa del mismo se limita, en definitiva, a la propia legislación general urbanística y de aguas y a los Planes de Saneamiento y Depuración de la Comunidad Valenciana.

Es decir, sin perjuicio de esta base normativa, la clave va a estar en unas breves referencias contenidas en simples Planes sectoriales de saneamiento y depuración (normas, en definitiva, de rango reglamentario aunque con una relación directa con las leyes de aguas o saneamiento y de urbanismo y territorio) y también en la propia práctica administrativa que es seguida por dicha Entidad de saneamiento y depuración.

La normativa principal de referencia del importe de «suplemento de infraestructuras», más concretamente, es la siguiente:

– El artículo 3.1.a) de la Ley 2/1992, de 26 de marzo, de Saneamiento de las Aguas Residuales de la Comunidad Valenciana, donde se prevé la competencia de la Generalitat Valenciana de planificar comprendiendo la formulación de directrices de saneamiento y del esquema de infraestructuras, así como de los criterios sobre niveles de depuración y calidad exigibles a los efluentes y cauces receptores, de acuerdo con los Planes Hidrológicos y Ambientales. Esta norma ha de entenderse junto al Decreto de 25 de enero de 1993, del Gobierno Valenciano, por el que se regula el procedimiento de

_____

zación y desalación de aguas. Aspectos jurídicos», en: VV AA, *La reforma de la Ley de Aguas (Ley 46/1999, de 13 de diciembre)*, Madrid, 2000, p. 138.

elaboración, tramitación y aprobación del Plan Director de Saneamiento y Depuración de la Comunidad Valenciana y de los planes zonales de saneamiento y depuración.

– El Plan Director (actualmente el segundo) de Saneamiento y Depuración de la Comunidad Valenciana, aprobado por Decreto 197/2003, de 3 de octubre, del Consell de la Generalitat, en donde se programan los costes de inversión de las infraestructuras de carácter general para la conducción y depuración de las aguas residuales generadas por la conexión de nuevas zonas a sistemas existentes o de nueva construcción, señalando que se financiarán por los desarrollos urbanísticos en proporción a la carga contaminante aportada por los mismos como parte de los costes de urbanización.

– Artículo 124.c) y d) de la Ley Urbanística Valenciana 16/2005, LUV, donde se prevé que los sectores de suelo urbanizable que se desarrollen al amparo del Plan General, o de sus modificaciones, deberán hacer frente a las actuaciones de saneamiento correspondientes, partiendo de que son objetivos imprescindibles y complementarios del Programa la conexión e integración adecuadas de la urbanización con las redes de infraestructuras, de energía, comunicaciones y servicios públicos existentes, así como el *suplemento de las infraestructuras* y espacios públicos o reservas dotacionales en lo necesario para no menguar ni desequilibrar los niveles de calidad, cantidad o capacidad de servicios existentes y exigibles reglamentariamente. Antiguamente (hasta la entrada en vigor de esta LUV) este mismo sistema, con el que arraigaba las exigencias de imposición de estos costes al urbanizador, encontraba apoyo en los artículos 29 y 30 de la LRAU 6/1994.

– Artículo 59.1.b) del Reglamento de Gestión Urbanística aprobado por Real Decreto 3288/1978, de 25 de agosto (RGU), donde se señala que los costes asumibles por los propietarios se refieren, entre otros conceptos, a las obras de saneamiento, las cuales comprenden colectores generales y parciales, acometidas, sumideros y atarjeas para aguas pluviales y estaciones depuradoras, en la proporción que afecte a la unidad de actuación[54].

Es oportuno precisar el régimen jurídico que acaba de ser expuesto profundizando en un ejemplo de aplicación de este sistema. El *ejemplo* es el caso relativo a los informes de la Entidad de saneamiento y depuración en el marco de la tramitación de un PGOU o su revisión.

En efecto, el sistema descrito da lugar a que dicha Entidad informe sobre la capacidad de las Depuradoras de Aguas de los municipios para recibir las

---

54. Otras normas pueden verse citadas en www.pre.gva.es/L/BASIS.

aguas residuales generadas con ocasión del PGOU del municipio. El informe de esta Entidad parte de la solicitud del Ayuntamiento acerca de la capacidad de la depuradora de referencia, para aceptar el agua residual generada por el máximo de población prevista por el PGOU.

Puede ocurrir que la Depuradora esté funcionando al límite de su capacidad y que actualmente no se contemplase ninguna actuación en el Segundo Plan Director de la Comunidad Valenciana, por lo cual deberán preverse las actuaciones necesarias para asumir los caudales generados por el desarrollo urbanístico. En todo caso, el vertido generado por el PGOU debe cumplir con los límites de vertido establecidos en la Ordenanza Municipal de Vertidos o, en su defecto, en el Modelo de Ordenanza de Vertidos de la Entidad de saneamiento al objeto de preservar la integridad del sistema de saneamiento y la calidad del efluente.

Acto seguido, se precisará (con apoyo en el citado artículo 59 del RGU) que los promotores deben satisfacer los costes de las infraestructuras de saneamiento y depuración que precise la actuación, en la proporción que afecte a la unidad en cuestión. El coste estimado se concreta en función de los baremos que aplica la referida Entidad (90 euros en el año 2002, unos 163 euros en 2006 por habitante, 60 gr. de DBO-5 por día, 200 litros de agua residual diarios). Así por ejemplo, según la cifra de 90 euros, por un caudal medio de 1.890 metros cúbicos al día la cantidad a abonar sería de 850.500 euros correspondientes a 9.450 habitantes equivalentes.

Siguiendo este ejemplo, finalmente la Entidad de saneamiento pasa a informar. Si es favorable el informe (sobre la conexión a la Depuradora por parte de las aguas residuales generadas por el PGOU del municipio) la solicitud futura de conexión queda legitimada siempre que se ingrese a la referida Entidad la cantidad resultante, para lo cual habrá que suscribir un convenio de cofinanciación entre aquélla y el Ayuntamiento.

Estas exigencias normativas de la legislación de urbanismo, que acabamos de comentar, se hacen efectivas por las Comisiones Territoriales de Urbanismo mediante la solicitud a la Entidad de Saneamiento del Informe preceptivo sobre la solución propuesta, en cada desarrollo urbanístico, al saneamiento y depuración.

El sistema, conforme a las prácticas seguidas respecto de la tramitación de un concreto Programa de Actuación Integrada o Urbanística (que contiene Plan Parcial, Proyecto de Urbanización y Proposición Jurídico-Económica), sigue las siguientes fases desde el punto de vista de las infraestructuras de saneamiento y depuración:

1. El candidato a urbanizador presentará la documentación citada asumiendo en estos instrumentos de planeamiento el gasto de saneamiento o depuración, en concreto el «importe de suplemento de infraestructuras», que no tiene que ver con el canon de saneamiento posterior, como ya nos consta.

2. A efectos de redactar la proposición de gastos de urbanización anexa al plan, cabe consultar *ex ante* a la Entidad de saneamiento la cifra aproximada de gastos de urbanización en concepto de suplemento de las infraestructuras referidas. Sobre este particular si el PGOU fue ya informado se hallará la parte proporcional de repercusión del nuevo Plan Parcial (en función del número de habitantes que represente) en el todo previsto en el propio Plan General. De lo contrario, se sigue el criterio estimativo general, fijado en el plan de sanea-

miento y depuración, de los 163,3 euros por habitante (siendo la media la de 3 habitantes por vivienda en caso de no haber otra estimación en el propio planeamiento). Para los equipamientos o usos industriales se aplican otros módulos.

3. Seleccionado el urbanizador, el Ayuntamiento remite a dicha Entidad solicitud de conexión a la red que a su vez conecta con la Depuradora, contestando ésta acto seguido con la cifra que el urbanizador debe asumir. Se abona dicha cifra por éste y queda de esta forma solucionado este problema urbanístico.

Además, los agentes urbanizadores deben optar por una de estas dos opciones:

A. Acometer las infraestructuras necesarias mediante la ejecución de un sistema de depuración propio y adecuado a los desarrollos a los que dará servicio.

B. Solicitar la conexión al sistema público de saneamiento.

Si se opta por la primera «opción A», los urbanizadores asumen todos los gastos derivados de la construcción de la depuradora particular.

En el supuesto de que los urbanizadores opten por la segunda solución u opción, deben solicitar, en primer lugar, un informe a la referida Entidad pública a los efectos determinar si la depuradora en cuestión tiene o no capacidad para asumir los nuevos caudales ocasionados por la actuación urbanística y así determinar las mejoras o ampliaciones de deberán acometerse con carácter previo a la conexión.

Si el citado informe es favorable, el interesado debe tramitar la solicitud formal de conexión al sistema público de saneamiento, lo cual supone para el urbanizador la obligación de facilitar la información requerida a tal efecto por dicha Entidad de saneamiento y el pago de suplemento de infraestructuras correspondiente, para hacer frente a los gastos de tratamiento de los nuevos caudales, a efectos de que no se mengüen ni desequilibren los niveles de capacidad de la Depuradora a la que se conecten, ni a la calidad del proceso de depuración de la misma.

Por tanto, los nuevos desarrollos urbanísticos del municipio de que se trate, con ocasión de la tramitación de la revisión del Plan General o de un Plan Parcial, deben comunicarse a la Entidad de saneamiento a efectos de la emisión del correspondiente informe sobre la solución expresa y, en su caso, la autorización de conexión.

La aplicación de este sistema puede matizarse en función del tipo de suelo. La base normativa para ello es de rango reglamentario, pues nuevamente la clave se encuentra simplemente en una previsión en este sentido en el Plan Director (actualmente el segundo) de Saneamiento y Depuración de la Comunidad Valenciana, aprobado por Decreto 197/2003, de 3 de octubre, del Consell de la Generalitat.

En realidad, el matiz parte de si la urbanización se proyecta de forma separada o contigua al casco urbano. Pero parece más acertado (al menos jurídicamente) distinguir, simplemente, en función del tipo de suelo, según vamos a comprobar seguidamente, ya que dicho Plan dice que «los costes de inversión de las infraestructuras de carácter general para conducción y depuración de las

aguas residuales generadas por la conexión de nuevas zonas a sistemas existentes, o de nueva construcción, se financiará con arreglo a los siguientes criterios:
A. El suelo urbanizable para uso residencial o industrial financiará la totalidad de los gastos de nueva construcción, o de ampliación del sistema existente, en proporción a la carga contaminante aportada.
B. El suelo urbano aislado (no conectado a sistemas de saneamiento existentes) excepto las Entidades locales menores y las pedanías, financiará el 40% de los costes de inversión corriendo a cargo de la Administración actuante el 60% restante».

Este sistema, como advertía, arraiga en la práctica[55]. Los propios tribunales han tenido ocasión de confirmar su legalidad. En este sentido, interesa la sentencia del TSJ de la Comunidad Valenciana de 20 de diciembre de 2005 (JUR 2006, 113048) porque ilustra de las posibles incidencias del sistema y, sobre todo, del funcionamiento práctico del mismo en el contexto de la tramitación de un Programa Urbanístico[56]:

---

55. En cuanto a la práctica del sistema ilustra el «Informe de Gestión. Ejercicio 2005», de EPSAR (en concreto del punto 7: «Informes sobre el saneamiento en los nuevos desarrollos urbanísticos» y también 6: «Construcción de instalaciones»). Se nos dice, así, que durante el año 2005 «se han informado 312 desarrollos urbanísticos, lo que supone la previsión de un importe total en concepto de "suplemento de infraestructuras", de 120.763.004,57 euros». Estos corresponden tanto al informe de la aptitud de un determinado sistema de saneamientos para recibir y tratar en el futuro las aguas residuales de los desarrollos urbanísticos, y que se efectúan previo a su aprobación por parte de las Comisiones Territoriales de Urbanismo, como al Informe ya en la fase de conexión efectiva. A lo largo del año 2005 (sigue diciendo el Informe citado) «se ha procedido a la tramitación de un total de 32 expedientes de conexión a sistemas de depuración existentes, los cuales corresponden tanto a suelo urbano como a suelo industrial, por un importe previsto en concepto de suplemento de infraestructuras de 5.254.629,45 euros. Se han enviado a la Conselleria de Infraestructuras y Transporte para su resolución 19 expedientes e igualmente se han resuelto 19 expedientes. Durante 2005 se ha ingresado en la EPSAR en concepto de suplemento de infraestructuras un importe de 1.948.275,90 euros». El cálculo del suplemento de infraestructura se estableció en el año 2002, tomando como base el coste medio de una serie de EDAR de tamaño superior a los 100.000 habitantes equivalentes, resultando un importe de 90 euros por habitante equivalente, siendo un habitante equivalente aquel que genera 200 litros de agua residual al día, o genera una contaminación de 60 gramos de DB05 por día. Según esta Entidad, se justifica (por el citado Informe) una revisión del suplemento de infraestructuras debido, por una parte, al incremento progresivo que se está dando en las promociones urbanísticas que precisarán continuar con un alto nivel de inversiones en materia de saneamiento y depuración para mantener el nivel de servicio actual y, por otra parte, al no haberse modificado el importe del suplemento de infraestructuras desde el año 2002.

56. «4º) Con fecha 14 de octubre de 2002, la división de recursos hidráulicos de la COPUT, previo Informe de la Entidad de Saneamiento informa que la estación depuradora de aguas residuales de Oropesa del Mar recibe caudales que desbordan sus posibilidades lo que le impide asumir caudales adicionales. Añade que está prevista la construcción de una nueva estación depuradora y que, de acuerdo con el art. 59.1b del Reglamento de Gestión Urbanística los promotores deberán comprometerse a satisfacer su parte proporcional de aquellas infraestructuras de saneamiento y depuración que provoquen, fijándose la cantidad de 90 € por habitante.
5º) El Ayuntamiento supeditó la aprobación del Proyecto al cumplimiento de lo exigido por la Entidad de Saneamiento y al pago de la cantidad señalada. Previa emisión de los

9. ATRIBUCIÓN Y ALTERACIÓN JURÍDICA DE LOS BIENES: DESA-FECTACIÓN, PERMUTA Y MUTACIÓN DEMANIAL Y PLANEA-MIENTO URBANÍSTICO

En la práctica los expedientes de cambio de calificación jurídica de un

informes técnicos y jurídicos, el Pleno acordó en fecha de 31 de marzo de 2003 la aprobación del Proyecto citado con la siguiente modificación: "en relación con el saneamiento de aguas residuales, los promotores deberán comprometerse a satisfacer su parte proporcional de aquellas infraestructuras de saneamiento que provoquen, lo que a razón de 90 € por habitante supondrá abonar 1.592.890 € a los 17.968 habitantes...".».
Y continúa señalando:
«La cuestión que se plantea es estrictamente de Derecho consiste en determinar la naturaleza jurídica del canon exigible a los propietarios. Admitido por la parte demandante, como no podía ser de otro modo, que los propietarios de terrenos urbanísticos hayan de contribuir a sufragar las obras de depuración de aguas residuales generadas por dicho desarrollo urbanístico, la cuota de 90 € por habitante que se exige es, como señala la Administración demandada, una cuota de urbanización [art. 59.1 b) RGU] a la que debe comprometerse el urbanizador como condición para la aprobación del programa, cuyo pago deberá efectuarse en el momento en que se produzca el enganche a la depuradora, una vez construida.
El art. 63 del citado Reglamento prevé su exigibilidad que recaerá sobre los propietarios de suelo urbanizable no programado que sea objeto de un Plan de Actuación urbanística, quienes "deberán costear la ejecución total o el suplemento necesario de las obras exteriores de infraestructura sobre las que se apoye la actuación urbanística, tales como redes viarias de enlace con los núcleos de población, instalación o ampliación de canalizaciones de servicios de agua, alcantarillado y saneamiento, estaciones depuradoras, suministro de energía eléctrica y cualesquiera otros servicios necesarios para que el suelo sometido al programa de actuación urbanística quede debidamente enlazado a través de esos sistemas generales con la estructura del Municipio en que se desarrolle el programa", de ahí que la administración condicione la aprobación del proyecto de Urbanización al compromiso del urbanizador asumir el pago de dicha cuota de urbanización.
No es un canon de saneamiento como sostiene la parte demandante y con ello decaen las tachas de nulidad invocadas, sino una exigencia impuesta por la Entidad de saneamiento con carácter sobrevenido a la aprobación del Programa, en un momento en el que sólo existe un anteproyecto con una estimación de costes meramente preliminar (art. 32 d.3º de la LRAU) cuya concreción se realizará cuando se apruebe el Proyecto.
La aparición de circunstancias sobrevenidas y el hecho de que el Programa no contenga un proyecto de urbanización completo sino tan sólo una estimación de costes meramente preliminar cuya concreción de haya dejado a expensas de la aprobación del proyecto definitivo constituyen las dos excepciones a la regla general que dice que las cargas se aprueben con el programa, que confluyen en este caso pues existe una exigencia sobrevenida de la Administración Autonómica motivada por la insuficiencia de la depuradora existente y la necesidad de construir otra nueva y además el Programa fue aprobado con un anteproyecto y no con un proyecto de urbanización.
El art. 67.3 *in fine* y 4 prevén el dictamen arbitral de peritos independientes, cuya petición no se ha exigido para el saneamiento de aguas residuales. Consta en Autos por el contrario el Informe de la Entidad de Saneamiento anexo al acuerdo de la COPUT de 14 de octubre de 2002 en el que *se justifica la imposición de la cuota de 90€ (que no es una cifra mágica sino justificada y razonada) a los propietarios, que deberán costear no sólo las obras realizadas por el urbanizador (art. 30 1B de Grau) sino también las realizadas por terceros (Administraciones Públicas) que en todo o en parte sean utilizadas y beneficien al sector o unidad de ejecución (arts. 59 y 63 del RGU).*

bien vienen ligados generalmente a la desafectación (STS de 2 de febrero de 2004 [RJ 2004, 448]; sentencia del TSJ de Galicia de 29 de abril de 2004 [JUR 2004, 259624]) o vienen ligados a la aprobación del planeamiento en el sentido expuesto (sentencia del TSJ de Castilla y León, Sala de Burgos, de 16 de abril de 2004 [JUR 2004, 138510][57]; sentencia del TSJ de Galicia nº 731/2003 [JUR 2003, 75722][58]; STS de 14 de noviembre de 2002 [RJ 2002, 9924]; STSJ de Galicia de 18 de enero de 2001 [JUR 2001, 121543]).

A continuación nos referimos a la desafectación, la mutación demanial y la permuta y al planeamiento urbanístico como posible norma que puede alterar la condición jurídica de los bienes.

La desafectación se prevé en los artículos 6 y 8 del Real Decreto 1372/1986, de 13 de junio, por el que se aprueba el Reglamento de Bienes de las Entidades Locales y en la Ley estatal 33/2003, de Patrimonio de las Administraciones Públicas, esta última aludiendo a los sobrantes de deslindes de bienes demaniales o en el contexto de la reversión. En todo caso, la afectación y la desafectación (artículos 65 y ss. de la citada Ley) no se refieren sino a la vinculación o la desvinculación de un bien (demanial) a un uso general o servicio público (en especial, artículo 69; por todas, sentencia del TSJ de Cataluña nº 376/2005 [JUR 2005, 170991]).

En relación con la mutación demanial la STS de 10 de julio de 1985 (RJ 1985, 3891) identifica una mutación demanial operada por el Ente Público titular dominical del bien ya que «*sin disociación alguna de titularidad, ni trans-*

_____

Con tal razonar, de plena aplicación al caso que nos ocupa, damos respuesta al motivo de impugnación esgrimido por la actora y relativo al incremento injustificado de costes de urbanización presupuestados en el Anteproyecto de Urbanización acompañado al PAI presentado por la Urbanizadora, pues como la Sentencia reseñada y parcialmente transcrita establece, concurren en el caso las dos excepciones a la regla general, que permiten la variación de costes: la previsión de los mismos en anteproyecto; y la aparición de circunstancias objetivas sobrevenidas».

57. «De conformidad con lo establecido en el art. 8-4º-4 del Reglamento de Bienes de las Corporaciones Locales que dispone que la alteración de la calificación jurídica de los bienes de las entidades locales se produce automáticamente por la aprobación definitiva de los planes de ordenación urbana, y es evidente que en este caso se ha producido sin que pueda denunciarse la falta de acuerdo expreso para la alteración de la calificación jurídica de los 288,89 metros restantes».

58. «No existen por lo tanto, en relación con el camino, las infracciones de la normativa urbanística reguladora de los Estudios de Detalle y de los Proyectos de Urbanización que se denuncian en la demanda, y tampoco de lo dispuesto en el artículo 81.1 de la Ley de Bases de Régimen Local, ya que el cambio de calificación jurídica de los bienes se produce automáticamente, según establece su número 2.a), por la aprobación definitiva de los planes de ordenación urbana».

formación de la naturaleza, carácter y calificación jurídica de dicho bien, se ha venido a modificar el destino y uso del mismo asignándose al terreno sobre el que se construyó anteriormente el Mercado ahora demolido –construcción que entonces determinó ya asimismo una primera mutación demanial que conceptual, funcional y jurídicamente tiene sustantividad propia respecto de la ulterior–, *a la edificación de un Centro Cívico y Cultural,* por lo que, congruentemente, a la hora de revisar la legalidad de la actuación municipal deberá atenderse primaria y fundamentalmente al Ordenamiento positivo regulador del régimen jurídico en materia de mutaciones del demanio, sin que, en consecuencia, pueda derivarse al ámbito urbanístico –que de ningún modo aparece implicado en este caso–, ni buscarse en la normativa propia de este sector la fundamentación jurídica de la solución que postula la situación procesal existente».

La permuta por su parte se regula en los artículos 153 de la citada Ley y 109 y ss. del Real Decreto 1372/1986, de 13 de junio, por el que se aprueba el Reglamento de Bienes de las Entidades Locales; STS de 24 de abril de 2001 (RJ 2001, 3423).

Importante en la práctica es la regulación según la cual *la alteración de la calificación jurídica (en general) de los bienes de las entidades locales se produce automáticamente por la probación definitiva de los planes de ordenación urbana.* Y segundo la de los Planes especiales.

En este sentido, según el artículo 81 de la LBRL «1. La alteración de la calificación jurídica de los bienes de las entidades locales requiere expediente en el que se acrediten su oportunidad y legalidad. 2. *No obstante, la alteración se produce automáticamente en los siguientes supuestos: Aprobación definitiva de los planes de ordenación urbana y de los proyectos de obras y servicios.* Adscripción de bienes patrimoniales por más de veinticinco años a un uso o servicio públicos».

En este mismo sentido se pronuncia la legislación del suelo, tal como informa la jurisprudencia del Tribunal Supremo que ha tenido ocasión de confirmar este efecto inherente a los planes (más adelante incidiré igualmente en los límites de este planteamiento).

En este contexto, interesa la STS de 15 de febrero de 1999 (RJ 1999, 1708) donde se reconoce «*la potestad de los planes para decidir e incluso alterar la calificación jurídica de los bienes, con independencia del régimen de propiedad subyacente*».

Según esta sentencia, «es el Plan el que formula el trazado y características de la red viaria –artículos 3.1 f) y 12.2.1 e) Ley del Suelo de 1976– y así son también los instrumentos de planeamiento, como señala la sentencia apelada, los que pueden afectar y desafectar los terrenos al dominio público, puesto que la calificación jurídica como tales se produce automáticamente por la aprobación definitiva de los Planes de Ordenación Urbana –artículos 81.2 a) Ley Reguladora de Bases de Régimen Local y 8.4ª del Reglamento de Bienes de las Corporaciones Locales–»[59].

Sobre este sistema normativo y sus límites informan varias sentencias. Pueden citarse, primeramente, las sentencias del TSJ Andalucía (sede en Málaga) de 23 de febrero de 1998 u 11 de septiembre de 1991 y la doctrina del Tribunal Supremo citada en las mismas:

> «La argumentación acerca de la posibilidad de que el planeamiento urbanístico origine la desafectación de los bienes de dominio público es correcta y viene avalada por diversas **Sentencias del Tribunal Supremo, entre ellas las de 21 de enero de 1986 (RJ 1986, 1571) y 14 de mayo de 1982 (RJ 1982, 3396)**, donde se dice textualmente que siendo el procedimiento de elaboración del planeamiento suficiente en cuanto a garantías para que dentro del mismo se produzca la desafectación sin necesidad de acudir al expediente concreto de desafectación. Ahora bien, todas las sentencias citadas hacen referencia a bienes de dominio público municipales, y por tanto las sentencias están moviéndose con los parámetros siguientes: procedimientos distintos para los casos de desafectación y elaboración del planeamiento, pero siendo uno de ellos posible de subsumirse en el otro y por tanto pudiéndose producir la resolución de ambos supuestos en un único procedimiento; y siendo el otro parámetro el de la identidad de órgano que debe resolver» (tomo estas referencias de la sentencia del TSJ de la Comunidad Valenciana de 15 de septiembre de 2004 [RJCA 2004, 1061]).

---

59. Y añade: «En todo caso, no está de más recordar que en el presente supuesto la finca en cuestión –así como otros terrenos– fueron expropiados en 1947 por el Ministerio correspondiente para establecer los accesos a la actual Estación de Chamartín, pasando después, como consecuencia del crecimiento de Madrid, a formar parte de la actual calle Agustín de Foxá, adquiriendo desde entonces, en virtud de lo dispuesto en el artículo 344 Código Civil y artículo 3 del anterior Reglamento de Bienes de las Entidades Locales de 27 de mayo de 1955, la condición de dominio público municipal, consideración de la que ha partido el Plan General de Ordenación Urbana de Madrid de 1985, del que derivan tanto el Estudio de Detalle 5.2 como el Proyecto de Compensación ahora impugnado. Obligado será, pues, coincidir con la conclusión a la que llega la sentencia apelada en orden a la adecuada tramitación de dicho instrumento de ejecución como de propietario único, sin perjuicio de los aspectos formales tendentes a la inclusión de los terrenos en cuestión en el Inventario del PMS, ya iniciada por otra parte, que en nada desvirtúan aquella deducción, ni qué decir tiene, por último, que tal razonamiento sería igualmente aplicable para el resto de las parcelas (I-1, I-2 y I-4) que ni tan siquiera se hallan inmatriculadas. SÉPTIMO.–Tampoco se puede llegar a conclusión distinta a la obtenida por la sentencia apelada en cuanto a la otra cuestión litigiosa, referida a la permuta efectuada entre el Ayuntamiento y Urbanor respecto de los terrenos de la calle San Aquilino. Dicha permuta vino impuesta por el Plan Parcial aprobado definitivamente por Acuerdo de la Comisión de Planeamiento y Coordinación del Área Metropolitana de Madrid de 24 de julio de 1975 en cuanto suprimía dicha calle, a la vez que convertía en viales parte de los terrenos de dicha entidad».

En cuanto a «los límites» esta misma jurisprudencia informa de que si el bien no es municipal ha de llevarse a cabo la desafectación o mutación. Conviene dejar clara esta doctrina jurisprudencial:

> *«Pero el problema planteado en el presente caso es distinto, ya que los bienes son de dominio público estatal, el procedimiento de desafección de los mismos es el regulado en los artículos 120 y siguientes de la Ley de Patrimonio del Estado, el órgano que resuelve el procedimiento no es la Corporación Local, y por tanto el procedimiento no parece subsumible en el proceso de elaboración del planeamiento urbanístico. Máxime cuando el artículo 57.2 de la Ley del Suelo establece que la aprobación de los planes no limitará las facultades que correspondan a los distintos Departamentos Ministeriales. Es decir, se debe hacer el control a la legalidad del procedimiento seguido por el Ayuntamiento no en base a un problema interpretativo que deba conducir a la aplicación de normas según su jerarquía, sino que más bien, lo que la propia Ley del Suelo está haciendo, conforme a una interpretación sistemática y teleológica de sus artículos 57.2 y 136.2, es una aplicación del criterio interpretativo de la especialidad de norma sobre la generalidad de otra, siendo preferente la aplicación de aquélla, y si se quiere también apelando procedimentalmente, en cuanto órgano generador del acto, a lo que se llama en otras materias principio de competencia. En efecto, la Ley del Suelo se remite para la desafectación de bienes de dominio público estatal al procedimiento regulado en la Ley de Patrimonio del Estado (artículos 120 a 122 y su Reglamento, artículos 221 a 223). Si bien es cierto que puede ser una remisión formal, no lo es menos que no puede concluirse que en ausencia de este procedimiento valga cualquier otro...»*[60].

En este sentido se pronuncia la sentencia del TSJ de la Comunidad Valenciana de 15 de septiembre de 2004 (RJCA 2004, 1061)[61].

---

60. En relación con las actuaciones municipales que inciden sobre dominio público estatal, el Tribunal Supremo ha emitido repetidos pronunciamientos de forma coincidente en aplicación de los artículos 154 y 210 del Texto Refundido de la Ley del Suelo. Un último ejemplo puede ser la STS de 9 de diciembre de 1987 (RJ 1987, 9463) «se basa en la dicotomía entre ordenación del territorio y urbanismo, que se traduce no sólo en una separación de competencias locales y ministeriales sobre el territorio, sino también, de modo implícito pero claro, la separación de disponibilidades sobre dominios (públicos o privados) que están diferenciados, y demostrando la carencia de fundamento jurídico de la pretensión municipal. Por lo demás, ni siquiera cabe pensar en una titularidad fiduciaria del Ayuntamiento sobre esos bienes de domino público. (...)».

61. La Sala otorga la razón a RENFE ante estas dos posiciones: la primera de la propia RENFE cuando considera que el Proyecto de reparcelación no constituye título jurídico suficiente para producir una mutación demanial, pasando a ser dominio público municipal un terreno que era dominio público del Estado, pues ello debe llevarse a cabo a través del procedimiento que regulaban los arts. 124 y 125 de la entonces vigente Ley de Patrimonio del Estado (Texto articulado, aprobado por Decreto 1022/1964, de 15 de abril, en la actualidad, los arts. 70 y ss. de la Ley 33/2003, de 3 de noviembre, del Patrimonio de las Administraciones Públicas).
Por su parte, la Corporación municipal demandada argumentaba que la aprobación de la reparcelación forzosa produce la transmisión a la Administración municipal de todos los terrenos de cesión obligatoria por ministerio de la Ley, así como su afectación a los usos previstos en el planeamiento [arts. 30.1.d), 68 y 69.2º LRAU y arts. 167 a 170 TRLS/1992, de 26 de junio].
Según esta sentencia, debe acogerse la tesis sostenida por la recurrente, RENFE, y, en consecuencia, anular los acuerdos municipales recurridos, por cuanto no se ha procedido

Toda esta doctrina puede completarse conociendo dos reglas jurídicas concretas. En primer lugar, la doctrina expuesta es válida tanto cuando se opta por el sistema de expropiación como si se opta por el sistema de compensación (STS de 27 de junio de 2002 [RJ 2002, 7268] «pues resulta claro que los efectos del planeamiento en los bienes de dominio público estatal no pueden ser distintos porque el Plan se ejecute por uno u otro sistema»).

En segundo lugar, el fundamento de esta jurisprudencia es que «el ejercicio de ninguna competencia (municipal, autonómica o local) puede limitar el ejercicio de ninguna otra competencia concurrente» (en el contexto de la presente problemática, SSTC 113/1983 [RTC 1983, 113] y 77/1984 *[RTC 1984, 77]* y SSTS de 18 de febrero de 1987 [RJ 1987, 3287], de 19 de junio de 1987 [RJ 1987, 4899], de 9 de diciembre de 1987 [RJ 1987, 9463], de 9 de julio de 1991 [RJ 1991, 6333] y de 28 de enero de 1992 [RJ 1992, 755]).

Asimismo, significativa es la STS de 8 de mayo de 1986 (RJ 1986, 4392): la actividad invadía u *ocupaba una zona verde pero se entendió que «en el presente caso la zona verde inicial no se suprime sino que simplemente se traslada y aún se amplía apreciablemente»*, sin que la Sala estime el argumento de la parte recurrente a cuyo tenor «hay desviación de poder al utilizarse la potestad de planeamiento modificando el hasta entonces vigente para legalizar en el ámbito urbanístico las resoluciones (...)».

_____
a la previa desafectación de los terrenos objeto de este procedimiento, constitutivos del dominio público ferroviario.

Planeamiento

1. LOS PLANES PARCIALES PUEDEN MODIFICAR LAS DETERMINACIONES PROPIAS DE LOS INSTRUMENTOS DE DESARROLLO CONTENIDAS EN EL PLAN GENERAL, COMO ES LA ORDENACIÓN PORMENORIZADA DEL SUELO URBANIZABLE SECTORIZADO ESTABLECIDA EN EL PLAN GENERAL, DEBIENDO JUSTIFICAR EL INSTRUMENTO DE DESARROLLO, LA CONVENIENCIA Y OPORTUNIDAD DE LA ALTERACIÓN DE LA ORDENACIÓN

Sentencia del Tribunal Superior de Justicia de Murcia de fecha 16 de septiembre de 2005 (RJCA 2006, 24):

«Ciertamente que la legislación precedente (LS/1976) prohibía la modificación del plan general por vía del plan parcial, no obstante lo cual, la jurisprudencia y la doctrina **admitieron la posibilidad de que el plan parcial pudiera modificar determinaciones del plan general que excedieren de la función urbanística propia de éste, respecto del suelo urbanizable y estableciese una ordenación pormenorizada,** función ésta propia del plan parcial. Y ésta es la doctrina que acoge la LRM, en el apartado 2 del art. 105 en conexión con el art. 97.3 párrafo 2 y 101.1.d, en cuyo supuesto no es que quiebre el principio de jerarquía, si no que juega otro principio, el de especialidad material, en atención a la función urbanística propia de cada tipo de plan respecto al suelo urbanizable».

2. RÉGIMEN DE LOS SISTEMAS GENERALES

STS 15 de octubre de 2002 (RJ 2002, 10295) y 28 de enero de 2003 (RJ 2003, 3096).

«Son el conjunto de elementos fundamentales que integran la estructura general básica de la ordenación urbanística determinante del desarrollo urbano, constituidos por las comunicaciones y sus zonas de protección, espacios libres y zonas verdes, equipamientos comunitarios, redes arteriales, grandes abastecimientos, suministros de energía y otros análogos, que a nivel del Plan General, anulan o condicionan el uso lucrativo del suelo por los particulares a causa del interés general de la colectividad».

Sentencia del Tribunal Supremo de fecha 16.12.2005 (RJ 2006, 2754) respecto al carácter de sistema general de una glorieta que el plan general de ordenación urbana de Irún calificaba como sistema local de comunicaciones:

Sentencia del TSJ Andalucía, 14.2.2000 (RJCA 2000, 442), la Sala en contra del informe pericial declara el carácter local de un vial incluido en una UE. FD5: (...) Ahora bien, aunque la consideración del Perito se extiende no sólo a la zona clasificada como sistema local de espacios libres, sino también al vial inmediatamente contiguo, en una crítica racional y fundada del informe pericial no compartimos esta segunda faceta, ya que el citado vial que en primera aprobación provisional que fue suspendida tampoco estaba calificado como sistema general, presta servicio a los terrenos de la Unidad de Ejecución, y se integra funcionalmente en el mismo, siendo el terreno destinado a espacios libres junto con el vial de mayores dimensiones situado ya fuera de la UE 5, y dentro del terreno clasificado como espacio libre el que cumple auténtica función de elemento vertebrador que es característica de un sistema general.

3. ESTUDIO ECONÓMICO FINANCIERO: INNECESARIEDAD DE QUE EL MISMO ESTABLEZCA CANTIDADES CONCRETAS DE GASTOS E INGRESOS, SIENDO SUFICIENTE LA PREVISIÓN DE FUENTES DE FINANCIACIÓN PARA LA EJECUCIÓN DEL PLAN, DE ACUERDO CON UNA PREVISIÓN LÓGICA Y PONDERADA QUE GARANTICE LA REAL POSIBILIDAD DE SU REALIZACIÓN EN FUNCIÓN DE LA IMPORTANCIA DE LAS DETERMINACIONES DEL PLANEAMIENTO

STS 24.10.1995 (RJ 1995, 7708): Por último, tampoco pueden ser aceptadas las objeciones de los apelantes al estudio económico-financiero del Plan impugnado por los mismos, motivo por el que se impone la desestimación de su apelación y la confirmación de la sentencia recurrida, ya que como dijimos en las Sentencias de 19 febrero 1992 (RJ 1992, 2908) y 26 julio y 2 noviembre 1993 (RJ 1993, 5587 y 8314), entre otras, la importancia del estudio económico-financiero aparece hoy devaluada, y así de los artículos 9.2, e) y 10.2, a) de la Ley de 12 mayo 1956, conforme a los cuales se exigía justificar, en los Planes Generales, la ponderación entre el criterio de planeamiento y las posibilidades económicas y financieras del territorio y población, y en los Planes Parciales, los medios económico-financieros disponibles, que deberían quedar afectos a la ejecución del Plan, con base en los cuales se había elaborado una jurisprudencia exigente en la materia, se pasó a una mayor discrecionalidad administrativa, a la en la Ley refundida en el texto de 9 abril 1976, artículos 12.2.1, h) y 3, e), respecto de Planes Generales, y 13.2, g), en cuanto a Planes Parciales, exigir simplemente determinar, en suelo urbano en aquéllos y en suelo urbanizable programado en éstos, la evaluación económica de los servicios y de la ejecución de las obras de urbanización y la confección de un estudio económico financiero, y en los artículos 42 y 55 del Reglamento de Planeamiento, desarrollando los precitados legales y los 29.1, j) y 45.1, h) del mismo, disponer tan sólo unas evaluaciones económicas en los estudios correspondientes a cada Plan, abandonándose en consecuencia tales ponderaciones entre criterios de planeamiento y reales disponibilidades económico financieras y afectación de los medios económico-financieros disponibles a la ejecución del Plan; siendo así como pone de relieve la sentencia recurrida el estudio económico-financiero del Plan de Cartagena cumple suficientemente con las exigencias legales y reglamentarias de los de su clase, al contener un coste de las actuaciones urbanísticas y señalar la fuente de financiación con la precisión suficiente para cumplir las exigencias de los referidos artículos 12.2.1, h) y 3, e) y 42, referidos todos ellos a Planes Generales.

STS 22.220.05 (RJ 2005, 3680): Es cierto que hemos reiterado que «no puede afirmarse... que la falta de estudio económico financiero obliga a considerar que el Plan es de contenido imposible, por que una cosa es requisito de perfección y otra es requisito de eficacia» (STS de 3 de febrero de 1988 [RJ 1988, 693]) añadiéndose «que la importancia del estudio económico financiero aparece hoy devaluada, y sí de los artículos 9.2.e) y 10.2.a) de la Ley de 12-5-1956, por los que, respectivamente, se disponía la inclusión la inclusión en los Planes Generales de un estudio económico-financiero que justificara la ponderación entre el criterio de planeamiento en que se sustentase y las posibilidades económicas y financieras del territorio y población... se pasó a una mayor discrecionalidad administrativa, en la Ley refundida en el texto de 9-4-1976, arts. 12.2.1.h) y 3.e), respecto de los Planes Generales, y 13.2.g), en cuanto a los Planes Parciales, exigir simplemente determinar, en suelo urbano en aquellos y en suelo urbanizable programado en éstos, la evaluación económica de los servicios y de la ejecución de las obras de urbanización y la confección de un estudio económico-financiero, y en los artículos 42 y 55 del Reglamento de Planeamiento de 23-6-1978 (RCL 1978, 1965), desarrollando aquellos y los 29.1.j) y 45.1.h) del mismo, disponer tan solo unas evaluaciones económicas en los estudios correspondientes a cada Plan, abandonándose en consecuencia tales ponderaciones entre criterios de planeamiento y reales disponibilidades económicas y financieras y afectación de los medios económico-financieros disponibles a la ejecución del Plan, lo que es trasladable a los Planes Especiales...» (SSTS de 19 de febrero de 1992 [RJ 1992, 2908], 26 de julio [RJ 1993, 5587] y 2 de noviembre de 1993 [RJ 1993, 8314]). Esto es, ampliado la citada STS de 3 de febrero de 1988 (RJ 1988, 693) «Después de la reforma de 1975 RCL 1975, 918), el artículo 123 para los planes generales, se limita a aludir al "estudio económico y financiero", y el artículo 13 ni siquiera exige esto. Por lo demás, no afirmarse, como hace la sentencia impugnada, que la falta de estudio económico obliga a considerar que el plan es de contenido imposible. Porque una cosa es requisito de perfección y otra es requisito de eficacia. Y aunque ciertamente lo deseable es la existencia de un estudio económico-financiero serio, lo cierto es que, como tal, un estudio de este tipo, incluso conteniendo las previsiones del artículo 42 del Reglamento de Planeamiento exige luego una concreción en presupuesto y una ejecución de éste. Y, por contra, la inexistencia de ese estudio previo no impide necesariamente la efectividad de lo planeado cuando esas previsiones presupuestarias y su ejecución tengan lugar. De aquí que ligar una situación de falta de estudio económico a la calificación de plan de contenido imposible no parece que sea correcto en términos jurídicos».

4. AVANCE DE PLANEAMIENTO: ACTO DE TRÁMITE QUE NO NECESARIAMENTE EXIGE APROBACIÓN LOCAL O AUTONÓMICA, SALVO QUE LA LEGISLACIÓN URBANÍSTICA DISPONGA OTRA COSA

STS 27.03.1996 (RJ 1996, 2220): «En efecto, la aprobación de un avance de planeamiento, según el art. 28.3 del Texto Refundido de la Ley del Suelo (que dice que sólo tendrá efectos administrativos internos preparatorios de la redacción de los planes y proyectos definitivos) precepto al que se remite el artículo 13 de la Ley del Parlamento de Cataluña 3/1984, de 9 enero, **no cabe duda que es un acto de puro trámite que sólo sirve para ilustrar la voluntad administrativa del órgano urbanístico,** y que puede plasmarse más tarde (o no plasmarse) en instrumentos de planeamiento que, llegados a su trámite definitivo, podrán, ahora sí, ser impugnados por los interesados. Así lo tiene reconocido la jurisprudencia de esta Sala, de la que es una muestra la Sentencia de 19 febrero 1992 (RJ 1992, 2908) a cuyo tenor "la finalidad de los avances es puramente interna y preparatoria del planeamiento, y a diferencia de los planes no tiene carácter normativo, pudiendo el Ayuntamiento recoger el contenido del avance, en todo o en parte, o bien modificarlo"».

5. EL ACUERDO DE APROBACIÓN PROVISIONAL DEL DOCUMENTO DE PLAN GENERAL, PODRÁ INTRODUCIR MODIFICACIONES QUE PROCEDAN. SÓLO EN EL SUPUESTO DE INTRODUCCIÓN DE MODIFICACIONES SUSTANCIALES RESPECTO AL DOCUMENTO DE PLAN GENERAL EXPUESTO AL PÚBLICO, SERÁ NECESARIO REITERAR LA INFORMACIÓN PÚBLICA

STS 17.6.1997 (RJ 1997, 5460); STS 25.5.1998 (RJ 1998, 4372): «estamos ante un concepto jurídico indeterminado definido por la Jurisprudencia en términos estrictamente restrictivos: "supongan un nuevo esquema de planeamiento" "alteren por tanto de una manera esencial las líneas y criterios básicos del Plan"».

6. «CAMBIO SUSTANCIAL» SE PRODUCE CUANDO SE AFECTA AL MODELO TERRITORIAL DE CONJUNTO

STS de 23 de junio de 1994 (RJ 1994, 5339):

«En otro sentido es de destacar el carácter ampliamente discrecional del planeamiento –independientemente de que existan aspectos rigurosamente reglados–. Es cierto que el "genio expansivo del Estado de Derecho" ha ido alumbrando técnicas que permiten un control jurisdiccional de los contenidos discrecionales del planeamiento, pero aun así resulta claro que hay un núcleo último de oportunidad, allí donde son posibles varias soluciones igualmente justas, en el que no cabe sustituir la decisión administrativa por una decisión judicial».

Así las cosas, existen alegaciones de rigurosa y pura oportunidad que hechas ante la Administración en **un trámite de información pública pueden dar lugar a que aquélla modifique su criterio,** en tanto que alegadas en la vía jurisdiccional pueden resultar inoperantes.

El que acaba de esbozarse es el clima dentro del que han de perfilarse las notas características de las «modificaciones sustanciales» del planeamiento: se trata de un concepto jurídico indeterminado a definir en cada caso atendiendo a su contenido –entidad de las modificaciones– y a su funcionalidad –provocar una nueva información pública–.

En esta línea será de indicar que una modificación es sustancial cuando por alterar fundamentalmente el modelo territorial sometido a una anterior información pública puede entenderse que falta ésta lo que obliga a reiterarla: **es preciso que la modificación, por la superficie afectada o por su intensa relevancia dentro de la estructura general y orgánica de la ordenación del territorio, venga a alterar seriamente al modelo territorial elegido.**

En el caso que ahora se examina la modificación de la ordenación urbanística de las fincas de los recurrentes, como con acierto pone de relieve la sentencia impugnada, tiene una importancia mínima para el plan considerado en su globalidad: «que tal ordenación tenga relevancia para los propietarios es perfectamente lógico, pero desde el punto de vista del modelo territorial trazado por el plan, su alteración no puede considerarse bastante para provocar una nueva información pública».

STS de 23 de mayo de 1991 (RJ 1991, 5242):

«... Modificaciones sustanciales, es decir, modificaciones "que alteren de forma importante o esencial las líneas o criterios básicos del Plan en su concepción originaria" de tal forma que hagan del Plan un instrumento "distinto del aprobado inicialmente", o cuando supongan la adopción de nuevos criterios de reordenación respecto a la estructura general y orgánica del territorio, o la adopción de nuevos criterios respecto de la clasificación y calificación del suelo, como expresamente señala el artículo 6.1 del Decreto 146/1984, de 10 de abril (LCAT 1984, 2581), que aprueba el Reglamento de la Ley 3/1984, de 9 de enero (RCL 1984, 365 y LCAT 1984, 160), de Medidas de Adecuación del Ordenamiento Urbanístico de Catalunya. Un análisis de las modificaciones, introducidas por el acuerdo de aprobación definitiva de la Revisión del Plan General de Ordenación Urbana de Girona permite afirmar que las mismas, si bien numerosas, se limitan a aspectos puntuales que no alteran de forma sustancial el modelo territorial escogido ni implican un cambio de los criterios básicos del Plan, sin que las apreciaciones que se contienen en el dictamen confeccionado por el Arquitecto, D. Josep M. M. i R., en el sentido de calificar algunas de las modificaciones introducidas como de índole general y de orden sustancial e importante (espacios libres, red viaria), y otras de índole local y de orden sustancial (régimen del suelo) o principal (zonificación), supongan variación en la consideración de no sustanciales, ponderados todos los datos que obran en los autos, y muy especialmente cuanta documentación incide en la Revisión del Plan General de Ordenación Urbana de Girona, pues **en la tramitación de figuras de planeamiento general, especial o parcial, cuando se trate de corregir su contenido, inicial o provisionalmente aprobado, mediante cambios aislados en la clasificación o calificación del suelo o bien mediante modificaciones también puntuales de determinaciones en suelo urbano, urbanizable o apto para ser urbanizado, no habrá lugar a la apertura de nuevo plazo de información pública** (artículo 6.3 Decreto 146/1984, de 10 de abril, que aprueba el Reglamento de la Ley 3/1984, de 9 de enero, de Medidas de Adecuación del Ordenamiento Urbanístico de Catalunya)».

Sentencia del Tribunal Supremo de 6 de noviembre de 2003 (RJ 2003, 8036):

«Pues bien, ese concepto de modificaciones substanciales, puede ser concretado a modo de resumen en las Sentencias de esta Sala de 27 de febrero y 23 de abril de 1996 (RJ 1996, 3267), en las que se entiende que tales modificaciones implican que los cambios supongan alteración del modelo de planeamiento elegido, al extremo de hacerlo distinto no solamente diferente en aspectos puntuales y accesorios, habiendo de significar una alteración de la estructura fundamental del planeamiento elaborado, un nuevo esquema del mismo, que altere de manera importante y esencial sus líneas y criterios básicos y su propia estructura, no cuando las modificaciones afecten a aspectos concretos del Plan, y no quede afectado el modelo territorial dibujado.

De acuerdo con el referido concepto de modificaciones substanciales, es obvio que los aquí denunciados se refieren únicamente a aspectos concretos del Plan, atinentes exclusivamente a la zona denominada parque paralelo al Ferrocarril, camino del Pilar, en que parte de ese tramo se califica como sistema local, en lugar de sistema general enunciado en la aprobación inicial, y por ello no pueden ser consideradas modificaciones substanciales, no requiriéndose en consecuencia nueva información pública, ni ha sido infringido el artículo 130 del Reglamento de Planeamiento (RCL 1978, 1965), sin que por estricta consecuencia, pueda entenderse vulnerado el artículo 24.1 de la Constitución (RCL 1978, 2836), alegado en el segundo motivo, al no producirse la indefensión denunciada, dada la no exigencia de previa nueva información pública.

7. APROBACIÓN DEFINITIVA DEL PLAN GENERAL: IMPOSIBILIDAD DE ENTENDER EL SILENCIO POSITIVO SI EL PLAN NO CONTIENE LAS DETERMINACIONES Y DOCUMENTOS ESTABLECIDOS LEGALMENTE

STS de 29 de octubre de 1998 (RJ 1998, 8000): «... es suficiente recordar que el artículo 6º.2 del Real Decreto-ley 16/1981, de 16 octubre (RCL 1981, 2519 y ApNDL 13944), condiciona la aprobación definitiva de los Planes Parciales al transcurso de tres meses desde la entrada del expediente completo en el registro del Órgano competente para otorgarla sin que se hubiera comunicado la resolución, precisando el artículo 133 del Reglamento de Planeamiento (RCL 1978, 1965 y ApNDL 13921) que no habrá lugar a la aplicación del silencio administrativo si el Plan no contuviese los documentos y determinaciones que le sean directamente aplicables para el tipo de Plan de que se trate...».

8. PLANES GENERALES MUNICIPALES. ENTIDADES LOCALES Y COMUNIDADES AUTÓNOMAS

STS de 22 de octubre de 2008 (Rec. 6307/2004; S. 3.ª) (RJ 2008, 5762):

«La Sala estima el recurso contra resolución del Consejero de Obras Públicas y Urbanismo de la Comunidad de Murcia, sobre aprobación definitiva del Plan General de Murcia. El Supremo concluye que la Comunidad Autónoma obró conforme a Derecho al no aceptar la regulación que la aprobación provisional había hecho de los usos compatibles en los equipamientos, pero actúo con disconformidad a Derecho al regular aspectos de oportunidad urbanística, como el referente a los usos compatibles y/o accesorios en los equipamientos estructurantes y locales, cuestión que corresponde al Ayuntamiento».

9. ESTUDIO DE DETALLE

STS de 26 de junio de 1989 (RJ 1989, 4891):

«Aunque sean una especie de apéndice del planeamiento, son planeamiento y en cuanto tal son norma».

STS de 26 (RJ 1985, 2239) y 29 de abril de 1985 (RJ 1985, 3529):

«El Estudio de Detalle es "el último escalón con relación a los Planes de Ordenación"».

Sentencia del Tribunal Superior de Justicia Comunidad Autónoma de las Islas Baleares nº 98/2006 (Sala de lo Contencioso-Administrativo, Sección 1ª), de 1 febrero (JUR 2006, 95814): «En principio, el Estudio de Detalle carece de carácter innovador, razón por la que no puede dejar de cumplir el Plan al que sirve meramente de especificación o detalle. En consecuencia, se incurre en ilegalidad tanto cuando el Estudio de Detalle contradice al Plan como cuando adopta determinaciones originarias propias del Plan para colmar un vacío de ordenación urbanística. *La jurisprudencia ha resaltado la función subordinada del Estudio de Detalle, obligado a respetar las determinaciones del Plan al que complementa y sin la posibilidad de establecer ni variar cualquier determinación propia del Plan,* con lo que se destaca el carácter del Estudio de Detalle como instrumento interpretativo en la aplicación de las determinaciones que el Plan concreta y pormenoriza –en ese sentido, por todas, sentencias del Tribunal Supremo de 24 de septiembre de 1996 (RJ 1996, 8215), 10 de diciembre de 1997 (RJ 1997, 9458) y 23 de noviembre de 1998 (RJ 1998, 8606)–. (...) Ciertamente, la eficacia innovadora del Estudio de Detalle es siempre limitada y subordinada al Plan, pero éste puede habilitar al Estudio de Detalle para regular determinados aspectos de la ordenación del suelo urbano –en ese sentido, por todas, sentencias del Tribunal Supremo de 6 de febrero de 1995 (RJ 1995, 1071) y 15 de febrero de 1999 (RJ 1999, 1708)–. (...)».

STS de 24 de septiembre de 1996 (RJ 1996, 8215):

«TERCERO.–El Estudio de Detalle como instrumento formal de planeamiento municipal, del que constituye el último tramo en su encadenamiento jerárquico, *está absolutamente subordinado a las prescripciones del Plan General que complementa,* siendo su existencia eventual o no necesaria, ya que su incorporación al planeamiento sirve simplemente para facilitar el mismo mediante la ordenación puntual de algunas determinaciones del Plan General –o en su caso Plan parcial y Normas Complementarias y Subsidiarias del Planeamiento– *cuando la dificultad y complejidad del desarrollo y ejecución del Plan General –o Normas Subsidiarias–, en suelo urbano, exija complementarlo o adoptarlo en esas concretas determinaciones* que –artículo 14 de la Ley del Suelo de 9 abril 1976– no son otras que el señalamiento de alineaciones y rasantes y la ordenación de volúmenes, pero respetando siempre las determinaciones del Plan General al que complementan, con prohibición de establecer toda determinación propia de los Planes Generales –o Normas Subsidiarias– ni de variarla, *de tal modo que tales prescripciones sobre alineaciones, rasantes y ordenación de volúmenes, no pueden nunca dar lugar a incremento alguno en la ocupación del suelo, ni alteración de los usos asignados por el Plan rector, ni de los volúmenes edificables o alturas permitidas, ni en definitiva modificar un ápice del aprovechamiento e intensi-*

dad del mismo permitido por el Plan General». (...) «Todo lo cual pone de relieve la evidente necesidad de la previa formulación del pertinente Estudio de Detalle, que fije de modo claro y terminante las alineaciones, rasantes y la ordenación definitiva de los volúmenes antes de determinar la procedencia o no de la licencia solicitada, dada la variedad y mutua influencia de los regímenes jurídicos aplicables en esa parcela» (también puede citarse la STSJ de Burgos de 27 de enero de 2006 [JUR 2006, 98458]).

PARTE QUINTA

GESTIÓN URBANÍSTICA: EL MODELO DE URBANISMO EMPRESARIAL-CONTRACTUAL: EL CONTRATISTA URBANIZADOR, EL CONTRATISTA O AGENTE REHABILITADOR Y EL CONTRATISTA EDIFICADOR

Urbanismo y contratos. El empresario urbanizador delegado del poder público en la gestión urbanística

1. EL ENCUENTRO ENTRE EL URBANISMO Y LA CONTRATACIÓN ADMINISTRATIVA DESDE EL PUNTO DE VISTA DE LA INICIATIVA PRIVADA EMPRESARIAL

A. El nuevo interés de esta temática

El urbanismo se ha situado tradicionalmente de espaldas a la legislación pública contractual, sin que ello representara un problema jurídico.

No se habló de dicha legislación desde el punto de vista, primero, de buscar las posibles aportaciones de la figura del contrato administrativo para la mejor y más eficaz gestión urbanística. Y, sin embargo, ¿qué modelo mejor que aquel que aporta el contrato administrativo para procurar una mayor iniciativa privada, incluso empresarial, en el ámbito de la gestión urbanística? A dicha legislación es inherente tanto la ejecución de obra mediante empresarios profesionales como el fortalecimiento de la función pública urbanística en nuestro caso. En el fondo de figuras urbanísticas actuales tales como el agente urbanizador está, materialmente, el modelo de contrato administrativo.

Tampoco, en segundo lugar, se habló en su origen de una posible aplicación directa de la legislación contractual pública (LCAP, después TRLCAP, actualmente LCSP 30/2007), desde el punto de vista de las garantías de publicidad o concurrencia cuando podía haberse hecho, es decir, a la hora de aplicar los modelos del agente urbanizador o incluso de aquel otro (estatal) de la ejecución de Programas de Actuación Urbanística previsto en el TRLS/1976 y el RPU.

Más bien, el urbanismo seguía su propia lógica y camino, otorgando un valor primero absoluto y después relativo al *hecho propiedad.*

En cambio, actualmente uno de los problemas más significativos del Derecho urbanístico es determinar hasta qué punto debe aplicarse la legislación contractual en el plano de la gestión urbanística.

Un momento culminante será proponer se regule el contrato administrativo de obras de urbanización (por el Estado español, por cierto, en el contexto de la legislación contractual).

Es cierto que la gestión urbanística, planteada de esta forma, tiene mayor interés cuando, como ha ocurrido hasta tiempos muy recientes, la problemática del urbanismo era la de flexibilizar el sistema de gestión urbanística y de generar más suelo apto para edificar y de conseguir acelerar el ritmo urbanizador de los propietarios[1].

Actualmente, el presente tema sigue teniendo interés en tanto en cuanto haya gestión urbanística, y en todo caso para mejorar las reglas de Derecho en pro de la ratio de la concurrencia siempre deseable. Pero es preciso reconocer que el desarrollo urbanístico ha pasado a un segundo plano en los últimos tiempos.

B. El descubrimiento del modelo contractual por el urbanismo

En términos generales, desde la perspectiva urbanística, el problema de la aplicación de la legislación contractual pública aparecería cuando el Derecho urbanístico (y, en especial, la Ley valenciana 6/1994, de 15 de noviembre, Reguladora de la Actividad Urbanística y su modelo de agente urbaniza-

---

1. En este contexto «prourbanismo» J. M. BAÑO LEÓN, «La actividad urbanística en la financiación de las Haciendas Locales», *RVEH,* 2, II/2001, p. 35, quien duda de la equiparación habitual entre el factor de escasez de suelo y el factor de aumento del precio de la vivienda apoyándose en GARCÍA MONTALVO Y MAS, *La vivienda y el sector de la construcción en España,* Valencia, 2000, p. 153; M. BELTRÁN DE FELIPE, *La intervención administrativa,* Valladolid, 2000; O. GARCÍA MUÑOZ, *La responsabilidad civil de los arquitectos superiores y técnicos en la construcción de la obra privada,* Barcelona, 2004; véase también J. L. GONZÁLEZ-BERENGUER URRUTIA, *La financiación del urbanismo y el precio de los terrenos,* Madrid, 1997; J. I. MARTÍNEZ GARCÍA, *Aspectos económicos y tributarios del urbanismo,* Barcelona, 2001; J. M. PÉREZ HERRERO (director), *La carestía del suelo y soluciones,* Madrid, 2000; J. TORNOS MAS, *Grandes establecimientos comerciales: su ordenación e implantación,* Madrid, 2000; y H. CAPEL, «A modo de introducción: los problemas de las ciudades, urbes, civitas, polis», *Mediterráneo económico,* p. 15. Otras pueden ser las noticias: «Promotores inmobiliarios y agentes urbanizadores presentan un estudio sobre la demanda residencial» en: www.canaleslasprovincias.es; «Rato propone un acuerdo nacional sobre suelo urbano para abaratar el precio de la vivienda» (Guiaextremadura, de 6 de noviembre de 2002, en: www2.extremadura.com/general/noticias).

dor) opta *decididamente* por un modelo de gestión urbanística indirecta de tipo empresarial.

La aplicación de la legislación contractual pública se presenta, entonces, en efecto, como un problema jurídico e incluso como un obstáculo relevante para la consecución de los fines urbanísticos.

Hoy la gran mayoría de las legislaciones autonómicas contemplan la posibilidad de que un «tercero» o empresario urbanizador pueda llevar a cabo la gestión urbanística. Algunas legislaciones (Aragón, Cantabria o La Rioja) llegan a prever directamente en estos casos la figura de la concesión de obra pública y, con ello, tanto las garantías de la legislación contractual pública como el modelo de contratista empresario interpuesto para la realización de la función urbanística en el plano de la gestión, aunque esta remisión es puramente ineficaz e inoperante.

El encuentro con la legislación contractual pública significa la selección del urbanizador con pleno respeto del sistema de garantías jurídicas previstas en dicha legislación (elaboración por la Administración de unas bases de adjudicación, convocatoria de un concurso, etc.).

Pero también viene a significar, dicha aplicación, indirectamente una garantía para los propietarios, ya que de esta forma se evitaría un excesivo peso (en el sistema urbanístico) del agente urbanizador no propietario, desde el momento en que la programación de los terrenos y los pliegos los elaboraría la propia Administración sin que los propietarios no urbanizadores dependan de las condiciones que aquél establece. Además, una adjudicación conforme al principio de concurrencia es un cauce de defensa para que los propietarios puedan concurrir frente a la oferta del urbanizador no propietario. Todo ello siempre que se otorgue a un empresario no propietario la posibilidad de iniciar la tramitación de la gestión urbanística.

En todo caso, el debate en torno a la aplicación de la legislación contractual pública, y la aparición en este escenario urbanístico de obras de urbanización, no es fruto de la casualidad. Se origina aquél en el contexto del fenómeno característico de nuestro tiempo de arraigo de la iniciativa privada empresarial y de creciente colaboración privada en el ejercicio de funciones públicas[2].

_____

2. Algunos trabajos relacionables con esta cuestión son: J. L. Miguel Belenguer, «La iniciativa privada y la Ley reguladora de la actividad urbanística», *Ciudad y territorio*, 112, 1997; M. Torres López, *Extensión y límites de la jurisdicción contenciosa en el urbanismo*, Granada, 2001, *in toto*.

Dicho arraigo determina la aparición de lo contractual en el Derecho urbanístico y explica igualmente la aprobación de una Ley *ad hoc* para regular el contrato de concesión de obras públicas: la Ley 13/2003, de 23 de mayo, reguladora de dicho contrato concesional de obra.

La idea de «colaboración» de los particulares en el ejercicio de funciones públicas («public-private-partnership») se manifiesta intensamente en la construcción de infraestructuras u obras públicas por un lado (Ley reguladora del contrato de concesión de obras públicas) así como en la gestión o ejecución del planeamiento urbanístico (Leyes autonómicas de ordenación del suelo).

Así pues, el debate en torno a la aplicación de la legislación pública contractual en el Derecho urbanístico puede verse en principio como una consecuencia del propio «éxito» de la iniciativa privada empresarial en la gestión del urbanismo.

Dicha aplicación, de la legislación contractual pública, en el Derecho urbanístico puede verse a mi juicio no sólo como un *obstáculo* para la realización de fines urbanísticos (es decir, «las garantías que no queda más remedio que aplicar frenando la eficacia del sistema»).

Más bien, son formas de dar entrada al empresariado en el mundo de la gestión urbanística y a la realización de proyectos económicos. Habrá que preguntarse, igualmente, si la figura del contrato administrativo y su régimen jurídico (es decir, el modelo de gestión delegada empresarial de una función pública –urbanística–, el refuerzo de la iniciativa privada empresarial, la posibilidad de que la Administración adjudicadora reciba distintas ofertas en la fase de selección del urbanizador que puedan enriquecer el debate de modelo de ciudad) puede perfeccionar la gestión urbanística.

C. La perspectiva inversa: la *vis expansiva* del contrato administrativo y su encuentro con el urbanismo

a) Desde el contrato al urbanismo

Si antes reflexionaba acerca de cómo el urbanismo descubría el régimen jurídico contractual, corresponde ver ahora el fenómeno inverso, es decir cómo el contrato administrativo «descubre» el urbanismo, como consecuencia de la característica extensión que se ha producido en los últimos años de la forma contractual pública.

Al igual que el urbanismo, la contratación administrativa también siguió inicialmente su propio *iter* y evolución, sin pensar en su posible entrada en escena en el campo de los urbanistas.

La legislación contractual pública, en nuestro país con una larga y prestigiosa tradición histórica, ha tenido siempre principalmente en mente la ejecución de infraestructuras públicas (carreteras, puentes, vías de ferrocarril, etc.), la realización de suministros o la prestación de servicios públicos (transportes, alumbrados, etc.), respectivamente a los tres contratos «nominados» de obras, suministros y servicios públicos, sin perjuicio de los demás contratos administrativos.

Tampoco el contrato de concesión de obra pública obedece por supuesto a la necesidad de superar retos de tipo urbanístico. De forma gráfica, la exposición de motivos de la nueva Ley 13/2003, de 23 de mayo, reguladora de dicho contrato concesional de obra, nos informa de que el objeto de esta Ley es la ejecución de obras públicas de la índole de las infraestructuras mencionadas[3].

Para resolver el problema de la ordenación del suelo se prevé la legislación del suelo (desde la LS/1956) y para resolver el problema de las infraestructuras se promulgan las distintas leyes de contratación pública o la Ley General de Obras Públicas de 13 de abril de 1877 (derogada, precisamente, por la citada Ley 13/2003, de 23 de mayo).

Todo ello es así, a pesar de la clara repercusión y presencia de las obras públicas (tanto locales como estatales o autonómicas) en el planeamiento y gestión del suelo[4].

Pero, en vez de continuar este discurso de interrelación entre el mundo urbanístico y el mundo de las infraestructuras, más bien interesa destacar cómo la evolución de la materia jurídica-contractual entra en contacto con la materia urbanística, pues tanto habría evolucionado el urbanismo hacia lo contractual como lo contractual hacia lo urbanístico.

Durante los últimos años se ha producido una *vis expansiva* del contrato administrativo, afectando esta extensión al Derecho urbanístico.

Interesa poner de manifiesto los factores que, en general o en el fondo, explican este fenómeno.

---

3. Véase el trabajo de A. EMBID IRUJO/E. COLOM PIAZUELO, *Comentarios a la Ley Reguladora del Contrato de Concesión de Obras Públicas,* Pamplona, 2003.

4. Considérese también el enfoque de M. LORA-TAMAYO VALLVÉ, *Urbanismo de obra pública y derecho a urbanizar,* Madrid, 2002.

Importante sería retener que el «contrato administrativo» (y no el contrato civil) se ha revelado como la mejor forma de resolver no sólo problemas de legalidad administrativa sino también puros problemas de mercado, en particular debido al sistema de adjudicación pública que dicho contrato afirma (sujeción a los principios de publicidad, concurrencia y vinculación del poder adjudicador a la mejor oferta). En efecto, el mercado sólo puede funcionar si los empresarios cuentan con la garantía de que sus ofertas vinculan a la Administración a la hora de optar por una oferta determinada. De haberse afirmado un modelo privado de contratación administrativa, pudiendo la Administración elegir libremente al empresario, es obvio que este mercado no podría funcionar.

El *quid* (en un contexto europeo) de la expansión de la figura del contrato administrativo, en especial de su régimen de adjudicación, ha estado en la voluntad decidida de las instituciones comunitarias de apoyarse en la forma contractual *pública* para resolver ciertos retos de su incumbencia, empezando por el logro efectivo de las propias libertades de circulación dentro de la Unión Europea (ya que, evidentemente, el presupuesto básico para conseguir que un contratista de un Estado miembro obtenga la adjudicación en otro Estado miembro es que la Administración adjudique el contrato aplicando los principios propios del contrato administrativo: concurrencia, publicidad, transparencia y vinculación a la mejor oferta)[5].

Esa actuación y fomento de la contratación pública por parte de las instituciones comunitarias que hemos apuntado explica que, actualmente, los distintos ordenamientos europeos conozcan de forma más o menos clara la figura del contrato administrativo. Incluso en los países donde regía el contrato administrativo (como por ejemplo el nuestro) se ha producido una extensión del régimen contractual público (la aplicación de las reglas de publicidad y concurrencia) a otros contratos, tales como por ejemplo aquellos que celebren entidades instrumentales de la Administración pública (como consecuencia de las directivas llamadas de «sectores especiales o excluidos»), además de que han aparecido nuevos contratos administrativos: públicos de servicio, de colaboración... Destacable sería, igualmente, una cada vez mayor atención hacia la concesión de servicios públicos y la concesión de obra pública.

---

5. Nos parece conveniente en este momento inicial indicar cuáles son las directivas comunitarias reguladoras de la contratación pública en la actualidad:
Por una parte, se han refundido las tres tradicionales directivas 93/37 del contrato de obras, 93/36 del contrato de suministros y 92/50 del contrato de servicios en una única Directiva 2004/18/CE del Parlamento Europeo y del Consejo, de 31 de marzo de 2004, sobre coordinación de los procedimientos de adjudicación de los contratos públicos de obras, de suministro y de servicios.
Por otra parte, la Directiva 2004/17/CE del Parlamento Europeo y del Consejo, de 31 de marzo de 2004, sobre la coordinación de los procedimientos de adjudicación de contratos en los sectores del agua, de la energía, de los transportes y de los servicios postales viene a sustituir a la antigua Directiva 93/38 del Consejo, de 14 de junio de 1993, sobre coordinación de los procedimientos de adjudicación de contratos en los sectores del agua, de la energía, de los transportes y de las telecomunicaciones (más conocida como directiva de sectores especiales o excluidos).

Por tanto, es un hecho que el «contrato administrativo» ha triunfado como forma contractual de la Administración evitando la tentación de buscar en el Derecho privado un modelo adecuado de contratación para la Administración[6].

b) El ejemplo de la sujeción de los convenios a las reglas de concurrencia

Seguidamente se selecciona un ejemplo, para poner de manifiesto este encuentro de lo urbanístico y los contratos administrativos, como consecuencia del característico y paulatino arraigo del régimen de adjudicación administrativa propio del contrato público.

Un ejemplo ilustrativo, de la vocación de las instituciones comunitarias de extender lo máximo posible el ámbito de aplicación de las directivas comunitarias de contratos públicos, lo ofrece la jurisprudencia que afirma la sujeción (a la entonces vigente directiva 93/37 de contratos públicos de obras) de la Administración que celebra un convenio urbanístico (STJCE de 12 de julio de 2001, asunto 399/98 [TJCE 2001, 194]).

De este modo, el polémico caso de los convenios urbanísticos encuentra un límite jurídico desde el ala del Derecho comunitario de contratación pública. La STJCE de 12 de julio de 2001 asunto C-399/98 (TJCE 2001, 194) viene, en esencia, a decirnos que la Administración no queda al margen de la aplicación de la directiva comunitaria de contratos públicos de obras (93/37) cuando celebra un convenio urbanístico con un particular.

Este fallo puede valorarse, en efecto, como una muestra del creciente arraigo de las directivas comunitarias de contratación pública. Y asimismo puede verse en conexión, aunque indirecta o remota, con el desarrollo del Derecho comunitario en materia urbanística.

La STJCE que nos ocupa no ignora la específica problemática que plantean los convenios urbanísticos. De hecho, la defensa alegaba, en el presente supuesto, que, por razones de propio funcionamiento de este tipo de prácticas convencionales, no era posible una licitación o elección del contratista porque, según establece el Derecho urbanístico (italiano, en este caso), «esta

---

6. Todo este proceso ha sido impulsado decisivamente por la jurisprudencia del TJCE. En general, la jurisprudencia del TJCE en materia de contratación pública es incesante (sentencias del TJCE de 15 de mayo de 2003, asunto C-214/00 [TJCE 2003, 138], obligando al Estado español a extender la aplicación del contrato administrativo desde el punto de vista subjetivo de las Administraciones adjudicadoras; de 16 de octubre de 2003, asunto C-421/01 [TJCE 2003, 322], etc.) y ha cobrado un especial protagonismo. En un plano doctrinal, en esta línea, de perfeccionar el contrato administrativo por referencia a la fase de adjudicación, véase R. RIVERO ORTEGA, «¿Es necesaria una revisión del régimen de los contratos administrativos en España?», *REDA*, 120, 2003, pp. 567 y ss.

persona debe ser necesariamente el propietario de los terrenos que se van a urbanizar».

Estamos, en efecto, ante una situación típica de los convenios urbanísticos que impidiría, en principio, la opción en favor de la concurrencia cuando se celebra un convenio urbanístico. Diríamos que dicha «concurrencia», en principio deseable, tiene límites lógicos en casos como éstos.

Sin embargo, y de ahí la novedad o en principio interés de esta sentencia, «dicha circunstancia no basta para excluir el carácter contractual de la relación que se establece entre la Administración municipal y el urbanizador, puesto que el convenio de urbanización celebrado entre ambos *determina las obras de urbanización que el encargado de ejecutarlas debe realizar en cada caso,* así como los requisitos correspondientes, incluida la aprobación de los proyectos de dichas obras por el Ayuntamiento. Además, en virtud de los compromisos adquiridos por el urbanizador en dicho convenio, el Ayuntamiento dispondrá de un título jurídico que le garantizará la disponibilidad de las obras de que se trate, a los efectos de su afectación pública».

Esta argumentación supone, evidentemente, poner el dedo en la llaga de los convenios urbanísticos. A partir de esta sentencia no va a resultar tan convincente, para excluir la publicidad y la concurrencia, la condición individual de la persona con la que la Administración celebra el convenio.

Parecería como si el convenio se situara, por su propia lógica o funcionamiento o sentido práctico, al margen de las reglas de publicidad y concurrencia. Pero, según vemos, no es necesariamente así, en especial cuando el convenio de la Administración se celebre con un empresario urbanizador.

Otro argumento, en esta línea, que invoca la sentencia del Tribunal de Luxemburgo para apoyar su conclusión, es que la obra urbanizadora «debe ser realizada en parte mediante ejecución directa por los urbanizadores *en cumplimiento de sus obligaciones contractuales relativas al plan de urbanización».*

Así pues, siempre que las obras de urbanización se correspondan con los umbrales de las directivas comunitarias, los Ayuntamientos habrán de aplicar en el caso concreto el Derecho comunitario.

En el presente supuesto se trataba de un proyecto de especial envergadura de reconversión urbanística de toda una antigua zona industrial (con la previsión de un vasto conjunto de construcciones) conocido como «proyecto Biccoca», a pesar de que, cuando menos por las cuantías, no era precisamente una *bicoca.* En este contexto se situaba el convenio en virtud del cual el urbanizador, en este complejo urbanístico, se comprometía a realizar una obra de construcción de un teatro, a cuenta de la exención municipal de la contribución adecuada al Ayuntamiento de Milán.

Como la construcción del teatro era, por su parte, también de envergadura, dos empresas interpusieron un recurso de anulación del convenio ante el Tribunal administrativo regional de la Lombardía.

La cuestión prejudicial que se planteó por este Tribunal regional consistió en definitiva, en que se dilucidara si el Ayuntamiento debía aplicar la directiva comunitaria 93/37 de contratos públicos de obra. El TJCE fue examinando los distintos presupuestos de la directiva citada y llegó a la conclusión de que el Ayuntamiento, primero, era un poder adjudicador en el sentido de las directivas. Y, segundo, que estábamos ante una obra.

Otros presupuestos eran de más difícil determinación. Se situaban en relación directa con la especificidad misma de los convenios.

De ahí el interés de observar si dicha especificidad lleva a la inaplicación de las directivas comunitarias de contratación pública.

Por ejemplo, un obstáculo que puede plantearse, para afirmar la inaplicación de las directivas, es el posible carácter gratuito y no oneroso de lo convenido, ya que el Ayuntamiento no ha de pagar directamente una contraprestación económica al urbanizador.

Sin embargo, el TJCE considera suficiente, para concluir el carácter oneroso del contrato y para afirmar la aplicación de la directiva de contratos públicos de obras, el hecho de la exención de la contribución municipal. «Los términos imputación a cuenta utilizados en el artículo 11, apartado 1, de la Ley nº 10/1977 permiten considerar que, al aceptar la realización directa de las obras de urbanización, la Administración municipal renuncia al cobro del importe adecuado en concepto de contribución prevista en el artículo 3 de la misma Ley (...)».

Otro alegato en contra de la aplicación de la citada directiva, sólo aparentemente de menor entidad, era que «el convenio de urbanización se rige por el Derecho público» y «resulta del ejercicio del poder público». Ello «no se opone, según el TJCE, al cumplimiento del requisito contractual previsto en el artículo 1, letra a, de la directiva, es más aboga en su favor. En efecto, en varios Estados miembros, el contrato celebrado entre una entidad adjudicadora y un contratista es un contrato administrativo, regulado como tal por el Derecho público».

A esta doctrina late o subyace toda la problemática de los convenios y su proximidad con los actos administrativos y su diferencia con los contratos propiamente dichos. En el Derecho alemán, por ejemplo, la diferencia está muy acusada, entre ambos mundos independientes entre sí, ya que dichos convenios, como los actos administrativos, son fruto en efecto del poder público e inician una relación, estrictamente, de Derecho público, en la cual la Administración ostenta una posición de imperio frente al particular. En cambio, los contratos se mueven en un plano de igualdad entre Administración y contratista y pertenecen al Derecho privado[7].

Este tipo de consideraciones, de base, tampoco han llegado a tener especial relevancia, en el Derecho comunitario, desde el momento que no consiguen excepcionar los convenios del ámbito de aplicación de las directivas comunitarias de contratación pública.

Lógicamente, todas estas reflexiones piensan en los convenios urbanísticos por encima de los umbrales comunitarios. Ahora bien, suponen también un motivo de reflexión para los convenios urbanísticos en general, es decir aquellos afectados sólo por los Derechos de los Estados miembros. Se abre una brecha importante que matiza la operatividad de los convenios urbanísticos o que, cuando menos, afirma una aplicación de la regla de concurrencia a los convenios que, aunque no desconocida cuando menos en nuestra legislación (por ejemplo, la legislación urbanística de la Comunidad Autónoma de Madrid ya preveía esta regla: art. 74.2 de la Ley 9/1995; art. 11.2 del Decreto Legislativo 1/2004, por el que se aprueba el Texto Refundido de la Ley de Ordenación del Territorio y de la Actividad Urbanística de Castilla-La Mancha), no es aún de aplicación frecuente. No lo es, en el fondo, porque la propia realidad o presupuesto fáctico que rodea los convenios no parece casar bien con la aplicación de la concurrencia y la vinculación a la mejor oferta[8].

---

7. En el contexto del urbanismo, por todos, A. WIRT, *Handbuch der Vertragsgestaltung, Vetragsabwicklung und Prozessführung im privatem und öffentlichen Baurecht,* Düsseldorf, 2001, pp. 2768 y ss.

8. La concurrencia no parece casar con el sentido mismo de estos convenios, como ha puesto de manifiesto T. R. FERNÁNDEZ, en su comentario a esta STJCE de 12 de julio de 2001 (TJCE 2001, 194) en: *Actualidad Jurídica Aranzadi,* 505 correspondiente al 25 de octubre de 2001; o también su trabajo en el libro *La encrucijada constitucional de la Unión Europea,* Madrid, 2002 (dirigido por Eduardo GARCÍA DE ENTERRÍA y Ricardo ALONSO GARCÍA), pp. 102 y ss.; véase también R. GÓMEZ-FERRER MORANT, «Gestión del planeamiento y contratos administrativos», *Revista Andaluza de Administración públicas,* 46, 2002, pp. 11 y ss.; J. C. TEJEDOR BIELSA, «Contratación de la obra pública urbanizadora y sistema de compensación. La sentencia del Tribunal de Justicia de 12 de julio de 2001», *REDA,* 112, 2001, pp. 597 y ss. Igualmente puede consultarse el monográfico de la *Revista Documentación Administrativa* (nº 261 y 262), con el título «Ejecución de los planes de urbanismo y contratación administrativa», M. LORA-TAMAYO

Habrá, pues, que esperar para ver cómo se desarrollan los planteamientos en materia de convenios urbanísticos y, por supuesto, de gestión urbanística en general. Por el momento, no obstante, los proyectos de cierta envergadura económica que superen los umbrales de las directivas no pueden quedar sustraídos a la aplicación de las citadas reglas. De esta manera, el poder adjudicador observará si la contraprestación que ofrece el licitador interesado en el convenio es más ventajosa para la Administración que aquella que están dispuestos a ofrecer otros sujetos. Así pues, en torno a este hecho (la concurrencia en atención a la *cuantía económica del proyecto*) podrá verse una justificación en favor de esta sentencia. La relevancia económica convierte en lógico algo que es en principio ilógico (el sometimiento de los convenios urbanísticos a la regla de concurrencia), sin obviar, por otra parte, que en materia urbanística los umbrales comunitarios pueden verse superados con facilidad, considerando las elevadas cifras que a veces tienen las obras urbanísticas.

El mensaje de esta jurisprudencia es claro: el Ayuntamiento debe sacar a concurso las obras porque, de esta forma, es posible que (con el ejemplo de la sentencia) el teatro en cuestión lo realice otro empresario por menor coste que la cifra fijada en el convenio con la que se corresponde (en este mismo ejemplo) la cifra de exoneración económica al empresario. De no celebrarse el concurso la actuación es sospechosa porque siempre se suscitará la duda de qué ocurre con la diferencia entre lo que el Ayuntamiento pudo ahorrarse (a través del concurso y una mejor oferta) y aquello que realmente cuesta la obra al erario público o aquello que deja de recibir el Ayuntamiento.

c) Recapitulación

Es claro que este encuentro, entre el Derecho urbanístico y el Derecho administrativo contractual, no puede llevar a una indiscriminada e ilógica aplicación de la figura del contrato administrativo y en particular de su régimen de adjudicación (en especial principio de concurrencia) a la gestión urbanística. Éste ha sido el mensaje de cierta doctrina, a la luz precisamente de la STJCE que acabamos de comentar, concretamente de T. R. FERNÁNDEZ[9] después de realizar un repaso por los distintos sistemas y modos de gestión (con los debidos matices, y siguiendo su exposición: ejecución de obras por

---

VALLUÉ, «Ejecución de obra urbanizadora y Derecho Comunitario» (sentencia del Tribunal de Justicia de las Comunidades Europeas de 12 de julio de 2001 del Teatro de Escala)», *RAP*, 159, 2002, pp. 257 y ss.; M. PARDO ÁLVAREZ, en *Revista de Derecho Urbanístico*, diciembre 2002, pp. 11 y ss.

9. T. R. FERNÁNDEZ, en: *Actualidad Jurídica Aranzadi*, 505, correspondiente al 25 de octubre de 2001, cit. y los trabajos citados *supra*.

el propio propietario, sistema de cooperación *con excepción licitatoria,* sistema de compensación con o sin empresas urbanizadoras de obras).

No obstante, insisto en que la aplicación de la Ley de Contratos no ha de verse necesariamente como el *estorbo de legalidad pública,* sino como la apertura de nuevas ideas y sistemas que pueden enriquecer el urbanismo con una dimensión empresarial.

Además, tendremos también ocasión de comprobar cómo buena parte de las legislaciones autonómicas prevén actualmente una forma de gestión urbanística plenamente adaptada a la forma contractual pública, porque (simplemente) se remiten incluso a ella al regular la gestión urbanística. Me refiero al contrato de concesión de obra pública (siguiendo las legislaciones aragonesa, cántabra y riojana). En otras CCAA está igualmente patente el sistema concurrencial que, lejos de seguir los principios de la legislación contractual pública, lo reafirman (selección del urbanizador previo concu-rrencia y previa elaboración de unas bases administrativas), caso por ejemplo de la legislación urbanística de Castilla y León.

Tendremos ocasión de comprobarlo sobradamente en las páginas que siguen, después de estudiar, primeramente, cómo se manifiesta la iniciativa privada en el urbanismo en el contexto precisamente de esta irrupción de técnicas concesionales de gestión de funciones públicas.

2. EL FENÓMENO DE LA INICIATIVA PRIVADA EN LA GESTIÓN DEL URBANISMO E INFRAESTRUCTURAS EN EL MARCO DE LA FUNCIÓN PÚBLICA URBANÍSTICA

A. La impronta de la tradición histórica de la iniciativa privada cuando el urbanismo se iuspublifica

Desde el punto de vista de la iniciativa privada, en materia urbanística, ha sido característica, durante los últimos años (*en especial* a raíz de la apari-ción de la LRAU valenciana 6/1994, de 15 de noviembre, Reguladora de la Actividad Urbanística) la presencia de empresarios no propietarios en el ám-bito de la gestión urbanística.

Este fenómeno puede relacionarse con la tendencia de paulatino arraigo de la «iniciativa privada» en el plano de la gestión urbanística y del Derecho urbanístico en general, característica en el Derecho urbanístico español durante las últimas décadas y, en especial, desde el TRLS/1976 hasta llegar al actual artículo 4 de la LRSV/1998[10].

Pueden ponerse, primeramente, algunos ejemplos que sirven asimismo para ejemplificar el arraigo de la iniciativa privada en el urbanismo.

– Primero, sin salir del puro ámbito de la gestión urbanística, es un hecho que tradicionalmente han primado en la práctica y en la legislación urbanística (estatal me refiero) los «sistemas de compensación» o incluso «cooperación» sobre el «sistema de expropiación», ya que por éste podía optarse mediando circunstancias tales como «urgencia o necesidad» o «incumplimiento de las obligaciones inherentes al sistema de compensación».

– Incluso, entre aquellos otros dos sistemas *preferentes* terminaba primando el de compensación en caso de que los propietarios que representasen el 60 por ciento de la superficie total del polígono o unidad de actuación lo solicitasen en el trámite de información pública del procedimiento para la delimitación del polígono o unidad de actuación (artículo 119.1 a 4 del TRLS 1976). Aunque en las legislaciones autonómicas puede llegar a suprimirse dicha opción[11], la práctica de la gestión urbanística corrobora que no ha cambiado esta preferencia por los modos privados de gestión.

– Otro dato revelador de esta tendencia es que, incluso en torno a los sistemas de gestión pública y directa (expropiación), se ha manifestado una tendencia en favor de la iniciativa privada, es decir, la «expropiación con concesionario» (modelo previsto en su día en la Ley del Suelo de Madrid 9/1995, de 28 de marzo, e incorporado por otras CCAA; véase *infra*).

En cierto modo, la «expropiación con concesionario» puede verse bajo esta lógica de irrupción de la gestión privada (incluso en los ámbitos públicos de gestión) desde el momento en que la Administración selecciona un concesionario que le auxilia en la labor expropiatoria.

Es ésta, además, una fórmula que es preciso considerar en este contexto de la discusión de fórmulas adecuadas para la creación de suelo edificable. Al igual que con el agente urbanizador, se parte en la expropiación con concesionario de que la función urbanística es pública, aunque se delegue la ejecución en un particular.

– La propia generalización de la práctica de los convenios urbanísticos podría verse en consonancia con esta tendencia privatizadora del urbanismo o, cuando menos, de reforzamiento de la participación privada en el mundo urbanístico.

---

10. De ahí que no falta razón a Parada cuando culpa a la LS 1956 de haber orientado al urbanismo español hacia un modelo privado de gestión urbanística, a diferencia del modelo de gestión pública de otros países europeos (J. R. Parada Vázquez, «La privatización del urbanismo español; reflexión de urgencia ante la Ley 6/1998 de Régimen del Suelo y Valoraciones», *DA*, 252-253, 1999).

11. J. C. Tejedor Bielsa, en: M. A. Rueda Pérez (director), *Perspectivas del régimen del suelo, urbanismo y vivienda*, Madrid, 2003, pp. 93 y 94, trabajo publicado también en «Los sistemas de actuación entre la tradición y la modernidad. Su configuración como esquemas típicos de relación en la ejecución de la obra pública urbanizadora», *Revista Urbanismo y Edificación*, Aranzadi, año 2002-2, nº 6, pp. 61 y ss.; también en general sobre el tema que estamos tratando Tejedor Bielsa, *Propiedad, equidistribución y urbanismo*, Pamplona, 1994.

– Igualmente, durante los últimos años de aplicación de la legislación estatal se ponía cada vez más de manifiesto que los propietarios realizaban una función de tipo empresarial que emparentaba más con la libertad de empresa que con el propio principio constitucional de propiedad. *Los propietarios eran convertidos en empresarios.*

No habría ocurrido, en España, lo que en otros países europeos en los cuales el peso de la gestión urbanística recae directamente sobre la Administración.

– Otra muestra de esta tendencia en favor de los sistemas privados de ejecución sería el hecho de que, incluso si estos sistemas se incumplen (v. gr. demora de ejecución por los agentes privados), se procura evitar el sistema de expropiación (como sistema público de gestión urbanística) previendo a tales efectos la simple corrección del sistema privado de gestión. Para esto se prevé la «ejecución forzosa» cuyo estudio se realizará más adelante[12].

Por contrapartida, este fenómeno de la «ejecución forzosa» también podría interpretarse como un rescate público del ejercicio de un modo privado de gestión[13].

En conclusión, cuando en los últimos tiempos se ha acentuado el carácter público de la función urbanística, ello no ha llevado a que la Administración asuma el protagonismo de la gestión urbanística. Más bien, la «cosa pública» se realiza bajo la fórmula del empresario contratista urbanizador. Ésta es la impronta de la tradición privada cuando arraiga, en tiempos más recientes, el carácter público de la función urbanística. Lo público se hace aplicando el contrato administrativo, por ser la forma habitual en España de «llevar a cabo las funciones públicas».

La evolución de nuestro sistema viene a ser la siguiente: *primero, con la Ley de 1956, se da entrada al urbanismo de los propietarios, después se opta por un urbanismo más empresarial-contractual. La culminación del modelo sería la gestión pública con el auxilio (o sin perjuicio) de contratistas de obras y de servicios (para la ejecución de las obras o para la redacción de los planes, respectivamente).*

B. Significación en este contexto de la presencia de empresarios no necesariamente propietarios que realizan la gestión urbanística

– Los ejemplos que acaban de ponerse se explican dentro del arraigo histórico de la iniciativa privada en el plano de la gestión urbanística.

---

12. Este sistema de ejecución forzosa está previsto en la Ley 9/2001, de 17 de julio, del Suelo de la Comunidad de Madrid (artículos 125 a 129), sistema incorporado también por Aragón (artículos 146 a 151) y por Canarias (artículos 131 a 136) y que, en esencia, permite ser empleado de forma subsidiaria a otros para (precisamente) cuando estos otros (v. gr. el sistema de compensación) se bloquean y demoran la ejecución, evitando tener que optar por la expropiación u otro sistema de gestión directa.

13. J. C. TEJEDOR BIELSA, en: M. A. RUEDA PÉREZ (director), *Perspectivas del régimen del suelo, urbanismo y vivienda*, Madrid, 2003, pp. 95 y 99.

– En particular, el modelo (presente hoy en las legislaciones autonómicas) de empresario no necesariamente propietario que lleva a cabo la gestión urbanística (es decir el «agente urbanizador» o el «concesionario de obra pública» según las CCAA) puede entenderse igualmente dentro de esta herencia de la iniciativa privada en el ámbito de la gestión urbanística *(aunque, al mismo tiempo, signifique una acentuación del carácter público de la gestión urbanística).*

– Este modelo empresarial admite ser interpretado como una de las posibles soluciones frente a uno de los problemas más importantes del urbanismo español de los últimos años, es decir la necesidad de desbloquear la operación de edificación y de disposición de suelo y de imprimir un ritmo más acelerado en los procesos urbanísticos de urbanización y creación de suelo frente al ritmo más lento de los propietarios y de la Administración como agentes éstos protagonistas tradicionalmente en la gestión urbanística. Tras la nueva Ley del Suelo 8/2007 y la nueva realidad social, no obstante, el interés parece no estar en la necesidad de facilitar la urbanización.

– En este contexto de la gestión privada urbanística (y la iniciativa privada), es fácil entender (por cuanto llevamos dicho) que el agente urbanizador (o el concesionario de obra pública, según las CCAA) viene a suponer una corrección del «sistema de compensación»[14]. De hecho, como tendremos ocasión de comprobar, algunas legislaciones autonómicas han condicionado la actuación de un agente urbanizador al caso del incumplimiento (de los propietarios) de su carga de urbanización.

– Dentro de esta tendencia del urbanismo, de arraigo del carácter público del urbanismo pero de base privada, incluso empresarial, se entiende también la aparición del fenómeno de la aplicación de la legislación pública contractual en el ámbito de la gestión urbanística.

La aplicación del contrato administrativo, en el urbanismo, tiene la virtualidad de reforzar la iniciativa privada empresarial y de provocar una mayor dignidad de la función pública urbanística, porque ello es inherente a esta fórmula contractual pública. Lejos de ser un problema jurídico, dicha aplicación puede verse como exponente de una correcta orientación para una mejor plasmación de la iniciativa privada y de una mejor realización de los intereses públicos.

---

14. Sobre este sistema mencionado en último lugar, por todos, J. Abel Fabre, *El sistema de compensación urbanística: una visión a través de la doctrina, la jurisprudencia y la experiencia,* Barcelona, 2001.

C. Comparación de esta tendencia de arraigo de la iniciativa privada con la gestión de infraestructuras públicas

Tanto en el ámbito de las infraestructuras como en el del urbanismo se manifiesta una creciente colaboración de los agentes privados en el ejercicio de las respectivas funciones públicas y, en particular, una creciente colaboración privada *empresarial.*

También es común la existencia y afirmación de una función pública, pues lo es la construcción de infraestructuras y lo es la gestión urbanística. Por eso en ningún caso puede producirse su privatización, más que de forma indirecta y accidental, es decir a través de la «colaboración» privada en el ejercicio de funciones administrativas. La figura de la «colaboración», tradicional en el Derecho administrativo español («el contratista era ya un colaborador») afecta a amplios sectores de actuación pública y no siempre se desarrolla siguiendo el modelo contractual público.

No obstante, mientras que la presencia empresarial es característica tradicionalmente en el sector de las infraestructuras (ya que desde siempre el contratista de obras ha sido empresario), en el urbanismo sólo en tiempos más recientes empieza a generarse en sentido moderno una clase empresarial que suplanta el papel tradicional de la propiedad como eje de la gestión urbanística o ejecución del planeamiento. Surgen así empresarios, con posición interpuesta entre Administración y propietarios, cuyo cometido es urbanizar en lugar de estos dos sujetos.

Además, si en el caso de las infraestructuras tradicionalmente viene primando el modelo de contratación de obra pública, en el urbanismo, en cambio, esta tendencia privatizante «no parte del contrato administrativo», ya que más bien «descubre el contrato administrativo» una vez que la iniciativa privada arraiga hasta el punto dar entrada a terceros interpuestos en la gestión urbanística.

En el ámbito de las infraestructuras, en cambio, arraiga desde siempre la iniciativa empresarial con apoyo en las formas públicas contractuales. La más clásica y principal es, desde luego, la propia del contrato de obras a través del cual la Administración va abonando al contratista unos pagos en función del desarrollo o ejecución de la obra (el conocido sistema de certificaciones), sin que el contratista, por tanto, tenga que asumir la financiación de la obra que le ha sido adjudicada y los propietarios tienen siempre la condición de expropiados.

En este contexto encaja también la concesión de obras públicas, tradicional en nuestro Derecho, como corrobora el ejemplo clásico de las autopistas, objeto de la Ley homónima de 1972, con la particularidad de que en estos supuestos el contratista cobra, junto a posibles asignaciones públicas, un peaje que será satisfecho por los usuarios de la red o, conforme a tendencias más modernas (Leyes de carreteras de las Comunidades de Madrid o de Murcia) satisfecho por la propia Administración (es el sistema de inspiración británica denominado «peaje en sombra»).

También se comprende, dentro de estos parámetros, el sistema de abono total del precio o de «pago aplazado», en cuya virtud se consigue (por la Administración pagadora) fraccionar el pago del contrato –mediante distintas anualidades– a un momento posterior de su ejecución. De ahí las expresiones «pago aplazado» o «pago diferido» que suelen emplearse en estos casos. No estamos tanto ante una forma de pago privado como público, ya que a la postre es el erario público quien asume el costo. No obstante, puede hablarse de «financiación privada» en el sentido de que el contratista está anticipadamente «financiando la obra» objeto del contrato.

Interesa observar cómo en el ámbito de las infraestructuras (a la luz principalmente de la Ley reguladora del contrato de concesión de obra pública) se ha manifestado esta tendencia de mayor arraigo de la iniciativa empresarial respecto del modelo de partida que, en este caso, singularmente, es el sistema de contratación pública de obras, al cual es preciso reconocer ya un cierto carácter o contenido privatizador (empleando siempre un concepto amplio o lato de privatización sinónimo de actuación privada en el ejercicio de funciones públicas)[15].

En particular, la Ley 13/2003, de 23 de mayo, reguladora del contrato de concesión de obras públicas, puede verse como un paso adelante de la iniciativa privada en la gestión y financiación de infraestructuras, en el sentido principalmente de introducir nuevas opciones a través de las cuales se consigue que los particulares colaboren en «financiar» las infraestructuras objeto del contrato en cuestión, aun cuando esto pueda encarecer a la Administración el pago final de la obra.

_____

15. Puede verse S. González-Varas Ibáñez, *Tratado de Derecho administrativo*, Editorial Civitas, Tomo VIII. Además, tal como acertadamente se ha puesto de manifiesto, el contrato administrativo (también el de concesión de servicios públicos) tiene un matiz privatizador (y éste es uno de sus originales sentidos históricos). F. Sosa Wagner, «Las fronteras del sector público», *Anuario de Derecho Constitucional y Parlamentario*, 11, 1999, pp. 63 y ss.: «es así justamente como nace esta fórmula de la concesión. *Lo que resulta relevante es destacar que el mundo de los concesionarios era privado, sector privado, pues,* por más que la Administración se reservara algunas potestades de control derivadas del carácter contractual de la relación entre ella misma y sus concesionarios (...)».

No obstante, el régimen jurídico que acaba de estudiarse por referencia a las infraestructuras públicas no está tan distante del urbanismo como podríamos inicialmente suponer.

Es evidente que la lógica empresarial no puede manifestarse en principio con el mismo alcance que en el plano de la construcción de infraestructuras, ya que en el Derecho urbanístico ha sido característica la presencia de *la propiedad* como elemento, primero, llamado a realizar la gestión urbanística o, segundo, llamado a abonar el coste que las obras de urbanización representen.

Sin embargo, existe un matiz importante en el nuevo urbanismo empresarial que aproxima la gestión urbanística, mediante empresario no necesariamente propietario, a los modos de financiación privada de infraestructuras públicas.

En la gestión urbanística, el poder público consigue igualmente que el agente urbanizador, movido por afán de lucro, «financie» inicialmente la obra urbanizadora, con la particularidad de que la carga económica recaerá no sobre la Administración sino sobre los propietarios y, a la postre, sobre el mercado de adquirentes de viviendas.

Y por su parte, la Ley reguladora de la concesión de obra pública consigue que el empresario «financie» en parte la obra, en el sentido de que realice ésta con sus propias aportaciones o se busque las fuentes de financiación en el sector privado, a expensas de rentabilizar la inversión construyendo la infraestructura.

De ahí que la parte más importante, a nuestro juicio, de esta Ley 13/2003, sea la relativa a la «financiación privada». El título, «financiación privada», es suficientemente expresivo del *desideratum* del legislador, como lo es también la exposición de motivos cuando caracteriza este sistema bajo la idea de la «diversificación de las fuentes de financiación». En suma, se lograría, en efecto, el resultado pretendido de una mayor contribución de los agentes privados en la carga de financiar inicialmente las infraestructuras públicas, mediante fórmulas tales como la cesión o hipoteca de la concesión o incluso la titulización de los derechos de crédito vinculados a la explotación de la obra, sin perjuicio de otras posibles fórmulas (tales como por ejemplo el leasing) cuya aplicación propugnó cierta doctrina de los últimos años[16]. En

---

16. Véase F. AZOFRA VEGAS, «La financiación privada de infraestructuras públicas», *REDA,* 96, 1997, p. 555; F. J. JIMÉNEZ DE CISNEROS CID, *Obras públicas e iniciativa privada,* Madrid, 1998; del mismo autor, «Hacia un nuevo concepto de infraestructura pública/obra pública desligado del dominio público y servicio público», en G. ARIÑO ORTIZ (coordinador), *Privatización y libertad de servicios,* Madrid, 1999, pp. 77 y ss.; F. J. DE ÁGUEDA MARTÍN, «Nuevos avances

el fondo de toda esta evolución, cuyo desenlace es la aprobación de una Ley de concesión de obra pública *ad hoc* (aunque posteriormente se haga encajar su texto en la legislación contractual pública), están evidentemente los designios de la Unión Europea y entre ellos el «déficit cero» que obliga a los Estados miembros a extremar el ingenio y buscar formas público-privadas de financiación, a través de las cuales se consiga el reto de realizar el mayor número de infraestructuras que la sociedad demanda, sin por ello caer en la tentación del endeudamiento público crónico.

Así pues, el modelo de urbanismo empresarial es un medio, igualmente, de *financiación* empresarial en la realización de las infraestructuras públicas de urbanización, aunque la carga económica repercuta finalmente en los propietarios.

En todo caso, en tanto en cuanto irrumpe en ambos casos la clase empresarial, la iuspublificación es un hecho, al ser consustancial a la figura que entonces resulta aplicable: «el contrato *administrativo*».

D. La tendencia en la propia legislación estatal en favor de la iniciativa privada «empresarial» urbanística y la suplantación del propietario

a) *La presencia empresarial no necesariamente propietaria ya en los momentos de vigencia de la legislación estatal*

Hemos puesto algunos ejemplos sobre la herencia de la iniciativa «privada» dentro del urbanismo.

Pero también queremos poner de manifiesto que, en vigencia de la propia legislación estatal (TRLS/1976 y TRLS/1992), no se ha desconocido tampoco la propia iniciativa «empresarial» en el plano de la gestión urbanística.

Quiero decir con ello que tanto el modelo valenciano de agente urbanizador como aquellos otros de carácter igualmente empresarial que presentan las CCAA actualmente con tonos de innovación, no pueden entenderse como fórmulas nacidas de la nada, sino, más bien, en el contexto de la propia evolución de la legislación estatal[17].

De esta forma, cuando menos, dichos modelos autonómicos (que iremos estudiando), contarían con claros precedentes, en el sentido de que la ges-

---

en la financiación de infraestructuras a través del capital privado», en *Revista de obras públicas. Número especial sobre financiación de infraestructuras*, nº 3400, año 147, 2000, p. 93.

17. Véase obligadamente E. García de Enterría, en J. M. Pérez Herrero (director), *La carestía del suelo y soluciones*, Madrid, 2000, pp. 87 y ss.

tión urbanística empresarial no se descubre con la promulgación de la LRAU/1994 de la Comunidad Valenciana. Me refiero no sólo a la posibilidad de empresarios promotores inmobiliarios en la gestión urbanística[18] o las conocidas empresas urbanizadoras a las que las Juntas de Compensación pueden encomendar la ejecución de obras [127.2 del TRLS/1976 y 176.4 del Reglamento de Gestión Urbanística aprobado por Real Decreto 3288/1978, de 25 de agosto –RGU–; artículo 110.3.a) de la Ley de 17 de julio de 2001 de la Comunidad de Madrid]. También querría poner de manifiesto en este contexto el fenómeno mismo de conversión del propietario en empresario como problema característico de los tiempos del canto del cisne de la legislación estatal.

b) El fenómeno de conversión del propietario en empresario. Del derecho de propiedad a la libertad de empresa

Junto al factor que acaba de ser mencionado, es preciso no desconocer tampoco que el sistema estatal de gestión urbanística fue descubriendo o destacando el carácter empresarial de la actividad o gestión urbanísticas que se hacía recaer sobre los propietarios.

El TRLS/1992 venía a justificar un completo y característico sistema de adquisición gradual de «facultades de contenido urbanístico susceptibles de adquisición» por parte de los propietarios, así como la regla según la cual «la aprobación del planeamiento preciso según la clase de suelo de que se trate determina *el deber de los propietarios afectados de incorporarse al proceso urbanizador y edificatorio,* en las condiciones y plazos previstos en el planeamiento o legislación urbanística aplicables, conforme a lo establecido en esta Ley». En suma, el propietario quedaba, así, compelido a ejercer sus derechos, las facultades urbanísticas, lo que se hacía derivar de la función social de la propiedad. Quedaba compelido, además, a ejercer aquéllas conforme a lo que disponía la Administración, en el planeamiento urbanístico (arts. 19, 20 y 23 del TRLS/1992). En esencia, se incorporaba al propietario necesariamente a un proceso urbanizador, en el cual debía ser forzosamente ejecutor de la planificación urbanística de la Administración. Aunque podía entenderse que estas cargas tenían naturaleza empresarial, se configuraban como una obligación *ob rem* justificada en la función social de la propiedad. Al propietario correspondía iniciar el proceso tendente a la edificación, aportando no sólo el suelo (lo que es inherente, en sentido estricto, a la función social de la propiedad) sino también la inversión adicional que conllevaba la urbanización realizada conforme al planeamiento urbanístico (lo que es inherente, en puridad, a una actividad empresarial). Pero esta concepción, en cuya virtud «el deber de edificar y de construir» es «la manifestación más típica de la función social de la propiedad urbana», era seguida y justificada por la jurisprudencia constitucional (de hecho los párrafos entrecomillados proceden

18. Por todos, J. M. DE LARA CARVAJAL, «La actividad urbanizadora», en J. M. PÉREZ HERRERO (director), *La carestía del suelo y soluciones,* Madrid, 2000, pp. 419 y ss.

de la importante STC 61/1997 [RTC 1997, 61], F. 17 y de ahí que esta STC 61/1997 [RTC 1997, 61] no declarase inconstitucional los arts. citados del TRLS de 1992; véase también el F. 14c). En efecto, lo característico en nuestro Derecho venía siendo que la función social de la propiedad justificase un determinado contenido o unas determinadas restricciones del ejercicio de la libertad de empresa (art. 38 CE), tal como llegaba a afirmar gráficamente la significativa STC 37/1987 (RTC 1987, 37), donde se razonaba que la función social de la propiedad amparaba las restricciones en la libertad de empresa. Lógicamente, este planteamiento jurisprudencial era susceptible de ser criticado, concretamente la legitimidad de las restricciones en la libertad de empresa con apoyo en la función social de la propiedad. El Derecho urbanístico estatal fue descubriendo cómo, con las nuevas exigencias de gestión urbanística, la propiedad quedaba desbordada y agotada a la hora de seguir avanzando en la búsqueda de medios ágiles y adecuados de gestión del suelo. Se descubría, así, en el propio seno de la propiedad una faceta puramente empresarial. **El propio planteamiento constitucional fue adaptándose a estas nuevas realidades, desviándose la atención desde el derecho de propiedad hacia la libertad de empresa.** En este contexto, tampoco puede obviarse que la propia LRSV/1998, aunque siguió manteniendo la concepción de la función social de la propiedad (artículo 1), partió de un modelo liberalizador del suelo que propiciaba un desarrollo adecuado de la iniciativa empresarial, partiendo en todo caso del «derecho», del propietario, a realizar el proceso urbanizador. En suma, las distintas legislaciones (tanto la estatal como las autonómicas, en especial la LRAU valenciana) han ido descubriendo o acentuando la faceta empresarial del urbanismo. La citada LRAU significa la exacerbación, en este contexto, de lo empresarial: no sólo los propietarios han de convertirse en urbanizadores; además, se da entrada directamente a posibles urbanizadores no propietarios.

En conclusión, tradicionalmente, ante la necesidad de mermar las facultades del propietario se pensó que la solución pudo haber sido que la Administración suplantara al propietario cuando éste incumpliera sus deberes urbanísticos (TRLS/1992). La legislación autonómica valenciana simplemente aportó la idea según la cual era mejor que este desideratum *público se hiciera a través de empresarios que ayudaran a la Administración a conseguir este cometido. Ésta no es sino la manera en que en España se logra la realización de los fines públicos, es decir, a través de contratistas de que se valen los Ayuntamientos para la realización de sus fines públicos. El éxito del contrato administrativo en nuestro país parte de la debilidad misma de la Administración. La iuspublicación de la gestión urbanística (que relativiza el papel del propietario) se ha conseguido con el auxilio de contratistas.* La culminación del modelo sería la gestión pública, sin perjuicio del auxilio de contratistas de obras y de servicios.

c) El debate ya estaba planteado

Por otra parte, no puede obviarse que, en estos mismos tiempos de «canto del cisne» de la legislación estatal, no se ignoraba el problema crucial de la gestión urbanística, es decir la posible presencia protagonista de la que inoportunamente gozaba la propiedad en el escenario de la gestión del suelo, provocando problemas de bloqueo de la operación de urbanización y edificación y provocando, entonces, el debate y la solución (que, por tanto, no aportan las CCAA) de la posible sustitución del protagonismo de los propietarios (cuando menos de los incumplidores) en el contexto de la gestión urbanística[19].

De estos razonamientos al agente urbanizador, o formas similares de tipo empresarial, hay menos que un paso.

No termina con esto, no obstante, el fenómeno que estamos comentando, es decir la paulatina apertura hacia formas de gestión que eviten el protagonismo de la propiedad sin caer en formas públicas de gestión.

d) *La suplantación del propietario en el «urbanismo concertado»*

Otro modelo en esta misma línea, de irremediable consideración, es el propio sistema de ejecución de los Programas de Actuación Urbanística, previsto en el TRLS/1976 y RPU, en tanto en cuanto está ya afirmada la posibilidad de suplantar al propietario por un tercero (pueden verse también los artículos 177 y ss. –derogados– del TRLS/1992).

En este contexto interesa destacar (siguiendo por cierto la propia Exposición de Motivos del TRLS/1976) que los Programas de Actuación Urbanística, cuya finalidad o virtualidad es convertir el suelo clasificado como urbanizable no programado en urbanizable programado[20], incorporan «formas de actuación de la iniciativa privada, que la experiencia ha demostrado ser aprovechables» abriendo «nuevos cauces a la actividad y capacidad de los agente privados de la urbanización para un buena parte del proceso de desarrollo urbano por unidades de cierta entidad». La particularidad del urbanismo concertado fue bien explicada por los tribunales, así la STS de 31 de enero de 1983 (RJ 1983, 379) cuando afirma que «la figura jurídico-doctrinal del urbanismo concertado supone una excepción al régimen general el urbanismo en cuanto que este último exige una adecuación total al planeamiento elaborado al que necesariamente habría que acomodarse el proceder de dicha naturaleza de la Administración y de los administrados, mientras que la figura especial que analizaremos *permite que en el concurso se excepcionen determinados aspectos no esenciales del planeamiento concediendo la posibilidad negociable de alguno de sus elementos*, soluciones y objetivos, sometiendo en todo caso su aceptación a la aludida facultad discrecional, que

---

19. En este contexto: Informe de la Comisión de Expertos sobre Urbanismo (MOPU), «Recomendaciones de avance normativo y políticas del suelo» [puede verse *Revista de Derecho urbanístico*, 143 (1995), pp. 461 y ss. y, sobre este informe, el número monográfico de la *Revista Ciudad y Territorio*, Estudios Territoriales, III (103), 1995] y el Informe del Tribunal de Defensa de la Competencia, *Remedios políticos que pueden favorecer la competencia en los servicios y alegar el daños causado por los monopolios,* Madrid, 1999.

20. STS de 2 de febrero de 1999 (RJ 1999, 665); STS de 25 de mayo de 1993 (RJ 1993, 3509); STSJ de Extremadura de 25 de septiembre de 2001 (JUR 2001, 282556).

por ser jurídicamente razonable dentro de una filosofía del urbanismo, la aleja de toda ilícita arbitrariedad y por ende de la desviación de poder (...)». La mejor doctrina no dudó en destacar el matiz privatizador, de esta suerte de urbanismo concertado, de la función pública urbanística, de forma discutible[21]. Como afirmó la jurisprudencia, «los PAU representan ciertamente una posibilidad de urbanismo concertado, en cuanto permiten la participación de la iniciativa privada también en la tarea de definición de los modelos de ordenación. Y ello tiene lugar permitiendo que, mediante concurso, se pueda adjudicar a los particulares la formulación del PAU» (STSJ de Murcia de 28 de septiembre de 1998 [JUR 1998, 74253]). El problema básicamente del urbanismo concertado reside en la sustitución de la potestad pública de planificación, partiendo siempre de que la intervención privada no alcanza exclusivamente al momento de la ejecución del plan, por afectar a la formulación misma de los planes u opciones de ordenación. Es significativo cómo la doctrina que defiende el modelo valenciano de agente urbanizador viene precisamente a criticar el corto alcance de este sistema legislativo estatal, considerando que sólo «contempla cautelosamente al adjudicatario, bajo sospecha de ser una suerte de propietario camuflado, bien sea el propietario a quien la Administración penaliza con cargas superiores a las ordinarias, o el nuevo propietario que sustituye autoritariamente al antiguo gracias al beneficio de la expropiación. *Un adjudicatario que coexiste con naturalidad con el propietario es incomprensible en el Derecho estatal*»[22]. Pero, precisamente, es discutible si la moderación o prudencia de la legislación estatal no se deban tanto a un supuesto corto alcance de miras de este legislador como a la necesidad de prever con las debidas cautelas y limitaciones jurídicas este tipo de urbanismo concertado, por las razones expuestas (se elude la potestad pública no de ejecución del planeamiento sino de formulación del mismo) y porque el propio modelo estatal era ya excesivamente «avanzado» y arriesgado en tanto en cuanto «implica la exclusión cuando menos de los pequeños y medianos propietarios son capacidad financiera de la participación en el desarrollo urbanístico del suelo del que son titulares»[23]. De ahí que E. García de Enterría y L. Parejo Alfonso concluyan, por referencia al sistema de urbanismo concertado del TRLS/ 1976 (el cual, al parecer, según posiciones más recientes, fue tímido en sus formulaciones) que «por las razones expuestas parece claro el peligro de grave quiebra de principios básicos que implica la extensión del urbanismo concertado a la fase de formulación del planeamiento, en cuanto ello supone la privatización del núcleo irrenunciable de la función pública urbanística. La fase del concierto debía haberse circunscrito a la fase de ejecución del planeamiento».

No quiero por mi parte, con estas reflexiones, dejar cerrado el debate en torno a la figura del agente urbanizador. Por de pronto, es significativo que precisamente dicha figura haya supuesto un refuerzo indudable de la función *pública* urbanística. Tan sólo querría exponer los puntos de contacto de los mo-

---

21. E. García de Enterría/L. Parejo Alfonso, *Lecciones de Derecho administrativo*, Madrid, 1979, pp. 287 y ss. (p. 289).

22. L. Parejo Alfonso/F. Blanc Clavero, *Derecho urbanístico valenciano*, Valencia, 1999, p. 383; L. Parejo Alfonso en: J. M. Pérez Herrero (director), *La carestía del suelo y soluciones*, Madrid, 2000; F. Molini, *Competencia durante el planeamiento*, Madrid, 2003.

23. E. García de Enterría/L. Parejo Alfonso, *Lecciones de Derecho administrativo*, Madrid, 1979, pp. 287 y ss. (p. 291).

delos autonómicos más recientes con la legislación clásica estatal. De esta última habría que destacar, siguiendo con estas comparaciones, la previsión de una fase de *concurso*, ya que, conforme a la *ratio* del urbanismo concertado, la programación se hace con intervención privada, con el riesgo de condicionar a la Administración pública en la decisión de aprobación del Programa de Actuación Urbanística. Éste es, asimismo, el «riesgo» que presenta el agente urbanizador, como tendremos ocasión de comprobar, y donde deben ponerse las debidas cautelas, por tanto, a efectos de afirmar este modelo de gestión. La legislación estatal (artículo 151 del TRLS/1976), conforme a las cautelas con que regula esta figura de los «PAU» (que, desde el punto de vista de la gestión, se corresponde con el «urbanismo concertado»), terminaba encauzando la ejecución o gestión a través de los sistemas de gestión urbanística (expropiación, cooperación, compensación)[24].

En el TRLS/1976 se afirma que «las bases serán redactadas por la entidad que convoque el *concurso* y serán aprobadas por el órgano competente para la aprobación de los Programas de actuación» (artículo 147.1).

Interesa destacar que, si eran las propias Entidades Locales las que formulaban directamente los Programas, en estos casos no era necesario la convocatoria de concurso (artículo 149.1 del TRLS/1976), así como tampoco era necesario concurso en los supuestos del artículo 149.2 (urbanizaciones de polígonos industriales).

La jurisprudencia confirmó (STSJ de Murcia de 28 de septiembre de 1998 [JUR 1998, 74253]) la innecesariedad de concurso en estos casos referidos en último lugar y flexibilizó su exigencia conforme a la propia tendencia normativa estatal que dejó de exigirlo (ya desde la disposición transitoria del RDley 5/1996, de Medidas Liberalizadoras en materia de Suelo, según la STJ de Baleares, de 2 de marzo de 2001 [RJCA 2001, 374]).

En estos supuestos, los tribunales dejaron en todo momento claro que era «deseable» la iniciativa privada, aunque con limitaciones, es decir las que se derivan de la propia concepción de la función pública urbanística y el ejercicio de las potestades discrecionales de la Administración (STS de 8 de noviembre de 1995 [RJ 1995, 8548])[25].

---

24. De ahí que esta reconducción parezca criticable, por insuficiente, a quienes propugnan el modelo valenciano (L. Parejo Alfonso/F. Blanc Clavero, *Derecho urbanístico valenciano*, Valencia, 1999, p. 383), ya que el agente urbanizador supera, como tendremos ocasión de comprobar, esta idea misma de sistemas de actuación.

25. En esta línea, la jurisprudencia dejó clara la facultad de la Administración de declarar desierto el concurso (STS de 11 de octubre de 1993 [RJ 1993, 8140]), aunque esta decisión sea discrecional y por tanto controlable judicialmente (STS de 2 de noviembre de 1994 [RJ 1994, 8489]), así como, no obstante, el matiz privatizador de esta figura que permite la iniciativa privada en la labor de programación (STS de 18 de diciembre de 2002 [RJ 2003, 101]), con las consecuencias que de ello se derivan, por ejemplo de caducidad administrativa de los procedimientos iniciados por los particulares (STS de 3 de octubre de 1990 [RJ 1990, 7835]).

e) *Tendencia privatizadora por referencia a la propia disciplina urbanística*

Por otra parte, no sólo la gestión urbanística admite un arraigo de planteamientos privatizadores mediante la creciente colaboración de los particulares (v. gr. los empresarios) en el ejercicio de las funciones públicas urbanísticas.

> Incluso la disciplina urbanística, función esencial de la Administración, sufre el influjo de estas mismas corrientes. Un ejemplo de estas afirmaciones puede ser la actual Ley 3/2004, de 30 de junio, de la Comunidad Valenciana, de Ordenación y Fomento de la Calidad de la Edificación. Se pretende en ella agilizar la concesión de licencias de obra, a través de entidades privadas de control. La Ley habilita a entidades homologadas por la Generalitat Valenciana para emitir informes sobre los proyectos de obra, función que hasta ahora realizaban los Ayuntamientos. Estas empresas cuentan con una autorización especial de la Generalitat y se encargan de revisar los planes de obra antes de ser entregados en los Ayuntamientos. Además, deben pronunciarse de forma favorable o negativa sobre los proyectos evaluados. De este modo, los Consistorios pueden ahorrarse el tiempo de examinar pormenorizadamente los numerosos expedientes que actualmente se acumulan en las oficinas municipales y que ralentizan el proceso de otorgamiento de licencias.

> En particular, los técnicos del laboratorio o entidad de control contratada por el solicitante de la licencia revisan el proyecto y, en caso de darle el visto bueno, expiden un certificado de calidad que deberá ser entregado en el Ayuntamiento, de modo que los técnicos podrán conceder la licencia municipal de obra con gran rapidez, toda vez que el expediente de obras habrá sido revisado por una entidad colaboradora de la Generalidad Valenciana.

> Igual tendencia se ha manifestado en el Derecho alemán[26]. Y en Colombia (con la figura del «curador») otorgando a entes privados la facultad de dictar licencias.

f) *La tendencia privatizadora inicial en el urbanismo convive y ha de suplantarse por una tendencia finalmente iuspublificadora*

Si inicialmente, con la Ley de 1956, se apuesta por el «urbanismo de los propietarios», después se consiguió un urbanismo más empresarial que termina por desembocar en un urbanismo contractual. La culminación del modelo habrá de ser la gestión pública con el auxilio de contratistas de obras y de servicios.

---

26. Véase mi traducción a U. BATTIS, «Influencia del Derecho comunitario europeo sobre el Derecho urbanístico de los Estados miembros. ¿Una competencia de la de la Unión Europea en materia de ordenación del territorio?», *Revista de Derecho Urbanístico,* nº 206, 2003, pp. 135 y ss.

g) El marco del nuevo TRLS/2008

Toda opción autonómica privatizadora o publificante en el plano de la gestión urbanística se enfrenta actualmente con el marco general previsto en el nuevo TRLS/2008.

Manifiesta este TRLS reiteradamente en su articulado que el urbanismo es función pública que corresponde a la Administración. Los propietarios no resultan favorecidos con la nueva ley aunque tampoco se regula la alternativa posible, es decir la gestión directa de la Administración o el urbanismo contractual empresarial, pese a que se cita éste.

Según la STC 164/2001, de 11 de julio (RTC 2001, 164), se atribuye a los entes públicos la dirección de la acción urbanística. Y, afirmada la dirección pública, se impone el fomento de la participación privada (FJ 9).

En todo caso, frente a lo que algún comentarista del nuevo TRLS/2008 ha querido deducir del articulado de este TR, no pensamos que la misma consagre el reconocimiento o triunfo del agente urbanizador, porque dicho agente (en este TRLS) se menciona pero no se regula.

Después de todas las reflexiones que se han hecho, estamos en disposición de abordar el estudio del régimen jurídico de la gestión urbanística de las legislaciones autonómicas, donde se prevén distintas formas de gestión en el marco de la iniciativa privada y la función pública urbanística.

Pero antes, quiere seguidamente terminarse el estudio de la relación entre los proyectos empresariales urbanísticos y los concursos públicos, ya que es éste un tema de especial actualidad en estos momentos y, además, nos permite completar las reflexiones anteriores sobre dicha relación entre urbanismo y contratos.

3. PROYECTOS EMPRESARIALES Y CONCURSOS PÚBLICOS

Una actuación al margen del concurso público, por parte de la Administración o de los empresarios, puede jurídicamente no reunir el nivel de calidad jurídica deseado.

Es cierto que el mundo de la concurrencia, para la realización de proyectos empresariales, no viene aún exigido con toda la claridad necesaria por la legislación administrativa.

En la práctica suele arraigar muchas veces una fase de información o publicidad sobre lo actuado, pero no de concurrencia. Piénsese en este sentido en los famosos «convenios administrativos». Lo propio es que quien aporta a la Administración un proyecto económico de especial magnitud no se vea sometido a estas exigencias inherentes a la concurrencia.

En esta línea, por otra parte, la propia legislación administrativa muestra reglas asentadas en la tradición jurídica, tales como los derechos de tanteo y retracto a favor de quienes presentan un determinado proyecto a la Administración, a fin de que, cuando se celebra un concurso, quien ha tenido la idea empresarial de interés público y lo promueve, pueda ver compensado su esfuerzo con el ejercicio del referido derecho, a efectos de ser el adjudicatario del mismo.

Sin embargo, todas estas prácticas son cada vez más discutidas, tanto los convenios sin el debido concurso, como los referidos derechos de tanteo y retracto (que la Junta Consultiva de Contratación Administrativa considera ilegales o derogados por el Derecho europeo, pese a que aún constan en el articulado de nuestras leyes), o como también la excepción a la concurrencia en caso de selección del beneficiario de la expropiación o en caso de selección del socio privado en una sociedad mixta, o como la adjudicación final a terceros de los terrenos que adquiera una sociedad pública del suelo, o como las prórrogas contractuales, o como la subrogación en la posición del urbanizador adjudicatario, o como la posibilidad de que una sociedad pública de aguas realice al mismo tiempo obra pública eludiendo el concurso para su realización, etc.

La regla de la concurrencia empieza a imponerse sobre este tipo de prácticas.

En términos generales, la concurrencia otorga legitimidad y, al menos, otorga un rasgo de bondad al proyecto que evita en parte posibles interpretaciones contrarias. Además, se favorece o respeta así la posible competencia entre empresarios.

Ningún beneficio habrá de otorgarse a quien se presente al concurso más allá de aquello que sea posible en Derecho, que sea inherente al proyecto en general y conste en las bases del concurso. Los beneficios, si los hubiere, habrán de ser, por lo tanto, objetivos, nunca a favor de una entidad concreta. Por contrapartida, habrá que poder repercutir con normalidad el coste económico de las actuaciones del licitador interesado en el adjudicatario final.

Pese a la afirmación hecha anteriormente (en el sentido de que la legislación administrativa no exige con la contundencia debida algunas veces la regla de concurrencia para el desarrollo de los proyectos empresariales) lo cierto es que es preciso dejar claro que la legislación administrativa es un buen lugar de encuentro de referencias claras que refrendan la necesidad de seguir una fase de concurrencia para la selección del empresario adjudicatario del proyecto y en su caso adquirente de suelo.

En concreto, en primer lugar, los artículos 82 y ss. del RBEL 1372/1986, de 13 de junio, ejemplifican acerca de cuál es el procedimiento en aquellos casos en que uno o varios interesados informan a la Administración de un posible proyecto empresarial de interés público. En concreto, en dichos artículos se regula un posible *iter* procedimental para este tipo de casos, empezando por la posible asunción de una Memoria por parte de la Administración, el posterior concurso de proyectos, la selección del mismo, y posterior licitación para adjudicar el proyecto (artículo 87).

Otra referencia puede encontrarse, en este contexto, en el artículo 79 del RDLeg 1/2001, de 20 de julio. O en los artículos 73 de la Ley de Costas 22/1998, de 28 de julio. O en la legislación de minas, en especial por lo que se refiere a las autorizaciones de aprovechamiento de recursos de la sección B (artículos 25 y ss. de la Ley 22/1973, de 21 de julio) o a los permisos de investigación (artículo 53 de la citada Ley).

El segundo grupo de preceptos normativos de referencia es el grupo de regulaciones existentes en materia de venta forzosa o enajenación forzosa. La publicidad y la concurrencia son exigidas por el artículo 32 de la reciente Ley del Suelo estatal 8/2007 en estos casos. Interesa también la regulación contenida en los artículos 154 (en especial 158 a 160) del TRLS/1976.

Es decir, cuando la Administración, por interés público, desea realizar una finalidad pública (edificatoria o constructiva en este caso) sobre un bien privado, dicha Administración convoca una subasta (siguiendo una ratio de concurrencia, por lo tanto) para la adjudicación del bien a un tercero que se encarga de la edificación que interesa al poder público.

La legislación autonómica urbanística más reciente extiende esta posibilidad de convocar un concurso a aquellos casos en que el empresario es quien insta el procedimiento para la «edificación» sobre parcela ajena o para la «rehabilitación» previo concurso de la edificación de tercero, o también para la «remodelación» de barrios enteros mediante su sustitución por otros barrios remodelados y con las debidas dotaciones y equipamientos.

El tercer grupo normativo de referencia es, precisamente, la legislación urbanística que ha terminado por desechar el sistema anti-concurso tradicional. El sistema «urbanístico concursal» o empresarial consiste en presentar distintas alternativas para debatir la mejor ordenación y permite que las propias empresas interesadas oferten en sus plicas (o «proposiciones jurídico-económicas») el precio del suelo del propietario.

En los proyectos empresariales urbanísticos la lógica del concurso se impone porque, de lo contrario, no se entendería por qué el proyecto ha de ejecutarlo necesariamente un determinado empresario y no otro.

De no celebrarse el concurso la actuación es sospechosa porque siempre se suscitará la duda de qué ocurre con la diferencia entre lo que el Ayuntamiento pudo ahorrarse (a través del concurso y una mejor oferta) y aquello que realmente cuesta la obra al erario público o, sobre todo, aquello que deja de recibir el Ayuntamiento. Incluso cuando la actuación local se realice de buena fe esta duda podrá estar presente.

Capítulo II

El primer modelo de agente urbanizador

1. INTERÉS DEL AGENTE URBANIZADOR

El debate en torno a la gestión del urbanismo y la iniciativa privada **empresarial** lleva, evidentemente, al «agente urbanizador», cuyo origen inmediato se sitúa en la LRAU valenciana 6/1994, y lleva también al estudio de otras legislaciones autonómicas.

Esta fórmula del agente urbanizador permite, además, por su propia esencia y configuración, ser enfocada desde el punto de vista de las **formas contractuales concesionales.** Curiosamente, aunque inaplicando la Ley de Contratos, el modelo valenciano de agente urbanizador fue el primero que, de manera decidida, materializó en la práctica una forma implícita y materialmente contractual.

Entonces, el agente urbanizador viene a presentarse como una fórmula empresarial apta para lograr realizar esa urbanización a tiempo, frente a la que los propietarios pueden resistirse, cumpliendo de esta forma con los intereses públicos, ante la inoperancia del sistema de expropiación, la lentitud y ausencia de reflejos de la Administración en el sistema de cooperación y las posibles actitudes especuladoras de los propietarios cuando impera un sistema privado de gestión (v. gr. compensación).

Veamos seguidamente las piezas esenciales de este modelo, en su versión original de la Ley 6/1994, de 15 de noviembre, Reguladora de la Actividad Urbanística de la Comunidad Valenciana y del Texto Refundido de la Ley de Ordenación del Territorio y de la Actividad Urbanística de Castilla-La Mancha, aprobado por el Decreto Legislativo 1/2004, de 28 de diciembre.

El estudio que va a hacerse seguidamente tiene el interés de informar acerca de una primera variante o modelo de agente urbanizador. Otra modalidad sería la regulación del agente urbanizador en la Ley Urbanística Valenciana (LUV) 16/2005. Y, finalmente, será preciso aludir a las demás modalidades o variantes autonómicas (contrato de concesión de obra urbanizadora, sistema de concurrencia, concertación indirecta, etc.)

El análisis que va a hacerse, en primer lugar, por referencia a la Ley de Castilla-La Mancha y la LRAU valenciana tiene interés porque pone de manifiesto un posible modelo de agente urbanizador, aunque en parte tiene un sentido histórico, en tanto en cuanto la LRAU Valenciana se ha derogado por la citada LUV, pero que permite presentar y comprender mejor las regulaciones de la actual LUV, sin perjuicio de que muchas reglas son válidas actualmente, no sólo porque la LUV las incorpora sino también porque en Castilla-La Mancha son la legislación aplicable (Decreto Legislativo 1/2004, de 28 de diciembre, por el que se aprueba el Texto Refundido de la Ley de Castilla-La Mancha de Ordenación del Territorio y la Actividad Urbanística, LOTAU). Además también lo son en parte en otras CCAA. En definitiva estamos ante el modelo base de agente urbanizador regulado en clave urbanística, no contractual.

2. CARACTERÍSTICAS DEL MODELO INICIALMENTE VALENCIANO DE AGENTE URBANIZADOR: LA GESTIÓN URBANÍSTICA COMO EJE DEL SISTEMA NORMATIVO, LA AFIRMACIÓN DE UNA DETERMINADA IDEA DE PROGRAMACIÓN Y UN PARTICULAR ENTENDIMIENTO DE LA IDEA DE CONCURRENCIA

A. La primacía de la gestión urbanística dentro del sistema normativo

a) La superación de un modelo de varios sistemas de gestión por un modelo abierto de gestión

El agente urbanizador representa un modelo de gestión que aglutina rasgos y formas de los sistemas clásicos de gestión previstos en la legislación estatal (en especial cooperación y compensación), hasta el punto de que consigue superar las diferencias entre los distintos modos de gestión (y la propia idea de «sistemas»), imponiendo en su lugar un único modelo de gestión (v. gr. el «agente urbanizador») con caracteres polifacéticos que permitirán acudir a una variante de «agente urbanizador directo» (cuando la propia Administración decide acometer la programación y gestión del suelo) o «indirecto» (cuando esto mismo es llevado a cabo por un empresario, sea o no propietario del suelo).

No existen, pues, a diferencia de otras Comunidades Autónomas, distintos sistemas de gestión. Más bien, el modelo de agente urbanizador implica un sistema donde se recogen rasgos propios del sistema de compensación (en efecto, el factor propiedad no se obvia, ya que el 50% de la propiedad pueda llegar a tener un derecho de adjudicación preferente), del sistema de cooperación (en tanto que la Administración –Ayuntamiento– tiene una clara posición directora, a diferencia del sistema de compensación y al igual que en el modelo de agente urbanizador) o del sistema de expropiación (pues, por ejemplo, los propietarios que no deseen integrarse en el proceso organizador, ya sea con el modelo valenciano de agente urbanizador, ya sea con el modelo clásico de la compensación, pueden solicitar ser expropiados por el simple hecho de que no quieren participar en el proceso urbanizador).

El modelo valenciano de gestión tiene la virtualidad de aunar una serie de características comunes para cualquier variante final de gestión (directa o indirecta), ya que el procedimiento de programación y elección del agente es único, aunque ofreciendo la posibilidad finalmente de ajustar el modo de gestión (pública o privada, directa o indirecta) al caso concreto y, en especial, las cláusulas concretas que convengan propietarios y urbanizador.

Curiosamente, si el motivo de la legislación urbanística estatal (diferenciando distintos modelos de gestión) estaba, lejos de imponer un solo sistema, en abrir el elenco de posibilidades para flexibilizar el marco de la gestión urbanística, el modelo valenciano aúna los modos de gestión, porque sería ésta la forma de lograr aún una mayor flexibilidad en la gestión urbanística.

Esto se entendería considerando que la LRAU afirmó, en realidad, tantos sistemas como Programas sea posible concebir y aprobar, ya que cada Programa inventa el modelo o *sistema* propio de gestión en función del caso concreto que se plantee.

No se trataría (como piensa el modelo tradicional estatal) de afirmar *varios* modos o sistemas de gestión o actuación. Más bien (según la LRAU), han de poder afirmarse tantos sistemas de gestión (en realidad, programas) como la realidad social sea capaz de inventar.

Deja de existir, en puridad, una dualidad entre sistemas públicos y sistemas privados de gestión urbanística, a diferencia de la legislación estatal tradicional e incluso de la mayoría de las legislaciones autonómicas vigentes. En el modelo valenciano la urbanización es función pública en el sentido más estricto de la expresión, aunque (curiosamente) abriendo así la puerta a una gestión empresarial y privada en el sentido igualmente más estricto de la expresión.

El agente urbanizador pretende un sistema de colaboración de la iniciativa privada en la actividad pública de urbanizar. Diríamos, igualmente, que tras la LRAU, con su sistema único, pero abierto, de agente urbanizador (basado en la generalización de una fase de concurrencia) consigue extender este principio de concurrencia (a diferencia de la legislación urbanística estatal) a aquellos casos en que el propio propietario quiera ser agente urbanizador.

Todas estas reflexiones que acaban de hacerse son la base del modelo de agente urbanizador y siguen presentes tanto en la LUV valenciana como en la LOTAU de Castilla-La Mancha.

b)   La «gestión», determinante de la propia clasificación del suelo

El propio tema de las clases de suelo (el cual tradicionalmente precede al tema de la gestión del planeamiento) fue enfocado por la LRAU valenciana desde la perspectiva de la gestión urbanística que primaba en esta Ley. En esta línea, se ha dicho, que «el peso de la programación temporal de la actividad urbanística pasa del planeamiento a la gestión»[27]. De ahí que, para la sentencia del TSJ de la Comunidad Autónoma Valenciana de 20 de noviembre de 1998 (RJCA 1998, 4202), toda coincidencia (entre la legislación estatal y la valenciana, sobre la definición del suelo (en particular el urbano) «es sólo inicial, pues aunque ciertamente, lo mismo que en la Ley estatal, la clasificación de suelo urbano se reserva a aquellas áreas en las que la realidad de lo existente se impone, y en consecuencia la capacidad de proyección del Plan es menos significativa, *el concepto legal de suelo urbano que diseña la Ley Valenciana es totalmente novedoso,* en cuanto que, como afirma la exposición de motivos pierde el "... objetivismo unilateral de la legislación anterior..."»[28].

---

27.   M. F. Gómez Manresa, *El particular en la gestión urbanística,* Valencia, 2006; J. E. Soriano/C. Romero Rey, *El agente urbanizador,* Madrid, 2004; J. C. Tejedor Bielsa, en M. A. Rueda Pérez (director), *Perspectivas del régimen del suelo, urbanismo y vivienda,* Madrid, 2003, p. 84.

28.   Sigue diciendo esta sentencia: «Allí, en la legislación estatal, tenía la consideración de suelo urbano aquel que reuniera las condiciones que señalaba el art. 78 del Texto Refundido de 1976 (10 del Texto Refundido de 1992). Aquí, *en la Norma Valenciana, suelo urbano, es simplemente el que la norma ha decidido clasificar como tal, incorporándolo al proceso urbanístico* para que se desenvuelva mediante actuaciones aisladas. La Ley valenciana se ha desligado manifiestamente de lo fáctico, decidiéndose por lo estrictamente normativo, y ha provocado una fractura en la conocida vinculación entre elementos de hecho y clasificación de suelo».

No obstante, con la nueva LUV, tal como tendremos ocasión de comprobar, el rigor de la LRAU sobre este punto se ha atenuado (véase el capítulo siguiente) y, por su parte, tampoco el Texto Refundido de la Ley de Castilla-La Mancha de Ordenación del Territorio y la Actividad Urbanística se manifiesta con esta rigidez.

B. La presencia del compromiso inversor

Para llevar a cabo una urbanización (y de forma simultánea o posterior una edificación) hace falta (conforme a la LRAU) dos cosas: una ordenación pormenorizada (mediante el planeamiento, es decir el propio Plan General o Plan Parcial, según) y una programación para ejecutar esa ordenación pormenorizada (mediante el llamado Programa para el desarrollo de Actuaciones Integradas cuya finalidad es, como su propio nombre indica, planificar la realización de Actuaciones Integradas).

En la práctica, el *quid* del modelo valenciano está en permitir que, simultáneamente, pueda presentarse el planeamiento, la programación (e incluso la reclasificación del suelo). En todo caso, *financia* el empresario (más bien los bancos), no la Administración, si bien *pagará* el propietario (quien se beneficia de la urbanización).

Estas características, nuevamente, siguen presentes con la nueva LUV 16/2005 de la misma Comunidad Valenciana.

Aunque la iniciativa de programación puede ser pública, la virtualidad del modelo valenciano estaría en facultar, a la iniciativa privada (y no sólo al propietario), la introducción de un procedimiento de programación.

De hecho, es así como el modelo de agente urbanizador es conocido en la práctica. Los logros e inconvenientes del agente urbanizador se derivan de permitir que sea el propio sector privado (en especial, los empresarios urbanistas) quien pueda disponer de dicha iniciativa.

La LUV comparte, en esencia el mismo planteamiento de la LRAU, es decir que las iniciativas de programación prosperen si cumplen dos requisitos: la satisfacción razonablemente del interés público y el respaldo efectivo de un compromiso inversor.

C. La forma de plasmar el principio de concurrencia en el procedimiento de aprobación de los programas para el desarrollo de actuaciones integradas

También la plasmación del **principio de concurrencia** impregna el sistema normativo y la práctica urbanística hasta el punto de erigirse en una de sus características esenciales. En principio, la concurrencia pretende, lógicamente, que puedan competir todos aquellos interesados en presentar alternativas de ejecución, a efectos de una mejor consecución de los intereses públicos (artículos 5.3 y 45 de la LRAU). Sin embargo, según la LRAU, no son necesarias **unas bases** de concurso para que pueda celebrarse éste y, de existir, tendrán un carácter orientativo (igualmente, STSJ de Valencia de 23 de noviembre de 2000 [RJCA 2001, 287]). No es desde luego común este sistema. Curiosamente, la exacerbación misma de la concurrencia, en vez de su excepción, sería lo que explica esta singular forma de entender la concurrencia por la LRAU, en aras de fomentar al máximo la competencia, sin poner cortapisas de ningún tipo a la iniciativa privada, para que se presenten el mayor número de alternativas técnicas.

Aunque este mismo sistema sigue vigente al menos en el Decreto Legislativo 1/2004, de 28 de diciembre, por el que se aprueba el Texto Refundido de la Ley de Castilla-La Mancha de Ordenación del Territorio y la Actividad Urbanística, finalmente, la LUV ha sustituido esta vez este sistema e introducido otro en su lugar que se amolda al procedimiento de concurrencia de la legislación contractual pública[29].

---

29. Las claves del sistema originario de agente urbanizador, de la LRAU de la Comunidad Valenciana y de la LOTAU actual de Castilla-La Mancha son en este sentido:
   –En aras de la mayor concurrencia, cabe prorrogar los plazos para presentar alternativas (artículo 46.4 de la LRAU; artículo 120.5 segundo párrafo de la LOTAU; sentencia del TSJ de la Comunidad Autónoma Valenciana 27 de abril de 2001 [RJCA 2001, 1558]).
   –Se permite a los «competidores a asociarse uniendo sus proposiciones» después de abiertas las plicas (artículo 46.5 de la LRAU).
   –Además, quien formule la alternativa técnica original que sirva de base para la aprobación del programa, puede subrogarse en el lugar y puesto del adjudicatario particular elegido, asumiendo y garantizando los mismos compromisos, garantías y obligaciones impuestos a éste (artículo 122.5 segundo párrafo de la LOTAU de Castilla-La Mancha; STSJ de la Comunidad Autónoma Valenciana de 13 de julio de 2001 [JUR 2001, 274834] y sentencia del TSJ de la Comunidad Autónoma Valenciana de 31 de octubre de 2002 [RJCA 2003, 316]; y de la misma Sala sentencia de 9 de diciembre de 2003 [JUR 2004, 165179] y de 29 de diciembre de 2005 [JUR 2006, 106353], donde se explican ciertas excepciones a la subrogación, de interés práctico, siguiendo el artículo 47.5 de la LRAU, es decir para cuando el adjudicatario seleccionado lo haya sido «atendiendo a las mayores posibilidades de colaboración de los propietarios afectados que hubiera ofrecido y garantizado»; igualmente, STSJ de la CV de 12 de julio de 2005 [JUR 2005, 207027] y de 3 de diciembre de 2002 [RJCA 2003, 265] y de 18 de mayo de 2004 [JUR 2005, 2476]).
   –El adjudicatario puede renunciar a la adjudicación si ésta supone compromisos distintos de los que él ofreció (artículo 122.6 de la LOTAU de Castilla-La Mancha; STSJ de la CA Valenciana de 21 de septiembre de 2000 [JUR 2001, 58067]).
   –Por otra parte, se prevé una garantía de reembolso, a favor de la persona que no resulte adjudicataria y formule iniciativas («alternativas, estudios o proyectos»), pero limitada, ya que el reembolso se ciñe al caso en que aquéllas se *incorporen (total o parcialmente) al Pro-*

D. El sistema desde el punto de vista de las garantías de los propietarios

Ha de quedar claro que, en esta fase de aprobación del Programa y de selección del urbanizador, el sistema normativo del agente urbanizador de las Comunidades valenciana y castellano-manchega no se refiere, en puridad, a los propietarios. Más bien, se abren opciones y se prevén garantías a favor de las «personas» o «concursantes» que quieran *solicitar* del Alcalde que éste someta a información pública, para debate, una alternativa o proposición, en aras de la mayor concurrencia posible.

No obstante, es claro que un examen de ambas legislaciones, sobre el particular, tiene especial interés en relación con los propietarios, primero, porque son los sujetos directamente interesados en la urbanización que les afecta, segundo porque la fibra sensible del sistema está en las garantías del propietario frente a posibles abusos del urbanizador, y, tercero, porque la propia aplicación práctica de la LRAU llevó a verlo así.

Por tanto, interesa subrayar la posibilidad de presentar alternativas o proposiciones, frente al tercero que pretende erigirse en urbanizador, desde el punto de vista de las garantías no sólo de las «personas o concursantes» sino también, y muy especialmente, de los propietarios. Pero, junto a estos derechos que indirectamente pueden llegar a beneficiar a la propiedad, la LRAU contempló (y los artículos 118.2 y 123 de la LOTAU de Castilla-La Mancha contempla) otros derechos o garantías, por referencia a esta misma fase de aprobación del programa y selección del urbanizador, que directamente atañían al propietario (el derecho a solicitar la expropiación y, con matices, el régimen de adquisición preferente –STSJ de la Comunidad Valenciana de 28 de junio de 2003 [JUR 2004, 24237]–).

Así pues, singular de la LRAU 6/1994 es que la propiedad mayoritaria tenga que someterse a un concurso. Gozaba entonces de adjudicación preferente. Sólo.

Con la LUV 16/2005, el derecho a ser expropiado se mantiene, así como las claves del sistema, aunque el propietario deja de tener un régimen de adjudicación preferente.

En vigencia de la LRAU podía decirse que el alto coste de las «alternativas técnicas», o incluso de las «proposiciones jurídico-económicas» disuadía

---

grama aprobado o sean útiles para su ejecución (artículo 47.5 de la LRAU y artículo 122.5 primer párrafo de la LOTAU de Castilla-La Mancha).

a los propietarios de presentar una u otra, ante la incertidumbre del resultado final[30]. Esta afirmación es sostenible tras la LUV.

Junto a este factor, en el modelo de la LRAU y de la LOTAU de las Comunidades valenciana y castellano-manchega no puede obviarse el dato de los reducidos plazos para la presentación de las alternativas, frente a los prolongados plazos de que dispone el «urbanizador inicial» para debatir contenidos con el Ayuntamiento y para presentar cómodamente sus propuestas.

Después de que el borrador inicial de la LUV optara por ampliar los plazos, finalmente, ha introducido un modelo diferente de tramitación de los PAIs, quiriendo así resolver este problema.

Otro problema, con la LRAU de la Comunidad Valenciana (artículo 46.3), y con el artículo 120.4 del Decreto Legislativo 1/2004, de 28 de diciembre, por el que se aprueba el Texto Refundido de la Ley de Castilla-La Mancha de Ordenación del Territorio y la Actividad Urbanística, era o es que «no es preceptiva la notificación formal e individual a los propietarios afectados, pero, antes de la publicación del edicto, habrá que remitir aviso con su contenido al domicilio fiscal de quienes consten en el Catastro como titulares de derechos afectados por la Actuación propuesta» (sentencia del TSJ de la Comunidad Autónoma Valenciana de 13 de julio de 2001 [JUR 2001, 274834]). Sin embargo, la LUV no altera este sistema.

Las garantías más eficaces se encuentran en el seno del propio procedimiento de aprobación del programa y de selección del urbanizador. Ahora bien, la persona no seleccionada puede entender que la decisión adoptada por el Ayuntamiento está viciada. Y la impugna.

Una primera garantía es, entonces, la motivación. Dicho Ayuntamiento ha de elegir motivadamente la mejor de las alternativas técnicas de las que hayan sido presentadas. Si la decisión de adjudicación del Programa en un agente urbanizador no está motivada, se anula la adjudicación, tal como establece por ejemplo la STSJ de Valencia de 27 de abril de 2001 (RJCA 2001, 1558) o en el mismo sentido ya el TS, respecto de las adjudicaciones de los PAU (STS de 13 de diciembre de 1988 [RJ 1988, 9781][31]).

Para decidir cuál es la mejor de las alternativas, tanto la LRAU (artículo 47.2) como la LUV prevén unos criterios reglados, aunque con margen interpretativo, como suele ser común en estos casos.

---

30. En realidad, el propietario, frente a una urbanización, viene a tener cuatro niveles de protección, por este orden (de mayor a menor garantía pero también coste económico): «alternativas técnicas», «proposiciones jurídico-económicas», «alegaciones», o simplemente esperar y acudir directamente a la jurisdicción contencioso-administrativa interponiendo el pertinente «recurso contencioso-administrativo». Este planteamiento es válido tras la LUV.

31. Se exige la motivación también por la sentencia del TSJ de la Comunidad Autónoma Valenciana de 13 de julio de 2001 (JUR 2001, 274834); muy ilustrativa es la sentencia de 31 de enero de 2003 (RJCA 2003, 336), a la que ños remitimos, FJ 4°; también se anula la adjudicación del Programa por falta de motivación y ausencia de información pública por la sentencia del TSJ, de 25 de noviembre de 2002 (JUR 2003, 72817).

La práctica nos aporta claros ejemplos de **control judicial** sobre decisiones de adjudicación a agentes urbanizadores de programas de actuación integrada. Así, la sentencia del TSJ de la Comunidad Autónoma Valenciana de 27 de abril de 2001 (RJCA 2001, 1558), después de analizar la decisión municipal, llega a la conclusión de que «de lo anteriormente expuesto se desprende sin género de dudas la arbitraria actuación del Ayuntamiento de Villajoyosa, que favoreció de forma incomprensible una alternativa de PAI sin más fundamento que su propia voluntad, en contra del sentido común y de los intereses públicos y privados afectados, pretendiendo justificar tal adjudicación en base a argumentos que no responden a la realidad ni afrontan con seriedad las exigencias legales, en una clara manifestación de desviación de poder».

La consecuencia de tal actuación será, a juicio del TSJ, «la declaración de nulidad del acuerdo plenario de 8 de abril de 1997, debiendo reconocer el derecho de la sociedad actora a que se le adjudique la ejecución del PAI de la UE nº 1 del Sector 12 y la condición de agente urbanizador por ser indudable que, ante alternativas técnicas y proposiciones económico-jurídicas similares, la propuesta de Jónico Mediterráneo, SL, resulta más idónea a tenor de los criterios legalmente establecidos (art. 47 LRAU)».

Por tanto, en nuestro Derecho los órganos jurisdiccionales declaran con toda normalidad el mejor derecho de un «licitador» sobre otro. Distinto es el modo de llevar a efecto dicha declaración jurídica. En esta cuestión merece también la pena detenerse.

Una posibilidad, siempre indeseable frente a aquella otra de adjudicar el programa a la entidad con mejor derecho, es la **indemnizatoria.** La sentencia citada en último lugar es un ejemplo: «la mercantil Jónico deberá ser indemnizada por la Corporación demandada en cuantos daños y perjuicios se deriven del anterior pronunciamiento y de su ejecución, en aplicación de los arts. 139 y ss. de la Ley 30/1992 (...)».

En cambio, en la sentencia del mismo TSJ, de 25 de noviembre de 2002 (JUR 2003, 72817), la Sala descarta expresamente la opción indemnizatoria, como modo de restitución de la posición jurídica del recurrente que vence en el proceso, ya que, una vez anulada la adjudicación y declarado el mejor derecho de aquél, «con la **retroacción de actuaciones** al momento que el Ayuntamiento debió resolver sobre la petición del actor (es decir, "el momento en que debió resolverse sobre la propuesta técnica presentada") queda restablecida su situación jurídica individualizada».

En la práctica hay que considerar los plazos de impugnación de la decisión de selección del urbanizador o de la aprobación de la reparcelación. A veces los propietarios se preocupan por la urbanización cuando comienzan las obras. Y, entonces, será tarde para reaccionar procesalmente.

La relación entre el urbanizador y el propietario, cuando ambos sean particulares, se articulará, preferentemente, sobre los acuerdos que libremente puedan convenir, aunque respetando el marco legal y el Programa aprobado por la Administración (decía ya la exposición de motivos y el artículo 66.1 de la LRAU y dice el artículo 118 de la LOTAU de Castilla-La Mancha).

En este sentido, es posible que en la práctica, durante el proceso de selección del urbanizador, se produzca algún convenio o acuerdo entre ambos. De ahí, primeramente, el interés de poder participar en los procedimientos administrativos de selección del urbanizador. Incluso se ha dado el caso de que el Ayuntamiento condiciona la aprobación del Programa al hecho de un determinado acuerdo previo con los propietarios, quienes, en efecto, no tienen por qué ser siempre sujetos enfrentados al urbanizador, por poder representar una posición interesada en la consecución del mismo.

El problema jurídico fundamental, en esta nueva fase posterior a la aprobación o adjudicación referidas, vendrá referido a la determinación de la contraprestación que los propietarios de los terrenos tienen que satisfacer al urbanizador en concepto de obras de urbanización.

En principio, esta deuda que surge con el desarrollo del Programa podrá abonarse de dos modos. El propietario podrá o bien limitarse a aportar su terreno originario y recibir a cambio un solar urbanizado o bien podrá aportar financiación para ejecutar la urbanización. Lógicamente, si el propietario retribuye al Urbanizador sufragando una aportación dineraria tendrá derecho a más porción de solares que si se limita a aportar el terreno sin contribución monetaria.

La jurisprudencia confirma la preferencia de la LRAU «**por la retribución a través de parcelas** edificables, que es la modalidad finalmente aplicada al actor» (sentencia del TSJ de la Comunidad Valenciana de 9 de julio de 2002 [JUR 2003, 77309]).

En particular, será a través de la **reparcelación** forzosa como se retribuirá al urbanizador por su labor (ya sea adjudicándole parcelas edificables, ya sea afectando las parcelas edificables resultantes a sufragar esa retribución).

La reparcelación servirá además para regularizar urbanísticamente la configuración de fincas y adjudicar a la Administración los terrenos (tanto dotacionales como edificables) que legalmente le correspondan y finalmente permutar forzosamente las fincas originarias de los propietarios por parcelas edificables, que se adjudicarán a éstos según su derecho (artículos 92 y ss. del Decreto Legislativo 1/2004, de 28 de diciembre, por el que se aprueba el Texto Refundido de la Ley de Castilla-La Mancha de Ordenación del Territorio y la Actividad Urbanística).

La sentencia del TSJ de la Comunidad Autónoma Valenciana de 16 de marzo de 2001 (JUR 2001, 273699) verifica los criterios de «reparto del coste de los gastos de urbanización, el cual normalmente deberá hacerse, en función de las cuotas de participación de cada uno de los interesados, o en función de los metros cuadrados que se le adjudiquen, pues de lo contrario se establecerán disfunciones, difícilmente justificables desde la perspectiva del justo reparto de los derechos y las cargas del planeamiento».

De ahí que «resulta absolutamente injustificado que a unos propietarios se les impute el metro cuadrado urbanizado a razón de 2.900 pesetas, a otros, a razón de 3.500, y a otros, finalmente a razón de 3.700 pesetas. Y está absolutamente injustificado porque, con esta operación, se discrimina, y se reparten de forma no equitativa dichos costes». «Pudiera ocurrir, y con esto no queremos santificar de manera genérica, esta forma de operar, que a través de la discriminación en el reparto de los gastos de la urbanización que se ha apuntado, se pretendieran compensar diferencias de localización, pues la importancia, la situación relativa, o las expectativas, de las parcelas adjudicadas, pudiera no ser coincidente.

Aparte de que estas diferencias, normalmente deberán compensarse con la aplicación de coeficientes correctores de localización, lo cierto es que, en el caso de autos, la Administración ni ha alegado, ni ha probado nada por el estilo, con lo que debe imponerse el principio de igual equidistribución más arriba puesto de manifiesto» (sentencia del TSJ de la Comunidad Autónoma Valenciana de 16 de marzo de 2001 [JUR 2001, 273699]).

Otro ejemplo, ilustrativo de control judicial (y de aplicación de principios tales como el de igualdad), puede ser la sentencia del TSJ de la Comunidad Autónoma Valenciana de 11 de diciembre de 2002 (RJCA 2003, 267): «habrá que examinar si esa diferencia de valor, queda compensada con la aplicación del coeficiente corrector del 1,15. Todo el ámbito de la UE B– NUM004 reparcelable, se valora uniformemente respecto a su localización, y, multiplicando los coeficientes adoptados se obtiene el aprovechamiento objetivo que le corresponde a cada propietario. A la demandante le correspondía por la superficie aportada según su aprovechamiento subjetivo 1.876.26 m^2, habiéndosele adjudicado una parcela de 460,73 m^2 con un aprovechamiento corregido (edificabilidad) de 1.893,46 m^2/t. Pues bien, con ese aprovechamiento corregido la depreciación continúa sin compensar en la suma de 4.122.128 ptas.». «En méritos a lo expuesto, procederá la estimación parcial del recurso, en el extremo en que el Proyecto de Reparcelación no aplicó un coeficiente corrector adecuado que compensase la depreciación de la parcela adjudicada a la demandante».

En la STSJ de 4 de julio de 2002 (JUR 2003, 69832) se anulan las liquidaciones definitivas, en cuya virtud el particular debía abonar una compensación económica derivada de exceso de adjudicación, por haber transcurrido los cuatro años que establece el artículo 41 del TRLS/1992[32].

Pero también viene admitiéndose la impugnación de la **liquidación provisional de los gastos de urbanización.** En la sentencia del TSJ de la Comunidad Autónoma Valenciana de 16 de marzo de 2001 (JUR 2001, 273699) la Sala se plantea si una liquidación provisional de gastos de urbanización es **susceptible de impugnación separada,** por tratarse de un mero acto de trámite, de forma tal que la cuestión relativa al importe de los gastos sólo puede y debe ser examinada cuando se gire la liquidación definitiva. Frente a esta interpretación la Sala apoyándose en que «hay que tener presente que, el principio de tutela judicial efectiva aconseja reducir al mínimo los actos excluidos de impugnación, pues no pocas veces, bajo la apariencia de simples actos de trámite, se encubren auténticas resoluciones, de forma tal que, para delimitarlos, habrá de estarse a la verdadera naturaleza del acto más allá de la simple abstracción que comporta su calificación» afirma que «*nadie discute la provisionalidad de las liquidaciones urbanísticas, pero ello no quiere decir que no sean actos que pongan fin a la vía administrativa, y que su verdadera naturaleza, transciende a la mera calificación de acto de trámite, no sólo a causa de su ejecutividad, reconocida por la LRAU y por el RGU, sino también por las cargas que impone al administrado, que son provisionales, sólo porque son a cuenta, no porque se trate de actos de trámite, que sólo establecen obligaciones procedimentales y no de fondo*».

Este criterio parece además exigible hoy a la luz de la sentencia del Tribunal de Justicia de las Comunidades Europeas de 15 de mayo de 2003 (TJCE 2003, 138) (que resuelve el asunto 214/00), donde se obliga al Reino de España a plasmar la recurribilidad de los actos de trámite (en un contexto contractual no del todo ajeno al de la sentencia referida, de 16 de marzo de 2001 [JUR 2001, 273699]).

3. LOS PROBLEMAS PRINCIPALES EN VIGENCIA DE LA LRAU (EXPLICACIÓN DE LA NUEVA LUV). EN PARTICULAR EL PROBLEMA DE LA URBANIZACIÓN DE LOS TERRENOS YA EN PARTE URBANIZADOS

Uno de los problemas fundamentales de la LRAU ha sido permitir otor-

---

32. Otros supuestos de revisiones de reparcelaciones o de unidades de ejecución son los que enjuician las SSTSJ de la Comunidad Autónoma Valenciana de 29 de abril de 2002 (JUR 2003, 179664); de 7 de junio de 2002 (JUR 2003, 69580); de 17 de julio de 2001 (JUR 2001, 275014); de 13 de julio de 2001 (JUR 2001, 274834) aplicando los principios de proporcionalidad y equidistribución de beneficios y cargas; de 9 de julio de 2001 (JUR 2001, 274539), de 21 de octubre de 2002 (JT 2003, 435), etc.

gar un tratamiento indiferenciado a las urbanizaciones con edificaciones consolidadas y a las urbanizaciones sobre simples terrenos sin edificar. En estos últimos casos, la LRAU no ha dado lugar a críticas relevantes porque el propietario podría ver fácilmente la rentabilidad de la urbanización en curso. En cambio, aplicar el régimen de cesiones y de gastos de urbanización a los propietarios con edificaciones en un suelo no urbanizable que pasaba a ser urbanizable ha sido complejo. De ahí que la nueva LUV pretenda dar una solución al problema, aunque limitándose a prever un canon de urbanización, posponiendo pues el pago (por los afectados) a un momento ulterior siempre que no estemos ante una implantación de servicios *ex novo*. Cuando se urbanizaba, el propietario podía estar en una de estas tres situaciones (en suelo no urbanizable):

– Vivienda familiar aislada con autorización y con superficie superior a la parcela mínima.

– Vivienda familiar aislada que consigue una licencia de obras del Ayuntamiento aunque sin superar la parcela mínima.

– Vivienda sin licencia.

Las dos últimas situaciones son irregulares jurídicamente. Cuando la situación es irregular puede recaer una orden de demolición y una sanción administrativa que, según la interpretación correcta del TRLS/1992, decae al cabo de cuatro años. El trascurso de este plazo no impide, no obstante, que el propietario tenga que asumir sus obligaciones urbanísticas derivadas de la nueva urbanización en su zona. Y es negativo que el Derecho no diferencie esencialmente entre el propietario en regla (en la primera de las situaciones comentadas: vivienda familiar aislada con autorización y con superficie superior a la parcela mínima) de aquellos otros dos en situación irregular, a la hora de obligar a asumir los gastos de urbanización[33].

Para evitar que la urbanización del terreno significara la imposición sin más de cesiones y gastos de urbanización, aunque en su día los propietarios hubieran pagado ya dichos gastos, el TSJ de la Comunidad Valenciana ha venido declarando que no es de recibo exigir dos veces el pago de los mismos gastos de urbanización. La LRAU y su régimen indiferenciado ha podido originar algún abuso, aunque estos propietarios deben ser conscientes de que les corresponde asumir su parte en la urbanización.

---

33. En este contexto, F. Castillo Blanco, *Régimen jurídico de las actuaciones urbanísticas sin título jurídico habilitante*, Pamplona, 2006.

También puede ocurrir que la parcela no alcance la superficie mínima impuesta en el nuevo planeamiento. En la práctica generalmente se les concede el derecho a permanecer donde están, abonando la cantidad necesaria para mantener la parcela mínima. Se evita así una aplicación rigurosa de la normativa, que podría hacerse.

Por contrapartida, sólo el hecho del otorgamiento de una mayor edificabilidad en la zona justificaba el cumplimiento de los deberes urbanísticos por parte de este tipo de propietarios.

A veces se llegaba también a un acuerdo entre urbanizador y propietarios aplicándose un descuento (de un 20 ó 30% de los gastos de urbanización) en favor de los propietarios con edificaciones en suelo no urbanizable que se convierte en urbanizable.

Por otra parte, se ha acusado que la legislación valenciana, a diferencia de otras legislaciones autonómicas, no contiene criterios claros para distinguir el suelo urbano consolidado del suelo urbano no consolidado, pues ni siquiera existe, propiamente, un concepto material de suelo urbano, ya que, como ya nos consta, éste se define por su posible aplicación de sistemas de gestión aislada (artículo 9.2 de la LRAU), hecho que provoca la posibilidad de que se incluyan en unidades de ejecución (a desarrollar mediante actuaciones integradas) no sólo aquellos terrenos clasificados como suelo urbano y que se encuentran parcialmente urbanizados a falta de algún elemento urbanístico que podría ser implantado a través de una actuación aislada, sino, incluso, también solares, y ello con la intención de que los propietarios que en muchos casos ya cumplieron con las cargas que les correspondían o financiaron en su día la ejecución de las infraestructuras urbanísticas existentes, cedan suelo para dotaciones públicas, el 10% de aprovechamiento urbanístico, y tengan que abonar las cargas de urbanización al urbanizador y adquirir el aprovechamiento necesario para conservar su parcela actual y, en caso de no quedar aprovechamiento suficiente en la unidad, padecer la pérdida de la porción resultante[34].

De ahí que, en términos jurídicos, interese poner de manifiesto algunos criterios o límites jurídicos que extraemos de la jurisprudencia.

En las sentencias de 30 de diciembre de 2002 (JUR 2003, 75092) y de 2 de noviembre de 2001 se ha planteado la cuestión relativa a la posibilidad de incluir solares en el ámbito de un Programa de Actuación Integrada. La jurisprudencia termina con una alusión a la jurisprudencia constitucional, poniendo límites a la LRAU.

De la sentencia de 2 de noviembre de 2001 vamos a presentar, para facilitar su lectura y comprensión, las siguientes reglas del modo que sigue:

– Los Programas para el Desarrollo de una Actuación Integrada tienen en

---

34. La crítica es muy conocida y consta, por ejemplo, en la resolución de 2º de abril de 2004, del Síndico de Agravios, de la Comunidad Valenciana y, por supuesto, en las frecuentes alegaciones de colectivos tales como Abusos Urbanísticos No.

nuestro ordenamiento jurídico como objetivo central la urbanización y la, posterior o simultánea, edificación del suelo urbanizable (...).

– Carece de sentido el someter a este régimen a solares ya edificados y respecto de los que se ha patrimonializado –por tanto– el aprovechamiento (conforme a la Disposición Transitoria Quinta, primero, del TRLS 1992; norma no declarada incompatible por la Disposición Final Primera de la Ley Valenciana 6/1994, no declarada nula por la Sentencia del Tribunal Constitucional 61/1997 y no derogada por la Ley 6/1998).

– Esto es así porque el cumplimiento de los objetivos y fines de la institución no guardan relación con la condición previa de solares edificados, en tanto que no deben participar en las cesiones para la adquisición gratuita por la Administración.

– Esto es así también porque lo contrario supondría la incardinación de un terreno cuya calificación y clasificación ya está predeterminada en un proceso transformativo que le es ajeno.

– También porque dicho terreno no va a adquirir una condición de solar que ya ostenta.

– Asimismo, porque no viene ni legal, ni conceptualmente, obligado, el terreno a participar en mecanismos de equidistribución de cargas y a la participación pública en las plusvalías urbanísticas, pues ha patrimonializado las facultades urbanísticas en su totalidad.

– Por lo demás, la inclusión en la delimitación de la Unidad de Ejecución de los solares en litigio carece asimismo de respaldo normativo, en cuanto a la propia regulación de la institución, pues el artículo 33 de la Ley 6/1994 señala como fin (de la delimitación) el acotar los terrenos que forman el ámbito completo de una Actuación Integrada o una de sus fases y, en este orden, «incluirán todas las superficies de destino dotacional precisas para ejecutar la Actuación y, necesariamente, las parcelas edificables que, como consecuencia de ella, se transformen en solares».

– En consecuencia, no es pertinente la inclusión en la Unidad de Ejecución de las parcelas que no precisan de actuación alguna para convertirse en solares, por no verse afectadas en su consolidación como tales solares por la acción urbanística que se va a desarrollar con la Actuación Integrada cuyo ámbito, total o secuencial, se delimita mediante la Unidad de Ejecución[35].

En conclusión, «la delimitación de la Unidad de Ejecución 2 "Santa Bár-

---

35. Añade la sentencia: «en el mismo sentido, la previsión del apartado sexto del mismo artículo 33 indica la improcedencia de incluir los solares edificados dentro de la Unidad de Ejecución, al afirmarse que los Programas podrán redelimitar el ámbito de las Unidades de Ejecución y podrán, dentro de ello, extender el ámbito de la Unidad a cuantos terrenos sean necesarios para conectarla a las redes de servicios existentes en el momento de programar la Actuación y a las correlativas parcelas que proceda también abarcar para cumplir lo dispuesto en el apartado primero del mismo precepto, "pudiendo incluir suelo urbano cuando sea preciso"; lo cual indica que para poder incluir suelo urbano (esto es el que el planeamiento haya considerado como susceptible de actuación aislada para ser transformado en solar) dentro de una Unidad de Ejecución es preciso que ello sea necesario para transformar parcelas en solares, por lo que no será admisible la inclusión en la inicial delimitación de la Unidad de parcelas que ya ostentan tal cualidad».

bara" incluye el terreno de la actora, que tiene la consideración de suelo urbano consolidado y solar, y el Programa y Proyecto le impone obligaciones distintas de las establecidas para dicho suelo en la Ley 6/1998 e incluso en Texto Refundido de 1976».

Otra jurisprudencia tiene, igualmente, interés porque, además de servir para reafirmar la doctrina anterior, nos presenta las vías a través de las cuales puede repercutirse legítimamente en estos casos. Me refiero a la STS de 10 de mayo de 2000 (RJ 2000, 4087), Sala 3ª sec. 5ª:

– Primeramente, se reconoce que la legislación urbanística permite, en efecto, actuar sistemáticamente en suelo urbano por unidades de actuación y a cargo de los propietarios, pero no autoriza aquélla a exigir a éstos, que ya cedieron y costearon la urbanización, mejoras y reformas sucesivas y reiteradas, a modo de «urbanización inacabable», es decir, mediante la imposición de actuaciones de mejora de servicios que no responden a nuevas concepciones globales urbanísticas (v. gr. de reforma interior), sino a cambios y mejoras puntuales de los servicios urbanísticos como los de energía eléctrica, suministro de agua, evacuación de residuales, etc.

– Junto a esta alusión al planeamiento especial (aunque improcedente en estos supuestos), interesa también la siguiente referencia a las contribuciones especiales: «esto no significa que el Ayuntamiento no pueda emprender tales obras ni que los propietarios no hayan de costearlas en la medida en que legalmente corresponda (por ejemplo, por contribuciones especiales, como dice la sentencia impugnada), pero sí que ello no puede hacerse como obligación impuesta por el ordenamiento urbanístico».

– De aquí se deduce que la obligación de costear la urbanización que el artículo 83.3.2º impone a los propietarios de suelo urbano viene referida a las partes de suelo urbano que todavía no cuentan con los servicios urbanísticos y que sólo son suelo urbano por encontrarse en áreas consolidadas [artículos 78.a) y 81.2 del TRLS de 9 de abril de 1976, pero no a los propietarios de suelo que cuentan con todos los servicios].

– «La Ley del Suelo de 13 de abril de 1998 así lo especifica claramente, al imponer la obligación de costear la urbanización sólo a los propietarios de suelo urbano no consolidado, según su artículo 14.2.e), exigiendo por el contrario a los propietarios de suelo urbano consolidado no costear la urbanización, sino "completar a su costa la urbanización necesaria para que los mismos alcancen, si aún no la tuvieran, la condición de solar", según su artículo 14.1. en el bien entendido de que ese "alcanzar la condición de solar" sólo se produce una vez, y que, a partir de entonces, el suelo es ya para siempre suelo urbano consolidado). "Cierto que la Ley 6/98, de 13 de abril, es muy posterior a los hechos del pleito, pero también lo es que estos preceptos expresan una verdad elemental del Derecho Urbanístico, que estaba ya sin duda implícita en el propio Texto Refundido de 1976..."».

– «*De todo ello se deduce que los preceptos de la Ley 6/1994, de 15 de noviembre, Reguladora de la Actividad Urbanística, art. 9 que define el suelo urbanizable y el suelo urbano, los arts. 6, segundo párrafo, letra A, y 33.6, que autorizan las Actuaciones Integradas en suelo urbano, entran en contradicción con la normativa estatal básica ante-*

riormente citada, cuando se trata de parcelas que, como en el caso presente, tienen la condición de suelo urbano consolidado y solar».

– Pues bien, el artículo 149.3 de la Constitución dispone que «la competencia sobre las materias que no se hayan asumido por los Estatutos de Autonomía corresponderá al Estado, cuyas normas prevalecerán, en caso de conflicto, sobre las de las Comunidades Autónomas en todo lo que no esté atribuido a la exclusiva competencia de éstas». Todo ello hace innecesario el planteamiento de la cuestión de inconstitucionalidad, a juicio de la Sala.

La jurisprudencia proclamó además la imposibilidad de incurrir en un trato diferenciado más gravoso para algunos propietarios que ya asumieron los costes en su día (STSJ de 23 de julio de 2002 [JUR 2003, 69979]).

En esta sentencia se anula el instrumento urbanístico impugnado, en el cual se incluían tanto solares como otras parcelas sin diferenciar entre el régimen de cesiones en uno y otro caso, de cara a la reparcelación. Conforme a la sentencia citada:

– Primeramente, afianzamos la doctrina que ya conocemos por referencia a la jurisprudencia *supra* estudiada: tanto el artículo 117 del TRLS/1976 como la normativa autonómica constituida por el artículo 33 de la LRAU definen los terrenos en los que se deben incluir las unidades de ejecución, haciendo mención especial a la necesidad de que se «transformen en solares», a resultas de las operaciones de urbanización realizadas como gestión del Plan General. De esta forma, algo que ya es solar, no necesita ningún tipo de gestión urbanística. Precisamente, porque los actores son titulares de solares, han patrimonializado sus derechos a través de la edificación de cada una de las parcelas, lo que hace inviable cualquier técnica de transferencia de aprovechamiento.

– La presente sentencia aporta sin embargo que la delimitación efectuada produce un *«tratamiento desigual que favorece a los propietarios de los terrenos clasificados como simples parcelas de suelo urbano que no tiene la consideración de solar, frente a la de aquellos propietarios del suelo que son solares, y cuando menos, el instrumento que se considera, debió distinguir entre ambas situaciones jurídicas, a los efectos de imputar las cargas derivadas de la urbanización»*[36].

---

36. Interesa reproducir parte de esta sentencia: «Como afirman los actores "... En dicho programa se pretende que las fincas de los actores, sitas en dicha zona de actuación, sufran las cargas urbanización derivadas de la planificación, y comunes, como si de simples parcelas se tratara, y sin tener en cuenta, que se trata de solares edificados desde hace más de veinte años, que han cumplido con todas las previsiones establecidas en el planeamiento urbanístico y que han patrimonializado su derecho a la edificación de acuerdo con la correspondiente licencia de obras..." (sic)».
«En resumen, dicho programa representa un sistema de actuación contrario a los principios informantes en nuestro ordenamiento, por cuanto que no reparte la carga equitativamente entre los propietarios de la zona de actuación, equiparando la situación urbanística de los demandantes, que han venido asumiendo ciertos costes de urbanización previsibles cuando iniciaron las obras, con la del resto de los propietarios de parcelas de la zona que, en la actualidad, carecen de algunas de las infraestructuras y servicios mínimos para tener la consideración de solar».
«Precisamente por esta circunstancia y, en la medida en que el programa no contempla la distinta situación de la edificación en la zona mencionada, es por lo que se entiende que se ha violado el principio de justa distribución de las cargas y beneficios del planeamiento».

Por su parte, la jurisprudencia constitucional (ATC de 16 de julio de 2002 [RTC 2002, 130 AUTO], ATC de 16 de julio de 2002 [JUR 2002, 216273]) ha venido insistiendo en la inconstitucionalidad de las legislaciones autonómicas que prevén un régimen legal de cesiones al Ayuntamiento, en suelo urbano consolidado, del diez por ciento del aprovechamiento urbanístico lucrativo, ya que la regulación de esta cuestión corresponde al Estado y, de hecho, la LRSV 6/1998 no prevé dicha cesión en suelo urbano.

En general, en la práctica, cuando la reparcelación afecta a terrenos sin edificar (en especial en los casos de terrenos tradicionalmente no urbanizables donde no se ha urbanizado ni edificado), el sistema de la LRAU no fue tan problemático como cuando la urbanización afectó a terrenos que contaban ya con edificaciones incluso desde hacía décadas y con servicios e infraestructuras. En estos casos llegaban a plantearse (con mayor o menor justificación jurídica) conflictos jurídicos, sin que el propietario (con razón o sin ella) entendiera el porqué de una «urbanización de lo ya urbanizado», a su costa.

4. LOS PROBLEMAS PRINCIPALES EN VIGENCIA DE LA LRAU (EXPLICACIÓN DE LA NUEVA LUV). EN GENERAL, EL PROBLEMA DE LAS POSIBLES EXIGENCIAS DESPROPORCIONADAS A LA PROPIEDAD

El tan predicado «abuso» no puede sino referirse a un pago en exceso, por parte del propietario, respecto del coste real de las obras de urbaniza-

---

La propia parte actora ha reconocido en su demanda que la Unidad que se contempla debe ser ejecutada a través de una Actuación Integrada, limitándose su desacuerdo al reparto de los costes de urbanización derivados de la ejecución de dicha actuación entre los afectados. En el mismo escrito de conclusiones la parte actora afirma que «... no se oponen al Plan porque entienden que si se va a urbanizar por mucho que quieran no pueden oponerse, pero lo que se impugna, y he ahí el motivo de nuestro recurso, es que mis representados, con unos derechos adquiridos por el transcurso de más de veinte años... ahora se pretende que paguen lo mismo, como si fueran a ir a vivir allí por primera vez...».

Es precisamente esa diferenciación, fundada en situaciones jurídicas distintas, como hemos dicho, la que nos obliga a neutralizar el Programa, que debió preverla, como elemento de diferenciación consistente dentro del mismo, de manera que, quedara previamente definido, el porcentaje de participación de los actores en la terminación de la obra urbanizadora, que afecta directamente al área urbanística en la que viven.

Así pues, el principio de justo reparto de beneficios y las cargas del planeamiento, que al fin y al cabo es una manifestación del principio de solidaridad, obliga tanto a diferenciar la situación de los actores, como a que éstos participen en la implantación de los elementos urbanísticos de los que va a ser dotada el área en cuestión.

ción[37]. Otra crítica habitual se ha venido haciendo, en este contexto, contra la posibilidad de la retasación de cargas (a favor del urbanizador) que hacía posible la propia LRAU en su artículo 67.3 y que puede llevar a cargar más, a los propietarios, de lo inicialmente presupuestado[38].

37. J. M. Palau Navarro, *Las unidades de ejecución en la legislación urbanística valenciana*, Valencia, 2001; R. Escrivá Chordá, *La figura del urbanizador*, Madrid, 2003; V. Laso Baeza, «Vinculaciones singulares, agente urbanizador, titularidad litigiosa, unidades de ejecución y reversión en la jurisprudencia de los Tribunales Superiores de Justicia», *Revista de Derecho Urbanístico*, septiembre 2003, p. 121; M. A. Rueda Pérez (director), *Perspectivas del régimen del suelo, urbanismo y vivienda*, Madrid, 2003.

38. Interesante puede ser comparar esta legislación con, por ejemplo, la legislación de Castilla y León (Reglamento de la Ley de Urbanismo, publicado el 2 de febrero de 2004), referente a los gastos de urbanización.
En el artículo 198 se definen los gastos de urbanización como «todos los que precise la gestión urbanística» (...). Con carácter general, los gastos de urbanización corresponden a los propietarios (artículo 199). Además de la carga de asumir los gastos de la urbanización, también ha de asumirse la carga de la financiación de las obras, por el urbanizador, quien financiará dichas obras [artículo 200.1.a)], o por los propietarios mediante cánones de urbanización (artículo 201). En el contexto de las actuaciones integradas se afirma [en el artículo 235.d)] que corresponde al urbanizador «financiar los gastos de urbanización previstos en el Proyecto de Actuación y en su caso en el Proyecto de Urbanización, sin perjuicio de la obligación de los propietarios de costearlos» (puede verse también el artículo 264.1). Importa también la regulación de las garantías de urbanización al objeto de asegurar ante el Ayuntamiento la total ejecución de una actuación urbanística, tema que se rige de forma complementaria por lo dispuesto en materia de garantías en la legislación sobre contratación administrativa. «El pago de los gastos de urbanización, o en su caso del canon de urbanización, puede satisfacerse de forma total o parcial mediante la cesión de terrenos edificables o de aprovechamiento» (artículo 204). «Una vez terminada la ejecución de las obras de urbanización incluidas en una actuación urbanística, procede su recepción por el Ayuntamiento» (artículo 206). Si la urbanización fue ejecutada por el propio Ayuntamiento, la recepción se realiza conforme a la legislación sobre contratación administrativa. En otro caso se aplica el procedimiento previsto en el citado artículo 206. Una vez recibida la urbanización, los terrenos destinados en el planeamiento urbanístico para vías públicas, espacios libres públicos y demás usos y servicios públicos, deben integrarse en el dominio público para su afección al uso común general o al servicio público. Hasta la recepción de la urbanización, su conservación y mantenimiento se consideran gastos de urbanización, y por tanto corresponden a quienes tuvieran atribuidos los mismos. Pero una vez recibida la urbanización, su conservación y mantenimiento corresponden al Ayuntamiento, sin perjuicio de las obligaciones derivadas del plazo de garantía. No obstante, el Ayuntamiento puede suscribir un convenio urbanístico con los propietarios de bienes inmuebles incluidos en un ámbito determinado, a fin de que los mismos colaboren en la conservación y mantenimiento de la urbanización de dicho ámbito (artículo 208). En las actuaciones urbanísticas que requieran el desalojo de los ocupantes legales de viviendas que constituyan su residencia habitual, se deben garantizar sus derechos de realojo y retorno conforme a lo dispuesto en la legislación sobre arrendamientos (artículo 209).
Sobre el tema G. Cortés, *La ejecución y recepción de las obras en las urbanizaciones de iniciativa particular*, Pamplona, 2001, pp. 165 y ss.; F. E. Fonseca Ferrandis, «Algunas cuestiones en torno a la recepción de las obras y servicios de urbanización por las entidades locales en los sistemas de gestión de base privada, a partir de la jurisprudencia contencioso-administrativa», en el *Libro Homenaje a S. Martín-Retortillo Baquer, REALA*, 291, 2003, pp. 365 y

La problemática puede extenderse al caso en que el propio Ayuntamiento se excede finalmente en la aprobación de las cargas de urbanización que ha de asumir el urbanizador[39].

La jurisdicción contencioso-administrativa controla posibles cargas excesivas sobre los particulares. *Me refiero seguidamente a la frecuente problemática del derecho de reintegro de los costes eléctricos.* Así, la sentencia del TSJ de 6 de abril de 2002 (JUR 2003, 179568) verifica si un Decreto de la Alcaldía (por el cual se distribuyen los costes de electrificación y alumbrado público entre dos unidades de ejecución tomando el criterio de la superficie de los terrenos) grava en exceso a una de las dos Unidades de Ejecución en beneficio de otra.

Tanto la LUV como la LRAU, así como la nueva Ley estatal del Suelo de 2007, precisan que los propietarios tienen un derecho de reintegrarse de los costes que sufraguen para extensiones de las redes de suministros (...) (véase también el artículo 155.1 del TRLS/1992).

Pues bien, no está tan claro este derecho de reintegro, reconocido ex-

---

ss.; G. FERNÁNDEZ FARRERES, «Las urbanizaciones de iniciativa particular: Introducción a su problemática jurídica», *REDA*, nº 53, 1987; I. GONZÁLEZ RÍOS, *El dominio público municipal: régimen de utilización por los particulares y compañías prestadoras de servicios*, Granada, 2001, pp. 93 y ss.; J. A. LÓPEZ PELLICER, «Las obras de urbanización y el deber de su conservación en la Ley 7/2002, de Ordenación Urbanística de Andalucía», *Revista Andaluza de Administración Pública*, nº 51, 2003, pp. 99 y ss.; del mismo autor, «Costes y cuotas de urbanización y de conservación», *Revista de Derecho Urbanístico*, nº 67, 1980, pp. 103 y ss.; A. MARTÍNEZ ROSIQUE, *Ejecución de obras de urbanización*, Alicante, 2000; J. RUIZ RICO, *Las urbanizaciones privadas*, Madrid, 1987; J. M. SALA ARQUER, «El promotor inmobiliario ante los nuevos servicios liberalizados», *Urbanismo y Edificación*, nº 2, 2002, pp. 35 y ss.; E. SÁNCHEZ GOYANES, «El interés general y las urbanizaciones de iniciativa particular», *Revista de Derecho Urbanístico*, nº 150, 1996, pp. 59 y ss.

39. Ilustra sobre el particular la sentencia del TSJ de la Comunidad Autónoma Valenciana de 2 de noviembre de 2000 (JUR 2001, 60326). En principio, las obras han de estar identificadas en los Programas, tal como ya nos consta. No se puede exigir al urbanizador urbanizar unos terrenos que han quedado fuera de la delimitación de las Unidades de Ejecución a las que abarca el programa, pues las Unidades de Ejecución son superficies acotadas de terrenos que delimitan el ámbito completo de una Actuación Integrada o de una de sus fases (art. 33.1 de la Ley valenciana 6/1994).
Por otra parte, dice la sentencia citada que «la urbanización de los terrenos que quedaron fuera de la delimitación del Programa no puede incluirse en el ámbito de las obras necesarias para la conexión e integración adecuadas de la nueva urbanización con las redes de infraestructuras, comunicaciones y servicios públicos existentes, ni tampoco puede calificarse de obra pública complementaria».
Las obras de urbanización, no contrarias al planeamiento vigente al tiempo de su realización que resulten útiles para la ejecución del nuevo plan, serán consideradas igualmente como obras de urbanización con cargo al proyecto, satisfaciéndose su importe al titular del terreno sobre el que se hubieran efectuado [artículo 67 de la LRAU y artículo 166.1.d) del TRLS/1992].

presamente en la legislación urbanística y actualmente en el TRLS/2008 estatal, como vamos a tener ocasión de comprobar seguidamente.

Sobre este particular se ha planteado problemática desde siempre, aunque ésta cobra especial actualidad en tiempos relativamente recientes.

Antes del RD 1955/2000 (por el que se regulan las actividades de transporte, distribución, comercialización, suministro y procedimiento de autorización de instalaciones de energía eléctrica), es decir, en vigencia del Decreto de 12 de marzo de 1954 (Reglamento de Verificaciones Eléctricas), se hacía hincapié en la obligación de las empresas distribuidoras de extender sin más la red para atender a las exigencias del mercado, con indeterminación _a priori_ sobre el régimen económico a seguir y con olvido del régimen urbanístico donde se establecía la carga de los propietarios de asumir el coste de las obras necesarias para realizar el suministro (puede en este contexto considerarse también el Real Decreto 1955/2000, de 1 de diciembre, por el que se regulan las actividades de transporte, distribución, comercialización, suministro y procedimientos de autorización de instalaciones de energía eléctrica y que vino a derogar el Reglamento sobre Acometidas Eléctricas aprobado por Real Decreto 2949/1982)[40].

Con el RD 1955/2000 se deja claro que los costes de implantación de la red eléctrica corresponden ser asumidos a los propietarios interesados en el suministro (no así la conservación de las obras de urbanización, la cual corresponde a la Administración, según el artículo 67 del Reglamento de Gestión Urbanística aprobado por Real Decreto 3288/1978, de 25 de agosto [RGU]; artículo 153 de la Ley 7/2002, de 17 de diciembre, de Ordenación Urbanística de Andalucía; artículo 79 de la Ley Valenciana 6/1994, de 15 de noviembre, Reguladora de la Actividad Urbanística, etc.).

Igualmente, en la legislación estatal del suelo se ha insistido en que los gastos de urbanización (y entre ellos los derivados de la construcción de redes de suministro energético) corresponden ser asumidos a los propietarios.

En realidad, el RD 1955/2000 supone que cobran plena vigencia los preceptos de la legislación urbanística donde se prevé dicha obligación de los propietarios del suelo, de costear la instalación de las redes precisas, entre ellas las eléctricas[41]. Se evita, de esta forma, considerar un coste urbanístico como un coste eléctrico.

---

40. Puede verse, junto a J. M. NEBREDA PÉREZ, _Distribución eléctrica. Concurrencia de disciplinas jurídicas_, 2ª edición, Madrid, 2003, pp. 258 y ss., también J. CATALÁN SENDER, «El derecho de reintegro de los gastos de urbanización contra las compañías suministradoras de energía eléctrica», _Revista de derecho urbanístico y medio ambiente_, nº 165, 1988, pp. 75 y ss.; J. CERVERÓN PÉREZ, _Urbanismo e infraestructura eléctrica_, Valencia, 1996; A. SERRANO-JOVER, _Iberdrola distribución eléctrica, Régimen de extensión de redes. Análisis comparativo. Normativas autonómicas. Normativa básica (Real Decreto 1955/2000)_, diciembre 2002.

Me remito a J. M. NEBREDA PÉREZ, _Distribución..._, cit., para un completo estudio del régimen de licencias urbanísticas, de primera ocupación y de apertura y actividad de las obras de instalación eléctrica.

41. En realidad (siguiendo el artículo 45 del citado RD 1955/2000 y tal como explica J. M. NEBREDA PÉREZ, _Distribución eléctrica..._, pp. 261 y ss. comentando el citado RD) en suelo urbano consolidado (es decir con el planeamiento ejecutado o solar) la hipótesis más frecuente es que se solicite un nuevo suministro o una ampliación en zona ya urbanizada. En este supuesto, la empresa distribuidora deberá ejecutar la obra necesaria de conexión y enganche, a cambio de una cuota fija por cada kW de potencia que se contrata (artículo

Ocurre, no obstante, que algunas CCAA, en principio en uso legítimo de sus competencias exclusivas de urbanismo y ordenación del territorio, han podido discrepar del criterio previsto en el RD 1955/2000 (afirmando un derecho de reintegro en favor de la propiedad), planteándose así un campo abonado para posibles litigios.

De hecho, interesan dos SSTS, ambas de fecha 25 de noviembre de 2002, y que llevan por número de recurso 157/2001 (RJ 2002, 10512) y 154/2001 (RJ 2002, 10562). Se impugnaba en ambas el Real Decreto 1955/2000, de 1 de diciembre, siendo parte demandada la Administración y las entidades eléctricas UNESA e Iberdrola y parte recurrente la asociación española de promotores públicos de vivienda y suelo, es decir, una asociación relacionada con la defensa de los derechos de los propietarios.

El Supremo (en aquellas sentencias) mantiene la legalidad de este Decreto, apoyándose en que es al Estado a quien corresponde definir las condiciones básicas que han de garantizar la igualdad en el ejercicio del derecho de propiedad, y confirmando que el citado RD es desarrollo reglamentario coherente con la LRSV 6/1998 y con la Ley del Sector Eléctrico[42].

Conectando todo esto con el RD 1955/2000, y con la jurisprudencia que acaba de comentarse, es evidente que la necesidad de asumir los costes de urbanización supondrá un límite relevante para llevar a cabo una urbanización en suelo susceptible de ser urbanizado, aunque no un límite u obstáculo insalvable.

5. EL PROBLEMA JURÍDICO-POSITIVO PRINCIPAL DEL AGENTE URBANIZADOR: URBANISMO Y CONTRATOS

A. La cuestión de inconstitucionalidad de los artículos que regulan la figura del agente urbanizador por no adecuarse a la legislación contractual pública

a) Planteamiento

Interesa primeramente el **auto del TSJ de la Comunidad Autónoma Va-**

45.1 del Reglamento 1955/2000). La Administración del Estado, competente en materia tarifaria, calculará esta cuota de forma que, en conjunto, cubra los costes que pretende absorber y se revisará anualmente.

En caso de que el suministro se refiera al suelo urbanizable, o el suelo urbano no consolidado, el propietario deberá completar a su costa la infraestructura eléctrica necesaria para que adquiera la condición de solar (artículo 45.2 a 5 del citado RD).

42. En la práctica, algunas empresas eléctricas se ofrecen a prestar este tipo de servicios, a pesar de no estar obligadas, en el nuevo contexto de competencia o liberalización del sector, como medio de atraer clientela, en especial empresas que quieren abrirse paso en zonas donde tradicionalmente imperaba una determinada distribuidora (por ejemplo Iberdrola en León o Alicante o Unión Fenosa en La Coruña), lo que plantea dudas por ejemplo por ejemplo desde el punto de vista de la competencia desleal. Dichas empresas, por otra parte, montarán sus propias redes o usarán (bajo precio) las del operador dominante en la zona de referencia.

lenciana de 15 de octubre de 2001 que, mediante una cuestión de inconstitucionalidad, alude en diversos pasajes a la inconstitucionalidad de los preceptos de la LRAU relativos a la selección del agente urbanizador, planteando al Tribunal Constitucional si aquélla «debe ajustarse a las normas contempladas en la LCAP con carácter de normas básicas, ello entendido que según el artículo 149.1.18 de la Constitución, el Estado tiene competencia exclusiva sobre la materia relativa a la legislación básica sobre contratos y concesiones administrativas (...) y ello porque, según el artículo 28.1 de la Ley Orgánica del Tribunal Constitucional, son inconstitucionales las Leyes Autonómicas que no se ajusten a las normas que contengan la legislación básica».

Siguiendo un *iter* cronológico, se hará finalmente alusión a la jurisprudencia del TSJ de la Comunidad Autónoma Valenciana y al Auto del Tribunal Constitucional de 16 de julio de 2002 (RTC 2002, 133 AUTO), que contesta al citado auto, después de comentar las opiniones sobre el citado auto del TSJ de la Comunidad Autónoma Valenciana.

b) El debate doctrinal

A raíz del citado ATSJ, enseguida se producen críticas frente a la cuestión de inconstitucionalidad planteada. Para ello MARTÍNEZ MORALES[43] se apoya en la jurisprudencia constitucional que afirma que el ejercicio de las competencias estatales no puede llegar a dejar sin contenido las competencias autonómicas (STC de 5 de abril de 2001, nº 98/2001 [RTC 2001, 98]; de 4 de julio de 1991, nº 147/1991 [RTC 1991, 147], STC 102/1995, de 26 de junio [RTC 1995, 102]) ni a imponer a las CCAA un modelo urbanístico. Además, se basa en que la legislación contractual interfiere en la urbanística sólo de forma *instrumental*. Asimismo, sería preciso tener en cuenta que la propia legislación estatal no exige concurso (desde la disposición transitoria del RDley 5/1996, de Medidas Liberalizadoras en materia de Suelo). Finalmente, no faltan ciertos tonos «patrióticos»: «no puede llegarse a una *injerencia* del Estado que vertebre *nuestra* legislación autonómica».

Desde la promulgación de la LRAU, cierta doctrina se siente en la necesidad de justificar su régimen jurídico y su desviación respecto de las garantías previstas en la legislación contractual pública. En principio, las finalidades que persigue el modelo valenciano de gestión urbanística, y que hemos

---

43. J. L. MARTÍNEZ MORALES, en: M. A. RUEDA PÉREZ (director), *Perspectivas del régimen del suelo, urbanismo y vivienda,* Madrid, 2003, p. 138. Véase también su trabajo «Sobre la pretendida inconstitucionalidad de la LRAU», *Revista Jurídica de la Comunidad Valenciana,* 2/2002 (editada por Tirant lo Blanch).

tenido ocasión de presentar *supra,* justificaría un modelo regulativo plenamente adaptado a la mejor consecución de dichos fines, un modelo pues urbanístico que aborda desde un punto de vista urbanístico las posibles cuestiones de carácter contractual que puedan interferir en la selección del urbanizador o aprobación de los programas.

Según esto, la LRAU no representaría tanto una omisión de las garantías de concurrencia y publicidad de la legislación contractual pública como una formulación no coincidente de estos principios. Es más, la LRAU permite argumentar que la exacerbación que hace del propio principio de concurrencia llevaría a relativizar el criterio (propio de la legislación contractual) de la fijación de unas bases o pliegos por parte de la Administración «adjudicataria», ya que el modo de conseguir la mayor concurrencia de alternativas y la mayor iniciativa privada sería evitando la necesidad de unas bases que pudieran bloquear alguna de las alternativas posibles y, con ello, «aquella que pudiera ser más interesante para la ciudad»[44]. La tramitación del programa es un proceso abierto en el cual las decisiones se van tomando en función de las alternativas de urbanización que los interesados van aportando. La propia aprobación del programa viene a configurarse, en la LRAU, a modo del ejercicio de un acto resultante del ejercicio de una potestad propiamente administrativa en la cual convergen posiblemente distintas voluntades tanto administrativa como privadas o empresariales. Así, para PAREJO ALFONSO y BLANC CLAVERO «a fin de formalizar la integración de esas iniciativas gestoras en el instrumento de ordenación, se incorpora a la documentación del Programa, que aprueba la Administración, un convenio urbanístico. Su naturaleza formal se enmarca en las previsiones del artículo 88 de la Ley 30/1992 (terminación convencional del procedimiento). Aunque, como es sabido, los convenios urbanísticos, en España, ya adquirieron antes de dicha Ley una amplia aplicación práctica (e, incluso, recepción jurisprudencial)»[45]. No obstante, tampoco este punto tiene especial originalidad, por ser propio de los PAU (véase en este contexto la STS de 18 de marzo de 2003 [RJ 2003, 2912] revisando un convenio de adjudicación de un PAU).

En todo caso, es paradójico cómo el énfasis en la concurrencia (principio esencial del sistema de adjudicación contractual pública) llegue finalmente a suponer una inaplicación de la regla de concurrencia según la legislación con-

---

44. Noticia explicativa de la nueva LS de Castilla-La Mancha, tomada de www2.elmundo.es/suvivienda/2003. Por referencia a Navarra una valoración próxima puede verse en www.noticiasdenavarra.com/ediciones/20030408.

45. L. PAREJO/F. BLANC, *Derecho...,* p. 388. Véase también J. E. SORIANO/C. ROMERO REY, *El agente urbanizador,* Madrid, 2004.

tractual pública. «Significativo» es también cómo Parejo y Blanc llegan a justificar la inaplicación de dicha legislación. Primeramente, se descarta que la naturaleza jurídica del agente urbanizador sea la de un contratista de obras o de un concesionario de obras públicas porque más bien la «figura del agente urbanizador –en la gestión indirecta– se inscribe, más bien, en la del concesionario de servicio público». Así pues, aunque el agente no encaja dentro de la contratación de obras (es la posibilidad inmediata) termina encajando en la contratación de servicios. Sin embargo, dado este primer paso, resulta que finalmente tampoco termina siendo el agente urbanizador un contratista de servicios, ya que a su juicio estamos ante una relación concesional de servicio público *atípica*. El resultado es, evidentemente, que el agente urbanizador se rige por su normativa específica obviando las garantías de la legislación contractual pública[46].

En esta línea, ya R. Gómez-Ferrer Morant[47] quiso poner de manifiesto las diferencias entre el agente urbanizador y el contratista o el concesionario de obras públicas, básicamente debido a que la obra pública (para el agente urbanizador) no es más que un aspecto de los muchos que interfieren en la actividad urbanizadora del citado agente y ni siquiera el más relevante, cuando menos en comparación con su función primordial de producir solares edificables. Asimismo, lo propio de la contratación es, como es sabido, que la contraprestación la reciba el contratista de la Administración mientras que en el modelo valenciano de gestión urbanística la contraprestación la recibe el agente de los propietarios.

Sin embargo, a mi juicio, a pesar de estos matices, uno no puede tampoco cerrar los ojos a lo más evidente: el agente urbanizador es un «tercero» que, por encargo o delegación de la Administración, interfiere en la ejecución de la urbanización. Desde el momento en que la gestión urbanística privada no se realiza por los propietarios, sino por un tercero empresario delegado de la Administración, surge la cuestión de la aplicación del sistema previsto para este efecto en la legislación contractual pública.

Podría entenderse que la concurrencia es especialmente efectiva con la LRAU: publicidad hay (además, por aviso individualizado frente a la publicación mediante Boletines) y el régimen de garantías y fianzas es similar al previsto en la legislación contractual pública. Incluso se excluyen elementos poco concurrenciales (propios de dicha legislación) como los procedimientos negociados.

Sin embargo, falta la aplicación efectiva del principio de concurrencia, es decir el establecimiento de unas bases o pliegos por la propia Administración, que determinen el *concurso*.

A la hora de valorar estas cuestiones, no deberíamos obviar que este problema jurídico (de la inaplicación de la legislación de contratación pública) tiene una virtualidad añadida, es decir, una connotación que desborda la problemática puramente contractual: aunque constitucionalmente el grueso de la discusión sobre este sistema valenciano no se está planteando desde el punto de vista de su posible incompatibilidad con el derecho de propiedad, es un hecho que la aplicación de la legislación contractual pública significaría una merma de

---

46. L. Parejo/F. Blanc, *Derecho...*, pp. 393 a 395.

47. *Comentarios a la Ley Reguladora de la Actividad Urbanística,* Consejería de Obras Públicas, Urbanismo y Transportes, Valencia, 1996.

la posición privilegiada del citado agente y –de esta forma, indirectamente– un reforzamiento de la posición de los propietarios, acaso el reforzamiento justo o necesario como para hacer corresponder el sistema con el nivel adecuado de garantías que se imponen desde el derecho de propiedad.

De ahí que las reticencias a aplicar la legislación contractual pública (o a convertir el agente urbanizador en un concesionario de obra pública[48]) se explican principalmente alegando que ello supondría privar de eficacia al modelo del agente urbanizador, o a desnaturalizarlo. Para la doctrina convencida plenamente de este modelo, «no es posible reemplazar ese régimen específico con una asimilación forzada de la figura del adjudicatario-urbanizador con el contratista o concesionario de obras, ya que ello desvirtuaría el papel que la Ley le ha querido conferir y comportaría una restricción injustificada de la participación privada en la acción urbanística»[49].

c) *La imposibilidad, actualmente, de regular el urbanismo de espaldas a las competencias de otras instancias normativas*

En vez de seguir negando la esencia contractual pública del agente urbanizador, una interpretación, *a priori* posible, sería la de considerar que la relación contractual entre Administración y particular es atípica, es decir incardinable en el marco de los contratos administrativos especiales.

Una solución posible, discutible en un plano jurídico-político (por ser seguramente difícil hoy día en el nuevo ambiente político-autonómico), a pesar de ser factible perfectamente en un plano jurídico, sería una regulación especial en el marco de la legislación pública estatal contractual, a efectos de concretar las bases sobre adjudicación de los contratos administrativos urbanísticos. No sería ni mucho menos descabellada esta vía de solución que dejaría resueltos los problemas existentes. Las CCAA tendrían un espacio para legislar sobre el particular, siguiendo el marco estatal (en el cual podrían precisarse también cuestiones tales como las exigencias de capacidad y acreditación para ser contratista).

De hecho, por el Derecho europeo, ha tenido que reformarse la legislación estatal contractual española, en particular como consecuencia de la sentencia del Tribunal de Justicia de las Comunidades Europeas de 15 de mayo de 2003 (asunto C-214/00) (TJCE 2003, 138). Lo mismo podría ocurrir si el mismo Tribunal obligara a amoldar –los «contratos urbanísticos» con el agente urbanizador– a un marco jurídico comunitario de necesaria consideración. Incluso, ya actualmente, podríamos tomar nota de la citada sentencia y adelantarnos a las posibles exigencias que imponen las directivas comunitarias de contratación pública, regulando adecuadamente la gestión urbanística contractual, conforme a las citadas directivas, en la línea de la doctrina jurisprudencial contenida además en la importante STJCE de 12 de julio de 2001, asunto C-399/98 (TJCE 2001, 194) (caso del convenio del Ayuntamiento de Milán), sometiendo por tanto el régimen de adjudicación de los referidos «contratos administrativos urbanísti-

---

48. Esto último se propugna, por ejemplo, por ROMERO/LORENTE, *El Régimen Urbanístico de la Comunidad Valenciana*, Valencia, 1996, y varias legislaciones autonómicas que veremos *infra*.

49. L. PAREJO/F. BLANC, *Derecho...*, p. 389.

cos» a los criterios y garantías de las directivas comunitarias de contratación pública.

Si bien en 1994 (momento de aprobarse la LRAU) no existía una discusión sobre la aplicación del contrato administrativo en el ámbito de la gestión urbanística, hoy las cosas han cambiado y no es posible regular la materia urbanística, por las Comunidades Autónomas, al margen de la nueva realidad jurídica, marcada por la interferencia, en el urbanismo, de regulaciones y normas y competencias de distinta procedencia (estatal, europea y local). La adjudicación contractual, las notificaciones, la valoración de los bienes, no pueden regularse, en definitiva, por las Comunidades Autónomas ignorando la legislación estatal, del mismo modo que el Estado no puede legislar sin considerar las competencias de otras esferas de poder.

B. El Auto del TSJ de la Comunidad Autónoma Valenciana de 15 de octubre de 2001 y el ATC de 16 de julio de 2002 (RTC 2002, 133 AUTO)

a) El Auto del TSJ de la Comunidad Autónoma Valenciana de 15 de octubre de 2001

Fundamentalmente, las razones principales en las que se funda la duda de constitucionalidad de varios preceptos de la Ley Valenciana Reguladora de la Actividad Urbanística (en adelante, LRAU) suscitada por el órgano jurisdiccional (siguiendo el Auto del Tribunal Superior de Justicia de la Comunidad Valenciana de 15 de octubre de 2001) serían:

Primeramente, el órgano judicial llega a la conclusión de que el título competencial exclusivo sobre urbanismo, que ostenta la Comunidad Valenciana en virtud del art. 319 de su Estatuto de Autonomía, no permite una regulación completa de la figura del urbanizador, sino que en la disciplina de éste ha de estarse a la regulación básica sobre contratos y concesiones administrativas dictada por el Estado en el ejercicio de la competencia que le reserva el art. 149.1.18 CE.

En particular, el órgano judicial lleva a cabo un contraste entre preceptos de la LRAU y de la legislación contractual pública vigente en tal momento, para concluir que existe contradicción insalvable en los siguientes (las negritas son nuestras):

– Art. 45.2 LRAU, en cuanto contempla la posibilidad de que el Pleno del Ayuntamiento establezca únicamente unas **bases orientativas para la selección del urbanizador,** lo que puede vulnerar los arts. 50.1 y 52.1, relativos a los **pliegos** de cláusulas administrativas particulares y pliegos de prescripciones técnicas, y el art. 68.1, todos ellos de la LCAP.

– Art. 46.1 LRAU, concerniente a la **presentación de proposiciones** por los interesados, que habría de ajustarse a los arts. 80 y 81 LCAP, en lo que constituye legislación básica, así como a los correspondientes **plazos** establecidos en la Ley estatal para la presentación de proposiciones.

– Art. 46.3 LRAU, sobre **información pública,** que puede contravenir los **requisitos de publicidad** de los contratos del art. 79, en relación con el art. 135.2, ambos de la LCAP, con la consiguiente incidencia en los plazos que han de observarse. Aun cuando la información pública a la que se refiere el art. 46 LRAU tiene por objeto la propuesta de programa, señala el órgano judicial su posible contradicción con la legislación básica de contratos en materia de **selección del urbanizador,** que surge a partir de ese mismo trámite de información pública.

– Art. 48 LRAU, idéntica contradicción que la apuntada para los arts. 45.2 y 46.3 de la Ley territorial.

– Art. 47 LRAU, relativo a la **aprobación y adjudicación de los programas,** que fija los criterios por los que se elegirá la alternativa que integrará el programa así como el urbanizador. Por su parte el art. 50 LRAU regula un régimen de adjudicación preferente. Estos preceptos pueden contradecir la legislación básica de contratos contenida por entonces en los arts. 74, 75 y 76 LCAP, en relación con los arts. 137, 138, 139, 140 y 141, también de la LCAP, en tanto la selección del urbanizador no se ajusta a los **procedimientos y formas de adjudicación** previstos en los mismos. Tal contradicción ha de estar referida en concreto al art. 160 LCAP, en el caso de que se considere que el urbanizador ostenta la condición de concesionario de servicio público.

– La aplicación de tales procedimientos y formas de adjudicación **excluiría la posibilidad de subrogación** del art. 47.5 LRAU al no adecuarse al art. 115 LCAP. Asimismo, el art. 47.8 LRAU puede vulnerar el art. 94 LCAP, por no ajustarse a los requisitos de publicidad y en cuanto se entienda aplicable la regla del silencio positivo.

– El art. 29.2 LRAU suscita la duda de constitucionalidad en cuanto prevé la definición de las **relaciones del urbanizador con la Administración únicamente por referencia a la LRAU, al margen de la LCAP.** Y el art. 29.6 LRAU puede vulnerar la legislación básica de contratos en cuanto regula la selección del urbanizador en pública competencia y según convenio, al margen de los procedimientos y formas de adjudicación previstos en la LCAP, en los términos ya reseñados con anterioridad, y de la aprobación de los pliegos de cláusulas administrativas particulares (arts. 50.1 y 52.1 LCAP). Lo mismo cabe sostener para el art. 29.7 LRAU, en cuanto se contempla el programa como el instrumento en el que se regulan los compromisos sustantivos y temporales que asume el urbanizador, al margen de la contratación administrativa.

– El art. 29.8 LRAU puede contradecir la legislación básica en cuanto no exige la prestación de una **garantía provisional** para participar en el proceso de adjudicación (art. 35 LCAP) y en cuanto no se ajusta al régimen de garantías de los arts. 37, 42, 43, 44, 45, 46, 47 y 48 LCAP.

– El art. 29.10 LRAU plantea la duda de constitucionalidad en cuanto el incumplimiento del **plazo de ejecución** no se adecúa a lo dispuesto en los arts. 96 y 97 LCAP. Asimismo, se plantea la duda respecto del art. 29.10 y 29.13 LRAU en lo que refieren a la resolución de la adjudicación a favor del urbanizador, y tal resolución se ajusta al régimen contemplado en los arts. 112, 113, en cuanto tiene carácter básico, y 114 LCAP, en relación con los arts. 150, 151 y 152, de la misma Ley; o, en su caso, los arts. 168, 169.2 y 170 LCAP si se considera que la figura del urbanizador ha de equipararse únicamente con la del concesionario de servicio público.

– Tampoco se acomoda al régimen de resolución que resulta de los preceptos de la legislación estatal citados **la posibilidad de renuncia a la adjudicación** del art. 47.6 LRAU.

– El art. 29.11 LRAU, relativo a la **cesión de la condición de urbanizador,** no se compadece con los requisitos del art. 115.1, 2 a), b) y c) y 4 LCAP, ni con el art. 116 de la misma Ley, relativo a la subcontratación. También el art. 51 LRAU prevé una posibilidad de subrogación del adjudicatario de un programa condicionado que no se ajusta al mencionado art. 115 LCAP. Por otro lado, en cuanto ese mismo art. 51 LRAU contempla la posible **suspensión de la ejecución del programa,** se duda de su conformidad con el art. 155.5 LCAP si se considera al urbanizador concesionario de un servicio público. Asimismo, con fundamento en esa consideración, cabe plantear que el art. 29.11 LRAU puede vulnerar lo dispuesto en el art. 171 LCAP si la **cesión parcial** no se entiende circunscrita a las prestaciones accesorias.

– La consideración del urbanizador como **concesionario de obra pública** puede suponer que la contrata de obra a la que se refiere el art. 67.4 LRAU haya de ajustarse al art. 116 LCAP que regula la subcontratación, en relación con el art. 133 LCAP.

– El art. 29.13 LRAU puede resultar inconstitucional, en cuanto las relaciones entre el urbanizador y la Administración quedan sujetas a la aplicación de las normas rectoras de la contratación administrativa en lo que contradigan lo dispuesto en la LRAU ni sean incompatibles con los principios de la misma en los términos en los que sean reglamentariamente desarrollados, es decir, con prevalencia de la legislación autonómica respecto de la legislación básica de contratos.

– De la aplicación de la LCAP a la figura del urbanizador deriva asimismo que la LRAU puede vulnerar la legislación básica en materia de contratos, en la medida en que no exige que el seleccionado urbanizador ostente la **capacidad para contratar en los términos** que resultan de los arts. 15, 17 y 19 LCAP, al no recogerse las prohibiciones del art. 20 LCAP y no exigirse la clasificación del art. 25 LCAP.

– Según el art. 32 D) LRAU, la **retribución del urbanizador** queda fijada en el documento del programa denominado proposición económico-financiera, en donde se regulan las relaciones entre el urbanizador y los propietarios del suelo. Ello determina la duda de constitucionalidad de los arts. 29.9, 32 D, 66, 67, 71 y 72.1 y 2 LRAU en tanto no se define y configura en el ámbito de la correspondiente contratación administrativa (arts. 14, 51.1 *in fine* y 100.1 LCAP). Igualmente, las obligaciones económicas que resulten de la adjudicación condicionada del art. 51 LRAU habrían de quedar definidas en dicho ámbito.

– También se plantea la duda en relación con el art. 32 C, en relación con el art. 29.6, ambos de la LRAU, en tanto se refieren al **convenio urbanístico** como el instrumento en el que se define la relación de la Administración y el urbanizador, lo que supone una quiebra de las garantías propias de la contratación administrativa, en los términos que resultan de lo expuesto. En cuanto el art. 32 C contiene las garantías y penalizaciones por incumplimiento, la duda de constitucionalidad que se plantea es la misma que se ha expuesto respecto del art. 29.8 LRAU.

– Finalmente, en relación con el art. 79.2 LRAU se plantea la duda de constitucionalidad por no ajustarse a lo dispuesto en el art. 111.2 LCAP, que exige un **acto formal y positivo de recepción** dentro del mes siguiente de haberse producido la entrega o realización del objeto del contrato, a partir del que debe computarse el correspondiente plazo de garantía.

b) *ATC de 16 de julio de 2002 (RTC 2002, 133 AUTO)*

a') *Primera parte: falta de relevancia*

A juicio del Tribunal Constitucional, el incumplimiento de los requisitos procesales establecidos en los arts. 35.1 y 2 y 37.1 de la LOTC impide la admisión a trámite de la cuestión de inconstitucionalidad.

La causa fundamental de inadmisión de la presente cuestión de inconstitucionalidad es la falta de relevancia de los preceptos legales cuestionados. El denominado juicio de relevancia, contemplado en el art. 35.1 LOTC, en desarrollo de lo dispuesto en el art. 163 CE, puede definirse como «el esquema argumental dirigido a probar que el fallo del proceso judicial depende de la validez de la norma cuestionada» (AATC 93/1999, de 13 de abril [RTC 1999, 93 AUTO], F. 3; 164/2001, de 19 de junio [RTC 2001, 164 AUTO], F. 2; y 283/2001, de 30 de octubre [RTC 2001, 283 AUTO], F. 2). La revisión de este juicio ha de realizarse necesariamente a la luz de la relación o interdependencia existente entre pretensión procesal, objeto del proceso y resolución judicial (en particular, STC 130/1999, de 1 de julio [RTC 1999, 130], F. 2, y las resoluciones allí citadas). Pues bien, a juicio del Tribunal Constitucional, el contraste entre esta aseveración y el contenido del Auto de planteamiento impide entender correctamente efectuado el juicio de relevancia, puesto que no se cumple el requisito de acreditar la «relación o interdependencia entre pretensión procesal, objeto del proceso y resolución judicial» que haya de dictarse. La identificación de la *causa petendi* no se corresponde con las tesis sostenidas por la parte actora en el proceso Contencioso-Administrativo. A este respecto debemos señalar que la demandante no achaca a la Ley autonómica deficiencia alguna en punto a la aplicabilidad de los principios informadores de la contratación pública. Antes bien, lo que denuncia es que el convenio urbanístico no cumple con lo previsto en el art. 29.13 LRAU, en virtud del cual «las relaciones derivadas de la adjudicación del programa se regirán por las normas rectoras de la contratación administrativa en lo que éstas no contradigan lo dispuesto por esta Ley ni sean incompatibles con los principios de la misma en los términos que reglamentariamente sean desarrollados». Dicho de otro modo, la demandante sostiene el incumplimiento de la LRAU por el convenio urbanístico impugnado y no su conformidad con la misma, y lo hace respecto del cumplimiento de los principios informadores de la contratación pública, que entiende aplicables por mor del ya mencionado art. 29.13 de la Ley autonómica. **Planteado en estos términos, el problema no es de compatibilidad entre la LRAU y** la legislación contractual pública, **que se presupone, sino de inobservancia de la primera de dichas normas legales.** Consecuentemente, en la fundamentación de su duda de constitucionalidad, el órgano judicial ha trastocado la exposición de las tesis sustentadas por la demandante. De tal suerte que lo que originariamente se plantea como un reproche de vulneración de la LRAU, por el convenio urbanístico impugnado, se transforma en el Auto de planteamiento de la cuestión de inconstitucionalidad, como acabamos de ver, en un alegato de incompatibilidad entre dicha Ley autonómica y la legislación básica en materia de contratación administrativa.

Así pues, el TSJ habría prescindido de las pretensiones deducidas –así como de los motivos aducidos en defensa de las mismas– por la parte actora en el proceso contencioso-administrativo, y postula un juicio abstracto sobre el conjunto de los preceptos de la Ley autonómica en los que se regula la figura del agente urbanizador. En efecto, a pesar de que la demandante también discuta el recurso a la gestión indirecta de la urbanización y ponga en cuestión la alternativa técnica presentada por la citada empresa, no existen razones que inviten a pensar que la respuesta que haya de darse a estos motivos requiera disipar duda alguna de constitucionalidad. Por lo que se refiere al rechazo de la gestión indirecta, porque la pretensión de la actora se fundamenta en que en el área existe ya un grado tal de urbanización consolidada que no puede hablarse en puridad de actividad urbanizadora, *sin que en ningún momento se discuta la selección del primer adjudicatario de la obra urbanizadora,* de tal suerte que la cuestión es ajena a la regulación del procedimiento de selección del urbanizador. En relación con la alternativa presentada por Hisactin, SL, se le achaca a la entidad su nula solvencia técnica y empresarial y se denuncia la falta en el expediente administrativo de un informe técnico, y la apreciación de la concurrencia de estas posibles carencias no precisa de un examen de la constitucionalidad de la obra del legislador autonómico.

b') Segunda parte: planteamiento notoriamente infundado

Por ello, el objeto de la presente cuestión de inconstitucionalidad ha de quedar forzosamente limitado a lo dispuesto en el art. 47.5 LRAU, donde se prevé la posibilidad de que quien formule la alternativa técnica original que sirvió de base para la aprobación del programa de urbanización pueda subrogarse en el lugar de quien haya resultado elegido, «asumiendo los mismos compromisos, garantías y obligaciones impuestos a éste». Conforme al apartado tercero del indicado precepto legal, esta posibilidad de subrogación se excluye en aquellos supuestos en los que el adjudicatario haya sido seleccionado «atendiendo a las mayores posibilidades de colaboración de los propietarios afectados que hubiera ofrecido y garantizado». El órgano judicial promotor de la cuestión achaca a este precepto, de la Ley territorial, vulneración del art. 149.1.18 a) CE, por desconocer su contenido las bases de la contratación administrativa establecidas por el legislador estatal en la Ley 13/1995, de 18 de mayo, vigente al momento de producirse los hechos objeto del proceso Contencioso-Administrativo del que trae causa esta cuestión de inconstitucionalidad. Más concretamente, el reproche efectuado por el órgano judicial promotor de la cuestión se ciñe a lo dispuesto en el art. 115 LCAP, donde se regula la «cesión de contratos». Pues bien, planteada la cuestión en estos términos el Tribunal Constitucional la rechaza por estimarla **«notoriamente infundada».** El art. 37.1 LOTC permite inadmitir las cuestiones de inconstitucionalidad que se estimen notoriamente infundadas, en la medida en que, como ocurre en este caso, el razonamiento que lleva a proponer la cuestión permita apreciar, sin necesidad de abrir debate sobre el tema, que la duda que alienta el órgano judicial promotor sobre la constitucionalidad de la disposición legal cuestionada se basa en una interpretación de la misma, o del precepto constitucional con el que se le supone en conflicto, absolutamente diversa de la que es común en nuestra comunidad jurídica o de la que haya sido ya consagrada por este Tribunal (por todos, ATC 194/2001, de 4 de julio [RTC 2001, 194 AUTO], F. 1).

En la presente ocasión, la razón última de la inadmisión de la cuestión ha de buscarse en la imposibilidad de formular un juicio de inconstitucionalidad como el que se pretende, en la medida en que requiere una comparación entre preceptos legales que regulan instituciones distintas, cuales son la cesión de contratos y la subrogación. Interesa subrayar que, a juicio del Tribunal Constitucional, no es posible realizar el juicio comparativo entre los dos preceptos legales citados por el órgano judicial promotor de la presente cuestión de inconstitucionalidad, y deducir de ese juicio una pretendida vulneración del bloque de constitucionalidad por el art. 47.5 LRAU, porque uno y otro regulan instituciones jurídicas diferentes. Así, baste señalar que, mientras *en la cesión* de contratos es el propio adjudicatario quien, por su propia voluntad y a su iniciativa, transfiere su posición jurídica a un tercero, siempre que medie autorización administrativa y excluidos los supuestos en los que las cualidades técnicas o personales del cedente hayan sido razón determinante de la adjudicación del contrato, en la *subrogación* se prescinde por entero de la voluntad de quien ha resultado adjudicatario inicial del contrato, atribuyéndose la facultad de subrogación a quien formuló la alternativa técnica original en aras del mejor servicio al interés público, identificado aquí con la adecuada realización de la actividad urbanizadora. A la vista de lo expuesto no es posible concluir que la regulación básica de la cesión de contratos administrativos represente un límite a las facultades normadoras del legislador autonómico en materia urbanística. Consecuentemente, se inadmite la cuestión de inconstitucionalidad también en lo que atañe a la pretendida contradicción entre los arts. 47.5 LRAU y 115 LCAP.

C. La perspectiva europea

Junto a la perspectiva constitucional tampoco puede olvidarse la comunitaria-europea, en especial a raíz de la citada *(supra)* jurisprudencia del TJCE que impone la observancia de las garantías previstas en las directivas comunitarias para los casos de los convenios urbanísticos. Fue a mi juicio factible, mientras estuvo vigente el sistema de la LRAU, una cuestión prejudicial al TJCE a efectos de verificar la compatibilidad o no del agente urbanizador (en su formulación legal por la LRAU) y el régimen previsto en las directivas comunitarias de contratación pública. La cuestión habría sido perfectamente planteable en caso de que la obra objeto del litigio en cuestión (que dé lugar a la cuestión prejudicial) hubiere superado los umbrales de las directivas.

D. Sentencias del TSJ de la Comunidad Autónoma Valenciana de 1 de octubre de 2002 (RJCA 2003, 350) y de 31 de enero de 2003 (RJCA 2003, 336). La mayor confusión dentro de la aparente claridad

El supuesto de la sentencia del TSJ de la Comunidad Autónoma Valenciana de 1 de octubre de 2002 (RJCA 2003, 350) se refiere a una exigencia, mediante ordenanza local, de prestación de una garantía (al urbanizador) para asegurar el cumplimiento de un Programa, del 100% del coste de la obra de urbanización. *Aunque habría bastado, a mi juicio, con que el TSJ se hubiera apoyado en el* artículo 29.8 de la LRAU (ya que establece lo contrario a aquello que sostiene la ordenanza), la Sala se apoya en que a tenor de lo dispuesto en el por entonces vigente artículo 36 del Real Decreto Legislativo 2/2000, de 16 de junio, por el que se aprueba el Texto refundido de la Ley de Contratos de las Administraciones Públicas «los adjudicatarios de los contratos regulados en esta Ley están obligados a constituir una garantía definitiva por el importe del 4 por 100 del importe de adjudicación, a disposición del órgano de contratación, cualquier que haya sido el procedimiento y la forma de adjudicación del contrato». A juicio del TSJ, este precepto, a tenor de lo dispuesto en la Disposición Final Primera de esta norma estatal tiene carácter de legislación básica, «dictada al amparo del artículo 149.1.18 de la Constitución y, en consecuencia, es de aplicación general a todas las Administraciones Públicas comprendidas en el artículo 1», esto es, «las Administraciones de las Comunidades Autónomas» [artículo 1, apartado 2 b)] y «las entidades que integran la Administración Local» [artículo 1, apartado 2 c)].

Debido a que la redacción del artículo citado de la LRAU no coincide con el precepto de referencia de la LCAP, el TSJ entiende que «de todo ello se deduce que podría existir una contradicción entre la exigencia prevista en el artículo 29.8 de la Ley 6/1994, de 15 de noviembre, de la Generalitat Valenciana, Reguladora de la Actividad Urbanística, y el artículo 36 del Real Decreto Legislativo citado». Pues bien, el TSJ aprovecha esta circunstancia para desarrollar una extensa doctrina cuyo fin no es otro que dejar clara la primacía de la LCAP sobre la LRAU en la materia contractual y por tanto sobre el agente urbanizador. Interesa observar los apoyos de esta sentencia del TSJ: Primero, el artículo 149.3 de la Constitución en el cual, como es sabido, se dispone que «la competencia sobre las materias que no se hayan asumido por los Estatutos de Autonomía corresponderá al Estado, cuyas normas prevalecerán, en caso de conflicto, sobre las de las Comunidades Autónomas en todo lo que no esté atribuido a la exclusiva competencia de éstas». Segundo, el Estatuto de Autonomía de la Comunidad Valenciana. En particular su artículo 32 donde se afirma «en el marco de la legislación básica del Estado y, en su caso, en los términos que la misma establezca, corresponde a la Generalidad Valenciana el desarrollo legislativo y la ejecución de las siguientes materias: 2) (...) contratos (...), en el ámbito de competencias de la Generalidad Valenciana».

Es decir, en materia de contratación administrativa, al Estado le corresponde la legislación básica, y a la Comunidad Autónoma la de desarrollo, en el ámbito de competencias que tenga expresamente atribuidas. **La consecuencia es que, de llegar a la conclusión de que la adjudicación del programa implica la de un contrato de obras, la normativa contractual estatal habría desplazado y tendría que aplicarse preferentemente a la de la Comunidad Autónoma.** Y, por supuesto, en ningún caso puede entenderse que estamos ante una competencia local, dado que es materia que corresponde en exclusiva al Estado y el desarrollo a la Administración Autonómica. «En consecuencia, y desde la perspectiva que a nosotros interesa en el caso analizado –dice el TSJ–, es evidente la nulidad de pleno derecho, a tenor de lo dispuesto en el artículo 62.2 de la Ley 30/1992, de 26 de noviembre. De la misma forma, ha de admitirse que a la actora se le ha producido un daño, al no haber podido ser la adjudicataria al exigírsele una fianza que excedía con mucho de lo establecido legalmente, en virtud de un precepto que ahora se declara nulo y contrario a derecho, por lo que no tiene el deber de soportar dicho perjuicio, habida cuenta que se reconoce que el programa ya se haya ejecutado, circunstancia incardinable en el supuesto de responsabilidad por el funcionamiento anormal de los servicios públicos prevista en el artículo 106.2 de la CE, por lo que debe estimarse el derecho a ser indemnizada en la cantidad de (...), que es el beneficio dejado de percibir según su proposición económica presentada en su día, más los intereses legales. Los argumentos y razonamientos de la sentencia van, no obstante, mucho más allá. Es muy interesante observar cómo, primero, el órgano jurisdiccional enmarca normativamente la figura del agente urbanizador a efectos, segundo, de dejar clara la conclusión que pretende: afirmar la "inaplicación de la LRAU"».

El primer paso es, desde luego, precisar la naturaleza contractual del agente urbanizador. En tanto en cuanto el Urbanizador gestiona indirectamente una función pública, por desarrollar una actividad que es de servicio público, **participa de la condición de concesionario de un servicio público.** Por otra parte, en cuanto asume la realización de la obra pública de urbanización, el objeto de su cometido será el del **contrato de obras,** pues según el art. 120 de la LCAP se entiende por contrato de obras el celebrado entre la Administración y un empresario cuyo objeto sea la realización de trabajos que modifiquen la forma o sustancia del terreno o del subsuelo como dragados, sondeos, prospecciones, inyecciones, corrección del impacto medioambiental, regeneración de playas, actuaciones urbanísticas u otros análogos. Según la Sala, contempla la LCAP la figura del **contrato de concesión de obras públicas,** en su art. 130, diciendo que queda sujeto a las normas generales de los contratos de obras y, en particular, a las de publicidad de los mismos, con las especialidades previstas en el art. 139, y que el concesionario deberá ajustarse en la explotación de la obra a lo establecido en el art. 162. Y por su parte, el art. 159.2 de la misma LCAP entiende de aplicación los preceptos establecidos para la concesión de obras públicas en el supuesto de que el contrato de gestión de servicios públicos incluya la realización de obras. El segundo paso es, en efecto, enmarcar normativamente la figura del agente urbanizador aludiendo a las figuras *próximas* o de referencia de otras legislaciones autonómicas. Dice el Tribunal: «el planteamiento que se postula está avalado por la legislación de otras Comunidades Autónomas». Así el Decreto Legislativo 1/2004, de 28 de diciembre, por el que se aprueba el Texto Refundido de la Ley de Ordenación del Territorio y de la Actividad Urbanística de **Castilla-La Mancha,** dispone en su art. 125 que «las relaciones derivadas de la adjudicación del Programa de Actuación Urbanizadora se regirán por lo dispuesto en esta Ley y, en el marco de la misma, en los Planes, el propio Programa y los actos adoptados para su cumplimiento, así como, supletoriamente, por las reglas del contrato de gestión de servicios públicos de la legislación reguladora de la contratación de las Administraciones Públicas». Y por su parte, la Ley 10/1998, de 2 de julio, de Ordenación del Territorio y Urbanismo de **La Rioja** regulaba en sus arts. 144 a 147 la concesión de obra urbanizadora refiriéndose al Urbanizador como concesionario, a la convocatoria del concurso y al pliego concesional, y remitiéndose en todo lo no expresamente previsto a lo dispuesto en la legislación de contratos de las Administraciones Públicas (aunque en la actualidad hay que decir que, ante la ineficacia de dicho sistema, en la Ley 5/2006, de 2 de mayo, de Ordenación del Territorio y Urbanismo de **La Rioja**, se ha optado por el sistema de agente urbanizador). En este contexto, **que el vínculo que existe entre el Urbanizador y la Administración es de naturaleza contractual resulta del propio art. 29.13 de la LRAU** cuando dice que las relaciones derivadas de la adjudicación del Programa se regirán por las normas rectoras de la contratación administrativa, si bien supedita la aplicación de tales normas a lo dispuesto en la ley reguladora de la actividad urbanística. Y que tal relación contractual posee **carácter concesional** resulta a su vez, de que el Urbanizador, como ya se dijo, gestiona indirectamente una función pública. Pues bien, «a juicio de esta Sala, la conexión que existe entre el Urbanizador y el Programa no puede justificar que, en aras de la competencia que la Comunidad Autónoma ostenta en materia de urbanismo, la regulación del Urbanizador **quede desvinculada** de la legislación básica en materia de contratos». Para ello, el TSJ, después de citar el concepto de urbanismo que se recoge en la STC 61/1997, de 20 de marzo (RTC 1997, 61), afirma que «la competencia que la Comunidad Autónoma ostenta en materia de urbanismo, no puede hacerse extensiva a la regulación que se hace del Urbanizador, que ha de quedar regulada en función de su auténtica naturaleza», es decir, la contractual. Desde este punto de vista constitucional, y relacionando esta doctrina del TSJ con el propio ATC citado *supra* (en virtud del cual el Tribunal Constitucional responde al Auto del TSJ por el que éste plantea cuestión de inconstitucionalidad), es claro que el hecho de que el Tribunal Constitucional (por razón de inadmitir dicha cuestión) no se pronuncie sobre la constitucionalidad o no de la LRAU (en tanto en cuanto ésta se desvincula del régimen contractual previsto en la LCAP del Estado) no impide al TSJ (sino todo lo contrario) elaborar soluciones, con apoyo en la propia jurisprudencia constitucional (la decisiva STC 61/1997 [RTC 1997, 61]) y con apoyo, como vemos seguidamente, en el propio Derecho comunitario.

Desde este punto de vista, el siguiente paso es, en efecto, observar qué consecuencias tiene el Derecho europeo para el agente urbanizador, según la sentencia que nos ocupa del TSJ. La Sala se apoya en la conocida sentencia (estudiada *supra*) del TJCE de 12 de julio de 2001 (TJCE 2001, 194): «La cuestión de la naturaleza contractual de la adjudicación de un Programa a un Urbanizador ha quedado resuelta por la sentencia del Tribunal de Justicia de las Comunidades Europeas de 12 de julio de 2001 (TJCE 2001, 194), al entender que la adjudicación a un particular de un plan de urbanización que permite a su titular la realización directa de una obra pública, es un contrato de obra, y ha de respetarse en cualquier caso la normativa comunitaria sobre contratación administrativa, y por ello entiende que la normativa urbanística italiana, que permite al titular del suelo que solicita una licencia urbanística, o al titular de un plan, realizarlo por sí mismo, sin cumplir la normativa comunitaria en relación con la contratación es contraria a la Directiva 93/37/CEE, de 14 de junio de 1993, sobre Coordinación de los Procedimientos de Adjudicación de los Contratos Públicos de Obras. **En consecuencia, es evidente que esta sentencia conlleva la consecuencia ineludible de que nos encontramos ante un contrato de obra, puesto que el poder adjudicador es una Administración Pública, la obra es de urbanización (actividad contemplada en el Anexo II de la Directiva)** y a tenor de lo dispuesto en la LRAU el urbanizador se compromete con la Administración a ejecutar la Actuación urbanística (artículo 29.6), debiendo garantizar a la Administración el cumplimiento de las previsiones del programa, garantizándolo mediante una garantía sobre el "coste de la urbanización", y siendo sancionado caso de demorarse en la ejecución con la caducidad de la adjudicación y con otras penas contractualmente previstas (artículo 29.10). Por otra parte la figura del urbanizador, en tanto se compromete a entregar a la Administración Obra Pública a cambio de un precio (el que resulte del convenio entre el mismo y la Administración, aun cuando el mismo se repercuta, por cierto, sin su intervención, a un tercero, los propietarios del suelo) encaja perfectamente dentro de lo dispuesto en el artículo 120 del Texto Refundido de la legislación de contratos antes citada cuando dispone que "a los efectos de esta Ley se entiende por contrato de obras el celebrado entre la Administración y un empresario cuyo objeto sea: b) actuaciones urbanísticas u otros análogos"».

Donde quiere llegar el TSJ es a afirmar la inaplicación de la LRAU. Dice la sentencia: «para llegar a la consecuencia de la inaplicación de la LRAU por contrariedad al Derecho comunitario, basta remitirse, de entrada, a la STJCE de 28 de junio de 2001 (asunto C-118/00) (TJCE 2001, 182), dictada en el caso Gervais Larsy e Institut national d'assurances sociales pour travailleurs indépendants (INASTI) en donde, en respuesta a una cuestión prejudicial planteada por un órgano jurisdiccional belga, el TJCE sintetiza el alcance de la **primacía del Derecho comunitario sobre el Derecho interno** recogiendo la jurisprudencia básica y precedente en la materia» (apartados 51 a 53).

Querría dejar constancia de la amplitud del apartado VII del extenso Fundamento Jurídico tercero de la sentencia, aunque no voy a detenerme sobre el particular, por bastar con afirmar que el Tribunal hace un alarde de conocimientos en cuanto a la justificación del principio de primacía del Derecho comunitario, con muy numerosas citas jurisprudenciales. No obstante, en un plano urbanístico, dicha doctrina no tiene mayor interés. La Sala pretende seguramente aumentar el peso de sus argumentos con la teoría general de la citada primacía.

Estos mismos razonamientos y textos son reproducidos por la sentencia de 31 de enero de 2003 (RJCA 2003, 336). En este caso, el TSJ se apoya en (y reproduce) la doctrina de la sentencia anteriormente citada a efectos de afirmar el mejor derecho de un licitador (en la adjudicación del Programa) que el derecho de quien a la postre fue seleccionado como agente urbanizador. El TSJ anula la adjudicación, por considerarla arbitraria, y reconoce el mejor derecho de la recurrente y la consiguiente indemnización como modo de reparación de la parte.

Ciertamente, de nuevo, en esta sentencia de 31 de enero de 2003, no nos parece imprescindible esta argumentación (de Derecho europeo y ni siquiera de Derecho estatal) para resolver este supuesto concreto, porque la propia aplicación de la LRAU habría podido resolver en igual sentido la controversia. No obstante, es clara la intención del TSJ de aprovechar el supuesto planteado para adoctrinar sobre las razones de la aplicación de la Ley estatal contractual en vez de la Ley urbanística autonómica. El Tribunal Constitucional apoya el desarrollo autonómico (STC 61/1997 [RTC 1997, 61]) y, por su parte, el TSJ apoya el desarrollo estatal y europeo dentro de la Comunidad en las sentencias que acabo de referir. La jurisprudencia citada (en especial las sentencias del TSJ) aparentemente resuelve el problema dejando clara su voluntad de afirmar la inaplicación de la LRAU en cuestiones de índole contractual que deben regirse por la LCAP. Ahora bien, la claridad en términos generales, abstractos o teóricos ha venido contrastando a mi juicio con la falta de claridad para saber siquiera cuál es el régimen aplicable en el caso concreto, es decir, en el terreno práctico, ya que no se ha sabido con certeza cuándo había de aplicarse la LRAU y cuándo tenía que ceder ésta ante la LCAP estatal. La primacía de ésta sobre aquélla se ha dejado clara. La primacía en la práctica jurídica, de ésta sobre aquélla, permaneció en lo oscuro, porque no venía conociéndose si la citada primacía se refería a casos de contradicción entre ambas leyes o a casos en los que *a priori* eran compatibles las regulaciones entre ambas, por tratarse de posibles variantes que no necesariamente entraban en contradicción, ya que, en la práctica, los aplicadores o intérpretes de la legislación valenciana no inaplicaron los preceptos de la LRAU que podían relacionarse con la materia contractual. El interés de la jurisprudencia citada estuvo en destacar el carácter puramente contractual del agente urbanizador, aunque no se atinara en la equiparación con alguno de los contratos nominados.

La jurisprudencia del TSJ hizo una llamada de atención frente a «posibles» inaplicaciones de la LRAU, en todos aquellos casos en que se plantease esta problemática de roces y conflictos. Estaríamos ante una interpretación «pro contrato» de la jurisprudencia del TSJ. El TSJ, en su función genuina judicial de garantizar a los particulares, se apoyó en la LCAP cuando le interesaba anular una decisión administrativa. En cuanto al fondo, el problema que planteaba toda esta cuestión estaba en el deseable mayor protagonismo y control, de los Ayuntamientos, sobre el agente urbanizador. Ni siquiera el régimen del agente urbanizador seguía el régimen tradicional de los PAU. En éste queda claro *ab initio* que las «bases» se aprueban en el Programa de Actuación Urbanística y vinculan a ambas partes, «sin que la Administración pueda establecer aquéllas al margen del procedimiento legalmente establecido para ello en la LCAP». La relación es, directamente, puramente contractual. Las propias limitaciones de la aseveración anterior son las que permite la legislación contractual pública, es decir, la facultad administrativa de interpretar las controversias que suscite el contrato. Procedía la anulación de las decisiones administrativas donde se establecieren condiciones distintas de las previstas en el Pliego de Bases del Concurso (que es ley del contrato), por la vía de hecho, es decir, al margen de la legislación contractual pública. En fin, a la Administración «correspondería una amplia discrecionalidad *que no puede ser sustituida* por la particular opinión del agente urbanizador» (STSJ del País Vasco de 5 de febrero de 2003 [JUR 2003, 115749]).

El fortalecimiento del papel del poder público pasa por el sistema contractual en virtud del cual el agente es un auténtico delegado de la Administración. El reto es fomentar la iniciativa empresarial, pero con un control público adecuado. En términos de «intensidad» parece hacer falta aumentar la presencia de los Ayuntamientos. El respeto de la legislación de contratos públicos no significa sólo el respeto de garantías importantes del ordenamiento jurídico. Aplicando la ley contractual se consigue, primero, otorgar el «dominio» del proceso urbanizador al poder público. Y mermando de esta forma la posición privilegiada del agente urbanizador se repercute, al mismo tiempo, en la mejor consideración de los propietarios. Los derechos de los propietarios y las valoraciones económicas han de definirse por Ley y por decisión del Ayuntamiento, no por decisión indirectamente de un empresario que representa fines propios[50]. La

---

50. Para ejemplificar con la práctica estas afirmaciones, interesante sobre el particular es la sentencia del TSJ de la Comunidad Autónoma Valenciana de 10 de octubre de 2003 (nº de recurso 284/98). Importa destacar, de este fallo, tanto la «*ratio* pro contratos» como

evolución posterior de este sistema ha venido a confirmar la verdad de estas afirmaciones. El agente urbanizador privado es un contratista.

En fin, después de que los tribunales hayan exigido la aplicación de la legislación contractual pública (lo que no es casual, pensando en que de esta manera es como se consigue defender a terceros) ideal sería que el Estado dictara una Ley básica especial de contratación urbanística, a la que tengan que amoldarse las CCAA cuando regulan la gestión urbanística siempre que opten por modelos empresariales de gestión. El agente urbanizador ha de ser un auténtico ejecutor o delegado de la Administración pública que auxilia a ésta a ejercer su función pública urbanística. De ahí que sea difícil admitir un sistema de aprobación de los programas y selección de los urbanizadores en virtud del cual la Administración ni programa ni tampoco define realmente las condiciones de la programación.

Según la sentencia del TSJ de la Comunidad Autónoma Valenciana de 1 de octubre de 2002 (RJCA 2003, 350) «el Urbanizador, cuando no lo sea la propia Administración, es una persona, pública o privada, que *asume la realización de una función pública cual es la urbanización del suelo,* la producción de infraestructuras públicas de urbanización. Por ello, debe considerarse tal figura partiendo de dicha fundamental premisa». Según otra ilustrativa sentencia del TSJ de la Comunidad Autónoma Valenciana de 11 de diciembre de 2002 (RJCA 2003, 267), «la actividad urbanística es una función pública cuya responsabilidad debe reclamarse a los poderes públicos y no a los propietarios de los terrenos. Lo que dispone la LRAU es que el agente ejecutor del Plan sea siempre un agente que actúa, jurídicamente, asumiendo la calidad de agente público. La Administración puede asumir directamente ese papel activo. Puede operar, igualmente, mediante la empresa pública. Pero también puede gestionar indirectamente el planeamiento, adjudicando el protagonismo a una empresa (seleccionada en

(especialmente) la idea según la cual el respeto de los principios de la legislación contractual es el modo de garantizar, precisamente, a los propietarios afectados por el proceso urbanizador. Para ello, la Sala se apoya en la propia jurisprudencia comunitaria europea que ya conocemos.

En este asunto, el Ayuntamiento, después de declarar clausurado un procedimiento (en 1996) de adjudicación de un Programa de Actuación (en favor de una determinada entidad urbanizadora en el mismo acto o Acuerdo en el cual se aprobaba también un Plan Parcial relativo a la misma zona de actuación) pretendía reabrirlo en 1997 adjudicando el PAI a la misma empresa que había sido en principio preseleccionada conforme al procedimiento que se había tramitado anteriormente y que finalizó con la no adjudicación del PAI. El TSJ declaró nulo el nuevo Acuerdo de adjudicación (de 1997) sin admitir esta readjudicación, frente a (obsérvese) la alegación del Ayuntamiento de haber procedido a una aplicación del procedimiento negociado de adjudicación sin publicidad previsto en la Ley pública de contratos para casos en los que el anterior procedimiento se hubiera declarado desierto por ser todas sus ofertas irregulares o inaceptables y además se hubiera planteado la negociación con los mismos participantes. El TSJ consideró que el Ayuntamiento debía haber aplicado la revocación del Acuerdo de 1996 o debió haber iniciado un nuevo procedimiento de adjudicación. De lo contrario, la adjudicación se hace al margen de los principios de publicidad y de concurrencia que afirma la Ley de contratos. No es de recibo, además, la alegación de estar ante un procedimiento negociado, ya que «existen otros derechos e intereses afectados, los de los propietarios, que tienen interés en que la concurrencia y publicidad en estos procedimientos se lleven hasta sus últimas consecuencias, para que se garantice sin ningún tipo de duda que la elegida será la mejor oferta».

pública competencia) en la que delegue esa responsabilidad. Cuando la actuación sea indirecta, la Administración se reserva la dirección y la supervisión y la empresa se convierte en el ejecutor material de sus directrices, poniendo al servicio de éstas los resortes productivos de la libertad de empresa y de la economía de mercado (LRAU, Preámbulo, punto III). Los empleados del Agente Urbanizador, cuando asume esa función una empresa privada, no tienen la condición de funcionarios y personal al servicio de la Administración Pública a quienes afectasen las causas de abstención y recusación (arts. 28 y 29 de la Ley 30/1992)».

En conclusión, en vigencia de la LRAU 6/1994 en la práctica el agente urbanizador parece gozar de un peso excesivo en el sistema urbanístico que se debe, en el fondo, a la inaplicación de la legislación de contratos públicos. La entrada en escena, de esta legislación contractual, puede ser un medio de reequilibrar el sistema jurídico, logrando que los urbanizadores no terminen imponiendo sus condiciones en materia de programación y, en general, definiendo o mediatizando el grado de garantías que corresponde a los propios propietarios.

6. PERSPECTIVA POLÍTICO-JURÍDICA. VENTAJAS Y VIRTUALIDAD DEL AGENTE URBANIZADOR

A. La aportación de la LRAU: una posible y destacada *colaboración* de empresarios urbanizadores

Para la LRAU, la actividad del urbanizador es en todo momento actividad empresarial, en concreto la producción de solares y la creación de suelo apto para edificar previa urbanización. Esta actividad empresarial debe ser lógicamente retribuida. Dicha retribución corresponde justamente a quien recibe el producto elaborado, es decir el solar urbanizado como consecuencia del desarrollo del Programa. Conforme al modelo estatal, tradicionalmente en la práctica los propietarios no solían ser empresarios cualificados y de ahí que los escasos promotores inmobiliarios que accedían al proceso urbanizador se veían obligados a obtener la superficie necesaria (el 50% o el 60% en el sistema de compensación) para poder acometer la ejecución.

Por eso, la LRAU, en 1994, nos presenta este rasgo con tintes de originalidad: «es infrecuente la existencia de empresarios dedicados a producir suelo urbanizado (con independencia de la promoción de edificios), pero esta carencia, cuya superación sería enormemente deseable para un ordenado desarrollo urbanístico basado en propiciar una oferta suficiente de suelo urbanizado, es directa consecuencia de la dificultad de encajar ese papel empresarial dentro de la legislación histórica» (Exposición de Motivos de la LRAU).

Lo cierto es que se debe a dicha Ley el origen de un modelo urbanístico de clase empresarial cuya actividad es realizar profesionalmente las urbanizaciones cuyo cumplimiento requiere el interés público, aun cuando no puede hablarse de una completa innovación u originalidad (nos consta ya sobradamente, véase *supra,* que la presencia empresarial en la gestión urbanística no fue desconocida en tiempos de aplicación de la legislación urbanística estatal: promotores inmobiliarios, empresas urbanizadoras conectadas a Juntas de Compensación).

Otras CCAA han contribuido a este «arraigo» de un sistema de gestión empresarial, tal como podremos comprobar.

La LRAU fue una Ley de su tiempo en el sentido de dar una de las posibles soluciones a los problemas presentes en el momento de promulgarse.

El *quid* del nuevo sistema empresarial está en la conversión de las tradicionalmente llamadas «cargas» de urbanización en «actividad rentable», el negocio de un empresario[51]. El urbanizador hace todo aquello que la Administración Pública debería hacer y no hace. Fue la suplantación del propietario iuspublificando el urbanismo, pero privatizándolo empresarialmente después, porque éste es el quid de lo contractual.

Es preciso matizar, no obstante, el carácter empresarial del sistema de la LRAU. Por tal ha de entenderse, primeramente, la posibilidad de que un tercero empresario (no propietario) tome la iniciativa de programación y urbanice. Pero también el carácter empresarial se manifiesta a través de un fenómeno de conversión de los propietarios en urbanizadores. Podrá darse el caso de que los propietarios entren en concurrencia ora con el tercero no propietario que presentó una alternativa, ora con otros propietarios que también quieren erigirse en urbanizadores. El sistema propicia la competencia empresarial a veces en términos de pugna abierta, junto a muy numerosas negociaciones y alianzas.

B. Ventajas de tipo práctico del agente urbanizador

Todo este sistema que acaba de explicarse está pensado y montado, tal como la propia Exposición de Motivos de la LRAU deja claro, para «optimizar los recursos en aras a la mayor y más pronta inversión en. infraestructuras de urbanización». Este modelo está presente, igualmente, en Castilla-La Mancha con idéntico contenido en cuanto sistema y pervive tras la nueva LUV 16/2005 de la misma Comunidad Valenciana.

Mediante el agente urbanizador se evita la tendencia del modelo alternativo de los propietarios, según el cual para urbanizar hay que comprar suelo. El agente urbanizador evita este inconveniente y crea indirectamente suelo urbanizable y se simplifica el burocratismo aumentando la flexibilidad de gestión. Su virtualidad, desde esta perspectiva de la creación de viviendas, está clara desde el momento en que el sentido de esta figura no es otro que el de conseguir desbloquear acciones urbanísticas estancadas por los propietarios, es decir desbloquear el desarrollo de los suelos urbanizables así clasificados en el planeamiento vigente dinamizando los procesos de ordenación urbana. En otros términos, de nada serviría clasificar más suelo como urbanizable mientras no se agilice la gestión del suelo.

El agente urbanizador quiere presentarse como una solución frente al pro-

---

51. En la legislación urbanística tradicional, lo característico es que la edificación fuera una carga, un coste que necesariamente debía ser asumido para poder edificar, siendo la edificación el beneficio. Es decir, para conseguir el momento dulce de la edificación, había que pasar por el momento amargo de la urbanización. Ambos elementos aparecían unidos y dependientes. En cambio la LRAU configura la actividad urbanizadora como una función pública independiente y autónoma de la actividad de edificar.

blema de la lentitud de gestión, bloqueo de suelo y especulación de la propiedad (*infra* veremos la crítica al modelo valenciano). El modelo de agente urbanizador no consigue sino obligar al propietario a cumplir con sus obligaciones. Además, la defensa del propietario pudo revelarse a veces como un tópico, cuando el propietario no es un modesto ciudadano sino una gran constructora adquirente de suelo.

En este sentido, según la Exposición de Motivos de la LRAU, «la legislación anterior asociaba la Programación de actuaciones a la clasificación del suelo, determinando secuencias espaciales rígidas de desarrollo del planeamiento. Es así como se acentuaba la aparición de rentas de monopolio sobre el suelo y se suscitaban disfuncionalidades cuando los acontecimientos desmentían el paralelismo cronológico previsto entre la realización de las inversiones públicas respecto de las privadas. Asimismo, a cada actuación se le asignaban unas infraestructuras a costear, de modo que el Plan General efectuaba una distribución de costes, cronológicamente programada a largo plazo, entre agentes inversores públicos y privados, que, en la práctica se incumplía».

Para la LRAU, la llave para la participación de la propiedad de suelo en el proceso urbanizador será el Programa (es decir, el reconocimiento de un compromiso inversor concreto), no la simple calificación y clasificación del terreno, como ya nos consta.

Lo que ocurre es que hoy parece que se desea lo contrario; es decir, no agilizar la gestión, no crear suelo, no urbanizar; y por eso es discutible la actualidad de esta figura en este nuevo contexto social.

Suelen destacarse, además, otra serie de virtualidades de este modelo por parte de sus defensores. Se invoca que el agente urbanizador ha conseguido ralentizar los precios de la vivienda, es decir que éstos suban un tercio menos que la media española de subida de precios de la vivienda[52].

Según aquéllos, la posición tradicional de exclusión o monopolio del propietario lleva a una inflación del valor de los terrenos. Aunque la legislación estatal preveía mecanismos sobrados para obligar a los propietarios a cumplir sus obligaciones urbanizadoras, el funcionamiento práctico del sistema no fue eficiente ante esta presión de los intereses especuladores de los propietarios[53].

El agente urbanizador es la manera de conseguir los objetivos de creación de suelo de forma acorde a lo que la sociedad demanda: si bien en 1995 sólo se encontraban en Valencia en tramitación dos suelos urbanizables no programados (habiendo sido aprobados en 1988) «en la actualidad la totalidad de los

---

52. Según datos procedentes de los defensores del sistema (G. R. Fernández Fernández, en: M. A. Rueda Pérez [director], *Perspectivas del régimen del suelo, urbanismo y vivienda*, Madrid, 2003, p. 24, donde constan dichos datos o precios); igualmente, véase G. R. Fernández Fernández, «El nuevo modelo en la gestión urbanística: la experiencia en la legislación valenciana», *RDU*, 166, 1998; G. R. Fernández Fernández/Fernández Monedero, «Balance actual del modelo urbanístico valenciano. Apuntes para un análisis propositivo», *RDU*, 193, 2002; F. Blanc Clavero, en *Ciudad y Territorio. Estudios territoriales*, XXIX, 112, 1997).

53. G. Fernández Fernández, en: M. A. Rueda Pérez (director), *Perspectivas del régimen del suelo, urbanismo y vivienda*, Madrid, 2003, pp. 17 y ss., quien destaca además la adaptación de la propia Administración (creando nuevas oficinas) a esta nueva visión empresarial de la gestión del suelo.

sectores de urbanizable, programados y no programados, y de las unidades de actuación en urbano se encuentran *en marcha*, unas urbanizadas, otras urbanizándose y otras en tramitación»[54].

Indudablemente, el mérito de este sistema estaría en imprimir un ritmo diferente de ejecución, un ritmo vivaz distinto al tiempo de «adagio» que sigue la Administración pública o al tiempo de «lento» que puede interesar a los propietarios[55].

Por otra parte, el agente urbanizador incrementaría la participación de la iniciativa privada, «que alcanza cotas de más del ochenta por ciento de la inversión total manteniéndose la inversión pública»[56].

Asimismo, si no se flexibiliza la gestión urbanística (conforme al sistema del agente urbanizador) se generan efectos perniciosos sobre el suelo urbano consolidado, ya que se obliga a sobredimensionar el volumen de edificación en la ciudad hecha a efectos de lograr el mayor número de viviendas que demanda la sociedad[57].

Sin embargo, a mi juicio una excesiva atención de la gestión en suelo urbanizable (como parece ser el caso) pudo también llevar a descuidar la rehabilitación dentro de las ciudades, si los intereses urbanísticos se concentran en la mayor rentabilidad que proporciona la gestión rápida y eficaz en suelo urbanizable.

Cierto es que la LRAU fomenta la iniciativa privada y reconoce y se basa en un principio de concurrencia siempre deseable: *cualquiera* puede presen-

---

54. G. FERNÁNDEZ FERNÁNDEZ, en: M. A. RUEDA PÉREZ (director), *Perspectivas del régimen del suelo, urbanismo y vivienda*, Madrid, 2003, p. 23.

55. Suelen enfrentarse habitualmente las concepciones estatutaria del suelo, por un lado, y las corrientes liberalizadoras, por otro lado, ambas con seguidores y detractores. ¿Qué posición adoptaría la LRAU?
    Dicha LRAU parece no enfrentarse con ninguna de ambas posturas. Por una parte, en la línea de la concepción enumerada en primer lugar, es claro que el dueño del terreno en suelo urbanizable no tiene derechos previos al Programa respecto al desarrollo urbanístico del terreno (artículo 2 LRAU).
    No obstante, y a pesar de que sea hablando de programación, vemos un punto de contacto claro con la liberalización en tanto en cuanto la citada LRAU procura desbloquear la operación de edificación y de disposición de suelo afirmando además un derecho en favor de la iniciativa privada e incluso empresarial a solicitar y aprobar el Programa que servirá de referencia para la operación de urbanización.
    J. E. SORIANO, *Hacia la tercera desamortización (por la reforma de la Ley del Suelo)*, Madrid, 1995; F. E. FONSECA FERRANDIS, *La liberalización del suelo en España. Presupuestos y marco-jurídico constitucional*, Madrid, 1999; TRIBUNAL DE DEFENSA DE LA COMPETENCIA, *Remedios políticos que pueden favorecer la libre competencia en los servicios y atajar el daño causado por los monopolios*, Madrid, 1994.

56. J. C. TEJEDOR BIELSA, en: M. A. RUEDA PÉREZ (director), *Perspectivas del régimen del suelo, urbanismo y vivienda*, Madrid, 2003, p. 85.

57. G. FERNÁNDEZ FERNÁNDEZ, en: M. A. RUEDA PÉREZ (director), *Perspectivas del régimen del suelo, urbanismo y vivienda*, Madrid, 2003, p. 19.

tar una alternativa técnica solvente que abra un procedimiento de programación y, en éste, podrán seguir presentándose alternativas técnicas y proposiciones que, compitiendo con aquella otra, puedan llegar a suplantarla.

El éxito del agente urbanizador es «visible» porque todo el mundo puede ver las _urbanizaciones_ que se han realizado, con anticipación a veces a la propia edificación, y que presentan generalmente mejores condiciones urbanísticas que las que se presentan en las zonas o barrios donde ha primado la espontánea iniciativa del propietario.

En conclusión, el _quid_ de la LRAU habría estado en dar con una fórmula de beneficio o «rentabilidad» para resolver algo que _a priori_ venía presentándose como una «carga».

7. CRÍTICA AL AGENTE URBANIZADOR

Siguiendo con esta perspectiva político-jurídica es preciso criticar también el sistema del agente urbanizador.

Podríamos referirnos, primero, al hecho de que los Ayuntamientos, con este sistema de la LRAU, se muestran muchas veces de forma excesivamente complaciente con el agente urbanizador, ante el recuerdo de aquellos tiempos pasados en los que el municipio se veía obligado a asumir cargas urbanizadoras que representaban un tremendo lastre presupuestario.

Otro problema afecta a las valoraciones de los bienes afectados por el proceso urbanizador. En efecto, «es sobre todo en materia de valoraciones donde el conflicto entre el propietario y el urbanizador aparece más patente», ya que el agente urbanizador llega a fijar unilateralmente los conceptos retributivos repercutiéndolos indiscriminadamente sobre los propietarios[58].

En definitiva, el problema sería que se produce una valoración del precio del suelo a precio de saldo y una valoración de la urbanización a precio de catálogo (en materia de valoraciones es preciso tener en cuenta la nueva Ley del Suelo del Estado 8/2007 que deroga la LRSV 6/1998).

---

58. J. M. SERRANO ALBERCA, en: M. A. RUEDA PÉREZ (director), _Perspectivas del régimen del suelo, urbanismo y vivienda,_ Madrid, 2003, p. 165: «el modelo, a nuestro entender más equilibrado y que combina la agilización con las garantías es el modelo de Castilla y León, que se basa en el mantenimiento de los sistemas de actuación con posibilidad de que si el propietario no interviene en el proceso de gestión, sea sustituido por el urbanizador. Este sistema, con otro enfoque, ha sido implantado en otras CCAA, como Madrid y Cataluña».

Otro extremo criticado es la situación práctica de oligopolio que ha generado el agente urbanizador ya que «el desarrollo urbanístico ha caído en manos de tres o cuatro agentes urbanizadores adjudicatarios». Esto es preocupante porque «la ausencia de alternativas en un concurso priva a la ciudad de la posibilidad de optar ente varios proyectos y de seleccionar el más idóneo para la zona»[59].

Además, pueden reseñarse los siguientes problemas jurídicos:

– Posible ausencia de la debida claridad en cuanto a la definición del «derecho preferente» de urbanizar en favor de los propietarios.

– Posible falta de transparencia y de consulta a los afectados.

– Posible aprobación del presupuesto inicial sin desglose de costes.

– Posibles retasaciones que incrementan, después de la adjudicación, el coste inicial presupuestado de las obras.

– Posible valoración de los terrenos por debajo de su valor real a fin de quedarse el urbanizador con más terreno gratis, ya que cuanto más bajo fije éste el precio del suelo en la proposición jurídico-económica, más suelo habrá que cederle para financiar su urbanización.

– Posibles exigencias excesivas que se imponen a veces a los propietarios, llegándose a una alta cuota de urbanización o a un exagerado coeficiente de cesión de cambio terreno por parcela edificable (campos de golf, hasta helipuertos o servicios de ambulancia, aprobación de convenios urbanísticos sin la participación de los afectados). El problema se acentúa considerando que, a priori, la oferta más atractiva será elegida. Y dicha *oferta* podrá ser, así, excesivamente gravosa para la propiedad.

– Posible apropiación por el agente urbanizador de terrenos colectivos.

– Posible adjudicación de las mejores parcelas al citado agente.

– Posible selección del Programa y del urbanizador sin las garantías necesarias[60].

---

59. Según noticia del periódico «El País» de 1998 y según el Informe de la Subsecretaría de urbanismo y Ordenación del Territorio de la Generalidad valenciana, «La aplicación práctica de la LRAU tras 40 meses de su vigencia», citados por SERRANO ALBERCA, en: M. A. RUEDA PÉREZ (director), *Perspectivas del régimen del suelo, urbanismo y vivienda*, Madrid, 2003, p. 165.

60. J. L. RAMOS, en: http://perso.wanadoo.es/abusourbanistico. Una versión o valoración positiva y técnica puede extraerse de los trabajos de G. R. FERNÁNDEZ FERNÁNDEZ y D. MARTÍNEZ PÉREZ, en: M. A. RUEDA PÉREZ (director), *Perspectivas del régimen del suelo, urbanismo y vivienda*, Madrid, 2003.

– Negación de que se haya producido una reducción significativa de los precios de la vivienda[61].

Estos problemas han llegado a ser denunciados incluso por el Defensor del Pueblo en su Informe Anual de 2002. Dicho Informe se refiere a las quejas procedentes de la Comunidad Valenciana sobre la figura del agente urbanizador, por «los elevados costes de urbanización fijados por el agente» y «por las concentraciones de suelo urbanizado en manos de muy pocos urbanizadores, en condición de propietarios»[62].

Eco social, dentro de la Comunidad Valenciana, han alcanzado las críticas procedentes de las Embajadas contrarias a este procedimiento de gestión urbanística, ante lo que consideran abusos en el derecho de propiedad de los nacionales que representan[63].

Lo criticable no sería el sistema en cuanto tal, sino el hecho de que no cierra la vía a posibles abusos en casos concretos.

Es fácil decir que el reto del modelo valenciano era, pues, lograr los fines que esta figura del agente urbanizador conlleva, sin mermar los derechos de la propiedad. Se manifiesta así el eterno problema de tensión entre la eficaz realización de los intereses públicos y el debido respeto de las garantías de los particulares[64].

---

61. Puede verse, con datos, la noticia en: www.expansiondirecto.com/2001/03/19/inmobiliaria/suelo.html.

62. Fuente: eureka.ya.com/algarnetiviu.

63. Puede verse la noticia en: http://perso.wanadoo.es/abusosurbanisticos-no.

64. Para otros comentarios J. E. SORIANO/C. ROMERO REY, *El agente urbanizador*, Madrid, 2004.

Un segundo modelo de agente urbanizador. El contratista urbanizador en la vigente Ley Urbanística Valenciana

1. REGULACIONES PRINCIPALES DEL NUEVO CONTRATISTA URBANIZADOR

El modelo de agente urbanizador no significa, en general, sino la entrada de un empresario no necesariamente propietario, que se convierte en contratista de la Administración, para la mejor realización de unas obras de urbanización que interesa realizar. El urbanizador financia la ejecución de las obras de urbanización (artículo 119 de la LUV) y el pagador es el propietario que se beneficia de las mismas, bien en metálico bien en terrenos (artículos 162 y 167 de la LUV)[65].

Existen varias opciones para regular el agente urbanizador. En principio, el agente urbanizador puede aparecer en el seno de los sistemas de gestión urbanística en general (como ocurre en casi todas las Comunidades Autónomas salvo en la Valenciana, o en Castilla-La Mancha) o como *único* sistema de gestión, aglutinando características (de forma ecléctica) de los otros sistemas (como ocurre en la Comunidad Valenciana).

Incluso en la última de las dos variantes mencionadas, la experiencia de la LUV de la Comunidad Valenciana pone además de manifiesto que es posible configurar el agente urbanizador de distintas formas. Cabría, en principio, incluso una remisión sin más a la legislación contractual pública, siguiendo los esquemas del contrato de concesión de obra pública, tal como hacen ciertas Comunidades Autónomas aunque esta opción correcta (co-

---

65. Puede verse H. Nogués Galdón, *Los Programas de Actuación Urbanística en la Comunidad Valenciana*, Valencia, 2007 y M. E. Serrano Chamorro, *Cambio de solar por edificación futura*, Pamplona 2001, 3ª edic.

rrecta teóricamente) no tiene significación (ya que no consigue afirmar un modelo regulativo concreto). Cabe al parecer un modelo, como el de la LRAU 6/1994 de la Comunidad Valenciana, que está presente actualmente en la Comunidad de Castilla-La Mancha. Y cabe un modelo distinto, como el previsto actualmente en la LUV 6/2005.

Teóricamente este sistema, en cualquiera de sus variantes, pretende una intervención a favor de los intereses públicos, de los propios propietarios y de la propia Administración. Respecto de esta última actúa como delegado.

Tanto la derogada LRAU como la vigente LUV de la Comunidad Valenciana plantean un modelo *contractual* de gestión urbanística que está en la base del sistema de gestión. Lo que ocurre es que la LUV reconoce ya abiertamente que estamos ante un contrato administrativo, aunque especial.

El modelo de agente urbanizador de la LUV y de la LRAU es un conjunto ecléctico de rasgos de los sistemas tradicionales de gestión urbanística. La singularidad está en fomentar que una persona no necesariamente propietaria pueda llegar a ser urbanizador.

El planteamiento de la LRAU y de la LUV es por tanto el mismo.

Éste es un dato significativo, porque después de 10 años de la LRAU, podría haberse hecho en esta Comunidad Autónoma algo parecido a lo que han hecho el resto de las Comunidades, es decir, mantener el agente urbanizador pero junto a otros posibles sistemas, por ejemplo otorgando a la propiedad un derecho a ser urbanizador si reúne el 50%, derecho que sólo decaería en caso de que la propiedad incumpliera sus obligaciones o los plazos de ejecución. Sin embargo, esto no es así. Tanto para la LRAU como para la LUV, si la propiedad reúne el 50% no se goza de un derecho tal, porque la propiedad ha de someterse a un concurso necesariamente.

Como resultado de dicho concurso, la adjudicación podrá recaer en otro sujeto distinto que haya presentado un mejor programa. En cambio, en el resto de las Comunidades Autónomas, si la propiedad reúne el 50% será siempre la gestora la propiedad, salvo que incumpla sus deberes urbanísticos.

Es interesante conocer que el Anteproyecto de LUV contenía una regulación distinta en los aspectos esenciales de la tramitación de los Programas frente a la que finalmente ha prevalecido.

Desde el primer momento quiere dicha LUV aportar nuevas regulaciones con estos fines:

1.   La necesidad de una regulación más coherente con la legislación contractual pública, considerando las exigencias impuestas en este sentido por la jurisprudencia del TSJ de la Comunidad Valenciana y del TJCE de Luxemburgo. La LUV reconoce ya el carácter contractual de la relación entre Administración y urbanizador. No obstante, el contrato es especial.

2.   La necesidad de dar una regulación *ad hoc,* o matizada, al problema de la urbanización en áreas semiconsolidadas, en atención a que el sistema indiferenciado de la LRAU provocaba abusos urbanísticos.

3.   La necesidad de atenuar en parte los aspectos de gestión urbanística dentro de la sistemática general de la Ley.

El modelo nuevo de agente urbanizador, plasmado en la citada LUV, lleva a cabo una mayor aproximación de esta figura a la contratación administrativa, con todas las consecuencias que ello implica. Una de las claves de esta legislación es el seguimiento, en lo posible, del modelo contractual público a la hora de regular el agente urbanizador[66]. Especial énfasis parece ponerse en evitar cualquier tipo de contradicción con su articulado.

Las claves del nuevo agente urbanizador, que interesa especialmente conocer, serían las siguientes, cuando menos en comparación con la otra posible variante o modelo originario de agente urbanizador previsto en la LRAU 6/1994 y en otras las legislaciones autonómicas:

Primero, el urbanismo se convierte en una materia cada vez más profesional y empresarial. Esta característica se pone de manifiesto a la luz de muy numerosos preceptos de la nueva LUV, donde se prevén mayores exigencias de solvencia técnica, económica o financiera al candidato a urbanizador (siguiendo la *ratio* de la legislación contractual pública)[67] o exigiéndose incluso la clasificación empresarial (al empresario constructor). Además, por ejemplo, ya no basta tras la nueva LUV, con presentar un anteproyecto de urbanización, en la fase de selección del urbanizador, ya que es preciso un proyecto de urbanización. Se siguen, igualmente, las reglas de la legislación contractual pública en materia de penalidades contra el urbanizador (artículo 143 de la LUV) o de inhabilitación (artículo 236 de la citada LUV).

Segundo, la Administración pública pasa a tener una posición más activa o protagonista. Esto se pone de manifiesto fácilmente, pues basta con observar el nuevo modelo de selección de agente urbanizador, basado en la citada

---

66.   Por ejemplo, habrá que entender, igualmente, aplicable el régimen de las bajas temerarias (artículo 136 de la LCSP 20/2007; SSTS de 2 julio 2004 [RJ 2004, 6730], de 27 enero de 2004 [RJ 2004, 493] y STSJ de la Comunidad Valenciana de 25 de junio de 2003 [JUR 2004, 24169]).

67.   Puede verse el artículo 122 de la LUV.

legislación, con unas bases generales y unas bases particulares de adjudicación, que han de estar previstas para poder tramitar cualquier PAI. Desde el punto de vista del empresario tiene éste ahora a priori una mayor dificultad para influir en la determinación de las condiciones urbanísticas resultantes.

Tercero, el propietario, a mi juicio, tiene ahora mayores garantías, en especial procedimentales[68] (por ejemplo el plazo para optar por el pago en metálico se amplía a dos meses desde el raquítico plazo de diez días que preveía la LRAU 6/1994)[69], y, en especial, unas mayores opciones o garantías de obtener «lo justo» (o, lo que viene a ser lo mismo, de pagar «lo justo») en el contexto de la urbanización de su terreno.

Por contrapartida, el propietario tiene incluso más difícil que con la LRAU 6/1994 el poder adquirir la condición de urbanizador, considerando las exigencias comentadas *supra* de índole (en el fondo) contractual, así como la pérdida de su antiguo «régimen de adjudicación preferente». En efecto, en aras de plasmar un concurso limpio el propietario pierde este régimen mencionado. Las Agrupaciones de Interés Urbanístico pasan a ser una forma de organización de la propiedad (artículo 144 de la LUV). Y, por supuesto, el propietario sigue sometido a un concurso si quiere ser urbanizador.

Sin embargo, como antes advertía, el propietario tiene mayores garantías o probabilidades de obtener «lo justo» (v. gr. de pagar «lo justo») al urbanizador, ya que, desde este punto de vista, cualquier abuso sobre su propiedad parece más difícilmente realizable. El «abuso» se refiere o referiría a un pago de más respecto del coste real o adecuado de las obras de urbanización. Por contrapartida, la nueva LUV prevé una serie de mecanismos que evitan un posible abuso sobre la propiedad. Así, la necesidad de seguir un procedimiento de contrato administrativo donde la Administración fija las bases del concurso, para la tramitación de sus Programas.

Además, a favor del propietario se prevé que la retasación de las obras de urbanización queda limitada a un 20% (artículo 168.3 de la LUV). Las garantías de información, y en general procedimentales, son también mucho más pormenorizadas o matizadas[70]. Y, finalmente, es importante destacar la

---

68. Puede verse el artículo 165 en especial el párrafo sexto.

69. Puede verse el artículo 167.3 de la LUV.

70. En este contexto puede verse asimismo el derecho de reintegro de los costes de las redes de suministro del artículo 168.1.a) de la LUV. O la no exigencia de asumir los gastos de conservación (artículo 188), pero sí los de descontaminación del suelo (artículo 173.2 de la misma LUV).

presencia de dos concursos, el primero para seleccionar al urbanizador, el segundo para seleccionar al constructor. Esto es importante porque, sometiendo a concurso la ejecución de las obras, por parte del urbanizador (a favor del constructor), ahora es más fácil conseguir que el precio o coste de las obras de urbanización se ajuste en mayor medida al precio real de ejecución de las obras que hayan de asumir los propietarios.

En suma, ajustándose el modelo al TRLCAP 2/2000, y en especial existiendo dos concursos para la selección de los respectivos agentes intervinientes en las obras de urbanización (urbanizador y constructor), se consigue (a favor del propietario) que sea más improbable que se genere un abuso urbanístico (pueden verse los artículos 120 y 160 de la LUV). Es razonable pensar que, con dos concursos de este tipo, el coste de la obra de urbanización se corresponda con el precio de liquidación del contrato (véase el artículo 160 y también el artículo 165.6 de la misma LUV).

Es preciso matizar que la selección por concurso del empresario constructor procede en caso en que las obras de urbanización superen el umbral de 5.278.000 euros (IVA excluido), ya que, por debajo de esa cifra, puede seguir actuando el agente urbanizador en la propia fase de ejecución o construcción de las obras. Cuando se supere dicho umbral, habrá de celebrarse un concurso, por el propio urbanizador, aunque revisando la Administración local tanto los pliegos de adjudicación como las decisiones que adopte, en uno y otro caso, el empresario urbanizador. El urbanizador, por otro lado, ha de adjudicar la construcción a una empresa no vinculada consigo mismo.

No es usual un sistema como éste según el cual un sujeto privado tiene que seleccionar a un empresario (el constructor concretamente), conforme a las garantías de publicidad y concurrencia de la legislación contractual pública. Incluso, no observamos esta exigencia en la legislación contractual pública aunque tampoco puede calificarse de contraria al mismo; en este sentido, el sistema actual recuerda al previsto en la directiva de sectores especiales. Tampoco es usual que un empresario se vea forzado a adjudicar el concurso a «la competencia» empresarial.

Los propietarios (si quiere verse desde esta óptica) cuentan con que la decisión del urbanizador, de selección del constructor en el concurso, será revisada por la Administración. Ésta podrá denegar la selección del constructor si observa cualquier contravención jurídica en la fase de adjudicación. De este modo, contamos con un acto administrativo (en el seno de las relaciones jurídico-privadas entre urbanizador y constructor) que abre el cauce de defensa procedimental y procesal a favor de cualquier afectado por esta toma de decisiones.

No obstante, no faltan motivos, como es sabido, para esta desconfianza frente al propietario en materia urbanística, que proclama la reciente legislación urbanística (no sólo la LUV sino otras muchas CCAA o la Ley 8/2007 del Suelo del Estado). Se le achaca falta de vocación empresarial, actitudes de especulación y ralentización de las urbanizaciones para que el suelo vaya adquiriendo más valor, ejecución de urbanizaciones deficientes, incumplimiento de los deberes urbanísticos, etc.

En definitiva, el agente urbanizador es una figura que consigue que se realice aquello que la Administración debería hacer (la gestión urbanística) pero que no hace, ya que en España está muy arraigada la tradición de la iniciativa privada urbanística (del propietario), no fácilmente suplantable.

El «urbanismo empresarial» del agente urbanizador permite ser entendido como un modo de recortar las facultades de los propietarios a costa de potenciar el carácter público de la gestión urbanística. El *quid* es, en este sentido, que, no obstante, dicha función pública no la ejerce la Administración, sino un contratista que actúa cumpliendo este tipo de finalidades públicas. Pero esto no es nada nuevo, sino la esencia misma del contrato administrativo.

Es singular de este modelo de agente urbanizador, tanto con la LRAU 6/1994 como con la LUV, que el propietario queda sujeto a un concurso, si quiere alcanzar la condición de urbanizador. Este hecho implica que a dicho concurso pueda presentarse un sujeto no propietario y obtener la adjudicación si es más conforme con los intereses públicos. Viene, por tanto, siendo tradicional que, aun cuando el propietario alcance el 50% de la propiedad, éste tenga que someterse a un concurso, a diferencia de otras CCAA donde impera el sistema de compensación con consecuencias opuestas a las comentadas.

Además, al margen de las opciones de gestión indirecta pura, es decir de ejecución por el empresariado de un determinado PAI, el «interesado» (más bien podríamos hablar ya directa o generalmente del «empresario» –propietario o no–) podrá plantear su intervención en el propio marco de las actuaciones urbanizadoras que quiera iniciar la propia Administración, no sólo a través de sociedades de economía mixta en las cuales pueda participar (la regulación de la LUV no es suficientemente clara, no obstante, sobre el particular de estas formas de gestión indirecta), sino a través de la propia *gestión directa.* En estos casos, actuará como un puro contratista de obras de la Administración local, previa adjudicación del contrato obras regido por entero por la LCSP 8/2007. Si el interesado es un profesional podrá intervenir como asesor, en su caso, en el marco de un contrato de consultoría y asistencia técnica regido igualmente por la citada norma contractual pública.

En general, el procedimiento ya no piensa sólo en prolongar los plazos para la presentación de Alternativas o Proposiciones jurídico-económicas, tal como hacía el borrador inicial de LUV, a fin de fomentar la concurrencia y defender al propietario. Más bien, se opta por un procedimiento que sigue el modelo del contrato administrativo.

Dicho procedimiento parte de una solicitud que presenta el interesado en adquirir la condición de urbanizador (junto a la posibilidad de iniciación de oficio). Acto seguido el Alcalde la somete al Pleno, quien decide sobre la procedencia o no de la gestión indirecta. Acordada ésta, y previa existencia de unas bases generales de contratación o adjudicación, se envía en todo caso el acuerdo para su publicación (gratuita por cierto) al Diario Oficial de la Unión Europea. Sorprende este hecho considerando que el Derecho comunitario no conlleva una exigencia tal, a no ser que las obras superen los umbrales comunitarios; pero tampoco puede calificarse esta exigencia como «ilegal», ya que estamos ante un cumplimiento en más del Derecho comunitario, permitido lógicamente por dicho ordenamiento o, al menos, por la jurisprudencia del Tribunal de Justicia de la Unión Europea.

Este día, del envío del anuncio, marca el inicio del cómputo del plazo no inferior a tres meses, dentro del cual se ha tenido que notificar a los titulares catastrales (lo cual plantea el problema de si el plazo referido va a ser suficiente para celebrar las exigencias legales que impone la LUV considerando el «funcionamiento» de los Catastros) y se ha tenido que presentar notarialmente el planeamiento (con la posible modificación de la ordenación estructural del PGOU) y el Proyecto (no Anteproyecto) de urbanización.

Cuando finalizan estas actuaciones en el citado plazo no inferior a tres meses, el Ayuntamiento abre propiamente la fase de concurso, cuyo plazo vendrá referido en las propias bases, presentando los concursantes tres sobres: uno con la Alternativa, otro con la proposición jurídico-económica y otro (propiamente la «proposición») con la acreditación del cumplimiento de los requisitos establecidos en las bases particulares.

Es ciertamente significativo destacar las nuevas exigencias, sobre el urbanismo, del modelo contractual público. Más bien, puede hablarse en cierto modo de pugna entre el urbanismo y el citado modelo público de contratos de la Administración. Es interesante esta cuestión porque nos permite ver la dificultad de casar las figuras del contrato administrativo, por un lado, y del urbanismo, por otro lado, según viene éste entendiéndose en la tradición legislativa española[71].

2. LA POSIBILIDAD DE CAMBIAR DESDE LA GESTIÓN DIRECTA A LA GESTIÓN INDIRECTA

El agente urbanizador es habitualmente un sistema de gestión indirecta, a pesar de que también la Administración puede ser agente urbanizador, por gestión directa. En estos casos posiblemente dicha Administración utilizará los contratos de consultoría y asistencia técnica para tener el asesoramiento adecuado o para la descarga de funciones. Y las obras se realizarán mediante un contrato administrativo de obras previa adjudicación del mismo.

En la Ley 16/2005 Urbanística Valenciana se contienen referencias a la gestión directa en los artículos 89, 117.4, 118.1.a, 125.4 y 128.

En especial, en el artículo 128.1 se afirma la posibilidad de que los Ayuntamientos pueden formular programas de actuación integrada, redactando de oficio la totalidad o parte de la documentación expresada en el artículo 126 (Alternativa Técnica), sea para fomentar su desarrollo por gestión indirecta o con el fin de acometer su gestión directa. Si optara por la gestión indirecta, se adaptará el procedimiento de concurso previsto en esta ley, ajus-

---

71. Me refiero por ejemplo, a las posibles *modificaciones* en la fase de selección del urbanizador, es decir, de selección de una de las ofertas. Las «modificaciones» son impropias de un sistema de adjudicación contractual público, pero vienen siendo necesarias o al menos relativamente habituales en clave urbanística. Pensemos no sólo en el artículo 47.1 de la LRAU 6/1994 donde se preveían dichas modificaciones con cierta normalidad, sino también en los requerimientos que plantea el urbanismo. En el momento de seleccionar una Alternativa o Proposición el Ayuntamiento puede verse en la necesidad de modificar aquélla para la mejor realización de los intereses públicos. Y, por otra parte, considérense las modificaciones que tengan que venir de la consideración obligada de los informes sectoriales y de la intervención autonómica posterior a la aprobación provisional de los PAIs. Desde este punto de vista, parece conveniente que, cuando menos, las bases particulares precisen los contenidos y que las Alternativas se enfrenten con ordenaciones más o menos pormenorizadas para dar mayor valor al precio (v. gr. a las Proposiciones jurídico-económicas) siguiendo el modelo de adjudicación contractual público. Así sería menos necesario, además, modificar las ofertas de los concursantes o las propias decisiones administrativas.

tándose la documentación requerida a los interesados a lo estrictamente necesario[72].

Según el artículo 125.4 cuando el Ayuntamiento actúe por gestión directa no será de aplicación lo dispuesto en los artículos 126.f) e i) y 127.1.a. El artículo 126.f) se refiere al Proyecto de Urbanización y el 126.i) al Inventario preliminar de construcciones (...). Y el 127.1.a) se refiere a la regulación de las relaciones entre el urbanizador y los propietarios (...) en el contexto de la proposición jurídico-económica.

Por su parte, el Reglamento de Ordenación y Gestión Territorial y Urbanística aprobado por Decreto 67/2006 en adelante ROGTU) en los artículos 268 y siguientes, impone que necesariamente se realicen «en régimen de Derecho público y de forma directa» la tramitación y aprobación de los instrumentos de planeamiento y los de ejecución de éstos y las actuaciones que impliquen ejercicio de autoridad, no así las materiales y técnicas o de mera gestión.

En el artículo 274 del ROGTU se indica que en el plazo de dos meses desde la aprobación de la iniciativa de gestión directa si ésta no contenía planeamiento espacial, o desde la publicación del instrumento de planeamiento espacial aprobado definitivamente se deberá resolver acerca del pro-

---

72. Los restantes apartados de dicho artículo señalan: 2. Si la iniciativa municipal pretende la gestión directa, la alternativa técnica se acompañará con la documentación expresada en el artículo 127, apartados 1 y 2. La elaboración de dicha documentación y la ejecución del programa podrá llevarse a cabo bien directamente por los servicios técnicos municipales, bien mediante la convocatoria de concurso para la adjudicación conjunta de la elaboración de proyecto y obra, de conformidad con lo que dispone el artículo 125 del texto refundido de la Ley de contratos de las administraciones públicas, aprobado por Real Decreto Legislativo 2/2000, de 16 de junio, sin perjuicio de que el ayuntamiento opte por cualquier otra forma de adjudicación que considera más conveniente a los intereses públicos. 3. El mente una descripción detallada de los compromisos de inversión y gestión que contrae la administración actuante y de la disponibilidad de recursos presupuestarios para financiar, siquiera parcialmente, la actuación sin ingresar cuotas de urbanización, en previsión de la retribución en terrenos o del impago de ellas. 4. La administración municipal puede repercutir sus gastos de gestión directa mediante cuotas de urbanización o mediante las tasas aprobadas al efecto. No percibirá el beneficio empresarial del urbanizador, pero tampoco está limitada en la liquidación definitiva del programa por el precio máximo al que se refiere el artículo 127.2.e). No fijará coeficiente de canje para la retribución en suelo sino que éste se calculará en el proyecto de reparcelación, en cuya valoración del suelo deducirá los costes de promoción de la urbanización conforme al artículo 30 de la Ley 6/1998, de 13 de abril, sobre régimen del suelo y valoraciones (sustituida al efecto por la LS 8/2007). 5. La administración autonómica podrá asumir la iniciativa de formulación de programas para el desarrollo de una actuación integrada a fin de acometer su gestión directa de acuerdo con lo previsto en los artículos 89, 118.b) y concordantes de la presente ley, debiendo tenerse por administración actuante a la propia Generalitat.

cedimiento para contratar las actuaciones subsiguientes de acuerdo con los preceptos que resulten de aplicación de la LCSP. Los preceptos relevantes son, por tanto, el artículo 128 de la LUV y los artículos 268 y 274 del ROGTU.

En casos en que existen numerosos propietarios, y es compleja la coordinación, a veces aquéllos acuden al Ayuntamiento con el ruego de la gestión directa, la cual consigue evitar el riesgo de la tramitación de un Programa presentado por un tercero ajeno a la propiedad. Sin embargo, cuando avanza la tramitación del Programa también puede ocurrir que los propietarios, alterando a veces su planteamiento inicial, pretenden un cambio de sistema desde la gestión directa a la indirecta.

Por su parte, desde el punto de vista de los intereses públicos que tutela el Ayuntamiento, resulta a veces conveniente que el propio Ayuntamiento defina las obras y conceptos de urbanización que deben ejecutarse.

En función del estado de tramitación del Programa, podrán plantearse las opciones pertinentes. Cabe plantear la opción de iniciar mediante gestión directa la tramitación y aprobación del Programa, abriendo un concurso posteriormente para la selección del urbanizador. El artículo 128.1 de la LUV permite esta opción, aunque no la articule. Según esto, el Ayuntamiento redactaría el Programa y sus distintos instrumentos y documentos y abriría un concurso para la selección del urbanizador. Según esto, el Ayuntamiento elabora la Alternativa, la memoria del Programa y el proyecto de urbanización, sacando a concurso la proposición jurídico económica.

Esta opción parece jurídicamente factible, siguiendo el tenor literal del artículo 128.1 de la LUV y siguiendo la propia praxis que empieza a generarse sobre el particular. En la práctica puede citarse el ejemplo de la selección de agente urbanizador para el desarrollo del programa de actuación integrada de la unidad de ejecución nº 1 del sector UBZ-1 (Actuación Industrial Walaig en Monforte del Cid, Alicante DOGV 5330 de 23.08.2006).

No obstante lo anterior, podrá ser razonable dirigir el proceso urbanizador mediante la formulación de unas bases adecuadas y haciendo uso de las prerrogativas que la legislación urbanística confiere a los Ayuntamientos.

En todo caso, evidentemente, el hecho de ser propietarios no significa la innecesariedad de *concurso*.

3. LA POSIBILIDAD DE DARSE DE BAJA DE UNA AGRUPACIÓN DE INTERÉS URBANÍSTICO POR PARTE DEL PROPIETARIO

La normativa reguladora al efecto es la Ley de agrupaciones de interés económico (artículo 15) y el ROGTU en el caso de la Comunidad Valenciana (artículo 279: régimen jurídico aplicable a las Agrupaciones de Interés Urbanístico, en referencia al artículo 144 de la Ley Urbanística Valenciana):

1.   Hasta la adquisición de la personalidad jurídico-pública con la inscripción en el correspondiente Registro, las Agrupaciones de Interés Urbanístico se someterán al régimen jurídico previsto en la normativa reguladora de las Agrupaciones de Interés Económico.

2.   Con posterioridad a la adquisición de la personalidad jurídico-pública, las Agrupaciones de Interés Urbanístico se regirán por la normativa autonómica sobre urbanismo y por la legislación sobre procedimiento administrativo común y sobre contratos con las Administraciones Públicas, respecto a la organización, formación de voluntad de sus órganos colegiados y relaciones con la Administración.

Por su parte, el citado artículo 15 de la Ley 12/1991 de agrupaciones de interés económico dispone:

1.   Cualquier socio podrá separarse de la Agrupación en los casos previstos en la escritura, cuando concurriese justa causa o si mediare el consentimiento de los demás socios.

2.   Si la Agrupación se hubiere constituido por tiempo indefinido, se entenderá que constituye justa causa la propia voluntad de separarse, comunicada a la sociedad con una antelación mínima de tres meses.

En la práctica se plantea a veces la cuestión de si la Administración autonómica que lleva el registro de AIU puede denegar la inscripción en caso de que algunos propietarios se dirijan a dicha Administración solicitando esta denegación, alegando querer darse de baja de la AIU. Parece razonable entender (salvo mejor criterio) que este plano de las altas y bajas de una AIU se mueve en una órbita privada, debiéndose dirigir los propietarios a la propia AIU y conseguir en su caso judicialmente dicha declaración de baja. Es debatible si pueden entrar en aplicación los preceptos de los Estatutos relativos a la **disolución** de la Agrupación, en caso de que el cese implique una disolución porque el porcentaje de la AIU pase a ser mejor del 50% del suelo. Generalmente, por otro lado, los Estatutos prevén regulaciones de disolución pero no de darse de baja, hasta que se cumplan los fines de la propia AIU, rigiendo además la mayoría para este tipo de decisiones; los términos «justa causa» no parecen, por contrapartida, implicar un mínimo de justificación de la existencia de «justa causa» pero es discutible la posible repercusión de otros principios generales.

4. EL DEBATE DE FONDO SOBRE EL SISTEMA DE AGENTE URBANIZADOR DE LA LUV DESDE EL PUNTO DE VISTA DEL DERECHO EUROPEO

A. La clave se considera pura y exclusivamente *urbanística* y no contractual en el origen y evolución del agente urbanizador

Nos consta que la figura del agente urbanizador es resultado del urbanismo. Su origen está en solucionar problemas urbanísticos concretos, principalmente el de los posibles abusos del «urbanismo de los propietarios». El TRLS 1992 del Estado, en esta misma época, y para solucionar estos problemas de su tiempo, optó por la adopción de medidas de penalización o sustitución frente al propietario incumplidor, a cargo de la Administración. Y, por su parte, en este mismo momento y para resolver estos mismos problemas, el legislador valenciano optó por medidas de sustitución frente al propietario, a cargo de la Administración *pero con el auxilio de agentes empresariales* que se encargan de colaborar con la Administración local en la realización de estos mismos fines y retos urbanísticos.

En suma, en este contexto puramente urbanístico nadie se percató siquiera de que la legislación contractual tenía algo que decir en la regulación de estas figuras empresariales auxiliadoras de la Administración en el cumplimiento de sus funciones urbanísticas. Más bien, la *ratio* fue siempre urbanística: junto a los sistemas de compensación, de cooperación y de expropiación se introducía simplemente otro sistema de gestión urbanística, es decir el de «agente urbanizador».

La «doctrina-LRAU» (por todos, L. PAREJO ALFONSO/F. BLANC CLAVERO, *Derecho urbanístico valenciano,* Valencia, 1999) llegó a negar el carácter contractual del agente urbanizador de la LRAU. Pero también autores igualmente autorizados (así, T. R. FERNÁNDEZ RODRÍGUEZ, en su comentario a la STJCE de 12 de julio de 2001 en: *Actualidad Jurídica Aranzadi*, 505, correspondiente al 25 de octubre de 2001; o también su trabajo en el libro *La encrucijada constitucional de la Unión Europea,* Madrid, 2002, dirigido por Eduardo GARCÍA DE ENTERRÍA y Ricardo ALONSO GARCÍA, pp. 102 y ss.) no hace tanto tiempo, como puede comprobarse por las fechas de estos trabajos, afirmaban rotundamente que el urbanismo nada tenía que ver con los contratos administrativos.

El propietario podrá no ser el gestor de su suelo, pero ha de tener las debidas garantías. Tras la Ley 16/2005, de 30 de diciembre, Urbanística Valenciana (LUV), se prevén distintas medidas que quieren hacer descartable que se produzca un abuso sobre la propiedad: prohibición de una retasación de cargas de urbanización a costa de los propietarios que supere en un 20% las cargas previstas en la proposición jurídico-económica, existencia de unas bases que elabora la propia Administración y que rigen el proceso selectivo del Programa, previsión de dos concursos a la baja del precio de las obras (es decir, un concurso para seleccionar al urbanizador y otro contrato para seleccionar al constructor) en proyectos de cierta envergadura (en concreto aquellos de más de 5.278.000 euros).

En España estos contratos los regulan las Comunidades Autónomas porque el Tribunal Constitucional, en coherencia con la lógica urbanística que marca el origen y evolución de esta figura del agente urbanizador, afirmó que «el Estado carece de competencias para regular tales programas, así como para su adjudicación misma y, en consecuencia, no podría anudar ciertos efectos o consecuencias jurídicas a una institución cuya regulación no le compete, de modo que la adjudicación de programas de actuación urbanística constituye una "técnica urbanística que corresponde establecer a las Comunidades Autónomas"» (STC 61/1997, de 20 de marzo [RTC 1997, 61]).

Acaso parezca algo anómalo este hecho desde una perspectiva europea, pues ni siquiera en el Estado Federal alemán un *Land* puede tomarse este tipo de atribuciones. Es más la *Baugesetzbuch* o Ley del Suelo es dictada por el Estado. El sistema federal alemán coincide básicamente con el que existía en España en el régimen anterior a la Constitución española.

En consecuencia, se entiende en España por los distintos intérpretes del Derecho que, con respeto de las regulaciones contractuales del Estado y de la Unión Europea, la Comunidad Valenciana por ejemplo regula legítimamente la materia de la adjudicación de los contratos urbanísticos. Estaríamos ante *«contratos administrativos especiales»* regulados por una ley *ad hoc* urbanística, aplicando preferentemente esta ley urbanística, quedando como supletoria la legislación estatal en materia de contratos del sector público.

Aun cuando sea posible esta interpretación o explicación del «contrato administrativo especial», *también cabe argumentar que, en tanto en cuanto la Unión Europea y el Estado español no prevean una regulación de estos contratos, la Comunidad Valenciana puede regularlos legítimamente y sin mayores limitaciones jurídicas que aquellas que se derivan de los principios generales de la contratación pública.*

B. Los nuevos contratos urbanísticos.

Ante las singularidades de este nuevo contrato urbanístico, y ante su falta de encaje dentro de las figuras actuales (contratos de obras, de suministros, públicos de servicios, etc.) una primera explicación puede ser la de sostener que el nuevo «contrato urbanístico» es, por lo expuesto, un contrato administrativo «especial».

Este hecho tiene como consecuencia que la legislación contractual pública es supletoria, primando la regulación especial que se contiene en la legislación urbanística.

Bien puede argumentarse así, aunque esta interpretación puede completarse con una explicación de más hondo calado.

Cabe en efecto también argumentar que estaríamos ante una nueva figura contractual que no está siendo regulada por las instancias que tienen competencia en materia de contratación pública.

Al igual que primero se generaron los contratos administrativos de suministros y de obras, y después surgieron otras nuevas figuras contractuales (contratos públicos de servicios, por ejemplo) actualmente se habría creado una nueva figura contractual que es el contrato urbanístico, con una fuerte singularidad urbanística frente a las demás figuras contractuales administrativas.

Por supuesto que la Unión Europea puede dejar sin regular este nuevo contrato urbanístico. Pero, entonces, sus instituciones no podrían invocar legítimamente que se están vulnerando regulaciones contractuales públicas comunitarias sobre el contrato urbanístico, dado que éstas no existen.

Cabe interpretar que el nuevo contrato urbanístico es un contrato administrativo especial; aunque más bien estaríamos ante una laguna jurídica en el Derecho comunitario o al menos ante una figura contractual no regulada en el Derecho europeo.

En todo caso, el contrato urbanístico es un contrato administrativo con la misma entidad diferencial que la que presentan los demás contratos administrativos nominados.

Desde una primera etapa en que se negó por todos los intérpretes que este contrato fuera un contrato administrativo (por cierto, la propia Unión Europea tampoco lo tuvo claro cuando durante más de diez años en que se aplicó la LRAU no se percató siquiera de ello), pasando por una etapa posterior en que al fin se reconoce que el agente urbanizador es un contratista de la Administración, llegamos a otra etapa ulterior en que se nos dice que estamos ante un «contrato administrativo especial». Pero finalmente es posible que este contrato termine siendo regulado básicamente por quienes tienen competencia en materia de contratos administrativos. En tanto en cuanto no sea el caso, no podrá invocarse que el contrato urbanístico está vulnerando el sistema normativo comunitario de contratos públicos argumentando que la regulación no coincide con las reglas previstas para los contratos de suministros o de obras, dado que estos contratos poco o nada tienen que ver con el contrato urbanístico. El problema, más bien, es que se esté regulando «un contrato» por una entidad (regional) que no debería tener (ni tiene) competencia para regular esta materia.

Los elementos diferenciales entre el contrato urbanístico y el contrato de obras son de igual significación o entidad que aquellos que puedan servir para diferenciar el contrato de suministros y el contrato de obras. En efecto, en ambos contratos mencionados en último lugar, el precio, por ejemplo, es un elemento esencial de la adjudicación; en cambio, en el contrato urbanístico la ordenación o planificación urbanística es un factor de mayor significación. Los intereses públicos se presentan con propia sustantividad en el urbanismo; podremos estar ante la selección del mejor modelo de ordenación o planificación urbanística.

La consecuencia lógica entonces es la siguiente: las distintas reclamaciones y actuaciones de la Comisión Europea respecto de la queja nº 5271/2003, fundadas en que no se respeta la regulación vigente en la directiva comunitaria 2004/18/EC, de 31 de marzo, del Parlamento Europeo y del Consejo, sobre coordinación de los procedimientos de adjudicación de los contratos públicos de obras, de suministro y de servicios, carecerían de base.

Es evidente que, si no existe una base regulativa adecuada a este contrato urbanístico, malamente podrá imputarse contravención alguna de la misma, porque la regulación contenida en la directiva citada no sirve para el contrato administrativo urbanístico.

Es interesante poner de manifiesto las dudas que asisten finalmente a la Comisión Europea, en aras de calificar este nuevo contrato que, por no conocerlo normativamente (o por «no ser un contrato de los desarrollados en el Derecho francés», a pesar de las «formas concertadas urbanísticas francesas», por cierto), pretende al parecer declararlo ilegal.

En efecto: al principio de este procedimiento la Comisión sugiere que se vulnera la regulación comunitaria del contrato de obras. Pero titubea finalmente la Comisión, hasta el punto de afirmar algo ciertamente inusual, es decir, que, si este contrato no contraviene la normativa comunitaria de obras, estaría no obstante contraviniendo la regulación europea del contrato de concesión de obras públicas (por cierto, elude la Comisión en todo caso la calificación de este contrato como de «servicios públicos», a sabiendas de la laguna del Derecho contractual comunitario sobre estos contratos, dado que de ser así no habría base para declarar ilegal el contrato). Y finalmente la propia Comisión Europea termina, en sus últimos requerimientos, haciendo hincapié en el hecho de que la vulneración se ha producido respecto de los principios generales del Tratado.

Compartimos esta última conclusión de la Comisión Europea. Efectivamente, el debate posible es éste. Es decir, ante la ausencia de una regulación europea sobre estos contratos urbanísticos, el debate podrá plantearse en torno a la posible contravención de los principios generales del Tratado, pero no en torno a la posible contravención de la regulación del contrato de obras (o de suministros por decirlo más expresivamente). La directiva no contiene una regulación expresa que pueda servir para reprochar una contravención de la normativa comunitaria de contratos públicos en el caso del contrato de urbanización.

En todo caso, interpretar estos contratos urbanísticos a la luz de la regulación comunitaria existente de los contratos de obras y demás contratos públicos previstos en el sistema normativo comunitario representaría un error tal como haber podido examinar en su día la legalidad de los contratos de los sectores especiales a la luz de los contratos públicos regulados en las directivas comunitarias de obras y de suministros vigentes en tal momento. O representaría un error tal como examinar hoy día los contratos de gestión de servicios públicos (que, como los urbanísticos, carecen también de regulación europea) a la luz de la regulación de estos mismos contratos de obras o de suministros o públicos de servicios. ¿Se podría haber argumentado en su día que los contratos de las entidades administrativas de los sectores especiales o excluidos vulneraban las directivas de contratos de obras o suministros? ¿Podría decirse hoy que un contrato de gestión de servicios públicos vulnera la directiva comunitaria 2004/18/EC, de 31 de marzo, sobre coordinación de los procedimientos de adjudicación de los contratos públicos de obras, de suministro y públicos de servicios?

Mientras, por ejemplo, no hubo una directiva de contratos de consultoría y asistencia técnica la regulación de estos contratos estaba a cargo de los Estados miembros con algún límite genérico impuesto por los principios generales del Tratado.

Mientras no regulen las instituciones comunitarias europeas los contratos urbanísticos la regulación de estos contratos estará a cargo de los Estados miembros con algún límite genérico impuesto por los principios generales del Tratado.

Así pues, más lógico que tramitar un procedimiento por incumplimiento, sería que la Comisión Europea tomara conocimiento de las experiencias contractuales en el seno de la Unión Europea, para regular, si lo desea, esta figura a nivel europeo estableciendo un marco regulador básico o general, considerando la importancia que tiene en toda Europa hoy día la materia urbanística y los problemas de interpretación que está originando (*vid.* STJCE de 12 de julio de 2001, asunto C-399/98 [TJCE 2001, 194], Teatro Scala de Milán). En tanto en cuanto no lo hace (pues puede perfectamente no hacerlo), la Comisión Europea está reconociendo que su ámbito de interferencia sobre tales contratos habrá de ser muy limitado, ceñido a la posible invocación de alguna vulneración derivada en general de los principios de igualdad de trato o de transparencia.

> Esto es así en todos estos casos en que no existe una regulación *ad hoc* a nivel europeo, como ocurre, igualmente, cuando un poder adjudicador de un Estado miembro adjudica un contrato administrativo *por debajo de los umbrales comunitarios*. La interferencia en estos casos del Derecho europeo es limitada, tal como ha dejado claro la conocida jurisprudencia del Tribunal de Luxemburgo sobre el particular, al deberse ceñir la repercusión del Derecho europeo a la posible incidencia de los principios generales del Tratado: libre circulación, igualdad de trato, etc.

En ausencia de regulación expresa comunitaria la intervención de la Comisión ha de limitarse a observar si se cumplen los principios de publicidad, concurrencia o vinculación a la mejor oferta. La legislación valenciana vigente respeta estos principios.

Tal como dice la STJCE de 7 de diciembre de 2000 (asunto C-324/98) (TJCE 2000, 321):

> «Aun cuando no era posible aplicar en el estado actual del Derecho comunitario la directiva de sectores especiales a un contrato celebrado entre, por una parte, una empresa a la que la legislación de un Estado miembro ha confiado específicamente la explotación de un servicio de telecomunicaciones (y cuyo capital social pertenece en su totalidad a los poderes públicos de dicho Estado miembro) y, por otra parte, una empresa privada cuando mediante dicho contrato la primera empresa encarga a la segunda la elaboración y publicación de repertorios de abonados al teléfono, impresos y en formato electrónico (ya que, pese a estar contemplado dicho contrato en la directiva 93/38, la contraprestación que la primera empresa obtiene a la segunda consiste en que esta última obtiene el derecho de explotar su propia prestación, para conseguir así una retribución), sin embargo la sentencia concluye que ello no impide para declarar "la obligación de respetar, en general, las normas fundamentales del Tratado CE y, en especial, el principio de no discriminación por razón de la nacionalidad, principio que implica, en particular, una obligación transparencia que permite que la entidad adjudicataria se asegure de que dicho principio es respetado".

> Además, "esta obligación de transparencia que recae sobre la entidad adjudicadora consiste en garantizar, en beneficio de todo licitador potencial, una publicidad adecuada que permita abrir a la competencia el mercado de servicios y controlar la imparcialidad de los procedimientos de adjudicación"».

Ésta sería la doctrina jurisprudencial europea aplicable en mi opinión a la cuestión que venimos analizando: es decir, en tanto en cuanto no exista base *(conforme al estado en que se encuentre en un momento dado el Derecho comunitario)* para aplicar las directivas comunitarias a un contrato concreto, el efecto del Derecho comunitario habrá de limitarse, dado que sólo cabe valorar dicho contrato desde el punto de vista genérico que permiten los principios generales del Tratado.

El apoyo en los principios generales (igualdad de trato, transparencia) no puede servir para improvisar una regulación sobre los contratos urbanísticos, llegando la Comisión Europea a «regular» de esta forma cuestiones de detalle y de carácter técnico. **Si se quiere llegar a este resultado la Comisión habría de regular expresamente este contrato urbanístico en una directiva, o completar las existentes.** Si la Comisión quiere hacer valer estas «regulaciones» indirectas habrá de dictar primero una norma que sirva de «ley administrativa» de referencia.

La actitud de interpretación libre y al margen de una ley administrativa de referencia por parte de la Comisión no es nueva, tal como ha demostrado la doctrina española (véase J. E. SORIANO GARCÍA, «Dos vivas por el triunfo de los principios generales en el Derecho administrativo de la Comunidad», *Gaceta jurídica de la Unión Europea y de la competencia* nº 200, 1999, pp. 49 y ss.; y yo mismo en *El Derecho administrativo europeo*, 2005).

Conviene también matizar la socorrida explicación o interpretación del «contrato administrativo especial». Ésta parece una interpretación posible, desde luego, pero un tanto improvisada a efectos de dar una primera respuesta a un fenómeno original, es decir la invención desde el urbanismo de un nuevo contrato.

Más bien, los contratos especiales existentes en la práctica tienen un carácter muy distinto. Desde luego no conozco ningún «contrato administrativo especial» que goce de una regulación de 267 artículos en una Ley (la LUV 16/2005) y cientos de artículos en un Reglamento (Reglamento de Ordenación y Gestión Territorial y Urbanística, aprobado por Decreto 67/2006, de 19 de mayo, del Consell –en adelante, ROGTU–).

El sentido de la figura del contrato administrativo especial está en resolver el problema de que, si no existiera dicha figura, los contratos habrían de ser considerados como privados en todos aquellos casos en que, por una parte, el contrato no encaja dentro de uno de los nominados por la propia legislación pública contractual y en que, por otra parte, dicho contrato mantenga una vinculación con el giro o tráfico administrativo (así lo expresan numerosos informes de la Junta Consultiva de Contratación Administrativa, como, por ejemplo, el Informe 8/02, de 13 de junio de 2002, recogiendo la doctrina jurisprudencial del Tribunal Supremo; igualmente, S. BALLESTEROS ARRIBAS, «Los contratos administrativos especiales», *El Consultor*, 22 diciembre 2005).

Los ejemplos de contratos administrativos especiales no tienen mucho que ver con el nuevo contrato urbanístico: «contratos de adquisición o arrendamiento o enajenación de bienes inmuebles», «contratos de aprovechamiento de bienes patrimoniales», «contratos de alquiler de locales y servicios en el Palacio de Congresos de Madrid», «contratos de instalación y explotación de televisores, teléfonos y conexión a internet en las habitaciones y salas de pacientes de un

Hospital», «contrato del servicio de asistencia y orientación social al detenido», «contratos de servicios deportivos de musculación en las instalaciones del Instituto Insular de Deportes del Cabildo de Gran Canaria», «contrato para la creación y explotación de una central de reservas de Granada», «contrato para la prestación del servicio de escuelas deportivas».

El contrato urbanístico de la LUV está regulado agotadoramente en una Ley y un extenso reglamento y se aplica con carácter estable a los distintos contratos que reúnan sus características propias.

En puridad, el contrato urbanístico en sus distintas modalidades sería un contrato nuevo que podría o debería regularse seguramente por la Unión europea y por el Estado.

Es difícil que el Estado español regule esta materia considerando igualmente la evolución lógica del urbanismo en España y, en especial, la jurisprudencia de un Tribunal Constitucional que ha llegado a declarar que estos temas relativos a la aprobación de programas son de competencia autonómica, aunque, también es preciso apuntarlo, en un contexto en que no se preveía este contrato administrativo urbanístico en la legislación estatal enjuiciada constitucionalmente.

Una vez que se ha descubierto que el contrato urbanístico tiene una faz tanto o más contractual que urbanística se plantea la posibilidad de que el Estado español regule básicamente esta figura, considerando no sólo que tiene la competencia para ello, sino también que la figura ya está prevista en todas las legislaciones autonómicas urbanísticas.

Este contrato, en todo caso, tiene unas poderosas singularidades que hacen imposible emitir un juicio de legalidad sobre el mismo a la luz de las demás figuras contractuales previstas en las directivas comunitarias vigentes.

La conclusión a la que llegamos puede inspirarse en la famosa teoría constitucional-europea *«solange»* (reconocida por el Tribunal Constitucional alemán en varias sentencias denominadas Solange I [1974, BverfGE 37, pp. 277 y ss.] y Solange II [1981, BverfGE 73, pp. 339 y ss.]):

– En tanto en cuanto (solange) Europa y España no ejerciten sus competencias reguladoras de este contrato (bien porque entienden que no deben hacerlo o bien por cualquier otra razón), la Comunidad Valenciana podrá regular perfectamente esta figura contractual con sus propias especialidades conforme a su competencia en urbanismo, *siempre que respete los principios de publicidad y de concurrencia y vinculación a la menor oferta (principios esenciales de la fase de adjudicación contractual pública).* Sobre la inobservancia de este hecho podría pronunciarse la Comisión; pero la legislación valenciana cumple con estos principios, tal como bien nos consta.

– En tanto en cuanto (*«solange»*) Europa y España ejerciten sus competencias, la Comunidad podrá regular la figura, con sus propias especialidades, aunque en tal caso respetando el marco regulativo de aquellas otras instancias de poder.

O dicho sea en términos del Tribunal Constitucional español (SSTC 37/1987 [RTC 1987, 37], 186/1993 [RTC 1993, 186] y 131/2001 [RTC 2001, 131], entre otras; igualmente, STSJ de la Comunidad de Madrid de 16 de septiembre de 2002 [JUR 2003, 168684]):

«El principio constitucional de igualdad según tuvimos ocasión de afirmar en la STC 37/1987, FJ 10º, no impone que todas las Comunidades Autónomas tengan que ejercer sus competencias "de una manera o con un contenido y unos resultados idénticos o semejantes». **Menos aún exige que una Comunidad Autónoma se abstenga de ejercer sus competencias mientras las demás no utilicen las propias equivalencias o mientras el Estado, en uso de las que le corresponden, no establezca unos límites al ejercicio de las competencias autonómicas** que aseguren una sustancial igualdad de resultados al llevarse a efecto estas últimas. «La autonomía –declarábamos en la citada ocasión– significa precisamente la capacidad de cada nacionalidad o región para decidir cuándo y cómo ejercer sus propias competencias, en el marco de la Constitución y del Estatuto. Y si, como es lógico, de dicho ejercicio derivan desigualdades en la posición jurídica de los ciudadanos residentes en cada una de las distintas Comunidades Autónomas, no por ello resultan necesariamente infringidos los arts. 1, 9.2, 14, 139 y 149.1.1 CE (ni los arts. 31.1, 38 y 149.1.13, cabe añadir ahora), ya que estos preceptos no exigen un tratamiento jurídico uniforme de los derechos y deberes de los ciudadanos en todo tipo de materias y en todo el territorio del Estado, lo que sería frontalmente incompatible con la autonomía, sino, a lo sumo, y por lo que al ejercicio de los derechos y al cumplimiento de los deberes constitucionales se refiere, una igualdad de posiciones jurídicas fundamentales" (STC 150/1990, FJ séptimo)».

Así todo, es preciso reconocer que sobrevive el problema de si una Comunidad Autónoma se puede «inventar» un contrato administrativo nuevo. Es cierto que no se acomoda a las demás figuras. Pero el quid es, más bien, que ya existen figuras contractuales aplicables al ámbito urbanístico: el contrato de obras (para la ejecución de las obras de urbanización), y el de servicios (para la redacción de los planes).

C. El contrato urbanístico no es un contrato de obras, o público de servicios, o de concesión de obra pública. En torno al asunto del carácter oneroso del contrato. La especificidad urbanística de este contrato y las quejas de la Comisión

La Comisión Europea, en su «Dictamen motivado complementario» dirigido por la Comisión al Reino de España el 12 de octubre de 2006, termina sin poder equiparar este contrato urbanístico a los distintos contratos que quiere tomar de referencia para llevar a cabo la asimilación de regulaciones, autonómica y europea, declarando la vulneración de ésta por parte de aquélla.

Después de intentar equiparar infructuosamente este contrato de urbanización con el contrato de obras, ensaya su posible equiparación con el contrato de concesión de obra pública y, finalmente, termina por invocar los principios generales del Tratado.

La falta de relación con el contrato de obras es evidente y no merecería la pena detenernos especialmente en esta cuestión, dado que las diferencias entre el contrato del agente urbanizador y el de obras parecen claras. En el contrato urbanístico las funciones del urbanizador exceden de la mera urbanización. Económicamente, la parte de la obra no es la más importante del contrato; *es incluso secundaria en comparación con la relativa al planeamiento.* El licitador se somete a un concurso en el cual se está barajando fundamentalmente el elemento de la mejor ordenación urbanística para el municipio. Éste es el elemento principal y destacable de este contrato urbanístico, es decir el relativo a la planificación urbanística. Se celebra un concurso para la selección de la mejor idea, de la más idónea planificación de un sector urbanístico determinado. El precio de las obras podrá ser interesante pero, indudablemente, el legado principal de este contrato es la ordenación que se concierta con el urbanizador. Estos hechos explican que en el contrato urbanístico el Ayuntamiento y la Generalidad han de valorar insistente y continuamente elementos urbanísticos de planeamiento y valorar la incidencia, además, de numerosos informes sectoriales urbanísticos o sectoriales que inciden en la adjudicación de este contrato. El tema de la intervención de distintas Administraciones con competencia sectorial es, igualmente, fundamental y se entiende en pura clave urbanística. El quid en la tramitación de un Programa urbanístico (y, por tanto de la concertación de un contrato de este tipo) está cada vez más en el respeto de competencias de índole sectorial que afectan a distintas Administraciones Públicas, dado que en el contexto de estos contratos interviene la Administración con competencia en vías pecuarias, con competencia en carreteras, en aguas, en cultura, en montes, en transporte, en aviación civil, costas, etc.

En suma, el elemento urbanístico relativo al mejor planeamiento es el característico de este contrato. En la parte incluso relativa a la obra, este contrato urbanístico se separa del contrato de obras en el elemento característico de la obra urbanizadora relativo a su elemento financiero.

En este sentido, no siendo relevante la comparación del contrato urbanístico con el contrato de obras, más interesante es la comparación con el contrato de concesión de obra pública porque ello nos adentra en un tema importante que es el aspecto financiero del contrato urbanístico. Esta discusión servirá para poner de manifiesto la imposibilidad de equiparación alguna entre estas dos figuras contractuales.

En efecto, en el contrato de concesión de obra pública la financiación proviene de una entidad financiera, por ejemplo un banco, o del propio poder público (tal como ilustra claramente la Ley de autopistas de 1972, y las leyes precedentes a ésta sobre igual materia) y la remuneración del contratista procede de la explotación como servicio de la obra realizada y con carácter estable.

En cambio, en el contrato urbanístico, el urbanizador no explota las obras de urbanización. Tampoco pagan un peaje o similar los *usuarios* de las obras realizadas. Y además un dato que suele obviarse: ni siquiera es el propietario quien costea finalmente las obras de urbanización. Lo será el adquirente o titular de la vivienda resultante. O el adquirente de la nave industrial, pues los contratos de este tipo no tienen como objeto exclusivo suelos y usos residenciales.

El contrato urbanístico no es equiparable a este contrato. La única posibilidad que queda para poder censurar el contrato urbanístico es la que permiten los principios generales del Tratado, pero con todas las reservas apuntadas anteriormente[73]. En efecto, es preciso reconocer que se observa una intención de las instituciones comunitarias, de extender la aplicación de los principios del Derecho comunitario europeo, derivados del propio TCE y de la jurisprudencia del TJCE y de las propias directivas de contratación pública, a situaciones a las que aún no ha llegado las directivas, siendo el caso más significativo el de los contratos por debajo de los umbrales comunitarios. El punto de referencia o de encuentro, entre la legislación de agente urbanizador, y el Derecho europeo, sería la Comunicación interpretativa de la Comisión sobre el Derecho comunitario aplicable en la adjudicación de contratos no cubiertos o sólo parcialmente cubiertos por las directivas sobre contratación pública (DOUE de 1 de agosto de 2006).

Así todo, sobrevive el problema de si una Comunidad Autónoma puede regular figuras contractuales nuevas, cuando lo suyo sería aplicar sencillamente el contrato de obras (para las obras de urbanización) y el de servicios (para la redacción de los planes).

D. Conclusión

Las distintas reclamaciones que hace la Comisión Europea, con apoyo en dichos principios generales del Tratado (en especial, la imposibilidad a su juicio de realizar modificaciones en la fase de adjudicación, etc.), no serían sino las cuestiones o especialidades urbanísticas de este contrato que,

---

73. Véase también J. A. TARDÍO PATO, *La gestión urbanística en el Derecho de la Unión Europea, en el estatal español y en el valenciano*, Pamplona, 2008.

con un alcance u otro, deberían estar reguladas y no lo están por las propias instituciones comunitarias europeas si es que se quiere realizar un reproche de legalidad comunitaria a la legislación de la Comunidad Valenciana.

Todo ello, a no ser que la interrelación que se hace, en este contrato urbanístico (tal como se regula por las legislaciones autonómicas españolas), entre el planeamiento y la obra (entre el urbanismo y el contrato), no sea conforme a Derecho europeo porque, *primero, tiene que proceder un concurso de contrato de servicios para adjudicar el plan, y sólo después tiene que proceder un segundo concurso para adjudicar un contrato de obras para adjudicar la obra de urbanización, debiéndose evitar esta perturbadora mezcla entre la adjudicación de un plan y la de unas obras.*

Acaso ésta sea la vía de futuro y la posibilidad de conciliar bien el Derecho español al Derecho europeo: el sistema urbanístico sería de «gestión pública» (en el cual habría desembocado la evolución precedente del urbanizador y la anterior del propietario) con dos concursos diferenciados entre sí, evitando las anomalías existentes.

Éste podría ser el marco general de las próximas reformas legales en España sobre esta figura: (uno para contratar las obras y otro para contratar los planes, cuando ambas funciones no las realice la Administración misma), *decisión a favor de la gestión pública con posible auxilio de dos contratos o fases bien diferenciados: la de plan y la de obra, respectivamente, recuperando en este punto el modelo tradicional aunque ajustándolo a los nuevos requerimientos de la concurrencia.*

Capítulo IV

El modelo de agente urbanizador en otras Comunidades Autónomas

1. EL RECONOCIMIENTO DE UN AGENTE URBANIZADOR, ¿IMPLICA NECESARIAMENTE LA RUPTURA CON LA TRADICIONAL DISTINCIÓN ENTRE SISTEMAS DE ACTUACIÓN?

La innovación de la LRAU de la Comunidad Valenciana no consistió tanto en introducir un nuevo «sistema» de gestión (el agente urbanizador) como en romper con la idea misma de sistemas de ejecución.

Por eso, un primer dato, básico e importante, es que, a diferencia de la Comunidad Valenciana, otras CCAA siguen diferenciando distintos sistemas de gestión, a pesar de que la de Castilla-La Mancha sigue el modelo valenciano.

Por tanto, se da el caso de confluencia entre sistemas concurrenciales y aquellos otros articulados tradicionalmente sobre el concepto de sistema de actuación.

Seguidamente, se estudian todos estos modelos autonómicos desde una perspectiva estática, es decir, presentando los rasgos principales de los distintos sistemas de ejecución de forma estanca. *Infra* haremos, por el contrario, un análisis de los sistemas de gestión de forma dinámica, esto es presentando los sistemas de forma interrelacionada incidiendo especialmente en los cambios posibles de sistema: bien de la compensación a la concurrencia, bien desde ésta a aquélla o a la expropiación, ejecución forzosa o cooperación.

2. MARCO LEGISLATIVO AUTONÓMICO. DIMENSIÓN ESTÁTICA[74].

A. Andalucía

La Ley 7/2002, de 17 de diciembre, de ordenación urbanística de Anda-

---

74. No deja de ser algo paradójico que, cuando no pertenecíamos a la Unión Europea, el Derecho comparado consistía en cotejar nuestro modelo jurídico con aquellos de otros

lucía parte del carácter público de la gestión urbanística (artículos 85 y siguientes) y de la gestión por «unidades de ejecución» previamente delimitadas (artículos 105 y siguientes), manteniendo la diferenciación entre «sistemas de actuación» (artículo 107), en particular tres: expropiación, cooperación y compensación.

Interesante es el régimen de «formas de gestión del sistema» de expropiación (artículo 116), ya que la Administración actuante podrá optar en el sistema de expropiación entre, o bien la gestión directa (en la que ella efectúa la ejecución, encomendando la realización material de las obras a contratista o contratistas seleccionados por los procedimientos previstos en la legislación de contratos del sector público), o bien la gestión indirecta, en la que concede la actividad de ejecución, ya sea mediante la convocatoria del correspondiente concurso, o a iniciativa presentada por el agente urbanizador, asumiendo el concesionario la condición de beneficiario de la expropiación.

Así pues, importan muy especialmente los siguientes rasgos de este sistema:

Primero, subrayar la incardinación del agente urbanizador dentro del sistema de expropiación. Esto sería interesante al hilo de las reflexiones hechas *supra* de la posibilidad de tender hacia un papel más activo (en la gestión urbanística en general) de la Administración pública. Esto es así, en la legislación andaluza, desde el momento en que el agente urbanizador logra incardinarse en el modo de gestión más directa y esencialmente público, como es la expropiación.

En cuanto al régimen jurídico de este agente urbanizador ejecutor de expropiaciones, es destacable el régimen de iniciativa, correspondiendo ésta a *cualquier* persona física o jurídica que *haya instado la declaración del incumplimiento de deberes urbanísticos en el sistema de ejecución por compensación*. De esta forma, observamos que en la legislación de Andalucía, al igual en esto que en otras CCAA (véase seguidamente *infra*) el sistema expropiatorio en su variante de agente urbanizador se entiende de forma subsidiaria respecto de

---

ordenamientos europeos, en especial el alemán, el francés o el italiano. En cambio, hoy que pertenecemos a la Unión Europea, el acento del nuevo Derecho comparado se pone en cotejar las legislaciones autonómicas. Pueden, no obstante, verse los trabajos de J. GARCÍA-BELLIDO DE DIEGO, «La excepcional estructura del urbanismo español en el contexto europeo», *Documentación administrativa*, 252-253, pp. 11 a 83; I. SÁNCHEZ DE MADARIAGA, *La práctica urbanística emergente en los Estados Unidos. Un análisis desde la perspectiva europea,* Madrid, 1998.

la compensación, ante el incumplimiento previo de la propiedad, por tanto, en el sistema de compensación.

Este modelo, que vincula el agente urbanizador a la expropiación, conseguiría salvar los típicos problemas (del agente urbanizador en su formulación genuina o valenciana) de valoraciones insuficientes de los bienes afectados por la urbanización, en el sentido de que la «valoración de los terrenos incluidos en la unidad de ejecución» se hace «fijando un precio en función de los criterios establecidos en la legislación general aplicable». Y en cuanto a los *modos* de pago este artículo 117.A.b.1 distingue el dinero, la entrega de bienes y la permuta.

Finalmente, también esta Ley de Andalucía mantiene el principio de concurrencia en este procedimiento de gestión indirecta de la expropiación por concesión, ya que «durante el período de información pública cualquier interesado en asumir la gestión como agente urbanizador podrá anunciar su intención de formular alternativa» [artículo 117.B.b)].

Es también destacable cómo esta Ley de Andalucía sigue la tendencia de delegar la expropiación en concesionario, en la línea de procurar dar entrada a la iniciativa privada aun en los más puros sistemas de gestión pública urbanística.

En estos casos, el procedimiento de adjudicación parte de un pliego de condiciones y reconoce el principio de concurrencia al decir que «podrá presentar oferta cualquier persona interesada en asumir la gestión de la acción urbanizadora» [artículos 118.b) y 119] y reconoce también el derecho preferente de los propietarios de los terrenos incluidos en la unidad de ejecución que representen como mínimo el cincuenta por ciento de la superficie total de ésta siempre que su oferta iguale la más ventajosa de entre las presentadas. De este modo, estos propietarios estarán obligados a agruparse en sociedad mercantil u otra entidad con personalidad jurídica, en la cual pueden participar terceras personas que contribuyan a la financiación de las obras [artículo 118.c)].

La expropiación se tramitará, por su parte, siguiendo las reglas previstas en la propia Ley citada (contenidas en su Título V)[75].

_____

75. Puede verse E. Arana García/J. Cuesta Revilla, en A. Jiménez-Blanco/M. Rebollo Puig, *Derecho urbanística de Andalucía*, Valencia, 2003; R. Estévez Goytre, *Manual básico de Derecho urbanístico*, Granada, 2002; V. Gutiérrez Colomina/A. Cabral González-Sicilia (Directores), *Comentarios a la Ley Urbanística de Andalucía*, Pamplona, 2007.

B. Aragón

En la Ley 5/1999, de 25 de marzo, urbanística, de Aragón, se parte, igualmente, de la ejecución del planeamiento mediante Proyectos de Urbanización en unidades de ejecución que garanticen el reparto equitativo de beneficios y cargas (artículo 94) y de la diferenciación de sistemas de actuación (artículo 120) en particular los de expropiación y cooperación (como sistemas de gestión directa) y compensación, ejecución forzosa y concesión de obra urbanizadora (como sistemas de ejecución indirecta).

De esta legislación interesa destacar dos ideas:

Primero, la consideración del agente urbanizador como un concesionario de obra pública: el urbanizador realiza las obras de urbanización y procede a la distribución de los beneficios y cargas correspondientes, obteniendo su retribución conforme a lo convenido con el Ayuntamiento (artículo 152).

Esto implica la directa aplicación de la legislación contractual para la selección del urbanizador y por tanto para la capacidad de las empresas, régimen de publicidad, procedimientos de licitación y formas de adjudicación, realizándose pues una convocatoria en la que se describirán las labores a realizar por el urbanizador. De esta forma, la Administración asume el protagonismo y la iniciativa del sistema, se evitan los problemas jurídicos del modelo valenciano aunque, según suele afirmarse, un régimen jurídico de estas características reduce sensiblemente su eficacia (privando al sistema concurrencial en parte del aliciente de la libre iniciativa empresarial).

La financiación de la operación urbanizadora se realiza por el propio urbanizador, con posible asistencia de la Administración, aunque, en último término, son los propietarios quienes asumirán la carga económica de la urbanización (artículos 153.3 y 154 y 155).

Segundo, la previsión del sistema de «ejecución forzosa», cuyo reconocimiento a partir de ahora veremos también en alguna otra legislación urbanística autonómica.

Este sistema procede cuando se produce el incumplimiento de cualquiera de los deberes inherentes al sistema de compensación y lo soliciten los propietarios que representen una cuarta parte, al menos, de la superficie de la unidad de ejecución.

Entonces, el Ayuntamiento ocupa los terrenos necesarios en favor de una Comisión Gestora, que realiza las obras de urbanización y procede a la distribución de los beneficios y cargas correspondientes (artículo 146).

Dicha Comisión está representada por los propietarios y por el Ayuntamiento. Se lleva a cabo la reparcelación (con posible compensaciones o rectificaciones derivadas del cambio de sistema) y la urbanización.

C. Asturias

También el agente urbanizador está presente en el Decreto Legislativo 1/2004, de 22 de abril, de Asturias, por el que se aprueba el TR de las disposiciones legales vigentes en materia de Ordenación del Territorio y Urbanismo, aunque con matices respecto de otras legislaciones, pues ni representa aquél un modelo único de gestión que suplante o subsuma a las demás (a diferencia del modelo valenciano) ni tampoco en puridad estamos ante un sistema de gestión urbanística con una posición sistemática equiparable a los demás sistemas. No obstante, al igual que otras CCAA en la legislación asturiana, el agente urbanizador conserva un cierto carácter excepcional o subsidiario[76].

En particular, se prevén en concreto los sistemas de actuación «clásicos» (compensación, cooperación y expropiación) como sistemas ordinarios de actuación, junto al agente urbanizador en torno al «suelo urbanizable *prioritario*» (artículo 100).

Incluso dentro del «suelo urbanizable prioritario» en principio se atribuye exclusivamente a los propietarios del polígono o unidad de actuación la función de urbanizar.

Ahora bien, «transcurrido el plazo de un año desde la aprobación definitiva del Plan Parcial, y vencida, en su caso la prórroga, la Administración urbanística lo declarará expresamente en el plazo máximo de dos meses, previa audiencia de los propietarios, y, en el mismo acto, optará entre la gestión directa de los polígonos o unidades de actuación cuyos propietarios no la hayan asumido, o la convocatoria de concurso».

D. Canarias

El Texto Refundido de las Leyes de Ordenación del Territorio de Cana-

_____

76. Véase D. Ordóñez Solís, «La gestión urbanística en el Principado de Asturias», *Revista de Derecho urbanístico,* 206 (2003), pp. 49 y ss.

rias y de espacios naturales de Canarias, aprobado por Decreto Legislativo 1/2000, de 8 de mayo, diferencia entre:

1.   Sistemas de ejecución privada:

– Concierto.

– Compensación.

– Ejecución empresarial.

2.   Ejecución pública:

– Cooperación.

– Expropiación.

– Ejecución forzosa.

La «ejecución empresarial» se hace eco del agente urbanizador. Del modelo canario destacaría la cuidadosa regulación de la fase de selección del sistema adecuado de gestión privada. Cuando el planeamiento de ordenación urbanística haya optado por los sistemas de ejecución privada la iniciativa en principio corresponde lógicamente a los particulares aunque la decisión (en favor de uno u otro sistema) se la reserva el poder público, quien decidirá en función de las propuestas presentadas encauzando éstas hacia uno u otro sistema de actuación o ejecución privadas (artículos 100 a 119, en especial 100, 102.1.b.2 y 117).

No obstante, lo más característico del urbanismo canario sería la *moratoria* cuyo sentido viene a ser el opuesto al agente urbanizador ya que, si conforme al mencionado en último lugar, de lo que se trata es de crear más suelo apto, para ser edificado, la citada moratoria lo que pretende es detener la urbanización y edificación, cuando menos aquellas que no reúnen unas condiciones excepcionales establecidas normativamente (por ejemplo hoteles de especial calidad vinculados a campos de golf).

E.   Cantabria

A diferencia de Asturias, pero al igual que Aragón, Cantabria se hace eco del agente urbanizador asumiendo directamente, y añadiendo a los demás sistemas de actuación (compensación, cooperación, expropiación), el sistema de «concesión de obra urbanizadora» (artículo 147 de la Ley 2/2001, de 25 de junio, de ordenación territorial y régimen urbanístico del suelo de Cantabria).

Por tanto, la selección del urbanizador se hace previa elaboración de unos pliegos de condiciones donde se especifican los criterios que han de servir de referencia para la adjudicación (artículo 170.3) y previa apertura de una fase de concurso «de oficio o a instancia de parte» (artículo 170.1).

Por lo demás, el agente ha de ser retribuido por su urbanización, garantizando éste sus compromisos (artículo 171).

F. Castilla-La Mancha

El Decreto Legislativo 1/2004, de 28 de diciembre, por el que se aprueba el Texto Refundido de la Ley de Ordenación del Territorio y de la Actividad Urbanística parte de que las actuaciones urbanizadoras en el suelo clasificado por el planeamiento como urbanizable o urbano no consolidado se llevará a cabo preceptivamente al amparo de Programa de Actuación Urbanizadora (artículo 99).

El Programa de Actuación Urbanizadora es un presupuesto de cualquier actividad de ejecución (artículo 110).

La citada Ley distingue entre, por un lado, «gestión directa de la actuación urbanizadora» (reparcelación y expropiación) y, por otro lado, su «gestión indirecta», es decir el agente urbanizador como agente gestor por adjudicación de la ejecución de un Programa de Actuación Urbanística (artículos 116 y 117) que conocemos por la legislación valenciana *supra* estudiada (retribución del urbanizador, derecho de adjudicación preferente de los propietarios, etc.)[77].

G. Castilla y León[78]

La Ley 5/1999, de 8 de abril, de urbanismo distingue, como es común,

---

77. Puede verse F. Blanc Clavero/G. R. Fernández Fernández, «La gestión urbanística y la urbanización», en: L. Parejo Alfonso (coordinador), *Derecho urbanístico de Castilla-La Mancha*, Madrid, 1999; F. Delgado Piqueras, «Los procedimientos de elaboración, aprobación e innovación del planeamiento territorial y urbanístico en Castilla-La Mancha», *RDU*, nº 209, 2004, pp. 67 y ss.; M. Corchero/V. Vicente Díaz/A. Pena Navarra, *El agente urbanizador en Castilla-La Mancha*, Pamplona, 2008.

78. Algunos trabajos son: D. Fernández de Gatta Sánchez, «La estructura municipal de Castilla y León: incidencia de la legislación sobre régimen local, urbanismo y ordenación del territorio», en el *Libro Homenaje a S. Martín-Retortillo Baquer, REAL*, 291, 2003 pp. 337 y ss. Y el trabajo en el mismo libro de J. L. Martínez López-Muñiz sobre Administración local en general (pp. 609 y ss.).

entre «gestión de actuaciones aisladas» (artículo 69) y «gestión de actuaciones integradas» (artículo 72).

Al igual que algunas CCAA, y a diferencia de otras, distingue los sistemas de actuación: concierto, compensación, cooperación, concurrencia y expropiación (artículo 74).

El sistema que interesa estudiar es, obviamente, el de concurrencia cuyo nombre es por sí mismo expresivo de la esencialidad del sistema, es decir la plasmación directa del principio de concurrencia.

Este modelo de concurrencia (o agente urbanizador) parece erigirse en el modelo de equilibrio en este espectro jurídico-comparado que, en lo urbanístico, está hoy protagonizado por las CCAA.

Por un lado, de forma diríamos más «progresista» que otras CCAA, la iniciativa del sistema no es sólo pública, es decir de oficio (con o sin posibilidad de instancia de particular), ya que se concede al particular la iniciativa del procedimiento mediante la presentación al Ayuntamiento de un Proyecto de Actuación, «debiendo» en estos casos el Ayuntamiento convocar un concurso para la selección del urbanizador, simultáneo a la información pública [artículo 86.1.a)].

Por contrapartida, evitando toda «agresividad», se deja clara también, junto a la posibilidad de la iniciativa pública (en casos de urgencia o manifiesta inactividad de la iniciativa privada), la existencia en todo caso de una fase de concurso en toda regla «*señalando las bases* para su adjudicación, vinculadas a las condiciones económicas y de colaboración de los propietarios y a la idoneidad de los terrenos de cesión, obras de urbanización y demás contenidos del Proyecto» [artículos 86.1.b) y 2 y 87.2].

Por lo demás, se presentan las demás características propias de este sistema de agente urbanizador siguiendo la *ratio* de la concurrencia que le es propio (en el período de información pública pueden presentarse alternativas al Proyecto, el Ayuntamiento puede introducir los cambios que procedan, la ejecución de la actuación se hace previa suscripción por el urbanizador de compromisos y garantías, retribución en solares del urbanizador, solicitud de expropiación de los propietarios).

En otro orden de cosas, destacar que al igual que otras CCAA también la castellano y leonesa prevé que, en el sistema de expropiación, la condición de urbanizador podrá ser objeto de concesión mediante concurso (artículo 90).

H. Cataluña

El Decreto Legislativo 1/2005, de 26 de julio, por el que se aprueba el Texto Refundido de la Ley de Urbanismo de Cataluña distingue, en principio dos sistemas solamente de gestión urbanística: el de reparcelación y el de expropiación, poniéndose de manifiesto que en el plano de la gestión los mismos fines y objetivos y contenidos pueden enfocarse de forma distinta entre sí por las CCAA (artículo 115.1).

Ahora bien, la reparcelación tiene las siguientes modalidades: compensación básica, compensación por concertación, cooperación, reparcelación por sectores de urbanización prioritaria (artículo 115.2).

La decisión en favor de uno u otro sistema corresponde a la Administración (artículo 115.3).

La distinción entre «compensación básica» y «compensación por concertación» obedece precisamente a la introducción de la *ratio* del agente urbanizador dentro de los sistemas de actuación. Ello lleva, primero, a hablar de «compensación básica» por referencia al sistema más clásico de compensación y ello lleva, segundo, a introducir dicha *ratio* del citado agente en el seno del propio sistema de compensación (artículos 124 y ss.).

En particular, en la modalidad de «compensación por concertación» la iniciativa en el sistema de reparcelación corresponde a los propietarios de fincas cuya superficie represente más del 25% de la superficie total del sector de planeamiento urbanístico o del polígono de actuación urbanística de que se trate (artículo 129).

La concertación en el sistema de reparcelación entre el Ayuntamiento y los propietarios se configura como un convenio urbanístico. Dicho convenio debe disponer la concesión por concurso, tramitado por el Ayuntamiento, de la gestión urbanística integrada del sector de planeamiento urbanístico o el polígono de actuación urbanística, y debe incorporar al mismo el correspondiente proyecto de bases (artículo 130.1 y 2).

I. Extremadura

Dentro de la «ejecución en unidades de actuación» la Ley 15/2001, de 14 de diciembre, del Suelo y Ordenación Territorial de Extremadura prevé modos de gestión directa (cooperación y expropiación) y de gestión indirecta (compensación y concertación).

El de «concertación» consiste en la atribución de la condición de agente urbanizador por adjudicación de la ejecución de un Programa de Ejecución (artículo 130).

La iniciativa, para introducir la tramitación de Programas de Ejecución, se otorga a los particulares, pero mencionando expresamente (junto a «cualquier particular interesado en la concertación») a los «propietarios constituidos en agrupación de interés urbanístico» (artículo 134.1.1), a quienes también se reconoce la «adjudicación preferente» (artículo 136).

La iniciativa se realiza presentando una «alternativa técnica de Programa de Ejecución» con posterior apertura de una fase de información pública (artículo 134.3) y de aprobación de los Programas de Ejecución de iniciativa particular o a desarrollar en régimen de gestión indirecta (artículo 135).

J. Galicia

La regulación de los sistemas de actuación, por la Ley 9/2002, de 30 de diciembre, de ordenación urbanística y protección del medio rural de Galicia, comienza advirtiendo de las consecuencias que tiene el incumplimiento «de las previsiones de urbanización establecidas», en su artículo 128, donde se afirma que «el incumplimiento de estas obligaciones, cuando se apliquen sistemas indirectos, dará lugar a que la Administración pueda sustituir de oficio el sistema de actuación y optar por un sistema de actuación directo, con independencia de las restantes consecuencias que, en su caso pudieran derivarse del incumplimiento (...)».

En cuanto a los sistemas de gestión, distingue aquélla entre sistemas de gestión directa (cooperación y expropiación) y de gestión indirecta, considerando el agente urbanizador como un concesionario de obra pública y añadiendo el sistema de concierto, como también hace por ejemplo (en esto último) la legislación castellano y leonesa.

Así pues los sistemas de actuación indirectos son el de compensación, concierto y concesión de obra urbanizadora (artículo 126), siguiendo el agente urbanizador el régimen de una concesión de obra pública (artículos 161 y ss.)[79].

Dicha Ley 9/2002 ha sido reformada últimamente por la Ley 15/2004, de 29 de diciembre, y por la Ley 6/2007, de 11 de mayo, pero sin afectar a los postulados anteriormente mencionados.

---

79. Puede verse L. PAREJO ALFONSO (director), *Derecho urbanístico de Galicia,* Madrid-Barcelona, 2001.

K. La Rioja

El Título IV de la Ley 5/2006, de 2 de mayo, de Ordenación del Territorio y Urbanismo, se refiere a la regulación de los sistemas de actuación, que, a salvo de la supresión de los convenios urbanísticos, mantiene esencialmente el régimen de compensación, cooperación, expropiación de la Ley 10/1998, pero sustituye el sistema de concesión de obra urbanizadora, que se ha revelado como ineficaz, por el sistema del agente urbanizador (capítulo III).

Su regulación obedece de un lado a la necesidad de sustituir una figura que no se ha llegado a aplicar nunca en la Comunidad Autónoma como sistema de gestión, pero sobre todo, obedece a la necesidad de introducir en el ordenamiento urbanístico riojano instrumentos que permitan agilizar verdaderamente el desarrollo de los suelos que sean susceptibles de someterse a un proceso urbanizador. Se faculta así a que un interesado, en quien no ha de concurrir necesariamente la condición de propietario de los terrenos sobre los que ha de actuar, pueda solicitar de la Administración la aprobación de un programa de actuación urbanizadora donde se contemplarán, entre otros aspectos, las líneas de actuación, el sistema de relaciones con los propietarios y con la propia Administración y el coste de la urbanización. Así presentado el programa se habilita un período de presentación de alternativas técnicas tras el que se determinará, en un proceso de libre competencia, cuál es el programa elegido y quién ostenta la condición de agente urbanizador. Tras ello se procede a la formalización del contrato administrativo (de naturaleza especial) y se legitima su actuación para ejecutar el proceso urbanizador sobre los terrenos previamente designados. El sistema cubre suficientemente los mecanismos de retribución del agente urbanizador con las garantías necesarias para la Administración actuante y para los propietarios afectados, que aportando parcelas no urbanizadas obtendrán solares edificables correspondiéndoles a cuenta el abono de cuotas de urbanización o la entrega de solares como forma de pago. Obviamente, el sistema presenta otras garantías a favor de los propietarios afectados como el transcurso de determinados plazos antes de que quede legitimada la actuación por el agente urbanizador o como la posibilidad de incorporarse al proceso disponiendo de un carácter preferente para la adjudicación de la condición de agente o incluso asumiendo la propuesta inicialmente presentada por el promotor.

L. Madrid

También la Ley 9/2001, de 17 de julio, del Suelo de la Comunidad de

Madrid, mantiene los sistemas de actuación, distinguiendo entre «sistemas de ejecución privada» (sistema de compensación) y «sistemas de ejecución pública» (cooperación, expropiación y ejecución forzosa; artículo 101).

En principio, la citada Ley no prevé la primacía de un sistema sobre otro de actuación, eligiendo la Administración el modo de actuación más adecuado en función de «las circunstancias concurrentes en el caso» (artículo 102).

Sin embargo, la apertura al agente urbanizador se producirá cuando los propietarios no hayan ejercitado su iniciativa para «la aplicación efectiva y la definición del sistema de compensación», en particular, en el suelo urbanizable, transcurridos dos años después de la publicación del acuerdo de aprobación definitiva del Plan General por los propietarios de terrenos que representen al menos el 50% de la superficie total del sector que se pretenda delimitar [artículo 104.c)].

En estos casos, cualquier persona, aunque no sea propietaria de suelo en el sector o unidad de ejecución (es decir, un agente urbanizador), puede tomar la iniciativa de hacer efectivo aquello que debió realizarse por compensación.

Es decir, el *quid* del sistema madrileño está, al igual que en otras CCAA, en aplicar el agente urbanizador sólo en caso de «inactividad» de los propietarios. No se les priva a éstos de la iniciativa del sistema de ejecución. Tampoco se concede la iniciativa a los propietarios *junto* a la del agente urbanizador (sistema valenciano). Más bien, la iniciativa corresponde a los propietarios exclusivamente y, si no la ejercen, ésta corresponderá entonces al agente urbanizador. En más, sólo se prevé expresamente el sistema de compensación, no el de concurrencia, por estar éste inmerso en aquél como una de sus posibles variantes.

Por otra parte, si transcurre el doble de los plazos mencionados sin que ni los propietarios de suelo ni las personas privadas distintas hayan adoptado la iniciativa para acometer la ejecución del ámbito de actuación, sector o unidad de ejecución correspondiente, en este supuesto, el sistema de compensación se sustituirá por un sistema de ejecución pública de oficio o a instancia de cualquier interesado, sistema éste que se extiende al caso de «incumplimiento de los deberes, obligaciones y compromisos inherentes al sistema de compensación...» (artículo 103).

Junto a todo esto, interesa también –del modelo madrileño– destacar el sistema de expropiación cuya gestión se hará bien de forma directa e indiferenciada, bien a través de una entidad de Derecho público de ella dependiente o a ella adscrita, bien por encomienda a otra Administración, bien por atribución a concesionario (artículo 118).

En la variante mencionada en último lugar, la concesión de la gestión del sistema de expropiación se otorgará mediante concurso, convocado sobre la base del pliego de condiciones que determine, con precisión las características técnicas, jurídicas y económicas de la actuación a ejecutar.

En el concurso podrán participar, agrupados en entidad urbanística de urbanización, los propietarios afectados por la actuación que representen, como mínimo, el 50% de la total superficie de ésta, teniendo derecho preferente a la adjudicación del concurso siempre que su oferta iguale la más ventajosa de entre las restantes ofertas presentadas (artículo 119).

La ejecución corresponde a la entidad que tenga asumida la gestión del sistema, debiéndose abonar el justiprecio al expropiado (artículos 120 y 121)[80].

LL. Murcia[81]

Dentro de la Gestión de actuaciones integradas, distingue el Decreto Legislativo 1/2005, de 10 de junio, por el que se aprueba el Texto Refundido de la Ley del Suelo de la Región de Murcia sistemas de iniciativa privada:

a) Sistema de concertación directa (cuando todos los terrenos de la Unidad de Actuación pertenezcan a un solo propietario [artículo 178]).

b) Sistema de concertación indirecta (a solicitud de alguno de los propietarios que representen al menos el 25% de la superficie de la Unidad de Actuación cuando no esté previsto el sistema de compensación o no se alcanzara acuerdo con el porcentaje de propietarios requerido para este sistema; artículo 179).

c) Sistema de compensación (artículos 180 y ss.).

Y sistemas de iniciativa pública:

a) Sistema de cooperación (artículo 183).

---

80. Puede verse M. Sánchez Morón, *El Derecho urbanístico de la Comunidad de Madrid*, Valladolid, 1999.

81. Véase J. E. Serrano (codirector), *Comentarios a la legislación urbanística de Murcia*, Madrid, 2008.

b)   Sistema de concurrencia (artículos 186 y ss.).

c)   Sistema de expropiación, con posibilidad de atribuir la condición de urbanizador conforme a los modelos en esta línea *supra* ya referidos (artículo 191).

d)   Sistema de ocupación directa, para la obtención de sistemas generales (artículo 194).

Es significativo, ciertamente, cómo el sistema de concurrencia se hace encuadrar dentro de los sistemas públicos de gestión en la línea de nuestras reflexiones hechas al explicar el régimen jurídico del modelo valenciano de agente urbanizador.

Por lo que se refiere a este sistema de concurrencia, los rasgos principales y característicos son:

– Se contempla sólo la iniciativa del Ayuntamiento para introducir el procedimiento de este sistema de actuación.

– El presupuesto es la existencia de circunstancias de urgencia, demanda de suelo o manifiesta inactividad de la iniciativa privada.

– Realización mediante concurso de la selección del urbanizador.

– Elaboración por el propio Ayuntamiento del Programa de Actuación.

– Posibilidad de presentar alternativas técnicas o sugerencias en la fase de información pública.

M.   Navarra

También distingue la Ley Foral 35/2002, de 20 de diciembre, de ordenación del territorio y urbanismo, distintos sistemas de actuación:

1.   De actuación privada:

a)   Compensación (artículo 160).

b)   Reparcelación voluntaria (artículo 167).

c)   Agente Urbanizador (artículo 170).

2.   De actuación pública:

a)   Cooperación (artículo 174).

a)   Ejecución forzosa (artículo 177).

b)   Expropiación (artículo 184).

En cuanto al Agente Urbanizador, como en otras legislaciones españolas que estamos viendo, la iniciativa es principalmente pública para la elección del sistema. Éste podrá venir determinado en el planeamiento urbanístico o en la delimitación de la unidad de ejecución, o bien procederá en caso de incumplimiento de los propietarios *(y así lo solicite el Agente Urbanizador)* o cuando a juicio de la Administración resulte conveniente para facilitar la actuación urbanizadora o la conclusión de la misma (artículo 170).

No obstante, no puede decirse que, con acierto o desacierto, quede consagrado un modelo de libre iniciativa privada en la introducción del procedimiento en estos supuestos de agente urbanizador.

Los Programas de Actuación Urbanizadora (artículo 171) podrán elaborarse por los interesados y entrarán en una relación de concurrencia.

En Navarra ha venido siendo característica la previsión del sistema de ejecución forzosa, con características similares a las que hemos explicado por referencia ya a otras CCAA: ocupación de los terrenos en favor de una Comisión Gestora, realización por ésta de las obras de urbanización y de la distribución de los beneficios y cargas correspondientes, iniciación a instancia de los propietarios que representen al menos el 25% de la superficie total (en los supuestos mencionados en el artículo 177.2).

N.   País Vasco

Hasta la promulgación en 2006 de la Ley del Suelo y Urbanismo, el Gobierno Vasco había venido formulando y ejecutando una política propia en materia urbanística, sobre la base y con arreglo a la legislación general sobre régimen del suelo y ordenación urbana. Ello era posible tanto por las características del sistema de ordenación urbanística establecido por dicha Ley estatal, basado en una muy amplia remisión a los instrumentos de planeamiento y de ejecución de éste, como por la ausencia en el marco legal estatal de disposiciones sustantivas de ordenación limitadoras o dificultadoras de las opciones y soluciones específicas demandadas por la realidad propia del País Vasco.

Sin embargo, la situación generada con la STC 61/1997 (RTC 1997, 61), la LRSV 6/1998 y la STC 54/2002 (RTC 2002, 54) (que anula parcialmente el artículo 1 de la Ley del País Vasco 11/1998, de 20 de abril, por la que se determina la participación de la Comunidad en las plusvalías generadas por la acción urbanística) define un escenario que hace necesaria, oportuna y aconsejable la disposición de un Texto Legal propio, que responda a la realidad y los problemas de la ordenación territorial y social urbanística vasca y posibilite las respuestas instrumentales adecuadas para satisfacer los objetivos de vertebración territorial, ordenación urbana y cohesión social que los artículos 45, 46 y 47 de la Constitución Española definen como principios rectores en esta materia.

La Ley 2/2006, de 30 de junio, del Suelo y Urbanismo del País Vasco establece los siguientes sistemas de actuación:

a) En régimen de ejecución pública:

– sistema de cooperación (artículo 173).

– sistema de expropiación forzosa (artículos 174 a 185).

b) En régimen de ejecución privada mediante concesión administrativa:

– sistema de agente urbanizador (artículos 165 a 172).

– sistema de concertación (artículos 160 a 165).

De acuerdo con el Preámbulo de la Ley, desaparece de la noción decimonónica de la gestión urbanística. La responsabilidad de la ejecución del planeamiento pasa a ser exclusivamente pública, si bien se garantiza la participación privada, en régimen de concertación directa con la Administración o bien de libre concurrencia, mediante la figura del agente urbanizador y, en su caso, del agente edificador.

La Ley recoge también el antiguo sistema de cooperación, en el que la actividad urbanizadora es realizada por la Administración contra el correspondiente giro de cuotas de urbanización a los propietarios o compensación de su labor a través de la obtención del correspondiente aprovechamiento.

Además, la Ley refuerza todos los mecanismos que el ordenamiento otorga a la Administración en caso de que ésta reserve la ejecución de la programación, estableciendo una regulación integrada del sistema de expropiación por motivos urbanísticos. Se incorpora y reconoce la legitimación de expropiación de las viviendas desocupadas situadas en áreas sometidas a los derechos de tanteo y retracto y de las viviendas sometidas a algún régimen de protección pública. Su funcionamiento, con todas las garantías precisas para el propietario, servirá de refuerzo de diversos programas públicos destinados a la regeneración urbana y a la evitación del fraude en materia de realojo, cuya novedosa regulación introduce una serie de mejoras demandadas por los operadores urbanísticos.

3. ALGUNA APRECIACIÓN GLOBAL

En torno a la relación jurídica urbanizador-propietarios, las legislaciones autonómicas (incluyendo la valenciana) parecen coincidir en afirmar un régimen de favor en beneficio de la propiedad y de cierta excepcionalidad (con distintos grados) en torno a la iniciativa empresarial no propietaria.

Pero mientras que en algunas legislaciones autonómicas se parte del hecho de la propiedad (y se aplica el agente urbanizador si media incumplimiento de los propietarios), en el modelo valenciano más bien se parte de una posición privilegiada del agente empresarial urbanizador no propietario, quien está llamado a introducir el propio procedimiento de selección de sí mismo.

No es evidentemente lo mismo un sistema cuya iniciativa se otorga a los propietarios (con posibilidad de actuación del urbanizador en caso de incumplimiento de la propiedad) que un sistema que permite un «efecto sorpresa» sobre la propiedad que sólo de forma discutible puede llegar a verse compensada con su posible intervención en la fase de información pública y demás opciones de participación.

En cuanto a la relación jurídica Administración-urbanizador, la exclusividad de la iniciación pública de los procedimientos en este sistema de actuación (que afirman algunas CCAA) facilita que el sistema «no se vaya de las manos del poder público» desde su propio comienzo, pero ello puede suponer un retorno al mundo del tedio que caracteriza la actuación de la Administración, privando al modelo del aliciente empresarial de poder tomar la iniciativa en la gestión y urbanización del suelo con tal de que la programación que quiera llevarse a efecto sea *acorde* con los designios públicos de planificación de la ciudad que vengan al caso.

El modelo valenciano de agente urbanizador, el madrileño de expropiación con concesionario y el navarro de la ejecución forzosa son en el fondo distintas soluciones frente a un mismo problema y participan todos ellos de la *ratio* de agilizar la creación de suelo y corregir las disfuncionalidades de un sistema de gestión privada que otorgue a los propietarios el predominio absoluto del proceso de urbanización-edificación, sin perjuicio de las correcciones que implique el ejercicio de las potestades públicas.

Un posible modelo resultaría de aplicar estos parámetros:

– Primero, la necesidad de evitar una influencia excesiva de un agente urbanizador o empresarial, quien defiende sus propios intereses, en especial en el plano de la programación o formulación de las actividades ejecutables.

– Segundo, en consonancia con lo anterior, la necesidad de lograr plena objetividad y neutralidad en los procesos de formulación de la programación, es decir de las actuaciones que han de llevarse a cabo a posteriori desde el punto de vista de la gestión urbanística.

4. LA INICIATIVA PRIVADA EMPRESARIAL COMO VÍA PARA EL REFUERZO DE LA FUNCIÓN PÚBLICA URBANÍSTICA

Sin querer contradecir las afirmaciones hechas hasta el momento (en torno a la tendencia de creciente arraigo de la iniciativa privada e incluso empresarial en el Derecho urbanístico), querría poner de manifiesto cómo optando legislativamente en favor de la iniciativa empresarial en el plano de la gestión urbanística (v. gr. el modelo valenciano de agente urbanizador o el concesionario en el sistema expropiatorio o en general el contratista que auxilia a la Administración) es como curiosamente se consigue afirmar con mayor entidad y contundencia el carácter público de la gestión urbanística.

Está comúnmente admitido que la LUV valenciana (por tanto el modelo de agente empresario urbanizador) supone ante todo un reforzamiento de la idea de función pública urbanizadora[82].

De hecho, el agente urbanizador es un agente público delegado de la propia Administración.

Aunque parezca contradictorio, lo cierto es que, en nuestro país parece manifestarse que la vía –deseable– de encuentro del urbanismo con la idea de función pública urbanizadora se consigue a costa de potenciar la iniciativa privada empresarial del urbanismo. No es por eso casual el descubrimiento (por el urbanismo) del contrato administrativo, por ser todo esto inherente a dicho contrato.

---

82. Por todos, J. C. Tejedor Bielsa, en: M. A. Rueda Pérez (director), *Perspectivas del...*, p. 108: «*en el sistema urbanístico valenciano la urbanización constituye una función pública, que no puede seguir concebida como hecho auxiliar de cada operación edificatoria porque tiene una entidad propia, pero es también, al mismo tiempo, un ámbito típico de la actuación empresarial*».

Hasta el momento, las propuestas más acertadas de sistemas de gestión urbanística son aquellas que consagran un modelo público-privado.

Por tanto, el modelo valenciano de «agente urbanizador» y el madrileño de la «expropiación con concesionario» (y en cierta medida, como ya nos consta, aquel otro de «ejecución forzosa») no llevan sino a reafirmar el carácter público de la función urbanística.

En todos ellos, la Administración asume una posición directiva, a pesar de que termine delegando la ejecución de la función en un particular urbanizador o concesionario, respectivamente.

Todo esto llega a ser más claro aún en aquellas legislaciones que se remiten a la legislación contractual pública. La iniciativa del procedimiento de selección del agente urbanizador corresponde, entonces, a la propia Administración. Dicha selección se hace conforme a unas bases que elabora la propia Administración. Así pues, el carácter público del sistema se refuerza y, por eso mismo, es patente la posición de «delegado de la Administración» del agente urbanizador. Es obvio que, afirmando la presencia de un delegado (el contratista), se afirma la presencia de un delegante (el poder público).

La interpretación, que lleva a decir que en el agente urbanizador es un sustituto de los propietarios (realizando lo que éstos deberían realizar) es una interpretación característica de nuestra tradición urbanística, fruto del arraigo de los modos privados de gestión urbanística en el proceso de transformación del suelo.

Pero realmente, lo que el agente urbanizador lleva a cabo no es sino aquello que la propia Administración podría o debería hacer, que no es otra cosa que la gestión urbanística, una vez se ponen precisamente de manifiesto las insuficiencias del modelo privado de gestión urbanística únicamente mediante propietarios. Esta suplantación de la Administración, por el agente urbanizador, se entiende también considerando la incapacidad que aquélla venía mostrando financieramente y para cumplir siquiera con los plazos previstos en la legislación para la ejecución del planeamiento.

5. VISIÓN DINÁMICA DE LOS SISTEMAS DE GESTIÓN URBANÍSTICA

Es oportuna una perspectiva dinámica de la gestión urbanística que incida en los cambios posibles de sistema de gestión. A mi juicio, un reto del urbanismo es flexibilizar el cambio de sistema de gestión y relativizar la excesiva importancia que se otorga actualmente al hecho de quién inicia el proceso urbanizador, si la propiedad mayoritaria (en el sistema de compensación) o si un tercero ajeno o propietario minoritario (en el sistema de concurrencia o agente urbanizador).

Esto ha de significar, primero, que, cuando la legislación autonómica abra la posibilidad de iniciar –mediante *el sistema de compensación* o incluso de cooperación– un desarrollo urbanístico, dicha legislación ha de prever *límites claros frente a privilegios inadecuados del derecho de propiedad;* deberá tenerse especialmente en cuenta la posibilidad de flexibilizar el «cambio de sistema» a favor de la concurrencia en el seno de la compensación.

Esto ha de significar, segundo, que, cuando la legislación abra la posibilidad de iniciar –mediante el *sistema de concurrencia o agente urbanizador*– un desarrollo urbanístico (por un tercero no empresario o por parte de los propietarios), *la propiedad ha de tener suficientes garantías;* deberá tenerse incluso en cuenta la posibilidad de prever un derecho de adjudicación preferente, en su favor, si aquélla reúne un 50% del suelo. Por contrapartida, los proyectos de actuación han de tener una tramitación que incentive su presentación.

Los sistemas de gestión urbanística no han de contemplarse de forma estática, como sistemas estancos entre sí, sino de manera dinámica, abierta y flexible teniendo siempre presente la posible rotación de un sistema de gestión en otro sistema diferente.

Las legislaciones urbanísticas autonómicas matizan la presencia del urbanizador en el contexto general de la gestión urbanística. Podrá ocurrir, como en Castilla y León (Ley 5/1999), que los propietarios tienen siempre la primera palabra y el agente urbanizador puede entrar en escena en caso de que los propietarios hayan incumplido sus deberes urbanísticos. También se argumenta algunas veces que, dentro de las Juntas de compensación, podrían establecerse mecanismos sancionadores más contundentes contra los propietarios incumplidores (junto al caso de la expropiación para los propietarios que no formen parte de dicha Junta).

En Andalucía, conforme a la Ley 7/2002, de 17 de diciembre, de Ordenación Urbanística, el incumplimiento de la propiedad en el contexto del sistema de compensación originará la posibilidad de un cambio de sistema (artículo 89) optando la Administración por la expropiación. Si el procedimiento de declaración de incumplimiento se insta por parte interesada en asumir la gestión procederá la expropiación mediante gestión indirecta.

Idéntico sistema, o el de cooperación, se impone cuando dicho procedimiento se inicia de oficio (artículos 109 y 110).

Son interesantes tanto las cautelas como las puertas que se abren continuamente al sistema del agente urbanizador en esta Comunidad andaluza, siempre dejando claro su carácter de agente o delegado estricto de la Administración; respecto de esto último la citada Ley piensa principalmente en que dicho agente intervenga en el seno de un procedimiento de expropiación en forma de gestión indirecta, si bien se deja iniciar el sistema de expropiación a dicho agente urbanizador (artículo 116). Además, se establecen garantías y reservas desconocidas en la Comunidad Valenciana (artículos 117 a 119), por ejemplo el hecho de que la valoración de los bienes se determinará en caso de desacuerdo por una Comisión Provincial de Valoraciones (artículo 120.2, también de la citada Ley andaluza).

La sustitución de un sistema de gestión por otro siempre es problemática. La Administración Pública, para sustituir a los propietarios por un agente urbanizador, habrá tenido que meditarlo muy seriamente antes. Y faltará casi siempre una voluntad decidida de la Administración de entrometerse en el mundo de la gestión urbanística. Cabría propugnar una cláusula legal de automática e inmediata aplicación del agente urbanizador en caso de que se verifique un incumplimiento de los deberes de los propietarios: a los propietarios seguiríamos concediendo la «primera palabra», sólo la primera palabra u oportunidad. De hecho, las legislaciones urbanísticas parecen caminar al encuentro de esta solución.

Volviendo al texto legal andaluz, e incidiendo en las puertas que constante e indirectamente se abren al citado agente, podrá ocurrir que ese sistema público-privado se fragüe en el seno de la propia Junta de Compensación (o en el propio sistema de cooperación: artículo 123.1.B.b de la citada Ley andaluza).

En este sentido, la iniciativa misma del sistema de compensación puede corresponder a cualquier persona física o jurídica, pública o privada, propietaria o no del suelo que, interesada en asumir la actuación urbanizadora como agente urbanizador, inste el establecimiento del sistema ante el municipio [artículo 130.1.d) de la citada ley andaluza]. Es más, durante el procedimiento del establecimiento de este sistema de compensación se da opción a que «cualquier interesado en asumir la gestión como agente urbanizador podrá anunciar su intención de formular alternativa» [artículo 131.c) segundo párrafo].

Ahora bien, siempre tendrán un «derecho de adjudicación preferente» los propietarios si reúnen el 50% de la superficie total [artículo 118.c) y artículo 131, donde se reitera que debe aprobarse este sistema cuando el 50% de los propietarios asuma la ejecución]. Estamos, entonces, ante el sistema de compensación en sentido clásico y ante una regulación que recuerda directamente a las Agrupaciones de Interés Urbanístico de la legislación valenciana o agrupaciones de la mayoría de propietarios a quienes se otorga, igualmente, el derecho de adjudicación preferente de cara (no obstante) a la asunción de la condición de agente urbanizador.

Interesante también es cómo la legislación urbanística (tomando como referencia la andaluza) puede contemplar la posibilidad de excepcionar el propio sistema de compensación en casos de «único propietario» o de ejecución acordada por «todos» los propietarios. En el fondo, dicha legislación va concediendo mayores opciones de autogestión en función de la mayor participación de los propietarios en la gestión urbanística:

– Si los propietarios son capaces de reunir a la mayoría, dichos propietarios habrán conseguido un sistema de ejecución (la compensación) que les concede el protagonismo de la gestión o ejecución evitando una posición satélite de la Administración.

– Si consiguen una única voluntad, porque todos los propietarios están de acuerdo (caso similar, como puede apreciarse, al del propietario único), dicha legislación permite excepcionar la compensación asumiendo un régimen de ejecución más flexible aún, basado en el convenio urbanístico y en la libre disposición. Estamos ante un sistema que podríamos llamar de «autogestión» (artículos 111, 129.1 segundo párrafo *in fine* y 130.1b y 138 de la Ley andaluza).

– Aunque no estén representados todos los propietarios, también cabe aplicar este sistema de convenio y agrupación de los propietarios en una entidad colaboradora en aquellos casos en que la mayoría esté de acuerdo en iniciar una urbanización. En estos supuestos dicha entidad podrá terminar convirtiéndose en una Junta de Compensación (en especial cuando no reúna la totalidad de los propietarios).

– Finalmente, los propietarios que lleven la carga de la urbanización y en su caso de la reclasificación de suelo estarán beneficiando a aquellos otros propietarios que se sumen tardíamente al proceso urbanizador, sin que este resultado sea siempre justo.

En relación con los posibles cambios de sistema una opción razonable es favorecer la iniciativa empresarial, evitando que todo el peso de la decisión y de la tramitación sobre los cambios de sistema tenga que recaer sobre la Administración pública. Pueden explorarse las posibilidades de la propia iniciativa privada a la hora de incitar y practicar el cambio de sistema de gestión en caso de incumplimiento de la propiedad. Por otro lado, parece excesivo el hincapié que hace la regulación actual (siguiendo la legislación estatal tradicional del suelo) en la expropiación como solución frente al problema de los posibles incumplimientos de los propietarios (v. gr. en el sistema de compensación).

La actual legislación autonómica fomenta la adquisición de suelo, es decir, ser «propietarios para poder ser urbanizador»: los propietarios querrán conseguir el 50% de la propiedad para llegar al sistema de compensación en el común de las legislaciones urbanísticas donde se prevé dicho sistema (sin perjuicio de algunos matices, como los que por ejemplo plantea la legislación andaluza permitiendo dicho sistema con porcentajes más bajos a los referidos). Lo normal es que, con tal de reunir el 50% del terreno, los propietarios consiguen poner un muro externo frente a las opciones urbanizadoras o interventoras de la Administración (a través del régimen de expropiación o incluso del sistema de cooperación que le permite una mayor actuación) y, sobre todo, frente a posibles empresarios constructores urbanizadores, ya que –reuniendo el 50% de la propiedad– se va a evitar el riesgo de que «otros» urbanicen el terreno de «uno». Y también consiguen imponerse frente a los propietarios que no quieren urbanizar, quienes pasan a considerarse «incumplidores».

En este supuesto, de la compensación, el *iter* es conocido, conforme a la legislación vigente: se presentarán unos Estatutos, se aprobarán y publicarán, y se presentará un Proyecto de Actuación donde se contendrá el régimen de gestión, después de que conste el planeamiento pormenorizado del sector, todo conforme a unos plazos previstos en la propia legislación.

Interesante es entonces observar las opciones de la concurrencia en el seno de un sistema inicial de compensación, insistiendo en la afirmación realizada *supra* a cuyo tenor los sistemas de gestión no han de verse de forma estática sino dinámica por referencia a «otros sistemas de gestión».

La apertura al sistema de concurrencia se producirá en caso de incumplimiento de los propietarios que quisieron desarrollar la gestión urbanística. La legislación favorece a la propiedad pero no le otorga un derecho absoluto. El incumplimiento de la propiedad se sanciona.

Ha de producirse un incumplimiento, referido a los plazos de ejecución, *y podrá otorgarse a la Administración la potestad de cambiar el sistema de ejecución en tal caso.* Acto seguido, se abrirá una fase de concurso y se seleccionará al urbanizador.

Dicho urbanizador podrá ser un tercero empresario no propietario, o podrá aglutinar un sector de la propiedad, ora representando a los propietarios diligentes, ora representando a los propietarios no integrados en el sistema de compensación siempre que estén en condiciones de hacerlo. Se abren, así, opciones a favor de la concurrencia en el seno de la compensación.

Podría cuestionarse el hecho de que la legislación otorgue todo el poder decisorio y de tramitación a la Administración en torno al «cambio de sistema». No existe generalmente un derecho subjetivo al cambio de sistema, incluso en caso de incumplimiento constatado de la propiedad, en favor del sector privado (ora un empresario no propietario, ora un sector minoritario de la propiedad).

Estas afirmaciones se refuerzan haciendo algunas referencias a la legislación de las Comunidades Autónomas, tal como se esboza seguidamente.

El contexto general de partida puede ser el de reconocer que el agente urbanizador o concurrencia es posible *dentro de* la compensación, aunque con una posición privilegiada del Ayuntamiento en el proceso decisorio y tramitación del cambio de sistema.

Como referencia de este marco legislativo general pueden por ejemplo servir los artículos 160 y ss. del Decreto Legislativo 1/2004, de Asturias, por el que se aprueba el Texto Refundido de las disposiciones legales vigentes en materia de Ordenación del Territorio y Urbanismo.

Se parte de que la urbanización corre a cargo inicialmente de los propietarios. Tienen éstos «preferencia a cualquier otro sujeto» (artículo 160.1). Ahora bien, según el artículo 161 (*«Actuación en caso de vencimiento del plazo»*) «transcurrido el plazo de tres meses desde la aprobación definitiva del plan parcial, y vencida, en su caso, la prórroga, *la Administración urbanística lo declarará expresamente en el plazo máximo de dos meses, previa audiencia de los propietarios, y, en el mismo acto, optará entre la gestión directa de los polígonos o unidades de actuación cuyos propietarios no la hayan asumido, o la convocatoria de concurso»* [pueden verse, igualmente, los artículos 165, 168.3.d), 172.7, del mismo Decreto Legislativo].

En Cantabria, los artículos 149 y 150 de la Ley 2/2001, del Régimen Urbanístico del Suelo, siguen esta misma *ratio*. En virtud del artículo 150 («aplicación del sistema de compensación»): 1. Cuando el sistema de compensación venga establecido en el planeamiento, su efectiva aplicación requerirá que los propietarios afectados que representen más de la mitad de la superficie de la unidad de actuación presenten al Ayuntamiento un escrito expresando su voluntad formal de que se aplique el sistema. A tal efecto, simultáneamente o con posterioridad a dicho escrito, pero en todo caso en el plazo establecido en el planeamiento o, en su ausencia, *en el de seis meses desde la aprobación definitiva del Plan, presentarán un proyecto de Estatutos de la Junta a la que se refiere el artículo 151. De no ser así,* «*la Administración podrá sustituir el sistema de ejecución*».

En estos mismos términos, pueden citarse otras legislaciones autonómicas, conforme a los siguientes preceptos: artículo 132 de la Ley 5/2006, de 2 de mayo, de Ordenación del Territorio y Urbanismo de La Rioja o artículo 103 de la Ley 9/2001, de 17 de julio, del Suelo de la Comunidad de Madrid.

Sin embargo, no faltan legislaciones que aportan algo más y que contemplan regulaciones en la línea de otorgar al cambio de sistema de gestión un carácter ex lege *sin necesidad de un procedimiento administrativo* «*ad hoc*».

Por ejemplo, interesa primeramente la Ley Foral 35/2002, de 20 de diciembre, de Ordenación del Territorio y Urbanismo de Navarra [artículo 157.3 y artículo 170.2.b)]: «la determinación de la ejecución mediante el sistema del Agente Urbanizador deberá hacerse por la Administración, de oficio o a instancia de personas interesadas, en los siguientes supuestos: (...) Cuando habiéndose incumplido por los propietarios o la Administración actuante los plazos para la ejecución del planeamiento, equidistribución o urbanización de las unidades y sectores previstos en aquél, *así lo solicite un Agente Urbanizador mediante la presentación del correspondiente Programa de Actuación Urbanizadora*».

Otro ejemplo es el artículo 126.2.b de la Ley 15/2001, de 14 de diciembre, del Suelo y Ordenación Territorial de Extremadura.

«(...) 2. Si se opta por uno de los sistemas privados incluidos en la forma de gestión indirecta, deberán observarse las siguientes reglas:

a)   Se determinará el sistema de compensación si la consulta previa hubiera sido formulada en primer lugar por una agrupación de interés urbanístico, constituida en debida forma, que integre a propietarios que representen más del 50 por 100 de la superficie de la unidad de actuación.

La determinación del sistema de compensación conllevará la fijación de un plazo de dos meses para la presentación del Programa de Ejecución correspondiente junto al resto de la documentación técnica, así como de las garantías y los compromisos económicos exigidos en esta Ley, para asegurar el completo desarrollo de la actuación.

El simple transcurso de este plazo sin que se hubiera presentado en tiempo toda la documentación exigible determinará la caducidad de la determinación del sistema de compensación por ministerio de la Ley y sin necesidad de trámite ni declaración administrativos algunos.

b)   Se determinará el sistema de concertación, bien de oficio o bien cuando la consulta previa hubiera sido formulada en primer lugar por propietario o propietarios de terrenos que no alcancen el 50 por 100 de la superficie de la actuación o por un interesado que no sea propietario de terrenos en aquélla.

La determinación de este sistema comportará la apertura de un proceso concurrencial por un período de dos meses para la presentación de Programas de Ejecución y demás documentos técnicos y garantías preceptivas formulados por cualquier interesado en concursar por la adjudicación de la condición de agente urbanizador de la actuación.

Cuando no se contengan en el planeamiento, el Municipio establecerá unas bases orientativas de la actuación relativas a calidades, plazos, diseño urbano y otros extremos, con la finalidad de homogeneizar las eventuales alternativas que se pudieran presentar al concurso».

En Aragón, el artículo 146.2 de la Ley 5/1999, Urbanística, de Aragón, establece que el 25% de la propiedad puede solicitar del Ayuntamiento el sistema de ejecución forzosa en caso de incumplimiento de los deberes inherentes al sistema de compensación.

Interesan también las regulaciones que afirman una tramitación simplificada o más ágil del sistema de concurrencia. En este contexto, la legislación valenciana (o la Ley 15/2001, de 14 de diciembre, del Suelo y Ordenación Territorial de Extremadura, artículos 134 y ss.), contemplan la posibilidad de presentar la alternativa técnica de programa (en Castilla y León Proyecto de Actuación) mediante un procedimiento ordinario (artículo 134.A) o mediante un procedimiento simplificado (artículo 134.B) a través de notario y exposición pública por sus propios medios.

Otra tendencia que se manifiesta claramente en la legislación urbanística es la de facilitar la tramitación y aprobación conjunta del planeamiento y del sistema de programación (artículos 149 y 165 del Decreto Legislativo 1/2004, de Asturias, por el que se aprueba el Texto Refundido de las disposiciones legales vigentes en materia de Ordenación del Territorio y Urbanismo; o el artículo 173.2 del Decreto Legislativo 1/2005, de 10 de junio por el que se aprueba el Texto Refundido de la Ley del Suelo de la Región de Murcia, que tiene por objeto tanto la regulación de la ordenación del territorio como la de la actividad urbanística en la Región de Murcia, etc.).

En este contexto, interés tiene igualmente el artículo 155.2 de la Ley 9/2002, de 30 de diciembre, de Ordenación Urbanística y Protección del Medio Rural de Galicia: «Se podrá prescindir de este procedimiento de aprobación de bases y estatutos de la Junta de Compensación si el Ayuntamiento previamente hubiera aprobado, con carácter general, un modelo de bases y estatutos, con información pública y publicación en el "Boletín Oficial" de la provincia, y los propietarios que representaran, al menos, el 70% de la superficie del polígono hubieran consentido su aplicación, en escritura pública o documento administrativo fehaciente en el plazo establecido en el número 1».

Así pues, parece conveniente a mi juicio profundizar en la flexibilidad del cambio de gestión urbanística en la línea de las afirmaciones y planteamientos que acaban de ofrecerse.

6. NOTAS SOBRE EL SISTEMA DE COMPENSACIÓN

Corresponde observar las garantías de los propietarios, y las posiciones que pueden éstos adoptar, en el contexto del sistema de compensación.

Para abordar estas cuestiones, estudiamos seguidamente cierta jurisprudencia de interés y seleccionamos las referencias a la legislación autonómica aplicable.

La jurisprudencia alcanza un valor general, ya que los criterios de la nueva legislación no suponen desviación de aquellos plasmados tradicionalmente en la legislación estatal, en especial los previstos en el Reglamento de Gestión Urbanística aprobado por Real Decreto 3288/1978, de 25 de agosto (RGU) y en el Texto Refundido de la Ley del Suelo de 1976 (en adelante TRLS/1976), que debemos igualmente tener en cuenta.

Es preciso profundizar, pues, en este primer tema importante, es decir el de las **garantías de los propietarios en el sistema de compensación.**

En el sistema de compensación el propietario tiene el derecho a formular alegaciones en el momento procedimental oportuno para ello (artículo 174 del RGU).

Tiene asimismo derecho a recibir por la vía de la notificación las distintas informaciones relacionadas con cada fase de constitución de la propia Junta de Compensación (artículo 81 de la Ley 5/1999, de 8 de abril, de Urbanismo de Castilla y León).

Le corresponde igualmente **un derecho a solicitar la expropiación o a transmitir los terrenos.** Según el artículo 81.1.e de la Ley 5/1999, de Urbanismo de Castilla y León «a partir de la publicación, los propietarios que no deseen formar parte de la Junta podrán, sin perjuicio de la libre transmisión de sus terrenos, solicitar la expropiación de sus bienes y derechos afectados en beneficio de la Junta de compensación (...)» (puede verse también el artículo 261.2 del RUCyL).

Es decir, *quien esté disconforme con la urbanización que se pretende llevar a cabo tiene derecho a recibir, como garantía, una indemnización compensatoria que consiga satisfacer al propietario el valor que realmente tiene su parcela.*

Es muy numerosa la jurisprudencia que confirma este derecho elemental de los propietarios que no deseen incorporarse a la Junta de Compensación (STS de 11 de marzo de 1989 [RJ 1989, 1968]; STS de 6 de febrero de 1996 [RJ 1996, 896]; STS de 20 de junio de 1996 [RJ 1996, 4891]; STS de 13 de septiembre de 1996 [RJ 1996, 6536]; STS de 24 de enero de 1998 [RJ 1998, 1134]; STS de 5 de mayo de 1998 [RJ 1998, 4627]; STS de 31 de octubre de 1998 [RJ 1998, 9521]).

De estas sentencias seleccionamos la STS de 11 de marzo de 1989 (RJ 1989, 1968):

«La ejecución del planeamiento es claramente en nuestro ordenamiento jurídico una función pública –art. 114,1 del Texto Refundido de la Ley del Suelo– en la que los propietarios del suelo a urbanizar pueden asumir mayor, menor o incluso nulo protagonismo según el sistema de ejecución que se aplique –compensación, cooperación o expropiación–.

Es en el de compensación donde aparece con mayor intensidad la participación de los propietarios dado que son ellos mismos –art. 126,1 del Texto Refundido– los que asumen la carga, no ya de costear la urbanización, sino de llevarla a cabo por sí mismos. Y ello mediante la constitución de una Junta de Compensación que da lugar a un supuesto de autoadministración: son los propios interesados los que desarrollan la función pública de la ejecución del planeamiento en virtud de una delegación que hace de la Junta un agente descentralizado de la Administración de suerte que aquélla tiene naturaleza administrativa –art. 127,3 del Texto Refundido– en tanto en cuanto actúe funciones públicas.

Lo que ahora importa destacar es la **voluntariedad del sistema de compensación,** voluntariedad esta que se predica respecto de los propietarios **en un doble sentido: –a) sólo se aplicará el sistema si lo acepta una mayoría cualificada de propietarios** –art. 119.3 del Texto Refundido– y – **b) ningún propietario puede ser obligado a incorporarse a la Junta contra su voluntad, de suerte que dentro de este sistema si algún titular de fincas del polígono no acepta su participación en ella se ha de acudir a la figura de la expropiación forzosa** –art. 127,1 del Texto Refundido–. La Junta de compensación por consecuencia se caracteriza por la integración en ella de toda la propiedad del polígono: todos los propietarios son miembros de la Junta bien porque se han incorporado a la misma bien porque la Junta ha adquirido, como beneficiaria de una expropiación los terrenos de quienes no quisieron participar en ella –art. 168 del Reglamento de Gestión Urbanística–».

Es conocido el dato de la afección de los terrenos comprendidos en el polígono o unidad de actuación al cumplimiento de las obligaciones inherentes al sistema de compensación.

A la Junta de Compensación compete formular un proyecto de reparcelación con las determinaciones que contiene el ordenamiento jurídico, entre ellas la descripción de las propiedades antiguas y de las resultantes. Actúa como delegada de la Administración y ostenta prerrogativas administrativas aunque el Ayuntamiento conserve las facultades directivas.

La Junta de Compensación posee facultades fiduciarias de disposición sobre las fincas pertenecientes a sus miembros (artículo 129.2 TRLS/1976, artículos 81.3 de la Ley 5/1999 de Urbanismo de Castilla y León y 263.3 del Decreto 22/2004 por el que se aprueba el Reglamento de Urbanismo de Castilla y León y artículo 28 del RGU, precisando este último que la transmisión de terrenos cuya titularidad determinó la pertenencia a la Junta llevará consigo la subrogación en los derechos y obligaciones del causante, entendiéndose incorporado el adquirente a la Junta a partir del momento de la transmisión; en la doctrina *vid.* R. Estévez Goytre, *Manual de Derecho urbanístico,* tercera edición, Granada, 2002, p. 317).

La gestión urbanística en las áreas semiconsolidadas. Modalidad del contrato de urbanización

1. PROBLEMÁTICA

El territorio rural español se ha ocupado durante los últimos años mediante edificaciones de todo tipo (en especial segundas viviendas), ocasionándose un serio problema actualmente en aras de su normalización o legalización urbanística.

Generalmente estamos ante asentamientos u ocupaciones que bien no gozan de las pertinentes autorizaciones bien no son conformes con el planeamiento o la legislación.

La gestión urbanística en estas «áreas semiconsolidadas» es uno de los problemas jurídicos más complejos actualmente.

La legislación urbanística se va haciendo eco cada vez más de este tipo de situaciones especiales que suelen explicarse ante la condescendencia o inactividad de la Administración y ante la ignorancia o el abuso en el ejercicio de los derechos por parte de los propietarios.

Actualmente, las legislaciones autonómicas más avanzadas empiezan a regular este tipo de difíciles situaciones urbanísticas especiales. Es preciso ir resolviendo problemas de planeamiento, de aprovechamiento, de gestión, de reparcelación cuando se aborda la legalización de estas áreas. Estamos ante nuevos proyectos urbanísticos en el marco de los sistemas clásicos o nuevos de gestión urbanística y, de hecho, han surgido ya empresas especializadas en este tipo de proyectos públicos empresariales de regularización o normalización urbanísticas de áreas semiconsolidadas, cuya gestión requiere conocimientos especiales.

2. LA GESTIÓN

En la legislación valenciana por ejemplo se han conseguido (en la vigente legislación: LUV y ROGTU) reglas especiales relativas a los gastos de urbanización que pueden repercutirse sobre los propietarios en este tipo de casos.

En esencia, se sigue el criterio según el cual no es de recibo que los propietarios que en su día abonaron los gastos de urbanización tengan que abonarlos de nuevo. Dicho criterio ha sido un logro jurídico sobre todo de la jurisprudencia de los últimos años, sensible a la defensa de los derechos de los particulares. Aunque es cierto que, generalmente, estos propietarios tienen sus edificaciones asentadas en suelo rural, la reclasificación a suelo urbanizable (que pudo ser característica en este tipo de casos) debía así matizarse a los efectos de practicar las cesiones correspondientes y la repercusión de los gastos de urbanización.

En el fondo, el problema jurídico tiene una explicación financiera. Cuando se realiza una urbanización (en suelo apto para ello, tras, en su caso, la pertinente reclasificación) el Ayuntamiento obtiene unos recursos económicos importantes para su propio sistema financiero (generalmente a través de la venta del 10% de cesión que le corresponde con ocasión de la tramitación de una actuación de este tipo), sin perjuicio de otra serie de recursos de no menor interés (cargas complementarias, otras derivadas de convenio, licencias, etc.). En cambio, cuando se realiza espontáneamente una edificación en suelo rural o una urbanización de forma irregular, el Ayuntamiento no obtiene este tipo de recursos, porque los propietarios no contribuyen al erario municipal, a diferencia de quienes actúan conforme a Derecho urbanístico. De ahí que a veces termine observándose que la regularización de una antigua zona urbanizada de hecho suponga simplemente la aportación de una cantidad económica por la inexistencia de las cesiones que en su día debieron practicarse y ante la plusvalía que económicamente ha adquirido injustamente el propietario sin contribuir al erario público.

Aunque muchas veces se pone el acento, en relación con la gestión en las áreas semiconsolidadas en la regla de imposibilidad de duplicar los gastos de urbanización, lo cierto es que la mayor dificultad práctica que se está evidenciando es la propia definición de los aprovechamientos urbanísticos de los propietarios, tema éste que ha de resolverse en la fase de planeamiento, no en la de reparcelación.

La propia regla expresada ha de matizarse. En la práctica, sin perjuicio de las debidas garantías de los propietarios, se observa que muchas veces los servicios existentes son altamente deficientes y no tienen la menor utilidad para la urbanización del sector (desde la canalización del agua hasta los propios tendidos de luz). En estos casos, no sería justo pretender exoneración alguna en la repercusión de los gastos de urbanización. Si el propietario considera que la actuación es antieconómica puede además instar una indemnización en metálico de su propiedad (tomando como referencia la legislación urbanística valenciana puede citarse el artículo 28.2 de la Ley Urbanística Valenciana, abreviadamente LUV). Por otra parte, cuando no se trate de obras de primera implantación, sino renovación, tampoco se produce exoneración de gasto alguno sino sólo un devengo diferido del pago (artículo 28.3 de la LUV). En todo caso, cuando se trate de servicios o instalaciones de primera implantación cabrá imponer a la propiedad el pago de cuotas por los costes de urbanización (artículo 28.3 y 4 de la LUV y 240.3 y 241 de su Reglamento: ROGTU). También si las instalaciones están en estado ruinoso o son incompatibles han de imponerse los costes de urbanización [artículo 241.1.c) y 2 del ROGTU]. En todo caso, será preciso que los particulares interesados presenten acreditación suficiente de los costes por implantación de los servicios existentes (artículo 240.4 del ROGTU). Por otra parte, las propias instituciones básicas del abuso de derecho y del enriquecimiento injusto, del Código Civil (artículo 7 y 1888 y ss. respectivamente), justifican que sean asumidos estos costes por los propietarios, ya que, de lo contrario, éstos deberían ser asumidos por el resto de los vecinos del Municipio. Cuestión diferente es la relativa a las indemnizaciones procedentes, a favor de los alegantes u otros en idéntica situación (aplicando el artículo 415 del ROGTU).

Cierta jurisprudencia tiene interés en este contexto. Así, según la STSJ de Navarra de 31 de octubre de 2002 (JUR 2002, 285957):

«El proceso de implantación fue el tradicional en esta clase de suelos rústicos, en la década de los años setenta; licencia de obras y ejecución de obras para enganches a redes públicas de abastecimiento, traídas eléctricas, fosas sépticas, etc., con fuerte grado de precariedad e insuficiencia (...). Ciertamente sería discutible que el Plan impusiera a los propietarios de las parcelas edificadas un deber de contribuir a los gastos de reurbanización de la zona, si sus parcelas y edificaciones contaran con un correcto estado previo de infraestructuras y servicios que conllevara que tales parcelas debieran ser consideradas como urbanas consolidadas. Este importante déficit de estado actual de la urbanización, hace improcedente y jurídicamente inadecuado considerar a dichas parcelas como parcelas de suelo urbano consolidadas para gozar del nivel de urbanización adecuado según el planeamiento urbanístico general. Siendo ello así, resulta obvio que el Plan puede imponerle el deber de realizar las obras de urbanización precisas para garantizar el nivel mínimo exigible de grado de urbanización.

QUINTO.–De todo lo anterior se deduce que o bien en los años 70 se urbanizaba muy mal en Tafalla, o bien se daba licencia de construcción para que cada propietario se apañara como pudiera y tomara luz, agua, desagües y calles de la forma que mejor pudiera o finalmente que tales viviendas se construyeran de acuerdo con la normativa y que se dotó a la zona de urbanización adecuada. La Sala por el principio de legitimidad de los actos administrativos tiene que partir de que lo hecho entonces se hizo bien y por lo tanto nos encontramos con unas unidades (las de los actores) cuya urbanización ya está realizada y por tanto no encaja en el supuesto ya hecho del artículo 144 que prevé que un planeamiento establezca que todas las unidades de ejecución (por lo tanto que se van a efectuar) y que estén comprendidas en el ámbito fijado por el plan costeen las obras y servicios comunes a todas ellas. Lo dicho anteriormente no quiere decir que la urbanización de los actores sea buena; correcta y suficiente a las necesidades exigidas. Por el contrario pueden ser muy deficientes (...)»[83].

Por otra parte, la sentencia del TSJ de Galicia de 9 de diciembre de 1999 (RJCA 1999, 5163) desenmascara el hecho aparente de que la ejecución de obras en la urbanización consista en una simple «mejora y complementación de servicios e instalaciones preexistentes, ya que suponen subsanación y corrección de notables carencias constatadas *que merecen calificación equivalente a la práctica ausencia de verdadera urbanización». De este modo, se desestima el recurso contencioso-administrativo contra* el acuerdo del Pleno del Concello de Oleiros, de 26 de abril de 1996, sobre declaración de innecesariedad de la reparcelación y opción por el expediente de cuotas de urbanización para la urbanización «O Xunqueiro».

Según la Sala, en principio, «el caso que aquí se examina parece ocupar una posición intermedia entre las distintas situaciones contempladas en el mencionado criterio jurisprudencial, ya que no se trata propiamente de obras de instalaciones y servicios en polígono de nueva urbanización sino fundamentalmente de obras de mejora y complementación de los servicios e instalaciones preexistentes en el Polígono, pero a su vez tales obras adquieren una entidad relevante en subsanación y corrección de notables carencias lo que provoca la aparición de dudas respecto a la solución idónea y más acomodada a Derecho». Con todo, el examen de la descripción de las obras a realizar según la documentación aportada acompañando la contestación a la demanda revela que al margen de las obras de telefonía, muro de contención, equipamiento contra incendios, acondicionamiento de zona pública, «varios» y pavimentación relativas a aceras, en las demás de pavimentación, saneamiento-pluviales, saneamiento-fecales, abastecimiento de aguas y alumbrado público, *las actuaciones se presentan fundamentalmente como de reparación*

---

83. En este asunto se concluyó que no podía repercutirse el coste de urbanización de un sector, con las características que apunta el texto, a los propietarios de otros sectores.

y acabado de lo preexistente, pero ello en un grado de intensidad y amplitud tal que conduce a la convicción de que las carencias entonces existentes merecen ser consideradas como equivalentes a la ausencia de una verdadera urbanización en cuanto que aquéllas exceden de lo que razonablemente pudieran entenderse como defectos u omisiones respecto a obras previamente realizadas que demandaran estrictamente meras subsanaciones o mejoras o actualizaciones realmente individualizadas. En relación con lo apuntado previamente, debe recordarse que en el artículo 77 de la normativa del PGOU de 1984, se contiene una específica referencia a la Urbanización aquí contemplada, denominada en dicho PGOU como de «Punta Bufadoiro», a la que era de aplicación la Ordenanza 9 y en la que precisamente se establecían las previsiones siguientes: «a) Acomodación del régimen de parcelas calificadas como de sistemas locales de zonas verdes y equipamiento a las Normas definidas por el Plan General. b) La acomodación de las condiciones de urbanización a lo definido por las presentes Normas». En particular todas las parcelas estarán dotadas de abastecimiento de agua en red de distribución, alcantarillado y depuración, pavimentación de calzada y encintado de aceras sin cuyo requisito las parcelas edificables no tendrán la consideración de solares. Se entenderá como polígono o unidad de actuación en su caso, el ámbito conjunto de las urbanizaciones a los efectos de aplicación del art. 41 RGU. «Las referidas determinaciones del PGOU *vienen a reafirmar la expresada convicción respecto a la inexistencia de una integral y completa obra de urbanización que mereciera ser así considerada en cuanto que respondiera a las exigencias normativamente establecidas,* de manera que ante la intensidad y extensión de las carencias a superar con las nuevas y complementarias obras de urbanización, se concluye en la acomodación a Derecho de la opción elegida por la demandada». Al mismo tiempo, «no cabe compartir las reservas de la actora respecto a la declaración de innecesariedad de la reparcelación, cuando concurre en el caso la realidad material de una división de parcelas, con aprobación de la urbanización en 1975, y con la indiscutida y posterior formalización de las correspondientes cesiones».

En esta misma línea puede citarse la sentencia del 3 de noviembre de 2004 (RJ 2004, 6464) donde, entre otros argumentos, se expone claramente que «el propietario ha de costear la parte que le corresponde, aunque tenga ya edificado su terreno». Y también la sentencia del TSJ de la Comunidad Valenciana de 11 de junio de 2004 en el recurso contencioso-administrativo 1478/02 (JUR 2005, 4076), cuando deja en evidencia que «de la DT 5 del TRLS de 1992 se infiere que la misma se refiere a la patrimonialización de las edificaciones existentes, pero que no ampara actuaciones no realizadas, es decir, se patrimonializa aquello que previamente se ha materializado, pero no puede extenderse a otras facultades –las correlativas a los deberes de cesión de terrenos dotaciones, equidistribución y urbanización– que al no haberse realizado no pueden haberse patrimonializado (...)».

La gestión en áreas semiconsolidadas puede ser idónea para ser abordada por gestión directa. Los propietarios pueden valorar positivamente este modo de gestión, que podrá partir incluso de su propia iniciativa lográndose así un trato igualitario entre los propietarios y evitándose la entrada de un agente urbanizador extraño a la actuación. Pero tampoco faltan casos en que, posteriormente, los propietarios desean realizar la actuación una vez que se ha iniciado ésta por el Ayuntamiento.

Otra posible situación, posible jurídicamente, podrá referirse al caso en que es el Ayuntamiento quien tiene interés en controlar la definición del Proyecto de urbanización (donde, en definitiva, se definen las obras de urbanización que deben realizarse, con evidente interés público), sin perjuicio de delegar la ejecución de las obras e incluso la definición de los precios al sector privado o a los propios propietarios.

Finalmente, a los efectos de profundizar en el estudio de este tipo de «áreas semiconsolidadas» seguidamente se estudia la *cuestión* de si los ciudadanos titulares de estas actividades situadas en el suelo rústico gozan, conforme a la normativa aplicable, **de un derecho subjetivo al abastecimiento de agua potable** (el ejemplo podría extenderse a otro tipo de servicios) y si al municipio, por consiguiente, le corresponde un correlativo deber de facilitar dicho abastecimiento[84].

Como es sabido, es el artículo 25 LBRL el que recoge el elenco de competencias que, sobre la base del artículo 140 CE, corresponde ejercer a los municipios, y que tendrán como fundamento común la satisfacción *«de las necesidades y aspiraciones de la comunidad vecinal»* (art. 25.1 LBRL[85]).

Por su parte, el Texto Refundido de la Ley de Aguas (en adelante, TRLA), aprobado por Real Decreto Legislativo 1/2001, de 20 de julio, en su artículo 60.3 contiene un listado que encabeza el *«abastecimiento de población, incluyendo en su dotación la necesaria para industrias de poco consumo de agua*

---

84. Puede verse R. BETRÁN ABADÍA/Y. FRANCO HERNÁNDEZ, *Parcelaciones ilegales de segunda residencia. El caso aragonés,* Zaragoza, 1994.

85. A. BALLESTEROS FERNÁNDEZ, *Manual de Administración Local,* Granada 1998, pp. 241 y ss. M. J. ALONSO MAS, en M. DOMINGO ZABALLOS (Coord.). *Comentarios a la Ley Básica de Régimen Local,* Vol. I, Madrid, 2003, pp. 391 y 392.

situadas en los núcleos de población y conectadas a la red municipal» (por todas, STSJ Castilla y León, Burgos, de 5 de diciembre de 2003 [JUR 2004, 13688])[86].

La Ley 14/1986, de 25 de abril, General de Sanidad, señala las *«responsabilidades mínimas en relación al obligado cumplimiento de las normas y planes sanitarios»* de los Ayuntamientos, e incluye entre las mismas, en su artículo 42.3. a, sin mayor precisión ni desarrollo, el *«abastecimiento de aguas, saneamiento de aguas residuales»*.

El artículo 18.1 g) LBRL señala que «son derechos y deberes de los vecinos: g) Exigir la prestación y, en su caso, el establecimiento del correspondiente servicio público, en el supuesto de constituir una competencia municipal de carácter obligatorio».

El interés, en el tema que nos ocupa, está en determinar si el servicio de abastecimiento de aguas es exigible en cualquier caso o circunstancia; y en particular en la totalidad de supuestos de edificaciones en suelo rústico o no urbanizable. En suma, el *quid* no estará tanto en solventar la cuestión de la obligatoriedad del establecimiento del servicio de abastecimiento, lo cual queda fuera de toda discusión, como en determinar el alcance de su prestación en el suelo rural.

En principio, se comprende el abastecimiento de agua dentro de la categoría de los servicios urbanísticos básicos propios del suelo urbano consolidado, y en concreto del concepto de solar, contenido en las respectivas normativa autonómicas. Valga como ejemplo el artículo 12 *(Condición de solar. Adquisición y pérdida)* de la Ley 2/2006, de 30 de junio, de Suelo y Urbanismo del País Vasco, que define dicho concepto en los siguientes términos:

> 1.–Es solar la superficie de suelo urbano que cumpla todos los siguientes requisitos:
>
> a)   Que por sus dimensiones y características tenga la condición de parcela susceptible de edificación.
>
> b)   Que esté dotada de ordenación pormenorizada por el correspondiente plan de ordenación urbanística.
>
> c)   Que esté urbanizada conforme a las determinaciones pertinentes del planeamiento urbanístico y observando las alineaciones y rasantes fijadas por éste o en aplicación del mismo.
>
> (...)
>
> 3.–Sin perjuicio de las mayores exigencias que pueda establecer el plan ge-

_____
86.   Vid. G. Ariño Ortiz/M. Sastre Beceiro, «Regulación del agua», en G. Ariño Ortiz, *Principios de Derecho Público Económico*, Granada, 2004, pp. 901 y ss.

neral, la urbanización mínima requerida a los efectos de la letra c) del párrafo primero es la resultante de la dotación al menos con los siguientes servicios:

«a)   Acceso rodado por vías pavimentadas y de uso público efectivo, debiendo presentar estas características todas las vías a que dé frente la parcela. Únicamente son idóneas para otorgar la condición de solar las vías municipales urbanas y las restantes mientras sean públicas y discurran por suelo urbano.

b)   Acceso peatonal, encintado de aceras y alumbrado público en todas las vías a que dé frente la parcela.

c)   *Suministro de agua potable y energía eléctrica con caudal y potencia suficientes para el uso existente en la parcela y, en todo caso, para el que resulte de la calificación de ésta por el planeamiento.*

d)   Red de evacuación de aguas residuales, pluviales y fecales a la red de alcantarillado con capacidad suficiente para el uso existente en la parcela y, en todo caso, para el que resulte de la calificación otorgada por el planeamiento.»

Así resulta evidente que, desde el punto de vista del planeamiento urbanístico, el servicio de abastecimiento de aguas tiene distinta presencia según la clase de suelo en la que nos hallemos, siendo máxima en su *«ámbito natural»* que es el suelo urbano consolidado[87].

Como servicio urbanístico definidor de la clase del suelo **urbano,** es innegable la debida prestación del abastecimiento de agua potable en los suelos así clasificados por el planeamiento, considerándose su prestación como un acto reglado para la Administración y exigible por los ciudadanos. Así lo reconoce la jurisprudencia, de la que es muestra la STSJ Castilla y León, sede de Valladolid, de 16 de septiembre de 1998, citada por la de ese mismo Tribunal, Sede de Burgos, de fecha 5 de diciembre de 2003 (JUR 2004, 13688):

«Como recuerdan las sentencias del Tribunal Supremo de 14 de febrero de 1994 (RJ 1994, 1445) y 21 de noviembre de 1996 (RJ 1996, 8692), entre otras, el abastecimiento domiciliario de agua potable en el suelo **urbano** figura entre los servicios obligatorios de todo municipio, según el artículo 26.1.a) de la Ley 7/85, de 2 de abril, Reguladora de las Bases del Régimen Local. Como la solicitud que dio lugar a los actos administrativos impugnados y el suplico de la demanda, no exigen al Ayuntamiento que termine de construir la red general, limitándose a pedir que se permita el enganche, bien definitivo, bien provisional, con obras incluso a costa del solicitante, carecen de toda justificación las razones expuestas por el Ayuntamiento».

Y tampoco la falta de algún servicio urbanístico en esa concreta clase de

---

87.   Sobre la cuestión de la transformación urbanística del ámbito rural, puede verse A. NIETO GARCÍA, «La agricultura periurbana», en VVAA, *Derecho Agrario. IV Congreso Nacional,* Ministerio de Agricultura, Madrid, 1995, p. 425. Y también J. GARCÍA BELLIDO GARCÍA DE DIEGO, «Transformación rural y legislación», en VVAA, *Resumen de las jornadas de Ordenación Territorial Rural. Mallorca diciembre 1982,* Mallorca, 1982, pp. 87 y ss.

suelo urbano puede ser óbice para la concesión del abastecimiento de agua potable, como señala la, acabada de citar, STSJ Castilla y León de 5 de diciembre de 2003 (JUR 2004, 13688):

> «Y así las cosas la resolución impugnada deniega la petición de acometida de agua y desagüe, sobre la base de que pese a ser suelo urbano calificado como de ensanche del casco, carece de los servicios urbanísticos, con lo cual estaríamos ante una contradicción entre la calificación y la realidad, pero lo cierto es que ese razonamiento no es argumento para denegar la acometida, ni tan siquiera la previsión de un vial, mientras no se proceda a la expropiación y ejecución del mismo y por ello y reconduciendo lo hasta ahora expuesto, cabe concluir que la recurrente no puede verse privada de la prestación de un servicio esencial, cual es la obtención de agua potable para cubrir sus necesidades más elementales, y menos en base a la argumentación efectuada por el Ayuntamiento, cuando precisamente dicha Corporación, como entidad local, debe atender a las necesidades de sus administrados, máxime si existen en este tipo de suelo la posibilidad ya reconocida de un desarrollo urbano que sea cual sea no tendrá en modo alguno obstaculizado por la concesión de la acometida de agua ya que como recuerdan las sentencias del Tribunal Supremo de 14 de febrero de 1994 (RJ 1994, 1445) y 21 de noviembre de 1996 (RJ 1996, 8692), entre otras, el abastecimiento domiciliario de agua potable figura entre los servicio obligatorios de todo municipio, según el artículo 26.1.a) de la Ley 7/85, de 2 de abril, Reguladora de las Bases del Régimen Local».

En lo que toca al suelo **rural,** la dotación de servicios es un correlativo del propio instrumento de legalización de la actuación pretendida, en esencia la licencia (artículo 56 del Texto Refundido de la Ley de Castilla-La Mancha de Ordenación del Territorio y la Actividad Urbanística, LOTAU en lo sucesivo; igualmente, Disposición Adicional Cuarta de la Ley de las Cortes Valencianas 10/2004, de 9 de diciembre, del Suelo No Urbanizable, que también impone como requisito para la autorización de suministro de distintos servicios, entre ellos el de agua, la concesión de la correspondiente licencia urbanística; asimismo, artículo 214 de la Ley 2/2006, de 30 de junio, de Urbanismo del País Vasco).

La conclusión, por tanto, se desprende por sí sola. Considerada la dotación de servicios como un requisito de las autorizaciones administrativas sobre los usos del suelo rústico que se pretendan, será en el marco del procedimiento administrativo de concesión de aquéllas donde habrá de acreditarse el cumplimiento de las exigencias que respecto a dicha dotación imponga la legislación (STSJ Aragón de 14 de marzo de 2000 [RJCA 2000, 1236]).

En suma, el *quid* del presente tema podrá estar en que la pretensión de conexión a la red pública de agua presupone un estado legal que no contraríe los presupuestos elementales del Derecho urbanístico como Derecho regulador de los asentamientos humanos en cualquier clase de suelo. No sólo ha de pensarse en la pertinente licencia como mecanismo mínimo de legalización por parte de viviendas aisladas fundamentalmente, ya que puede también pensarse en el caso de asentamientos o urbanizaciones donde los propietarios disponen de licencia de obras, pero cuya situación en suelo rústico no consigue respaldarse por el Derecho urbanístico (situación que en la práctica suele referirse a edificaciones que no cumplen las reglas previstas en la legislación urbanística para asentamientos y usos residenciales en suelo no urbanizable), siendo lógico argumentar que aquéllos tendrán que pasar por la normalización previa de su situación urbanística presentando el correspondiente instrumento de planeamiento y Proyecto de Urbanización, con reclasificación a suelo urbanizable y con las correspondientes cesiones de suelo, o bien mediante la previsión de un Plan Especial en suelo rural. En este contexto irregular las infraestructuras de suministro de agua a estos asentamientos tendrán un carácter puramente privado, sin que surja un derecho subjetivo público frente a la Administración al margen del planeamiento.

No está aún plenamente desarrollado este tema urbanístico. Las propias previsiones autonómicas que configuran el abastecimiento de agua como una determinación propia del ordenamiento urbanístico permiten ser valoradas como un avance o relativa novedad. De ahí que sea comprensible que hasta fechas recientes la jurisprudencia haya podido venir buscando mayoritariamente una solución de equidad, por encima de la perfección jurídica. Ello a pesar de que este planteamiento –propio de una típica fase de subdesarrollo jurídico– tendrá que irse superando a la par que progrese el Derecho urbanístico y la propia sociedad.

En este contexto puede explicarse la jurisprudencia que ha procurado reconocer la concesión del enganche ora aprovechando la ausencia de regulación completa en el ordenamiento urbanístico[88], ora aprovechando la propia actuación del Ayuntamiento (bien al no responder en tiempo frente a la obra ilegal o bien al haber concedido ya el abastecimiento a situaciones anteriores similares) por referencia al carácter obligatorio del servicio contenido en la normativa de régimen local.

Pese a ello tampoco faltan los fallos judiciales que niegan el abastecimiento en tales circunstancias, como por ejemplo la STSJ Castilla y León, sede de Valladolid, de 22 de septiembre de 2003 (JUR 2004, 240556):

«En la Ley de Aguas de 2 de agosto de 1985, se regula en el artículo 81 el

88. Otros pronunciamientos distinguen si el abastecimiento es para riego o para consumo humano, vid. la ya citada STS de 28 de mayo de 1991 (RJ 1991, 4298).

otorgamiento de concesiones para abastecimiento a varias poblaciones, y en el Reglamento del Dominio Público Hidráulico las concesiones para el abastecimiento de aguas a poblaciones o urbanizaciones aisladas que no puedan ser abastecidas desde la red municipal[89] (arts. 122 y siguientes) pero no el abastecimiento a viviendas aisladas en suelo rústico».

Aun así, en segundo lugar, cuando se estima el derecho del particular, ello podrá venir derivado (como refleja la STSJ Castilla y León de 28 de abril de 1997 [RJCA 1997, 1552]) de la necesidad de intentar evitar el posible excesivo rigor del Derecho urbanístico (procedente de sus criterios formales de clasificación del suelo) y su conciliación con la realidad y el derecho al abastecimiento de agua como derecho esencial de la colectividad. En el fallo citado, por ejemplo, la vivienda en cuestión se encontraba limítrofe con asentamientos urbanos que ya disponían de abastecimiento público:

> «El señor... y su familia gozan de la condición de residentes en el municipio de Trescasas y no pueden verse privados de la prestación de un servicio esencial, cual es la obtención de agua potable para cubrir las necesidades más elementales y menos en base a la argumentación que utiliza el Ayuntamiento alegando que la finca del recurrente está ubicada en suelo no urbanizable, cuando precisamente dicha Corporación, como entidad local, debe atender a las necesidades de sus administrados, máxime si existen construcciones limítrofes que disponen de toma de agua a la red municipal por haber sido concedidas por el propio Ayuntamiento lo que conculca, con toda evidencia, el principio de igualdad y del tratamiento discriminatorio al titular de esta finca y crearía un extraordinario daño o perjuicio al administrado, razones por las que ha de estimarse el presente recurso».

También resulta de importancia referir los casos, que en la práctica se observan, de normativas municipales reguladoras del servicio que vienen a incumplir los superiores dictados de la legislación urbanística. Se trata de reglamentos municipales que vienen a otorgar la dotación de los servicios urbanísticos propios del suelo urbano a actividades ubicadas en suelo rústico sin exigir la correspondiente autorización urbanística o limitándose a reclamar su mera solicitud[90].

---

89. Sobre la concesión de agua potable a las urbanizaciones privadas (*«legales»*) véase J. F. MESTRE DELGADO, en S. MUÑOZ MACHADO (Dir.), *op. cit.*, pp. 1671 y ss.

90. En esta situación de inadecuación del reglamento local a la legislación urbanística no cabría invocar como excusa el principio de supremacía de la norma local especial (Reglamento servicio de abastecimiento de aguas). Así se expresa la STS de 8 de junio de 1992 (RJ 1992, 5107) cuando señala: «Pero la Administración prescindió de esas normas en buena parte, y acudió al Reglamento de Mercados de Distrito citado, interpretando este reglamento extensivamente, lo que no es posible aceptar. El citado reglamento de Mercados de Distrito, es una norma local, capaz de regular aspectos concretos con ajuste al principio de especialidad. Las normas locales, pueden tener su origen en la autonomía municipal para la gestión de sus propios intereses [art. 137 de la Constitución, y arts. 1, 2, y 7.2 de la Ley 7/1985, de 2 abril citada], normas que, en consecuencia deben conectarse con la Ley; pero ha de precisarse, por imperio de lo dispuesto en el art. 5.b) de la Ley 7/1985, de 2 abril, que los Reglamentos Estatales que tengan carácter general (como es el

Corresponde seguidamente examinar la concreta hipótesis de la concesión de agua potable a una obra clandestina o ilegal.

Para ello habrá que distinguir las siguientes situaciones, según se haya sobrepasado o no el plazo que las distintas normativas autonómicas conceden a la Administración para ordenar la demolición de las edificaciones, instalaciones o construcciones irregulares.

En el caso de que no se haya sobrepasado dicho plazo procederá la aplicación de los procedimientos de (eventual) legalización que prevé la normativa urbanística, y en cuyo seno, en su caso, podrá lograrse la obtención de la conexión de agua potable para la obra originariamente ilegal o clandestina.

Por el contrario, en el caso de que no resulte legalizable la actuación, no habrá lugar a la conexión a la red de agua potable, pues lo que procederá será la demolición de lo construido[91], como señala la STSJ Castilla-La Mancha de 19 de junio de 2002 (JUR 2002, 232435)[92].

Otro supuesto que ha de examinarse es el que se refiere a aquellas actuaciones que vean superado el plazo de prescripción al que venimos haciendo referencia, y por tanto, se hallen asimiladas al régimen de fuera de ordenación.

En este contexto, en el régimen de fuera de ordenación es preciso considerar dos situaciones: por un lado, la que obedece a un planeamiento sobrevenido que hace incompatible con el mismo a edificaciones legales surgidas de acuerdo con el anterior. Y por otro, el que se refiere a aquellas actuaciones en que ha transcurrido el plazo (de seguridad jurídica) que el ordenamiento otorga para proceder a la restauración del orden urbanístico infringido[93]. Así se manifiesta la STS de 29 de junio de 2001 (RJ 2001, 6185):

caso del Reglamento de Bienes de las Entidades Locales, aprobado por Real Decreto nº 1372/1986, de 13 junio), tienen prioridad sobre los Reglamentos Locales. Y éste es el fundamento firme de la sentencia apelada que declaró contrarios a Derecho los actos administrativos impugnados, por vulneración del ordenamiento jurídico (art. 48.2 de la Ley de Procedimiento Administrativo)».

91. Con matices, no obstante, STS de 14 de febrero de 1994 (RJ 1994, 1445).

92. A esta situación han de asimilarse los supuestos en que la normativa urbanística considera que no existe para la Administración plazo para propiciar respecto de los mismos la restauración de orden urbanístico infringido (*vid.* artículo 182.5 LOTAU).

93. Vid. J. MUNAR FULLANA, «Edificios e instalaciones fuera de ordenación: estudio de conjunto y aplicación práctica», *Revista de Derecho Urbanístico y Medio Ambiente,* nº 220, 2005, pp. 11 y ss.; M. T. CARBALLEIRA RIVERA, «Edificios fuera de ordenación y obras permitidas», *Revista de Derecho Urbanístico y Medio Ambiente,* nº 214, 2004, en especial pp. 23 a 27, donde se cita la STS de 29 de junio de 2001 transcrita.

«... lo construido sin licencia y en contra de la normativa urbanística puede considerarse como fuera de ordenación en el sentido de que no se ajusta a la legalidad urbanística, pero su régimen se debe diferenciar del supuesto de hecho previsto en el art. 60.1 TRLS en que las obras eran ya ilegales en el momento mismo en que se estaban llevando a cabo por lo que el transcurso del plazo de cuatro años desde la ejecución de las obras sin licencia o contrarias al planeamiento impide al Ayuntamiento la adopción de medidas de restablecimiento de la legalidad urbanística prevista en el artículo 184.3 TRLS, pero no otorga al propietario de las mismas otras facultades que las inherentes al mantenimiento de la situación creada, esto es, la de oponerse a cualquier intento de demolición de lo construido o de la privación del uso que de hecho está disfrutando, siempre que este uso no se oponga al permitido por el plan para la zona de que se trata».

Centrándonos en el segundo caso es preciso señalar que *el uso* de un inmueble ilegal o clandestino no está sujeto al plazo de prescripción referido por tratarse de una «*infracción continuada*»[94]. Así se manifiesta, por ejemplo, la letra a) del artículo 351.2 del Decreto 22/2004 por el que se aprueba el Reglamento de Urbanismo de Castilla y León: «El cómputo del plazo de prescripción comienza, en general, en la fecha en la que se haya cometido la infracción o, si la misma es desconocida o no puede ser acreditada, en la fecha en la que la inspección urbanística detecte signos físicos externos que permitan conocer los hechos constitutivos de la infracción. En particular, el cómputo del plazo comienza: a) En las infracciones derivadas de una actividad continuada, en la fecha de finalización de la actividad o del último acto con el que la infracción se consuma».

Igualmente, la jurisprudencia confirma este planteamiento. Así, la STS de 22 de diciembre de 1998 (RJ 1998, 10116) expresa: «el hecho de que haya prescrito la infracción de la obra realizada sin licencia no significa que ello constituya a su vez impedimento legal para posibilitar la sanción del *uso ilegal,* con arreglo al planeamiento urbanístico, realizado en dicha construcción, porque el citado uso constituye, no una actividad transitoria como la construcción de edificios, sino una actividad permanente que se extiende en el tiempo mientras se esté realizando ese uso no permitido por la normativa urbanística».

En el mismo sentido la STSJ de Asturias de 9 de diciembre de 1998 (RJCA 1998, 4705)[95], que resuelve un supuesto de solicitud de abastecimiento

---

94. Vid. A. DE PALMA DEL TESO, «Las infracciones administrativas continuadas, las infracciones permanentes, las infracciones de estado y las infracciones de pluralidad de actos: distinción a efectos del cómputo del plazo de prescripción», *Revista española de Derecho Administrativo,* nº 112, 2001, pp. 553 y ss.

95. Citada por F. A. CASTILLO BLANCO, *Régimen jurídico de las actuaciones urbanísticas sin título jurídico habilitante,* Pamplona, 2006, pp. 445 y 446.

de energía eléctrica a una vivienda irregular en la «*situación de fuera de ordenación asimilada*», señala «(...) el Tribunal Supremo se ha encargado de distinguir en supuestos bien similares para lo que aquí importa (Sentencias de 10 octubre 1988 [RJ 1988, 7461][96] y 15 septiembre 1989 [RJ 1989, 6574][97]), entre las obras realizadas sin licencia cuya demolición es improcedente porque integra una actuación pasajera, mientras que el uso está destinado a desarrollarse activamente a lo largo del tiempo; y, por tanto, que haya prescrito con anterioridad la infracción integrada por las obras que dieron lugar a la edificación en la que se desarrolla el uso no es obstáculo para que exista la posibilidad de sancionar dicho uso».

Distinción entre obra y uso, continúa el referido fallo, «que aplicada al caso que nos ocupa lleva claramente a la desestimación del recurso pues *no pueden exigirse servicios al Ayuntamiento cuando el mismo está facultado para impedir el uso para el que se solicita, que no es ajustado, como se confiesa, a la legalidad urbanística,* ni tampoco el hecho de que disponga de otros servicios, que incluso, como es el caso, no dependen directamente del Ayuntamiento, o de actuaciones civiles o tributarias que se mueven en otros ámbitos del derecho, al igual que la pretendida aplicación del principio de igualdad que como es sabido sólo puede apreciarse dentro de la legalidad».

En consecuencia, y sobre los fundamentos de los fallos citados, no cabe

---

96. Señala este fallo en su F. 2º: «El uso del suelo constituye ordinariamente una actividad continuada y por tanto el plazo de prescripción no empieza a correr hasta que tal actividad finaliza –art. 92.2 del Reglamento de Disciplina Urbanística–. Que haya prescrito con anterioridad la infracción integrada por las obras que dieron lugar a la edificación en la que se desarrolla el uso no es obstáculo para que subsista la posibilidad de sancionar dicho uso: mientras que las obras son una actuación pasajera, el uso normalmente está destinado a desarrollarse activamente a lo largo del tiempo.
La solución expuesta resulta coherente con el sistema del art. 184 del Texto Refundido de la Ley del Suelo: si la Administración puede impedir el uso ilegal en tanto que éste dure, será razonable que el plazo de prescripción, en cuanto a la potestad sancionadora, no empiece a correr mientras se mantenga el uso –en esta línea, Sentencia de 2 de junio de 1987 (RJ 1987, 5913)–».

97. Señala este fallo en su F. 2º: «... será de recordar que el uso del suelo constituye ordinariamente una actividad continuada y por tanto el plazo de prescripción no empieza a correr hasta que tal actividad finaliza –art. 92.2 del Reglamento de Disciplina Urbanística–. Que haya prescrito con anterioridad la infracción integrada por las obras que dieron lugar a la edificación en la que se desarrolla el uso no es obstáculo para que subsista la posibilidad de sancionar dicho uso: mientras que las obras integran una actuación pasajera, el uso normalmente está destinado a desarrollarse activamente a lo largo del tiempo –Sentencia de 10 de octubre de 1988 (RJ 1988, 7461)–. Esta solución resulta coherente con el sistema del art. 184 del Texto Refundido de la Ley del Suelo: si la Administración puede impedir el uso ilegal en tanto que éste dure, será razonable que el plazo de prescripción, en cuanto a la potestad sancionadora, no empiece a correr mientras se mantenga el uso».

sino concluir que para las edificaciones en situación de *«fuera de ordenación asimilada»*, no habiendo prescrito la infracción por el uso del inmueble, que es a lo que ha de venir a servir el abastecimiento que se pretende, no quedan cercenadas las posibilidades de que goza la Administración de luchar contra el mismo. Al menos sería *lege lata* improcedente la exigencia de abastecimiento. El Ayuntamiento, por tanto, puede denegar su concesión sobre la base de la falta de autorizaciones que exige la normativa, en particular la licencia urbanística.

Finalmente, es obligada una remisión a las afirmaciones hechas *supra* sobre la consolidación de urbanizaciones en suelo rural que precisarían de un planeamiento para legalizar su situación. Desde el punto de vista del agua, lejos de una obligación municipal de suministro, el planteamiento permanece en estos casos dentro de la propia informalidad que rige este tipo de asentamientos urbanísticos y, por tanto, en un plano en principio privado en cuanto a dicho abastecimiento se refiere.

En suma, el servicio de abastecimiento de agua potable ha de ser visto, en cuanto a la faceta de su establecimiento y prestación, desde una doble perspectiva reguladora.

Por un lado, aquella de índole competencial en que es norma protagonista la LBRL, y conforme a la cual [arts. 25.2 l) y 26 LBRL] se otorga a dicho servicio el carácter de esencial y obligatorio para los municipios, lo que a su vez genera un derecho de exigencia del mismo por parte de los vecinos [art. 18.1 g) LBRL].

Pero, por otro lado, el abastecimiento de agua ha de ser contemplado a la luz de la normativa urbanística, por cuanto es en ésta donde se establece el servicio, principalmente en la normativa autonómica donde actualmente se regulan los requisitos de su prestación.

Desde ninguna de ambas perspectivas se conceden respuestas adecuadas a las cuestiones que plantea el abastecimiento de agua en función del tipo de suelo. Este hecho se sitúa, por otra parte, en sintonía con una jurisprudencia de los órganos jurisdiccionales del orden contencioso-administrativo basada más en *«su parecer»* en el caso concreto, que en pautas normativas estrictas.

En todo caso, la problemática del suelo rural es bien dispar (ante la proliferación de usos residenciales y de segunda vivienda en suelo rural) a la problemática que había en el pasado. De hecho, no siempre el problema del abastecimiento va a estar relacionado con la satisfacción de necesidades básicas, pues no en vano las viviendas podrán ser segunda residencia de quien temporalmente las ocupa. Empieza a ser más importante el aspecto *urbanístico* y el cumplimiento de la legalidad urbanística.

Poco a poco este problema empieza a ser preocupante. De hecho, en la normativa urbanística de las distintas Comunidades Autónomas se regulan ya actualmente con distinto detalle los requisitos para el acceso al suministro de los servicios básicos urbanísticos, y entre ellos el agua potable.

Desde este punto de vista es acertada la legislación urbanística que permite afirmar la exigencia de obtener la correspondiente autorización urbanística a la actividad que pretende beneficiarse de los referidos servicios, imponiendo a los Ayuntamientos, pero también a las compañías suministradoras, especial deber en la verificación de dichos requisitos.

En el caso de las viviendas ubicadas en suelo rústico y que entran dentro de la categoría de ilegales o clandestinas, caso de ser operativas las medidas de restauración de la legalidad urbanística, habrán de operar éstas; mas si no es así (por haber trascurrido los plazos que marcan las distintas normativas autonómicas), quedarían *asimiladas* al régimen de fuera de ordenación. En esta especial situación nos inclinamos por entender que tampoco puede otorgarse el suministro de agua potable por cuanto, primero, dicho estado no convalida la carencia de los requisitos que la legislación urbanística exige para tal concesión; y, segundo y fundamental, en todo caso dicho suministro no ha de servir tanto a la obra en sí como al «uso» que se hace de la misma, uso que, conforme ha sentado nuestro Tribunal Supremo en atención a su carácter continuado, no posee plazo que ponga término a las posibilidades de reacción frente al mismo por parte de la Administración. Y así, es deber de la Administración el de reaccionar frente a dicha infracción (continuada), bien mediante la adopción de medida cautelar del servicio si éste ya hubiera sido concedido, bien mediante la no concesión *ex novo* de dicho servicio.

Otras veces, como ya nos consta, la solución vendrá de la mano del correspondiente plan urbanístico que regule y regularice la situación urbanística. Dentro de este cauce que permite el plan se preverá la normalización del uso del agua y las debidas conexiones a la red pública.

Pese a la insistencia que se ha hecho en este trabajo en el presupuesto de legalidad, para poder exigir los servicios municipales de abastecimiento en situaciones de asentamientos en suelo rústico, lo cierto es que estamos ante un problema delicado que exige a veces una cierta flexibilidad en el actuar de los poderes públicos, no sólo porque su actitud a veces condescendiente o negligente es la que al menos en parte ha propiciado que se generen asentamientos o edificaciones ilegales en suelo rústico. También porque el propio Derecho urbanístico ha adoptado una cómoda posición de situar al margen de la ley a todos estos asentamientos urbanos en suelo no urbanizable, cuando sería exigible un mayor esfuerzo del legislador por arbitrar al mismo tiempo soluciones efectivas a los problemas. En este sentido, las propias rigideces del ordenamiento urbanístico son a veces causa de la proliferación final de situaciones alegales en suelo rústico. La legislación urbanística del suelo rústico muchas veces propicia torpemente procesos de reclasificación de suelo rústico mediante plan parcial, aumentando la densidad edificadora de forma inconveniente para los intereses públicos, ante las dificultades de llevar a cabo un proceso urbanizador en suelo rústico aunque sea en un marco de sensatez y baja edificabilidad.

Así pues, si el planteamiento *lege lata* ha sido el fundamental en este trabajo, no puede menos que *lege ferenda* reclamarse la necesidad, igualmente, de una legislación capaz de resolver este tipo de situaciones *ex ante,* para que no se generen las urbanizaciones ilegales en suelo rústico o para facilitar que se realicen cuando sean procedentes, y *ex post* para conseguir una solución satisfactoria (generalmente facilitando la tramitación de los planes de ordenación) a favor de la normalización de estos asentamientos o edificaciones cuando sea posible. En el contexto de este proceso referido en último lugar es como debe darse solución al problema del abastecimiento del agua, en vez de arreglar este problema de forma igualmente informal al margen de las técnicas de licencia, planeamiento y disciplina que prevé la legislación.

3. PLANEAMIENTO

La ausencia de claridad, en la legislación autonómica, sobre esta cuestión de cómo hacer planeamiento en estas áreas, es la tónica dominante.

En principio pueden establecerse estas opciones:

1. Lo propio es aplicar la legislación urbanística tal cual, es decir, legalizar la situación aplicando al suelo no urbanizable la legislación urbanística relativa al suelo urbanizable, mediante la pertinente reclasificación, con las cargas que conlleva la tramitación de un Plan Parcial, de cesiones, de cesiones por viales, etc. A veces esta solución ideal es difícilmente realizable.

2. En ciertas legislaciones autonómicas se abre la opción de un Plan Especial manteniendo la clasificación del suelo como no urbanizable o rural. Se trata de un plan de minimización de impactos ambientales (eliminación de fosas sépticas, etc.) y de regularización o legalización del área, evitando las cesiones. Se plantea el problema de la edificabilidad en la zona, al tratarse de suelo no urbanizable, que habrá de ser por encima de la parcela mínima. Cuando la consolidación es muy amplia es factible esta opción quedando las viviendas en situación de fuera de ordenación, edificándose en el resto por encima de parcela mínima, y todo ello con el fin principal de resolver el problema ambiental en la zona.

3. Una solución que en la práctica se ha realizado, expresiva de las dificultades de este tipo de situaciones, y poco ortodoxa, ha sido pasar el suelo en cuestión a suelo urbano por ejemplo a través de la modificación o revisión del Plan General, considerando su alto grado de consolidación urbana.

El contratista o agente rehabilitador. El problema de la vivienda y el reto de la rehabilitación urbanística integral

1. PLANTEAMIENTO

El interior de las ciudades no está urbanísticamente mereciendo toda la atención que requiere, concentrándose los mayores esfuerzos en el suelo urbanizable. Actitud ésta comprensible quizás en otro tiempo, en que apremiaba dar solución a necesidades tales como aquellas generadas por el éxodo rural a la ciudad o por el crecimiento de población o por la implantación de mejores sistemas de comunicaciones y de transportes.

Hoy habría, en cambio, oportunidad tanto para seguir urbanizando el extrarradio como para atender mejor los problemas de la ciudad hecha. Pero no puede sorprender realmente dicha «actitud» de abandono de la ciudad, considerando que para todos los interesados (promotores, propietarios, políticos o administradores urbanistas...) la perspectiva empresarial, o de mayor rentabilidad del urbanismo y de la vivienda, se esconde en dicho suelo urbanizable o transformable. Hasta el punto de llegar a representar un medio de financiación de la propia Administración local.

Es así como las ciudades siguen expandiéndose, al tiempo que se descuida el suelo urbano consolidado. En éste, el ritmo de la reforma interior desespera por su tremenda lentitud; todo lo más, se realizan *algunas* actuaciones sobre el núcleo histórico de las ciudades, como si el resto de la ciudad careciera de valor urbanístico y de utilidad desde el punto de vista de la vivienda.

Tampoco las legislaciones autonómicas más recientes muestran una vocación del todo clara de afrontar los problemas y deficiencias urbanísticas del interior de la ciudad, ya que el núcleo de sus disposiciones se centra en el proceso de transformación del suelo, tanto las regulaciones de planeamiento como aquellas otras de gestión urbanística.

Por eso, surge la reflexión acerca de si no sería necesario reforzar (en aras de una mayor eficacia en el logro de los fines urbanísticos en torno al suelo urbano) los mecanismos jurídicos tendentes a lograr una «rehabilitación integral» de las ciudades para una normalización de las edificaciones y parcelas y para el cumplimiento de las demás determinaciones del planeamiento urbanístico.

Por referencia al suelo urbano, la legislación vigente establece algunas técnicas urbanísticas (la venta forzosa, las órdenes de conservación...) cuyo fin último es conseguir que el propietario cumpla con los deberes que le corresponden. «Técnicas» que ni parecen del todo suficientes (como veremos *infra*) ni suelen tampoco aplicarse eficazmente, quedando *la ciudad sin hacer,* sin realizarse todas las actuaciones sustitutorias necesarias (bien por terceros o bien por el propio poder público). La sociedad misma parece acostumbrarse a convivir con edificios que presentan un estado ruinoso o insalubre o deficiencias arquitectónicas o estimables diferencias de altura entre las edificaciones en una misma calle o entorno.

El problema es, evidentemente, que la ineficacia del sistema propicia que el interés público (es decir, el interés de los vecinos y de la colectividad en general) no se vea satisfecho, teniendo aquéllos que convivir a diario con anomalías tales como las mencionadas.

Esto origina, asimismo, un desaprovechamiento del suelo urbano consolidado, desde el punto de vista de aumentar o de aprovechar el máximo número de viviendas. Más bien, muchas viviendas quedan deshabitadas por culpa de la apuntada ineficacia del sistema y tampoco se crean todas las viviendas que podrían construirse si se hiciera una adecuada reforma interior de las ciudades.

También desde el punto de vista del desarrollo jurídico de la «gestión urbanística», la situación contrasta con el régimen del suelo urbanizable. En éste, se innova y se introducen figuras, tales como las del «agente urbanizador» o la «expropiación con concesionario» o la aplicación del «contrato de concesión de obra pública» entre otros modelos posibles.

Parece oportuno buscar el componente de rentabilidad empresarial, en la rehabilitación, si es que ésa es la fórmula para conseguir realizar el interés público de tener una ciudad en mejores condiciones. La experiencia demuestra que seguir esperando, a que lleguen fondos públicos, para conseguir rehabilitar totalmente las ciudades, es a veces una falsa esperanza.

El problema afecta en particular a ciertos barrios, por ejemplo los conjuntos o cascos históricos, pero también a la ciudad en general. La rehabilitación integral debe llevarse a toda la ciudad, de forma gradual en sus distintos barrios o áreas. En algunos de ellos, la rehabilitación afectará a algún edificio aislado. Pero en otros pueden ser calles enteras las que precisan de una sustitución.

2. PARÉNTESIS REFERIDO A LA NORMATIVA EN MATERIA DE REHABILITACIÓN URBANÍSTICA

La rehabilitación urbanística ha ido configurando un extenso cuerpo normativo en nuestro Derecho. Junto a las disposiciones contenidas en la legislación urbanística estatal o autonómica, es necesario tener en cuenta las regulaciones del Estado y de cada Comunidad Autónoma en materia de vivienda.

La normativa estatal de vivienda y rehabilitación se justifica, desde el punto de vista competencial, en el artículo 149.1.13 CE donde se prevé la competencia del Estado para regular las bases y coordinación de la planificación general de la actividad económica (y bajo cuyo amparo se promulga el actual Real Decreto 2066/2008, de 12 diciembre, por el que se aprueba el Plan Estatal de Vivienda y Rehabilitación 2009-2012, y que viene a derogar y sustituir el anterior Real Decreto 801/2005, de 1 de julio, por el que se aprueba el Plan Estatal 2005-2008).

La STC 152/1988, de 20 de julio (RTC 1988, 152) (que resuelve un conflicto de competencias promovido por el Gobierno Vasco contra, principalmente, el Real Decreto 3280/1983, de 14 de diciembre, sobre financiación de actuaciones protegibles en materia de vivienda) justifica constitucionalmente, desde el punto de vista competencial, el actual sistema y por tanto la existencia de Reales Decretos estatales sobre financiación de actuaciones protegibles en materia de vivienda (tomando como referencia la «planificación general de la actividad económica»).

El Tribunal Constitucional parte de que «es indiscutible que la Comunidad Autónoma del País Vasco ostenta la titularidad de la competencia en materia de vivienda. Esta competencia faculta a las instituciones de la Comunidad Autónoma para desarrollar una política propia en dicha materia (...).

Ello no obstante, y a pesar de que el artículo 10 del EAPV califica como exclusiva aquella competencia autonómica en materia de vivienda (...), la misma se halla limitada por las competencias del Estado sobre las bases y coordinación de la planificación general de la actividad económica (...). En consecuencia, dentro de la competencia de dirección de la actividad económica general tienen cobijo también las normas estatales que fijen las líneas directrices de ordenación de sectores económicos concretos (...). Este razonamiento es también aplicable al sector de la vivienda, *y en particular, dentro del mismo, a la actividad promocional, dada su muy estrecha relación con la política económica general, en razón de la incidencia que el impulso de la construcción tiene como factor del desarrollo económico*»[98]. Seguidamente el Tribunal Constitucional va descartando la supuesta invasión de competencias que el Real Decreto 3280/1983, de 14 de diciembre, hubiera podido ocasionar en las competencias de la Comunidad Autónoma del País Vasco en materia de vivienda.

3. MECANISMOS JURÍDICOS PREVISTOS EN LAS LEGISLACIONES URBANÍSTICAS PARA CONSEGUIR LA REHABILITACIÓN INTEGRAL DE LA CIUDAD

A. El problema.

Si uno se pregunta por los medios jurídicos para lograr la rehabilitación integral de la ciudad, es decir, la superación, primero, de deficiencias arquitectónicas (edificios con diferentes alturas o incluso posiciones dentro de una misma calle, y hasta orientaciones opuestas y desproporción entre edificios) y por supuesto la superación de la insalubridad y de las condiciones de inhabitabilidad, así como el logro de la «imagen urbana» o el óptimo «aspecto exterior de la ciudad», ha de empezarse por consultar la legislación urbanística y sus distintas técnicas (unas clásicas de policía urbanística o planeamiento, otras más modernas de fomento) aplicables para procurar solu-

---

98. El Tribunal Constitucional evita, no obstante, el argumento según el cual este tipo de actuaciones estatales «se justifican por el hecho de que se financien con fondos presupuestarios del Estado (...). Por el contrario, el ejercicio de competencias estatales anejo al gasto o a la subvención sólo se justifica en los casos en que, por razón de la materia sobre la que opera dicho gasto o subvención, la Constitución o los Estatutos hayan reservado al Estado la titularidad de las competencias. En consecuencia y habida cuenta de la competencia general del País Vasco en materia de vivienda, la posibilidad del Estado de incidir sobre la misma, mediante una regulación propia, se ciñe a aquellos extremos que puedan entenderse comprendidos en las bases y coordinación de la planificación económica (...). Es decir, el Estado puede aportar recursos vinculados al ejercicio de sus competencias materiales y en garantía de su efectividad».

cionar el problema de la vivienda desde la perspectiva del desorden de las ciudades, es decir desde la perspectiva de su rehabilitación integral.

Seguidamente, se estudian, pues, los instrumentos tradicionales que prevé la legislación urbanística, en la línea de lograr la rehabilitación de las ciudades como medio o política de creación y recuperación de viviendas en suelo urbano. Comprobaremos que los mecanismos que prevé el Derecho urbanístico no son suficientes para resolver el problema jurídico que hemos planteado.

B. Las órdenes de conservación por motivos de seguridad, salubridad y ornato público

Desde el punto de vista de la policía urbanística contamos, primeramente, con las órdenes de conservación por motivos de seguridad, salubridad y ornato público (y «habitabilidad» según otras legislaciones, tales como por ejemplo la Ley 5/1999 de Urbanismo de Castilla y León).

Estas órdenes parten del deber legal de uso, conservación y rehabilitación que impone la legislación administrativa a los propietarios (artículo 155 de la Ley 7/2002, de 17 de diciembre, de Ordenación Urbanística de Andalucía; artículo 184 de la Ley 5/1999, de 25 de marzo, Urbanística de Aragón; artículo 168 de la Ley 9/2001, de 17 de julio, del Suelo de la Comunidad de Madrid).

Es conocido que el coste que se devenga de este tipo de obras de conservación corre a cargo de los propietarios hasta el límite del deber normal de conservación, ya que en lo que excedan de dicho deber la carga se asume por el propio poder público, por ser limitaciones singulares y por tanto indemnizables.

En vez de profundizar en los numerosos problemas e incidencias de carácter jurídico que plantean dichas órdenes en torno a su aplicación[99], interesa más en este trabajo incidir en las limitaciones de este mecanismo insuficiente para lograr el proyecto de rehabilitación integral de la ciudad.

Primero, porque estas órdenes consiguen *conservar* un edificio concreto (no más) y, por contrapartida, el reto es lograr superar anomalías estructura-

---

99. Me remito a mi libro *La rehabilitación urbanística,* Editorial Aranzadi, Pamplona, 1998 y J. Ortega Bernardo, *RDU,* pp. 33 y ss. así como J. Oliván del Cacho, en el libro coordinado también por J. Pemán, *El nuevo Derecho urbanístico,* Barcelona, 1999 pp. 279 y ss.; A. Espinosa Segui, «La rehabilitación de los centros históricos», www.ctv.es/iveh/cp/seccion/carpetgeneral.

les en barrios y calles completas. Estas órdenes tienen, pues, un simple carácter «individualizado» –e independiente del planeamiento–, y esto no propicia (por esencia o por definición misma) la realización de la rehabilitación «integral» o «total» de una zona.

Segundo, debido a su indeterminado alcance, pues muchas veces ni siquiera los Ayuntamientos conocen hasta dónde pueden llegar en el caso concreto. En general, debe acusarse su corto alcance, ya que las citadas órdenes no suelen ir más allá de la mera reparación del edificio y, por contrapartida, el interés público puede exigir algo más que una simple o estricta reparación.

Tercero, debido a su deficiente aplicación práctica, ya que los Ayuntamientos son reticentes muchas veces a aplicarlas, además de que la jurisdicción administrativa sigue por su parte un criterio criticable en cuya virtud se anulan las órdenes de conservación que excedan del deber normal de reparación del propietario, sin seguir el criterio según el cual procede mantener la orden siempre que en la fase de ejecución de sentencias el Ayuntamiento aporte la cantidad que se corresponda con el exceso del deber de conservación del propietario. La corrección de esta tendencia jurisprudencial parece cuando menos obligada en el caso de edificios que, aunque no catalogados, sí presenten valores o características culturales de relieve.

Cuarto, debido a razones políticas o sociales. Llega a admitirse jurídicamente que un propietario sea destinatario de una orden de este tipo mientras que otros en iguales condiciones no reciben dicha orden. Pero no siempre es fácil justificar este impopular resultado política o socialmente.

En suma, el reto de la rehabilitación urbanística integral conlleva otro tipo de medidas diferentes de estas órdenes individualizadas, por ejemplo modificaciones del edificio que vayan más allá de la mera reparación, demoliciones, apoyo económico mediante inversiones públicas de fomento, etc.

C. La inspección técnica de edificaciones o construcciones

Precisamente, las insuficiencias de las órdenes de conservación han llevado a la introducción, en la legislación urbanística, de las inspecciones técnicas de construcciones, descargando en el sector privado la responsabilidad de conseguir un estado adecuado de las edificaciones de la ciudad. Suponen, dichas inspecciones, un instrumento interesante de cara a lograr la rehabilitación de la ciudad, en especial *motivando* a los particulares a sustituir o demoler el edificio en aquellos casos en los que las obras de reparación sean altamente costosas. Otro elemento de interés es que su aplicación se produce *ex lege,* sin necesidad de arbitrar un plan urbanístico previo. Pero, por ello mismo, estas inspecciones presentan limitaciones, ya que no se comprende el sentido de ordenar la reparación de un edificio cuando, en determinadas zonas o edificios, los intereses públicos se corresponden más bien con operaciones de sustitución, de elevación de alturas o de su disminución, o de ajuste a las alineaciones presentes en la zona... Todo esto, necesario en el caso concreto, no se obtiene mediante estas inspecciones. Sobre esta cuestión tendremos ocasión de profundizar más adelante.

D. Otras medidas de policía o similares

En este contexto del Derecho urbanístico de policía puede hacerse referencia al régimen de venta forzosa (ora inexistente en muchas ciudades ora inédito, artículos 227 y ss. –derogados– del TRLS/1992), o a la expropiación forzosa (sistema costoso y, obviamente, insuficiente aisladamente para lograr la rehabilitación integral de la ciudad) o a los impuestos sobre la propiedad para motivar la edificación, así como otras técnicas relacionadas más o menos directamente con esta problemática, como por ejemplo la gestión de los patrimonios públicos del suelo (artículos 69 y ss. de la Ley 7/2002, de 17 de diciembre, de Ordenación Urbanística de Andalucía; artículo 85 de la Ley 5/1999, de 25 de marzo, urbanística de Aragón, artículo 79 del Decreto Legislativo 1/2004, de 28 de diciembre, por el que se aprueba el Texto Refundido de la Ley de Ordenación del Territorio y de la Actividad urbanística de Castilla-La Mancha; etc.) o una adecuada política de viviendas de protección oficial[100].

Estamos, pues, ante mecanismos parciales que, por sí solos, son insuficientes para lograr la rehabilitación integral de las ciudades.

E. La disciplina urbanística

En este sentido, de la disciplina urbanística tampoco puede pretenderse, evidentemente, que solucione (sino que contribuya a solucionar) los distintos problemas que estamos comentando (artículos 255 y ss. del TRLS/1976; artículos 168 y ss. de la Ley 7/2002, de 17 de diciembre, de Ordenación Urbanística de Andalucía, etc.).

En un plano más social que jurídico, podrían apuntarse además ciertos

---

100. Puede verse A. MARINERO PERAL, «La reserva para viviendas protegidas en la legislación urbanística reciente», *Revista Práctica Urbanística,* 12 enero 2003.

elementos críticos contra la disciplina urbanística, tales como la aplicación aleatoria de las infracciones y sanciones. Generalmente, mientras no «aparece» un denunciante, «todo vale». Y, cuando se presenta una denuncia, el desafortunado padece un rigor extremo apoyado por ciertas máximas jurisprudenciales (que suelen ser conocidas ya incluso popularmente) tales como que «si hay denuncia, no podemos hacer otra cosa que tramitarla, a pesar de que el acto no sea ilícito» o aquella otra a cuyo tenor es indiferente que la colectividad también esté incumpliendo, incluso más gravemente, ya que la infracción no queda exenta de culpa por el hecho de que los demás estén incumpliendo en idéntica situación.

F. Medidas de la legislación sectorial cultural

Por supuesto, también es preciso aunque sólo sea mencionar las técnicas o regulaciones de carácter urbanístico previstas en la legislación de patrimonio histórico (tanto la española como las autonómicas); por ejemplo:

– La suspensión de obras sobre edificios que formen parte del patrimonio histórico y posible incoación posterior de un expediente del bien como BIC.

– La elaboración de planes especiales como consecuencia de la declaración, como BIC, de un conjunto histórico y todo el régimen jurídico que acompaña a esta previsión legal.

– La regla a cuyo tenor el urbanismo debe proteger todos los bienes que no sean BIC pero que puedan formar parte del patrimonio cultural, y de ahí la importancia de la catalogación urbanística de los edificios.

Dentro de la legislación autonómica sobre Patrimonio cultural, puede destacarse la Ley 12/2002, de 11 de julio, de Patrimonio Cultural de Castilla y León, donde se recoge la figura de «los bienes inventariados» como escala intermedia entre los BIC y los catalogados. La virtualidad de estos bienes inventariados, en el sentido que les otorga la citada Ley, estaría en lograr que una parte de todo aquel patrimonio cultural que no ha sido declarado BIC formalmente tenga obligatoriamente que protegerse urbanísticamente, catalogando dichos bienes que la Administración competente en materia de cultura previamente ha inventariado. De esta manera, se reduce la discrecionalidad administrativa urbanística de catalogar los bienes de interés arquitectónico o cultural, ya que determinados bienes (los inventariados) han de catalogarse obligatoriamente.

En cambio, la Ley estatal 16/1985, de 25 de junio, de Patrimonio Histórico Español no logra vincular con igual eficacia a la Administración urbanística a la hora de establecer que los bienes que integren el patrimonio cultural (que no sean BIC) también han de protegerse urbanísticamente (artículo 1.2 de la citada LPHE)[101].

G. El planeamiento especial

Desde la perspectiva del planeamiento, contamos con la figura del Plan Especial y en particular el Plan Especial de Reforma Interior o incluso algunas referencias a planes o áreas de rehabilitación de la propia legislación sectorial de rehabilitación.

El planeamiento especial de reforma interior aporta la posibilidad de realizar actuaciones aisladas en suelo urbano, por ejemplo la descongestión, el saneamiento o la creación de dotaciones urbanísticas. Y en este contexto pueden considerarse los planes especiales de mejora del medio urbano o rural y de los suburbios de las ciudades o los planes de saneamiento [por ejemplo, los derogados artículos 85.1.a), 89 y 90 del TRLS/1992; artículo 23 del TRLS/1976 y artículos 76 y ss. del RPU; artículo 58 de la Ley 5/1999, de 25 de marzo, urbanística de Aragón; artículos 67 y 68 del Decreto Legislativo 1/2005, de 26 de julio, por el que se aprueba el Texto Refundido de la Ley de Urbanismo de Cataluña; artículos 113 y ss. del Decreto Legislativo 1/2005, de 10 de junio, por el que se aprueba el Texto Refundido de la Ley del Suelo de la Región de Murcia][102].

---

101. Algunos estudios relacionados con las afirmaciones del texto se contienen en VV AA, _La intervención en los asentamientos humanos: densidades de ocupación y calidad de vida_, Mérida, 2001; FIDAS, _Un siglo de arquitectura_, Sevilla, 2002.

Interesante es la noticia del periódico alemán _Welt am Sonntag_ «el comercio rehabilita el arte», donde se nos informa de que la publicidad mediante un anuncio extenso en un costado de un edificio sujeto a rehabilitación es uno de los medios más importantes para lograr aquélla, consiguiendo de esta manera fondos mediante la publicidad, los necesarios para rehabilitar edificios que de otra forma tendrían que esperar varios años para que pudiera llegarles el turno.

También es interesante que las directrices o planes de ordenación del territorio contienen una parte nada desperdiciable dedicada a la protección, creación o planificación del patrimonio cultural. Por todos, puede verse el documento «Un modelo territorial de futuro para Castilla y León».

102. En general, es sabido que el planeamiento especial tiene un amplio alcance, sirviendo para la remodelación urbana (sentencia del TS de 29 de marzo de 2004 [RJ 2004, 3171]), o para la rehabilitación patrimonial (sentencia del TSJ de la Comunidad Valenciana de 17 de marzo de 2004 [JUR 2005, 3212]; STSJ de Cataluña de 28 de junio de 2002 [RJCA 2002, 1022]; sentencia del TSJ de Cataluña de 25 de enero de 2001 [JUR 2001, 145847]: Plan Especial de transformación del uso docente de un inmueble destinando parte del mismo a otro uso), o para la ordenación de la dotación de viviendas para jóvenes y equipamiento docente-deportivo (sentencia del TSJ de Cataluña de 6 de mayo de 2005 [RJCA 2005, 437]), o consiguiendo la reclasificación del suelo (sentencia del TSJ de Asturias de

Estos Planes especiales pueden tener como objetivo recuperar zonas degradadas o degeneradas urbanística y socialmente. A veces lo degradado se asocia al simple chabolismo. Otras veces la degeneración urbana se asocia además a la recuperación de valores culturales o históricos.

Pueden ponerse ejemplos de una y otra situación.

Primero, de planes especiales para recuperar zonas históricas, pudiéndose citar el plan Integral del Casco Histórico de Zaragoza[103], del Centro histórico de Jerez, de Protección y Reforma interior del Casco de Cangas de Morrazo (Pontevedra), del casco Histórico de Cartagena, de la Ciudad Vieja y Pescadería de La Coruña, del Centro de Málaga, del Conjunto Histórico de Sevilla[104] en la línea de otros países (por ejemplo el Plan de Renovación urbana sostenible de Viena a efectos de la rehabilitación de edificios deshabitados).

Así también, pueden mencionarse el Plan de Rehabilitación Integral para Ciutat Vella pretende la revitalización del Centro histórico en Barcelona. La zona presentaba problemas urbanísticos (necesitando sus edificaciones una rehabilitación) y sociales (desigualdad social, delincuencia y drogas)[105].

Puede igualmente mencionarse el plan de rehabilitación de barrios desfavorecidos en torno al Área Bilbao La Vieja, con una progresiva degeneración y numerosos problemas tales como construcciones desordenadas, ausencia de saneamientos básicos, desarraigo de población inmigrante, violencia callejera, etc.[106].

Igualmente, el PERI de la Chanca (Almería) afecta a un barrio construido en el siglo X sumido en el abandono con una situación de «miseria insostenible» hasta el punto de haber motivado al escritor Goytisolo a publicar una obra con el título «La Chanca». Los objetivos del plan no pueden ser otros que los de dar acceso a una vivienda digna, sanidad y formación

---

31 de mayo de 2006 [JUR 2006, 248804]), o la ordenación de los usos terciarios en su clase de hospedaje siempre con respeto de las Normas Urbanísticas del Plan General de Ordenación correspondientes al régimen de usos compatibles y autorizables de las respectivas normas zonales y en las áreas de planeamiento, en lo que respecta a la clase de uso de hospedaje (sentencia del TSJ de Madrid de 6 de abril de 2006 [RJCA 2006, 581]).

103. Puede verse: www.ayto-zaragoza.es/azar/.

104. Pueden verse en: www.aetu.es/pgou.htm.

105. Puede verse: http://habitat.aq.upm.es; también www.eurosur.org/OLEIROS; de forma crítica: www.gracianet.org/borinot.

106. Puede verse: www.urban-social.org.

ocupacional, mejorar las infraestructuras, dotar de espacios libres o rehabilitación de viviendas.

Otro ejemplo puede ser el Plan interior del entorno de la Fábrica conservera de Albo (Asturias)[107] cuyo objeto es (entre otros fines) dotar de trazados coherentes a las calles, ampliar los parques, mejorar las conexiones rodadas y peatonales. Para ello se practica la demolición de ciertas edificaciones y se realiza una compensación de los derechos de los inquilinos de la zona[108].

Quedan, pues, por citar algunos ejemplos de actuaciones en áreas degradadas o degeneradas urbanísticamente: uno puede ser, en Iberoamérica, el proyecto o programa Alvorada de remodelación urbana Belo Horizonte (Brasil) a efectos de mejorar la calidad de vida de la población de barrios degradados y poblados chabolistas promoviendo el desarrollo comunitario a través de una intervención estructurada e integrada que consiga la recuperación urbana y ambiental y la inserción socioeconómica.

En nuestro país se nos informa, en este contexto, de que «el Gobierno vasco destina más de 23 millones para regenerar las áreas degradadas de 44 Ayuntamientos de Euskadi»[109].

Estas circunstancias originan programas de cooperación internacional como por ejemplo el de la Junta de Andalucía «Rehabilitación de centros históricos en América Latina y Marruecos»[110].

Dentro de las acciones comunitarias[111] destaca el programa URBAN[112] pensado para hacer frente a los problemas sociales en barrios generalmente de periferia, degradados en todo caso, con problemas tales como los de desempleo, bajo nivel educativo, mayor índice de criminalidad, peor calidad de vida que la existente en otras zonas de la ciudad, etc.

La doctrina denuncia el problema de los guetos y de la segregación social de los cascos históricos[113] o en general en las ciudades, aconsejándose evitar la homogeneidad de tipologías urbanas, para apostar decididamente por la variedad de tipologías dentro de cada área de la ciudad como mejor fórmula para terminar con la segregación espacial en las áreas urbanas[114].

---

107. www6.uniovi.es/bopa.

108. Con una vinculación urbanística más directa puede citarse también por ejemplo el Plan especial de ordenación de usos de la manzana delimitada por la Avenida Primado Reig, Calle Gascó Ollag, Avenida Menéndez Pelayo y Calle Doctor Gómez Ferrer, promovido por la Universidad de Valencia (11/02/2002) expediente E 03001 2001 000723 00 (fuente: www.ayto-valencia.es/ayuntamiento2).

109. En: www.es.news.yahoo.com.

110. En: http://habitat.aq.upm.es.

111. Véase, por todos, M. MOLTÓ CALVO, «Acciones comunitarias en favor de zonas urbanas», en www.urban-social.org

112. Noticia en: www.cadizayto.es/urban

113. C. VÁZQUEZ VARELA, *Espacio urbano y segregación social. Procesos y políticas en el casco histórico de Madrid*, tesis doctoral Madrid, 1996 y *Revista Bibliográfica de Geografía y Ciencias Sociales*, Universidad de Barcelona 32, 23 de mayo de 1997.

114. J. PONCE SOLÉ, *Poder local y guetos urbanos*, Madrid, 2002.

Pues bien, este tipo de planes especiales tienen, igualmente, un alcance limitado. Primero, su propia utilización práctica informa suficientemente de que no se está logrando, mediante estos planes (poco frecuentes, por otra parte), una rehabilitación integral de las ciudades y sus edificaciones. En cambio, los planes de rehabilitación son más idóneos para integrar policía y fomento y financiación pública y privada, también para repercutir sobre la propiedad y hacer asumir a ésta las cargas que le corresponden, así como para conseguir la sustitución de edificaciones e incluso de calles enteras. Además, no suelen existir en las legislaciones urbanísticas regulaciones, desde el punto de vista de la gestión urbanística, que se correspondan con los Planes especiales; en suelo urbano, la gestión urbanística significa acciones aisladas y operaciones de «normalización de solares» («no de edificios»), a salvo de las expropiaciones.

En definitiva, sin perjuicio de áreas muy localizadas (generalmente centros históricos o zonas de chabolas), y a veces ni siquiera eso, queda sin abordar el problema urbanístico del grueso de la ciudad. Ésta se deja a merced de los propietarios y de alguna ocasional medida que adopte el Ayuntamiento, con el consiguiente tedio en la realización de los posibles objetivos del plan y en la consecución de la rehabilitación integral de la ciudad.

La situación es bastante desalentadora: quien compra una vivienda, además de comprar caro, ha de observar día a día el mal estado de edificios contiguos. El adquirente poco podrá hacer. La sociedad en general tendrá también que resignarse, ya que el proceso de rehabilitación y de normalización de los edificios es lento y pausado. Y, a pesar de que el poder público (en especial los Ayuntamientos y el legislador autonómico) no parecen considerarlo así, estamos ante un problema más público que privado.

H.   Algunas reflexiones

La legislación autonómica de la gestión urbanística, y de los sistemas de ejecución, no está pensando sino en el suelo urbanizable.

Generalmente, las actuaciones urbanísticas en este tipo de suelo urbano se configuran de forma «aislada», asistemática o discontinua (artículo 99 de la Ley 5/1999, de 25 de marzo, Urbanística de Aragón; claramente artículos 117 y 145 de la Ley 2/2001, de 25 de junio, de Ordenación Territorial y Régimen Urbanístico de Cantabria; artículos 69 y 72 de la Ley 5/1999, de 8 de abril, de Urbanismo de Castilla y León; artículos 110.1 y 111 del Decreto Legislativo 1/2005, de 26 de julio, por el que se aprueba el Texto Refundido de la Ley de Urbanismo de Cataluña; artículos 155 y 165 del Decreto Legislativo 1/2005, de 10 de junio, por el que se aprueba el Texto Refundido de la

Ley del Suelo de la Región de Murcia) _frente a las actuaciones urbanísticas «integradas» propias del suelo urbanizable_[115].

El común de las legislaciones parte además de que, en el suelo urbano consolidado, el «agente» o ejecutor es el mismo propietario.

Incluso muchas veces da la impresión de no preocupar demasiado, al legislador autonómico, el tema de la gestión en general del suelo urbano, con regulaciones ciertamente escuetas en materia de rehabilitación integral o remodelación, transferencias urbanísticas, etc. sin profundizar en la línea que abrió el TRLS/1992 y sus regulaciones en materia de transferencias de aprovechamientos para cuando, dado el caso, fuera conveniente que los Ayuntamientos aplicarán este instrumento legislativo u otros similares[116 y 117].

En este sentido, lejos de actuar indiscriminadamente sobre la propiedad, más bien, en este trabajo se está pensando en favorecerla y, sobre todo, en conseguir una regulación _adecuada_ de la gestión urbanística en suelo urbano consolidado. Evidentemente, la rehabilitación, y sus mecanismos propios, de fomento y de policía, deben aplicarse cuando supongan un beneficio para los propietarios. Debe evitarse, igualmente, una regulación sobre el suelo

---

115. En la doctrina puede verse S. GRAU ÁVILA, _Las actuaciones aisladas en suelo urbano,_ Madrid, 1981; M. LÓPEZ FERNÁNDEZ, «Los últimos acontecimientos relacionados con la gestión del suelo urbano», _Revista de Derecho Urbanístico,_ enero-febrero 2002, p. 11; J. M. MERELO ABELA, _Las actuaciones aisladas en suelo urbano,_ Madrid, 2001.

116. Artículos 185 a 198, todos anulados por la STC 61/1997 (RTC 1997, 61), del TRLS/1992.

117. La legislación autonómica, o no se refiere para nada a este instrumento, o se limita a regular las transferencias de aprovechamiento por referencia al suelo urbanizable (artículo 73 del Decreto Legislativo 1/2004, de 28 de diciembre, por el que se aprueba el Texto Refundido de la Ley de Ordenación del Territorio y de la Actividad urbanística de Castilla-La Mancha; artículo 36 de la Ley extremeña del suelo y Ordenación del Territorio 15/2001, de 14 de diciembre).
De ahí que, en este contexto baldío, tuviera ciertos tonos de originalidad la Ley valenciana 6/1994, de 15 de noviembre, Reguladora de la Actividad Urbanística cuando en sus artículos 61 y siguientes previó, por referencia al suelo urbano (artículo 63), una regulación _ad hoc_ para la «delimitación de áreas de reparto en suelo urbano», mencionando las posibles transferencias de aprovechamiento urbanístico (artículo 63.2.B y artículo 76), o una regulación en este contexto, aunque tímida, del agente urbanizador (artículos 74 y 75) o del Registro Municipal de Solares y Edificios a Rehabilitar (artículo 96). Además, el Reglamento de planeamiento de la citada LRAU permitía actuaciones integradas en suelo urbano. Esta legislación aportaría la idea de la posibilidad de aplicar, al suelo urbano consolidado, mecanismos de gestión referidos al suelo urbanizable. No obstante, su aplicación práctica, como ya nos consta, lejos de contribuir a resolver los problemas del suelo urbano (mediante una rehabilitación adecuada de las ciudades) persigue más bien incluir solares, dentro de las unidades de ejecución afectadas por sistemas integrados de gestión, a efectos de lograr cesiones en suelo urbano y la imposición de cargas o mejoras de urbanización y servicios a costa de los propietarios.

urbano que dé pie a posibles abusos sobre la propiedad, por ejemplo imponiendo las referidas cesiones. Al comentar *supra* la figura del agente urbanizador se informó de esta problemática. En suma, la rehabilitación integral o remodelación, desde el punto de vista de la gestión urbanística, tendría estas características:

1. Realización de la remodelación sólo en caso de supuestos u operaciones rentables, primero para los propietarios afectados (quienes obtienen una vivienda nueva que sustituye otra en mal estado), segundo para los Ayuntamientos (que satisfacen el interés público), tercero para posibles adquirentes y, cuarto, para posibles empresarios ejecutores de estas acciones (que obtienen un margen lógico de ganancia en viviendas hechas o en metálico.

2. Preferencia por la utilización de convenios con los propietarios, aunque sin descartar la posibilidad de utilizar la expropiación, como, de hecho, se está haciendo en algunos municipios (por ejemplo de Madrid o Vizcaya[118]).

3. Financiación mediante medios públicos y privados. Primero, aprovechando excesos resultantes de edificabilidad en determinados edificios, para compensar a propietarios afectados por un posible recorte de alturas o, en general, por la sustitución de unas edificaciones por otras nuevas en el mismo u otro lugar.

Segundo, aplicando medios públicos de apoyo, es decir encauzando los actuales fondos de rehabilitación (en sentido de mera conservación de edificios individualmente considerados) hacia este tipo de operaciones de mayor alcance.

Tercero, admitiendo la posibilidad, de repercutir también sobre la propiedad (gran beneficiaria de este sistema, al obtener una vivienda nueva que sustituye otra en mal estado y al obtener, en general, un entorno y hábitat aceptables barrio en lugar de un barrio con anomalías arquitectónicas), conforme al deber normal de reparación que le corresponde, de tal modo que el propietario, dado el caso, obtenga una vivienda de menos metros cuadrados (si no opta por apoyar financieramente la operación) en un edificio nuevo y en una zona igualmente remodelada.

Cuarto, no descartando la posibilidad de trasladar excesos de aprovechamiento (en suelo urbanizable) en favor del suelo urbano, para financiar adecuadamente este tipo de reurbanizaciones urbanas.

4. En conclusión, la regulación adecuada sobre gestión en suelo urbano no está pensando exclusivamente en «solares» (más bien, en edificios). Por otra parte, la rehabilitación integral se apoya en el concepto de infravivienda zonal, entendida ésta en sentido lato que permita la sustitución de barrios enteros degradador.

I. Las disposiciones sobre estética

Otro medio para lograr los objetivos que nos estamos proponiendo (la

---

118. Por ejemplo, puede consultarse www.larcovi.es sobre la actuación de rehabilitación en Baracaldo.

imagen idónea de la ciudad[119]) lo representan las disposiciones o mecanismos en virtud de los cuales puede lograrse la estética de las ciudades.

Es difícil admitir jurídicamente órdenes (de los Ayuntamientos) invocando exclusivamente, como justificación, la estética. Más bien, el Ayuntamiento ha de disponer de una base normativa (ordenanzas locales o planeamiento) que sirva de apoyo jurídico a la orden pretendida. Es decir, la estética no es concepto jurídico aplicable directamente. La estética se realiza, normativamente, de modo indirecto a través de otros parámetros (disposiciones sobre alturas, proporciones de edificación, materiales, etc.)[120].

Otro cauce, para la realización de la estética, es el criterio previsto en la legislación urbanística, de la «adaptación al ambiente» por parte de las construcciones, deber que ha de entenderse más estricto en «áreas de conservación» o áreas similares delimitadas como tal en algún plan u ordenanza locales.

En este contexto, pueden citarse las medidas tendentes a limitar los «impactos visuales» o la «contemplación de bellezas naturales» [ya el artículo 138.b) del TRLS/1992; en la legislación autonómica puede seleccionarse la pormenorizada regulación del artículo 88 de la Ley 35/2002, de 20 de diciembre, de Ordenación del territorio y urbanismo de Navarra; pueden también consultarse los artículos 32 y ss. de la Ley 2/2001, de 25 de junio, de Ordenación territorial y Régimen Urbanístico de Cantabria].

También la estética puede realizarse a través de reglamentaciones especiales que pueden tener contenido estético, como ocurre con la Disposición Adicional tercera de la Ley 11/1998, de 24 de abril, General de Telecomunicaciones o con el Real Decreto 401/2003, de 4 de abril, por el que se aprueba el Reglamento regulador de las infraestructuras comunes de telecomunicaciones para el acceso a los servicios de telecomunicación en el interior de los edificios y de la actividad de instalación de equipos y sistema de telecomunicaciones.

Finalmente, el trámite de visado que realizan los colegios de arquitectos puede llevar también a corregir las deficiencias que se observen, si bien dicho trámite parece haberse relajado en los últimos tiempos.

---

119. En conexión con el «medio ambiente urbano» y «el paisaje urbano y la calidad de vida» (por todos, sobre estos planteamientos conocidos, D. J. Vera Jurado [director]), _El medio ambiente urbano_, Granada, 2003.

120. Un planteamiento similar en E. H. Ziegler, «Belleza visual, estética y diseño en el Derecho urbanístico de los Estados Unidos», _RDU_, 1999, 167, pp. 81 y ss.

J. Las medidas de fomento económico sobre la rehabilitación en el contexto de la legislación sobre vivienda

En este recorrido, de los instrumentos legales que pueden mencionarse en el contexto de la rehabilitación de viviendas y edificios, puede considerarse también el «fomento». Es «la rehabilitación urbanística» propiamente hablando, tal como dicha rehabilitación se conceptúa en el Derecho español. El sistema vigente consiste básicamente en otorgar unas subvenciones o préstamos en función generalmente de la antigüedad del edificio o de los ingresos de los interesados en rehabilitar.

La rehabilitación, en este sentido estricto, está actualmente regulada en el Real Decreto 2066/2008, de 12 diciembre que aprueba el Plan Estatal de Vivienda y Rehabilitación 2009-2012 (con los antecedentes del Real Decreto 801/2005, de 1 de julio, que aprueba el Plan Estatal 2005-2008 para favorecer el acceso de los ciudadanos a la vivienda, del Real Decreto 1/2002, de 11 de enero, sobre medidas de financiación de actuaciones protegidas en materia de vivienda y suelo del Plan 2002-2005 y del Real Decreto 1186/1998, de 12 de junio).

El nuevo Plan 2009-2012 se plantea como objetivos políticos en relación con la rehabilitación:

a)   Facilitar que la vivienda protegida se pueda obtener tanto por nueva promoción, como por rehabilitación del parque existente, permitiendo la calificación como vivienda protegida de aquella que está desocupada y tiene un régimen jurídico de origen libre, o fomentando la rehabilitación de viviendas existentes con voluntad de destinarlas a vivienda protegida.

b)   Reforzar la actividad de rehabilitación y mejora del parque de viviendas ya construido, singularmente en aquellas zonas que presentan mayores elementos de debilidad, como son los centros históricos, los barrios y centros degradados o con edificios afectados por problemas estructurales, los núcleos de población en el medio rural, y contribuir, con las demás administraciones, a la erradicación de la infravivienda y el chabolismo.

De cara a lograr sus objetivos, el Plan establece unos ejes básicos que se desarrollan en programas. En relación con la materia que nos ocupa hemos de referirnos al Eje nº 3 denominado «Áreas de rehabilitación integral y renovación urbana», integrado a su vez por tres programas (artículos 45 a 56 del Real Decreto 2066/2008, de 12 diciembre, que aprueba el Plan Estatal de Vivienda y Rehabilitación 2009-2012):

a) Áreas de rehabilitación integral de centros históricos, centros urbanos, barrios degradados y municipios rurales (ARIS).

b) Áreas de renovación urbana (ARUS).

c) Programa de ayudas para la erradicación del chabolismo.

Por referencia a la rehabilitación individual de edificios y viviendas, las limitaciones del sistema para lograr el reto de la rehabilitación urbanística siguen siendo las mismas que ya apuntábamos (en pasadas ediciones); es decir, las siguientes:

a) Como sistema de fomento, aquélla deja a la iniciativa de los promotores la rehabilitación. Se trata no más que de motivar económicamente la actuación de rehabilitación. Tendrá ésta carácter voluntario. Por tanto es evidente que podrá aquélla realizarse o también podrá quedarse sin hacer. El interés público en la rehabilitación _puede_ quedar sin satisfacer.

b) Este sistema, con tal de que se solicite por el promotor, no descarta del todo que los dineros públicos recaigan sobre edificios cuyo destino no deba ser la conservación (conforme a las exigencias de interés público y al destino que ha de corresponder al bien dentro de la zona donde se integra), sino su demolición o su transformación, mediante la adaptación de sus estructuras, tipologías, alturas, materiales de construcción o características, a las presentes en la zona dentro de la que aquél se ubique, siguiendo parámetros de simetría, homogeneidad, adaptación estructural al ambiente y racionalidad.

c) El régimen de ayudas financieras es, por su parte, limitado por esencia, ya que, recayendo aquél sobre colectivos especialmente desfavorecidos económicamente, no logra la consecución de la rehabilitación en otro tipo de situaciones, es decir, todas aquellas en que los promotores superen los ingresos requeridos (y en estos casos tampoco se logra la rehabilitación con el instrumento de las órdenes de ejecución de obras, ya que dichas órdenes se limitan a la simple reparación del edificio).

Por otra parte, los edificios de personas con recursos deben estar también, y con mayor motivo, en condiciones aceptables de rehabilitación. Y a este extremo no llega (porque no puede «llegar») la rehabilitación porque «no llega» el sistema de financiación cualificada en concepto de conservación.

d) Este sistema de rehabilitación afecta sólo al edificio concreto y, en cambio, el interés público puede exigir crear edificios nuevos agrupando pequeños edificios sin interés arquitectónico alguno.

e) Otro problema es la actuación descoordinada, en materia de rehabilitación, entre los agentes públicos y privados, lo que se pone de manifiesto cuando los Ayuntamientos rehabilitan los espacios públicos en una determinada zona, sin conseguir que la propiedad realice al mismo tiempo la rehabilitación sobre las edificaciones.

Sería, pues, más lógico canalizar todos los fondos públicos a través de un sistema de previa elaboración de un plan de rehabilitación integral de un determinado área. Esta afirmación presupone una regulación adecuada sobre los planes de rehabilitación y sus modos de ejecución o de gestión del suelo urbano.

4. LA «REHABILITACIÓN INTEGRAL»

Dejando a un lado esta vertiente estricta de la rehabilitación, que se impone desde la regulación de financiación de actuaciones protegidas en materia de vivienda y suelo (rehabilitación en sentido estricto), puede también hablarse de rehabilitación de forma no necesariamente vinculada a esta perspectiva financiera, sino en un contexto urbanístico.

En este sentido urbanístico, el fin último de la rehabilitación es lograr superar las anomalías estructurales edificatorias zonales y lograr la «imagen urbana» o el óptimo «aspecto exterior de la ciudad», el «buen efecto» (SSTS de 17 de junio de 1991 [RJ 1991, 5248], de 20 de abril de 1985 [RJ 1985, 2214]), la ciudad arquitectónicamente aceptable, con calles donde reine la proporción entre las dimensiones, la simetría entre las edificaciones, la armonía de conjunto, la ausencia de deficiencias arquitectónicas, la estética en general y por supuesto la ausencia de insalubridad y de condiciones de inhabitabilidad.

Es así como puede hablarse del «reto cultural de la rehabilitación urbanística».

Desde este punto de vista, la rehabilitación lleva consigo la necesidad de una regulación adecuada desde la perspectiva del planeamiento y de una regulación adecuada de los modos de ejecución de estos planes de rehabilitación.

En el planteamiento legislativo vigente hablar, en este sentido, de rehabilitación es hablar de los distintos mecanismos (comentados *supra*) que dicha legislación arbitra para lograr estos objetivos: órdenes de conservación, ayudas económicas de conservación de edificios, planes especiales de reforma interior...

Con este planteamiento se agota el panorama de la rehabilitación en el Derecho urbanístico español. En consonancia, la práctica del sistema consiste, por eso, en alguna orden de conservación aislada o esporádica, junto a la posible elaboración de algún plan especial.

En este deficitario contexto, aprobar un Plan especial de saneamiento o promulgar por ejemplo una Ley como la de la Comunidad de Madrid, de «espacios degradados», es todo un logro[121].

En todo caso, el urbanismo de la ciudad (v. gr. el urbanismo de gestión de suelo urbano) gira en torno a los parámetros del urbanismo tradicional, es decir en torno a relaciones jurídicas bilaterales entre Administraciones locales y propietarios: unas Administraciones de ordenación que poco *ordenan* y unos propietarios de viviendas a quienes corresponde el cumplimiento de ciertas cargas y deberes, que tampoco siempre *cumplen*. Incluso cumpliendo, no se logra la rehabilitación integral porque ésta exige aplicar técnicas diferentes de las previstas en el Derecho vigente.

Pues bien, frente al deslabazado e insuficiente sistema normativo, puede discutirse la opción de una regulación adecuada de la rehabilitación desde un punto de vista urbanístico, en particular desde el punto de vista del planeamiento y de la gestión del suelo urbano.

La rehabilitación integral consiste básicamente en lo siguiente:

1. Lo primero es, en efecto, contar con una regulación en materia de planes de rehabilitación urbanística y de modos de ejecución de dichos planes.

2. Estos planes han de tener un carácter, en cuanto a su empleo, ordinario por los Ayuntamientos. En estos planes se determinará el destino que, conforme al interés público, corresponde a cada edificación. La rehabilitación es una función pública, asumiendo los particulares una posición de colaboración.

3. Sólo habrán de otorgarse las licencias que pretendan modificar el edificio a fin de ajustarlo al destino que para aquél se prevea en el plan de rehabilitación correspondiente.

4. Tendrán que evitarse también las subvenciones, préstamos y subsidios individualizados que se correspondan con fines respecto de los cuales no conste su plena idoneidad y ajuste a lo establecido en el plan.

Es más, los recursos públicos (en concepto de vivienda y rehabilitación) se canalizarían a través del plan para la mejor consecución de los fines de éste.

5. En este sentido, la financiación pública, en favor de la propiedad, ha de servir para reforzar la realización de los fines públicos de rehabilitación y para conseguir que se cumplan los destinos, previstos en el plan, para cada uno de los edificios (conservación, transformación o demolición). También sirve aquélla para la rehabilitación de espacios públicos, para realizar las expropiaciones necesarias y en su caso para equilibrar los beneficios y cargas.

6. Desde este punto de vista financiero, a los propietarios se les puede repercutir la carga, que conlleva la rehabilitación, correspondiente al deber normal de conservación.

---

121. Me refiero a la Ley 7/2000, de 19 de junio, de rehabilitación de espacios urbanos degradados y de inmuebles que deban ser objeto de preservación. Otro ejemplo interesante es la Ley de Cataluña 2/2004, de 4 de junio, de mejora de barrios, áreas urbanas y villas que requieren una atención especial.

7. La rehabilitación ha de realizarse sobre toda la ciudad, paulatinamente sobre sus distintos barrios y zonas, imponiéndose la conservación en caso de actuación sobre bienes culturales u otros dignos de conservación y generalmente la demolición o sustitución en actuaciones en zonas degradadas o en caso de calles con edificios ruinosos, o disonantes con el ambiente o con anomalías estructurales. La rehabilitación no ha de ceñirse a los conjuntos históricos.

8. Este modelo de rehabilitación integral aplica conjuntamente medios o mecanismos de conservación, de fomento o financiación cualificada, de demolición, ya que ésta podrá ser también objeto de subvención si esto es lo que conviene desde el punto de vista del interés público de la rehabilitación de una determinada zona[122].

9. Este sistema puede entenderse, aproximadamente, como una generalización de la regulación de las áreas de rehabilitación integral previsto en los Reales Decretos que aprueban los Planes Estatales plurianuales de vivienda y rehabilitación (en la actualidad el Real Decreto 2066/2008, de 12 de diciembre, por el que se aprueba el Plan Estatal 2009-2012 de Vivienda y Rehabilitación), pero con un mayor alcance, empezando porque este concepto de «áreas de rehabilitación integral» es un concepto previsto en la legislación de vivienda (el citado Real Decreto) pero no siempre en las legislaciones urbanísticas autonómicas. Faltaría una correspondencia urbanística del fenómeno y falta una regulación adecuada de este modelo de rehabilitación económica desde el punto de vista del planeamiento urbanístico y desde el prisma de la gestión urbanística.

10. La gestión de la rehabilitación podrá ser asumida por el propio poder público (siempre compensando las limitaciones singulares en favor de la propiedad), pudiendo aquél crear sociedades mercantiles al efecto. No obstante, parece aconsejable la actuación convenida con los particulares y la posible actuación de empresarios gestores del plan de rehabilitación.

11. La rehabilitación presupone la realización de campañas de información sobre la rehabilitación que el poder público pretende llevar a cabo dentro de un determinado área y ha de procurar una actuación convenida entre los distintos agentes implicados (como mínimo el poder público y la propiedad).

12. La rehabilitación presupone igualmente la rentabilidad de la operación (para propietarios, la Administración y los posibles empresarios). No se trata de utilizar sistemas de gestión urbana para provocar cesiones gratuitas en suelo urbano o una reurbanización a costa de la propiedad.

13. Dentro de las áreas de rehabilitación debería simultanearse la ejecución de obras públicas locales (calzadas, aceras, pavimentos, canalizaciones...)

---

122. Así se contempla en el propio Real Decreto 801/2005, en el contexto de la financiación para la rehabilitación de áreas; por otra parte, la jurisprudencia se hace eco de esta concepción; así la STJ del País Vasco de 27 de febrero de 1998, *Actualidad Administrativa*, nº 10, octubre 1998, § 285 afirma: «los términos de conservación, consolidación y rehabilitación, que emplea el precepto (se refiere al artículo 39 de la Ley de Patrimonio Histórico Español) no tiene necesariamente la estricta interpretación que se deriva de la pretensión ejercitada (estricta conservación), sino que debe comprender actuaciones más amplias que, en definitiva tiendan a la conservación y mejora del bien aun cuando su uso pueda varias respecto del originario. Así, puede concluirse que las obras realizadas son de rehabilitación del inmueble, no pudiendo excluirse intervenciones como la realizada de recuperación del bien».

con la ejecución de las obras necesarias para la reparación y puesta a punto de los edificios de aquellas zonas situadas dentro de áreas beneficiadas por la ejecución de tales obras públicas.

14. La rehabilitación distingue entre distintas zonas y edificios, a efectos de aplicar la conservación o la sustitución. En cambio, los mecanismos del Derecho urbanístico (órdenes de conservación, inspección técnica, etc.) se aplican sobre edificios concretos imponiendo su conservación necesariamente, sin modificaciones o sustituciones sustanciales del edificio.

Por tanto, la rehabilitación integral consiste en una utilización combinada, conjunta e integral, de los distintos mecanismos que han sido estudiados por referencia a la legislación urbanística (órdenes de conservación, préstamos o subvenciones para la rehabilitación...), siendo precisa una cierta dirección pública y una integración de fuentes públicas y privadas de financiación.

5. LA REHABILITACIÓN INTEGRAL DE ÁREAS Y VIVIENDAS DESDE EL PUNTO DE VISTA DE LA «GESTIÓN URBANÍSTICA»

A. Una gestión urbanística en materia de rehabilitación

Conviene afirmar que, en principio, en el Derecho (administrativo) urbanístico y de la vivienda, no existe una regulación adecuada de los «planes» de rehabilitación integral, razón por la cual hablar de un sistema de «gestión» urbanística de los planes de rehabilitación resulta un tanto irreal. Incluso la gestión del suelo urbano consolidado es un capítulo irrelevante dentro de la legislación urbanística, aunque los urbanistas son cada vez más conscientes de la necesidad de abordar esta cuestión.

En todo caso, en el suelo urbano consolidado las relaciones jurídicas (a diferencia de aquello que empieza a ocurrir en suelo urbanizable) se conciben como relaciones jurídicas entre propietarios y Ayuntamientos.

La discusión sobre la gestión urbanística de la rehabilitación lleva a plantear dos opciones:

La primera consistiría en la posibilidad de la gestión pública directa de la rehabilitación integral.

La segunda, la posibilidad de introducir un elemento empresarial. Tendremos ocasión de comprobar que el problema no es tanto admitir o no esta opción como definir o precisar el grado de intervención que ha de corresponder al posible empresario ejecutor del plan de rehabilitación integral o «agente rehabilitador».

B. Primera opción: la posibilidad de un régimen de gestión directa de rehabilitación urbanística

En principio, es preciso partir de que los poderes públicos gozan de libertad a la hora de elegir la forma de gestión más adecuada para realizar la rehabilitación[123].

Siguiendo en este punto la STS de 17 de junio de 1998 (RJ 1998, 4770), los poderes públicos pueden crear sociedades mercantiles de rehabilitación, siempre con respeto de las garantías previstas en el ordenamiento jurídico.

El problema, en estos casos de gestión directa, más bien consiste en precisar el alcance de las facultades de los entes públicos de rehabilitación.

El estudio, la promoción y elaboración de planes como funciones de estas sociedades de rehabilitación no plantea mayores problemas jurídicos.

Por otra parte, si la rehabilitación integral se financia enteramente por el poder público, sin repercusión en la propiedad se plantean problemas jurídicos desde el punto de vista del principio de igualdad, ya que aquél puede privilegiar injustificadamente a ciertos propietarios y no a otros.

No obstante, el problema principal surge cuando el poder público realice la rehabilitación dentro de un área y pretenda repercutir los costes sobre la propiedad. A mi juicio, jurídicamente este sistema es concebible siempre que se compensen debidamente las distintas limitaciones singulares en favor de la propiedad y se impongan a los propietarios los gastos correspondientes a su deber normal de conservación y las deducciones por las plusvalías que genera la rehabilitación.

Sin embargo, parece preferible la aplicación de otro sistema de gestión que procure el debido acuerdo con los particulares afectados y que sepa integrar los distintos instrumentos que acabamos de comentar y que en la práctica se aplican por separado (es decir, las órdenes de ejecución de obras, los planes de reforma interior, las medidas de fomento económico).

Es lógico pensar, pues, en una actuación rehabilitadora previa concertación de convenios urbanísticos, como medio normal u ordinario, sin perjuicio de posibles expropiaciones. En este contexto de los convenios, tampoco

---

123. Sobre el debate E. Arana García (1995): «Un tema recurrente: el control de la iniciativa pública local en la actividad económica», en: *Poder Judicial,* nº 38, 1995, pp. 143 y ss.; F. Castillo Blanco, en *RDU,* 1999, 169.

habrá que descartar posibles agrupaciones de propietarios interesados en gestionar por sí mismos la rehabilitación.

C. Segunda opción: el «contratista rehabilitador» en este contexto

El «agente rehabilitador» presupone un sistema rehabilitador sobre la ciudad capaz de llevar a cabo actuaciones «de conjunto» sobre calles y barrios (a efectos de su mejor conservación o su sustitución) y no «de goteo» sobre edificios a efectos de su reparación.

Ha de entenderse por «rehabilitación» no sólo «conservación» sino también «sustitución», en función de lo que interese a la colectividad en el caso concreto. Desde luego, entender la ciudad como algo inmóvil donde sólo cabe la «conservación» no parece sostenible y más bien se contradice por la propia realidad de los hechos[124].

La creación de nuevos entornos culturalmente aceptables es el reto, es decir *la creación de cultura mediante un urbanismo orientado estéticamente,* un urbanismo al servicio primordial de un objetivo cultural como realidad superior a cualquier otra. Y un criterio racional y objetivo de ordenación estética como orientador del urbanismo.

Además de la imagen urbana, debe preocupar la infrautilización existente desde el punto de vista social de la política de la vivienda; una reforma interior de las ciudades conseguiría evitar que haya tantas viviendas desocupadas y, por tanto, un mejor aprovechamiento.

En principio, si uno comparte que en las ciudades es preciso hacer una reforma interior en la línea de las afirmaciones realizadas hasta el momento, se admitirá entonces también la posibilidad de promocionar o llevar (con las adaptaciones precisas) un sistema empresarial-concesional de agente urbanizador (o similar) a la ciudad hecha, en especial en aquellos barrios que precisan demoliciones.

En apoyo del «contratista rehabilitador» puede decirse que esta figura está

---

124. Más bien, siendo inevitable la transformación de la ciudad, el quid es que dicha transformación se haga bien. Puede verse: «La arquitectura francesa, un paisaje en plena transformación» (www.france.diplomatie.fr/label); A. Touraine, «La transformación de las metrópolis» (fuente: www.lafactoriaweb.com); M. A. Troitiño, «Renovación urbana: dinámicas y cambios funcionales», en *Perspectivas urbanas,* 2; o en sentido histórico www.artehistoria. com; J. L. Bodiguel/J. Fialaire, *Le renouveau de l'aménagement du territoire,* Nantes, 2002; M. Lora-Tamayo Vallvé, «Crónica legislativa: Francia. Noticias sobre la Ley nº 200-1208, de 13 de diciembre, relativa a la solidaridad y la renovación urbanas», *RDU,* 191, 2002, pp. 109 y ss.

en sintonía con las actuales tendencias de «colaboración» de los particulares en el ejercicio de funciones públicas, como lo es la urbanística (las tendencias del «public-private partnership» o «partenariat public-privé»).

Dicho agente o contratista ha de ser un simple ejecutor delegado y auxiliar de la Administración, para el cumplimiento de la función pública de rehabilitación de áreas necesitadas de remodelación.

Esta opción parece mejor que mantener un modelo puramente público para la ejecución del plan de rehabilitación integral de las ciudades, en virtud del cual se repercute en la propiedad el coste de las obras hasta el deber de conservación (por ejecución subsidiaria dado el caso) asumiendo el poder público el resto, es decir el plus o exceso respecto del deber de conservación. El problema, de un modelo puramente público de rehabilitación, radica en las insuficiencias que manifiestan las Administraciones locales a la hora de cumplir sus compromisos urbanísticos. Puede ser oportuno un agente empresarial que dinamice o apoye las actuaciones de rehabilitación y que provoque la iniciativa pública del sistema de rehabilitación. De lo contrario, confiar en los Ayuntamientos, como únicos agentes de rehabilitación, puede significar mantener las actuales tendencias de dejación e inmovilismo. Por contrapartida, no puede corresponder, a dicho agente, ni el protagonismo ni la iniciativa total del sistema.

En principio, en el agente o contratista rehabilitador vienen a confluir dos perspectivas: la rehabilitación y el contrato administrativo, es decir, la colaboración privada en el ejercicio de funciones públicas[125].

El agente o contratista rehabilitador consigue la mejor y más eficaz realización de los intereses públicos. Es un «tercero» o empresario que interviene buscando lógicamente una ganancia, pero que lleva a cabo el interés público y que ejecuta aquello que podrían ejecutar los propietarios si no fuera porque la propia operación rehabilitadora desborda al propietario individualmente considerado.

Puede, entonces, plantearse la posibilidad de trasladar (con las correcciones precisas) los modos de gestión «empresarial» al suelo urbano consolidado.

En principio, en apoyo de dicha traslación es preciso reconocer que, en el fondo, la problemática hoy en el suelo urbanizado no es del todo tan distante con aquella presente en el suelo urbanizable y que dio lugar a la introducción de figuras como la del «agente urbanizador» o el «concesionario de obra pública» o similares pero de igual carácter empresarial.

En el suelo urbanizado es a veces necesario lograr una imagen óptima de las ciudades, a costa de abandonar el ritmo lento de rehabilitación que imponen

---

125. Sobre la «rehabilitación» puede verse S. GONZÁLEZ-VARAS IBÁÑEZ, *La rehabilitación urbanística,* Editorial Aranzadi, Pamplona, 1998. Otros estudios son: J. M. ABAD LICERAS (1999), en: *Revista de Derecho Urbanístico,* nº 172, 1999, pp. 39 y ss., Madrid; J. L. ANDRÉS SARASA, *La Universidad ante la rehabilitación de las ciudades históricas,* Murcia, 2002; M. J. GARCÍA GARCÍA, *El régimen jurídico de la rehabilitación urbana,* Valencia, 1999; GRUPO DE ARQUITECTURA JUAN RUBIO DEL VAL, *La política de rehabilitación urbana en España,* Madrid, 1990; M. J. GONZÁLEZ ORDOVÁS, *Políticas y estrategias urbanas: la distribución del espacio privado y público en la ciudad,* Madrid, 2000; A. L. MOLINA MOLINA, *La recuperación de los núcleos urbanos y su entorno (aportaciones para su estudio histórico-geográfico),* Murcia, 1998; VV AA, *La rehabilitación de cascos históricos,* Diputación de Granada, 1990; J. D. VILLENA GARCÍA, *Obras de urbanización y rehabilitación,* Alicante, 1998.

los propietarios, imprimiendo en cambio otro ritmo, el ritmo necesario para conseguir la rehabilitación como «estética total» de la ciudad.

Desde el momento en que se tome consciencia de la gravedad o importancia del problema estamos en condiciones de llevar la lógica del contrato a la ciudad hecha.

Dicho sistema es una novedad. Llega a decirse que «a la hora de establecer la figura del agente urbanizador, y esto debe quedar claro, no hablamos de suelo urbano consolidado ni de suelo protegido»[126]. De ahí que el común de las legislaciones urbanísticas limite la intervención del agente al suelo urbanizable.

En general, en el urbanismo de nuestro tiempo la preocupación principal está en urbanizar en el extrarradio de la ciudad, por ser más rentable. De ahí que, en especial algunos municipios, muestren un especial deterioro urbano, sin aprovecharse la riqueza que se genera urbanizando el suelo urbanizable para (por ejemplo mediante los oportunos convenios y transferencias) rehabilitar algunas partes de la ciudad.

Hay factores que animan a pensar que puede producirse una mayor atención en favor de las ciudades: el suelo es un recurso escaso o limitado y la urbanización tiene un límite racional, la sensibilidad a favor de una rehabilitación en la ciudad parece ser cada vez mayor, la rentabilidad del urbanismo en el extrarradio parece empezar a encontrar un límite razonable.

Es decir, después de la euforia urbanizadora, que vivimos en el extrarradio de la ciudad, tendrá que llegar tarde o temprano la hora de la ciudad.

Podría discutirse, en sentido crítico, la viabilidad de este sistema alegando su escasa rentabilidad económica o la dificultad de gestión (dificultad añadida si se suman los problemas que plantean los famosos inquilinos con contratos de cuantía *simbólica*). En efecto, insistiría (véase ya *supra*) en que este sistema sólo puede aplicarse cuando se demuestre por el poder público que las operaciones son rentables para todos los propietarios.

Desde este punto de vista de la rentabilidad, en el Programa podrían englobarse tanto actuaciones en principio poco rentables (por ejemplo y, dado el caso, actuaciones de simple rehabilitación en sentido de conservación de un edificio sin permitir modificaciones) como aquellas otras *a priori* más rentables encuadradas en el mismo Programa (por ejemplo, edificación de solares, reconstrucción previa demolición de edificios ruinosos). Es claro, además, que la venta de edificaciones en suelo urbano puede llegar a tener un valor económico más rentable incluso que en suelo urbanizable. Lógicamente, cabrán igualmente formas de compensación en favor del urbanizador mediante solares o terrenos u otras formas. La posibilidad de reurbanizar ha de ser rentable sin descartar un cierto apoyo público financiero, al igual que ocurre con todo contrato de concesión de obra pública.

En este sentido, junto a la financiación privada, el sistema del agente rehabilitador, a diferencia del agente urbanizador, propicia la posibilidad de una financiación pública de apoyo. No se olvide que, ya actualmente, se prevén subvenciones y ayudas y préstamos a favor de los titulares de derechos reales en edificios catalogados, BIC o viviendas con interés arquitectónico, junto a las partidas eco-

---

126. Opinión del sector inmobiliario recogida en www.expansiondirecto.com/2001/03/19/inmobiliaria/cortes.html.

nómicas (además) en concepto de rehabilitación de simples edificios sin características arquitectónicas especiales; un conjunto, pues, nada desdeñable de fuentes de financiación (públicas y privadas) que pueden sumarse.

La cuestión es, pues, aunar esfuerzos y fuentes de financiación, evitando una actuación descoordinada de cada uno de los instrumentos del Derecho urbanístico (órdenes de conservación, disciplina urbanística, subvenciones de rehabilitación individualizadas...). Más bien, es preciso aplicarlos de forma conjunta, en función de las actuaciones que convengan conforme al plan o programa de ejecución. Los recursos públicos han de servir para apoyar la ejecución de los planes, es decir los fines preestablecidos por el poder público[127].

Lo importante es que, garantizando y compensando y beneficiando debidamente al propietario, se realice el interés público de la rehabilitación integral de los barrios en mal estado.

Todo el problema comentado se reconduce a una operación matemática observando el punto de encuentro de rentabilidad para todos: los propietarios los primeros, ya que su finca o piso se rehabilita y aumenta de valor, también los agentes rehabilitadores, ya que obtendrán una compensación en metálico o en edificación, y sobre todo el poder público y la sociedad en general, ya que se crearán más viviendas y en mejor estado (lógicamente respetando siempre y en todo caso el principio de igualdad que ha subrayado el Tribunal Supremo por referencia al suelo urbano: STS de 17 de marzo de 2003 [RJ 2003, 3788]).

Así pues, el modelo del «agente urbanizador» o su variante de «agente rehabilitador» es una primera solución, una solución inmediata frente al problema de las insuficiencias tradicionales del sistema de rehabilitación.

El «agente o contratista rehabilitador» *aporta* la posibilidad de dinamizar el sistema introduciendo un empresario (sean los propios propietarios, sean empresarios urbanistas o de otro tipo) en las relaciones jurídicas que tradicionalmente entablaban Administraciones y propietarios. Pero este sistema ha de sufrir un ajuste, a efectos de dejar bien claro el dirigismo público y la selección del «rehabilitador» con las debidas garantías, así como la defensa de los propietarios.

El carácter público de la función «pública» rehabilitadora exige que la Administración asuma la carga principal tanto en la fase de planeamiento como en la de gestión, aunque respecto a esta última no lleve a cabo finalmente la gestión y opte mejor por el auxilio de un empresario. Tampoco nada impide para que dicho empresario tome dicha iniciativa administrativa en la elaboración del planeamiento mismo.

Sirve de orientación, para centrar el contenido de la función pública urbanística-rehabilitadora, la legislación autonómica urbanística, cuando por ejemplo se afirma en ésta que dicha función comprende tramitar y aprobar los actos de ejecución de los instrumentos de planeamiento, ejercitar las actuaciones que impliquen ejercicio de autoridad, es decir potestades de policía, intervención, inspección, sanción y expropiación (dice el artículo 90 de la Ley 7/2002, de 17 de diciembre, de Ordenación Urbanística de Andalucía).

El «agente rehabilitador» (o empresario) ha de entenderse como contratista

---

127. En la línea por ejemplo del artículo 193 del TRLS/1976: «El Estado dedicará anualmente las cantidades consignadas en sus Presupuestos para coadyuvar a los fines de esta Ley...».

estrictamente delegado del poder público para la mejor consecución de los fines que interesan a la Administración directora del sistema, después del pertinente concurso público llevado a cabo conforme a las garantías de la legislación contractual. En este contexto, junto a los propietarios o posibles promotores, o junto a la posibilidad de que el propio Ayuntamiento ejecute o gestione directamente el plan de la rehabilitación, se sitúa la posibilidad del «agente rehabilitador» como estricto delegado-empresario al servicio del Ayuntamiento.

Se concibe así este sistema de «agente rehabilitador» como una simple posibilidad o variante de gestión. Pero, por contrapartida, no debe desecharse esta opción, en especial en casos de _operaciones urbanísticas que desbordan al propietario individualmente considerado._

En todo caso, al igual que se ha hecho con el suelo urbanizable, debe hoy regularse adecuadamente la gestión del suelo urbano. Un margen de discrecionalidad u originalidad en favor del legislador autonómico es inevitable, al igual que también ocurre con la gestión de suelo urbanizable. De lo contrario, la sociedad es la gran perdedora.

D.   Recapitulación: el espacio vacío entre la legislación de vivienda y la legislación de urbanismo

Los temas de gestión de suelo urbano y los concernientes a la «vivienda» o «rehabilitación» están mereciendo una regulación parcial. Por un lado, desde el urbanismo las legislaciones autonómicas (como antes las estatales) piensan especialmente en la «urbanización», es decir, en el suelo urbanizable (centrando la mayor parte de las regulaciones en torno al problema de la creación de viviendas en dicho suelo) regulan el suelo urbano desde el punto de vista de la policía urbanística y las licencias.

Por otro lado, desde la legislación en materia de vivienda, el Estado se apoya en el título constitucional competencial de la «planificación económica», sin poder trascender a cuestiones urbanísticas. El Estado se muestra muy cauteloso a la hora de regular esta materia de la vivienda, consciente de la «espada de Damocles» que representa el Tribunal Constitucional frente a cualquier exceso regulativo.

Es cierto que también existen otras disposiciones sobre vivienda (en el propio Código Civil, en la legislación arrendaticia o hasta en el Código Penal[128], entre otras normas de referencia, también en la ingente normativa

---

128.   Para la perspectiva civil del «tema» de la rehabilitación, junto a la legislación de arrendamientos, véase la Ley de ordenación de la Edificación. En este contexto, V. Magro Servet, «El nuevo régimen de realización de obras de conservación de los edificios al amparo de los artículos 10 y 11 de la Ley 8/1999, de 6 de abril, de Propiedad Horizontal», _Revista Actualidad Aranzadi_, 1999, 411; igualmente, D. Sibina Tomas, _La conservación de las fachadas en condiciones de seguridad_, Madrid, 1998.

autonómica en la línea de los citados Decretos estatales), pero la conclusión donde queremos llegar parece difícilmente cuestionable en el sentido de afirmar o reconocer un «espacio vacío o tierra de nadie» entre la legislación autonómica urbanística de vocación de suelo urbanizable y la legislación estatal (o autonómica) de vivienda que se ocupa de cuestiones relativas en sentido estricto a la vivienda, pero no a la rehabilitación urbanística, a salvo del fomento económico.

Suele faltar una regulación de la rehabilitación desde el punto de vista del planeamiento.

Podría plantearse la posibilidad, en este sentido, de una regulación por parte del Estado de los planes de rehabilitación integral y sus modos de ejecución, completando la regulación que contiene actualmente el Real Decreto 2066/2008, de 12 de diciembre, por el que se aprueba el Plan Estatal de Vivienda y Rehabilitación 2009-2012 (artículos 45 y ss.).

En estos preceptos se «insinúa» la necesidad de una regulación urbanística de rehabilitación y vivienda con los contenidos que estamos propugnando, pero no se regula (tampoco en otro lugar) esta cuestión (y ni siquiera la gestión urbanística del suelo urbano) quedando sin abordar el problema. Debería regularse la rehabilitación integral o remodelación desde el punto de vista del planeamiento y de la gestión: el plan de rehabilitación, los modos de gestión, el posible concurso público para la selección del rehabilitador, los convenios, las transferencias, la mención a las expropiaciones, la integración de medidas de policía e instrumentos adecuados económicos para la consecución de los fines del plan, los plazos de actuación, etc.

El Estado (con la legislación de actuaciones en la vivienda de corte del Real Decreto citado 2066/2008) no parece haber agotado el alcance de sus competencias sectoriales que le permiten repercutir en el urbanismo y la vivienda.

Y, una vez que la competencia urbanística y de vivienda es autonómica, la solución más sencilla pasa por aprobar leyes especiales autonómicas urbanísticas que aborden la gestión del suelo urbano en conexión directa, eso sí, con las legislaciones estatales sobre el particular.

De hecho, algunos avances o incursiones se han realizado. Por ejemplo, de la legislación urbanística puede seleccionarse la Ley 9/2001, de 17 de julio, del Suelo de la Comunidad de Madrid (artículo 131) y la Ley 7/2000, de la Comunidad de Madrid, de 19 de junio, de rehabilitación de espacios urbanos degradados y de inmuebles que deban ser objeto de preservación.

Destaca, de la citada en último lugar, su regulación de las áreas de rehabilitación concertada, como áreas que el planeamiento puede delimitar en suelo urbano para la ejecución por varias Administraciones Públicas de «Programas de Rehabilitación Concertada de organización conjunta de acciones de reforma, renovación o revitalización social y económica» que complementen la gestión urbanística con actuaciones públicas de vivienda y cualesquiera otras sectoriales. Sin embargo, no se aborda, finalmente, una regulación urbanística de la rehabilitación, a pesar de tratase de legislación urbanística que toca propiamente la rehabilitación.

Por otra parte, la citada Ley 9/2001, de 17 de julio, del Suelo de la Comunidad de Madrid, se ciñe a los conjuntos de interés histórico con graves deficiencias urbanas o ambientales y a los ámbitos urbanos que presenten disfunciones o carencias de especial gravedad.

Parece que ni siquiera esta Ley, ejemplar en un contexto comparado autonómico, contempla la rehabilitación con carácter ordinario. Es más, el propio artículo 131.2 de la citada Ley viene a reconocer sus limitaciones cuando termina diciendo expresamente que «el planeamiento urbanístico en vigor» podrá no contener «las previsiones necesarias», remitiéndose a un «Plan Especial» como consecuencia de la aprobación de los citados Programas de Rehabilitación concertada.

La legislación más meritoria sería la contenida en el artículo 133.a, donde se prevén elementos fundamentales del sistema de rehabilitación integral, tales como la necesidad de previsión de un presupuesto adecuado (o, mejor, de canalización de los recursos económicos de rehabilitación a través de la ejecución de un plan previo de rehabilitación) y la articulación de voluntades o coordinación entre distintas Administraciones públicas [artículo 133.b)] y ciertas prerrogativas públicas inherentes a este tipo de procesos pensados para su actuación en suelo urbano (tasas, derechos de tanteo y retracto, declaración de urgencia para la ocupación a los efectos de la expropiación forzosa).

Interesante es también el artículo 162 de esta misma Ley de la Comunidad de Madrid («ejecución de la construcción o edificación mediante sustitución del propietario y, en su caso, expropiación»): «transcurrido un año desde la aprobación del Plan General en suelo urbano consolidado o de la recepción de la urbanización en suelo urbano no consolidado o en suelo urbanizable, el Ayuntamiento de oficio o a instancia de cualquier persona, podrá delimitar áreas en las que los solares y las parcelas susceptibles de edificación con realización simultánea de la urbanización pendiente quedan sujetos al *régimen de ejecución mediante sustitución del propietario y, en su caso, a la expropiación por incumplimiento de la función social de la propiedad* (...)». En el artículo 164 se regula el «concurso público para la sustitución del propietario a efectos de construcción o edificación».

Otro ejemplo, sin perjuicio de otros, puede ser el de las Directrices de Ordenación del Turismo de Canarias (aprobadas por la Ley 19/2003, de 14 de abril, por la que se aprueban las Directrices de Ordenación General y las Directrices de Ordenación del Turismo de Canarias). En la Directriz 20 («Delimitación de áreas sujetas a actuaciones urbanísticas») se afirma que «los planes insulares de ordenación o los planes territoriales especiales que los desarrollen, deberán identificar y delimitar **las áreas de rehabilitación urbana,** así como las áreas de actuación parcial, y establecer los criterios y objetivos de su ordenación».

Los planes generales de ordenación podrán ajustar las delimitaciones establecidas por el planeamiento insular o territorial, así como delimitar áreas de actuación parcial no establecidas por aquél. Excepcionalmente, podrán también delimitar áreas de rehabilitación urbana, debiendo contar con informe favorable del Cabildo Insular correspondiente.

La Administración que formule el instrumento de planeamiento que delimite dichas áreas, abrirá un proceso de concertación con las otras dos Administraciones públicas canarias, a fin de incorporar la propuesta de delimitación de las mismas como núcleos y zonas a rehabilitar, conforme a la legislación turística, y, simultánea o alternativamente, definirlas como áreas de gestión integral, de acuerdo con la legislación urbanística.

El instrumento de planeamiento que delimite el área de rehabilitación urbana determinará la totalidad o parte de la misma como zonas o núcleos turísticos a rehabilitar, cuando resulte generalizado en dicho ámbito el incumplimiento de los estándares mínimos de infraestructura y servicios previstos en el Decreto 10/2001, de 22 de enero, que regula los estándares turísticos de Canarias. Dicha determinación servirá de base a la Consejería competente en materia de turismo de la Administración pública de la Comunidad Autónoma de Canarias para declarar y delimitar las zonas o núcleos a rehabilitar conforme dispone el artículo 36 de la Ley 7/1995, de 6 de abril, de Ordenación del Turismo de Canarias. El instrumento de planeamiento contendrá precisiones específicas para cada zona o núcleo a rehabilitar, que complementarán a las previstas en la indicada legislación.

Sin perjuicio de lo anterior, el instrumento de planeamiento que delimite el área de rehabilitación urbana podrá calificarla como área de rehabilitación integral, a efectos de su regeneración mediante la gestión interadministrativa consorciada, en la forma prevista en los artículos 144 y 141 a 143 del Texto Refundido de las Leyes de Ordenación del Territorio de Canarias y de Espacios Naturales de Canarias, aprobado por Decreto Legislativo 1/2000, de 8 de mayo.

Pues bien, junto a este frente regulativo urbanístico, contamos con el otro de la vivienda, es decir «Leyes de Vivienda» tales como la Ley 24/1991, de 29 de noviembre, de Cataluña[129] o, por supuesto, también las ordenanzas locales tales como la del Ayuntamiento de Madrid con el título «Conservación, Rehabilitación y Estado Ruinoso de las edificaciones» aprobada por Acuerdo Plenario de 28 de enero de 1999 o las ordenanzas municipales sobre vivienda de Zaragoza[130] o iniciativas tales como la del Estatuto del Instituto Municipal de Rehabilitación del Ayuntamiento de Granada[131].

Pero en especial hay que estar, en este ámbito de la vivienda, al Real Decreto 2066/2008, de 12 de diciembre, por el que se aprueba el Plan Estatal 2009-2012 de Vivienda y Rehabilitación (con sus antecedentes del Real Decreto 801/2005, de 1 de julio, por el que se aprueba el Plan Estatal 2005-2008 y del Real Decreto 1/2002, de 11 de enero, sobre medidas de financiación de actuaciones protegidas en materia de vivienda y suelo del Plan 2002-2005), seguido por una legislación autonómica que ha venido manteniendo los mismos parámetros normativos de los Reales Decretos estatales[132].

El Plan Estatal 2009-2012 de Vivienda y Rehabilitación prevé actuaciones en los próximos cuatro años que permitan el acceso de los ciudadanos a viviendas en compra y especialmente en alquiler, pretende promover la urbanización de suelo para VPO y mejorar el parque de viviendas actual. En este último sentido, en concreto, el Plan pretende reforzar la actividad de rehabilitación y mejora del parque de viviendas ya construido, singularmente en aquellas zonas que presentan mayores elementos de debilidad, como son los centros históricos, los barrios y centros degradados o con edificios afectados por problemas estructurales, los núcleos de población en el medio rural,

---

129. www.aetu.es/legislacion.htm.

130. www.aetu.es/legislacion.htm.

131. www.granada.org.

132. Téngase en cuenta, asimismo, cierta reglamentación especial, donde también se contemplan subvenciones públicas: Real Decreto 1229/2005, de 13 de octubre, que regula el régimen de subvenciones públicas estatales con cargo a los Presupuestos Generales de Estado en las áreas de influencia socioeconómica de los Parques Nacionales.

y contribuir, con las demás administraciones, a la erradicación de la infravivienda y el chabolismo.

La rehabilitación recibe un impulso extraordinario respecto del Plan anterior, como muestra de la importancia que adquiere en el mismo, pasa a formar parte de la denominación del Plan.

En el Preámbulo del Plan 2009-2012 se hace mayor hincapié en la idea de colaboración con las Comunidades Autónomas y no ya tanto (como ocurría en los Planes anteriores) en el título competencial estatal que justifica esta norma constitucionalmente (artículo 149.1.13ª de la Constitución Española, que atribuye al Estado competencia exclusiva en materia de bases y coordinación de la planificación general de la actividad económica). Y desde luego se ha abandonado todo atisbo de afirmación de que el Estado carece de la posibilidad de llevar a cabo el cumplimiento de sus planes de vivienda de forma autónoma dada la asignación de competencias entre los diferentes niveles de Administraciones públicas (como ocurría en el Real Decreto 1/2002 regulador del Plan 2002-2005).

Efectivamente, son las Comunidades Autónomas las que ostentan, en principio, las competencias en materia de vivienda y disponen de los instrumentos para, sea actuando directamente, sea mediante su contacto inmediato con los ciudadanos, llevar a efecto las políticas de vivienda. Otro tanto cabe decir por lo que se refiere a uno de los elementos esenciales para el desarrollo de cualquier política de vivienda, es decir, la política de suelo, donde las competencias fundamentales corresponden a las Comunidades Autónomas y, en ciertos aspectos, a las Corporaciones Locales, mientras que el Estado se encuentra desprovisto casi por completo de competencias, es decir, de capacidad jurídica para intervenir en este aspecto.

La STC 152/1988, de 20 de julio (RTC 1988, 152), a la que ya hemos hecho referencia *supra,* ha reconocido la capacidad del Estado para actuar en el citado subsector de la vivienda a través de planes plurianuales de vivienda, dada la naturaleza y repercusiones económicas del subsector, aun cuando sin olvidar el aspecto profundamente social del mismo, por cuanto afecta a una de las facetas más íntimas y básicas del ser humano.

La compleja situación jurídica competencial referida constituye, por tanto, el marco de acción en el que el Estado puede intervenir a través de sus planes de vivienda, como, de hecho, ha venido haciéndolo desde hace ya largos años. Y en consonancia con los dictados del Tribunal Constitucional, en los planes estatales de vivienda han solido proponerse objetivos de carácter económico, por una parte, tales como contribuir a lograr o mantener niveles adecuados de actividad y empleo en el subsector, o corregir determinadas ineficiencias o fallos de los mercados de la vivienda, y de carácter social, por otra, brindando su apoyo selectivo a aquellos grupos sociales con mayores dificultades para acceder a viviendas dignas.

Dentro de las actuaciones protegidas (artículo 2 del Real Decreto 2066/2008), encontramos junto a otros conceptos las áreas de rehabilitación integral referidas a la rehabilitación de conjuntos históricos, centros urbanos, barrios degradados y municipios rurales (ARIS); la renovación de áreas urbanas (ARUS) y la erradicación de la infravivienda y del chabolismo[133], como actuaciones susceptibles de ser beneficiadas por el régimen de ayudas financieras.

En los artículos 12 y 13 del Real Decreto se distingue entre las siguientes ayudas financieras:

a)   Los préstamos convenidos, es decir, los concedidos por las entidades de crédito públicas y privadas, en el ámbito de los convenios de colaboración entre el Ministerio de Vivienda y las entidades de crédito colaboradoras del Plan Estatal 2009-2012, para compradores y promotores de actuaciones protegidas.

b)   Las ayudas financieras del Plan, con cargo a los presupuestos del Ministerio de Vivienda, consistirán en:

1.   Subsidios de préstamos convenidos.

2.   Ayuda estatal directa a la entrada.

3.   Subvenciones.

Esta norma estatal fija en los artículos 45 y siguientes las condiciones generales que deberán cumplir las ARIS y las ARUS para acceder a la financiación.

En cuanto a las ARIS, en esencia, se deberán cumplir las condiciones generales siguientes (sin perjuicio de que para los centros históricos y las zonas rurales hay alguna condición específica añadida): que las actuaciones para las que se solicite ayuda financiera hayan sido declaradas como tales (ARIS) por las Comunidades Autónomas o por las Ciudades de Ceuta y Meli-

---

133.   La erradicación de la infravivienda y del chabolismo se había considerado ya en el Real Decreto 801/2005 del Plan Estatal 2005-2008 como una acción de actuación preferente de la rehabilitación integral.

lla; que el perímetro del ARI incluya o comprenda 200 viviendas, al menos, con carácter general; que las viviendas y edificios susceptibles de rehabilitación tengan una antigüedad no inferior a 10 años, con carácter general; y que las viviendas objeto de dichas actuaciones se dediquen a residencia habitual y permanente de su propietario, o al arrendamiento, durante al menos 5 años tras la rehabilitación.

Las ARUS, en esencia, deberán cumplir las condiciones generales siguientes para acceder a la financiación: que hayan sido declaradas por las Comunidades Autónomas y ciudades de Ceuta y Melilla como ARUS; que el perímetro declarado del ARU incluya un conjunto agrupado de más de 4 manzanas de edificios, o más de 200 viviendas, con carácter general; que las viviendas objeto de las actuaciones de renovación tengan, con carácter general, una antigüedad mayor de 30 años; que la mayor parte de las viviendas incluidas en el ARU se encuentren por debajo de los estándares mínimos establecidos en la Ley 38/1999, de 5 de noviembre, de Ordenación de la Edificación, en el Real Decreto 314/2006, de 17 de marzo, por el que se aprueba el Código Técnico de la Edificación, y demás normativa que resulte de aplicación; que la mayor parte de los edificios se encuentre en situación de agotamiento estructural y de sus elementos constructivos básicos, de modo que exija la demolición y reconstrucción de los mismos; que al menos un 60 por 100 de la edificabilidad existente, o de la resultante según el planeamiento vigente para el ARU, esté destinada a uso residencial; y para las ARUS incluidas o vinculadas a operaciones de reforma interior que hagan necesaria una nueva ordenación pormenorizada del ámbito, o la aprobación del instrumento de equidistribución que corresponda, que en el momento de solicitar financiación cuenten, al menos, con la aprobación inicial del instrumento de ordenación urbanística o de ejecución necesario.

Respecto de las áreas de rehabilitación integral, los beneficiarios de las ayudas podrán ser los promotores de la actuación y los propietarios de las viviendas o edificios, inquilinos autorizados por el propietario, o comunidades de propietarios incluidos en el perímetro del ARI, que habrán de cumplir las condiciones siguientes (artículo 47 del RD 2066/2008):

1. Los ingresos familiares de las personas físicas beneficiarias de las ayudas no podrán exceder de 6,5 veces el IPREM, según determinen las Comunidades Autónomas y ciudades de Ceuta y Melilla, cuando se trate de la rehabilitación, para uso propio, de elementos privativos de los edificios (viviendas).

2. Cuando la rehabilitación tenga por objeto los elementos comunes

del edificio, o la totalidad del mismo, para destinarlo a arrendamiento, las condiciones de los beneficiarios serán las que determinen las Comunidades Autónomas y ciudades de Ceuta y Melilla.

Respecto de las áreas de renovación urbana, los beneficiarios de las ayudas serán los promotores de la actuación, que deberán comprometerse a iniciar la construcción de, al menos, el 50 por 100 de las viviendas protegidas objeto de las ayudas, dentro del plazo máximo de 3 años desde el acuerdo de financiación en la comisión bilateral de seguimiento (artículo 51 del RD 2066/2008).

En este trabajo interesa especialmente la conexión entre vivienda y urbanismo, y el punto de encuentro es la rehabilitación urbanística (capítulo III del Real Decreto 2066/2008).

El Real Decreto estatal está indirectamente «llamando» a una regulación adecuada de la rehabilitación urbanística en el Derecho urbanístico, coherente con el sistema de financiación de rehabilitación, que el Estado en su Reales Decretos de aprobación de los Planes de Vivienda plurianuales acertadamente viene propugnando. Conociendo estos Reales Decretos, se aprecian gráficamente tanto las limitaciones del sistema como la línea de corrección del mismo, por estar dicha línea implícita en parte en el propio Decreto estatal.

No vamos a explicar con detalle la financiación de viviendas y edificios integrados en uno de los tres programas señalados, que básicamente consistirán en préstamos convenidos, sin subsidiación, y subvenciones, destinadas a los promotores de estas actuaciones y que se abonarán a través de las Comunidades Autónomas y ciudades de Ceuta y Melilla o de la forma en que se acuerde con las mismas, una vez que se hayan cumplido las condiciones generales para las actuaciones y las condiciones de los beneficiarios que hemos indicado. El Real Decreto establece la financiación de estas actuaciones protegidas en los artículos 48 para las ARIS, en el artículo 52 para las ARUS y en el artículo 56 para el programa de ayudas para la erradicación del chabolismo.

De acuerdo con el artículo 45, el programa de ARIS recoge las condiciones básicas para obtener financiación del Plan en las actuaciones de mejora de tejidos residenciales en el medio urbano y rural, recuperando funcionalmente conjuntos históricos, centros urbanos, barrios degradados y municipios rurales, que precisen la rehabilitación de sus edificios y viviendas, la superación de situaciones de infravivienda, y de intervenciones de urbanización o reurbanización de sus espacios públicos. En particular, podrán obtener la financiación establecida en este Real Decreto las siguientes actuaciones:

a)   En elementos privativos del edificio (viviendas), las obras de mejora de la habitabilidad, seguridad, accesibilidad y eficiencia energética.

b)   En elementos comunes del edificio, las obras de mejora de la seguridad, estanqueidad, accesibilidad y eficiencia energética, y la utilización de energías renovables.

c)   En espacios públicos, las obras de urbanización, reurbanización y accesibilidad universal, y el establecimiento de redes de climatización y agua caliente sanitaria centralizadas alimentadas con energías renovables.

De acuerdo con el artículo 49, el programa de ARUS establece las condiciones básicas para obtener financiación del Plan para la renovación integral de barrios o conjuntos de edificios de viviendas que precisan de actuaciones de demolición y sustitución de los edificios, de urbanización o reurbanización, de la creación de dotaciones y equipamientos, y de mejora de la accesibilidad de sus espacios públicos, incluyendo, en su caso, procesos de realojo temporal de los residentes. En particular, podrán obtener la financiación establecida en este programa las siguientes actuaciones:

a)   La demolición de las edificaciones existentes.

b)   La construcción de edificios destinados a viviendas protegidas.

c)   La urbanización y reurbanización de los espacios públicos.

d)   Los programas de realojo temporal de los residentes.

Un primer extremo de interés que se observa en la línea de la política de la rehabilitación es que el Decreto permite una financiación no sólo respecto de medidas de conservación sino también de medidas de demolición de edificaciones o de reurbanización de espacios o ámbitos. Se sigue, así, una *ratio* no sólo pasiva o conservacionista, sino también activa (o de «regeneración») cuando esto sea lo oportuno, es decir, cuando esto sea lo que implique la rehabilitación en un caso concreto. Cuándo se impone la conservación y cuándo la demolición vendrá determinado en el plan previo de rehabilitación integral y se determinará en función del objeto, es decir, del tipo de edificación; existen situaciones claras: los edificios aceptables (en especial y en todo caso los catalogados) exigen su conservación; los espacios degenerados o edificios sin valores culturales y en estado de deterioro exigen la demolición y su ajuste a estructuras aceptables, al ambiente del lugar, etc.

Ya hemos indicado _supra_ que el presupuesto, para que este régimen de ayudas en concepto de rehabilitación pueda aplicarse es que la Comunidad Autónoma o las ciudades de Ceuta y Melilla declaren una determinada zona como «área de rehabilitación integral» o como «área de renovación urbana». Es ésta una _implicación urbanística,_ del régimen de un Decreto regulador de cuestiones económicas, en materia de vivienda. Si se quiere obtener una ayuda financiera, es precisa una previa declaración de carácter urbanístico.

Diríamos que están implícitas consecuencias urbanísticas en este régimen normativo de financiación en materia de vivienda. Diríamos también que falta, no obstante, la correspondencia urbanística, regulando adecuadamente la rehabilitación. Esta materia se aborda desde el (limitado por esencia) punto de vista de la financiación económica de la vivienda, sin llegarse en esta legislación estatal (porque sería altamente cuestionable en nuestro Estado una regulación de tal carácter) a una regulación urbanística de los planes y la gestión de la rehabilitación urbanística.

En el Derecho español, las CCAA han dado un primer paso regulativo fijándose en el planeamiento y gestión en el suelo urbanizable. Sus «leyes del suelo» son especialmente «leyes de suelo urbanizable». El suelo urbano se regula preferentemente desde el punto de vista histórico de la simple policía (órdenes de conservación...) al modo y manera de las típicas disposiciones sobre el particular de las ordenanzas locales. Después de este primer paso hace falta que las «leyes del suelo» también sean leyes del «suelo urbano».

Una regulación de los planes y modos de gestión de la rehabilitación es hoy necesaria y aparece en nuestro país como un siguiente paso evolutivo del Derecho urbanístico autonómico, aunque el Estado podría agotar espacios de regulación legislando sobre las repercusiones urbanísticas de la vivienda.

6. EJEMPLO DE PLIEGO DE AGENTE REHABILITADOR

Tomamos como referencia un posible pliego ilustrativo de la modalidad más interesante reseñada anteriormente, es decir, la intervención del empresario en el núcleo urbano para sustituir barrios degradados obteniendo una rentabilidad mediante edificabilidad en el mismo sector donde se lleva a cabo la sustitución (aunque también podría haber sido en un sector diferente de aquél respecto del cual el agente rehabilitador interviene).

En las bases del concurso para la gestión de la remodelación urbanística de un determinado barrio puede partirse de una base primera donde se fija como «objeto del concurso» la regulación del procedimiento de contratación de la actuación urbanística de remodelación del barrio. Así, podrá señalarse que la gestión urbanística de la unidad afectada se realice mediante la elaboración de un PERI, de un proyecto de expropiación por tasación conjunta, de un proyecto de derribo y urbanización y de un proyecto de edificación y su ejecución.

Otra base puede regular el presupuesto máximo autorizado para la contratación, el plazo de ejecución de las obras y su posible prórroga.

En otra base se podrán fijar unas pautas u objetivos que debe cumplir el PERI elaborado por los licitadores, en el sentido por ejemplo, de que se establezca una ordenación que permita financiera y materialmente el desalojo y realojo de los residentes actuales, que posibilite unas condiciones de habitabilidad para las viviendas, la accesibilidad al barrio, los aparcamientos o servicios suficientes, espacios libres y una adecuada integración urbana con la edificación existente en el entorno, o que dicha ordenación se lleve a cabo en el plazo más breve posible.

Se habría de fijar la forma de adjudicación (concurso) y los requisitos o condiciones de los concursantes, es decir, su capacidad de obrar, la acreditación de su solvencia financiera, técnica o profesional, su clasificación, así como por ejemplo la acreditación de ciertos recursos propios o el certificado de fin de obra de un número determinado de viviendas promovidas por el licitador.

Puede ser conveniente incluir asimismo una regulación en la que se establezcan una serie de condiciones mínimas que deben cumplir las ofertas para poder ser admitidas. Así, por ejemplo, condiciones referidas a la oferta económica a los residentes que acepten amistosamente la expropiación, plazo, garantías, calidades constructivas, condiciones del realojo provisional.

Habría que fijar, asimismo, las garantías a constituir por el adjudicatario, tanto la garantía provisional de todos los concursantes como la definitiva del que haya resultado adjudicatario.

En otra base se establecerían las obligaciones concretas del adjudicatario al asumir la ejecución de la unidad. Así, por ejemplo, las de elaborar el

Plan, redactar el proyecto de expropiación forzosa por el sistema de tasación conjunta y ejecutar el expediente de expropiación forzosa en plazo, ofertar a los residentes la posibilidad de solventar la vía expropiatoria de mutuo acuerdo mediante la aceptación de las condiciones previstas para este caso, asumir la defensa de los recursos por parte de los afectados por el expediente expropiatorio, presentar a aprobación municipal el proyecto de urbanización de la unidad en plazo, ejecutar las obras de construcción de las viviendas según el calendario establecido, etc., además de las obligaciones derivadas del propio pliego, de la normativa vigente o de su proposición.

Se regularían también los derechos del adjudicatario, entre los que destaca el de percibir la suma estipulada.

A continuación se regularía el desarrollo de la licitación: el lugar y el plazo para la presentación de propuestas; la composición de la Mesa de contratación y determinación del órgano de adjudicación; la apertura y examen de las proposiciones; los criterios para la valoración de las proposiciones; la admisión de y valoración de las variantes, en su caso; y, los plazos para resolver la adjudicación.

En una base aparte se podría especificar la forma de presentación de propuestas a presentar, por ejemplo, en dos sobres separados, distinguiendo un primer sobre de documentación administrativa referida a la personalidad y capacidad de los licitadores, así como de la garantía provisional, y un segundo sobre en el que se incluiría la documentación referida a la propuesta económica y documentación técnica.

Otro punto sería la formalización del contrato con el adjudicatario, estableciéndose el régimen de plazos para ello, abono de gastos, etc. Previamente a esa formalización se debería presentar aval bancario o acreditar la constitución de la fianza definitiva.

La ejecución de las obras y el régimen de responsabilidades podrían ser objeto de otra base, así como la obligación de suscribir por el contratista un seguro de construcción y de responsabilidad civil por las citadas obras.

Cabrá prever un régimen sancionador, regulando expresamente las sanciones por incumplimiento (especialmente la resolución del contrato) que se impondrán al adjudicatario una vez requerido por la Administración para que cumpla cierta condición del pliego o de la oferta y no habiendo atendido tal requerimiento.

Finalmente, se debería señalar el sistema de resolución de diferencias que surjan como consecuencia del contrato.

7. EL ESTADO DE LA CULTURA Y SUS CONSECUENCIAS

Es significativo el apoyo que ofrece el principio constitucional del Estado de la cultura como guía para la elaboración de distintos programas de actuación sobre las distintas partes de la ciudad.

Es sabido que los principios y valores constitucionales tienen una orientación práctica para los distintos intérpretes de la legislación ordinaria, por servir aquéllos para interpretar la legislación en el mejor de los sentidos posibles y poder deducir mandatos frente a los poderes públicos y reflejos jurídico-subjetivos en favor de los ciudadanos para que éstos puedan estar legitimados, procesal y materialmente, para exigir el cumplimiento efectivo de las declaraciones legales objetivas cuyo destinatario es la Administración pública[134].

Por eso, es preciso, profundizar en el «Estado de la Cultura» como principio constitucional apto para presentar un programa de actuación por referencia a la vivienda en cada una de las partes de la ciudad.

Para ello lo primero es aludir, cuando menos, al Estado de la Cultura diciendo que éste, a la hora de ser mencionado expresamente en la Constitución, no ha encontrado tanta fortuna como el «Estado democrático», el «Estado de Derecho» o el «Estado social»; pero esto no ha impedido que cierta doctrina, principalmente alemana, haya otorgado al «Estado de la Cultura» un valor constitucional[135].

---

134. Me remito a mi libro *Tratado de Derecho administrativo*, Tomo III, Editorial Civitas, Madrid, 2008.

135. P. HÄBERLE (1980): *Kulturverfassungsrecht im Bundesstaat*, Wien, 1980; P. HÄBERLE (1982): *Kulturstaatlichkeit und Kulturverfassungsrecht*, Darmstadt, 1982; HIPPEL (1950), «Staat und Kultur als Problem und Aufgabe», en: *Die Öffentliche Verwaltung*, 1950, p. 257; E. HUBER (1958): *Zur Problematik des Kulturstaats*, Tübingen, 1958; G. JELLINEK (1959): *Allgemeine Staatslehre*, Darmstadt, 1959 (tercera edición, sexta reimpresión); O. JUNG (1976), *Zum Kulturstaatbegriff*, 1976; H. KELSEN (1925): *Allgemeine Staatslehre*, Berlin, 1925; D. LAMBERT/V. SHACKLOCK (1995): «Historic Parks and Gardens: A Review of Legislation, Policy Guidance and Significant Court and Appeal Decisions», en: *Journal of planning and environment law*, july 1995, pp. 564 y ss.; E. PAPPERMANN (1980): «Grundzüge des kommunalen Kulturverfassungsrechts», en: *Deutsches VerwaltungsBlatt*, 1980, pp. 701 y ss., Köln, Berlin; U. SCHEUNER (1977/78), «Die Bundesrepublik als Kulturstaat», en: *Jahrbuch Bitburger Gespräche*, 1977/78.
En España, en este contexto, F. BENÍTEZ DE LUGO Y GUILLÉN (1983): «El Patrimonio Histórico-Artístico-Cultural y el Medio Ambiente», en: *Revista de Derecho Urbanístico*, nº 83, 1983, pp. 41 y ss., Madrid; J. PRIETO DE PEDRO (1995): *Cultura, culturas y Constitución*, Madrid, 1995; C. J. SANZ-PASTOR Y PALOMEQUE (1984): «Reflexiones sobre la protección del patrimo-

A mi juicio, parece oportuno en este contexto estudiar los efectos jurídico-constitucionales que se deducen de dicho Estado de la Cultura y que se proyectan sobre el urbanismo, pues este enfoque no parece haberse desarrollado suficientemente hasta el momento.

Con cierto optimismo –pero no sin realismo– podría aventurarse un futuro más conforme con el Estado de la Cultura, en materia urbanística, si uno considera la atenuación de la necesidad de crear espacios dentro y fuera de las ciudades con el fin de atender a repentinos procesos de crecimiento de la población y de la industria. En este contexto, ya hace años que se ha anunciado el comienzo de una nueva etapa «postindustrial» que sustituye a la etapa industrial del momento actual, hecho que conlleva un «superiore rispetto alla presunta esteticità». Y en esta misma línea, puede contraponerse la «villa habitable» a la «villa inhabitable, que tiende a suplantarse desde algunas décadas corrigiendo los efectos _desfavorables_ en las zonas periféricas»[136].

En sentido jurídico, contamos constitucionalmente con la «calidad de vida» (la protección de la cultura lleva inicialmente a considerar «la calidad» como factor en el Derecho urbanístico) como vía apta para profundizar jurídicamente en el Estado de la Cultura en materia urbanística[137].

Pero no sería plenamente satisfactorio agotar la repercusión de la cultura sobre el urbanismo afirmando una idea o noción conservacionista en materia de rehabilitación y de protección de bienes culturales, porque parecen ser más ricas las repercusiones y efectos del Estado de la Cultura sobre el urbanismo.

En principio, como dice la sentencia del TSJ de Cataluña de 12 de julio de 1996 (TSJ y AP nº 16, 1997 [RJCA 1996, 1169]), «si se pretende el _mantenimiento_ de un edificio para viviendas, éstas han de cumplir las condiciones mínimas de habitabilidad». Es ésta una forma de aproximación a la perspectiva de la

nio Cultural Inmobiliario mediante Planes de urbanismo», en: _Revista de Derecho Urbanístico_, nº 88, 1984, p. 449, Editorial Montecorvo, Madrid; M. Vaquer Caballería (1998), _Estado y cultura_, Madrid, 1998.

136. P. L. Cervellati (1991): _La città bella_, Bologna, 1991; D. Pinson (1996): _Architecture et modernité_, Marseille, 1996.

137. R. Martín Mateo (1988): «La calidad de vida como valor jurídico», en: _Revista de Administración Pública_, nº 177, 1988, p. 65, Centro de Estudios Constitucionales, Madrid; R. De Mendizábal Allende (1993): «Calidad de vida y sistema judicial», en: _Actualidad Administrativa_, nº 18, 1993; J. Rodríguez-Arana Muñoz (1996): «El medio ambiente y la calidad de vida como objetivos constitucionales», en: _Revista de Derecho ambiental_, nº 16, 1996, pp. 35 y ss.

sustitución, en el urbanismo, de las edificaciones existentes, cuando las viviendas no se ajustan a unos mínimos de salubridad, estética y de calidad de vida.

La sustitución o demolición podría integrarse dentro de la lógica del Estado de la Cultura. No puede olvidarse que, junto al compromiso de respetar y conservar el pasado, se sitúa la no menor responsabilidad de crear para el futuro, renovando las ciudades y creando espacios culturales. La exigencia es reformar para ir mejorando de nivel cultural urbanísticamente.

En consonancia con este planteamiento podría hablarse, respectivamente, de una perspectiva *conservadora, proteccionista, estática o pasiva* de la cultura y, por otra parte, de una visión *progresista, dinámica, transformadora o activa* de la cultura. En este sentido, la legislación urbanística y de rehabilitación, principalmente autonómica, integra ambas dimensiones, de conservación y de sustitución, dentro del Derecho urbanístico de rehabilitación.

Es preciso, pues, profundizar en el Estado de la Cultura. Podría establecerse un programa de actuación urbanística distinguiendo entre distintas partes de la ciudad:

En primer lugar, es necesario considerar los bienes de interés cultural (BIC) de las ciudades. La Ley estatal de **Patrimonio Histórico Español** de 1985 (en adelante, LPHE), y correlativas leyes autonómicas, establecen un régimen especial de protección en estos casos (v. gr. la declaración de ruina de los bienes culturales habrá de llevar consigo la conservación del edificio y no su demolición) y consiguen superar la tradicional o histórica separación entre lo cultural y lo urbanístico. La positiva interrelación entre urbanismo y cultura se logra:

1. Mediante una consideración como BIC de los conjuntos históricos a través de la obligación que impone la LPHE de redactar un plan especial para su protección, lo que evidentemente representa una consecuencia de tipo urbanístico que se deriva de una legislación de tipo cultural (téngase en cuenta asimismo el régimen especial de licencias en estos casos).

2. Mediante la protección de los entornos de los BIC, especialmente conforme a la legislación autonómica que así lo afirma.

3. A través del artículo 1.2 de la LPHE y su concepción amplia de patrimonio cultural, cuya significación está (considerando también el artículo 46 de la CE) en la necesidad de que se protejan no sólo los BIC (de esto se encarga la LPHE), sino también todo tipo de bienes que sean parte del patrimonio cultural. Esto último, implícito en dicho artículo 1.2, repre-

senta una llamada al urbanismo (desde la propia LPHE) para que éste regule adecuadamente este tipo de bienes de relevancia cultural.

4. Considérense también las medidas en virtud de las cuales la Administración cultural puede suspender los derribos respecto de bienes culturales, no declarados BIC, siempre que incoe el expediente de tramitación como tales BIC dentro de los 30 días siguientes a la orden de suspensión, a salvo del supuesto en que se haya incoado ya dicho expediente.

En segundo lugar, descendiendo de contenido cultural, se situarían los «**edificios catalogados**» (artículo 16 de la Ley 7/2002, de 17 de diciembre, de Ordenación Urbanística de Andalucía; artículo 69 del Decreto Legislativo 1/2005, de 26 de julio, por el que se aprueba el Texto Refundido de la Ley de Urbanismo de Cataluña; artículos 77 y siguientes de la Ley 16/2005, de 30 de diciembre, Urbanística Valenciana).

Su régimen jurídico es urbanístico, pero, en el fondo, es la dimensión cultural inherente a estos bienes lo que motiva el hecho de la catalogación urbanística. Se sitúan éstos, por tanto, en un nivel de protección inferior a los BIC y superior respecto de otro tipo de edificaciones (las no catalogadas). Los problemas jurídicos principales que se plantean son dos:

1. La selección de este tipo de bienes a efectos de la catalogación. La jurisprudencia parte del hecho de la discrecionalidad administrativa, limitada en su ejercicio por los principios de motivación e interdicción de la arbitrariedad. En la práctica, no es fácil lograr la anulación de estas decisiones administrativas de catalogación, por contar con una presunción de veracidad en su favor.

2. La debida compensación económica por las limitaciones singulares de la propiedad que plantea la catalogación. Este tipo de limitaciones son inexigibles si no se otorga la debida compensación (STS de 18 de marzo de 1999 [RJ 1999, 2348]). Habría que distinguir a su vez tres tipos de limitaciones:

a) Las típicas limitaciones de carácter positivo, por ejemplo, la imposición de construir con materiales o formas o estilos especiales.

b) Limitaciones de carácter negativo, por ejemplo, la prohibición (en aras de proteger la dimensión cultural del edificio) de adaptar el edificio a las condiciones normales de habitabilidad propias o características de nuestro tiempo.

c) La limitación que supone el hecho de la prohibición de demolición total o parcial en caso de ruina del edificio.

d)   La limitación (que supone la catalogación) de no poder obtener el aprovechamiento urbanístico reconocido en las demás parcelas objeto de regulación por una ordenanza (STS, citada, de 18 de marzo de 1999 [RJ 1999, 2348]).

En tercer lugar, descendiendo de nivel cultural, pero con un régimen que puede estar muy próximo al anterior, estarían los edificios situados en las llamadas «**áreas de conservación**» o zonas de protección ambiental. En estos casos, de creciente aparición, la legalidad de las limitaciones de la propiedad que puedan decretarse presupone la aprobación de un instrumento jurídico (ordenanzas o planeamiento) que justifique la protección urbanística que merece la zona.

En cuarto lugar se sitúan, en fin, los **edificios en general** de la ciudad sin dimensión cultural especial. En torno a esta situación encuentran sentido las reflexiones que hemos venido haciendo *supra* en este trabajo. Dentro de este supuesto pueden a su vez distinguirse los casos de zonas sin interés arquitectónico, zonas ruinosas sin interés arquitectónico y además con deficiencias estructurales, y, finalmente, zonas marcadas por la infravivienda. Dejar la ciudad «a punto» lleva consigo ir matizando en función de la situación que se presente.

Capítulo VII

La inspección técnica de construcciones

1. CONTEXTO GENERAL DE LA INSPECCIÓN TÉCNICA DE CONSTRUCCIONES O EDIFICIOS

La presente inspección técnica tiende, básicamente, a lograr que las construcciones presenten un correcto estado edificatorio. Para ello se hace recaer sobre los propietarios la carga de demostrarlo y asegurarlo.

Aunque esta cuestión pudiera parecer «elemental», ciertamente ha tenido que pasar mucho tiempo, para que dicha «inspección» se contemple en las legislaciones urbanísticas. Estamos ante una de esas medidas legislativas cuya previsión misma en la norma está condicionada a un determinado desarrollo y evolución social. Es decir, si en dichas legislaciones se establece un régimen jurídico completo de «inspección técnica de edificaciones o construcciones» es porque se considera que, en la actualidad, estamos en condiciones, socialmente, de lograr la realización de este auténtico reto urbanístico.

No obstante, será obviamente la práctica del sistema (es decir, la realización o no de los logros que se pretenden) la que determinará el grado real de evolución social y de cultura urbanística de nuestra sociedad. El hecho de que la legislación prevea este tipo de medidas es sólo un primer indicativo de un posible desarrollo social y económico que ha de corroborarse desde el punto de vista de sus logros prácticos.

En lo ideológico, este tipo de disposiciones emparentan con los proyectos, de reforma ilustrada y del buen hacer urbanístico, de policía urbanística. Pero ya sabemos que, por eso mismo, los *proyectos ilustrados* se han visto históricamente muchas veces frenados por resistencias sociales. Se obliga al sujeto a actuar en su propio beneficio.

El problema jurídico surge considerando que a nadie se le obliga por ejemplo a que realice revisiones periódicas de su salud, pese al beneficio que ello acarrea al individuo y a pesar de ser más importantes las personas que los edificios. Si la inspección se prevé por referencia a las edificaciones es porque existen matices e intereses públicos, tutelables, en definitiva los inherentes a la conservación y seguridad de un edificio, en favor de sus habitantes y de terceros.

Por lo expuesto hasta el momento, conviene aportar, primero, argumentos de legitimidad del sistema de la inspección de edificaciones y, segundo, argumentos de legalidad, en su apoyo, para desvanecer cualquier tipo de duda frente a la procedencia de este tipo de inspecciones como sistema.

En términos de legitimidad la inspección técnica dignifica en cierta medida en el mercado el factor constructivo. Y tiende a que el comprador, ya que paga caro, obtenga a cambio un bien inmueble con unas ciertas garantías mínimas. La vivienda en nuestro país no tiene un precio más caro que en otros países de nuestro entorno cultural y económico; más bien, la vivienda en nuestro país es más cara porque lo que se adquiere suele tener una peor calidad.

Se entiende así el sentido de los Registros de inspección técnica de edificios, clave del sistema de inspección, para que todo el mundo pueda cerciorarse del estado del edificio. Indirectamente, se consigue así modular el precio de la vivienda, *procurando* corregir los referidos abusos de un mercado que, por sí solo, no considera debidamente estos factores constructivos.

Ilustrativa es la ordenanza municipal, reguladora del deber de conservación de edificación e inspección técnica de edificios, del Ayuntamiento de Zaragoza cuando afirma: «otro de los aspectos esenciales es el nacimiento de un Registro de Edificaciones, que va a permitir a la Administración y al particular, dado el carácter público del mismo, conocer el estado de la edificación en la ciudad, posibilitando futuras actuaciones urbanísticas, con mayor conocimiento de la situación real urbanística de los edificios. *La incidencia que esta normativa va a provocar en el ciudadano propietario de un inmueble es importante y por ello se considera esencial el elevar a un conocimiento exacto de su contenido y objeto al interesado destinatario. Para ello es preciso la puesta en marcha de campañas de información que permitan conocer el alcance de esta inspección técnica de edificios, y que la misma se instituye como una medida de fomento a la conservación de la edificación, más que como una acción de policía de la Administración Pública frente al ciudadano*».

Es igualmente legítimo evitar la especulación. Por eso, es lógica una «seguridad preventiva» frente a la ruina.

Como llega a afirmar esta misma ordenanza, de inspección técnica de Zaragoza, la regulación sobre ruina, «al amparo de la legislación autonómica, rompe con la objetividad de la situación ruinosa de un edificio. Es decir, anteriormente nuestra legislación contemplaba la ruina de forma objetiva y con independencia de los factores que pudieran haber intervenido o provocado la misma, al margen de otras acciones civiles o penales. _Pues bien, ahora el incumplimiento de una orden de ejecución que pudiera provocar la situación legal de ruina, determinará el incremento del deber de conservación originario, ampliándose en la medida necesaria para restaurar el inmueble en los términos señalados por la orden u órdenes de ejecución incumplidas._ Faculta igualmente este título la acción de la Administración encaminada a la conservación de determinados inmuebles, aun cuando pudieran encontrarse en situación ruinosa, ya que podrá alterar dicha situación, asumiendo el coste de las obras que sobrepasan al deber de conservación».

Legalidad y legitimidad coincidirían en el «argumento» de la función social de la propiedad, que recoge la Constitución española en su artículo 33. La posible desidia del propietario, en un plano privado o personal, es difícilmente corregible por el Derecho, no así si aquélla afecta a la colectividad.

En definitiva, la propia existencia de un Derecho público urbanístico explica que el tema edificatorio no puede moverse exclusivamente en una órbita privada o privatista. En el suelo urbano consolidado (la «ciudad hecha») están muy arraigados los derechos de los propietarios. Tradicionalmente, los posibles cauces de interferencia pública (y tan sólo local) han venido de la mano de la policía urbanística. Ésta corrobora, por su propia definición, que el eje del sistema se sitúa por referencia a los derechos de los propietarios, ya que, desde el ala del Derecho público, tan sólo se consigue de esta forma limitar o afectar los derechos de los particulares propietarios. En esto consiste el «Derecho de policía», un instrumento al servicio de (o, cuando menos, condescendiente con) la propiedad.

Por su parte, el Derecho urbanístico se ha referido, por el contrario, desde su origen, propiamente al suelo urbanizable, otorgando especial relevancia a los temas de planeamiento y de gestión, pensando en dicho suelo urbanizable desde la perspectiva de la función social de la propiedad. Es preciso ir superando este enfoque, llevando el Derecho urbanístico (y sus técnicas de planeamiento y hasta de gestión urbanística y de transferencias), con las oportunas correcciones o ajustes, al suelo urbano consolidado.

La inspección técnica de edificios no es, realmente, el objetivo social y jurídico del urbanismo en suelo urbano, a pesar de que de esta forma suele a veces presentarse este tema, de forma a mi juicio incorrecta. Dicha inspección es uno de los posibles medios para lograr algo más importante, es decir, el auténtico reto urbanístico y objetivo urbano que es la rehabilitación integral de las ciudades. Lo importante es la superación de las distintas anomalías estructurales de las ciudades, no sólo de aquellas que afectan al edificio concreto. Dicho sea gráficamente, el objetivo es conseguir, con eficacia y rapidez, que unos edificios dejen de «mirar» para un lado mientras que otros contiguos en la misma calle miran para un lado opuesto; es conseguir que unos edificios no tengan una altura determinada mientras otros colindantes tienen otra altura completamente diferente, entre un largo listado de anomalías de todo tipo que podríamos destacar.

Es evidente que la inspección técnica de las edificaciones o construcciones es, en cuanto tal, un instrumento insuficiente para lograr estos objetivos, ya que tan sólo se refiere al edificio aislado, sin preocuparle las cuestiones principales que acabo de esbozar. Es, cuando más, un instrumento disponible o técnica o regulación, junto a otros u otras posibles.

Prueba de esta conexión, entre la inspección técnica y la rehabilitación, es que no falten reglamentaciones (así, la ordenanza de referencia del Ayuntamiento de Madrid) que hayan optado por regular la inspección técnica de edificaciones en conexión con la rehabilitación urbanística. Parece necesario un mayor esfuerzo en este sentido, de regular adecuadamente la rehabilitación urbanística integral de las ciudades, bien en este contexto bien de forma separada.

Dicha «inspección técnica» se sitúa *en la tendencia* correcta de ir procurando la rehabilitación integral de barrios y áreas urbanas. Aquélla ha de entenderse como un paso adelante en la evolución de nuestro urbanismo. Pero no como un objetivo único. Paralela o coordinadamente ha de llevarse a cabo la rehabilitación junto a la inspección técnica. Ésta no distingue entre los edificios, más que en razón de su antigüedad; aquélla matiza los destinos posibles de los edificios en función de distintos factores, a modo de una reforma interior, aunque (a diferencia de los Planes especiales) los de rehabilitación tienen mayor alcance porque conjugan perfectamente la policía urbanística con el fomento.

Es, no obstante, cierto que la «inspección técnica» indirectamente también podrá motivar la sustitución o demolición en el caso concreto, ya que el propietario, a la luz de las inversiones necesarias para repararlo, podrá preferir su derribo. Éste sería un elemento de interés, de la inspección técnica, su apoyo indirecto a la rehabilitación. Un «elemento» interesante pese a su limitado alcance. Por contrapartida, también puede argumentarse que la conservación retrasa la ruina y la posible sustitución del edificio.

Lógicamente, el momento de la reconstrucción será el momento clave en el cual el Ayuntamiento (si lo hace bien) podrá exigir, al fin, que dicho edificio se ajuste a lo que interesa en sentido público, superándose las anomalías a las que _supra_ me refería.

En cuanto a la gestión del sistema, cabría una gestión pública directa o a través de sociedades públicas o mixtas. También cabría un sistema de concesión. Y finalmente lo habitual es que la ITE la lleven a cabo profesionales en un régimen liberalizado. Un problema puede ser que el mercado puede generar entonces numerosas empresas dispuestas a certificar a bajo coste. Tampoco siempre las ordenanzas exigen una formación especial a los sujetos con capacidad de certificar.

En definitiva, la función pública de inspección no se lleva a cabo generalmente por los Ayuntamientos, sino por profesionales. Como razona la ordenanza del Ayuntamiento de Madrid, la función de inspección puede delegarse en los colegios profesionales.

Los planteamientos que han sido esbozados merecen, algunos de ellos, un mayor comentario. En especial, puede hacerse referencia, seguidamente, primero a algunos aspectos relativos al régimen jurídico de la inspección técnica. En segundo lugar, pueden presentarse las distintas opciones que tiene ante sí actualmente un Ayuntamiento a los efectos de regular el presente tema mediante ordenanza, profundizando en la posible conexión entre inspección técnica, órdenes de conservación y rehabilitación.

2. SISTEMA DE FUENTES. RÉGIMEN JURÍDICO FUNDAMENTAL DE LAS NUEVAS ORDENANZAS DE INSPECCIÓN TÉCNICA

La inspección técnica de edificaciones se prevé actualmente, en un plano legislativo, en las leyes urbanísticas de las Comunidades Autónomas y también (dado el caso) en sus Reglamentos de desarrollo. Así, la Comunidad de Castilla y León regula el particular no sólo en la Ley de Urbanismo 5/1999 sino también en el Reglamento de esta Ley aprobado por Decreto 22/2004.

Pero el tema llega, además, a las ordenanzas locales. Buena parte de los Ayuntamientos españoles se han dotado de ordenanzas que regulan la referida inspección. Y no sólo los grandes municipios que sean capitales de provincia cuentan con estas ordenanzas. Por ejemplo, puede citarse la ordenanza sobre inspección técnica de edificios y construcciones del Ayuntamiento de San Sebastián de los Reyes, aprobada por el Ayuntamiento Pleno el 15 de noviembre de 2001 (publicada en el BOCM el 30 de enero de 2002, nº 25).

Las ordenanzas de «inspección técnica» empiezan hoy a proliferar. Es éste, en el presente, uno de los retos urbanísticos de los Ayuntamientos. La inexistencia de una ordenanza llega a valorarse como «desidia e inactividad de las Administraciones» y como dejación de sus obligaciones a favor de la especulación de los propietarios[138].

El objeto de las ordenanzas es la seguridad constructiva de edificios con apoyo en el deber de conservación, que corresponde a los propietarios, tanto en lo relativo a la seguridad como a la salubridad o al ornato público, aunque las ordenanzas sobre inspección técnica puedan limitar el alcance de la referida inspección a la seguridad del edificio, si bien otras (así, la de Sevilla) en su artículo 3 («contenido del certificado de Inspección Técnica de la Edificación») afirma que «el certificado de Inspección Técnica de la Edificación garantizará que la misma reúne las condiciones de *seguridad, salubridad y ornato público,* establecidas en el Plan General Municipal de Ordenación, *especialmente,* en lo relativo a elementos de fachadas a espacios de uso público, estabilidad estructural, impermeabilización de cubiertas e instalaciones primarias» (igualmente, en el artículo 7).

En cambio, por ejemplo en la ordenanza de Zaragoza ciñe motivadamente este deber a la seguridad: «en principio, y según se desprende del articulado, el alcance de la inspección técnica de la edificación se circunscribe en el ámbito del deber de conservación, exclusivamente a lo que son condiciones de seguridad, dejando fuera otros aspectos como la salubridad y el ornato. Incluso dentro de la seguridad del edificio, sólo se abarca la seguridad constructiva, dejando al margen otro tipo de cuestiones como las instalaciones de calderas, refrigeración, ascensores, etc. Esta limitación no es gratuita o injustificada. *La intención primordial ha sido no incluir aspectos que pudieran dificultar, al menos en este paso inicial, la puesta en funcionamiento de la misma. Extender el ámbito a otros aspectos, provocaría el nacimiento de injerencias de la normativa y competencias locales respecto de otras administraciones, así como una complejidad en la elaboración del informe de inspección técnica de edificaciones (en*

---

138. Puede verse, así, la noticia (recogida en www.larioja.com/pg040421/actualidad): «el PSOE reclama al Ayuntamiento una ordenanza de inspección técnica de edificios para su mantenimiento y seguridad».

adelante también ITE), toda vez que exigiría la intervención de un equipo multidisciplinar, encareciendo notablemente los costes de la ITE».

Mediante la inspección técnica, en definitiva, se obliga a los propietarios a solicitar un dictamen, que les conviene, a un profesional técnico titulado legalmente competente (generalmente un arquitecto, aunque las ordenanzas o la legislación urbanística llegan a admitir profesionales de titulación de diversa procedencia).

No todos los edificios quedan sujetos a este deber de inspección y conservación. Tan sólo los que cumplan una determinada antigüedad o plazo. Así, la inspección se origina al día siguiente de cumplir el edificio veinte años, en Madrid, por ejemplo; pero son treinta años, cumplidos al 1 de enero de cada año, los requeridos en el municipio cercano de San Sebastián de los Reyes.

Algunas ordenanzas (así la de Granada, en su disposición transitoria) llegan a matizar la entrada en vigor del sistema de inspección técnica mediante un calendario que, año tras año, va afectando a un mayor número de edificaciones (primero, aquellas catalogadas y que tienen más de 45 años desde el año 2002 –inspección en 2002–; segundo, aquellas que tengan más de 75 años en el año 2002 –inspección en 2004–; tercero, más de 60 años y menos de 75 –año 2006–; más de 45 años –año 2007–).

Por su parte, la vigente Ordenanza de Málaga legitima, a la Gerencia Municipal de Urbanismo, para imponer a los propietarios de cualquier edificación, «aunque no alcance los 20 años de antigüedad, la realización de la inspección técnica, cuando por los servicios técnicos municipales se aprecie la existencia de daños, o que su conservación no es adecuada». Las ordenanzas pueden precisar, además, el concepto de edificio o de construcción, a efectos de concretar su ámbito de aplicación, caso de la ordenanza de Granada.

Más concretamente, dichas ordenanzas especifican el «contenido del informe de la inspección técnica», es decir, los elementos del edificio que son objeto de control. Así, por ejemplo, el artículo 6 de la vigente ordenanza de Granada establece:

Los informes técnicos consignarán, cuando menos, los siguientes extremos:

– Estado general de la estructura y cimentación.

– Estado general de las fachadas exteriores o interiores, medianerías y, en especial, los elementos que pudieran suponer un peligro para la vía pública, tales como petos, terrazas, placas, marquesinas, balcones y demás elementos análogos.

– Estado general de conservación de cubiertas y terrazas.

– Estado general de las instalaciones básicas de fontanería, electricidad y saneamiento del edificio[139].

Y un régimen similar se prevé en las demás ordenanzas.

La inspección no será sólo «visual», ya que ésta podrá no ser suficiente para conocer el alcance de los daños. En tal caso, deben emplearse otros métodos, tales como calas, testigos, ensayos, etc.

Los propietarios pasan a tener la obligación de llevar una ficha técnica del edificio y de hacer periódicamente revisiones y presentar un certificado o informe sobre el estado del edificio.

El resultado de la inspección se consigna en el «Informe de inspección técnica». Dicho Informe podrá ser favorable o desfavorable. En el primer caso, la propiedad salva el obstáculo y espera a la próxima revisión del edificio, conforme al plazo establecido al efecto por la legislación. En el segundo, habrán de hacerse las reparaciones que precise el Informe, sin perjuicio de posibles multas y de la aplicación de la ejecución subsidiaria.

Siguiendo esta vez la ordenanza al uso del Ayuntamiento de Madrid, seguramente la más conocida a nivel nacional hasta la fecha, el régimen puede sintetizarse de la forma que sigue: «el resultado de la inspección se comunicará por la propiedad, mediante copia del formulario de inspección debidamente visado por el Colegio profesional correspondiente, a la Administración municipal, que hará constar en el Registro su carácter favorable o desfavorable».

Si el resultado de la inspección fuere desfavorable, el Registro remitirá el informe emitido a los servicios municipales competentes, que girarán visita de inspección y ordenarán lo que proceda de conformidad con lo establecido

---

139. En efecto, siguiendo esta misma ordenanza, previamente, el mismo precepto, desde un punto e vista general, afirma que «el informe técnico que se emite a resultas de la inspección deberá consignar el resultado de la misma con descripción de los desperfectos y las deficiencias apreciadas, sus posibles causas y las medidas recomendadas, fijando, en su caso, un orden de prioridad, todo ello con la finalidad de asegurar la estabilidad, la seguridad, la estanqueidad y consolidación estructurales, así como para mantener o recuperar las condiciones de habitabilidad o de uso efectivo según el destino propio de la construcción o edificación de que se trate (...)».

en esta Ordenanza. La subsanación de las deficiencias se hará constar igualmente en el Registro.

En este caso hay que llevar a cabo, entonces, el «cumplimiento de la obligación de efectuar la inspección»:

– Si transcurrido el plazo para efectuar la inspección del edificio el propietario no la hubiere realizado, la Gerencia Municipal de Urbanismo le ordenará la realización de la misma, otorgándole un plazo de tres meses para hacerla, con advertencia de imposición de multas coercitivas y ejecución subsidiaria.

– Si transcurrido el plazo señalado en el párrafo precedente la propiedad no hubiere cumplido lo ordenado, sin perjuicio del recurso en último término a la ejecución subsidiaria, el Gerente podrá imponer a la misma multa coercitiva de 75.000 pesetas. La resolución otorgará otro plazo igual para su cumplimiento.

El número de multas coercitivas impuestas no podrá exceder de tres.

– Si persistiere en el incumplimiento, la Gerencia podrá proceder a realizar la inspección subsidiariamente, en los términos de la Sección 4ª del Capítulo II de este Título, con la particularidad de que la notificación al interesado de la identidad del contratista y el presupuesto a que se refiere el art. 19.2, serán sustituidos por la identidad del colegiado designado para realizar la inspección y el importe de los honorarios a percibir por éste.

Para ello, la Gerencia podrá formalizar convenios con los Colegios Profesionales correspondientes al objeto de que los colegiados que reúnan los requisitos de capacitación técnica que se hayan convenido, realicen bajo su personal responsabilidad la inspección. La designación del colegiado la efectuará el Colegio según su normativa interna. El convenio determinará los honorarios a percibir por el designado, que serán exaccionados por la Administración municipal a los propietarios, pudiendo recurrir, en su caso, a la vía de apremio.

En caso de no formalizarse tales convenios, «la Gerencia podrá, si lo considera conveniente, organizar un turno al que podrán acceder todos aquellos titulados colegiados que reúnan los requisitos de capacitación técnica que determine el Consejo de Gerencia. La designación de los mismos se hará de forma rotatoria por orden de antigüedad en la lista».

La inspección técnica arraiga en la policía urbanística, pero enlaza con el fomento. En este sentido, se prevén subvenciones o ayudas a los propietarios que carezcan de recursos suficientes para realizar dicha inspección. Pueden por ejemplo citarse las Normas básicas para el otorgamiento de subvenciones para el período 2000-2005 del Ayuntamiento de Madrid (BO del citado Ayuntamiento, de 11 de enero de 2001, a donde me remito en lo relativo al objeto de la subvención, la cuantía, las ayudas, la tramitación y la documentación).

La regulación de las subvenciones puede estar integrada en la propia ordenanza de inspección técnica, caso del Ayuntamiento de Granada.

Suele afirmarse, en un plano social, que son tantos los requisitos exigidos por las ordenanzas, para ser beneficiario de una ayuda, que, finalmente, aquéllas no suelen representar un instrumento relevante en el contexto general de la inspección técnica de edificaciones.

El régimen de la inspección técnica de edificios o construcciones consigue trascender de la policía urbanística, pero es un instrumento incompleto en aras de lograr la rehabilitación adecuada de áreas urbanas. El único instrumento auténticamente integrador de la policía, el planeamiento y el fomento, desde el punto de vista rehabilitador, es precisamente el plan de rehabilitación integral. En dicho plan constarían los destinos de los edificios, las limitaciones, las inspecciones necesarias y las demoliciones y sustituciones que convengan.

En ausencia de este sistema, es cierto que la inspección técnica puede ser relevante, en especial considerando que no hace falta elaborar un plan, para que dicha inspección se ponga en marcha, por bastar con que el edificio consiga una edad determinada que impone su reciclaje u observación.

3. PLANTEAMIENTOS POSIBLES EN LA REGULACIÓN MEDIANTE ORDENANZA DE LA INSPECCIÓN TÉCNICA DE EDIFICACIONES Y CONSTRUCCIONES. DISTINTOS NIVELES DE CALIDAD JURÍDICA

Un Ayuntamiento que quiera dictar una ordenanza en esta materia tiene ante sí distintas opciones por las que puede optar, en función de su mayor o menor ambición en materia edificatoria.

Es común que las ordenanzas existentes sobre inspección técnica regulen también el tema de las «órdenes de conservación por motivos de seguridad, salubridad y ornato público», aunque, a la hora de regular la inspección técnica, se matice la obligación y se centre ésta en torno a ciertos elementos del edificio generalmente estructurales y que afectan en su mayor parte a la seguridad.

Pero, como ya nos consta, no faltan casos (como el del Ayuntamiento de Sevilla) que pretenden una correspondencia exacta entre el deber de los propietarios de mantener la propiedad en condiciones adecuadas de seguridad, salubridad y ornato público, por una parte, las órdenes municipales de conservación por iguales conceptos, por otra parte, y, finalmente, el propio régimen de inspección técnica, centrando todos ellos en torno a la seguridad, salubridad y ornato público.

Sin embargo, no es, evidentemente, lo mismo, el deber de los propietarios (centrado desde siempre) en la seguridad, salubridad y ornato público (sin perjuicio de otros *deberes,* como la habitabilidad o la prevención de riesgos, tal como prevé por ejemplo la legislación urbanística de Castilla y León), que las órdenes por estos motivos y, sobre todo, que el deber de inspección técnica que recae sobre los propietarios.

Es decir, si el citado «deber» es incuestionable, otra cosa distinta es sobre quién recae la carga de su realización. Tradicionalmente, se entendía que el sentido de la plasmación normativa del referido deber estaba en legitimar una orden municipal sobre la propiedad. Esto es, igualmente, incuestionable. Cosa distinta es que, del deber referido, se origine una obligación de igual alcance cuya realización corresponda *ab initio* a la propiedad desde la perspectiva de la inspección técnica. De ahí seguramente que las ordenanzas municipales, dictadas hasta el momento, suelan limitar el alcance de la inspección técnica y centrarlo en torno a ciertos elementos estructurales que afectan a la seguridad del edificio. Habría un mayor margen de acción de las órdenes de conservación, al que la inspección no llega. Aunque en la práctica sea todo lo contrario. Porque las órdenes de conservación no se han venido aplicando nunca en materia de ornato público y poco en los demás ámbitos. Sería y es, en la práctica, compleja una orden de conservación, incluso por motivos de seguridad, con el alcance requerido por el Informe de inspección técnica conforme a los requisitos que impone el ordenamiento jurídico.

Por tanto, un Ayuntamiento que quiera realizar una ordenanza en materia de inspección técnica, se enfrenta con tres posibilidades, que se corresponderían con tres niveles de calidad jurídica.

El primero, es ceñirse a la citada inspección, matizando la legislación urbanística autonómica.

El segundo, añadir, seguramente como partes precedentes a aquella otra de inspección, otras relativas a las órdenes de conservación y ruina.

El tercero, completar lo anterior con una regulación de la rehabilitación urbanística, sin perjuicio de la normativas estatal y autonómica sobre el particular, y por ello mismo.

En este contexto, un ejemplo aislado, es la ordenanza sobre conservación, rehabilitación y estado ruinoso de las edificaciones, aprobada por el Ayuntamiento de Madrid por acuerdo plenario de 28 de enero de 1999, a la que nos hemos venido refiriendo. Y ni siquiera la regulación prevista tiene amplios contenidos (artículos 33 y siguientes de la ordenanza). Destaca, eso sí, la propia relación que se consigue entre «inspección técnica» y «rehabilitación».

La primera operaría en torno a todo tipo de edificio, pero no impediría una actuación de talante rehabilitador, sobre edificios particulares o sobre áreas de rehabilitación previamente definidas. Esto es importante porque consigue matizar y perfeccionar el propio régimen de la inspección técnica, ya que la rehabilitación consigue discriminar entre los edificios y el alcance de la intervención, superando las limitaciones propias de la referida inspección.

Interesante es la proyección de la rehabilitación hacia la «infravivienda» como objetivo de la rehabilitación (artículo 33.2 de la citada ordenanza). Primero, porque el concepto de infravivienda podría permitir un relativo amplio margen de acción, al Ayuntamiento, considerando que la evolución social lleva a ser cada vez más exigente con aquello que debe ser vivienda digna, por contraposición a la «infravivienda». En este sentido, la propia ordenanza considera «infravivienda» el incumplimiento de ciertas prescripciones relativas a la altura del edificio, junto a otras mencionadas en dicho artículo. Y, segundo, porque se consigue segregar el caso de la infravivienda de la «inspección técnica de edificaciones». En efecto, estamos en estos supuestos claramente ante algo más que una simple inspección técnica tendente a una conservación. Estamos ante una lógica de rehabilitación urbanística que debe imponer la sustitución porque es más rentable, para el poder público, subvencionar la sustitución que subvencionar un edificio de aspecto insalubre y difícilmente habitable.

Lógicamente, toda opción de aprobar una ordenanza sobre este tema ha de seguir la legislación. En Castilla y León, por ejemplo, es preciso considerar especialmente los artículos 315 y siguientes del Decreto 22/2004 por el que se aprueba el Reglamento de Urbanismo. La obligación de la inspección técnica se extiende a los municipios de 20.000 habitantes y con Plan General. Interesante, por controvertida, es la posibilidad de que el Plan justificadamente limite la obligatoriedad a determinados ámbitos o edificios. Esta posibilidad excepciona los criterios legales, que no discriminan entre edificios, más que en razón de la antigüedad. De ahí que toda opción de limitar el alcance de la ley y del reglamento debe justificarse y aplicarse criterios objetivos. Por otra parte, la inspección técnica se refiere a la seguridad y a la salubridad, aunque el Plan General puede extenderla por motivos de ornato y habitabilidad.

El destinatario de la obligación es, evidentemente, el propietario. La clave está en el certificado de inspección suscrito por técnico competente respecto del cual el propietario ha de presentar una copia al Ayuntamiento (artículo 318 del Reglamento de Urbanismo de Castilla y León).

Capítulo VIII

Régimen jurídico de la estética en el Derecho urbanístico. En especial la normativa local

1. LA ESTÉTICA EN EL URBANISMO MODERNO

Cualquiera sabe que, en la práctica urbanística, la estética ocupa una modesta posición por referencia a otros temas que merecen una mayor atención, pues tampoco en la legislación urbanística se regula aquélla de forma sistemática y completa; en este sentido, en Francia se ha llegado a detectar un fenómeno de *incomodidad* que en los ámbitos jurídicos genera la estética, acompañado de otro fenómeno de «intencionada declaración de inadmisibilidad de la demanda –por parte del Consejo de Estado–» para no tener que enjuiciar este tipo de supuestos («irrecevabilité pour échapper au débat sur l'esthétique»)[140].

No obstante, el logro de una ciudad de bellos efectos y dimensiones es uno de los elementos más valorados por los ciudadanos. Y, en esta línea, se ha llegado a estimar que la propia «rehabilitación de los centros históricos parte precisamente de la valoración estética de la cual gozan intrínsecamente este tipo de zonas»[141]. Una ciudad que cuida la estética de sus edificios y

---

140. J. MORAND-DEVILLER, «Protection du patrimoine architectural: de débat esthétique n'aura pas lieu», *RFD adm*, 1994, nº 10 (2), pp. 311 y ss. (p. 318). Se citan, como ejemplo, los Arrêts de 29 de diciembre de 1992 y 3 de marzo de 1993 en los que entraba en colisión la construcción de una autopista con los valores culturales y estéticos de determinados bienes históricos; véase también A. PLANTEY, «Droit de l'esthétique urbaine» en: A. PARINAUD (director), *La coleur et la nature dans la ville*, Paris, 1988, p. 172.

141. P. L. CERVELLATI, *La città bella*, Bologna, 1991, p. 33 y 99: «sappiamo ormai tutti che l'ambiente naturale e il contesto storico, se non altro per la loro esiguità, assumono valori che travilicano "l'estetico" e diventano fondomentali per la sopravvivenza degli insediamenti umani, per poter continuare a definire "civile" un determinado luogo». A un resultado muy similar llega A. RIOU, «Les différent types de protection des immeubles ou des ensembles inmobiliers», *Les petites Affiches*, nº 63, 1977, p. 4.

zonas vendría a ser un positivo reflejo del nivel cultural de sus habitantes[142], tal como destacaron los clásicos tratadistas españoles en materia arquitectónica, al decir que «la nobleza consiste primeramente en la gente y en los edificios y cosas memorables que haya en tal lugar»[143]. En este sentido, el logro de la estética en las ciudades es una cuestión de prestigio, actualmente de sus habitantes, históricamente del *Monarca,* pues en gran medida su propio prestigio, orgullo o estima personal dependía de la imagen de su ciudad residencial. Esta última afirmación puede corroborarse seguidamente, a través de una referencia histórica sobre el «esplendor de la estética».

2. ESTÉTICA EN EL «URBANISMO HISTÓRICO». EL ESPLENDOR DE LA ESTÉTICA Y SU CRISIS

Podrían seleccionarse dos períodos históricos ejemplares en cuanto al cuidado de la estética en las ciudades. El primero en España, la ciudad del Siglo de Oro español: los distintos cronistas de la época coinciden en destacar una especie de inquietud social general por el logro de la belleza de las casas y edificaciones (debiendo éstas procurar el «gran plazer y deleyte» a quienes las contemplaran), especialmente por parte de los nobles (preocupados por la suntuosidad y belleza tanto en el interior como en la fachada) y por parte de una cuidadosa acción administrativa policial. En definitiva, la ciudad del Siglo de Oro es *consciente* del momento de universalidad que vive España por entonces y, sin desconocer las realizaciones arquitectónicas en el extranjero clásicas y coetáneas (especialmente en Italia), España crea un estilo arquitectónico propio para la ciudad del momento («clasicista y austero y procurando la homogeneidad»)[144] en consonancia con las acciones regias (principalmente *El Escorial*). Este *estilo* se proyectó claramente sobre las distintas ciudades españolas de América mediante su precisa regulación y ordenación conforme a las «ordenanzas de descubrimiento y población dictadas para la construcción de las ciudades españolas en América»[145], de modo similar a como harán los franceses con Versalles. La vocación estética se deja

---

142. Sobre la estética como valor cultural y educativo G. VEDEL, «L'esthétique, element de l'étique démocratique» en: DUBY/RIVERO/VEDEL/LANVERSIN, *L'esthétique urbaine,* Paris, 1992, pp. 54 y ss.

143. D. DE FRÍAS, «Diálogo en alabanza de Valladolid», en: *Diálogos de diferentes materias hechos por Damassio Defrias y Balboa,* 1579; recogido por N. ALONSO CORTÉS, en: *Miscelánea Vallisoletana,* 1955, tomo I, pp. 225 y ss.

144. A. BONET CORREA, «Las ciudades españolas del Renacimiento al Barroco», en *Vivienda y urbanismo en España,* Barcelona, 1982, p. 126.

145. Véase R. BREWER-CARIAS, *La ciudad ordenada,* Madrid, 1997, pp. 146 y ss.

sentir en el conjunto de la sociedad y, en este sentido, ha llegado a constatarse una interesante concepción de la «ciudad como teatro», principalmente por el adorno y realizaciones *urbanísticas* realizadas en la ciudad con ocasión de las fiestas motivadas por los desplazamientos regios.

El segundo, en Francia, la ciudad llegó a ser concebida como un fenómeno esencialmente estético, en tiempos del neoclasicismo del siglo XVIII. Interesante es que, en este momento histórico, la estética se erige en la guía esencial de las acciones *urbanísticas*[146], propugnándose y poniéndose en práctica un sencillo programa urbanístico basado primordialmente en la idea del «embellecimiento total» de la ciudad[147].

La estética encuentra en este momento su razón de ser hasta el punto de que la configuración teórica que recibe por entonces va a lograr constituirse en la referencia esencial de la «estética en sentido clásico», para los siglos venideros[148].

Lejos de ser una simple «apreciación subjetiva» aquélla es considerada como un fenómeno puramente racional y objetivo. La belleza real se encuentra en la razón y no en la impresión («la beauté véritable ne se trouve que lorsque la raison nous a portés au delà de nos impressions»)[149] y de esta

---

146. Véase S. E. RASMUSSEN, *Villes et architectes. Un essai d'architecture urbaine par le texte et l'image,* L'Equerre 1984 (traducción de M. SURDUTS), pp. 67 y ss. y 143 y ss.; sobre la estética como valor urbanístico en el pasado histórico: H. E. SPECKER (coordinador), *Stadt und Kultur,* Ulm, 1983 y distintas contribuciones en K. KRÜGER (coordinador), *Europäische Städte im Zeitalter des Barocks,* Köln, 1988. En Francia, J. L. HARQUEL, *L'embellissement des villes. L'urbanisme français au XVIII siècle,* Paris, 1993, pp. 55 y ss., pp. 116 y ss., pp. 146 y ss.

147. Sobre la obsesión estética y el «enbellissement» como base de las acciones urbanísticas de los monarcas franceses del Absolutismo puede verse, con citas de las distintas realizaciones y de los Tratados y arquitectos que desarrollaron el tema de la estética arquitectónica: A. BABEAU, *La ville sous l'Ancien Régime,* Paris, 1880; A. CHARRÉ, *Art et urbanisme,* Paris, 1983, pp. 70 y ss.; J. M. DUDOT/B. FLOUZAT/M. MALCOTTI/D. RÉMY, *Le devoir d'embellir. Essai sur la politique d'embellissement à la fin de l'Ancien Régime,* Nancy, 1976; P. LAVEDAN, *L'urbanisme a l'époque moderne. XVI-XVIII siècles,* Paris, 1982; J. C. PERROT, *Genèse d'une ville moderne. Caen au XVIII siècle,* Paris, 1975, N. PEVSNER, *Génie de l'architecture européenne* (traducción francesa), Paris, 1992, pp. 270 y ss.; A. PICON, *Architecture et ingénieurs au siècle des lumières,* Paris, 1988, pp. 172 y ss. En la época, una obra que simboliza la «campaña» del embellecimiento de la ciudad como objetivo básico y primodial es la de LAUGIER, *Essai sur l'architecture,* 1753 y *Observations sur l'architecture,* 1765, propugnándose (por otro famoso tratadista: PATTE) la idea del «embellecimiento total».

148. Por otra parte, como apunta F. CHUECA GOITIA, «La época de los borbones», en el libro colectivo *Resumen histórico del urbanismo en España,* Madrid, 1987 (editado por el Instituto de Estudios de la Administración Local), p. 216, «antes de la era barroca, el urbanismo como arte conscientemente manipulado, con recursos de escuela, no había existido».

149. J. RYKWERT, *Les premières modernes: Les architectes du XVIII siècle,* Paris, 1991, pp. 345 y ss. y p. 55.

forma el iluminismo[150] se refleja en la ciudad contra la insalubridad, desarmonía y oscuridad de las calles[151].

Todo esto no puede extrañar considerando que la estética es la ciencia de moda del momento y punto de referencia para otras realidades[152], como el propio urbanismo, simple plasmación de un dibujo preconcebido racionalmente en una idea de orden y sistema[153].

En este contexto es como se comprenden también las exhaustivas reglamentaciones acerca de las formas, proporciones, materiales, etc. de las construcciones o inmuebles[154], temas que eran objeto de especial consideración en la propia Enciclopedia de Diderot[155].

150. En general sobre el ideario ilustrado: C. DE CASTRO, *Campomanes. Estado y reformismo ilustrado*, Madrid, 1996; S. M. CORONAS GONZÁLEZ, *Ilustración y Derecho. Los fiscales del Consejo de Castilla en el siglo XVIII*, Madrid, 1992; A. DOMÍNGUEZ ORTIZ, *La España de la Ilustración*, Madrid, 1988; M. GARCÍA PELAYO, «El estamento de la nobleza en el despotismo ilustrado español», *Moneda y Crédito*, nº 17, 1946; F. J. GUILLAMAN ÁLVAREZ, en: C. CREMADES GRIÑÁN/A. DÍAZ BAUTISTA (coordinadores), *Poder ilustrado y Revolución*, Murcia, 1991; J. A. MARAVALL, *Estudios de la historia del pensamiento español: siglo XVIII*, Madrid, 1991 pp. 269 y ss.; E. MARTÍNEZ RUIZ, *La seguridad pública en el Madrid de la Ilustración*, Madrid, 1988; L. SÁNCHEZ AGESTA, *El pensamiento político del despotismo ilustrado*, Sevilla 1979; F. SÁNCHEZ BLANCO, *El ensayo español. El siglo XVIII*, Barcelona, 1997.

151. En efecto, toda esta filosofía emparenta con la necesidad de realizar la salubridad (P. SADDY, «Le cycle des immondices», en *Dix-huitième siècle*, Paris, 1977, pp. 203 y ss.).

152. Durante el siglo XVIII la Estética consiguió convertirse en la disciplina (filosófica) de moda en los distintos países europeos. No serían pocos los ejemplos de la proyección de esta *ratio* sobre el urbanismo. Ejemplo son las obras de A. G. BAUMGARTEN, *Aesthetica* (1750) o distintas aportaciones filosóficas de E. BURKE y D. HUME o A. GÉRARD sobre «lo bello» o «el gusto». Estas tendencias arraigan con la Antigüedad Clásica y alcanzan su punto de inflexión con «el Absolutismo estético», ya en el siglo XIX cuando se llega a sublimar al artista y se elabora la idea del «genio» (SCHELLING, SCHLEGEL). Tras este momento de florecimiento, la Estética se diluye en las Ciencias Humanas y el Positivismo; véase S. MARCHÁN FIZ, *La estética en la cultura moderna*, Madrid, 1982, p. 245; véase también sobre los autores citados en esta nota, y su contribución a la estética, D. HUISMAN, *L'esthétique*, Paris, 1954, *in toto;* así como J. FERRATER MORA, *Diccionario de Filosofía*, Barcelona, 1991, ambos con una abrumadora bibliografía; J. JIMÉNEZ, *La estética como utopía antropológica*, Madrid, 1983.

153. Es ilustrativo el caso de la ciudad alemana de Karlsruhe, que se funda en este momento y que es expresión del ideario ilustrado urbanístico: un palacio que origina la ciudad da pie para la construcción de calles que guardan proporciones simétricas respecto del palacio del monarca y se acomodan a su estilo arquitectónico. Véase el vídeo realizado por P. y S. LUDÄSCHER, «Die raum– zeitliche Entwicklung einer Stadt am Beispiel Karlsruhe» (Universidad de Karslruhe, Geographisches Institut, dirigido por A. KILCHENMANN, Wissenschaftlicher Film 1983). En Francia, véase P. M. HOHENBERG/L. H. LEES, *La formation de l'Europe urbaine (1000-1950)*, Paris, 1992, pp. 203 y ss. con un estudio de la arquitectura en tiempos del absolutismo desde este punto de vista.

154. Véase sobre esto J. L. HARQUEL, *L'embellissement des villes. L'urbanisme français au XVIII siècle*, Paris, 1993, pp. 231 y ss.

155. Interesantes son también las reflexiones de Descartes, en *El Discurso del método* (segunda

En cuanto al estilo –como finalidad estética– es característico el proceso de construcción de edificaciones regias que marcan las pautas estilísticas de los demás edificios de la localidad.

El programa del «embellecimiento total» de la ciudad fue ejecutado por ejemplo en las Ciudades-Estado italianas[156], las villas barrocas o neoclásicas francesas[157], la ciudad de Madrid[158] y otras en España[159], así como en las distintas ciudades centroeuropeas: en gran medida el esplendor de la estética fue debido a la rivalidad estética de las capitales entre sí, como pudo ser la rivalidad de todas las ciudades europeas importantes con París y Versalles, en general, o por ejemplo la rivalidad entre Dresde y Praga, en particular[160].

---

parte «El racionalismo») contra la ciudad medieval y a favor de la afirmación de un *modelo racional:* «esas viejas ciudades están por lo general tan mal ordenadas en comparación con las construcciones regulares que un ingeniero realiza según su fantasía en un plano (...)».

156. El Neoclasicismo conectaría con el Renacimiento en este punto. Como ejemplo de ciudad renancentista preocupada por el logro de la estética sería Florencia, donde el boato de la ciudad está aparejado con el poder de los Médicis; véase P. MERLIN, *La croissance urbaine,* Paris, 1994, p. 30; P. MURRAY, *L'Architecture de la Renaissance italienne,* (traducción) Paris, 1990, pp. 224 y ss. con una referencia a distintas villas; E. GUIDONI/A. MARINO, *Historia del urbanismo. El siglo XVI* (edición española, Madrid, 1985) *in toto;* véase también R. BREWER/ CARIAS, *La ciudad ordenada,* Madrid, 1997, pp. 146 y ss., en relación con la aportación española en este contexto.

157. Y no sólo en Versalles sino también en Charleville o, más tarde, en Richelieu. Con numerosos ejemplos, J. CASTEX, *Renaissance, barroque et classicisme,* Dijon, 1990, pp. 193 y 345 y ss. y la bibliografía francesa citada aquí en las notas precedentes.

158. Así, puede citarse en este contexto el Decreto de 14 y provisión del Consejo de 20 de octubre de 1788 (recogido como Ley VII de la Novísima Recopilación dentro del Libro III Título XIX) dictado con el fin de que se adoptaran las medidas necesarias para «lograr casas decentes» y «mejorar el aspecto del pueblo y de sus calles». Antecedentes por supuesto no faltan cuando se trata de buscar en el pasado ejemplos de medidas que procuran la limpieza de las ciudades, como lo es una Real resolución de 6 de junio de 1659, al exigir a los Regidores el cuidado muy especial de la «limpieza y empedrado en la corte, dando primeramente cuenta –en el Consejo– del estado de la limpieza y empedrado», de modo que «los obligados lo están a empedrar las calles y "que se haga a su costa, en conformidad de su obligación"».
Sobre las acciones o medidas urbanísticas, en tiempos de la Ilustración, existen numerosos estudios: R. MENÉNDEZ PIDAL, *Historia de España,* Tomo XXXI, pp. 489 y ss.; M. G. SAINZ SANJOSÉ/J. P. MERINO NAVARO, «Saneamiento y limpieza en Madrid. Siglo XVIII», en: *Anales del Instituto de Estudios Madrileños,* Tomo XII, Madrid, 1976, pp. 119 y ss.
Finalmente, en el caso español, no puede olvidarse la importante acción de la Real Academia de la Historia y de las Bellas Artes de San Fernando, durante mucho tiempo la referencia por antonomasia en cuanto a la protección del patrimonio histórico; puede verse J. CAVEDA, *Memorias para la Historia de la Real Academia de San Fernando y de las Bellas Artes en España,* 2 volúmenes, Madrid, 1867, *in toto.*

159. Obligada resulta la cita de F. CHUECA GOITIA, «La época de los Borbones», *op. cit.,* pp. 229 y ss.; asimismo, P. MOLEÓN GAVILLANES, «Villanueva y la arquitectura neoclásica», *Cuadernos de Arte Español,* nº 73, 1992.

160. Esta idea se desarrolla, con ejemplos técnico-arquitectónicos, en el libro de A. CHOISY, *Histoire de l'architecture,* Paris, 1996, pp. 739 y ss.

Un problema jurídico de fondo resulta de la inevitable equiparación entre el esplendor de la estética y el Estado de policía, que facilita las acciones policiales en materia de estética, sobre la ciudad, pero que no representa un nivel adecuado de garantías jurídicas desde el punto de vista del Estado de Derecho[161].

Pero las causas del proceso histórico de la *banalización* de la estética son de distinto carácter. Desde una perspectiva general se ha apuntado, para explicar este hecho concreto, el advenimiento de la cultura de masas[162] y el auge de «lo económico» y lo social en detrimento de la estética y lo cultural[163]. Vale la pena recordar, para no repetir en este momento, el cambio de valoración que ha sufrido la ciudad a lo largo de este siglo XX y parte del pasado, hacia una consideración esencialmente utilitarista y funcional.

Otra explicación puede encontrarse en las problemáticas relaciones que, desde el presente siglo, mantienen la estética y la arquitectura después de sus estrechas y cordiales relaciones durante los siglos pasados. La propia existencia de unos postulados clásicos de tipo estético, que representa el buen hacer arquitectónico, parece ponerse en tela de juicio[164]. De esto, y sin obviar la densidad y complejidad del tema y los matices que sería necesario hacer[165], serían ejemplo ciertas corrientes arquitectónicas representativas del siglo XX, impregnadas por el nuevo ambiente tecnológico e industrial[166], como por

---

161. Véase, en este contexto, Nicolas de la Mare, *Traité de la police*, 1705 a 1738.

162. J. Morand-Deviller, «Esthétique et droit de l'urbanisme», *Mélanges René Chapus*, Paris, 1992, p. 431, con un detallado examen de cómo ha ido progresivamente decayendo la presencia de la estética en la legislación de patrimonio histórico y urbanística a lo largo de este siglo. Véase también N. Bailly, *L'esthétique en droit administratif français*, Angers 1983; Y. Rodriquez, «La protection administrative de l'esthétique», *Droit et ville*, 1982.

163. A. Piettre, «Urbanisme, architecture et esthétique», en el Homenaje a J. Lajugie, *Région et aménagement du territoire*, Bordeaux, 1985, pp. 206 y ss.; véase también G. C. Argan, *L'histoire de l'art et de la ville* (traducción del italiano al francés), Paris, 1995, pp. 195 y ss.

164. E. Mendelsohn, «Das Gesamtschaffen des Architekten», en *Skizzen Entwurfe Bauten*, Berlin, 1930; sobre el tema, R. Banham, *Teoría y diseño arquitectónico en la era de la máquina*, Buenos Aires, 1980; K. Frampton, *Historia crítica de la arquitectura moderna*, Barcelona, 1981.
En este contexto puede también recordarse la polémica sobre el empleo de nuevos materiales arquitectónicos (siendo obligada la cita a P. Scheerbart, «Glasarchitektur», en *Der Sturm*, Berlin, 1914; o L. Moholy-Nagy, *Von Material zu Architektur*, Munich, 1929).

165. Principalmente debido a la complejidad del tema y especialmente porque en el mismo momento álgido de la vanguardia arquitectónica no han faltado defensores del clasicismo: G. Scott, *Architecture of Humanism*, Contable and Co. Lid, Londres, 1914; T. Van Doesburg, *Vers une construction collective*, Paris, 1923; A. Loos, *Meine Bauschule*, Innsbruck 1931. Véase la obra de P. Hereu/J. M. Montaner/J. Oliveras, *Textos de arquitectura de la modernidad*, Madrid, 1994, *in toto*.

166. Esta perspectiva tecnológica y su influjo sobre el urbanismo moderno no se ha escapado a una doctrina sensible a estos temas: R. Martín Mateo, «La penetración pública en la

ejemplo el «Deutsche Werkbund» con su concepto de «estética funcional»[167], o el Bauhaus[168] y el propio Le Corbusier, «hombre de su tiempo», el «hombre de la machine à habiter», quien se confesaba maravillado por la técnica industrial[169]. Para muchos éste podría haber sido el *espíritu de nuestro tiempo* («Zeitgeist» o «Weltanschauung»)[170] que, sorprendentemente, llega a invadir el mundo del arte en general[171]. Y es así como, desde finales del siglo XIX, de forma expresiva los artistas han podido hablar de la «muerte» del arte[172], los arquitectos del ocaso de la arquitectura[173], los filósofos de la muerte de Dios y los urbanistas del «crepúsculo de la ciudad»[174].

propiedad urbana», *RAP*, 67 (1972), p. 20; véase también F. Grugman (director), *I luoghi del sapere scientifico e tecnologigico*, Turín, 1994, pp. 44, 53, 76.

167. Buen ejemplo de la «obra arquitectónica industrial-monumental» que pretende esta corriente arquitectónica es la estación de ferrocarril de Metz, capital de Lorena, por entonces Alemania –1907–.

168. H. Meyer, «Bauen», en *Bauhaus*, Dessau, 1928, nº 4. Para los matices que, no obstante, conllevaría una profundización en el presente tema puede verse D. Rodríguez Ruiz, *La arquitectura del siglo XX*, Madrid, 1993, pp. 39 y ss.

169. Le Corbusier, *Vers une Architecture*, Paris, 1923. Véase también Riboud, «Les erreurs de Le Corbusier et ses consecuences», *Rev. Pol. et Parlem*, février 1968.

170. El edificio es máquina y la máquina no tiene necesidad de decoro; en este contexto, C. Langlois, «La nécessité de l'art pour l'homme», *Discours à l'Institut de France*, 25 octubre 1979 se refiere a ciertos dirigentes urbanistas que manifestaron: «la estética no me interesa» («la beauté ne me intéresse pas») frase que, por cierto, acostumbraba a pronunciar también Picasso; véase también con otros testimonios similares, A. Piettre, «Urbanisme...» p. 209; asimismo, E. Hérnard, *Le palais des machines. Notice sur l'édifice et la marche des travaux*, 1891.

171. Sirven por ejemplo para corroborarlo la serie de artículos publicados con periodicidad anual en el *Ein Bücher-Tagebuch*. *FAZ* y que recogen los distintos artículos editados en el Frankfurter Allgemeine Zeitung, sobre el tema, así como los que se recogen en la *Revista de la Fundación Humboldt;* o la colección *El Arte del siglo XX* (Ed. Salvat 5 tomos), etc. Véase también M. Fréchuret, *La machine á peindre*, 1994 pp. 15 y ss., con amplias referencias al ilustrativo caso del futurismo italiano. Desde una perspectiva filosófica, el empuje del relativismo durante el presente siglo tampoco ha sido buen consejero de la estética, cuya estabilidad y solidez proviene de su consideración como realidad objetiva.

172. Célebre es la frase, que resume toda una concepción, de Hegel: «el arte ha muerto» y no mucho después Renan afirmaba: «seguramente, el gran arte desaparecerá. Vendrá un tiempo en que el arte será una cosa del pasado (...) que se adorará, reconociendo que no hay nada más que hacer». Véase S. Marchán Fiz, *La estética en la cultura moderna*, Madrid, 1982, p. 245; véase también sobre la estética en los autores citados en esta nota D. Huisman, *L'esthétique*, Paris, 1954, *in toto*. Según esto, el arte se habría visto envuelto en un ciclo histórico que habría evolucionado y progresado hasta el siglo XIX, para alcanzar entonces un punto álgido al mismo tiempo que su propia expiración.

173. Así, desde T. Hope, *Historical Essay on Architecture*, Londres 1835 hasta la actualidad, siendo hoy una afirmación frecuente en los tratadistas (por todos, B. Rudofsky, *Architecture without Arquitects*, The Museum of Modern Art, New York 1964, *in toto*).

174. Así, M. Ragon, *Histoire de l'architecture et de l'urbanisme modernes. De Brasilia au pos-modernité (1940-1991)*, 1986, p. 224.

Desde un punto de vista jurídico, durante el siglo XIX progresivamente se fueron poniendo de manifiesto las limitaciones de las técnicas «urbanísticas» características del momento tales como la «policía urbanística»[175], el «deber de construcción», la «expropiación»[176], insuficientes para abordar la compleja problemática que empezaba a dejar advertir el urbanismo del momento[177] sin olvidar el trasfondo de los «nuevos» problemas sociales tales como el crecimiento de la población en las ciudades[178] y su desarrollo industrial; no puede por tanto extrañar que doctrinalmente se haya considerado que los hechos anteriores sirven para explicar el origen mismo del planeamiento como eje del Derecho urbanístico y por tanto para poner el acento en la ordenación jurídico-formal del territorio.

Sin embargo, la «vuelta» a la ciudad mediante la política de rehabilitación urbanística puede en cambio suponer una revalorización de la estética y, en general, de la policía administrativa en el ámbito urbanístico.

3. EL PLANTEAMIENTO JURÍDICO DE LA ESTÉTICA

En la actualidad pueden descubrirse ciertos cauces a través de los cuales puede realizarse la estética conforme al Derecho urbanístico, así como sus limitaciones esenciales.

Como punto de partida puede afirmarse que la realización de la estética dependerá de que la orden o acto administrativo pueda ampararse en una norma en virtud de la cual se justifique la concreta decisión adoptada por la Administración, ya que la simple identificación de un foco antiestético en la ciudad no sirve para justificar una acción administrativa (policial) en su contra.

---

175. Aun durante el siglo XIX las acciones de los poderes públicos se limitan esencialmente a controlar la «libertad de edificación» de los particulares. Existe una sentencia modélica y especialmente representativa de todo esto, que es la sentencia del Tribunal prusiano de 14 de junio de 1882 (*PrOVG*, 14 de junio 1982 II B 23/22).

176. HOPPE/GROTEFELS, *Öffentliches Baurecht*, München, 1995 § 14; FINKELNBURG/ORTLOFF, *Öffentliches Baurecht*, Berlin, 1996, p. 6.

177. Así, la expropiación se reveló como un instrumento excesivamente costoso para lograr la apertura de espacios públicos dentro de las ciudades. Más bien, se puso paulatinamente de manifiesto la necesidad de *delimitar* los derechos de propiedad conforme a un Plan previo.

178. En este sentido, P. MERLIN, *La croissance urbaine*, Paris, 1994, p. 31, contrapone la ciudad barroca a la ciudad del siglo XIX precisamente por la ausencia en la primera de los condicionantes económicos de la segunda.

A los efectos de descubrir hasta qué punto jurídicamente puede realizarse la estética puede decirse que ésta se logra en tanto en cuanto pueda objetivizarse, en tanto en cuanto pueda plasmarse en una norma un criterio (estético) que sirva de referencia o apoyo para que los poderes públicos puedan actuar en el caso concreto.

Concretamente, dos podrían ser los cauces principales mediante los cuales puede realizarse la estética, conforme al ordenamiento jurídico y que pueden plantearse seguidamente sin perjuicio de su estudio más adelante.

El primero, la fijación en las ordenanzas o normas urbanísticas locales de parámetros, medidas o criterios de construcción a los que han de adecuarse las edificaciones. De este modo, la Administración puede denegar la licencia si el proyecto no se amolda a los marcos establecidos normativamente y que sirven de referencia. Igualmente, la Administración podrá intervenir (policialmente) contra una determinada construcción no autorizada o no conforme con la licencia; el litigio que se genera es el de la posibilidad de legalizar la construcción realizada, y es entonces cuando los criterios estéticos pueden indirectamente desarrollarse en tanto en cuanto hayan logrado su objetivación o regulación en la norma.

El segundo, un criterio legal directamente aplicable por la Administración, y que es el de la «adecuación al ambiente de las construcciones», para que éstas puedan autorizarse mediante la correspondiente licencia municipal. En este último supuesto, de capital importancia para la defensa de la estética en la práctica, se maneja un concepto jurídico indeterminado, que es la «desarmonía» de la construcción con el ambiente, a efectos de observar si la Administración acierta o no con la denegación de la licencia.

En todo caso, si la decisión administrativa no se adopta conforme a un criterio objetivo preestablecido en la norma, la decisión habrá salido del mundo del Derecho para entrar en el campo de las apreciaciones subjetivas y personales. La decisión será anulada por el tribunal.

El arranque de todo este sistema puede situarse en «el principio de legalidad como medio de respetar los legítimos derechos de edificar del propietario del solar y de la Comunidad de proteger los intereses artísticos, históricos y estéticos, a ella encomendados»[179]. Sin con ello olvidar, no obstante,

---

179. STS de 5 de marzo de 1982 (RJ 1982, 1667), fallo que llega a la conclusión de que la ordenanza administrativa no habilita la medida adoptada. La decisión es por tanto puramente subjetiva y por eso se anula. «La función de los Tribunales no está montada para sustituir criterios sociológicos...», añade la sentencia. Véanse los artículos 57, 185.2 y 184.2 del TRLS y 52 del Reglamento de Disciplina Urbanística.

«la clara competencia de la Administración para, velando por los intereses generales, normar lo pertinente al efecto»[180], pese a que la policía urbanística no es criterio autosuficiente para atribuir facultades administrativas.

Hecho este planteamiento, corresponde analizar con mayor profundidad las afirmaciones realizadas, especialmente a la luz de la jurisprudencia. Quiere seguidamente estudiarse también la posibilidad de favorecer la realización de la estética en las ciudades.

4. LA REALIZACIÓN DE LA ESTÉTICA A TRAVÉS DEL CRITERIO DE LA «ADAPTACIÓN AL AMBIENTE» DE LAS CONSTRUCCIONES

La ley misma recoge un criterio, de una gran transcendencia práctica, para preservar «indirectamente» la estética en la ciudad. Me refiero al clásico criterio según el cual «las construcciones habrán de adaptarse en lo básico al **ambiente** en que estuvieran situadas (...)[181]». Esta regla se afianza en la legislación autonómica y en el Derecho comparado. En el Derecho alemán «la justificación de esta regla se ha encontrado en la prohibición de un uso antisocial de la propiedad», ya que «la propiedad no es sino parte de un conjunto armónico» sin que «el propietario tenga derecho a disponer de aquélla sin consideración a los demás propietarios»[182].

Su importancia radica especialmente en su inmediata aplicación[183], tanto por la Administración (pudiendo denegar la licencia si la obra desentona con las características estéticas del lugar) como por los tribunales, ya que dichas decisiones administrativas son plenamente revisables por aquéllos. Todo esto se entiende si se descubre el concepto jurídico indeterminado que encierra el precepto: la «adaptación», «de las construcciones, en lo básico, al ambiente en que hayan de situarse» por el cual se afirma «que la construcción no (puede) romper la armonía del paisaje o la perspectiva del mismo»[184].

En consecuencia, una denegación de la licencia que no se fundamente en este concepto de la desarmonía o la inadecuación con el ambiente «se

---

180. STS de 2 de octubre de 1990 (RJ 1990, 7828).

181. Artículo 73 de la LS/1976.

182. En este sentido, pueden citarse ciertas resoluciones del Tribunal contencioso-administrativo de Munich, de 25 de febrero de 1959 VerfGHE 12, p. 1, y de 8 de julio de 1971 número 86 II p. 65.

183. «Su aplicación directa» dice la STS de 16 de junio de 1987 (RJ 1987, 6492).

184. STS de 14 de noviembre de 1986 (RJ 1986, 8082).

motiva en criterios subjetivos de los miembros de la Corporación Municipal»[185]. Representa –dicha denegación– una «*simple opinión* fundada en una supuesta condición antiestética –de dicho color–»[186].

De este modo, la resolución tomada conforme al concepto jurídico indeterminado se justifica porque es una decisión objetiva o jurídica. La que no acredite su correspondencia con el concepto jurídico indeterminado es subjetiva: «es, simplemente, estética no jurídica», y por eso ha de ser anulada. Tampoco son por eso de recibo las ordenanzas de estética que contengan conceptos vagos e indeterminados «que quedan a merced de la apreciación subjetiva del órgano administrativo» y que es incompatible con la legislación del suelo (artículo 178.2), en tanto en cuanto ésta presupone el carácter reglado de las licencias[187].

A pesar de este tipo de limitaciones intrínsecas, con que cuenta jurídicamente la realización de la estética, no puede negarse la virtualidad de este criterio jurídico (de la armonía de las edificaciones con el entorno) para lograr la estética en las ciudades. Porque en realidad, cuando se constata la armonía y adecuación reales de la construcción con el ambiente, es cuando la construcción proyectada es «estética»; y, si no (porque se constata, en cambio, la desarmonía o desintegración del ambiente), entonces, simplemente, es que la construcción proyectada «no es estética». En otros términos, no es que la estética sea un fenómeno subjetivo que quede al margen del Derecho, ya que, más bien, en estos casos habría que constatar una coincidencia entre la estética y el Derecho.

Antes de profundizar en este último tipo de reflexiones, conviene seguir precisando el criterio jurídico-técnico que es ahora objeto de estudio («de la armonía con el ambiente») porque, en efecto, son amplios y ricos sus contenidos.

En este sentido, en la jurisprudencia se advierte una interesante diferenciación, importante a efectos de aplicar el concepto jurídico indeterminado de la adecuación al ambiente:

En primer lugar, habría que considerar aquellas situaciones en las cuales el entorno o ambiente está constituido por edificios de carácter singular,

---

185. STS de 14 de noviembre de 1986 (RJ 1986, 8082); STS de 18 de abril de 1983 (RJ 1983, 2098) («el emplazamiento no puede estimarse de carácter genérico»); STS de 9 de mayo de 1986 (RJ 1986, 3061).

186. STS de 5 de marzo de 1982 (RJ 1982, 1667).

187. STS de 9 de mayo de 1986 (RJ 1986, 3061).

especialmente protegidos por la legislación de patrimonio histórico, o por catálogos o normas urbanísticas[188].

Un segundo nivel lo constituye el resto de las situaciones, el «grueso de la ciudad». En estos casos, si la Administración quiere denegar una licencia por este motivo de la adaptación al ambiente habrá de determinar previamente cuáles son los valores arquitectónicos y estéticos de la zona, a los efectos de contar con un parámetro normativo objetivo que sirva de justificación y base para amparar la denegación de la licencia que se pretende, y con ello la protección estética del lugar[189]. De lo contrario, de nuevo, la decisión administrativa no se basará en un criterio jurídico, por tener un mero «valor subjetivo», ya que refleja una simple opinión.

En cambio, en el primer caso, cuando los valores estéticos o arquitectónicos del lugar son ostensibles, habrá elemento suficiente para aplicar directamente el precepto sin tanta necesidad de realizar por la Administración una previa valoración de los elementos estéticos que han de salvaguardarse.

En suma, todo este sistema de adaptación al ambiente de las construcciones presupone un «ambiente» o zona dignos de ser protegidos, presupone que bien por su naturaleza bien por ficción administrativa pueda identificarse un lugar con ciertos valores estéticos o con una armonía de conjunto que conviene preservar a juicio de la Administración[190].

Por su parte, el concepto de «ambiente» tiene una dimensión amplia o general que puede llevar a justificar un cierto margen de acción a favor de la Administración considerando distintos tipos de niveles de protección administrativa: la adaptación al estilo de la zona o barrio, la acomodación al estilo de la ciudad en su conjunto, la composición conforme al paisaje, la no

---

188. Éste sería el caso del artículo 73 del TRLS/1976 y del artículo 98.2 del Reglamento de Planeamiento, que regulan el caso con especial detalle y a cuyos contenidos me remito.

189. Se considera necesario que el «Ayuntamiento determine las circunstancias arquitectónicas, de fecha de construcción, estilo, volumen, altura, acaecimientos históricos, distancia al edificio del Banco Central y sobre todo incidencia del color discutido por razón de los mismos, en el conjunto de la citada zona» (STS de 5 de marzo de 1982 [RJ 1982, 1667], especialmente la sentencia apelada que se trascribe); pueden verse también las STS de 14 de noviembre de 1986 (RJ 1986, 8082); STS de 18 de abril de 1983 (RJ 1983, 2098); STS de 17 de mayo de 1983 (RJ 1983, 3330).

190. Ha de existir cierta «relevancia en la perturbación estética»: Una diferencia de 50 centímetros de altura del edificio proyectado con los del «entorno» no se ha considerado causa suficiente para denegar la licencia cuando dicho entorno es una (simple) calle de «arquitectura popular» (STS de 2 de octubre de 1985 [RJ 1985, 4587]).

perturbación de la vista o imagen de un núcleo de población desde un alto o desde una carretera próxima a la localidad[191].

La adaptación al ambiente exige, como es lógico, una labor de «comparación» o puesta en conexión del proyecto que se pretende construir (o la obra que se pretende demoler) con el entorno o ambiente. Pero interesa entonces advertir que «armonía» no es sinónimo de «monotonía», según viene a decirnos la interesante STS de 28 de febrero de 1995 (RJ 1995, 1080). Se enfrenta este fallo con el problema de la posible vulneración de las «reglas estéticas de la zona» por parte de una edificación cuya fachada se pretendía cubrir de «mampostería de piedra de granito concertada» desentonando inicialmente con el entorno –en el cual reinaba la «mampostería de piedra de granito desconcertada»–. El Tribunal Supremo mantuvo que no «puede decirse que una fachada de piedra, material exigido por la norma, no sea semejante o parecida, y, en definitiva, similar a otras porque en ella se use la piedra concertada y en éstas desconcertada, diferencia únicamente relevante de exigirse igualdad».

En este caso, la sentencia apelada, que resulta confirmada, se basó en el Plan general en el cual se establecía el criterio de «la similitud con respecto a los criterios dominantes del resto de los edificios comprendidos dentro del subárea de ordenanza (la fachada habrá de ser de piedra) para mantener que basta con que los nuevos edificios armonicen; lo cual no significa uniformidad».

Como criterio práctico o de gestión administrativa, en aras de favorecer la compatibilizar la estética con los proyectos de construcción de los particulares, podría afirmarse el criterio de aprobación del proyecto a cambio de respetar ciertas condiciones establecidas con el fin de preservar la cualidad estética del lugar, tal como deja claro la jurisprudencia cuando afirma que no es incompatible con el entorno una depuradora de aguas junto a un edificio de interés cultural si se logra que dicha depuradora tenga por completo un carácter subterráneo[192].

En este mismo plano administrativo, sería aconsejable una mayor atención en favor de la estética, en relación con el Reglamento de Actividades

---

191. Se ha llegado a hablar de la adaptación al estilo de la región o comarca; J. LAJUGIE, *Les villes moyennes,* Paris, 1974, p. 18, «el corte o estilo de una ciudad no tiene sentido si no consigue participar del conjunto regional en el cual se inserta».

192. Resolución del Consejo de Estado francés, de 24 de abril de 1985, Ministerio de Urbanismo y Vivienda contra Garvarentz, nº 51148.

molestas, insalubres, nocivas y peligrosas o legislaciones autonómicas de referencia. Es significativo que, tratándose de establecimientos, no esté desarrollado el planteamiento de la «antiestética», al menos en comparación con otras inmisiones molestas, que encuentran más eco, como por ejemplo los ruidos en relaciones de vecindad.

Pero, no obstante las limitaciones que puedan advertirse en relación con la aplicación del presente criterio de la adaptación al ambiente de las construcciones, lo cierto es que, como ha podido apreciarse, el criterio de la «adaptación», «de las construcciones, en lo básico, al ambiente en que hayan de situarse» permite un amplio juego para la realización de la estética.

En realidad, en torno a la aplicación de este concepto jurídico indeterminado «de la adaptación al entorno» se realizan juicios de valor puramente estéticos, como lo corrobora el hecho de que los tribunales tengan que verificar la existencia o no de ciertos conceptos puramente estéticos como la «estridencia»[193], la «homogeneidad», la «desarmonía» o «discordancia y distorsión que la composición arquitectónica del edificio conllevaría»[194]. Lo interesante es que, de esta forma, se está aplicando la estética a través de la aplicación de sus elementos conceptuales esenciales.

Más concretamente, la adecuación al ambiente se produce cuando se presente «armonía», «homogeneidad», «simetría», «proporción entre las partes y el todo», etc., criterios éstos directamente aplicables. De esta forma se realiza jurídicamente la estética, mediante la aplicación judicial de sus elementos conceptuales, de naturaleza objetiva por cierto, y no subjetiva, tal como además corrobora una ejemplar sentencia que llega a contraponer –a los criterios estéticos– «los criterios subjetivos»[195]. Aquéllos son conceptos jurídicos indeterminados que se «deben resolver atendiendo a elementos de juicio de carácter técnico o estético que se sustentan por dictámenes»[196].

En fin, de toda esta concepción sería ejemplar la STS de 29 de enero de 1985 (RJ 1985, 930), fallo que se enfrentaba con la alegación de una «abstracta redacción» dada a una ordenanza de estética de un Ayuntamiento,

---

193. En efecto, la STS de 18 de abril de 1983 (RJ 1983, 2098) tuvo que centrarse en el enjuiciamiento de si en el caso concreto se producía o no «estridencia» (concepto indudablemente estético).

194. Así la STS de 20 de abril de 1985 (RJ 1985, 2214).

195. STS de 14 de noviembre de 1986 (RJ 1986, 8082).

196. STS de 14 de noviembre de 1986 (RJ 1986, 8082).

que venía a reproducir el criterio legal de la adaptación al ambiente. El Tribunal Supremo, frente a la alegación del recurrente, mantuvo de forma interesante que no había peligro de entender discrecionalmente la aplicación de dicho concepto porque:

> «En definitiva, el juicio sobre *la armonía estética* referente a adecuación en estos aspectos del proyectado edificio es susceptible de reducción a juicio técnico (...) por cuanto se agota y versa sobre hechos o datos representativos *de características de estilo o tipos arquitectónicos perfecta y objetivamente asequibles* (...) de tal manera que la discrecionalidad administrativa se halla en relación de complementariedad con los soberanos criterios del Juzgador en orden a su valoración o apreciación»[197].

Profundizando en esta doctrina jurisprudencial habría que tender hacia una equivalencia entre el criterio estético y el criterio jurídico.

5. LA REALIZACIÓN, JURÍDICAMENTE, DE LA ESTÉTICA A TRAVÉS DE LAS ORDENANZAS LOCALES

Como hemos podido comprobar, el criterio «de la adaptación al ambiente, de las construcciones» se articula en torno a la técnica de los conceptos jurídicos indeterminados. Bien distinta es la situación que seguidamente se estudia, concerniente al ejercicio de ciertas potestades regladas amparadas en ordenanzas locales y en virtud de las cuales la Administración puede restringir el derecho a edificar.

Dicha restricción procede jurídicamente a través de la sujeción a licencia de la obra[198], como acto reglado que es simple constatación de si el proyecto pretendido por el particular se ajusta a la normativa aplicable[199]. Como dice la STS de 8 de julio de 1992 (RJ 1992, 6157), en este contexto:

---

197. En este mismo sentido, como razona la STS de 20 de abril de 1985 (RJ 1985, 2214) la aplicación del criterio legal lleva a la determinación de lo estético, basándose el particular en simples apreciaciones subjetivas.

198. Para un estudio de los actos sujetos a licencia, junto al clásico estudio de R. MARTÍN MATEO, *Problemática metropolitana*, Madrid, 1974, J. GONZÁLEZ PÉREZ, *Comentarios a la Ley del Suelo. III*, Madrid, 1993, pp. 1667 y ss. (comentario a los artículos 242 y 248); del mismo: *Nuevo régimen de las licencias de urbanismo*, Madrid, 1992, *in toto;* PEMÁN GAVÍN, «La LBRL. Su incidencia sobre la facultad de suspensión de actos de las Corporaciones locales en materia de licencias urbanísticas», *RDU*, nº 111, pp. 76 y ss.

199. Para poder denegar la licencia, el proyecto (o la construcción) ha de ser contrario a la ordenación urbanística (STS de 8 de julio de 1992 [RJ 1992, 6157] citando otras sentencias en el mismo sentido).

«Su eventual denegación (de la licencia) no podría basarse en una cita incorrecta e insuficiente de preceptos (como aquí), sino en incumplimientos específicos y singulares de requisitos precisos establecidos en las normas urbanísticas. Admitir lo contrario sería consagrar la indefensión absoluta de los administrados, quienes no sabrían a ciencia cierta qué motivos, de los muchos establecidos en una norma, han impedido el ejercicio de sus derechos».

Si la licencia se atiene a los límites establecidos normativamente la decisión administrativa tendrá un carácter objetivo y jurídico. De lo contrario, será una apreciación subjetiva. Esto, como puede suponerse, afecta directamente al planteamiento de la estética, realizable ésta en tanto en cuanto se haya conseguido plasmar una regla estética en un criterio jurídico aplicable en el caso concreto.

Esto hace referencia, primeramente, al momento de la verificación de si el proyecto se adecúa a las normas urbanísticas y, en segundo lugar, hace referencia al edificio de por vida, porque lo que puede hacer en todo caso la Administración es exigir a los propietarios que éstos –mediante la solicitud de la correspondiente licencia– legalicen la obra construida y se amolden a los parámetros normativos aplicables.

Lo interesante, a efectos de la estética, es que dichos criterios jurídicos objetivos o formales pueden servir de cauce indirecto para su realización. Aun cuando la norma no desee reconocer que está sirviendo a este tipo de consideraciones estéticas, lo cierto es que indirectamente se deja descubrir su presencia inevitable en el momento de su aplicación. Veamos primero algunos ejemplos jurisprudenciales y, segundo, su repercusión estética: conforme a Derecho procede, así, la demolición de una marquesina situada encima de una puerta de acceso a un local[200], de una buhardilla que no se corresponde con el proyecto presentado en la petición de la licencia[201], de carteles luminosos[202], de «tejadillos de uralita en una terraza»[203], de un determinado rótulo de una entidad bancaria en la fachada de un edificio[204], de

---

200. STS de 10 de junio de 1996 (RJ 1996, 5146).

201. STS de 24 de enero de 1996 (RJ 1996, 35).

202. STS de 2 de noviembre de 1994 (RJ 1994, 8490).

203. STS de 22 de febrero de 1994 (RJ 1994, 1460), si bien anuló la orden administrativa por no haber concedido la posibilidad de su legalización previa; STS de 2 de noviembre de 1992 (RJ 1992, 8738) con el mismo contenido que la sentencia anterior.

204. STS de 7 de febrero de 1996 (RJ 1996, 900), si bien este fallo anula dicha orden porque «no consta la norma que ha sido vulnerada».

un «voladizo» que se excede de las dimensiones (del 10% de la calle) autorizadas en la licencia y por tanto establecidas en la normativa urbanística[205], de un patio cubierto, toldo o carpa, instalado como ampliación de un restaurante[206]; de «azoteas» contrarias a las ordenanzas y por tanto no legalizables[207], de vallados en zonas de retranqueo[208], de un «cerramiento de terraza» con cristalera metálica con cubierta de placa plástica ondulada[209], de un «cubrimiento de patios» mediante cubierta metálica con tejas de acero[210], de muros de cierre[211], de «vallas publicitarias»[212], de almacenes en edificios catalogados de interés arquitectónico[213], de las obras que no han respetado «las alineaciones y rasantes establecidas en una ordenanza»[214] o de las construcciones que no respetan las normas de alturas de las edificaciones[215]. También procede ordenar la sustitución del color si fue otro el que fue solicitado (sin obtener la licencia municipal)[216].

Ahora bien ¿qué sino un fondo estético ha de motivar todas estas reglamentaciones urbanísticas que sirven de base o apoyo para tomar estas decisio-

---

205. STS de 3 de enero de 1996 (RJ 1996, 22).

206. STS de 13 de marzo de 1996 (RJ 1996, 2031); STS de 22 de mayo de 1991 (RJ 1991, 4288).

207. STS de 20 de diciembre de 1994 (RJ 1994, 10637); STS de 10 de febrero de 1983 (RJ 1983, 818).

208. Sentencia del TSJ de La Rioja de 23 de enero de 1997, *AA*, nº 8, 1997 § 222, y en la misma Revista nº 1 (1998) § 6 la sentencia del TSJ de La Rioja, de 19 de septiembre de 1997 y número 4, de 31 de octubre de 1997, § 105.

209. STS de 30 de noviembre de 1992 (RJ 1992, 9006); STS de 15 de abril de 1981 (RJ 1981, 1849); STS de 23 de abril de 1982 (RJ 1982, 2428) (en este último caso anulándose la orden administrativa debido a que «las cristaleras basadas en aluminio no estaban impedidas en las ordenanzas»).

210. STS de 17 de junio 1992 (RJ 1992, 5161).

211. STS de 8 de marzo de 1983 (RJ 1983, 1384).

212. Estas vallas en principio están sujetas a licencia, y las ordenanzas municipales (así, de Instalaciones y Actividades Publicitarias) pueden legítimamente establecer prohibiciones respecto de su instalación aun cuando exista un Plan general que permita edificar en la zona donde se pretende instalar la valla publicitaria. La separación entre ambos planteamientos (de posibilidad de construcción y de posibilidad de que el Ayuntamiento estableciera la no instalación en dicha zona) se establece claramente por la STS de 7 de marzo de 1996 (RJ 1996, 2023); véase también el artículo 178.1 de la Ley de 1976.

213. STS de 25 de noviembre de 1983 (RJ 1983, 6633).

214. STS de 24 de enero de 1991 (RJ 1991, 599); STS de 6 de febrero de 1996 (RJ 1996, 894).

215. STS de 29 de julio de 1996 (RJ 1996, 6212); STS de 29 de abril de 1996 (RJ 1996, 3273).

216. STS de 29 de marzo de 1982 (RJ 1982, 2369).

nes sobre las buhardillas, los tejados, los voladizos y las azoteas...? Intentar explicar todas las sentencias anteriores como el juego de simples criterios jurídico-formales no sería de modo alguno convincente. No puede ser sino un criterio preferentemente estético el que consiga en último término guiar dichas acciones administrativas. La cuestión es simplemente que el urbanista procure plasmar reglas ornamentales a la hora de redactar las ordenanzas en las que se disponen las ordenaciones urbanísticas locales.

Desde un punto de vista jurídico, en principio saltan a la vista ciertas limitaciones esenciales, respecto de la realización de la estética, desde el momento en que habrá situaciones materialmente antiestéticas que no se hayan traducido en parámetros normativos. Pero, sin negar esto, puede considerarse que la estética se compone de ciertos elementos puramente objetivos tales como la armonía, la simetría, la proporción, homogeneidad, etc., hecho que, como es evidente, facilita enormemente la regulación de criterios normativos que sirvan para su plena realización.

En relación con este régimen jurídico de las licencias, al que acabamos de aludir, es interesante primeramente poner de manifiesto que los estrictos presupuestos legales con los que se enfrenta la Administración en estos casos en los que pretende conseguir la demolición de una obra o construcción (esencialmente, la necesaria preexistencia de criterios normativos objetivos que sirvan de amparo a la decisión local, la ausencia de licencia, la concesión de un plazo para solicitar la legalización de las obras, la necesidad incluso de revocar la licencia en ciertos casos) lleva a la Administración a probar suerte en el instrumento de las órdenes de ejecución de obras por motivos de seguridad, salubridad y ornato público, con el fin de evitar el cumplimiento de las garantías jurídicas que acaban de ser mencionadas[217].

En efecto, mediante el instrumento de las órdenes de ejecución no necesita la Administración el respaldo de una normativa previa donde se concreten todos y cada uno de los presupuestos legales necesarios para justificar la medida tomada. En el fondo, este último instrumento –a diferencia de aquél– ha permanecido más fiel a los simples postulados del Derecho de policía, por ser suficiente con que el edificio presente un estado insalubre o

---

217.   Lo pone de manifiesto la STS de 10 de septiembre de 1992 (RJ 1992, 6962).

inseguro o antiestético, para justificar la orden de conservación por motivos de seguridad, salubridad y ornato[218].

En otro orden de cosas, la Administración puede ordenar la inmediata paralización de la obra con el objeto de que se proceda a su legalización[219]. Lo que no es de recibo es ordenar la demolición sin haber examinado la posible legalización de la construcción concediendo un plazo al sujeto para que solicite su legalización[220]. «Habrá de ser en el oportuno expediente de legalización donde deberá resolverse el problema de si las obras litigiosas se hallan autorizadas por la normativa aplicable»[221].

Lógicamente, la demolición se practica en tanto en cuanto la obra exceda de los límites establecidos en la normativa local, ya que en caso contrario habría que revocar la licencia[222].

Finalmente, dentro de las infracciones graves la legislación urbanística considera el incumplimiento de las normas relativas a las parcelaciones, uso del suelo, altura, volumen y situación de las edificaciones y ocupación permitida de la superficie de las parcelas, la parcelación urbanística en suelo urbanizable[223].

La comisión de una infracción urbanística no lleva consigo simplemente la imposición de una sanción sino, además, la restauración del orden urbanís-

---

218. Frente a esta huida, del medio legal procedente en estos casos, alerta la jurisprudencia de modo no infrecuente, exigiendo que se respete el sistema de garantías jurídicas (aun cuando *se pretenda* basar la orden en el artículo 181 del TRLS/1976): «antes de ordenar la demolición debe requerir al interesado para que en el plazo de dos meses solicite la oportuna licencia». Lo pone también de relieve la STS de 10 de septiembre de 1992 (RJ 1992, 6962), así como, por ejemplo, también la STS de 5 de marzo de 1982 (RJ 1982, 1668).

219. La orden se califica como preventiva o cautelar (STS de 29 de julio de 1996 [RJ 1996, 6212]; STS de 24 de enero de 1991 [RJ 1991, 599]; STS de 8 de julio de 1992 [RJ 1992, 6157]; STS de 7 de diciembre de 1994 [RJ 1994, 9445] (en aplicación del artículo 184.3 de la LS/1976): procede incluso la demolición a pesar de que se haya interpuesto un recurso contra la denegación de la licencia. En cambio no procede si la obra está amparada en la licencia (ATS de 12 de diciembre de 1986 [RJ 1986, 8105]).

220. STS de 22 de febrero de 1994 (RJ 1994, 1460); STS de 2 de noviembre de 1992 (RJ 1992, 8738); STSJ de Madrid de 17 de junio de 1996 (RJ 1996, 726); STS de 24 de febrero de 1997 (RJ 1997, 1289), *AA*, n° 36 (1997), p. 2419 § 675; véase el artículo 184 de la LS/1976.

221. STS de 2 de noviembre de 1992 (RJ 1992, 8738).

222. STS de 22 de noviembre de 1994 (RJ 1994, 8644).

223. Artículo 262 del TRLS/1992 y 226 del TRLS/1976.

tico alterado[224] y la indemnización por los daños causados tanto a la Administración[225] como a cualquier otro perjudicado[226].

6. LA REALIZACIÓN DE LA ESTÉTICA EN LAS ZONAS DE MARCADO INTERÉS CULTURAL

Determinadas zonas de las ciudades presentan unas características determinadas, cuya protección por motivos estéticos puede ser objeto de normas urbanísticas dictadas por las Corporaciones locales con el fin de preservar sus cualidades o condiciones estéticas particulares.

---

224. Véase J. M. Arrendondo Gutiérrez, *Las infracciones urbanísticas*, Granada 1995, pp. 148 y ss.; A. Fanlo Loras, «La disminución de las medidas de protección de la legalidad urbanística: ¿está derogado el artículo 186 de la Ley del Suelo? (Comentario a la sentencia del Tribunal Supremo de 21 de febrero de 1986 [RJ 1986, 1609])», *RAP*, nº 111 (1986), pp. 217 y ss.; E. Sánchez Goyanes, «Transgresiones del ordenamiento urbanístico. Medidas administrativas restauradoras y sancionadoras. Configuración actual de diversos supuestos como delitos», *Cuadernos de Administración Local*, nº 5, Madrid, 1997; M. J. Sarmiento Acosta, «Datos para la definición de la disciplina urbanística en el Estado Autonómico», *RDU*, nº 159, 1998, pp. 55 y ss.; V. Tena Piazuelo, «Las licencias municipales en el reglamento de obras, actividades y servicios de las entidades locales», *Revista Jurídica de Cataluña*, nº 1 (1998), pp. 83 y ss. y la bibliografía *general* allí citada.

225. El Texto refundido de la Ley sobre el régimen del suelo y ordenación urbana aprobado por Real Decreto Legislativo 1/1992, de 26 de junio, establece (en el artículo 261.2) que «toda infracción lleva consigo la imposición de sanciones a los responsables, así como la obligación de resarcimiento de daños y perjuicios a cargo de los mismos». «En ningún caso podrá la Administración dejar de adoptar las medidas tendentes a restaurar el orden urbanístico vulnerado o reponer los bienes afectados al estado anterior a la producción de la situación ilegal» (261.3 de la TR de la Ley sobre el Régimen del Suelo y Ordenación Urbana).
En la legislación autonómica se reitera el criterio de la legislación estatal. Así, el artículo 37.4 de la Ley 1/1994, de 11 de enero, de Ordenación del Territorio de la Comunidad Autónoma de Andalucía afirma que «en cualquier caso el titular de la actividad deberá indemnizar los daños y perjuicios ocasionados. La valoración de los mismos se hará por la Consejería de Obras Públicas y Transportes previa tasación contradictoria cuando el titular de aquélla no prestara conformidad».

226. En materia urbanística, los daños pueden ser sufridos por un perjudicado, tal como reconoce el artículo 266 del Texto Refundido de la Ley del Suelo y de ordenación urbana cuando dispone que «los que como consecuencia de una infracción urbanística sufrieren daño o perjuicio podrán exigir de cualquiera de los infractores, con carácter solidario, el resarcimiento e indemnización». El problema principal que se plantea en estos casos es el de si la Administración puede reclamar ejecutoriamente los daños, en favor del particular perjudicado. Según J. González Pérez («La responsabilidad civil de los administrados en materia de licencias de urbanismo», *RDU*, nº 59, pp. 2091 y ss.) debe distinguirse primeramente el supuesto en virtud del cual el sujeto causante de los daños realiza éstos *bajo el ropaje de un acto administrativo que le sirve de justificación*, en cuyo caso el sujeto puede plantear una petición de anulación del acto administrativo y de resarcimiento de daños frente al tercero causante. De no existir autorización administrativa, que respalde la causación del daño, el litigio es civil.

Un primer ejemplo puede ser el de las Normas Urbanísticas del Plan especial de protección y Reforma Interior del Recinto Universitario, Zona Histórico-Artística de Salamanca[227] y otro no menos significativo puede ser el «Plan especial de rehabilitación integrada del casco medieval» de Vitoria[228]. Centrándonos en el primero, dentro del capítulo titulado «condiciones estéticas» se regulan detalladamente los balcones, las cornisas y aleros, las marquesinas, los banderines y anuncios, los cuerpos volados y semisótanos, la ocupación en planta, la estructuración de cubierta, la fragmentación de fachadas, las proporciones entre huecos y muros, los materiales a emplear, los colores a utilizar, el tratamiento de cubiertas y huecos, de plantas bajas y locales comerciales; en cada caso se disponen las proporciones exigibles, las relaciones geométricas entre las partes con el todo, y los criterios que deben seguirse para realizar la rehabilitación en los edificios.

La importancia de este tipo de criterios está en gran medida en que no son tanto un medio de ordenación que indirectamente sirve para la realización de la estética (como era el caso anterior como prescripciones de carácter claramente estético).

Siguiendo con las Normas Urbanísticas del Plan especial de protección y Reforma Interior del Recinto Universitario, Zona Histórico-Artística de Salamanca, junto a las disposiciones anteriores existen otras no reguladas dentro del capítulo de las «condiciones estéticas» pero que repercuten indirectamente en su realización, como son las «condiciones de volumen», el «número de plantas admisibles», las típicas disposiciones sobre alturas de los edificios, alienaciones, fondos y retranqueos, formas de los patios de manzana, cubiertas, portales, chimeneas, condiciones higiénico-sanitarias.

A la luz de la jurisprudencia puede, asimismo, ilustrarse cómo –en este tipo de zonas *recubiertas* de una normativa local adecuada o protectora– se realiza la estética como valor urbanístico.

En este sentido, se justifica que unas simples ordenanzas locales puedan establecer un régimen jurídico concreto respecto de ciertas «zonas de protección ambiental», arbitrando así un control administrativo en base a los parámetros estéticos establecidos para la zona[229]. Por ejemplo, la STS de 8 de

---

227. Aprobado el 17 de septiembre de 1984, aún vigente en el día de hoy.

228. Este Plan fue aprobado definitivamente el 18 de marzo de 1988. La referencia es al Tomo II sección cuatro «ordenanzas de edificiación».

229. Sobre este régimen de protección STS de 8 de noviembre de 1995 (RJ 1995, 9346); STS de 23 de octubre de 1995 (RJ 1995, 7766); STS de 23 de septiembre de 1987 (RJ 1987, 7752); STS de 13 de febrero de 1987 (RJ 1987, 545); STS de 17 de abril de 1991 (RJ 1991, 3412), etc.

noviembre de 1995 (RJ 1995, 9346) confirmó la legalidad de la denegación de una legalización de obra, construida sin licencia, porque esta obra no se ajustaba a las condiciones estéticas establecidas en las ordenanzas municipales respecto de los «cerramientos de solana o terraza con carpintería de aluminio color cobre».

Otro ejemplo pueden ser los litigios sobre la colocación de tendidos telefónicos o aéreos en este tipo de recintos o zonas de interés cultural (cuestión ésta, por otra parte, de los tendidos aéreos, que plantea problemas prácticos a numerosos Ayuntamientos):

La STS de 27 de noviembre de 1996 (RJ 1986, 8295) mantuvo que era necesario que el cable se instalase de forma subterránea, salvaguardando la estética del lugar (en consideración del carácter antiguo e histórico del barrio afectado), estimando el recurso de un Ayuntamiento (Játiva) contra las Resoluciones de la Delegación del Gobierno en la Compañía Nacional Telefónica de España, y amparándose en una base contractual[230] en virtud de la cual «en los barrios céntricos de las ciudades importantes, los alambres y cables serán en general subterráneos».

Interesante es que el tribunal no tuvo más remedio que entrar en la valoración estética de la zona para decidir este supuesto de la forma en que lo hizo[231] (puede verse también la STS de 15 de diciembre de 2003 [RJ 2004, 326]).

Asimismo, la posibilidad de denegar la licencia por motivos de desarmonía o inadecuación con el entorno casa esencialmente con este tipo de zonas de interés cultural. Así, la STS de 14 de noviembre de 1986 (RJ 1986, 8082) anula la decisión administrativa por la que se denegaba la licencia de construcción por desentonar con el entorno porque «la construcción objeto de la legalización no se halla en lugar próximo de un grupo de edificios de carácter histórico, artístico, arqueológico, típico o tradicional, ni alguno de gran importancia o calidad de esos caracteres con los que debiera armonizar

---

230. Base 15 del contrato entre el Estado y Telefónica, al amparo de la autorización concedida por Ley de 31 de diciembre de 1945.

231. Sin embargo, en la STS de 2 de diciembre de 1994 (RJ 1994, 10023) primó la realización de la línea aérea sobre la protección de un paraje pintoresco, basándose en que «la colocación de un tendido eléctrico (procurando un conveniente camuflaje a media ladera) no hace peligrar el paraje pintoresco, como lo pone de relieve el hecho de que la colocación de cables antenas y conducciones aparentes está expresamente prohibida en los Jardines Históricos y en los Monumentos (artículo 19.3 de la LPHE), así como en las Zonas Arqueológicas (artículo 22) pero no en el resto de los bienes de interés cultural».

la construcción». De forma igualmente interesante, una STS de 9 de diciembre de 1986 (RJ 1986, 8103) afirma que no son «atendibles las razones puramente estéticas, ya que el inmueble de autos ni está incluido en la Zona Monumental ni inmediato o próximo a ella».

En torno a este tipo de situaciones es donde la realización de la estética está encontrando un terreno especialmente propicio para su desarrollo jurídico. Por lo que respecta a los recintos de interés histórico, estético o arquitectónico la cuestión es clara: se justifica (y es exigible) la regulación de las condiciones ornamentales de la zona, para denegar las licencias urbanísticas respecto de todas aquellas construcciones que no se ajusten a dichos criterios administrativos.

En la línea de las afirmaciones anteriores puede situarse el caso de las «*Conservation Areas*» de Inglaterra[232]. En el Derecho británico aquéllas tienen una especial importancia desde el punto de vista de la estética. La identificación de una *Conservation Area* permite justificar un estricto régimen administrativo estético, vinculante para el propietario de uno de los edificios situados en dichas áreas. Los actos que modifiquen aquéllos se sujetan a licencia o incluso a un acto administrativo formal especial *(Consent)*, régimen que contrasta abiertamente con el sistema de no sujeción a licencia para la realización de obras, que rige en términos generales para las demás zonas de las ciudades. Interesante es, entonces, finalmente, constatar la progresiva extensión espacial de este tipo de zonas o áreas urbanas.

7. LA DEFENSA DE LAS PERSPECTIVAS, PAISAJES O «VISIONES EXTERIORES» COMO CAUCE JURÍDICO DE REALIZACIÓN DE LA ESTÉTICA

En este contexto, un criterio que se está aplicando judicialmente, y que sirve para la realización de la estética como valor urbanístico, es la defensa de las llamadas «visiones exteriores» a través de la denegación de licencias que pueden perturbar aquéllas.

A efectos de determinar o no la procedencia de la construcción de un almacén próximo a un Conjunto Histórico-Artístico, la STS de 20 de enero de 1995 (RJ 1995, 548) examina la posible justificación en un Plan urbanístico de la denegación de la licencia por motivos de perturbación de la «visión

---

232. «Town and Country Planning Development Order» de 1995 y «Town and Country Planning Act» de 1990.

exterior de las murallas de Peñíscola y su entorno», llegando a una solución negativa porque «tal construcción, ni por su emplazamiento, ni por su volumetría ni altura agrava la situación ya existente»[233].

La ausencia «de base normativa suficiente» conduce en otra sentencia a la anulación de la denegación de la licencia de construcción en el único «acceso visual que el conjunto de la ciudad de Granada ofrece ya desde La Vega, porque la legislación lo que establece para el supuesto de que los edificios o propiedades impidan la contemplación de un monumento histórico es el derecho del Estado para expropiar pero no faculta ni para impedir la construcción del edificio ni para ordenar su demolición»[234].

No obstante, no puede olvidarse en este contexto el criterio legal de la «adaptación al ambiente del lugar». En este sentido, la STS de 16 de junio de 1987 (RJ 1987, 6492)[235] combina perfectamente aquél con la necesidad de proteger el «impacto visual», de modo que el impacto negativo causado por la construcción proyectada fue motivo suficiente para mantener la legalidad de la denegación de la licencia[236]. Puede en este contexto recordarse la creciente atención que merece la protección jurídica del «paisaje»[237], cuya defensa puede servir para resarcir indirectamente valores estéticos.

---

233. La sentencia alude a la «afectación ambiental» que puede entenderse como afectación paisajística y estética.

234. STS de 20 de marzo de 1987 (RJ 1987, 1977); también se anula la decisión administrativa, en la STS de 14 de noviembre de 1986 (RJ 1986, 8082), entre otros argumentos, porque tampoco se limita «el campo visual para contemplar bellezas naturales o se rompe la armonía del paisaje o la perspectiva del mismo».

235. Véanse los artículos 73 del TRLS/1976 y 98.2.b) del Reglamento de Planeamiento, que regulan el caso con especial detalle y a cuyos contenidos me remito.

236. Interesa el párrafo siguiente: «No se ajustaba al entorno urbanístico por presentar un acabado en acero galvanizado y unas dimensiones totalmente improcedentes, que suponen, según el acuerdo recurrido, un impacto visual muy negativo en una zona que interesa conservar y revitalizar al máximo». En términos muy similares la STS de 14 de noviembre de 1986 (RJ 1986, 8082).

237. En este contexto, la Ley 7/1993, de 30 de septiembre, de carreteras de Cataluña, tiene como fin «garantizar la integración de los valores medioambientales en la toma de decisiones con incidencia sobre el territorio y de velar por la integración paisajística y ecológica de la red viaria en su entorno». La Ley 1/1995, de 18 de marzo, de Medio Ambiente de la Región de Murcia, tipifica en su artículo 72, como infracción, la degradación de la calidad del paisaje. Sobre la protección del paisaje véanse L. MARTÍN-RETORTILLO BAQUER, «Aspectos jurídicos de la tutela del paisaje», *Revista de Administración Pública*, nº 71, 1973, pp. 423 y ss.; C. MARTÍNEZ CARO/A. VERGARA GÓMEZ, «Paisaje natural y calidad de las implantaciones turísticas», *RDU*, nº 92, 1985; J. F. MARTÍN DUQUE (coordinador), *Actas de las quintas jornadas sobre el paisaje*, Segovia, 1992); A. MARTÍNEZ NIETO, «La protección del paisaje en el Derecho español (I)», *AA*, nº 32/6, 1993. Véase la STS de 10 de diciembre de 1986 (RJ 1987, 1029).

También en el Derecho francés este criterio parece dar importantes frutos tal como lo ponen de manifiesto algunos ejemplos de denegaciones de permisos de construcción por estos motivos de imagen: se prohíbe, así, una vivienda de cinco pisos que se pretende edificar frente al mar en una zona donde la mayor parte de las construcciones son individuales y situadas en terrenos de bosque[238]; o una granja en el interior de un conjunto de caseríos[239], la construcción de viviendas en masa en localidades pequeñas[240], etc.

8. LA ESTÉTICA A TRAVÉS DEL PLANEAMIENTO URBANÍSTICO

El mejor aliado de la estética puede ser el planeamiento urbanístico, considerando aquélla adecuadamente en el momento de planear la ciudad[241]. El artículo 3.2.k del Texto Refundido de la LS/1992 o el 3.1.k del TRLS/1976 afirmaban que la competencia urbanística concerniente al planeamiento comprenderá la facultad de orientar la composición arquitectónica de las edificaciones y regular, en los casos que fuera necesario, sus características estéticas. Implícita está también la estética en distintos momentos de la regulación de los Planes especiales[242].

Esta orientación estética podrá, así, afectar primeramente a las determinaciones sobre el aspecto exterior de los edificios (por ejemplo la forma de los tejados, los garajes, los materiales, los tamaños de las ventanas, puertas o escalones). Pero también a aspectos singulares como la colocación o ubicación de vallas publicitarias, de plazas, de cementerios, de árboles y estatuas, estaciones de servicio, letreros o señales, etc.

Las limitaciones son evidentes para exigir jurídicamente a la Administración la adopción de medidas estéticas en el planeamiento. Pero esto no quiere decir que ciertos Ayuntamientos no dejen de mostrar una especial preocupación por el logro de la estética en las ciudades mediante una mili-

---

238.   Resolución del Consejo de Estado de 17 de octubre de 1984, SCI Vent Debout, Dr. admin, 1984 nº 462; H. CHARLES, «L'esthétique controlée: Le juge administratif et l'esthétique à travers le jurisprudence de l'Arrêt Gonel 1914 à nos jours», en: DUBY/RIVERO/VEDEL/LANVERSIN, *L'esthétique urbaine*, Paris, 1992, p. 112.

239.   Resolución del Consejo de Estado francés de 1 de marzo de 1985 Mme. Fourniol nº 47186.

240.   Resolución del Consejo de Estado de 14 de febrero de 1990, SA HLM «La Campinoise Habitation» nº 71424.

241.   En este sentido se ha dicho que «el planeamiento aspira (...) a una transformación material de la ciudad por cuya virtud un dibujo se convierte en realidad» (STS de 19 de febrero de 1991 [RJ 1991, 965]).

242.   Véanse los artículos 18 y 19 del TRLS/1976.

metrada concreción, en los Planes urbanísticos, de las condiciones y formas de edificación previstas para la construcción *ex novo* de las edificaciones en cada una de las partes de la ciudad. Así, poniendo un ejemplo concreto, el Plan General de Ordenación Urbana de Logroño (Título III Reglamentación detallada del suelo urbano) establece los parámetros arquitectónicos que han de ser respetados por los nuevos edificios en relación con las distintas zonas de la ciudad[243].

Por otra parte, no podemos olvidar que en el planeamiento urbanístico, como ya nos consta y reitera en este contexto la STS de 7 de abril de 1997 (RJ 1997, 2642)[244], puede preverse «la eliminación o demolición de una edificación» (en el presente caso de una «edificación anexa a una iglesia, que el plan considera inadecuada)», con el fin de «mejorar el aspecto exterior original de la Iglesia (para) realzar su estética o mejorar la esbeltez de su torre».

9. TEORÍA JURÍDICA DE LA ESTÉTICA

«Es evidente que ante el conflicto planteado entre la facultad de edificar (...) y el control administrativo de esa actividad a fin de que aquella facultad no atente a los intereses públicos, debe prevalecer este último, si bien con estricto sometimiento a la ley y a criterios estrictamente objetivos»[245].

A la Administración le correspondería la función de «orientar la composición arquitectónica y regular las condiciones estéticas aplicables en cada caso, debiendo evitar siempre efectos discordantes entre fachadas de una misma manzana, contiguas o próximas, al objeto de obtener un buen efecto de conjunto»[246].

En términos generales puede decirse que la estética de las ciudades no queda al margen de una orientación administrativa. Las ordenanzas y normas urbanísticas representan un medio a través del cual la Administración ordena estéticamente la ciudad estableciendo criterios que sirven para respaldar la actuación policial contra los edificios antiestéticos.

---

243. Por ejemplo: piedras de sillería, disposición de los portales, arcos, cornisas, número de plantas, materiales y formas de las fachadas con el fin de «garantizar el aspecto unitario de las fachadas», etc., según las zonas.

244. *AA*, n.º 40 (1997) § 755.

245. STS de 5 de marzo de 1982 (RJ 1982, 1667).

246. STS de 20 de abril de 1985 (RJ 1985, 2214). En esta línea, el Proyecto de la Ley de Ordenación de la Edificación reglamenta la «composición arquitectónica» de los edificios.

La «función administrativa» consiste, pues, en la prevención, vigilancia y persecución de los efectos antiestéticos que pueden producirse a consecuencia de las construcciones en la ciudad[247], conforme al ordenamiento jurídico.

El hecho de que la acción administrativa, en defensa de la estética, haya de basarse en un criterio de legalidad es lo que precisamente evita lo que podría denominarse «dictadura del gusto administrativo»[248]: se evita, así también, el riesgo de la inseguridad jurídica que ocasionaría la imprecisión de límites de las acciones administrativas, se consigue un criterio justiciable para que los tribunales controlen el actuar administrativo y, finalmente, se logra un criterio que puede servir de medida para determinar la obligación de los poderes públicos de actuar en defensa de la estética.

Sin embargo, en el Derecho comparado (concretamente en el Derecho alemán) se ha conseguido una legislación urbanística a cuyo tenor «la Administración puede actuar contra los edificios que, en su forma, medida o proporciones, bien en su conjunto o en alguna de sus partes, o a consecuencia de sus materiales o del color, causen un *efecto antiestético*[249] o resulten contrarios a las reglas del arte arquitectónico[250]». Este último es un sistema legal articulado en torno a un concepto jurídico indeterminado[251]. Este sistema

---

247. Interesa el párrafo siguiente: «La localización de una ciudad, su configuración concreta, su magnitud mayor o menor, su disposición, su funcionalismo *y su orden* no son, en absoluto, ni pueden ser, en nuestra compleja civilización, hechos privados» (E. García de Enterría, «Los principios de la organización del urbanismo», *RAP*, nº 87 [1978], pp. 301 y ss.).

248. Aquí encajarían los Estados totalitarios, bien la República Democrática Alemana (R. Arit/ G. Rohde, *Bodenrecht,* Berlin, 1967, pp. 32 y 406) bien otros (P. Adam, *Kunst im Dritten Reich,* Hamburg, 1992, p. 225; M. Lupano, *Marcello Piacentini,* Roma, 1991), debiendo destacarse la *obsesión por la estética* de las ciudades por parte de este tipo de sistemas políticos, subordinando aquélla a los parámetros estilísticos del régimen. Se destacan, no obstante, las aportaciones de este tipo de movimientos políticos, desde un punto de vista arquitectónico: F. Brunetti, *Arquitetti e fascismo,* Firenze, 1993, *in toto;* L. Di Nucci, *Fascismo e spazio urbano. La città storiche dell'umbria,* Bologna, 1992. Para la conexión entre el surrealismo y el fascismo, en lo arquitectónico, J. A. Ramírez, *Edificios y sueños,* Madrid, 1991, p. 300.

249. Se trata de un concepto jurídico indeterminado, sin margen discrecional alguno: sentencia del Tribunal bávaro de 12 de junio 1970 número 99 I, 68.

250. No serían suficientes las reglas del arte del *oficio* de construir: Sentencia del Tribunal contencioso-administrativo de Munich de 3 de junio de 1971 número 60 I 70.
Véase también, para la definición de las reglas del arte arquitectónico, en el Derecho francés M. Huet, *Le Droit de l'arquitecture,* Paris, 1990, p. 5, quien las define como «las condiciones normales que rigen la actuación de un profesional serio y competente». Asimismo, A. Penneau, «Les régles de l'art dans le domaine de la construction», *Revue de Droit Immobilier,* oct.-déc. 1988, pp. 406 y ss.

251. Véase, por ejemplo, el artículo 11 de la Ley bávara de 18 de abril de 1994, de «ordenación del suelo»; en la actualidad el artículo 11 dice concretamente: «las construcciones tienen que hacerse de acuerdo con las reglas reconocidas del arte arquitectónico de modo que

es significativo, primero porque presupone que la estética es un concepto *desarrollado* y capaz de ser aplicado jurídicamente de forma directa, hecho que seguramente es una consecuencia de la atención especial que en Alemania se dedicó a la estética en un plano científico y como fenómeno puramente racional. Es asimismo significativo porque se abre así un amplio margen de acción a favor de la Administración, sin perjuicio de que, como en todo concepto jurídico indeterminado la última palabra la tienen los tribunales[252].

No faltan muestras de aplicación del citado precepto, a pesar de que paulatinamente su aplicación ha perdido el rigor de tiempos precedentes[253]: se justifican, así por ejemplo, las medidas administrativas contra una cerca

---

su forma, medida, proporciones del cuerpo y partes, materiales y color no repercutan antiestéticamente». En el artículo 11.2 se prevé la típica adecuación al ambiente de las construcciones.

No es nuevo este sistema: su precedente inmediato puede encontrarse en el artículo 53 de la Ley bávara de 17 de febrero de 1901 que emplea el término «anständige Baubesinnung» («sentido decente de la construcción») como clave para articular una genérica competencia, sin perjuicio de las garantías de los particulares.

Véase F. KITZINGER, en: H. C. NIPERDEY –coordinador–, *Die Grundrechte und Grundpflichten der Reichverfassung. Kommentar* (Tomo II) Berlin, 1930, pp. 449 y ss.; MANG-SIMON, *Bayerische Bauordnung. Kommentar*, München, 1968; asimismo, sobre la cláusula general de policía, el estudio de K. WAECHTER, «Die Schutzgüter des Polizeirechts», *Neue Zeitschrift für Verwaltungsrecht*, nº 8 (1997), pp. 737 y ss.

Con idéntico contenido el artículo 11.2 de la Ley de urbanismo de Baden-Würtemberg o el artículo 5.1 de la Ley de urbanismo de 8 de marzo de 1995 de Renania-Palatinado. Véanse los recomendables comentarios de H. SAUTER, *Landesbauordnung für Baden-Würtemberg. Kommentar*, Stuttgart, 1996 o G. SCHELZ, *Landesbauordnung für Baden-Würtemberg.* Kommentar 1996, München, 1996; HAASE, *Die Landesbauordnungen...*, pp. 78 y ss.; A. SIMON, *Bayerische Bauordnung. Kommentar*, 1988, comentando el artículo 12 § 16 mantiene el poder del Estado de la «Baugestaltung» (potestad administrativa de ordenación de las construcciones, l'esthétique decrétée) y establece ciertos límites «objetivos» para poder limitar colores de las fachadas.

252. Tal como, en este último sentido, recuerda E. GARCÍA DE ENTERRÍA, «Una nota sobre el interés general como concepto jurídico indeterminado», *REDA,* nº 89 (1996), p. 73: «no es el criterio libre, personal y omnímodo del titular del poder de que se trate el que decide por sí solo, sino que esa decisión debe adoptarse para servir precisamente al interés general, común o público (...), para excluir ciertas actuaciones e incluir otras, como un canon delimitador, pero que se hace bastante preciso en cuanto es cuestionado en un caso concreto». Véase también M. MARTÍN GONZÁLEZ, «El grado de determinación legal de los conceptos jurídicos», *RAP,* nº 54 (1967), pp. 197 y ss.; F. SAINZ MORENO, *Conceptos jurídicos indeterminados, interpretación y discrecionalidad administrativa*, Madrid, 1976, *in toto;* del mismo; A. SERRANO, «El principio de legalidad: algunos aspectos problemáticos», *REDA,* nº 20 (1979), pp. 83 y ss.; M. BACIGALUPO SAGESSE, *La discrecionalidad administrativa,* Madrid, 1997.

253. La doctrina (MANG-SIMON, *Bayerische Bauordnung. Kommentar,* München 1968) se refiere al fuerte dirigismo administrativo que tradicionalmente ha reinado en Baviera en materia de policía estética sobre la ciudad, «lamentando cierta relajación en tiempos más recientes».

de casi dos metros, por ser antiestética[254], o contra una puerta de un garage en un edificio por ser «desproporcionada» en relación con el tamaño de la fachada[255] o por desentonar con el entorno[256]. Un balcón pintado en tres colores es antiestético por ser «llamativo»[257], debiéndose exigir al propietario que cambie el color por otro más discreto o por otro adecuado al ambiente del lugar. En relación con el empleo de materiales, el aluminio puede ser antiestético[258], como puede serlo también el reflejo de luz que ocasionan dichos materiales[259].

En el Derecho alemán, un criterio que viene a auxiliar los anteriores es el de la «valoración del hombre culto medio-ideal»[260]. Se considera que el hombre medio puede caracterizar objetivamente la molestia[261], el efecto desagradable, la agresión objetiva a la sensibilidad y la vista, la sensación objetiva de malestar, la valoración negativa del entorno[262], la degradación que ocasiona del entorno.

---

254. Sentencia del TSJ de Baden-Württemberg de 19 de febrero de 1963, III 552/61 y sentencia del TSJ de Münster de 16 de julio de 1964, BRS 15, 162.

255. Sentencia del Tribunal contencioso-administrativo de Friburgo de 19 de marzo de 1958, Az. 144/57. A causa de la desproporción de la edificación proyectada, con el medio en el que se encuentra, se deniega la licencia para edificar (STS alemán de 29 de abril de 198 *BVerwG* IV B 77, 67; sentencia del Tribunal contencioso-administrativo de Munich, de 9 de noviembre de 1977 Nr.414 II 74).

256. El TSJ de Baden-Württemberg confirma que puede denegarse la construcción de una vivienda con un estilo ajeno al propio del lugar (sentencia de 13 de marzo de 1961 VerwRspr 14, 81).

257. Sentencia del TSJ de Baden-Württemberg de 21 de junio de 1965, II 191/64.

258. Los materiales que deben emplearse pueden ser objeto de litigio. En contra de admitir el aluminio en una vivienda la sentencia del TSJ de Baviera de 11 de junio de 1969 *BayVBl*, 1970 p. 259; no necesariamente en contra, la STSJ de 17 de marzo de 1966 *BRS*, 17, p. 164 del TSJ de Baden-Württemberg.

259. Es por eso conforme a Derecho la orden de su sustitución por otro material (sentencia del TSJ de Baden-Württemberg de 6 de julio de 1970, *Baden-WVBl*, 1971, p. 125).

260. Entre una numerosa jurisprudencia, que se apoya en este criterio, para determinar en qué casos la orden administrativa es o no conforme a Derecho (en razón de si es estética o antiestética el estado creado o planeado), véase la decisiva sentencia del «Tribunal Supremo» alemán (Sala de lo contencioso-administrativo) de 28 de junio 1955, *NJW*, 1955, p. 1647 y la sentencia del mismo tribunal, de 16 de febrero de 1968 *DVBl*, 68, p. 507.

261. Sentencia del TSJ de Berlin de 5 de marzo de 1976 *BauR*, 1976 p. 353; la perturbación o molestia antiestética ha de ser lógicamente «esencial» (sentencia del TSJ de Munich de 27 de octubre de 1966, *BayVbl.* 67, 280 respecto de un anuncio publicitario).

262. En este contexto podrían encuadrarse los distintos estudios que desde la geografía inciden en la importancia de la perspectiva del paisaje o de la imagen dentro de la ciudad interior (J. M. Loiseau/F. Terrasson/Y. Trochel, *Le paysage urbain*, Paris, 1993, *in toto*); M. Neuman, «La imagen y la ciudad» *Ciudad y Territorio*, nº 104, 1995, p. 377; P. Sica, *La imagen de la ciudad*, Barcelona, 1977.

Por su parte, en el Derecho francés, la «estética» consigue habilitar a los Ayuntamientos para que éstos insten la recuperación de los bienes públicos (por usos antiestéticos) o para iniciar el trámite de expropiación forzosa[263].

Quizás las limitaciones, que en todo caso impone el Derecho a la realización de la estética, explique el hecho de que, incluso «conforme a Derecho» (conforme a licencias que amparan las obras realizadas), se consoliden en las ciudades conjuntos urbanos que cualquiera puede calificar como antiestéticos[264]. No pueden evitarse las dudas acerca de si realmente nuestro sistema jurídico es capaz de resolver el problema estético de la ordenación racional de las ciudades, a diferencia de otros períodos históricos cuyos resultados han podido ser evidentemente mejores. En nuestros tiempos nos hemos acostumbrado a la afirmación en virtud de la cual la estética es, simplemente, una *realidad subjetiva*[265], afirmación que no viene sino a reconocer la marginación que sufre este tipo de planteamientos estéticos. Junto a otros ejemplos que hemos puesto *supra,* pueden en este contexto aportarse otros en esta línea, concernientes éstos al planeamiento urbanístico. La STS de 2 de octubre de 1990 (RJ 1990, 7828) traza, así, en el planeamiento urbanístico una interesante línea divisoria entre dos partes:

---

263. J. BARTHÉLEMY, «L'esthetique urbaine et la réforme de l'architecture de l'urbanisme», *AJDA,* 1977, pp. 171 y ss.; J. MORAND-DEVILLER, «Esthétique et droit de l'urbanisme», *Mélanges René Chapus,* Paris, 1992, pp. 437 y 438 y nota a pie de página 10 donde aporta algunos ejemplos jurisprudenciales; D. LABETOULLE/C. CABANES, *AJDA,* 1972, I, p. 213); J. M. DEVILLER, «L'esthétique décrétée» en: DUBY/RIVERO/VEDEL/LANVERSIN, *L'esthétique urbaine,* Paris, 1992, pp. 71 y ss., autora que mantiene la necesidad de una «estética decretada por el poder público».
Sobre el problema en general, del «interés público», como habilitante de acciones administrativas, el clásico trabajo de J. CHEVALLIER, «L'intérêt général dans l'administration française», *Rev. intern. sc. adm.,* 1075, pp. 325 y ss.; también R. CHAPUS, *Droit administratif général,* Tomo I, 5ª ed., p. 481; P. BERNARD, «La noction d'ordre public en droit administratif français», *LGDJ,* 1962.

264. Interesa también el siguiente párrafo tomado de V. BOIX REIG, «Un marco para el estudio de la infracción urbanística», *Revista de Estudios de la Vida Local,* nº 195, 1977, p. 565: «nuestra legislación urbanística disfruta, en líneas generales, de una estimable calidad técnica; con frecuencia nuevos textos reglamentarios, también de calidad, enriquecen el patrimonio legislativo. Paradójicamente, sin embargo, el desorden urbanístico aumenta por doquier (...)». Véase también A. FONT ARELLANO, «Ciudad: mercancía o espacio colectivo», *Ciudad y Territorio,* nº 103, 1995, pp. 37 y ss. y el libro de A. NIETO GARCÍA, *España en Astillas,* Madrid, 1993, p. 103, obra ésta que podría encuadrarse dentro del género literario de los *Muckrackers;* véase L. STEFFENS, *La vergüenza de las ciudades,* León, 1992, pp. 36 y ss.; insiste en «el sentido humanista de la renovación urbana» E. SERRANO GUIRADO, «La Administración local y los problemas de renovación urbana», *RAP,* nº 36, 1972, p. 21.

265. Como afirma una gráfica sentencia, la estética es lo «subjetivo» lo cual se contrapone a lo «objetivo», que es lo relevante a efectos jurídicos y a efectos de otorgar una licencia (STS de 5 de marzo de 1982 [RJ 1982, 1667]).

«En el planeamiento urbanístico procede distinguir una actividad jurídica o reglada que viene sometida a normas formales y materiales de obligada observancia y acatamiento, y una actividad de oportunidad técnica o discrecional, en la que se elige entre varias alternativas, una determinada solución de modelo global y orgánico del territorio»: «los problemas técnicos, estéticos o de conveniencia u oportunidad».

Tampoco parece ser fácil jurídicamente obligar a la Administración a adoptar las medidas necesarias para preservar la estética del lugar. En este sentido (es el caso de la citada STS de 2 de octubre de 1990 [RJ 1990, 7828]) una Comunidad de propietarios y de Conservación de una urbanización pretendía que la Administración completara el Plan general estableciendo ciertas prescripciones estéticas respecto del lugar donde se asentaba dicha Comunidad, por ejemplo las relativas al color de los tejados de una determinada zona o de los muros exteriores respecto de los que sólo habría de permitirse la piedra pero no el ladrillo, etc.

El Tribunal Supremo, confirmando la sentencia apelada considera que estas cuestiones son problemas de estética y por tanto discrecionales, ajenas al enjuiciamiento del tribunal, ya que ello supondría la vulneración del principio revisor de la jurisdicción contencioso-administrativa.

Lo contrario sería «pretender del tribunal que sustituya la función de la Administración por la del recurrente, mientras no se pruebe que la actividad administrativa incide en ilegalidad, desviación de poder o error fáctico, y menos aún que el tribunal, abandonando su misión revisora, rectamente entendida, supla a la Administración en materias de su específica competencia, salvo que se acredite la concurrencia de alguno de los indicados vicios»[266].

En suma, la habitual frase «la estética es una realidad subjetiva» simboliza la ausencia de una voluntad decidida para afrontar jurídicamente los problemas existentes.

Pese a las habituales declaraciones jurisprudenciales sobre la consideración de la estética como un fenómeno puramente subjetivo[267], lo cierto es

---

266. STS de 2 de octubre de 1990 (RJ 1990, 7828).

267. En sentido moderno el arranque de estas posiciones subjetivistas puede situarse en J. LOCKE, *An essay concerning human understanding,* 1690 y D. HUME, *A Treatise of Human Nature* y *Of the Standard of Taste,* 1757, obras contrarias a todo innatismo en el conocimiento humano y defensoras de la percepción y la subjetividad en la apreciación de los gustos y la estética. Estas corrientes fueron consideradas y superadas por I. KANT, *Kritik der Urteilskraft,* 1790. No puede, no obstante, ignorarse el decisivo influjo que tuvieron sobre la práctica arquitectónica posterior en Inglaterra (véase, en relación con la llamada «estética de lo pintoresco», A. COZENS, *A New Method,* Londres 1785 o A. ALISON, *Essays on the Nature and Principles of Taste,* 1790); pero incluso fuera de Inglaterra (E.-L. BOULLÉ, 1728-1799, *Essai sur l'art,* Paris).

que el ordenamiento jurídico permite deducir, como hemos podido apreciar, ciertas vías a través de las cuales indirectamente puede realizarse la estética, principalmente a través de las reglamentaciones de las ordenanzas locales y de la aplicación del criterio de la adecuación al ambiente, por parte de las construcciones.

Este último criterio conduce a una interesante aplicación de la estética como concepto jurídico. En efecto, la adaptación al ambiente conlleva el enjuiciamiento de la presencia o ausencia de «estridencia», de «desarmonía», de «discordancia y distorsión» (entre la construcción proyectada y el ambiente en el que debe encuadrarse), que no son sino los elementos conceptuales y objetivos propios de la estética.

No faltan asimismo ocasiones en las que el propio ordenamiento jurídico emplea la «estética» como un concepto jurídico indeterminado en el marco de una reglamentación concreta. Esto último ocurre, por ejemplo, en el caso de las adjudicaciones de **contratos** de obras o servicios por parte de los poderes públicos[268], ya que «los pliegos de cláusulas administrativas particulares contendrán los criterios objetivos que han de servir de base para la adjudicación, tales como el precio (...), las *características estéticas* y funcionales». Otro ejemplo en esta línea: para identificar la **ruina económica** ha de valorarse económicamente el ornato, ya que «las reparaciones a tener en cuenta son las necesarias para poner el inmueble en condiciones de seguridad, salubridad y habitabilidad, *con inclusión del ornato público,* y no simplemente las precisas para mantener en pie la edificación»[269]. En este contexto se situaría también la obligación del titular de una estación de servicio de reponer a su cargo los elementos de la **carretera** que resulten dañados por la ejecución de las obras, restituyéndolos a las condiciones anteriores de «se-

En este sentido, es interesante el siguiente texto de *la Ética de Nicómaco* de Aristóteles, Libro I Capítulo III, 2: «cuando la belleza *y lo justo* se estudian desde el punto de vista de la política surgen interpretaciones tan variadas entre sí que parecen más ser resultado del capricho de la ley que de un efecto de la naturaleza».

268. En este mismo sentido, la Ley 5/1990, de 24 de mayo, de carreteras de la Comunidad Autónoma de las Islas Baleares, en el artículo 23, considera que «la conservación de la carreteras se encargará al organismo que desarrolle la administración y gestión de la red en que se encuentre integrada, incluidas las condiciones de ambiente y estética de las mismas».

269. STS de 18 de abril de 1994 (RJ 1994, 2814) y STS de 19 de abril de 1994 (RJ 1994, 2818); STS de 7 de noviembre de 1991 (RJ 1991, 8802). Igualmente la STS de 22 de octubre de 1991: «a los efectos de la ruina técnica las reparaciones a tener en cuenta son las necesarias para poner el inmueble en condiciones de seguridad, salubridad y habitabilidad, con inclusión del ornato público».

guridad, funcionalidad y **aspecto**» (artículo 71.6 del Reglamento de la Ley de Carreteras, de 2 de septiembre de 1994).

Sin embargo, una regulación de la «estética» como concepto jurídico indeterminado, atribuyendo a la Administración la posibilidad de intervenir contra las *edificaciones antiestéticas*[270] presupondría que la «estética» es un concepto jurídico suficientemente desarrollado, como ocurre por ejemplo con el concepto de «ruina», *a priori* ni más ni menos complejo que el concepto de «antiestética» a efectos de su concreción o delimitación especialmente si se considera, por otra parte, el auxilio que en la práctica pueden prestar los informes técnicos, así como que muchas veces la «antiestética» puede ser identificada sin ningún problema por cualquier observador (y no sino éstos son los casos que jurídicamente interesan).

Incluso descartando esta vía, puede no obstante profundizarse en su dimensión objetiva[271], para procurar su realización mediante su plasmación

---

270. Con el correlativo control judicial pleno que implican los conceptos jurídicos indeterminados, según recuerda E. GARCÍA DE ENTERRÍA, «Una nota sobre el interés general como concepto jurídico indeterminado», *REDA*, nº 89 (1996), p. 72: «*interés general e interés público* son guías claras que utiliza el constituyente para organizar instituciones o actuaciones públicas. En modo alguno podrían interpretarse, precisamente, como expresiones que habiliten a los titulares de los poderes públicos para acordar lo que su buen querer o su imaginación puedan sugerirles, como habilitantes de una verdadera discrecionalidad en sentido técnico, según la cual cualquier decisión, cualquier opción entre alternativas, sería legítima».

271. En este sentido, es interesante el siguiente texto, que pone en evidencia la carga puramente objetiva de la estética (A. SCHOPENHAUER, «Zur Aesthetik der Architektur», en *Ergänzungen zum Dritten Buch, Die Welt als Wille und Vorstellung*, II), 1859, editado por Haffmans TaschenBuch, Zürich, 1988, p. 481: «el mismo principio de la claridad y de la fácil comprensión conlleva la necesidad de que la edificación tenga una fácil apreciación a la vista, circunstancia que ocasiona la deseada simetría, que es vital para que la obra arquitectónica pueda concebirse como un todo, logrando así evitar que aquélla sea el producto de las casualidades, sin orden ni concierto, porque de aquella forma es como se descubre una *ratio* o idea de conjunto; porque en definitiva sólo a través de la simetría y el orden es como se realiza la obra arquitectónica, para que cada uno de los edificios mantenga personalidad propia siendo al mismo tiempo representación de una idea de sistema». Traducido del original: «Das selbe Prinzip der Anschaulichkeit und leichten Faßlichkeit verlangt auch leichte Uebersehbarkeit: diese führt die Symmetrie herbei, welche überdies nöthig ist, um das Werk als Ganzes abzustecken und dessen wesentliche Begränzung von der zufälligen zu unterscheiden, wie man denn z.B. bisweilen nur an ihrem Leitfaden erkennt, vor sich hat. Nun mittels der Symmetrie also kündigt sich das architektonische Werk sogleich als individuelle Einheit und als Entwicklung eines Hauptgedankens an». Ni siquiera en el arte contemporáneo queda claro que la estética sea un fenómeno subjetivo. Véase M. C. BEARDSLEY/J. HOSPERS, *Estética*, Madrid, 1986, p. 161; H. G. GADAMER, *L'actualité du beau*, Tübingen, 1992 (traducción del alemán por E. POULAIN); G. GENETTE, *La relation esthétique*, Paris, 1997, p. 85 sobre el problema; también sobre éste A. BECQ, *Génese de l'esthétique moderne 1680-1814*, Paris, 1994 (reedición), pp. 489 y ss.

en reglas jurídicas o parámetros normativos. Evitando, por otra parte, la asociación entre «estética» y «gusto»[272], aquélla sería primordialmente una realidad objetivable a través de su traducción normativa en reglas de simetría, proporción, quizás sencillez y sobriedad del edificio, en todo caso pulcritud, homogeneidad, consonancia de las partes del edificio con el todo o de aquéllas entre sí, o de los edificios entre sí, o de un edificio con una realidad arquitectónica de relevancia estética por su estilo, por su color[273], su altura, sus dimensiones. En sentido negativo, no es difícil identificar objetivamente la antiestética mediante lo «escabroso», «desproporcionado», «quebrado», «llamativo», «disonante», etc.[274].

Puede recordarse en este momento la garantía indemnizatoria procedente en caso de que la medida administrativa represente una carga excesiva o ilegítima sobre el derecho de propiedad.

En relación con las garantías de los «terceros»[275] cualquier particular tiene un derecho de denuncia si observa que la edificación incumple el ordenamiento jurídico[276]. Posibilidad distinta es la de recurrir judicialmente contra el Ayuntamiento para que el órgano jurisdiccional ordene la adopción de las medidas correspondientes en contra del sujeto cuya vivienda desentona con el entorno.

10. EL ARTÍCULO 20 DE LA CONSTITUCIÓN Y EL PROBLEMA DE LA ESTÉTICA DE LO MODERNO: ¿A FAVOR O EN CONTRA DE LA ESTÉTICA?

Nuevamente volvemos al caso de las denegaciones de licencias y de las

---

272. Véase, en este sentido el clásico trabajo de A. Loos, «Ornament und Verbrechen», *Der Sturm*, Berlin, 1912.

273. El color es un elemento estético de primera relevancia; un libro que analiza la importancia del color en las ciudades es el trabajo dirigido por A. Parinaud, *La coleur et la nature dans la ville*, Paris, 1988; véase también G. Gage, *Color y cultura*, Madrid, 1993; M.U. Ström, *L'art public*, Paris, 1980, p. 8.

274. Véase, W. Szambien, *Symétrie, goût, caractère*, Paris, 1986, pp. 59 y ss. con un estudio sobre los componentes estéticos dentro de los que incluye: orden, geometría, regularidad, uso doméstico o cómodo, decencia o decoro, gusto, solidez y ligereza, simplicidad, economía, perceptibilidad.

275. El litigio puede plantearse por el interesado o por un tercero alegando el error de apreciación de la Administración en la concesión de la licencia (M. Huet, *Le Droit de l'arquitecture*, Paris, 1990, p. 73 apoyándose en la resolución del Consejo de Estado de 19 de diciembre de 1975 Req. nº 00.159, *AJDA* sept. 1976 sept. 1976 p. 422).

276. Son frecuentes estos casos según deja deducir la jurisprudencia; por ejemplo, STS de 3 de enero de 1996 (RJ 1996, 22); STSJ de Madrid de 17 de junio de 1996 (RJCA 1996, 726).

actuaciones policiales contra construcciones, pero en estos momentos en relación con un tema concreto que presenta en principio una especial problemática. Se trata de los proyectos de construcción que desentonen con el entorno, pero que puedan justificarse considerando ciertos elementos estéticos singulares.

La cuestión jurídicamente puede plantearse en torno al artículo 20 de la Constitución: «se reconoce y protegen los derechos a la producción y creación artística, científica y técnica», precepto que, por supuesto, acoge también la arquitectura[277]. Este artículo previene frente a una posible interpretación *cerrada* o restringida del «criterio de la adecuación al ambiente de las construcciones» que llevara a denegar una licencia por inadecuación al entorno o lugar donde la construcción se proyecta.

Existen ejemplos curiosos que informan de la necesidad de obrar con ciertas cautelas y evitar respuestas simplistas: la construcción de la «Torre Eiffel» se consideró extravagante en su momento y por esta causa no se edificó en Barcelona sino en París. Otro caso o ejemplo no menos sorprendente: en un libro de un autorizado administrativista de principios de este siglo se defiende enérgicamente que la Administración debe prohibir (por ser antiestéticos) los quioscos, los carteles publicitarios, la iluminación publicitaria e incluso las cabinas telefónicas[278]. En un cómic, el personaje Astérix afirma: «los romanos, con esos acueductos, destruyen el paisaje». Finalmente, a favor de este tipo de proyectos juega el hecho de que la estética acoge la llamada «estética de la fealdad o de lo deforme»[279] como también por ejemplo la «estética de lo lúgubre»[280], como valores que ocupan un lugar junto a

---

277. Dentro de la creación artística se encuadra sin problemas la creación arquitectónica; en el Derecho alemán se protege a través del derecho fundamental de la libre creación artística (del artículo 5 de la Ley Fundamental). Este enfoque es oportuno considerando que en el Derecho urbanístico se parte de una competencia pública de «ordenación estética» (Baugestaltungsrecht) que limita la «individuelle Kunstfreiheit» (derecho individual a la creación artística); véase M. E. GEIS, *Kulturstaat und kulturelle Freiheit*, Baden Baden, 1990, pp. 43 y ss.); F. HUFEN, *Die Freiheit der Kunst in staatlichen Institutionen*, Baden Baden 1982; W. KNIES, *Schranken der Kunstfreiheit als verfassungsrechtliches Problem*, München, 1967, p. 228; así como el autorizado comentario al artículo 5 de la Ley Fundamental realizado por MAUNZ/DÜRIG, *Grundgesetz. Kommentar;* E. SEYBOLD, *Bauästhetisches Ortsrecht*, Regensburg, 1988, p. 68 y 133, siguiendo a HUBER.

278. P. DUEZ, *Police et esthétique de la rue*, Lille, 1927, p. 17.

279. GOYA, SACHER-MASOCH, DAUMIER, AIKIN son nombres que vienen rápidamente a la mente. Sobre esto puede verse J. BALTRUSAITIS, *Aberrations. Les perspectives dépravees*, Paris, 1995, pp. 150 y ss. con ciertas referencias a la arquitectura en este contexto; M. GAGNEBIN, *Fascination de la ladeur*, Paris, 1994.

280. M. GUIOMAR, *Principes d'une esthétique de la mort*, 1970; J. HERVERY, *Meditations among the tombs*, 1746.

la «belleza» (si es que, por otra parte, este concepto aún es defendible en nuestro siglo).

La trascendencia de las decisiones de los poderes públicos en estos casos es enorme para la ciudad, porque, en definitiva su imagen, su renovación misma, su prestigio y la afluencia de recursos económicos a través del turismo, dependen en gran medida de su mayor o menor acierto, sin olvidar tampoco el impacto que producen a efectos electorales[281] tanto en las grandes como en las pequeñas localidades.

La cuestión que nos ocupa se entiende especialmente en el contexto del *mundo artístico y arquitectónico contemporáneos,* y teóricamente en relación con ciertos fenómenos bien conocidos y no por ello exentos de discusión, como la famosa crisis de la arquitectura durante el presente siglo o, cuando menos, la crisis de su tradicional asociación con la estética. Frente a la claridad de principios estéticos de tiempos precedentes se apunta en el presente siglo la confusa situación en torno a los criterios que presiden lo arquitectónico y lo artístico. En este sentido, si bien lo característico de siglos precedentes habría sido la continuidad con el pasado[282], lo típico del presente lo constituiría más bien la ruptura[283]. Bien es cierto que, sin negar la crisis, se advierte también

---

281. Sobre esto O. DUHAMEL, «L'esthétique demandée. Les electeurs, l'opinion et l'exigence esthétique», en: DUBY/RIVERO/VEDEL/LANVERSIN, *L'esthétique urbaine,* Paris, 1992, pp. 143 y ss.

282. En Europa habría sido posible que durante toda la historia se manejaran básicamente unos criterios estéticos comunes, sentados en tiempos de la Antigüedad clásica, los cuales habrían dado cabida a estilos arquitectónicos muy diferentes entre sí. Significativa es, en este sentido, la obra de J. J. WINCKELMANN, *Geschichte der Kunst des Altertums,* 1764. En este contexto pueden valorarse no sólo el barroco o el clasicismo sino también, bien entrado el siglo XIX, las corrientes neogóticas o neobizantinas, etc.
    Lo característico (como aporta A. PICON, *Architecture et ingénieurs au siècle des lumières,* Paris, 1988, pp. 13 y ss. y 93 y ss.) es que cada estilo se situase entre la tradición y la ruptura, entre la repetición y la originalidad (por referencia al clasicismo: «les lumières entre la tradition et la rupture»).
    Un punto de partida para identificar la asociación entre arquitectura y estética puede situarse en la famosa obra de VITRUVIO, *Los diez libros de la arquitectura,* escrito en tiempos de Augusto (sobre el año 25 antes de Cristo) con un estudio de las distintas reglas que han de regir estéticamente la arquitectura y el urbanismo; sobre la arquitectura en Roma me remito al completo trabajo de L. HOMO, *Rome impériale et l'urbanisme dans l'antiquité,* Paris, 1971.

283. Parece existir consenso en este punto; véase P. BIDAGOR LASARTE en el libro colectivo *Resumen histórico del urbanismo en España,* Madrid, 1987 (editado por el Instituto de Estudios de la Administración Local), pp. 249 y ss.; G. GUILLIER, *2000 ans d'architecture vivante,* Rennes, 1983, p. 177; P. HEREU/J. M. MONTANER/J. OLIVERAS, *Textos de arquitectura de la modernidad,* Madrid, 1994, pp. 285 y ss.; J. SUMMERSON, *La Langage classique de l'architecture* (traducción) Paris, 1992, con una descripción de la identidad de principios arquitectónicos que presidieron los siglos precedentes; también sobre el tema JENCKS, *La langage de l'architecture post-moderne,* 1979.

la recuperación de la estética en sentido tradicional *o clásico*, después de atenuarse la euforia del funcionalismo[284], y porque a su favor aparecen factores tales como la humanización, la calidad de vida o el derecho a una vivienda digna[285].

Para resolver este tipo de cuestiones, puede primero partirse de que el criterio general de la adecuación de la construcción a la estética del ambiente es un criterio que en el fondo se basa en la valoración estética del ciudadano medio-ideal que promociona el Derecho[286], sin que entonces parezca descabellado entender que dicha valoración puede verse desplazada cuando el interesado haga valer un nivel superior de conocimientos estéticos.

No obstante, la necesidad por un lado de que el Derecho no suponga un freno a la creatividad y originalidad arquitectónicas y la necesidad por otro lado de preservar con carácter general la estética del entorno no parecen valores irreconciliables entre sí.

En este sentido, el propio criterio de la adecuación al ambiente quedaría a salvo incluso en estos casos si bien no tomando como parámetro la idea de «armonía» o «consonancia» sino la idea de «contraste intencionado y consciente» con el estilo del lugar. Obsérvese entonces que «el contraste» exige una toma de referencia con el ambiente que rodea a la pretendida construcción.

Es más, en los momentos actuales la adecuación con el ambiente no puede significar necesariamente un mimetismo de la construcción pretendida respecto del estilo de los edificios del lugar; más bien se impondría arquitectónicamente la renovación estilística de la zona, la perduración del estilo tradicional a cambio de su actualización o renovación[287].

La jurisprudencia confirma esta idea de la *estética del contraste fundado y*

---

284. En este contexto se situaría la recuperación de la vivienda unifamiliar. Sobre la atenuación del funcionalismo M. Ragon, *Histoire de l'architecture et de l'urbanisme modernes. De Brasilia au pos-modernité (1940-1991)*, 1986, pp. 238 a 292.

285. En este contexto, y en esta línea, A. Piettre, «Urbanisme, architecture et esthétique», en el Libro-Homenaje a J. Lajugie, *Région et aménagement du territoire*, Bordeaux, 1985, pp. 206 y ss. después de caracterizar la arquitectura actual como funcional, colectiva, industrial y vertical, considera necesario «un retour á la tradition rénovée, l'avenir du passé».

286. A esto se le ha llamado también la arquitectura hecha para «todo el mundo» (W. Szambien, *Symétrie, goût, caractère*, Paris, 1986, pp. 30 y ss.).

287. Para una consulta de las distintas posiciones teóricas sobre las intervenciones de sustitución en los centros históricos véase, con detalle, F. De Gracia, *Construir en lo construido*, Madrid, 1992, pp. 287 y ss. y 189 y ss.

deliberado incluso en situaciones ordinarias. La STS de 8 de noviembre de 1995 (RJ 1995, 9346) deja, de forma interesante, abierta una vía para la invocación de este tipo de valoraciones cuando afirma que «no es susceptible de ser legalizado o autorizado el cerramiento de la terraza, *al no haberse fehacientemente acreditado que tal cuerpo volado cerrado del edificio suponga una mejor integración en el entorno*».

En conclusión, siempre que no se *demostrara* la adecuación «por contraste» con el entorno (y, en todo caso, «en casos dudosos») habría de primar el criterio administrativo (del hombre culto medio-ideal, basado en los parámetros objetivos que esencialmente componen la estética) porque este criterio no se enfrenta contra la realización del proyecto en cuanto tal sino contra la realización del proyecto en una determinada zona cuyo contenido estético corresponde ser protegido jurídicamente. Aquél primaría a salvo de que el interesado demostrara que su proyecto se sitúa por encima del nivel de conocimientos medios, clásicos y objetivos que debe imponerse con *carácter general*[288].

Debe, no obstante, apuntarse que la significación de este tipo de problemas «de la estética de la arquitectura contemporánea» es aún escasa en la mayor parte de las ciudades, y, por otra parte, dicho problema se plantearía solamente cuando fuera necesario denegar la licencia por desentonar la edificación pretendida con un entorno digno de ser protegido estéticamente, pero no cuando estemos ante una zona donde no existan valores estéticos que deban ser protegidos; más bien, estas últimas *zonas* aportan un campo apropiado para la realización de proyectos arquitectónicos *contemporáneos* a través de las obras y procesos de sustitución y renovación.

Por otra parte, un fenómeno típico de nuestro tiempo es que las ciudades (especialmente las grandes ciudades) *crean* determinados espacios («espacios subterráneos»[289], pantallas anti-ruido situadas en las carreteras, etc.) donde se constata una especial necesidad de atender a su estética.

---

288. Finalmente, en caso de duda los informes de especialistas aportarán criterios suficientes para dar jurídicamente una respuesta en el caso concreto, acerca de la admisión o no de una obra en función de sus caracteres arquitectónicos complejos y singulares. Véanse así las SSTS de 5 de febrero de 1991 (RJ 1991, 772), dando primacía a los criterios del Departamento del Archivo Histórico del Colegio de Arquitectos de Alicante sobre los del perito; STS de 18 de julio de 1993 (RJ 1993, 5578) en relación con un Bien catalogado; STS de 20 de enero de 1995 (RJ 1995, 548); STS de 8 de noviembre de 1995 (RJ 1995, 9346); STS de 18 de noviembre de 1996 (RJ 1996, 8649), STS de 6 de junio de 1996 (RJ 1996, 4781) en relación con un BIC.

289. Sobre esto S. BARLES/A. GUILLERME, *L'urbanisme souterrain,* p. 121, quien aboga por una «estética de los espacios subterráneos» y analiza cuidadosamente esta dimensión. Sobre los problemas jurídicos que plantea el subsuelo urbanístico me remito al trabajo de A.

Sobre este tipo de polémicas destaca, en la jurisprudencia, la STS de 16 de octubre de 2000 (RJ 2000, 7777), relativa al Teatro Romano de Sagunto, donde el TS confirma la STSJ de la Comunidad Valenciana de 30 de abril de 1993, señalando que aunque la reconstrucción de dicho Teatro Romano se base en unos presupuestos metodológicos plenamente defendibles en el plano artístico o académico, dicha reconstrucción se enfrenta a un criterio normativo opuesto (el que se plasma en el artículo 39.2 de la Ley 16/1985, de Patrimonio Histórico Español), que es el que debe vincular a la Administración Pública en el ejercicio de las funciones que el propio legislador le ha atribuido sobre los bienes inmuebles integrantes del Patrimonio Histórico Español.

11. EL FOMENTO ECONÓMICO DE LA ESTÉTICA Y EL EMBELLECIMIENTO DE LA CIUDAD

El régimen de ayudas de la rehabilitación urbanística puede orientarse directamente a fomentar la «mejora de la imagen urbana» y a la «realización de las obras de embellecimiento». Estamos ante un tema que empieza a preocupar especialmente a los Ayuntamientos y por eso este tipo de reglamentaciones es un magnífico ejemplo de la preocupación que por los aspectos culturales se manifiesta en el moderno urbanismo.

Así, la ordenanza municipal de ayudas a la rehabilitación integral del casco antiguo y fachadas de la ciudad de Pamplona, de 25 de julio de 1997[290], fomenta concretamente, y en primer lugar, la iluminación de las fachadas mediante la instalación de alumbrado directo en aquéllas siempre que se sitúen en el Casco Antiguo y «presenten valores estéticos especiales» o «estén las fachadas situadas en plazas o zonas de perspectiva amplia para su contemplación», todo ello considerando el «carácter público de la finalidad estética». En segundo lugar, se prevén ayudas a la «restauración de fachadas» con el fin de mejorar la imagen urbana, estableciéndose ciertas condiciones de los edificios, para poder obtener la ayuda municipal.

Puede apreciarse que la adjudicación de la ayuda depende de la presen-

---

NIETO GARCÍA, «El subsuelo urbanístico», *REDA,* nº 66 (1990), pp. 187 y ss.; y distintas contribuciones sobre el mismo tema en la Revista *Ciudad y Territorio,* nº XVIII (109), 1996, así como el análisis jurídico de R. ARNAIZ EGUREN, *Los aparcamientos subterráneos,* Madrid, 1993.

290. Artículos 8.1.a) *in fine,* 16.2 y especialmente 20 y siguientes. Otro ejemplo puede ser el Programa, del Ayuntamiento de Granada, «Granada más bella» con incentivos para la rehabilitación de fachadas.

cia de «valores estéticos», dato interesante porque supone una aplicación directa de este concepto de la «estética».

12. ENSAYO FINAL SOBRE EL ESTADO DE LA CULTURA Y EL ESTADO DE DERECHO

Todo el mundo presenta el Estado de Derecho y el Estado de la Cultura como dos almas gemelas: en un Estado de Derecho la base es la Constitución como norma y la Cultura es uno de *sus* valores superiores. Aunque la Constitución española (a diferencia por ejemplo de la «Constitución» de Baviera) no recoge el Estado *de la Cultura* (junto al Estado social y democrático de Derecho), dicho Estado de la Cultura estaría implícito en nuestra propia Norma Magna. Es conocido que en la Constitución arraiga la protección y la promoción de la Cultura y que aquélla defiende la libertad del artista frente al propio Estado. A lo largo del siglo XX ha quedado claro que el mejor medio de proteger a la Cultura y a los hombres de Cultura (artistas, intelectuales) es el Estado de Derecho. La experiencia histórica ha demostrado que el Derecho es el mejor modo de definir y *configurar* el Estado, de ordenar la sociedad y de proteger otras realidades (entre otras la Cultura) evitando que éstas se deterioren o extingan. Aquél es el garante de la Cultura y ésta queda, así, inmersa en una realidad superior, es decir el Estado de Derecho capaz de definir las reglas de comportamiento del Estado y la sociedad y de las distintas realidades.

Ahora bien, para quienes gusten de utopías, surge la cuestión acerca de cómo sería la sociedad o el propio Estado si, en vez de partirse del Derecho como realidad de ordenación superior que define el papel de las demás realidades, se partiera de la Cultura; de este modo, la sociedad, el Estado, el Derecho se definirían en función de lo que, según la Cultura como esencia o valor superior de ordenación, se deduce para ellos, y no viceversa. En el siglo XIX y hasta la segunda mitad del siglo XX existen interesantes experimentos de «Estados no de Derecho». El reinado de Luis II de Baviera es un ejemplo de Estado gobernado más por *principios* artísticos que jurídicos. Y el Monarca arruinó así al Estado y desesperó a sus súbditos. Estamos viviendo, por entonces, el apogeo histórico y social del artista (el «caso Wagner», entre otros muchos, como ejemplo de la supremacía de la cultura sobre la política). Y esto termina influyendo en el propio Derecho y el Estado.

En el período de entreguerras, a pesar de que la República de Weimar pasa por ser un momento ejemplar del Estado de Derecho, en la sociedad arraiga también profundamente el Estado de la Cultura, y es que siempre hay que estar atentos, porque una cosa son las denominaciones y otra distinta las esencias que definen las realidades. Y tampoco fue positivo este período de entreguerras.

En general, la Cultura, en sentido genuino sin sujeción a reglas claras, su influjo excesivo en la sociedad y el Estado, los excesos verbales propios de los intelectuales, el posible «Wirklichkeithass» o «asco a la realidad» propio de intelectuales puros (los expresionistas), todo este ambiente que (en una de sus valoraciones posibles), puede ser tan magnífico, termina presentando riesgos y termina engendrando variantes (no necesariamente, pero sí posiblemente) como el nacionalsocialismo por ejemplo.

El Estado de la Cultura puede justificar, *enfatizar o imponer* un proyecto cultural frente a otros. En un Estado de Derecho esto no es posible porque la Cultura tiene limitaciones.

La Cultura en sentido genuino presenta sus riesgos. Lo seguro es el Derecho, es la mejor forma de evitar dichos riesgos y, curiosamente, de defender la Cultura. Pero la Cultura «en clave de Derecho» se apaga y se queda cada vez más dormida y relegada y ejercitada por personas que sin pretenderlo pueden en el fondo llegar a ser «traducción de lo jurídico». Y es que no puede ser de otra manera. El Estado de Derecho no tiene alternativa. Con el Estado de Derecho algo se pierde, pero más se obtiene. El Estado de Derecho promociona y subvenciona la Cultura, pero esto es algo distinto de un «Estado según la Cultura».

Partir del Estado de la Cultura, con todo su alcance, en materia urbanística, con apoyo en la estética, lograría seguramente ciudades mucho más acordes a lo que los propios ciudadanos quieren. Pero no queda más remedio, por cuanto se ha dicho, que aplicar el Estado de Derecho. Es evidente que no puede ser de otra forma. Un Estado de la cultura, una ciudad de la estética, por encima del planteamiento jurídico es imposible hoy ante *el riesgo de* sacrificios inexigibles a los ciudadanos. Tan sólo el riesgo de que esto ocurra lleva a evitar toda opción diferente. Las cosas no pueden ser de otra forma y éste es el problema.

Catálogos urbanísticos de edificios singulares e indemnizaciones a favor de los particulares

1. EL FENÓMENO DE LA CATALOGACIÓN Y EL MARCO NORMATIVO DE REFERENCIA EN MATERIA DE RESTRICCIONES SINGULARES A LA PROPIEDAD

La creciente sensibilidad cultural lleva a situar en los catálogos urbanísticos un pilar del sistema de protección y conservación de los bienes culturales. Puede plantearse el tema de la determinación de las consecuencias jurídicas de la catalogación de un inmueble por motivos culturales, desde el punto de vista de las garantías del particular afectado. Un problema jurídico concreto que planteamos es el de la catalogación promovida a nivel local que restringe el aprovechamiento de un particular propietario de un edificio.

En principio, la catalogación (y el propio planeamiento del que traiga causa) no es un hecho incontestable, ya que el particular afectado tiene garantías jurídicas que le permiten refutar la decisión de la Administración de seleccionar el bien de su titularidad dominical.

No obstante esto, la catalogación ha de verse como un hecho altamente positivo. Es preciso reconocer que, cuando la catalogación esté fundada, la Administración está cumpliendo con los intereses públicos y su deber de preservación de los valores culturales y arquitectónicos que las edificaciones representan. La catalogación es un loable instrumento al servicio de los mejores intereses públicos de carácter cultural.

El *quid* es, más bien, afirmar que la catalogación comporta una serie de reglas y de presupuestos jurídicos que han aplicarse y de tenerse en cuenta. La catalogación urbanística, al cumplir un fin administrativo tendente a la conservación de los edificios con singularidades culturales o sensibilidad arquitectónica, presenta el riesgo de querer cumplir estas finalidades públicas a costa de los particulares afectados por la restricción de usos que puede conllevar la citada figura urbanística. Es ésta una de las consecuencias que el nuevo Estado de Derecho impone sobre el histórico Estado de la Cultura.

Los catálogos se definen en general por la posible afirmación de un régimen de restricción en aras de la conservación de los edificios sobre los que aquéllos repercuten. Habrá restricciones de carácter positivo (por ejemplo, reconstrucción empleando determinados materiales) o de carácter negativo (por ejemplo, mantenimiento de estructuras por razones de interés público o denegación del aprovechamiento urbanístico que corresponde a los demás propietarios).

Estas restricciones o privaciones podrán estar o no justificadas. Si no lo están, el particular podrá ponerlo de manifiesto ante la Administración o, en su caso, judicialmente. En esta última hipótesis, los tribunales verificarán la posible desproporción de las cargas que impone la catalogación o la posible arbitrariedad de la selección del edificio o de una de sus partes valorando si se presentan o no valores dignos de conservación. No obstante, la Administración goza de discrecionalidad administrativa (no exenta de controles jurídicos, evidentemente) y gozan sus dictámenes de una presunción de validez a la hora de justificar la catalogación. Esto explica que no sea siempre fácil vencer judicialmente a la Administración para conseguir rescatar un edificio de un catálogo urbanístico.

Si la restricción o la catalogación está justificada, entonces el problema jurídico se reconduce principalmente a un ámbito indemnizatorio. Estamos, en estos casos, ante vinculaciones singulares indemnizables, ya que los intereses públicos no pueden realizarse a costa de gravar o sacrificar a un determinado administrado en favor de la generalidad. El interés público podrá (y hasta deberá) realizarse, pero compensando debidamente al ciudadano perjudicado.

Lógicamente, no toda catalogación lleva consigo perjuicios o privaciones indemnizables. A veces será compatible el hecho de la catalogación con la recepción, por parte de los titulares dominicales, del aprovechamiento común de la zona que corresponde a los demás propietarios en condiciones de igualdad (esto será así si, por ejemplo, se prevé para el edificio catalogado la misma altura o volumetría que para las demás edificaciones no catalogadas conforme al planeamiento). En estos casos el catálogo impondrá un determinado régimen de conservación, pero no permitirá identificar un perjuicio singular, por tanto indemnizable.

Pero también será común que los catálogos provoquen restricciones o limitaciones singulares. El planteamiento indemnizatorio es propio de los catálogos urbanísticos. Éstos son un medio jurídico adecuado para preservar los valores culturales y a ellos puede ser inherente la privación de facultades dominicales.

El Derecho administrativo garantiza a los particulares frente a las limitaciones singulares. Desde el punto de vista jurídico no basta la política despótico-ilustrada consistente en realizar nobles valores culturales a cargo de los particulares. Es posible realizar esta política siempre que no se sacrifiquen las posiciones jurídicas individuales.

En cuanto al marco normativo de referencia, en relación con el tema de las restricciones singulares que implica el hecho de la catalogación, un primer punto de referencia puede situarse en el artículo 106.2 de la Constitución Española de 1978, en cuya virtud: «los particulares, en los términos establecidos en la Ley, tendrán derecho a ser indemnizados por toda lesión que sufran en cualquiera de sus bienes y derechos, salvo en los casos de fuerza mayor, siempre que la lesión sea consecuencia del funcionamiento de los servicios públicos».

Asimismo, es preciso considerar los artículos 139 y siguientes de la Ley 30/1992, de 26 de noviembre, de Régimen Jurídico de las Administraciones Públicas y del Procedimiento Administrativo Común, modificada por la Ley 4/1999, de 13 de enero, y por el Real Decreto 429/1993, de 26 de marzo, por el que se aprueba el Reglamento de procedimientos administrativos en materia de Responsabilidad Patrimonial. También resultan aplicables los artículos 121 a 123 de la Ley de Expropiación Forzosa de 16 de diciembre de 1954.

Ya antes de la Ley del Suelo de 2007 o de la Ley de Régimen del Suelo y Valoraciones (artículo 43, en esta misma línea), el artículo 239 el TRLS/1992 se mantenía en iguales términos estableciendo: «Las ordenaciones que impusieran vinculaciones singulares en orden a la conservación de edificios, conferirán derechos indemnizatorios en cuanto excedan de los deberes legales y en la parte no compensada por los beneficios que resulten de aplicación. Las ordenaciones que impusieran vinculaciones o limitaciones singulares que lleven consigo una restricción del aprovechamiento urbanístico del suelo que no pueda ser objeto de distribución equitativa entre los interesados, conferirán derecho a indemnización».

Igualmente, este precepto tiene como antecedente el artículo 87.3 del TRLS/1976, tantas veces citado en la jurisprudencia.

Estamos, pues, ante una regulación bien asentada en el ordenamiento jurídico a la hora de afirmar el derecho indemnizatorio del particular afectado por una limitación singular.

En este sentido, la jurisprudencia del Tribunal Constitucional afianzó la legalidad del régimen contenido en la LRSV 6/1998. Primeramente, la STC 164/2001, de 11 de julio (RTC 2001, 164), dejó claro que todos los supuestos indemnizatorios de la LRSV se respaldaban en el artículo 149.1.18ª que se refieren tanto a la legislación de expropiación forzosa como al «sistema de responsabilidad de todas las Administraciones Públicas». En segundo lugar, según aquélla, en la STC 61/1997, de 20 de marzo (RTC 1997, 61), FJ. 33, los supuestos indemnizatorios de los artículos 41 a 44 de la LRSV se reconducen concretamente al caso de la responsabilidad patrimonial de las Administraciones Públicas.

Tampoco quedan lejos los preceptos relativos al deber de conservación de todos los propietarios y a las indemnizaciones procedentes cuando la Administración se excede del deber normal de conservación imponiendo cargas excesivas por motivos de seguridad, salubridad, ornato o habitabilidad.

2. LAS RESTRICCIONES SINGULARES EN LA JURISPRUDENCIA

En cuanto al fondo, sobre la materia que nos ocupa podemos comenzar citando la importante STS de 18 de diciembre de 1996 (RJ 1996, 9525). Según el Tribunal Supremo, «el Plan Especial de Protección del Patrimonio Arquitectónico de Sabadell refiere su regulación a ciertos edificios aislados (...) y en concreto, a 161 edificaciones, *a las que se somete a unas restricciones de aprovechamiento no aplicables a todas las demás edificaciones del municipio, sector o zona, de forma que, según las determinaciones del Plan Especial será normal que alguno de estos edificios sea el único de la manzana o de la zona o del barrio sometido a la limitación de aprovechamiento, mientras los colindantes y todos los demás permanecen e el tráfico urbanístico con todo su aprovechamiento intacto. Un resultado de esta naturaleza es contrario a la exigencia de la justa distribución de los beneficios y cargas del planeamiento* [3.2.b), 83.4, 97.2 y 117.3 del Texto Refundido] e incluso, y a mayores, el derecho a la igualdad reconocido en el artículo 14 de la constitución. Razón por la cual reconoceremos en esta sentencia (con revocación de la apelada) el derecho a la indemnización solicitada».

El largo FJ 8º es especialmente interesante. Haciendo un resumen de dicho Fundamento, puede destacarse que el Tribunal Supremo se fijó en la menor volumetría que correspondía a la propiedad de los recurrentes frente a la establecida en el Plan General con carácter general. Además, el Alto Tribunal descartó que «la compensación no puede consistir en vagas referencias a ventajas fiscales y a ayudas inconcretas».

Esta sentencia del Tribunal Supremo puede completarse con otra de 6 de julio de 1995 (RJ 1995, 5527), la cual precisa que la limitación o restricción del aprovechamiento urbanístico indemnizable se produce cuando «éste no pueda ser objeto de distribución equitativa porque la parcela no estuviere incluida dentro de un polígono o unidad de actuación, ni fuese posible delimitar la unidad de actuación o no fuese susceptible de situar su aprovechamiento en zonas aptas para la edificación con arreglo a la reparcelación (...) puesto que si una determinación del Plan implica una limitación singular o una vinculación de tal carácter para un propietario que no puede ser objeto de distribución equitativa entre los demás propietarios de la zona o polígono, se está privando a aquel propietario de una parte del contenido normal del derecho de propiedad».

Esta misma STS de 6 de julio de 1995 (RJ 1995, 5527) interesa porque en su FJ 3º, basándose en otra jurisprudencia anterior, confirma la posibilidad de realizar judicialmente «una valoración pormenorizada de las circunstancias concurrentes en cada caso para apreciar la existencia o no de lesión o daños indemnizable».

Pues bien, lo interesante es que para el Tribunal Supremo dicha valoración podría llevar a no reconocer la indemnización en casos de conservación de formas y fachadas, etc., siempre que se mantenga el *mismo volumen*. Pero no hay excusa cuando la catalogación produzca una alteración de la volumetría, ya que esta circunstancia es, en todo caso, un dato objetivo que lleva a la fácil identificación del perjuicio singular indemnizable.

En el FJ 5º el Tribunal Supremo recoge otras tres sentencias interesantes donde también se consideró la existencia de una vinculación o limitación singular impuesta a edificios en torno a los cuales existía un Plan Especial específico de protección. Para el Tribunal Supremo cuando exista un Plan Especial y Catálogo la cuestión indemnizatoria es de más sencillo reconocimiento.

En la STS de 18 de marzo de 1999 (RJ 199, 2348), el supuesto se refería a la catalogación de la propiedad (en concreto, una edificación y un jardín), sin que el propietario pudiera adquirir el aprovechamiento urbanístico que le correspondía ante la obligación de mantener el estado y dimensiones de la edificación y del jardín.

Pues bien, según el Tribunal Supremo (FJ 8º) es preciso diferenciar «los casos de ordenación es que impusieron vinculaciones o limitaciones singulares de aquellas otras determinaciones generales que imponen limitaciones y deberes propios de la ordenación urbanística».

Declarado esto, el Tribunal Supremo afirma: «en el presente caso, a la finca le corresponde la Ordenanza Ciudad Jardín 1 (CJ-1), pero, tal como dice el señor perito, sus propietarios no pueden adquirir el aprovechamiento que les corresponde según esa ordenanza debido a que, por el nivel de protección que se les ha asignado, la edificación y el jardín han de ser conservados en beneficio de intereses arquitectónicos, históricos o botánicos de la ciudad entera, que no es lógico que hayan de soportar los demandantes mientras otros propietarios de fincas de la Ordenanza Ciudad Jardín disfrutan sin límite del aprovechamiento urbanístico previsto».

Así pues, el Tribunal aplica el artículo 87.3 y, revocando la sentencia de instancia, reconoce el derecho indemnizatorio a favor de los particulares.

Interesa también la STSJ de la Comunidad de Madrid de 30 de septiembre de 2002. En el supuesto enjuiciado, los propietarios impugnaban la inclusión de su inmueble dentro del Catálogo de Elementos Protegidos y en su defecto solicitaban reconocimiento del derecho a indemnización por la restricción del aprovechamiento urbanístico respecto del que les correspondería si el edificio no hubiera sido catalogado. Basándose en el Dictamen pericial emitido en sede jurisdiccional, la Sala entiende que la Catalogación y protección otorgada por el Plan General al edificio resulta adecuada. Sin embargo, la Sala, estimando el recurso, mantiene que la congelación de la volumetría del edificio supone una verdadera restricción del aprovechamiento urbanístico del suelo, al impedir a sus propietarios disfrutar del aprovechamiento urbanístico previsto para la zona con carácter general, mientras que el resto de los edificios de ésta permanecen en el tráfico urbanístico con todo su aprovechamiento intacto, del cual sus propietarios disfrutan sin límite, lo que constituye una verdadera vinculación singular que debe ser indemnizada. *La cuantía de la indemnización se corresponde con el perjuicio causado por la disminución del aprovechamiento urbanístico respecto del que le hubiera correspondido si el edificio no hubiera sido catalogado.*

En todos estos casos, lo procedente es ejercitar una pretensión indemnizatoria. Así, en la sentencia del TSJ de la Comunidad Valenciana, nº de recurso 1/340/92, sentencia 1080/97 (publicada en la *Revista Valenciana de Estudios Autonómicos* nº 22, 1998) se deja claro, primero, el derecho indemnizatorio del particular («así pues, constando que el Plan General de Benidorm impone al edificio nº 46 del Paseo de la Carretera una vinculación singular que conlleva una merma de su aprovechamiento urbanístico no susceptible de compensación por los mecanismos legales de equidistribución de cargas/beneficios, de conformidad al artículo 87.3 LS procederá reconocer el derecho del recurrente a ser indemnizado por el Ayuntamiento de Benidorm, en la cuantía que se acredite en trámite de ejecución de sentencia») y, acto seguido, se rechaza la pretensión de que el Planeamiento contenga un pronunciamiento bonificador en el ámbito fiscal.

Desde luego no terminan con éstas las posibles referencias jurisprudenciales. Así, la STS de 25 de junio de 2003 (RJ 2003, 4460) reconoce el derecho indemnizatorio ante la vinculación singular que representa el hecho de tener que soportar las restricciones inherentes al descubrimiento de unos restos arqueológicos en la finca una vez concedida la licencia de obras: «es una restricción o una lesión legítima, pero que está establecida en beneficio de la colectividad».

Puede citarse también la STS de 11 de febrero de 1985 (RJ 1985, 1013) y la STS de 25 de marzo de 2003 (RJ 2003, 2929), ambas estimatorias de las pretensiones del recurrente o la STS de 3 de junio de 2002 (RJ 2002, 5726), dando en todo caso la razón al particular afectado por la vinculación singular, es decir por la pérdida de edificabilidad que representa la catalogación.

El perjuicio indemnizable es, en efecto, la pérdida de edificabilidad que representa la catalogación.

Además, junto a esta jurisprudencia vendría de refuerzo aquella otra relativa a la responsabilidad administrativa, regulada en la Ley 30/1992, de 26 de noviembre. Se presupone en estos casos la concurrencia de sus presupuestos: una lesión en bienes o derechos, una lesión que sea consecuencia del funcionamiento de los servicios públicos, que el particular no tenga el deber jurídico de soportar la lesión (en este contexto, STS de 25 de junio de 2003 [RJ 2003, 4460]).

Lógicamente, todo esto nada tiene que ver con casos en los que se incluye una finca determinada en el Registro Municipal de Solares e Inmuebles de Edificación Forzosa por encontrarse incursa en el supuesto del artículo 5.5.c. del Reglamento de 5 de marzo de 1964 (de Edificación Forzosa): edificios en mal estado de conservación y en manifiesta desproporción con la altura legal y corriente en la zona (STS de 11 de febrero de 1985 [RJ 1985, 1013]).

La diferencia es clara: en los casos de catalogación con compensación, el particular «pretende» y le interesa la indemnización, cumpliendo con el planeamiento, sin poner objeción, sino todo lo contrario, al hecho de que su edificio guarde la altura que le corresponde en función del planeamiento urbanístico. En el caso referido en la STS de 11 de febrero de 1985 (RJ 1985, 1013), de inclusión de una finca en el Registro Municipal de Solares, no se dan estas circunstancias.

3. LAS RESTRICCIONES SINGULARES EN UN PLANTEAMIENTO DE FONDO, ADMINISTRATIVO, DOCTRINAL Y JURÍDICO[291]

La doctrina clásica se ha fijado especialmente en el concepto de «vinculación» como base del sistema normativo de indemnización por limitaciones singulares. En este contexto pueden considerarse los trabajos de F. GARRIDO FALLA, GÓMEZ-FERRER y BASSOLS COMA, junto a otros más recientes de V. LASO MARTÍNEZ. Para el último de los citados, la vinculación tiene en cuenta un uso de hecho precedente: la Administración congela o vincula el edificio al uso precedente.

El planteamiento indemnizatorio coincide con el que defiende la doc-

---

291. P. ARRIBAS BRIONES, «La indemnización por las limitaciones a la propiedad recogidas en los catálogos urbanístico», *RDU*, nº 122, 1991, pp. 33 y siguientes; M. BASSOLS COMA, «Instrumentos legales de intervención urbanística en los centros y conjuntos históricos», *RDU*, nº 114, 1990; B. AGUIRRE, *Comentarios a la Ley sobre Régimen del Suelo y Valoraciones, Ley 6/1998, de 13 de abril*, Ed. Aranzadi; M. BERNABÉ CAMAFREITA, «Los Catálogos y las potestades administrativas sobre los bienes protegidos», *Revista Jurídica de la Comunidad de Madrid*, nº 18, 2004; J. A. CHINCHILLA PEINADO, «Urbanismo y responsabilidad patrimonial», *RAP*, nº 162, 1998, pp. 55 y siguientes; A. FRÍAS LÓPEZ, «Indemnización por limitaciones singulares: estudio del artículo 43 de la Ley del Régimen del Suelo y Valoraciones», *Revista Jurídica de la Comunidad de Madrid*, nº 18, 2004; F. GARCÍA GÓMEZ DE MERCADO, «La responsabilidad patrimonial de la Administración: especial consideración del ámbito urbanístico», *RDU*, nº 182, 1998, pp. 11 y siguientes; F. GARRIDO FALLA, «El derecho a la indemnización por limitaciones o vinculaciones impuestas a la propiedad privada», *RAP*, nº 81; J. L. GIL IBÁÑEZ, «La responsabilidad patrimonial de las Administraciones Públicas por las vinculaciones singulares en la jurisprudencia», *Praxis urbanística*, nº 15, 1997; S. GONZÁLEZ-VARAS IBÁÑEZ, *La rehabilitación urbanística*, Ed. Aranzadi, Pamplona, 1998; S. GONZÁLEZ-VARAS IBÁÑEZ, «Urbanismo y "Estado de la Cultura": Un programa práctico y alternativo de rehabilitación», *Ciudad y Territorio*, nº 121, 1999, pp. 557 y siguientes; J. GONZÁLEZ PÉREZ, *Comentarios a la Ley sobre Régimen del Suelo y Valoraciones*, Ed. Civitas; V. LASO BAEZA, «El nuevo régimen de los supuestos indemnizatorios en la Ley 6/1998, de 13 de abril», *RDU*, nº 163, 1998, pp. 137 y siguientes; V. LASO BAEZA, «Vinculaciones singulares, agente urbanizador, titularidad litigiosa, unidades de ejecución y reversión en la jurisprudencia de los Tribunales Superiores de Justicia», *RDU*, nº 204, 2003, pp. 121 y siguientes; LÓPEZ FERNÁNDEZ, *El aprovechamiento urbanístico transferible*, Madrid, 1995; S. OLMEDO PÉREZ, «Las transferencias de aprovechamientos urbanísticos», *Revista Andaluza de Administración Pública*, nº 54, 2004, pp. 121 y siguientes.

trina alemana, que ha desarrollado especialmente el tema de los perjuicios indemnizables por daños causados en la propiedad (puede verse mi libro *La vía de hecho administrativa,* Editorial Tecnos, 1995).

También puede destacarse que, en estos casos de perjuicios singulares causados por la catalogación, lo propio es que las técnicas de reparcelación y del aprovechamiento medio no se apliquen, ya que aquélla se referirá al suelo urbano consolidado.

A mi juicio, una diestra política urbanística local puede llevar a evitar gran parte de los problemas jurídicos y sociales. El Ayuntamiento podrá evitar las indemnizaciones *ex post,* previendo *ex ante* y adecuadamente mecanismos compensatorios como subvenciones o beneficios fiscales, previstos en alguna ordenanza reguladora de ayudas o subvenciones, en favor de los propietarios de bienes catalogados (cfr. STS de 18 de diciembre de 1996 [RJ 1996, 9525]).

En todo caso, el particular tiene derecho a la reparación *integral* de sus derechos patrimoniales, conforme a lo que establece la Ley 30/1992, de 26 de noviembre. Para el ciudadano lo importante es la reparación integral o completa del perjuicio.

Asimismo, el Plan General puede prever algún medio de transferir los aprovechamientos, o de compensación en general (L. M. LÓPEZ FERNÁNDEZ; S. OLMEDO PÉREZ).

También podrá darse el caso de que el Ayuntamiento pueda estar interesado en repetir contra otra Administración (por ejemplo, autonómica) el tanto de culpa que a su juicio le corresponda conforme al régimen de responsabilidad solidaria (STS de 18 de marzo de 1999 [RJ 1999, 2348], FJ 10º con otras citas jurisprudenciales). Nuevamente, desde el punto de vista de las garantías de los particulares éste no es el *quid.*

Igualmente, cabe pensar en admitir el aumento de la edificabilidad siempre que el particular se comprometa a respetar las mismas características estructurales o estéticas de la parte catalogada o siempre que aquél se comprometa a asumir ciertas prescripciones de calidad estética que, a juicio de la Administración, puedan enriquecer el edificio. Podrá, así, llegar a admitirse, para evitar las indemnizaciones, una cierta relajación de los presupuestos estéticos, a costa de que ésta sea la fórmula de encuentro entre los intereses públicos y la satisfacción de las justas pretensiones del particular.

Todas estas orientaciones (posibilidad de prever un sistema *ex ante* de compensaciones, o de transferencias urbanísticas, o de consentir un aumento de edificación no del todo conforme con las características ideales de la catalogación, o de llegar a un acuerdo de compromiso, etc.) son cuestiones de política urbanística que han de acompasarse con el planteamiento jurídico basado en la máxima de que hay que compensar íntegramente al particular que sufre el perjuicio económico.

En ausencia de otro sistema válido de compensación integral del particular, se impone por fuerza la compensación en metálico como medio de compensación. Al particular no se le puede cargar la posible ineficacia de un Ayuntamiento que no es capaz de buscar fórmulas de compensación integral al margen de la compensación en metálico. En estos casos, al final, la colectividad terminará pagando las consecuencias de la deficiente política del Ayuntamiento.

Profundizando en las afirmaciones que acaban de hacerse, surge la cuestión o el problema de determinar qué ocurre si la Administración no asume su obligación de compensar, es decir si no satisface las indemnizaciones inherentes a la catalogación.

La pregunta es la de hasta qué punto la resistencia contumaz al pago por parte de la Administración puede llevar a la eliminación del régimen de restricciones o cargas singulares que recae sobre el administrado. Puede producirse un perjuicio al interés público como consecuencia de la renuncia o falta de cumplimiento efectivo –por parte de la Administración– de su deber de compensación. Dicho en otros términos, no es exigible cargar indefinidamente sobre el particular la privación singular sin aportar a cambio la compensación debida (así lo ha admitido por ejemplo una interesante sentencia del TSJ de Baden-Württemberg, de 10 de mayo de 1988 publicada en *BWVBl* 1989, 18). Y este mismo planteamiento jurídico está presente o latente en la jurisprudencia que ha sido citada *supra*.

Si no se compensa, la restricción deja de justificarse. En nuestro mundo contemporáneo (a diferente del precontemporáneo) el Estado de Derecho vence rotundamente sobre el Estado de la cultura en los casos extremos en que ambos no puedan conciliarse. De este modo, si la Administración no compensa habrá que terminar admitiendo el derribo del edificio catalogado que no debió derribarse; o habrá que terminar consintiendo el aumento de altura del edificio que *debió tener* menos plantas o volumetría. Es preciso alertar, pues, de estos peligros que plantea el propio Estado de Derecho.

En Derecho, el planteamiento es claro: la restricción se justifica a cambio de la indemnización. La Administración debe tutelar la cultura en la ciudad, pero compensando por las restricciones que causan sus catálogos urbanísticos o su planeamiento. El mayor riesgo es que el interés público termine no cumpliéndose y que, con ello, los valores arquitectónicos y culturales no se realizan.

El riesgo a que se ha hecho referencia, de demoliciones o de consentir mayores edificabilidades, se planteará especialmente en municipios con una ausencia de programación o con una despreocupación por lo cultural, por no haberse esforzado por atraer fuentes de financiación que permitan solucionar los problemas jurídicos inherentes a la catalogación urbanística.

Así pues, el problema de la protección de los bienes culturales puede venir de actitudes de pasividad o inactividad o renuencia de la Administración.

Capítulo X

El contratista o agente edificador

Al empresario se le abre la posibilidad, por parte de la legislación urbanística, de instar la edificación forzosa de un solar incurso en esta obligación, pudiendo llegar a ser el adjudicatario de esta actividad de edificación forzosa. De esta manera, se suplanta al propietario incumplidor y se cumple un fin de evidente interés público.

En la LUV 16/2005 de la Comunidad valenciana se consideran en un mismo contexto la edificación y la rehabilitación Forzosa. Exponemos seguidamente la regulación, destacando directamente los puntos principales de la misma:

Artículo 216. Registro Municipal de Solares y Edificios a Rehabilitar

1. Los municipios mantendrán en condiciones de pública consulta un Registro Municipal de Solares y Edificios a Rehabilitar en el que se incluirán los inmuebles en Régimen de Edificación o Rehabilitación Forzosa y aquellos sobre los que exista orden de edificación o rehabilitación forzosa en vigor. Esta inclusión tiene sólo efectos declarativos, susceptibles de ser extinguidos mediante prueba en contrario.

2. La inclusión de un inmueble en el Registro Municipal de Solares y Edificios a Rehabilitar deberá notificarse al Registro de la Propiedad.

3. La inclusión se efectuará expresando la causa que la determina, la descripción del inmueble afectado y, en su caso, las declaraciones administrativas respecto al incumplimiento de deberes urbanísticos del propietario. Para su constancia en el Registro de la Propiedad bastará con la certificación administrativa que, cumpliendo los requisitos de la legislación hipotecaria, transcriba la orden de ejecución o la declaración de inclusión y acredite su notificación al titular registral.

Artículo 217. Régimen de edificación o rehabilitación forzosa de inmuebles:

Quedan en régimen de edificación o rehabilitación forzosa los inmuebles:

a) Respecto a los que se incumpla la obligación particularizada de edificar, de solicitar licencia o de urbanizar simultáneamente a la edificación derivada de orden individualizada o expedición de la Cédula de Garantía urbanística, en los supuestos y plazos regulados en este título.

b) Respecto a los que se incumpla la obligación de efectuar obras de conservación y rehabilitación derivada de orden individualizada en los términos exigibles en virtud de lo dispuesto en este título, sin perjuicio de la aplicación simultánea de las restantes medidas contempladas en el artículo 212.3 de esta ley.

c) Catalogados que se encuentren en situación legal de ruina, en tanto el propietario no inicie las actuaciones tendentes a la rehabilitación.

d) Cuando sin existir declaración de incumplimiento de deberes urbanísticos lo solicite voluntariamente el propietario.

e) Los solares no edificados dentro del centro histórico delimitados por el plan general.

Artículo 218. Efectos de la sujeción al Régimen de Edificación o Rehabilitación Forzosa

1. El Régimen de Edificación o Rehabilitación Forzosa comporta, para los inmuebles sujetos a él, su declaración de utilidad pública y de la necesidad de su ocupación a efectos expropiatorios.

2. **Cualquier persona, por propia iniciativa o concurriendo a una previa convocatoria municipal, podrá formular un Programa para la edificación y, en su caso, urbanización, intervención o rehabilitación del inmueble, conforme al procedimiento y efectos previstos en el Capítulo III del Título III de esta Ley. Aquellos propietarios que hayan sido objeto de declaración de incumplimiento de deberes urbanísticos no podrán presentar alternativa técnica, ni proposición jurídico-económica; sus derechos en la reparcelación se concretarán en forma de indemnización sustitutoria de adjudicación sin que proceda la adjudicación de finca de reemplazo o porción indivisa de ésta.**

3. **El adjudicatario de este procedimiento contará con las prerrogativas y obligaciones del adjudicatario de un Programa y con el beneficio de la expropiación.**

Este mismo sistema de agente edificador o de agente rehabilitador seleccionado por concurso se sigue en los artículos 204 y siguientes del Decreto Legislativo 1/2004, de 22 de abril, **de Asturias,** por el que se aprueba el Texto Refundido de las disposiciones legales vigentes en materia de Ordenación del Territorio y Urbanismo y por los artículos 156 y siguientes de la Ley 15/2001, de 14 de diciembre del Suelo y Ordenación del Territorio de Extremadura o por el artículo 155.7 de la Ley 7/2002, de 17 de diciembre de Ordenación Urbanística de Andalucía.

En virtud del Decreto Legislativo 1/2004, de 22 de abril, de Asturias, el planeamiento establece un plazo para edificar o rehabilitar o, en su defecto, dos años desde que la parcela alcance la condición de solar (artículo 205). El incumplimiento del deber de edificar o rehabilitar origina bien la expropiación o la encomienda a una sociedad urbanística del desarrollo de una actuación, o bien la entrada de un agente urbanizador o rehabilitador previa solicitud de éste de apertura de un concurso para la adjudicación de la condición de agente (artículos 208 y 209).

En la Ley 15/2001 **de Extremadura** se establece igualmente, pero por referencia sólo a la edificación (no a la rehabilitación), que «las parcelas y los solares deberán edificarse en los plazos máximos que fije el planeamiento de ordenación territorial y urbanística pertinente o, en su defecto, el Municipio para los ámbitos a que se refiere el artículo 111. Dichos plazos no podrán superar los veinticuatro meses desde que fuera posible solicitar la licencia municipal» (artículo 156.2).

El incumplimiento del deber de edificar habilitará a la Administración actuante para expropiar la parcela o el solar o proceder a la ejecución del planeamiento mediante sustitución del propietario. La declaración de una parcela o solar en situación de ejecución por sustitución tendrá como presupuesto la del incumplimiento del deber de edificar en procedimiento dirigido a tal fin, que podrá iniciarse de oficio o a instancia de cualquier persona y en el que deberá darse audiencia al propietario afectado. Una y otra declaración podrán tener lugar en una misma resolución (artículo 158).

El concurso para la sustitución del propietario incumplidor se hará de oficio o a instancia de interesado (artículo 159.1). Dicho concurso tiene como finalidad la sustitución del propietario incumplidor y concluye con la adjudicación de la condición de agente edificador.

Interesante es asimismo la Ley 7/2002, **de Andalucía**. Se establece también un sistema de sustitución por incumplimiento del deber de edificación (artículo 150) que desemboca en un concurso para la sustitución del propietario incumplidor (artículo 151), pero añadiéndose que este mismo régimen se extiende al caso de la rehabilitación. Por tanto, aunque no explícitamente, se está afirmando un agente rehabilitador[292].

En fin, se abren vías de interés (el agente edificador, el agente rehabilitador), es decir colaboradores empresarios, en la realización de los intereses públicos urbanísticos, de la Administración Pública.

---

292. En este contexto, la Ley 5/1999, de Urbanismo de Castilla y León, en su artículo 109.6 abre el régimen de venta forzosa al sistema de concurrencia. Tenemos recogido en este precepto un agente edificador en la línea de las legislaciones que acaban de citarse, aunque regulado con menor énfasis, tanto en la Ley como en el Reglamento (artículo 333.2 del Reglamento).

PARTE SEXTA
LICENCIAS URBANÍSTICAS Y DISCIPLINA URBANÍSTICA

1. RÉGIMEN JURÍDICO GENERAL DE LAS LICENCIAS DE OBRAS, DE OCUPACIÓN Y DE APERTURA

El sometimiento a previa licencia (artículo 5 del RSCL) es la actividad clásica y cotidiana de la potestad de policía.

Señala la jurisprudencia (así, por ejemplo, la STSJ de La Rioja de 18 de enero de 2001 [JUR 2001, 99400]) que «como establece la mejor doctrina del Derecho Administrativo, (...) la licencia urbanística reúne las siguientes características: es una autorización que concede la Administración objetiva, real, reglada, neutral, que debe estar motivada y que posee naturaleza declarativa (como aspecto inescindible de la característica anterior)».

Igualmente, la STSJ de Castilla y León (Burgos) de 12 de noviembre de 2003 (RJCA 2004, 330) señala que «la licencia no es una prerrogativa discrecional de la Administración; es por el contrario un acto reglado de reconocimiento de un derecho preexistente, pero que a la vez implica la constatación administrativa de que, en efecto, tal derecho es ejercitable».

La finalidad de la licencia de primera ocupación es verificar el cumplimiento efectivo de las prescripciones contenidas en la licencia de obras y de los usos permitidos por el Plan. Dicha licencia no se exigirá siempre, siendo necesaria en los casos de nuevas construcciones, ampliación, reforma o modificación sustancial de las mismas o en los supuestos de transmisiones de propiedad. La licencia de primera ocupación presupone la licencia de obras, ya que, caso contrario, no procedería su otorgamiento, originando la iniciación de un procedimiento sancionador. Si la obra se ajusta al proyecto que sirvió de base al otorgamiento de licencia, la licencia de primera ocupación deberá otorgarse. En caso de haberse cometido un otorgamiento erróneo por parte del Ayuntamiento, tendrá que iniciarse el procedimiento de revisión de oficio, sin que pueda emplearse la licencia de primera ocupación para reparar el daño ocasionado al ordenamiento jurídico. Por otro lado, la licencia de primera ocupación es independiente de la licencia de apertura.

La denegación de licencias se rige por un criterio restrictivo (STS de 13 de marzo de 2000 [RJ 2000, 3677], exigiendo un trámite de subsanación antes de la denegación).

Esto explica que si una parte de la edificación es ajustada a Derecho y otra no, debe entenderse concedida la licencia en la parte primeramente referida, tal como afirma la ilustrativa sentencia del TS de 26 de mayo de 1993 (RJ 1993, 3513).

Asimismo, según la STS de 20 de abril de 1991 (RJ 1991, 3061) el **principio *pro libertate*** imperante en nuestro Ordenamiento Jurídico sólo tolera una resolución impeditiva del ejercicio de una actividad sujeta a autorización administrativa una vez constatada la concurrencia de alguna de las causas que el Ordenamiento haya previsto como suficientes para denegar la autorización.

Según la STS de 7 de marzo de 1988 (RJ 1988, 1787): «(3º) en estas materias de tipo adjetivo *no debe llegarse a soluciones que, ante lo dubitativo de la tesis sostenida por la Administración, se traduzcan, a tenor del comentado art. 24.1 de la Constitución, en una quiebra del principio de in dubio, pro administrado*, sobre todo cuando existen los elementos de juicio necesarios para adoptar una resolución de fondo que, como en este caso acontece, beneficia al particular reclamante (igualmente la STSJ de Galicia de 4 de octubre de 2007 [JUR 2009, 11859] afirmando que en caso de "falta de precisión" ha de considerarse, en virtud del principio pro administrado "la medida más favorable para el particular")».

En estos casos se afianza aún más si cabe la ausencia de discrecionalidad; ejemplarmente se combina el carácter reglado de las licencias con el principio pro libertate en la STSJ de Castilla-La Mancha de 16 de enero de 1998 (RJCA 1998, 5225):

> «Que no es sino el principio de legalidad, de carácter superior y de operatividad genérica en dicho campo, y que convierten la actividad interventora y condicionante de la Administración urbanística en reglada (arts. 57 y 178 de la Ley de 1976 [RCL 1976, 1192 y ApNDL 13889]; 134, 242 y 248 y ss. del Texto Refundido de la Ley del Suelo de 1992 [RCL 1992, 1468 y RCL, 1993, 485]), lo que supone que las licencias se otorguen o denieguen de acuerdo con las previsiones de la legislación y planeamiento urbanísticos (arts. 3.1 del Reglamento de Disciplina Urbanística [RCL 1978, 1986 y ApNDL 13922] y art. 9.1 de la Constitución [RCL 1978, 2836 y ApNDL 2875]), lo cual implica la derivación de una serie de principios interconexos con aquél, que nos permiten comprender la real dimensión de la naturaleza jurídica de la licencia urbanística y las actividades de policía urbanística que tienden a controlar jurídicamente el *ius edificandi*, cuales son el principio pro libertate, recogido en el art. 6.2 del Reglamento de Servicios de las Corporaciones Locales (RCL 1956, 85 y NDL 22516), y la carta

para la Administración de motivar los acuerdos denegatorios de estas licencias, en cuanto estas denegaciones suponen una limitación o ceñimiento de los derechos subjetivos de dichos particulares, un acto de gravamen; el principio de "proporcionalidad" y de la "menor restricción" (art. 6 del Reglamento de Servicios) y el principio de igualdad, siempre subordinado al principio de legalidad. Esta doctrina evidencia que la intervención de la Administración en este concreto marco no es discrecional, que queda excluida por razones obvias de los derechos que se ven afectados por la técnica autorizatoria (Derecho de Propiedad, constitucionalizado en el art. 33 de la Ley Básica). b) Aplicando dichos principios al presente supuesto, es fácilmente colegible que el actuar de la Administración, traspasando el principio de legalidad, se ha basado más para adoptar su decisión en un principio de oportunidad en la interpretación de la legalidad aplicable, no justificado objetiva, razonable y suficientemente, que en lo que dicha legalidad exige según la legislación urbanística aplicable. Tal afirmación se infiere de los propios informes del Arquitecto Urbanista y del Técnico de Licencias obrantes en el expediente administrativo, en relación con la prueba documental resultante en los autos principales, en donde se confirma que la ordenación urbanística de la zona del Balconcillo carece de regulación propia en materia de alineaciones interiores (folios 6 y 17); que la Administración, tomando como fundamento el principio *pro libertate* y ante la compatibilidad de la construcción de otros cuerpos añadidos en la zona, ha venido otorgando con anterioridad, licencias para la construcción de aquéllos; y que finalmente la Corporación Local yendo contra sus propios actos, vulnerando el principio de igualdad (art. 14 de la Ley Fundamental), sin una argumentación razonable y legal adopta un criterio claramente incidente en el campo de la arbitrariedad en función de todo lo argumentado; por lo que procede estimar el recurso y anular el acto administrativo impugnado por contrario al Ordenamiento Jurídico (arts. 80, 81 y 83, todos ellos de la Ley Reguladora [RCL 1956, 1890 y NDL 18435]); reconociendo como situación jurídica individualizada, el derecho a obtener la correspondiente licencia respecto de las obras declaradas ilegalizables (art. 84 de la Ley Jurisdiccional). Sin que proceda hacer especial pronunciamiento sobre las costas procesales causadas en esta instancia judicial (arts. 81.2 y 131, ambos de la Ley Reguladora)».

Más clara aún es la STS (Sala de lo Contencioso-Administrativo) de 21 septiembre 1985 (RJ 1985, 5119):

«PRIMERO.–Una vez más hay que repetir lo de todos sabido: que el otorgamiento de licencias constituye una actividad administrativa sometida por entero al principio de legalidad, puesto que las mismas presuponen, no una transferencia de facultades a los administrados, sino una remoción de límites establecidos por el Ordenamiento, para asegurar que el ejercicio de los derechos de los particulares no entre en conflicto con los superiores intereses de la sociedad y de los distintos Entes Públicos. De esta distinción se desprende el principio *pro libertate,* recogido en el artículo 6.2º del Reglamento de Servicios de las Corporaciones Locales de 17 de junio de 1955 (RCL 1956, 85 y NDL 22516), y la carga, para la Administración, de motivar los acuerdos denegatorios de estas licencias, impuesta en el artículo 43.1.a) de la Ley de Procedimiento Administrativo (RCL 1958, 1258, 1469, 1504; RCL 1959, 585 y NDL 24708), en cuanto estas denegaciones constituyen una limitación o cercenamiento de derechos subjetivos de dichos particulares, un acto de gravamen, empleando la terminología de un conocido autor germánico».

Dispone el artículo 22 del RSCL que es necesaria la licencia de apertura con carácter previo a la licencia de obras, lo que tiene consecuencias jurídicas importantes, pues como tiene declarado el Tribunal Supremo en sentencia de 11 de noviembre de 1993 podemos entender que la licencia de apertura equivale a la licencia urbanística en su aspecto de control del uso, y este mutuo condicionamiento o relación, tiene de igual forma su trascendencia en la denegación de ambas licencias[1].

Teóricamente, el otorgamiento de la licencia de obras sin la previa de apertura y funcionamiento de una actividad queda legalmente imposible de obtener y constituye un funcionamiento anormal de la Administración que puede generar responsabilidad patrimonial (STS de 9 de marzo de 1998 [RJ 1998, 1893], de 15 de julio de 1998 [RJ 1998, 5755] y de 18 de junio de 1990 [RJ 1990, 4829]). Sin embargo, la inversión del orden licencia de apertura-licencia de obras no determina sin más la nulidad de la licencia de obras.

En pura secuencia lógica, es la apertura la que debe condicionar la construcción, y no al revés (SSTS de 26 de octubre de 1981 [RJ 1981, 4684], de 31 de enero de 1972 [RJ 1972, 232], de 20 de febrero de 1989 [RJ 1989, 1282], etc.).

La licencia de obras de edificación se regula en el artículo 5 de la Ley de Ordenación de Edificación. La licencia de apertura se regula en el artículo 22 del RSCL. La licencia de primera ocupación se exige con carácter genérico en el artículo 21 del RSCL. Es procedente la denegación de la licencia de actividad por razones urbanísticas.

El Ayuntamiento ha de conceder la oportuna licencia cuando se hace incuestionable que se han cumplido los mandatos y previsiones legales, sin perjuicio de las facultades inspectoras.

Constituyendo la exigencia de obtener licencia una restricción de la libertad económica de los particulares, se ha de interpretar restrictivamente la potestad municipal, de aplicación de las ordenanzas (STS de 2 de marzo de 1994 [RJ 1994, 1722]). Tal como se ha puesto de manifiesto, «todas las intervenciones sobre la libertad de empresa son legítimas siempre que no

---

1. F. A. CHOLBI CACHÁ, *El procedimiento de otorgamiento de las licencias de urbanismo,* 2ª edición, Madrid, 2005, pp. 539 y ss.; A. CANO MURCIA, *Manual de licencias de apertura de establecimientos,* 4ª edición, Pamplona, 2005, pp. 761 y ss.

constituyan limitaciones irracionales, *desproporcionadas* o arbitrarias que puedan impedir o menoscabar gravemente el ejercicio de dicha actividad empresarial»[2].

En sentido temporal debe aplicarse la ley administrativa vigente en el momento de la solicitud de la instancia. Sobre este particular puede servir, entre una ingente jurisprudencia, la sentencia del TSJ de la Comunidad Valenciana de 3 de mayo de 1999 (RJCA 1999, 2866). En esta sentencia la Sala reconoce la procedencia de una determinada actividad extractiva y, en consecuencia, el derecho a obtener la pertinente Declaración de Interés Comunitario, considerando que las Normas Subsidiarias (donde se clasificaba el suelo como no urbanizable protegido) no estaban vigentes en el momento de otorgarse dicha Declaración de Interés Comunitario, dado que fueron aprobadas y publicadas con posterioridad:

«Por lo tanto, la Administración no podría ampararse en esa clasificación del suelo para denegar la petición efectuada por la actora al amparo de los artículos 16 y 17 de la Ley 4/1992 sobre SNU (...)» (puede verse también la STS de 29 de enero de 2003 [RJ 2003, 829]).

2. REGLAS PROCEDIMENTALES

El procedimiento de solicitudes de licencias tiene como finalidad la de comprobar el cumplimiento de la legalidad vigente y autorizar el derecho preexistente del solicitante de la licencia a realizar las correspondientes actuaciones urbanísticas.

Presentada la solicitud de licencia, la Administración ha de continuar con el procedimiento verificando la conformidad del Proyecto con el ordenamiento y el planeamiento vigentes. Podrá producirse una subsanación de deficiencias.

La Administración otorgará la licencia siempre que la petición y el proyecto reúnan las condiciones que establezca la legislación urbanística. Nos encontramos ante una actividad tasada y regulada jurídicamente que impide incurrir en interpretaciones subjetivas en el otorgamiento de licencias (SSTS de 28 de diciembre de 1989 [RJ 1989, 9232], de 18 de febrero de 1992 [RJ 1992, 2903]).

_____

2. R. RIVERO ORTEGA, *Introducción al Derecho administrativo económico*, Madrid, 3ª edición, 2005, p. 129.

Cabe un otorgamiento condicionado de las licencias pero no es procedente cualquier tipo de condicionamiento. Por ejemplo, no es posible el condicionamiento cuando las ordenanzas no lo permitan o cuando no están aún vigentes.

El procedimiento se regula de forma bastante completa en el artículo 9 del Reglamento de Servicios de las Corporaciones Locales (RSCL) aprobado por Decreto de 17 de junio de 1955.

Viene a establecer así el citado artículo del RSCL que las solicitudes de licencia deberán acompañarse de un proyecto técnico y que, en el caso de que se observen deficiencias subsanables, se notificará esta circunstancia al peticionario antes de expirar el plazo para resolver la solicitud de la licencia a los efectos de que sean subsanadas en el plazo de quince días, interrumpiéndose desde la notificación de la deficiencia y hasta su subsanación el plazo del cómputo de los tres meses para resolver. Asimismo, se indica que en el caso de ser necesario informe de algún Organismo, deberá remitírsele la documentación técnica a dicho Organismo para que proceda a la evacuación del informe en el plazo de cinco días tras la fecha de registro, de modo que, transcurrido el plazo para resolver la solicitud de la licencia (tres meses) sin haberse remitido el informe a la Corporación, deberá entenderse informada favorablemente la solicitud. Por último, se hace referencia al otorgamiento de la licencia por silencio administrativo si una vez transcurridos los plazos para que la Administración otorgue o deniegue la licencia (con la prórroga, en su caso, del período de subsanación de deficiencias) no se hubiere notificado resolución expresa al respecto.

En la legislación autonómica puede por ejemplo seleccionarse, por todas, la legislación de Galicia. Según el artículo 16.4 del Decreto 28/1999, por el que se aprueba el Reglamento de Disciplina Urbanística para el desarrollo y aplicación de la Ley del Suelo de Galicia, «las licencias se otorgarán al amparo de la normativa vigente en el momento de su concesión por acto expreso *o por silencio administrativo*»[3].

---

3. En los artículos 194 y siguientes de la Ley 9/2002, de 30 de diciembre, de Ordenación Urbanística y Protección del Medio Rural de Galicia se regulan en un sentido semejante, aunque mucho menos detallado en el aspecto procedimental, las licencias urbanísticas y su otorgamiento, señalándose expresamente en el artículo 195.5 que las peticiones de licencia se resolverán en el plazo de tres meses desde la presentación de la solicitud de licencia con la documentación completa en el Registro del Ayuntamiento, de modo que, una vez transcurrido dicho plazo sin haberse comunicado *ningún* acto, se entenderá otorgada la licencia solicitada por silencio administrativo. Se establece asimismo en el artículo 196.5 que en los supuestos en que el ordenamiento jurídico exija, para la ejecución de cualquier actividad, autorización de otra Administración Pública en materia medioambiental o de protección del patrimonio histórico-cultural, la licencia municipal urbanística sólo podrá solicitarse con posterioridad a que haya sido otorgada la referida autorización.

Se establece en el artículo 42 de la Ley 30/1992 que el plazo para resolver se computará desde la presentación de la solicitud en el Registro correspondiente y que dicho cómputo se interrumpirá o suspenderá en determinados casos, entre los que se encuentran, primero, el de que haya que requerir al interesado para la subsanación de deficiencias y aportación de documentos (se suspende el plazo máximo para resolver desde la notificación del requerimiento hasta su cumplimiento, o, en su defecto, el transcurso del plazo concedido para la subsanación o aportación); y, segundo, el de que deban solicitarse informes preceptivos y determinantes del contenido de la resolución a la misma u otra Administración (se suspende el plazo para resolver, durante un máximo de tres meses, desde la petición del informe –que deberá notificarse en todo caso al interesado– hasta su remisión –que también deberá ser comunicada al interesado–).

En cuanto a la competencia para otorgar una licencia, es claro que dependerá de la norma aplicable, si bien en la práctica no siempre están claros los límites competenciales. Así, se admite, en materia de aguas, que el Ayuntamiento tiene una potestad de otorgar autorizaciones de sondeo [tal como ha proclamado la jurisprudencia: STS de 18 de enero de 2001 (RJ 2001, 4134), considerando que todo sondeo afecta al uso del suelo, o la STSJ de Baleares de 7 de noviembre de 2001 (JUR 1034), o la STSJ de Baleares de 14 de octubre de 2001 (JUR 23400), o la STSJ de Murcia de 17 de mayo de 2000, confirmando las sanciones en caso contrario de realizarse obras de sondeo sin autorización municipal), salvo que el pozo se encontrara fuera del Municipio (que es el límite jurídico al respecto STS de 20 de diciembre de 1988 RJ 10167).

Además, tiene el Ayuntamiento la potestad de declarar, en el propio acto de Autorización del sondeo, que el agua del pozo ubicado dentro de su término municipal se destine dentro del propio término municipal del Municipio otorgante. Así lo declara la STS de 22 de marzo de 1991 (RJ 2250) donde primero se afirma que el Ayuntamiento tiene potestad para otorgar la licencia urbanística para la realización de un sondeo para la extracción de agua, al ser competencia municipal, siendo válido el condicionamiento establecido en la autorización en el sentido de no poder "exportar agua fuera del término municipal" siendo pues la nulidad improcedente.

El régimen que acabamos de reproducir, del RSCL y de la Ley 9/2002 de Galicia, se ajusta a la regulación general del procedimiento de los artículos 42 y 43 de la Ley 30/1992, de 26 de noviembre, de Régimen Jurídico de las Administraciones Públicas y del Procedimiento Administrativo Común.

3. LICENCIAS Y SILENCIO ADMINISTRATIVO

El artículo 43 de la Ley 30/1992 contiene la regulación del silencio administrativo en los procedimientos iniciados a solicitud del interesado: cuando haya transcurrido el plazo máximo para resolver sin que se haya notificado resolución expresa al interesado, con carácter general, se entenderá estimada la solicitud, es decir, tendrá el silencio carácter positivo. Ello no obstante, el propio precepto prevé algunas excepciones al supuesto general, entre otros, cuando una norma con rango de Ley o norma comunitaria establezca lo contrario, cuando se ejercite el derecho de petición del artículo 29 de la Constitución, cuando se trate de procedimientos cuya estimación tuviera como consecuencia la transferencia al solicitante o a terceros de facultades relativas al dominio público o al servicio público o, por último, cuando se trate de procedimientos de impugnación de actos y disposiciones. En todos estos casos el silencio tendrá efectos desestimatorios.

La jurisprudencia se ha manifestado respecto de la aplicación del silencio positivo a la solicitud y concesión de licencias urbanísticas, señalando, como hace, por todas, la STSJ de Castilla y León (Burgos) de 12 de noviembre de 2003 (RJCA 2004, 330) que «es cierto que las licencias administrativas son susceptibles de adquisición por silencio teniendo en cuenta el artículo 43.2 de la LRJAP-PAC 30/1992 que establece, que se podrán entender estimadas las solicitudes de concesión de licencias y autorizaciones de instalaciones (...)». La idea que se quiere dejar clara es la de que la utilidad del silencio positivo no es la de ganar o arrebatar una concesión que la Administración discute por el transcurso de un plazo como si se tratara de una prescripción adquisitiva, sino que, por el contrario, *su finalidad es que ante la pasividad e indiferencia de la Administración, el solicitante pueda interpretar el silencio como ficción a su favor para poder empezar a ejercitar el derecho que pretendía fuera reconocido.* Es decir, el silencio opera en sentido positivo sustituyendo la actividad de la Administración porque la situación es diáfana, clara e indiscutible, de tal manera que sólo la falta de voluntad del órgano, o su irregular funcionamiento, han impedido la concesión de licencia que de otra manera nunca se hubiera denegado[4].

---

4. No hemos hecho referencia en este *iter* procedimental de la obtención de licencias al artículo 9.7.a) del RSCL, que prevé la necesidad de denunciar la mora ante la Comisión Provincial de Urbanismo, donde estuviere constituida, o en su defecto, a la Comisión Provincial de Servicios técnicos, si transcurrieren los plazos máximos para la resolución de la solicitud de licencia sin que se hubiere notificado resolución expresa al solicitante, con el objeto de que dicha Comisión resuelva por subrogación, y de modo que si esta Comisión tampoco notifica acuerdo expreso al interesado en el plazo de un mes, se entienda otorgada la licencia por silencio positivo. La explicación estriba en que ya no es precisa esa denuncia de la mora, anteriormente también contemplada en la certificación de actos presuntos del ar-

En este mismo sentido, de afianzar la regla del silencio positivo pueden citarse además estos pronunciamientos: STS de 27 enero 2006 (EDJ 6458), limitándose a constatar si tras la fecha de solicitud de la licencia ha trascurrido el plazo de silencio para entender éste positivo; STS 3ª de 25 marzo 2002 (RJ 2003, 3615): "sin que el interesado tenga que hacer nada para adquirir el derecho que declare a su favor el ficticio, pero legalmente eficaz acuerdo resolutorio, que ya no puede ser alterado o cambiado por el Órgano Administrativo, cuya obligación de resolver expresamente está extinguida"; STS de 16 julio 1997 (RJ 1997, 6034): estamos ante una "aplicación positivizada del principio general del Derecho expresado en el brocardo "allegans propiam turpitudinem non auditur"; STS Sala 3ª de 16 julio 1997 (RJ 1997, 6034): "la Administración, con su silencio ha producido el acto positivo presunto" sin poder "esgrimir su inactividad en perjuicio del administrado"; STS de 16 julio 1997 (RJ 1997, 6034): "el silencio administrativo, tanto negativo como positivo, está establecido en beneficio del administrado, y, en consecuencia, es a él a quien corresponde utilizarlo para su conveniencia o desconocerlo cuando le perjudique. No le es lícito a la Administración beneficiarse del incumplimiento de su deber de resolver expresamente, porque hay, en efecto, un principio general del Derecho (expresado con distintas formulaciones en el artículo 115-2 de la Ley de Procedimiento Administrativo, y en el artículo 1288 del Código Civil), según el cual ningún infractor puede alegar en su propio beneficio su incumplimiento de las normas"; STS de 2 de marzo de 1987 (RJ 1987, 3452): "la jurisprudencia tiene reiteradamente declarado que la Administración no puede en ninguna de sus esferas, contradecir, desconocer, ni alterar mediante la emanación de un acto posterior expreso la situación jurídica consolidada al amparo del acto presunto originario, tácito en la terminología de las normas legales, ya que el conjunto de facultades que para el administrado derivan de las autorizaciones "ex lege" que el mismo implica, gozan de idénticas garantías de estabilidad y permanencia que si hubieran sido otorgadas de forma expresa. Igualmente, STS de 16 julio 1997 (RJ 1997, 6034); STS de 10 marzo 1992 (RJ 1992, 3256); STS de 17 febrero 1988 (RJ 1988, 1183); STSJ Valencia Sala de lo Contencioso-Administrativo de 19 abril 2000.

---

tículo 44 de la Ley 30/1992, resultando de aplicación la nueva redacción de la Ley 30/1992 (concretamente, el art. 43.5 introducido por Ley 4/1999), según la cual el certificado acreditativo del silencio producido previsto ya no es un requisito para la obtención de la licencia por silencio positivo (STSJ del País Vasco de 4 de febrero de 2005 [JUR 2005, 97836], remitiéndose a la STS de 16 de abril 2004 [RJ 2004, 4755]). Sobre los matices acerca de la incardinación de este artículo en el ordenamiento jurídico general, véase T. QUINTANA, *El silencio administrativo,* Valencia, 2006, pp. 408 y ss.

Es numerosa la jurisprudencia, que ha entendido que, para que opere la institución del silencio positivo en relación con el otorgamiento de licencias, se requiere la concurrencia simultánea de dos requisitos: el primero es el transcurso de los plazos legales establecidos para que pueda entenderse adquirida la licencia por silencio; el segundo, que la licencia solicitada esté ajustada al planeamiento y al resto del ordenamiento aplicable (entre otras, STS de 27 de diciembre de 1999 [RJ 1999, 9777]; STS de 15 de diciembre de 1999; STSJ del País Vasco de 8 marzo de 2006 [JUR 2006, 168117]; STSJ de Madrid de 21 septiembre de 2004 [JUR 2004, 298983]; STSJ de Canarias de 20 de enero de 2006 [JUR 2006, 100550]; STSJ de Navarra de 10 de septiembre de 2004 [JUR 2004, 305583] o STSJ de Galicia de 19 de febrero de 2003 [JUR 2003, 266860], referida a un supuesto en el que la licencia estaba condicionada a la obtención de permiso por parte de Patrimonio por razón del entorno en que pretende efectuarse la misma).

Es decir, según la teoría general del silencio desarrollada por esta jurisprudencia del orden contencioso-administrativo, la ineficacia del silencio *contra legem* puede catalogarse de principio general del Derecho urbanístico arraigado en nuestra legislación.

En este sentido, la sentencia del Tribunal Supremo de 28 de enero de 2009 (RJ 2009, 1471) estima el recurso de casación en interés de la Ley frente a la sentencia que reconocía por silencio positivo una licencia contraria a la legislación urbanística. El Supremo fija como doctrina legal que los arts. 242.6 del RD Legislativo 1/1992 y el 8.1 b) del RD Legislativo 2/2008 son preceptos estatales de carácter básico, en cuya virtud y conforme a lo dispuesto en el artículo estatal, también básico, 43.2 de la Ley 30/1992 –en la redacción dada por la Ley 4/1999–, no podrán entenderse adquiridas por silencio administrativo licencias en contra de la ordenación territorial o urbanística. No estamos sino ante una reiteración de un criterio conocido, no ante una aportación nueva.

Sin embargo, este criterio ha de completarse con otra doctrina jurisprudencial que tiene especialmente en cuenta la nueva redacción del artículo 43 de la Ley 30/1992 tras la reforma operada por la Ley 4/1999. Tal y como señala la Exposición de Motivos de dicha Ley 4/1999: «(...) esta situación de falta de respuesta de la Administración –siempre indeseable– nunca puede causar perjuicios innecesarios al ciudadano, sino que equilibrando los intereses en presencia, normalmente debe hacer valer el interés de quien ha cumplido correctamente con las obligaciones legalmente impuestas».

La Ley 4/1999 pretende que se analice el silencio administrativo en abstracto, y por ello veda la posibilidad de que la licencia urbanística obtenida por silencio administrativo positivo pueda dejar de ser operativa por la existencia de una resolución posterior denegatoria de la solicitud de la licencia dictada una vez finalizado el plazo máximo legal para resolver, ya que, de ser así, sencillamente estaríamos haciendo una interpretación que derogaría y haría superflua la propia reforma efectuada por Ley 4/1999. Así lo establece expresamente su Exposición de Motivos: «Se trata de regular esta capital institución del procedimiento administrativo de forma equilibrada y razonable, por lo que se suprime la certificación de actos presuntos que, como es sabido, permitía a la Administración, una vez finalizados los plazos para resolver y antes de expedir la certificación o que transcurriera el plazo para expedirla, dictar un acto administrativo expreso aun cuando resultara contrario a los efectos del silencio ya producido. Por todo ello, el silencio administrativo positivo producirá un verdadero acto administrativo eficaz, que la Administración pública sólo podrá revisar de acuerdo con los procedimientos de revisión establecidos en la Ley».

Y, en consonancia con la Exposición de Motivos de la Ley 4/1999, el artículo 43.4.a) de la Ley 30/1992 sólo permite a la Administración resolver confirmando el silencio administrativo positivo; en caso contrario, cuando la Administración se percate que han pasado los plazos y que el ciudadano ha obtenido autorización o cualquier otro derecho por silencio administrativo positivo, debe acudir a los procedimientos de revisión previstos en la Ley, no permitiéndosele dictar resolución expresa contraria al silencio administrativo positivo, pues, según el artículo 43.3 de la misma Ley 30/1992, el procedimiento ya ha finalizado.

Precisamente, vamos a comprobar a continuación cómo esta jurisprudencia viene a afirmar que una vez finalizado el plazo para resolver una solicitud de licencia, cuando el efecto del silencio sea positivo, la Administración competente, en caso de que no haya resuelto expresamente, no podrá invocar que la concesión de la licencia por silencio es contraria al ordenamiento jurídico sino acudiendo a los procedimientos de revisión establecidos en los artículos 102 y siguientes de la Ley 30/1992.

En este sentido, es ilustrativa la STSJ de Madrid de 17 de diciembre de 2004 (JUR 2005, 50582), que afirma expresamente que revisa su anterior doctrina jurisprudencial, al entender que hay que matizar la afirmación de que silencio no puede llegar a aplicarse *contra legem,* invocando en este sentido seis argumentos a favor de la consideración de que tras la Ley 4/1999 la Administración no puede oponerse en el ámbito del silencio positivo a que el particular pueda hacer valer ante la Administración dicho silencio positivo, sin perjuicio de la acción revisora de oficio de la Administración. Reproducimos a continuación estos argumentos:

«A)   La Exposición de Motivos de la Ley 4/1999, cuando indica que "el silencio administrativo positivo producirá un verdadero acto administrativo eficaz que la Administración Pública sólo podrá revisar de acuerdo con los procedimientos de revisión establecidos por la Ley".

B)   Los principios de seguridad jurídica (art. 9.3 de la CE) y confianza legítima (art. 3.1 de la Ley 30/1992), en virtud de los cuales la Administración no puede invocar extemporáneamente el hecho de que el silencio sea contrario a la Ley cuando lo ha podido hacer con anterioridad, ni con lesión de las legítimas expectativas de los particulares que han actuado confiados en que si la Administración no ha puesto obstáculos es porque lo pretendido es conforme con el ordenamiento jurídico.

C)   El criterio lógico interpretativo, que implica atender al espíritu y finalidad de la norma (art. 3.1 del CC), de modo que la Administración no puede gozar de la potestad de desconocer los efectos del silencio positivo cuando no resuelva y sin embargo cuando resuelve expresamente –deber ineludible– quede vinculado por los efectos del silencio.

D)   Los debates parlamentarios, reveladores de la voluntad del legislador, por cierto bastante consensuada, de poner límites a las potestades administrativas respecto del silencio positivo (sesiones de 17 de diciembre de 1998 y 8 de octubre de 1998, en la que se indica que la supresión de la certificación del acto presunto como obligatoria responde a la idea de que no se puede utilizar como mecanismo para revisar un acto favorable por silencio). Y en este sentido debe recordarse el dictamen del Consejo de Estado de 22 de enero de 1998 al Anteproyecto de Ley que sigue la línea expuesta.

E)   El espíritu de la reforma de la Ley 4/1999, interpretada ésta de forma sistemática, que ha convertido a la obligación de resolver de la Administración en una obligación sujeta a un plazo esencial, de modo que ya no puede invocarse la doctrina general del art. 63.3 de la Ley 30/1992 y su antecedente, la LPA de 17 de julio de 1958, en el sentido de que "La realización de actuaciones administrativas fuera del tiempo establecido para ellas sólo implicará la anulabilidad cuando así lo imponga la naturaleza del término o plazo", por lo que tal precepto no será de aplicación cuando dichas actuaciones se refieran a la resolución, so pena de constituir una antinomia con el art. 42.1. A ello habría que añadir la desaparición del procedimiento de revisión de oficio de los actos anulables del viejo art. 103, de modo que cuando la solicitud de una licencia urbanística suponga una infracción del ordenamiento jurídico (art. 63 Ley 30/1992) la Administración habrá de acudir a la declaración de lesividad, lo que es indicativo que la mera infracción del ordenamiento jurídico no constitutiva de nulidad de pleno derecho no puede ser desconocida por la Administración.

F)   El criterio de la doctrina científica mayoritaria que ha tratado esta cuestión. En virtud de lo expuesto esta Sala revisa su doctrina estableciendo la que a continuación se expone: transcurrido el plazo para resolver una solicitud de licencia, cuando el efecto del silencio sea positivo, la Administración competente, en caso de que no haya resuelto expresamente no podrá invocar que la concesión de la licencia por silencio es contraria al ordenamiento jurídico sino acudiendo a los procedimientos de revisión establecidos en el art. 102 y ss. de la Ley 30/1992. Sin perjuicio de lo expuesto, la Sala no obstante, considera, con arreglo al art. 62.1.f de la Ley 30/1992 de 26 de noviembre –evitando dar cobertura a actos jurídicos incursos en vicio de nulidad por inexistencia– y, con arreglo al art. 154.5º de la Ley del Suelo de la Comunidad Autónoma de Madrid de 17 de julio de 2001 cuando se refiere a que "se entenderá otorgada por silencio positivo en los términos resultantes del proyecto de obras de edificación", que para que tenga validez la doctrina anteriormente expuesta es preciso que la solicitud de una licencia urbanística cumpla estos requisitos: A/Cuente con la documentación legal o reglamentariamente exigida, no bastando, v. gr. un acto comunicado para obtener una licencia de obra mayor sujeta a la presentación de un proyecto. Y ello en tanto en cuanto nos encontraríamos, de lo contrario, con un acto inexistente por falta de los requisitos esenciales. B/Que dicha solicitud haya sido formulada, cuando se exija proyecto, por el técnico competente (...)».

En una línea argumental muy semejante, la STSJ de la Comunidad Valenciana de 3 de junio de 2005 (JUR 2005, 211811) señala que una resolución administrativa tardía que vaya contra el silencio administrativo positivo, en teoría, no puede darse, pues una vez producido el silencio administrativo positivo se entiende que el procedimiento administrativo ha finalizado, según el artículo 43.3 de la Ley 30/1992.

Realizada esta afirmación de que el procedimiento de otorgamiento de licencia ha finalizado una vez producido el silencio administrativo positivo, se pregunta el órgano jurisdiccional qué efectos jurídicos debemos dar a la Disposición Adicional Cuarta de la Ley de las Cortes Valencianas 6/1994, de 15 de noviembre, reguladora de la Actividad Urbanística, según el cual en ningún caso se entenderán adquiridas por silencio administrativo licencias en contra de la legislación o del planeamiento urbanístico[5].

Pues bien, entiende el TSJ de la Comunidad Valenciana en su fallo de 3 de junio de 2005 (JUR 2005, 211811) que dicho precepto debe ser interpretado según la modificación introducida en la Ley 30/1992 por la Ley 4/1999, en el sentido de que si un particular cuenta con una licencia obtenida por

---

5. Se trata de un precepto de gran raigambre en nuestra legislación urbanística, que aparece prácticamente en todas las legislaciones urbanísticas autonómicas, y que tiene su origen y el mismo tenor literal que el art. 242.6 TRLS/1992 (que a su vez tiene como antecedente el art. 178.3 TRLS/1976), cuya constitucionalidad fue salvada, como consecuencia de su carácter básico, por la STC 61/1997, de 20 de marzo (RTC 1997, 61) (FJ 34) en el entendimiento de que constituía ejercicio de la competencia estatal en materia de bases del régimen jurídico de las Administraciones públicas y del procedimiento administrativo común *ex* art. 149.1.18ª CE, y cuyo vigor se ha mantenido con la Ley 6/1998, de 13 de abril, de Régimen del Suelo y Valoraciones.

«silencio administrativo positivo», «*la Administración no puede desconocer ni resolver en contra dentro del concreto procedimiento al haber éste finalizado, y, caso de entender que es perjudicial para el interés público, no le queda otra opción que acudir a los procedimientos de revisión de oficio y adoptar como medida cautelar la suspensión de la licencia obtenida por silencio administrativo positivo*». El sentido de este precepto es, por tanto, «dar un mandato a la Administración para que, caso de haberse obtenido licencia por silencio administrativo positivo, impida la obtención de facultades que la Ley o los instrumentos de planeamiento no le conceden, y en modo alguno, el precepto supone una derogación de los procedimientos de la Ley 30/1992 modificada por Ley 4/1999». Por ello, en el supuesto de autos, se estima el recurso en el sentido de anular la denegación de la licencia de forma expresa, por cuanto el interesado habría adquirido la licencia por silencio administrativo positivo, debiendo la Administración demandada iniciar el procedimiento legalmente establecido de revisión de los actos administrativos si entiende que esa licencia vulnera el ordenamiento jurídico. Esta situación, como puede observarse, en nada difiere a la posición que debe adoptar la Administración cuando otorga una licencia de forma errónea.

También señala el TSJ de la Comunidad Valenciana en esta misma resolución judicial que venimos comentando que esta interpretación que ha realizado la Sala no es novedosa y que puede encontrarse en la legislación urbanística de otras Comunidades Autónomas: así, pone por ejemplo la hoy derogada Ley Catalana 2/2002, de 14 de marzo, de Urbanismo, en la que, aunque inicialmente el artículo 5.2 afirma « (...) En ningún caso pueden considerarse adquiridas por silencio administrativo facultades urbanísticas que contravengan esta Ley o el planeamiento urbanístico...», el artículo 180.2 –cuando pretende materializar la imposibilidad de adquirir facultades por silencio administrativo– es muy claro al señalar « (...) La competencia y el procedimiento para otorgar y denegar las licencias urbanísticas se ajustan a lo establecido en la legislación de régimen local. El sentido positivo del silencio administrativo en la materia se entiende sin perjuicio de lo dispuesto en el art. 5.2 y en el marco de lo establecido en la legislación aplicable sobre procedimiento administrativo común...».

Esta jurisprudencia se continúa con la sentencia del mismo TSJ de 24 de noviembre de 2007 (RJCA 2007, 524) y tampoco se contraría con la sentencia de 25 de mayo de 2006 del mismo TSJ de la Comunidad Valenciana, Sala de lo Contencioso-Administrativo, sec. 1ª, S. 25-5-2006, nº 415/2006, rec. 7/2005 (RJCA 2006, 769) en el marco de un recurso de casación para la unificación de la doctrina.

Ilustrativa es, asimismo, la sentencia de 27 de noviembre de 2006, del mismo TSJ de la Comunidad Valenciana, Sala de lo Contencioso-Administrativo, sec. 1ª, nº 926/2006, rec. 192/2006 (JUR 2007, 104825). La Sala se centra en establecer si el demandante adquirió la licencia de obras por silencio administrativo positivo, determinando que, en aras al principio de seguridad jurídica, el demandante había obtenido la licencia de actividad inocua por silencio administrativo positivo no pudiendo dictar la Administración una resolución fuera de tiempo ya que, esto prácticamente haría inaplicable el silencio administrativo positivo, debiendo, por tanto, la Administración dictar una resolución confirmatoria del silencio pudiendo instar los recursos pertinentes.

Así pues, «el particular puede hacer valer su licencia ante cualquier administración o particular» dice expresivamente la sentencia.

Téngase en cuenta, además, que dicha referencia a los «recursos pertinentes» significa una declaración de lesividad que, de producirse, bien garantiza al afectado, porque implicaría una indemnización por la construcción efectuada si tuviera que sufrir cualquier consecuencia en un plano de demolición.

Es significativo cómo esta sentencia de 27-11-2006 afirma, primero, que con la LRAU este criterio jurisprudencial ya se imponía. Y que, tras la LUV, «aunque el art. 196 LUV contiene una regulación muy similar a la de la LRAU, la misma es en parte diferente, dado que, tras afirmar de nuevo que en ningún caso se entienden adquiridas por silencio positivo las licencias contrarias a la legislación urbanística y a los planes, inmediatamente añade, en su apartado cuarto, que las licencias obtenidas por acto expreso o presunto son nulas de pleno derecho cuando contravengan manifiestamente el planeamiento o la legislación urbanística. Existe pues una contradicción palmaria entre el apartado tercero y el apartado cuarto del art. 196, dado que el primero, a sensu contrario, nos está diciendo que no hay licencia (si lo preferimos, que la misma se puede entender desestimada; que el valor del silencio es negativo); mientras que el segundo nos dice que en caso de manifiesta ilegalidad de la licencia, el transcurso del plazo máximo para resolver y notificar produce una licencia, sí, pero nula de pleno derecho. Lo primero conduciría a la posibilidad de que la Administración desconociera pura y simplemente el silencio, por cuanto la licencia no existiría; lo segundo llevaría a considerar que la licencia es nula y que hay que proceder a su revisión de oficio. Ante dicha contradicción, y dado que el apartado tercero del art. 196.3 es manifiestamente contrario a la Ley 30/1992, mientras que el apartado cuarto se acomoda a ella casi de forma literal (el precepto es casi un calco del art. 62.1 f) de la Ley 30/1992), **debemos inclinarnos por aplicar el art. 196.4 LUV y exigir en todo caso, pues, la revisión de oficio de la licencia ilegal; porque es la única forma posible (pero en todo caso es viable) de acomodar por vía interpretativa (art. 5.3 LOPJ) una ley autonómica al contenido de una ley estatal que le vincula.** Pero es que, además, esta interpretación es coherente con la regulación que la LUV efectúa respecto de las potestades de restablecimiento de la legalidad urbanística alterada en sus arts. 219 ss; preceptos éstos en los que, al hablar de las obras sin licencia o contra licencia, aluden constantemente a la exigencia de requerimiento de legalización –a diferencia de por ejemplo el régimen que establecía el art. 248 TRLS de 1992 –, que no tendría sentido alguno en los casos en que de hecho se ha solicitado la licencia con carácter previo sin que la Administración haya dado respuesta a la solicitud. Por otra parte, la interpretación contraria podría llevar a extremos realmente peligrosos para el principio de seguridad jurídica, por ejemplo en los casos en que, una vez pasado el plazo para resolver y notificar sobre la licencia, se produce la declaración de nulidad del plan en que dicha licencia se amparaba, dada la amplitud de los plazos previstos en el art. 304.2 TRLS de 1992».

Igual que el TSJ de la Comunidad Valenciana se expresa el TSJ de Navarra en su sentencia de 1 de septiembre de 2004 (JUR 2004, 305731): «Tal acto tiene todos los efectos que son propios del mismo como si se tratase de un acto expreso; al respecto es claro el contenido del artículo 43.3 de la Ley 30/1992, de 26 de noviembre, cuando expresa que "la estimación por silencio administrativo tiene a todos los efectos la consideración de acto administrativo finalizador del procedimiento". Tal acto por consiguiente ha de entenderse como válido y producir los efectos que le son propios, siendo sólo atacable por las vías de revisión de oficio o impugnación previa declaración de lesividad previstas en los artículos 102 y siguientes de la dicha Ley 30/1992, siendo del todo punto irrelevante la resolución tardíamente notificada una vez que se ha producido el juego del silencio administrativo positivo».

El quid del silencio positivo estaría en las posibles consecuencias indemnizatorias: independientemente de la línea jurisprudencial que se siga, el caso es que el silencio origina un acto y *la posibilidad de* iniciar las obras, de modo que la Administración indemnizaría en caso de que se pusiera de manifiesto que el acto otorgado por silencio fue ilegal y procede en consecuencia la demolición. En definitiva, también cuando existe un acto expreso se plantea el problema de posibles licencias otorgadas ilegalmente, imputándose generalmente el daño a la Administración pero sin excluir la posibilidad de su imputación al propio particular, tal como se examina en el capítulo correspondiente de este libro.

Asimismo interesa profundizar en el **régimen jurídico del silencio positivo en casos de posibles deficiencias en la solicitud de la licencia.** La legislación urbanística exige que la solicitud vaya acompañada de proyecto técnico, pues tal documentación permite a la Administración, en el ejercicio del control de la autoridad que encierra la concesión de licencia, evaluar las características intrínsecas y extrínsecas de lo solicitado para bien, como acto reglado que es, acceder a su concesión o, en su caso, informar al peticionario de los aspectos que debe corregir para respetar la legalidad vigente.

Conforme al artículo 9.1.4º del Reglamento de Servicios de la Corporaciones Locales y a la Ley 30/1992, en el caso de que se observen deficiencias subsanables en la solicitud de una licencia se notificará o requerirá al solicitante de la misma antes de expirar el plazo para resolver, a los efectos de que sean subsanadas tales deficiencias, suspendiéndose el plazo máximo para resolver desde la notificación del requerimiento hasta su cumplimiento por el interesado, o, en su defecto, hasta el transcurso del plazo concedido para la subsanación. De acuerdo con una acusada línea jurisprudencial (por todas, STS de 20 de julio de 1990 [RJ 1990, 6581]), dado que el silencio positivo tiene como finalidad amparar al ciudadano frente a la inactividad administrativa, el cómputo de los plazos necesarios para resolver acerca de una licencia –art. 9.1.7º del Reglamento de Servicios de las Corporaciones Locales– ha de llevarse a cabo teniendo en cuenta que el plazo de subsanación de deficiencias es una «prórroga» –ésta es la terminología del precepto indicado– de suerte que producida la notificación de las deficiencias subsanables, deja de correr el plazo y llevada a cabo la subsanación vuelve a correr aquél, teniendo en cuenta el lapso temporal anterior a dicha notificación, hasta completar el plazo necesario: éste se obtiene, pues, sumando los tiempos anteriores a la notificación de las deficiencias subsanables y posterior a la subsanación.

No se llega a regular en la legislación citada qué ocurre cuando se requiere al solicitante de la licencia para que proceda a subsanar deficiencias una vez transcurrido el plazo para resolver acerca del otorgamiento de la licencia.

La jurisprudencia ha tenido ocasión de pronunciarse sobre esta cuestión. Así, entiende el TSJ de La Rioja, ante un supuesto en el que el solicitante de la licencia no cumplió los requisitos formales de solicitud (por ausencia de proyecto técnico) y la Administración no le requirió en su momento para que aportase dicha documentación, sino tres años después de solicitada la licencia, que la licencia se entiende concedida por silencio positivo, pues de lo contrario se vulnerarían los principios de confianza legítima y buena fe. Concretamente, afirma el TSJ que la Administración «ha vulnerado el principio de buena fe y confianza legítima que debe presidir las relaciones jurídico-públicas (ex Ley 30/1992, de 26 de octubre, del Régimen Jurídico de las Administraciones Públicas y Procedimiento Administrativo Común, en delante LRJAP-PAC, artículo 3), de importancia radical; no en vano, el Tribunal Supremo se ha referido a él como un principio "tan necesitado de ser observado en las relaciones jurídicas, y, claro está, en las relaciones jurídico-administrativas" (sentencia de 11 de mayo de 1978), necesario para una normal convivencia en nuestra sociedad (sentencia de 18 de junio de 1979), relacionándolo con el principio de seguridad jurídica (sentencia de 27 de junio de 1984), insistiendo, en que la buena fe debe presidir, decíamos, toda relación entre Administración y administrados (sentencias de 23 de enero de 1976, de 3 de junio de 1981, 4 de julio de 1983, 25 de abril de 1984 y 21 de noviembre de 1986) y, por último, anteponiendo su presunción mientras no se pruebe lo contrario (sentencia de 4 de junio de 1992)» (STSJ de La Rioja de 18 de enero de 2001 [JUR 2001, 99400]).

En sentido semejante resuelve la STSJ de la Comunidad Valenciana de 22 de mayo de 2001 (JUR 2001, 303489), al afirmar que «no pueden dejarse pasar más de cinco meses en requerir una documentación; para ello está en la Ley el art. 71 de la Ley 30/1992 o el art. 9 del Reglamento de Servicios de las Corporaciones Locales de 1953 que establece con claridad unos plazos cortos para hacer el requerimiento con apercibimiento de archivo de las actuaciones». En consecuencia, se estima el recurso y se establece que el demandante obtuvo la licencia solicitada por «silencio administrativo positivo» y que si el Ayuntamiento estima que esta situación es lesiva para sus intereses para eso está el proceso de lesividad.

Seguidamente se estudia la **determinación de la fecha de solicitud de la licencia a efectos del inicio del plazo del silencio positivo. La autoliquidación provisional de tasas por la licencia.**

El inicio del cómputo del plazo para resolver sobre el otorgamiento de la licencia puede dar lugar a errores como consecuencia de los requerimientos de subsanación de deficiencias, especialmente cuando se trate de aportar documentación obligatoria que no fue presentada en el momento de la solicitud, como pueda ser el proyecto técnico. En estos casos, indica la jurisprudencia no se puede tomar como *dies a quo* la fecha de aportación de la documentación exigida, sino la fecha de la solicitud de la licencia, ya que la falta de proyecto técnico determina para el Ayuntamiento, no la facultad de denegar la licencia, sino la de notificar al peticionario la existencia de defectos subsanables para que pueda subsanarlos en el plazo de 15 días, conforme a lo prevenido en el art. 9.1.4º del citado Reglamento (puede verse, por todas, STS de 10 de marzo de 1992 [RJ 1992, 3256], remitiéndose a las SSTS de 25 de mayo de 1982 [RJ 1982, 4133], y 15 de diciembre de 1986 [RJ 1987, 1050], SSTS de 3 abril [RJ 1986, 4361], 17 marzo [RJ 1986, 1827] y 18 julio de 1986 [RJ 1986, 5130] y SSTS de 15 [RJ 1988, 1148] y 24 febrero [RJ 1988, 1398], 14 marzo [RJ 1988, 2165], 17 mayo [RJ 1988, 3794], 28 julio [RJ 1988, 6545] y 7 octubre de 1988 [RJ 1988, 7447]).

También se pueden producir errores por el hecho de que compute como *dies a quo* no el de la presentación de la solicitud de licencia en el Registro del Ayuntamiento, sino el de abono de la tasa por la licencia urbanística. Sin embargo, el artículo 9.1.1º del RSCL y en general la legislación urbanística autonómica exigen que a la solicitud de licencia se acompañe proyecto técnico redactado por técnico competente, no haciéndose referencia en ningún caso al abono de las tasas por la licencia, por lo que no puede entenderse éste como un requisito para determinar el momento de solicitud de la licencia. En este sentido se pronuncia el TSJ de la Comunidad Valenciana, que revoca una sentencia apelada entendiendo que se ha interpretado de manera desacertada la fecha de la solicitud al referirla a la fecha de aportación al expediente del resguardo de la tasa por prestación de los servicios relativos a las actuaciones urbanísticas. «el procedimiento para la concesión de licencias sólo se entenderá iniciado cuando la petición vaya acompañada de proyecto técnico y de los demás elementos indispensables para dotar de contenido a la resolución. Y el caso es que, a la vista del expediente administrativo, ni se ponía de manifiesto por parte de la Administración ninguna carencia de elemento indispensable en la presentación de la solicitud (*el resguardo de las tasas no lo es, al tratarse de un mero justificante formal de los efectos estimatorios o desestimatorios producidos por el transcurso del plazo para resolver expresamente* –cfr. STS de 18 de julio de 2001 [RJ 2001, 6186], dictada por la parte apelante–) ni ningún otro elemento relevante en el proyecto técnico formulado» (STSJ de la Comunidad Valenciana de 3 de junio de 2005 [JUR 2005, 211811]).

En la práctica tiene especial relevancia el **régimen jurídico del silencio positivo en casos de emisión de informes preceptivos en el marco del procedimiento de otorgamiento de una licencia.**

El artículo 9.1 2º y 3º del RSCL afirma que en el caso de ser necesario informe de algún Organismo, deberá remitírsele la documentación técnica a dicho Organismo para que proceda a la evacuación del informe en el plazo de cinco días tras la fecha de registro, de modo que, transcurrido el plazo para resolver la solicitud de la licencia (tres meses) sin haberse remitido el informe a la Corporación, deberá entenderse informada favorablemente la solicitud. Y el artículo 42.5 de la Ley 30/1992 ha venido a matizar aún más este régimen de la solicitud de los informes, en el sentido de que para que pueda suspenderse el cómputo de los plazos para resolver ha de tratarse de informes que sean preceptivos y determinantes del contenido de la resolución, que deberá notificarse tanto la petición de informe como la recepción del informe a los interesados y que se suspenderá el cómputo del plazo por el tiempo que medie entre la petición y la recepción del informe, no pudiendo exceder este plazo de suspensión en ningún caso de tres meses.

En este sentido, con apoyo en el artículo 9 del RSCL, ha declarado reiteradamente la jurisprudencia que la extemporaneidad del informe hace que éste resulte inútil: si transcurre el plazo para la emisión del informe sin que éste se haya emitido, se entiende que se produce la «presunción favorable de informe (...), sin limitación de ninguna clase y sin posibilidad de contradecir ya la situación creada por el descuido de la citada Administración Corporativa» (por todas, STS de 22 de marzo de 1991 [RJ 1991, 2248]).

Por lo que respecta al incumplimiento de los requisitos formales de notificación de solicitud o recepción de informe a los interesados, afirma la jurisprudencia que no puede entenderse que la suspensión sea automática por el mero hecho de la solicitud del informe, y ello por los motivos siguientes: «En primer lugar, no con la solicitud del informe cabe ampliar el plazo de resolución, sino sólo con la de los "preceptivos y determinantes", de manera que, aunque se tratase de una "potestad" habría que ejercerla verificando, en primer lugar, que se trata de un informe de tal tipo y emitiendo un juicio al respecto. En segundo lugar, la Ley 30/1992, inspirada en principios de seguridad jurídica, pretende que los interesados conozcan cuál es el plazo máximo de resolución del expediente (véase por ejemplo el artículo 42.4) y choca con esta intención legal evidente el hecho de que pueda considerarse suspendido el plazo de resolución sin que el interesado lo sepa claramente (en el caso de autos ni siquiera se sabía que se había pedido el informe, como veremos, pues se conoce una vez que ya han transcurrido los tres meses de notificación de la resolución). Recientemente hemos declarado ya en la sentencia 139/2004, de 3 de marzo de 2004 (JUR 2004, 96740), en interpretación del artículo 17.4 del RD 1398/1993, de 4 de agosto, que regula un caso parecido al del artículo 42 de la Ley 30/1992, que cuando la norma establece que se podrá suspender el plazo, *desde luego es preciso que así se haga para que el efecto se produzca,* cosa lógica dado que la caducidad es una institución directamente ligada a la seguridad jurídica que reclama que si se suspende el plazo de resolución se conozca tal hecho por quién está implicado en el expediente en el que se produce la suspensión» (STSJ de Castilla-La Mancha de 4 de octubre de 2004 [JUR 2004, 292157]; igualmente, aunque en el marco de un procedimiento sancionador, lo reconoce así la STSJ de Galicia de 13 de julio de 2005 [JUR 2006, 4795]; STSJ de Canarias –Santa Cruz de Tenerife– de 3 de febrero de 2003 [JUR 2003, 243604], en el ejercicio de actividades turísticas).

4. AUTORIZACIONES PREVIAS SECTORIALES

Otro tema práctico es el de la posible colisión entre la licencia urbanística y otro tipo de licencias. Un ejemplo puede ser la autorización previa al ejercicio de la actividad turística, que tiene como finalidad garantizar el cumplimiento de los requisitos para el ejercicio de la actividad turística, constituyéndose, por previsión legal, en un deber y requisito previo para la solicitud de licencia urbanística.

Aunque el ejercicio de la actividad turística empresarial en el ámbito del Archipiélago Canario es libre, sin más limitaciones que las establecidas en las leyes generales, no obstante, el artículo 13 de la Ley 7/1995, de 6 abril, de Ordenación del Turismo de Canarias (en adelante, LOTC) señala que para el establecimiento y desarrollo de tal actividad, las empresas turísticas estarán sometidas al cumplimiento de ciertos deberes específicos[6].

El apartado 2º del citado artículo 24 de la LOTC añade que «la autorización a que este artículo se refiere, será previa a la concesión de la licencia de edificación, cuando ésta proceda e independiente de la licencia de apertura de establecimientos y de cualesquiera otras autorizaciones que fueran preceptivas por aplicación de la legislación sectorial».

La autorización para el ejercicio de la actividad turística no es una licencia urbanística, sino una licencia para el ejercicio de la actividad turística, previa, en cualquier caso, a la licencia de obras, que, tal y como se desprende del artículo 61 de la LOTC en concordancia con el artículo 24 de la Ley, supone el examen del cumplimiento de los requisitos para el ejercicio de la actividad turística.

Este carácter y naturaleza de requisito previo a la licencia urbanística ha llevado a la jurisprudencia a entender que está vedada la posibilidad de otorgamiento condicional de la autorización previa. En este sentido se manifiesta la STSJ de Canarias, Las Palmas de Gran Canaria, de 3 de junio de 2005

---

6. En concreto: «a) Inscribirse en el Registro General de empresas, actividades y establecimientos turísticos de la Comunidad Autónoma de Canarias. b) Obtener de la Administración competente las autorizaciones previas al ejercicio de cualquier actividad turística que pretenda desarrollarse. c) Cumplir en los establecimientos alojativos, el principio de unidad de explotación en los términos previstos en esta Ley. d) Cumplir los demás deberes que esta Ley impone». Por su parte, el artículo 21.1 de la Ley de Ordenación del Turismo de Canarias establece que «las empresas y establecimientos turísticos, cualesquiera que sea la naturaleza y forma que adopten, deberán obtener autorizaciones y cumplir los demás requisitos previstos en esta Ley, para el desarrollo de actividades calificadas como turísticas en la misma, sin perjuicio del cumplimiento de la legislación general y del sector». Asimismo, el artículo 24 del mismo cuerpo legal establece en su apartado 1º que «el ejercicio de cualquier actividad turística reglamentada, requerirá, independientemente de la inscripción en el Registro General de empresas, actividades y establecimientos turísticos, y previa clasificación del establecimiento, en su caso, la correspondiente autorización, cualquiera que sea su denominación, expedida por la administración turística competente, conforme a la normativa de aplicación».

(RJCA 2005, 457), a pesar de reconocer que el otorgamiento condicional constituiría una modalidad menos gravosa que la denegación, que no alteraría el carácter reglado, y constituiría una *condictio iuris* para que el acto tuviera eficacia jurídica:

> «En este sentido, bajo la rúbrica "Condicionamiento de las licencias", el artículo 61 de la LOTC establece que "las licencias de cualquier tipo que hayan de concederse en las zonas a que se refiere el artículo 58.2 o en suelo calificado como de uso turístico, habrán de otorgarse de conformidad con el planeamiento y con las previsiones de esta Ley, sin lo cual serán nulas". Se refiere este precepto a las licencias urbanísticas, si bien su literalidad, y su interpretación sistemática, en concordancia con el artículo 24 de la Ley, permiten concluir que al ser la autorización turística previa a cualquier licencia urbanística, no va a ser posible el otorgamiento de la autorización turística condicionada, pues ello supondría, condicionar la licencia de obras a una autorización previa, a su vez, condicionada, esto es, haría necesario condicionar las licencias a las que se refiere el artículo 61 de la Ley al cumplimiento de las condiciones de la previa autorización turística, lo cual no tiene encaje en la Ley que claramente sitúa a esta autorización previa como condicionante de las licencias urbanísticas.
>
> (...)
>
> Lo decisivo es que, según nuestras conclusiones, no es posible el establecimiento de condiciones a la autorización turística previa, por cuanto, por previsión legal, su otorgamiento es requisito previo a la licencia urbanística, insistiendo, a riesgo de ser reiterativos, en que esta condición de requisito previo a la licencia de obras, se perdería de entender posible el otorgamiento condicionado. Es más, se estaría haciendo depender la posterior licencia de obras, sobre proyecto básico o de ejecución, de un acontecimiento futuro e incierto, como sería que se cumpliesen las condiciones de la autorización turística previa.
>
> Hay que tener en cuenta que estamos ante una autorización reglada, que exige el cumplimiento de los requisitos para el ejercicio de la actividad, de forma que el incumplimiento total o parcial, sólo puede llevar la denegación de la autorización, pues lo contrario sería tanto como abrir la puerta al ejercicio de la actividad turística con vulneración de normas de obligado cumplimiento y abrir paso a licencias urbanísticas sin la previa autorización».

Otro aspecto que merece ser comentado es el de las consecuencias de la ausencia de la autorización previa en los supuestos en que se conceda la licencia urbanística o de la inversión del orden temporal en el otorgamiento de la autorización previa y la licencia, pues, para estos casos, el artículo 61 de la LOTC establece expresa y claramente la nulidad de la licencia urbanística, pero no se indica si se trata de la nulidad radical o de pleno derecho del artículo 62 de la Ley 30/1992.

Esta cuestión ha sido resuelta por la jurisprudencia, entendiendo que no necesariamente la consecuencia a la que el legislador anuda la falta de autorización turística es la nulidad radical o de pleno derecho del acto de otorgamiento de la licencia, regulada en el artículo 62 de la Ley 30/1992, cuya letra g) establece que serán nulos de pleno derecho los casos que se establezcan expresamente en una disposición de rango legal (por todas, STSJ de Canarias, Las Palmas de Gran Canaria, de 1 de septiembre de 2004 [RJCA 2004, 1036]):

> «No existe dato o criterio interpretativo alguno para deducir que la ley del turismo haya empleado el término nulidad como sinónimo de nulidad radical, más cuando para ello se exige en el artículo 62.1 g) de la LRJAP-PAC, que se establezca "expresamente" y más cuando los supuestos de nulidad radical deben ser objeto de interpretación restrictiva y el precitado artículo 61 de la LOTC, simplemente señala que serán nulas las licencias, sin mayor precisión sobre el grado de invalidez.
>
> La propia doctrina de la presunción de validez del acto, o principio *favor acti* (arts. 65 y 66 de la Ley 30/1992) se convierte, en este caso, en un criterio interpretativo del alcance de la nulidad establecida en la legislación sectorial de turismo, y, por tanto, constituye un dato decisivo en orden a desechar que el grado de invalidez del acto sea, por prescripción legal, la nulidad radical cuando no se solicita la autorización turística previamente a la licencia de obra.
>
> Por lo demás, la subordinación de la licencia de obras a la autorización turística, tal y como se configura en la legislación turística canaria, es evidente y obedece a la necesidad de que no se realicen obras para determinada finalidad que luego no podrá ser autorizada, esto es, se produce una accesoriedad funcional entre ambas autorizaciones, si bien la inversión del orden temporal no puede ser bastante para la nulidad radical predicada por la parte actora.
>
> Si conforme a la legislación turística no es posible concluir la nulidad radical del acto de otorgamiento de licencias urbanísticas sin previa autorización turística, la cuestión se desplaza al examen del TRLOTCyENP, cuyo artículo 170.5 del TR, bajo la rúbrica, "Licencias urbanísticas para actos que requiera aprobación o autorización de la Administración de la Comunidad Autónoma", establece lo siguiente:
>
> 5.–También son nulas de pleno derecho las licencias otorgadas sin la obtención de las autorizaciones previas exigidas por la legislación sectorial aplicable».

(...) En este sentido, a la vista de la literalidad del precepto se advierte que serán nulas de pleno derecho las licencias otorgadas «sin la obtención de las autorizaciones previas exigidas por la legislación sectorial aplicable». Es decir, del elemento gramatical es posible deducir que serán radicalmente nulas las licencias urbanísticas cuando no se obtenga autorización previa, pero sin indicar el orden temporal o cronológico de obtención, por lo que es posible concluir que cuando se obtenga la licencia, aunque sea a posteriori, no es posible concluir que el acto es radicalmente nulo.

Podemos concluir, pues, que la obtención de la autorización turística con posterioridad a la solicitud de licencia tampoco constituye una vulneración, total y absoluta del procedimiento para el otorgamiento de la licencia urbanística, entendido, por reiterada jurisprudencia, como un vicio de forma de extraordinaria magnitud, esto es, como apartamiento de trámites esenciales de forma patente o con olvido total del procedimiento de otorgamiento de la licencia de obra o sin procedimiento alguno, cuya concurrencia impediría la convalidación del acto en el momento de la obtención de la autorización de la que no se disponía cuando se otorgó la licencia de obra (art. 67 LRJAP-PAC).

Es más, ni siquiera es posible afirmar que dicha falta de autorización previa impedía el inicio del procedimiento de otorgamiento de licencia de edificación, y esa previa autorización turística no puede catalogarse como un trámite del propio procedimiento de concesión de licencia de obra –art. 166.5 TRLOTCyENP–. Por contra, constituiría, conforme a la interpretación de la Comunidad Autónoma, «un requisito de actividad para el inicio de dicho procedimiento, por lo que tampoco, desde esta óptica, es posible llegar a la nulidad radical del acto, sino, como máximo, a concluir que se vulneró un requisito que impedía –no el inicio del procedimiento– sino la resolución final, esto es, la concesión de la licencia de edificación hasta que se obtuviese la autorización turística previa».

5.   LAS LICENCIAS PROVISIONALES

A.   Sistema de fuentes.

La técnica de la autorización provisional bien puede considerarse una técnica general del Derecho administrativo que trasciende del puro mundo jurídico urbanístico, como lo corrobora la existencia por ejemplo de las *concesiones provisionales* en el ámbito propio de la legislación de telecomunicaciones.

Por lo que aquí interesa, corresponde observar cómo se regulan las licencias de actividades en el Derecho urbanístico y el Derecho regulador de las licencias de apertura. Ambos frentes jurídicos pueden plantearse indistintamente en función de la realidad del caso concreto.

En relación con el Derecho urbanístico actualmente el sistema de fuentes parte del artículo 13.3 de la Ley del Suelo del Estado de 2007 donde se regulan las licencias provisionales urbanísticas en el contexto del «suelo rural», incidiendo en la precariedad de las obras, su demolición y compatibilidad o no prohibición con la legislación.

Anteriormente, el artículo 17 de la LRSV 6/1998, de 13 de abril, afirmaba que «en el suelo comprendido en sectores o ámbitos ya delimitados con vistas a su desarrollo inmediato, en tanto no se haya aprobado el correspondiente planeamiento de desarrollo, *sólo podrán autorizarse excepcionalmente usos y obras de carácter provisional que no estén expresamente prohibidos por la legislación urbanística o sectorial ni por el planeamiento general,* que habrán de cesar, y en todo caso, ser demolidas sin indemnización alguna cuando lo acordare la Administración urbanística. La autorización, bajo las indicadas condiciones aceptadas por el propietario, se hará constar en el Registro de la Propiedad de conformidad con lo establecido en la legislación hipotecaria. En el resto del suelo urbanizable podrán autorizarse, antes de su inclusión en sectores o ámbitos para su desarrollo, los usos previstos en el artículo 20 de la presente Ley»[7].

Junto a este artículo es preciso tener en cuenta, por ser legislación básica, igualmente, en toda España, el –vigente aún– artículo 136.2 del Real Decreto Legislativo 1/1992, de 26 de junio, por el que se aprueba el Texto Refundido de la Ley sobre el Régimen del Suelo y Ordenación Urbana:

«2. El arrendamiento y el derecho de superficie de los terrenos a que se refiere el párrafo anterior, o de las construcciones provisionales que se levanten en ellos, estarán excluidos del régimen especial de arrendamientos rústicos y urbanos, y, en todo caso, finalizarán automáticamente con la orden del Ayuntamiento acordando la demolición o desalojo para ejecutar los proyectos de urbanización. En estos supuestos no resultará aplicable lo establecido en la disposición adicional cuarta»[8].

---

7. Este precepto tuvo el carácter de legislación básica, en virtud de lo previsto en su DF Única, y en atención a lo dispuesto en los artículos 149, 1º, 13º, 18º, y 23º de la Constitución. Su constitucionalidad ha sido examinada por el TC en sentencia 164/2001, de 11 de julio (RTC 2001, 164), en cuyo considerando 29º, expresamente se dice: «Ya dijimos más arriba (FJ 6) que la LRSV regula la propiedad urbana vinculando su contenido y disfrute a la ordenación urbanística de cada ciudad. Y precisamente porque la propiedad urbana se condiciona a la ordenación urbanística se puede explicar que los usos privados en el suelo urbanizable –entre tanto no se proceda a la transformación conforme al planeamiento urbanístico– deban ser sólo provisionales; de esta forma asegura el art. 17 LRSV que el posible disfrute actual de la propiedad privada sobre suelo urbanizable no impida el cumplimiento de lo dispuesto en la ordenación urbanística de cada ciudad. Sentado lo anterior, fácilmente se entiende que el grado de provisionalidad o excepcionalidad de los usos u obras sobre suelo urbanizable (en tanto tiene lugar la urbanización) dependa, según dispone el art. 17 LRSV, de lo inminente que resulte la transformación física del suelo: allí donde el suelo urbanizable esté encuadrado en sectores o ámbitos de urbanización (y, por tanto, donde la ejecución del planeamiento urbanístico es inminente) la vinculación de la propiedad urbana al planeamiento urbanístico demanda mayor provisionalidad en los usos y obras que cuando aún no existen aquellas "condiciones" para el desarrollo del suelo urbanizable. La gradación de la provisionalidad y excepcionalidad de los usos y obras en suelo urbanizable enlaza estrechamente, según se ha explicado, con la configuración de la propiedad urbana por la que ha optado el Estado en la LRSV».

8. En cambio, está derogado (ya por la LRSV y no por la LS estatal de 2007) el apartado primero de este artículo 136, aunque conviene tener en cuenta su tenor literal aunque sólo

La normativa estatal vigente en estos momentos, no aclara, pues, especialmente, sobre el régimen jurídico de las licencias provisionales, hecho éste que a mi juicio conduce, primero, a la conveniencia de estudiar los criterios jurisprudenciales (en especial considerando que, en este plano judicial, existe un avanzado planteamiento) y habrá de conducir, segundo, a una mayor atención por este importante tema en el futuro por parte de las legislaciones autonómicas[9].

sea por la aplicación práctica que ha tenido y en el fondo sigue teniendo esta regulación: «1. No obstante la obligatoriedad de observancia de los Planes, si no hubieren de dificultar su ejecución, podrán autorizarse sobre los terrenos usos y obras justificadas de carácter provisional que habrán de demolerse cuando lo acordare el Ayuntamiento, sin derecho a indemnización. La autorización aceptada por el propietario deberá inscribirse, bajo las indicadas condiciones, en el Registro de la Propiedad».

Conviene hacer alguna precisión sobre la regulación de la LRSV 6/1998 en comparación con la precedente. En principio, el citado artículo 15 de la LRSV se refiere al suelo urbanizable delimitado y siempre y cuando no se haya aprobado el correspondiente planeamiento de desarrollo. En el suelo no urbanizable y el suelo urbanizable no incluido en sectores o ámbitos, el régimen de las obras es el propio y específico del suelo no urbanizable, en los términos previstos en la propia Ley 6/1998 y en la legislación urbanística correspondiente. Nada dice la LRSV sobre los usos y obras provisionales en suelo urbano, pero se ha interpretado que, «dado el contenido mínimo y provisional del derecho que se reconoce en el art. 17 LS/1998, nada impide que se aplique al uso provisional del suelo la legislación autonómica en los términos que la misma precise» y, cuando no exista legislación autonómica, los usos y obras provisionales en suelo urbano se regirán por el planeamiento y por el art. 58 del Texto Refundido del 76 (como consecuencia de la supletoriedad del Derecho estatal): J. M. SERRANO ALBERCA, *Comentario a la Ley 6/1998 de 13 de abril, sobre Régimen del Suelo y Valoraciones*, Ed. Marcial Pons, Madrid, 1999, p. 276; A. ARMENGOT DE PEDRO y otros, «Régimen del Suelo y Valoraciones», *Comentarios a la Ley 6/1998 de 13 de abril*, Ed. El Consultor de los Ayuntamientos y de los Juzgados, Madrid, 2000; E. SÁNCHEZ GOYANES, *Derecho Urbanístico de la Comunidad de Madrid*, p. 259, sostiene la misma opinión, recordando que tradicionalmente la jurisprudencia ha venido admitiendo usos y obras provisionales en todo tipo de suelo (urbano, urbanizable y no urbanizable); I. MOLINA FLORIDO, «El control judicial de la discrecionalidad en las licencias de obras y usos provisionales», *El Consultor de los Ayuntamientos y de los Juzgados*, nº 8, Quincena 30 abril-14 mayo 2002, Ref. 1381/2002, p. 1381, Tomo 1.

La LRSV 6/1998 incide más en la idea de excepcionalidad que en la de justificación. El concepto jurídico indeterminado «si no hubieren de dificultar la ejecución del Plan» se sustituye por la exigencia de que los usos y obras provisionales «no estén expresamente prohibidos por la legislación urbanística o sectorial ni por el planeamiento general». Ya no es preciso que estas licencias hayan de dificultar la ejecución de los planes, sino que ahora sólo podrán concederse si los planes y la legislación urbanística no las prohíben expresamente en un determinado tipo de suelo. Sin embargo, tal como se ha puesto en evidencia, aunque ahora se exige que no estén prohibidos los usos y obras por el planeamiento o la ley, «es indudable que en el momento en que el uso u obra dificulte la ejecución del planeamiento por haberse aprobado ya el planeamiento de desarrollo procederá su cese y, en su caso, la demolición de lo construido».

9. En cuanto a la legislación urbanística de las Comunidades Autónomas que ha regulado los supuestos de obras y usos de carácter provisional puede por ejemplo seleccionarse en Andalucía la Ley 7/2002, de 17 de diciembre, de Ordenación Urbanística de Andalucía, cuyo artículo 169 («actos sujetos a licencia urbanística municipal») dispone lo siguiente: «1. Están sujetos a previa licencia urbanística municipal, sin perjuicio de las demás autorizaciones o

Por otra parte, es preciso aludir a la legislación de actividades clasificadas y suele citarse en este contexto también la de espectáculos públicos y actividades recreativas. En la legislación estatal debemos citar el artículo 33.2 del Reglamento de Actividades Molestas, Insalubres, Nocivas y Peligrosas aprobado por Decreto 2414/1961, de 30 de noviembre, y el artículo 44 del RD 2816/1982, de 27 de agosto, por el que se aprueba el Reglamento General de Policía de Espectáculos Públicos y Actividades Recreativas.

En el Reglamento de Actividades Molestas, Insalubres, Nocivas y Peligrosas (artículo 33.2) se dice concretamente que «en ningún caso podrán concederse licencias provisionales mientras la actividad no esté calificada».

Según informa la consulta publicada en *El Consultor de los Ayuntamientos y de los Juzgados,* nº 18, Quincena 30 septiembre –14 oct. 1994, Ref. 2405/1994, p. 2405, Tomo 2, «es práctica común otorgar licencias provisionales de apertura de establecimientos al amparo del art. 44 del RD 2816/1982, de 27 de agosto, para actividades temporales e incluso para las que no lo son, renovándose dichas licencias cada año», entendiendo el consultante que «esta práctica es ilegal».

A juicio de *El Consultor,* ciertamente, podría considerarse que existe una contradicción en la regulación de las licencias provisionales contenida en el Reglamento de Actividades Molestas, Insalubres, Nocivas y Peligrosas aprobado (artículo 33.2) y en el Reglamento de Espectáculos y Actividades Recreativas aprobado por Real Decreto 2816/1982, de 27 de agosto (artículo 44), *cuando la actividad de que se trate esté sometida a ambos y puesto que el ordena-*

_____

informes que sean procedentes con arreglo a esta Ley o a la legislación sectorial aplicable, los actos de construcción o edificación e instalación y de uso del suelo, incluidos el subsuelo y el vuelo, y, en particular, los siguientes: Las obras de construcción, edificación e implantación de instalaciones de toda clase y cualquiera que sea su uso, definitivas o provisionales, sean de nueva planta o de ampliación, así como las de modificación o reforma, cuando afecten a la estructura, la disposición Interior o el aspecto exterior, y las de demolición de las existentes, salvo el supuesto de ruina física inminente. Igualmente, dentro del régimen del suelo no urbanizable, el artículo 52.3 prevé que "en el suelo no urbanizable en el que deban implantarse o por el que deban discurrir infraestructuras y servicios, dotaciones o equipamientos públicos sólo podrán llevarse a cabo las construcciones, obras e instalaciones en precario y de naturaleza provisional realizadas con materiales fácilmente desmontables y destinadas a usos temporales, que deberán cesar y desmontarse cuando así lo requiera el municipio y sin derecho a indemnización alguna. La eficacia de la licencia correspondiente quedará sujeta a la prestación de garantía por importe mínimo de los costes de demolición y a la inscripción en el Registro de la Propiedad, en los términos que procedan, del carácter precario del uso, las construcciones, obras e instalaciones, y del deber de cese y demolición sin indemnización a requerimiento del municipio"».

miento jurídico es único, cuando se dan estas situaciones de conflicto entre normas, es labor del intérprete el tratar de armonizarlas eliminando el conflicto[10].

A efectos prácticos, o desde una perspectiva sociológica, se ha apuntado que «el recurso a este tipo de autorizaciones, del que se abusa en numerosas ocasiones viene impuesto por la presión a la que se ven sometidos los Ayuntamientos para otorgar licencia de apertura a establecimientos ante el largo procedimiento que ha de seguirse para la concesión de ésta. Se trata de un mal menor, siempre mejor que tolerar la apertura sin licencia del establecimiento, mediante una situación transitoria y que reviste las siguientes notas características: a) su concesión se realizará de oficio o a instancia del intere-

---

10. A su juicio, «la contradicción entre los citados preceptos es más aparente que real, pues el artículo 44 del Reglamento de Espectáculos y Actividades Recreativas determina que "cuando se estime" que han de subsanarse algunas deficiencias "podrá concederse" una licencia provisional con los condicionantes que señala, mientras el artículo 33.2 del Reglamento de Actividades Molestas, Insalubres, Nocivas y Peligrosas prohíbe la concesión de licencias provisionales hasta que la actividad esté calificada, trámite de calificación por la Comisión Provincial correspondiente que implica, además de la calificación propiamente dicha, un pronunciamiento sobre las medidas correctoras propuestas ya sea rechazándolas, en cuyo caso el informe desfavorable vincularía al Ayuntamiento en orden a denegar la licencia, y aceptándolas sin reparos, informe favorable no condicionado, o finalmente aceptando las propuestas más las que estime conveniente imponer y a cuyo cumplimiento queda condicionada la posibilidad de otorgar la licencia municipal. Pues bien, en este último supuesto ha de incluirse el repetido artículo 44 Reglamento de Espectáculos y Actividades Recreativas, pues la valoración que haga el Ayuntamiento en orden a la concesión de licencia provisional ("cuando se estime") ha de ser en base al informe de la Comisión de Calificación, pues aunque pueda entenderse que estamos ante una actividad discrecional y así lo es dado la expresión "podrá concederse" que ambos Reglamentos emplean, tal discrecionalidad no es arbitrariedad y el Ayuntamiento en ejercicio de su facultad discrecional ha de fundamentarse en algo y ese algo es el informe de calificación y el que sus técnicos puedan emitir respecto a la incidencia de las deficiencias en la seguridad, salubridad, etc. En cuanto al artículo 37.1 del Reglamento de Espectáculos y Actividades Recreativas Reglamento de Espectáculos y Actividades Recreativas, habría que relacionarlo más con el 22.3 del Reglamento de Servicios de las Corporaciones Locales, aprobado por Decreto de 17 de junio de 1955, salvo que se trate de obras de reforma de locales en que sí procedería lo dicho anteriormente respecto a las licencias provisionales, puesto que, normalmente, la subsanación de defectos lleva consigo la necesidad de reforma en locales o instalaciones. Por lo demás, en cuanto afecta a la Comunidad Autónoma de Andalucía, es de tener en cuenta la Ley 7/1994, de 18 de mayo, sobre Protección ambiental, que en su artículo 36, siguiendo la misma regla que el Reglamento de Actividades Molestas, Insalubres, Nocivas y Peligrosas, considera el trámite de calificación, como requisito indispensable para la concesión de licencia municipal, por lo que el conflicto de que nos veníamos ocupando ya no existiría, si es que no se acepta nuestro criterio, pues la prevalencia de la Ley sobre el Reglamento es indiscutible». Esperemos, dice El Consultor, que el desarrollo reglamentario de la citada Ley autonómica, aclare ciertas dudas sobre las actuaciones a seguir en orden a las llamadas actividades de temporada, a que parece referirse y sobre las cuales compartimos su criterio respecto a la forma irregular en que se viene actuando, sobre todo cuando se trata no de instalaciones circunstanciales, sino permanentes que limitan su funcionamiento a determinadas épocas del año.

sado (...). b) Su duración será de hasta seis meses, prorrogables por otros seis meses más, por una sola vez, previa justificación (...)»[11].

La licencia de este tipo representa una autorización de carácter discrecional de la Administración para otorgar una licencia en precario; supone una excepción a la obligatoriedad de las disposiciones contenidas en los planes. Necesita, según reiterada doctrina, una clara justificación. La jurisprudencia del Tribunal Supremo (SSTS 6 octubre 1975, 31 diciembre 1977 [RJ 1977, 4986], 22 febrero 1978, 4 mayo 1982 [RJ 1982, 3108]) viene sostenido que la «provisionalidad ha de referirse al carácter del uso u obra en sí y no al acto administrativo de su autorización», siendo muy reiterada la doctrina que incide en el carácter provisional que han de tener los usos u obras para ser autorizados (STS 3 abril 1993 [RJ 1993, 2669] con cita de anteriores) y que en consecuencia las instalaciones se realicen con materiales de estas características, como señala otra STS de 21 de julio de 1994 (RJ 1994, 5619) en la que tras mencionar que aunque el concepto de «provisionalidad» pueda ser determinado no lo considera predicable con respecto de «una nave con importante estructura debidamente cimentada, con dependencias para oficinas que indican vocación de permanencia»[12].

Seguidamente, se realiza un enfoque jurisprudencial del tema que nos ocupa, por referencia a la legislación que acaba de citarse. Aludiremos en cada sentencia a si su objeto es una licencia de obras o usos, o de actividad. En efecto, «la licencia provisional no puede confundirse con la autorización de usos provisionales que se rigen por la normativa urbanística, por cuanto éstos se circunscriben al terreno urbanístico, y aquéllos son consecuencia del estado de tramitación de un expediente en el que previamente ha de haberse comprobado si el uso es compatible con el lugar en el que se ubica la actividad, independientemente de que el mismo pueda tener carácter provisional o no, dándose la situación de poder concederse licencia provisional para una actividad en terrenos en los que el uso se otorga con carácter provisional. Posteriormente la licencia será definitiva, pero el uso seguirá siendo provisional»[13].

---

11. A. CANO MURCIA, *Manual de licencias de apertura de establecimientos,* 4ª ed., Pamplona, 2005, pp. 761 y ss.

12. Véase J. F. LÓPEZ GARCÍA, «Notas jurisprudenciales en relación con las incidencias comunes en los procedimientos de concesión de las licencias de actividades clasificadas», *Rev. Noticias Jurídicas,* junio 2002.

13. A. CANO MURCIA, *Manual de licencias de apertura de establecimientos,* 4ª ed., Pamplona 2005, pp. 761 y ss., con referencias a la legislación autonómica sobre el particular.

B. Principio de proporcionalidad en sentido temporal

La clave de las licencias provisionales es el **principio de proporcionalidad.** Según la sentencia del TSJ de Madrid de 7 de noviembre de 2000 (RJCA 2000, 2376)[14]:

> «Cuando de lo que se trata, como sucede en las licencias **urbanísticas,** es de proyectar un control preventivo sobre actos de **uso** del suelo de los particulares, el principio de proporcionalidad es aplicable con carácter general en aquellos casos en los que el ordenamiento jurídico admite la posibilidad de elegir uno entre varios medios utilizables.
>
> Pero, con carácter excepcional, en conexión con los principios de buena fe y equidad, el principio de proporcionalidad es también aplicable en los supuestos en los que aun existiendo en principio un único medio éste resulta claramente inadecuado y excesivo en relación con las características del caso contemplado».

En aplicación de este principio la sentencia del TSJ de Madrid de 7 de noviembre de 2000 (RJCA 2000, 2376) afirma:

> «Y así, el carácter reglado de la licencia urbanística no es obstáculo para que la Jurisprudencia haya **admitido como viable licenciar obras o usos (temporales o en precario) que no se ajusten al plan (supuesto que concurre precisamente en el caso litigioso, en que la finca de la actora se halla fuera de ordenación), mediante la posibilidad de introducir en la licencia** *condictiones iuris,* **que sin embargo no aparecían en la petición formulada por el administrado,** y así, para evitar su denegación, la procedencia de declarar su derecho al otorgamiento de una licencia provisional (fruto de la actuación de una potestad reglada) aceptando precisamente las condiciones previstas en el art. 136 del TRLS/1992 y el art. 17 de la Ley 6/1998, de 13 de abril».

Se trata aquí de una **manifestación del principio de proporcionalidad en un sentido eminente temporal:** si a la vista del ritmo de ejecución del planeamiento, una obra o uso provisional no va a dificultar dicha ejecución, no sería proporcionado impedirlo, siempre sin derecho a indemnización cuando ya no sea posible su continuación (sentencia del TSJ de Madrid de 7 de noviembre de 2000 [RJCA 2000, 2376]; igualmente, sentencia del TSJ de Murcia de 31 de marzo de 2004 [JUR 2004, 171221]).

---

14. Según esta sentencia del TSJ de Madrid en términos generales el principio de proporcionalidad tiene su fundamento general en la importancia del «fin» como elemento del acto administrativo –art. 106,1 de la Constitución, art. 70.2 de la Ley reguladora de la Jurisdicción Contencioso-Administrativa de 13 de julio de 1998, Ley 29/1998–. Las potestades administrativas deben en su ejercicio armonizar y ser adecuadas a los fines que las fundamentan. Los arts. 84.2 de la Ley reguladora de las Bases del Régimen Local 7/1985 y 6º del Reglamento de Servicios de las Corporaciones Locales hacen referencia al principio de proporcionalidad al establecer que la actividad de intervención municipal se debe ajustar, en todo caso, a los principios de igualdad de trato, congruencia con los motivos y fines justificativos y respeto a la libertad individual.

En el ámbito de las licencias de **actividades** las SSTS de 21 de septiembre de 1998 (RJ 1998, 6941) y la STSJ de Madrid de 16 de enero de 2001 (JUR 2001, 114511) invocan los principios de proporcionalidad, de provisionalidad, de seguridad de las personas en relación con la actividad de fabricación de hormigón concedida para un tiempo determinado o una guardería infantil.

En primer lugar, del **principio de proporcionalidad** se desprende la «necesidad de no impedir *obras o usos* que resulten **inocuos para el interés público**» (sentencia del TSJ de Andalucía [Sala de Málaga] de 30 de septiembre de 2004 [JUR 2005, 148280]).

En segundo lugar **aquello que puede no ser conforme a plan o ley permite ser enjuiciado desde la óptica de las licencias provisionales, regla ésta que se inspira en** *el principio de proporcionalidad*. Así lo expresa la sentencia del TSJ de Madrid de 24 de enero de 2002 (RJCA 2002, 649); el planteamiento que hace el propio Tribunal del caso enjuiciado no puede ser más expresivo, *afirmando que*:

> «Ahora bien, ha de plantearse éste si la denegación de la licencia de forma absoluta y sin condicionamiento alguno es ajustada o no a Derecho, o si como solicita subsidiariamente el recurrente dicha licencia puede y debe ser concedida con carácter provisional. Según doctrina contenida en las Sentencias de la Sala Tercera del Tribunal Supremo de 7 de febrero de 1995 (RJ 1995, 1073), y de 12 de noviembre 1986 (RJ 1986, 8071), citando las de 20 de diciembre de 1988 (RJ 1988, 10033), 29 de marzo (RJ 1989, 2427) y 16 de octubre de 1989 (RJ 1989, 7368), 18 de abril 1990 (RJ 1990, 3600), 28 septiembre de 1993 (RJ 1993, 6629) y 29 de marzo (RJ 1994, 2409) y 21 de julio 1994 (RJ 1994, 5619) "aunque las licencias deben otorgarse o negarse de forma reglada según su ajuste o no a la ordenación urbanística –artículos 57.1, 58.1 y 78.2 del Texto Refundido de la Ley del Suelo de 1976– **existen casos en los que resulta viable la autorización de** *obras o usos* **que no se acomoden a lo previsto en el Plan;** esta posibilidad excepcional es la denominada ordinariamente licencia provisional, de la que trata el artículo 58.2 de este Texto Refundido. Con este tipo de licencia se viene a dar expresión al **sentido esencial del Derecho Administrativo que aspira siempre a** armonizar las exigencias del interés público con las demandas del interés privado. Así cuando está prevista una transformación de la realidad urbanística que impediría cierto uso, pero, no obstante, aquella transformación no se va a llevar a cabo inmediatamente, el uso mencionado puede autorizarse con salvedad, en atención al interés público, de que cuando haya de eliminarse se procederá a hacerlo sin indemnización"».

Según esta sentencia, estamos ante una **solución de equilibrio** característica del Derecho Administrativo. La jurisprudencia que citamos viene enlazando estas licencias con el principio de la proporcionalidad que debe existir entre los medios utilizados –contenido del acto administrativo– y la finalidad perseguida –artículos 106.1 de la Constitución, 84.2 de la Ley 7/1985, de 2 de abril, reguladora de las Bases de Régimen Local, 83.3 de la Ley Jurisdiccional, 40.2 de la Ley 30/1992, y 6 del Reglamento de Servicios de las Corporaciones Locales–. En esta dirección, las licencias provisionales constituyen en sí mismas una manifestación del principio de proporcionalidad en un sentido eminentemente temporal.

En tercer lugar, si a la vista del ritmo de ejecución del planeamiento, una *obra o uso provisional* no va a dificultar dicha ejecución, no sería proporcionado impedirlos, siempre sin derecho a indemnización, cuando ya no sea posible su continuación (sentencia del TSJ de Madrid de 24 de enero de 2002 [RJCA 2002, 649]).

En cuarto lugar, también son tales licencias un último esfuerzo de nuestro ordenamiento jurídico para **evitar restricciones no justificadas al ejercicio de los derechos** (sentencia del TSJ de Madrid de 24 de enero de 2002 [RJCA 2002, 649]; y sentencia del TSJ de Madrid de 7 de noviembre de 2000 [RJCA 2000, 2376]).

En este contexto, encajaría principalmente la libertad de empresa reconocida en la propia Constitución, tal como tendremos ocasión de comprobar.

En quinto lugar, otras veces viene a afirmarse que, **mientras no esté prohibida la actuación pretendida, es posible plantear la licencia provisional,** tal como razona la sentencia del TSJ de Madrid de 24 de enero de 2002 (RJCA 2002, 649):

> «Y si el uso para el que se solicita la licencia no está prohibido por el Plan General en aquella zona y aun cuando la instalación de la estación base y antena de telefonía móvil haya de ser expropiada, o cedida gratuitamente para, la ejecución del planeamiento, resultaría posible conceder la licencia con carácter provisional. Como señala la Sentencia de la Sala Tercera del Tribunal Supremo de 19 de julio de 2000 (RJ 2000, 7431) se impone una interpretación estricta para el otorgamiento de autorizaciones a precario, exigiéndose, además de que el uso o la obra no dificulte la ejecución del planeamiento, que se refiera a usos u obras justificadas y de carácter provisional y que se acredite que el planeamiento va a ser objeto o está pendiente de alguna ejecución o desenvolvimiento. En el caso presente la Sala entiende que concurren todos y cada uno de los requisitos anteriormente señalados, la unidad de actuación está pendiente de ejecución, circunstancia ésta que resulta acreditada desde el momento que constituye la propia fundamentación del acto denegatorio de la licencia, el uso está plenamente justificado desde el momento en que la actividad prestada por la entidad solicitante está calificada como servicio público de telecomunicación, y en cuanto a la provisionalidad del uso como señala la Sentencia de la Sala Tercera del Tribunal Supremo de 23 de diciembre de 1999 (RJ 1999, 9637) ha de partirse de que **las licencias provisiona-**

les constituyen una excepción al principio general de ejecución del planeamiento conforme a sus determinaciones, ello comporta que en su concesión y otorgamiento ha de seguirse un criterio restrictivo a fin de no convertir lo que es y debe ser excepcional en la regla general. En segundo lugar, la razón de ser de esta excepcionalidad se justifica en el **principio de proporcionalidad y de menor intervención en la actividad de los particulares;** quiere decirse con ello, y en materia de licencia provisionales, que si una edificación o uso, prohibido de futuro por el planeamiento, no causa daños actuales y no dificulta el planeamiento proyectado, tal uso es, pese a su contradicción con el planeamiento aprobado, autorizable temporalmente».

En sexto lugar, se deja entrever claramente en la jurisprudencia que las licencias provisionales sirven para **recomponer situaciones difíciles,** realizar fines prácticos, al tener esta figura un carácter utilitario y servicial relacionándose con planteamientos de justicia material por encima de la norma.

Esta vocación es clara, aun cuando debamos insistir en la concurrencia de sus presupuestos normativos. Con esta idea conecta la propia admisión de márgenes de discrecionalidad, hecho que contrasta con el carácter reglado de la licencias en general. O el hecho de que pueda servir para resolver situaciones difíciles a las que nos llevaría la aplicación de la norma o un cumplimiento estricto de las reglas de ejecución del planeamiento

Un ejemplo significativo puede ser la STS de 15 de noviembre de 2000 (RJ 2000, 10266):

> «Precisamente, la razón de ser de esa ejecución de obras de urbanización, realizada de hecho, **tuvo por causa el interés de la Administración municipal, en la rápida instalación en ese polígono,** de la Compañía Multinacional Sharp Electrónica España, SA que había manifestado al Ayuntamiento de Sant Cugat, la voluntad de promover la construcción e instalación de una factoría de material electrónico, en el citado Polígono, ante los beneficios que ello supondría para el citado municipio, lo que determinó la inmediata concesión de la licencia provisional de obras a esa Compañía, acompañada de la urbanización parcial de ese polígono, a cargo de la entidad aquí recurrente, sin haberse aprobado el proyecto de urbanización del mismo».

En este sentido, la autorización provisional otorgada «procede en cuanto se tramitaba la licencia de instalación que se inició con posterioridad» (sentencia del TSJ de Madrid de 20 de noviembre de 2001 [RJCA 2002, 370]).

El *quid* estaría en observar si el uso pretendido no es incompatible con el planeamiento para, acto seguido, aplicar los principios de proporcionalidad, motivación, etc., inherentes a la licencia provisional (este método discursivo es empleado, así, por la sentencia del TSJ de la CV de 8 de octubre de 2002 [JUR 2003, 120105]: verificando, no obstante, que una industria de curtidos en suelo no urbanizable era uso incompatible con el planeamiento).

C. Provisionalidad y excepcionalidad

Tal como afirma la STS de 13 de marzo de 1981 (RJ 1981, 1307) las licencias provisionales producen la consecuencia de crear una situación jurídica interina o claudicante, cuya supervivencia y consolidación depende de su conformidad con el ordenamiento urbanístico que se establezca.

Para la sentencia del TSJ de Madrid de 24 de enero de 2002 (RJCA 2002, 649) la «provisionalidad» de **uso** que dicho precepto exige es una *provisionalidad fáctica, no ontológica.* Es decir, se permite que si los usos pretendidos, aunque naturalmente sean permanentes, se les incorpora una cláusula de provisionalidad se entienda cumplido el requisito legal exigido. **La provisionalidad de estas edificaciones no radica en su permanencia, que puede ser indefinida, sino en su aptitud para ser desmontadas y trasladadas,** en su caso, a otro lugar. Pues bien, en tales hipótesis, de construcciones desmontables si a la petición de licencia no se incorpora una previsión de orden temporal, el uso solicitado no se encuentra amparado en el texto legal citado. Desde este punto de vista la caseta con sus correspondientes equipos receptores-transmisores, antenas e instalaciones es susceptible de desmontaje por lo que tampoco puede denegarse la licencia con carácter provisional o en precario so pretexto de que no se trata de un uso temporal pues precisamente la **temporalidad** es condición de esta licencia concedida con este carácter (igualmente STSJ de Murcia de 9 de noviembre de 1999 [RJCA 1999, 3868]).

Así también, para la sentencia del TSJ de Madrid de 7 de noviembre de 2000 (RJCA 2000, 2376):

> «La **provisionalidad** no debe referirse a las características constructivas más o menos permanentes de la edificación o instalación, pues aunque la palabra "provisional" también tenga la acepción relativa al objeto y ello pueda en algún caso ser relevante para valorar las circunstancias concurrentes, **es lo fundamental para que unas obras o usos puedan ser consideradas como provisionales en el sentido del art. 17 de la ley citada y que por ello puedan ser como tales licenciados, que no hayan de dificultar la ejecución del planeamiento, que no conste prohibición expresa de tal utilización provisional del suelo por la legislación urbanística o sectorial o por el planeamiento,** y su precariedad, de modo que cuando deban demolerse o cesar el titular no tiene derecho a indemnización, pues si se entendiese que la prohibición por el planeamiento consiste en la derivada del cambio de clasificación o de calificación previsto precisamente por ese planeamiento y determinante de la situación de fuera de ordenación, ninguna obra o uso provisional estaría permitido y no tendría sentido la posibilidad, excepcional, contemplada en dicha norma».

Más que temporalidad existiría una *condictio iuris* que se extiende en el tiempo, tal como permite razonar la sentencia del TSJ de Cataluña de 29 de junio de 2006 (JUR 2007, 48206), otorgando licencia el Ayuntamiento con advertencia de que se acordaría inmediatamente el cierre del **establecimiento** de comprobarse el desarrollo de otra actividad distinta de la autorizada, con prórrogas sucesivas. Así, se considera la licencia provisional como un género de la licencia condicionada aplicable en aquellos casos en que no sea posible conceder la licencia de obras porque existe algún impedimento como el estar fuera de ordenación el edificio[15].

Igualmente, según la sentencia del TSJ de Andalucía (Sala de Málaga) de 30 de septiembre de 2004 (JUR 2005, 148280) debe resaltarse el **carácter excepcional** de estas autorizaciones en precario, lo que impone una interpretación estricta de los supuestos de hecho en que puedan concederse (SSTS 3 abril 1993 [RJ 1993, 2669] y 24 de abril 2000 [RJ 2000, 4949]) sin perder nunca de vista que se trata de usos y obras provisionales que deben autorizarse sobre terrenos clasificados como suelo urbanizable. Afirmación esta última que se desprende con toda nitidez del art. 17 de la Ley estatal referida.

En este sentido, según la sentencia del TSJ de Cataluña de 24 de febrero de 2005 (JUR 2005, 79904) procede la licencia provisional ya que no dificulta la ejecución del plan especial dado el carácter fácilmente desmontable de las instalaciones y su poca importancia económica.

Tras la licencia provisional el autorizado asume que el Ayuntamiento realice la demolición (sentencia del TSJ de Cataluña de 11 de noviembre de 2005 [JUR 2006, 66719]).

Se ha entendido que el límite de la licencia provisional es no poder conceder aquello que es objeto de la licencia definitiva (sentencia del TSJ de Andalucía de 2 de noviembre de 2005 [JUR 2006, 71506] declarando improcedente una licencia provisional de construcción de campo de golf en suelo urbanizable no programado porque sería adelantar la futura licencia a conceder; igualmente sentencia del TSJ de Baleares de 16 de mayo de 2000 [RJCA 2000, 895]).

Por contrapartida, tal como afirma la STS de 13 de junio de 2006 (RJ 2006, 4606), «no **cabe admitir** que el otorgamiento de una licencia provisional **de actividad o apertura sea un acto de trámite.** Dicha licencia se otorga

---

15. Desde este punto de vista el *quid* es que no cualquier condición es legítima o exigible: F. A. Cholbi Cachá, *El procedimiento de otorgamiento de las licencias de urbanismo*, Madrid, 2ª ed. 2005, pp. 539 y ss., con una referencia a la legislación urbanística autonómica que regula las licencias provisionales (vid. también T. Arranz Marina/J. Parera Bermúdez, «Las licencias de uso u obra provisional», *Revista Urbanística Práctica*, 26, 2004).

a la vista de un proyecto, y lo que tiene que decidirse al concederla es si lo proyectado se ajusta a la legalidad. Una vez realizada la correspondiente instalación es preciso comprobar si lo llevado a cabo se ajusta a lo proyectado y las medidas correctoras, en el caso de actividades clasificadas, son eficaces. Sólo tras esa comprobación puede autorizarse la puesta en funcionamiento o el ejercicio con carácter definitivo de la actividad. Ambas licencias son en algunos aspectos independientes, pues la concesión de la primera puede ser correcta y, pese a ello, improcedente otorgar la segunda, como ocurriría de no haberse respetado el proyecto o de no funcionar adecuadamente las medidas correctoras previstas; pero es obvio que si la concesión de la primera es nula porque la actividad no era autorizable tal nulidad acarrea necesariamente la de la segunda. No existen, en consecuencia, las referidas causas de inadmisión del recurso».

En otro orden de cosas, la sentencia del TSJ de Andalucía (Sala de Málaga) de 30 de septiembre de 2004 (JUR 2005, 148280), relativa a una solicitud de licencia de **obras** sobre proyecto reformado para la construcción de 19 viviendas, garajes y trasteros, sirve para introducir la excepcionalidad de la licencia provisional en relación con el cumplimiento estricto del principio de legalidad:

> «La autorización sólo podría otorgarse en casos **excepcionales,** lo que supone que tal excepcionalidad hay que justificarla y motivarla y debe tener carácter provisional. Lo que implica una facilidad en la destrucción o desmontaje de las instalaciones levantadas. **Asimismo los usos y obras no deben estar prohibidos expresamente por la legislación urbanística o sectorial ni por el Planeamiento** General y así –según la demandada– la licencia se otorga contra el plan».

Según esta sentencia del TSJ de Andalucía (Sala de Málaga) de 30 de septiembre de 2004 (JUR 2005, 148280) ha quedado plenamente **acreditado que la licencia se otorgó en contra del planeamiento vigente al no haberse redactado el Plan Especial exigido para el Sector X, añadiendo:**

> «(...) El artículo 17 de la LRSV se interpreta como un precepto que se refiere a usos y obras provisionales, autorizados en precario, mientras no se apruebe el planeamiento de desarrollo.
>
> No obstante, todos los supuestos exigidos por el precepto son absolutamente necesarios siendo, por supuesto, esenciales para la procedencia de la licencia provisional **la vigencia y observancia de un Plan que se está ejecutando** y el carácter provisional de los usos y obras autorizada.
>
> **No puede basarse este tipo de licencias en un hipotético futuro planeamiento sino en el vigente en ejecución** y desde luego el carácter provisional de las obras no resulta en absoluto conciliable con la construcción de autos relativa a 19 viviendas, garajes y trasteros pues, indudablemente, la obra tiene vocación

de permanencia. De otra parte, como se ha dicho el precepto se refiere a suelo urbanizable pero no urbano».

Así también, el Tribunal Supremo en Sentencia de 9 de junio de 2003 (RJ 2003, 6007) viene a indicar que:

> «En contra de este parecer de la entidad recurrente y de lo resuelto por el Ayuntamiento al otorgar las licencias municipales de **obra** anuladas por la sentencia recurrida, las autorizaciones de usos u obras de carácter provisional, a que se refiere el art. 58.2 del Texto Refundido de la Ley del Suelo, como se deduce de lo establecido inequívocamente por los art. 84.1 del Texto Refundido de la Ley del Suelo de 1976 y 42.1 del Reglamento de Gestión Urbanística, *exclusivamente se pueden conceder, con los requisitos legalmente previstos, en terrenos en los que exista una previsión urbanística de alteración de la realidad **cuando la obra o el uso pretendido sea contrario al planeamiento aprobado pero no desarrollado,*** circunstancia inexistente cuando, como en este caso (sic.), el suelo sobre el que se autorizan las obras está clasificado como no urbanizable, y, por consiguiente, no haya previsión alguna para su transformación, razón por la que los citados artículos 84.1 del Texto Refundido de la Ley del Suelo de 1976 y 42.1 del Reglamento de Gestión Urbanística contemplan tales obras e instalaciones provisionales en el suelo urbanizable programado, mientras que en el no programado y en el rústico sólo se pueden autorizar, mediante el procedimiento al efecto establecido, edificaciones e instalaciones de utilidad pública o interés social (art. 85.1, 2ª y 3ª y 86.1) del Texto Refundido de la Ley del Suelo de 1976, ordenación recogida en los artículos 14 y 20.1 de la Ley 6/1998, de 13 de abril, sobre régimen del suelo y valoraciones».

Como el Tribunal Supremo ha precisado en diversas sentencias (por todas la de 14 de abril de 1993 [RJ 1993, 2837]), «las licencias urbanísticas constituyen un acto debido en cuanto que necesariamente *deben otorgarse o denegarse según que la adecuación pretendida se adapte o no a la ordenación aplicable.* Va de suyo que la **ordenación ha de estar vigente** lo que dada la naturaleza normativa de los Planes exige no sólo que haya culminado su tramitación a través de la aprobación definitiva, sino que se haya producido su publicación».

Puede tenerse en cuenta que los matices diferenciales entre el artículo 17 de la LRSV 6/1998 y la legislación precedente aludían en principio a que aquél exigía una no contravención del plan y esta última una no dificultad de la ejecución del plan.

Según la sentencia del Juzgado de Pontevedra de 5 de febrero de 2007 (JUR 2007, 80041) la licencia **provisional no es posible si contraviene la Ley** (en este caso el artículo 102 de la Ley 9/2002) en tanto en cuanto prohíbe expresamente los usos industriales como usos provisionales:

> «Las licencias provisionales limitadas a suelo urbano no consolidado y urbanizable delimitado no pueden desde luego convertirse en un valladar en el te-

877

rreno de lo táctico a la ejecución futura del planeamiento y facultan temporalmente y en tanto se alcanza esa ejecución para el **ejercicio de actividades no expresamente prohibidas por el planeamiento** pero siempre con las prohibiciones generales que allí se contemplan y que excluyen usos residenciales o industriales» (...).

«Pero no es ése el único incumplimiento palmario que aparece así aun haciendo abstracción de los de naturaleza procedimiental cual son la publicidad del expediente de actividad y que sólo ampararían una retroacción de actuaciones es sin embargo de raíz bien distinta la ausencia de evaluación de impacto ambiental, con independencia del informe correspondiente en RAM con la limitada y temporal eficacia de lo dispuesto en la Disposición Transitoria de la Ley 1/1995, así como la ausencia de los preceptivos informes de los servicios correspondientes de protección del patrimonio cultural, constando al menos dos edificaciones, cápela y cruceiro, que con independencia de su definitiva protección o no imponen conforme dispone el artículo 52 de la Ley 8/1995».

En el caso de la sentencia citada en último lugar se estima, en consecuencia, el recurso contencioso-administrativo de la Asociación de Vecinos contra el otorgamiento de la licencia provisional, habiendo sido la actividad la de «construcción de una edificación para planta de hormigón» (en esta misma línea puede citarse la STSJ de la Comunidad Valenciana de 20 de junio de 2006 [JUR 2007, 65098]; o la sentencia del TSJ de Navarra de 24 de febrero de 2006 [JUR 2006, 127398]; STSJ de Cataluña de 1 de abril de 2005 [JUR 2005, 172743]; igualmente, sentencia del TSJ de Madrid de 25 de noviembre de 1999 [RJCA 1999, 4942]).

Asimismo, según la sentencia del TSJ de Galicia de 16 de febrero de 2006 (JUR 2007, 29881) «la entidad municipal no resulta obligada a la concesión de ninguna licencia provisional alternativa, pues, siendo su instalación totalmente ilegal lo único procedente era ordenar su retirada y desmantelamiento».

O según la sentencia del TSJ de Murcia de 24 de febrero de 2006 (JUR 2007, 4477) «está claro, como se contiene en la Sentencia, que la actividad de que se trata se instaló y ejecutó sin licencia, que no era susceptible de licencia provisional (*ex* art. 58.2 de la Ley del Suelo de 1976, 17 Ley 6/1998 norma 2.4.1 del Plan de Ordenación Urbana), por no poderse otorgar, debido a que el suelo se clasificó como urbanizable sectorizado, más concreta y claramente, de zona verde».

Con un último ejemplo, tal como expone la STSJ de Canarias (Las Palmas) de 10 de junio de 2005 (JUR 2005, 189110):

«Sin embargo, el terreno en el que se ubica la nave es suelo rústico de protección natural según el artículo 109 y siguientes del PGO de Telde, y por tanto no se es admisible la licencia provisional que sería contraria a la normativa. En cualquier caso de conformidad con el informe jurídico favorable que motivó la concesión de la licencia provisional estaría siempre supeditada al cierre por motivos urbanísticos. Lo que sucede porque el terreno pasa a ser calificado como rústico de protección natural, y la licencia provisional es incompatible».

Tras la licencia provisional el sujeto quedará privado en principio de licencia. Así lo declara la sentencia del TSJ de Madrid de 6 de mayo de 2004 (JUR 2004, 269150):

«En el presente recurso nos encontramos ante la ausencia de licencia de instalación para ejercicio de una **actividad,** toda vez que la licencia que la Administración concedió en 1972 tenía el carácter de "provisional" y estaba condicionada a que se completara la urbanización de la zona donde se ubica la actividad de bar-restaurante, de tal manera, que dicha licencia perdía su eficacia *ex lege,* sin necesidad de procedimiento expropiatorio alguno, y sin necesidad de que la Administración incoara expediente de caducidad de la misma, que tenía una vida temporal, claramente delimitada y se extinguía por sí sola. Consta en los informes técnicos obrantes a los folios 4 y 55 del expediente administrativo que el edificio se encuentra fuera de ordenación por haberse consumado la urbanización de la zona donde se encuentra y por tanto, al quedar extinguida la licencia provisional, **la situación fáctica y jurídica en que se encuentra la instalación propiedad del recurrente es la de "carente de licencia que la ampare, por lo que la única consecuencia jurídica posible es dictar orden de cierre y clausura"**».

En principio, conforme a la precariedad de la situación autorizada provisionalmente, el principio general es el cierre de la actividad o demolición de la construcción autorizada de esta forma, tal como ilustran la mayor parte de las sentencias existentes.

No obstante, el desenlace de la licencia provisional podrá ser una licencia definitiva, regularizando la situación urbanísticamente, tal como informa la sentencia del TSJ de Madrid de 24 de enero de 2002 (RJCA 2002, 649):

«La instalación habrá de ser demolida sin indemnización alguna cuando lo acordare la Administración urbanística, **salvo que ejecutado el planeamiento pueda otorgarse licencia con carácter definitivo** debiéndose hacer constar dicha autorización bajo las indicadas condiciones aceptadas por el propietario, en el Registro de la Propiedad de conformidad con lo establecido en la legislación hipotecaria».

En este contexto debe conocerse la jurisprudencia que alude a la **excepcionalidad de la demolición** en cuanto tal y las limitaciones a que está sujeta en Derecho.

Así, la STS de 20 de octubre de 1988 (RJ 1988, 8022) lo declara y además, de forma interesante, **exige que antes de la demolición se valore si**

puede llegar a otorgarse una licencia provisional (estaríamos ante una relación importante ente la legalización de una actividad y la licencia provisional, aunque otras sentencias parten de la improcedencia de la licencia provisional como mecanismo de legalización).

> «La sentencia apelada declara la nulidad de lo actuado en el expediente administrativo a partir, e incluyendo, del Acuerdo de la Comisión de Gobierno del Ayuntamiento de Murcia, de 3 de junio de 1986 –que ordenó la demolición de unas obras–, para que la misma se pronuncie sobre la viabilidad de la licencia provisional solicitada implícitamente por la sociedad recurrente al amparo del artículo 58.2 del Texto Refundido de la Ley del Suelo, dicho fallo se fundamenta en que, pese a haberse alegado por aquélla la conceptuación de dichas obras entre las de carácter provisional a que se refiere el citado artículo o entre las excepcionales o de pequeña reparación previstas en el artículo 60 del mismo texto legal, no existe pronunciamiento municipal sobre dichos usos provisionales (...)».

Según el Tribunal Supremo, «**las licencias provisionales constituyen un último esfuerzo de nuestro ordenamiento para evitar restricciones no justificadas al ejercicio de los derechos** y se fundan en la necesidad de no impedir obras o usos que resulten inocuos para el interés público –Sentencias de 7 de febrero y 29 de diciembre de 1987 (RJ 1987, 2908 y 9853)–».

Por lo tanto, «ninguna razón existe para que la Administración Municipal no pueda pronunciarse sobre el otorgamiento o denegación de una licencia provisional para unas **obras** –cerramiento, depósito de agua y cobertizo para aparcamiento– que, a juicio del perito judicial, "no constituyen agresión alguna al medio, ni obstáculo al posterior desarrollo urbanístico del sector, habida cuenta de la provisionalidad del cerramiento, vallado y la circunstancia del semienterrado depósito", máxime si se tiene en cuenta que dichas unidades de obras, complementarias de la actividad industrial principal desarrollada por la sociedad accionante, fueron objeto de reposición como consecuencia de la expropiación realizada por el Ministerio de Obras Públicas y Urbanismo en la parte del complejo industrial en que inicialmente estaban instaladas. Por otra parte **no se puede olvidar el carácter restrictivo que preside todo lo relacionado con la demolición de obras,** que comporta la obligación de agotar todas las posibilidades legales antes de adoptar tan drástica medida y que en el presente caso se traduce en la necesidad de que el Ayuntamiento se manifieste sobre la concesión de licencia provisional de unas obras que, en otro caso, deben ser demolidas, para lo cual aquél deberá tener fundamentalmente en cuenta la proximidad o lejanía de la ejecución del planteamiento y la naturaleza de las referidas obras, las cuales, caso de concederse la licencia, habrán de demolerse no ya inmediatamente sino cuando lo ordene el Ayuntamiento, sin derecho a indemnización, en función de aquella ejecución».

Podrá ocurrir que la licencia provisional termine consolidando una actividad, uso u obra, ante la fuerza de lo fáctico, más aún cuando el particular termine cumpliendo los distintos requerimientos legales para desarrollar la actividad después de haberse concedido provisionalmente una licencia (así lo declara la STS de 20 de abril de 1985 [RJ 1985, 2867], tras verificar que la **actividad reúne actualmente las medidas correctoras suficientes para el desarrollo de la misma**).

Si pasa a ser compatible la actividad autorizada provisionalmente con una nueva ordenación puede aquélla terminar imponiéndose *de facto*. En estos casos, la regla de la demolición (sin indemnización) cede y aquélla se declara impertinente, consolidándose la actividad autorizada provisionalmente, tal como afirma la STS de 25 de enero de 1982 (RJ 1982, 354).

Otro ejemplo es la STS de 13 de junio de 1984 (RJ 1984, 3609) donde el particular con una licencia provisional termina venciendo sobre el cambio normativo del planeamiento, ante la validez que otorga el Supremo a los derechos adquiridos, a la irretroactividad de la norma y al significado mismo de la licencia provisional.

En este contexto puede examinarse el caso de las **licencias provisionales tras la anulación de una licencia por sentencia**.

En principio, no parece declararse incompatible por los propios órganos jurisdiccionales una licencia provisional con posterioridad a una sentencia anulatoria contraria al particular. Pero asistimos, evidentemente, a una situación compleja que puede significar un fraude del cumplimiento de la sentencia.

Todas estas circunstancias pueden ser explicadas por la STS de 13 de junio de 2006 (RJ 2006, 4606):

> «TERCERO La relación a la que repetidamente nos hemos referido está también presente en los autos aquí recurridos, en los que razonó la Sala de instancia lo siguiente: "No consta que *con posterioridad a la sentencia dictada en el presente recurso se haya concedido licencia de* **actividad**, *provisional o definitiva, y la definitiva otorgada el 6-10-97 carece de virtualidad. Sin embargo, anulada la licencia de instalación de ampliación de la planta de cogeneración, y teniendo en cuenta la anulación de licencia de actividad alcanzada en sentencia dictada en el recurso nº 6318/97 (JUR 2002, 3424), únicamente si se adoptan por la Administración demandada acuerdos en relación con la legalización podrá entonces esta Sala valorar, en primer lugar, si tal decisión municipal presenta una apariencia de razonabilidad y seriedad que la separe de*

lo que sería una vía torticera indirecta de incumplimiento de lo ordenado en la sentencia, y sólo a partir de esos acuerdos municipales se podría valorar también las circunstancias relativas a la proporcionalidad y en consecuencia a la ejecutabilidad de la sentencia e incluso, llegado el caso, a la posibilidad de ir a una ejecución sustitutoria por vía de indemnización ante las anulaciones antes mencionadas. Así, no cabe entender que exista una licencia de actividad que ampare la pretensión ahora estudiada, de manera que la licencia de obras se presenta como insuficiente para alcanzar un pronunciamiento de inejecutabilidad de la sentencia (...)"».

Dos referencias más en este contexto de tipo procesal. La primera, la sentencia del TSJ de Castilla y León (Sala de Burgos) de 17 de noviembre de 2006 (JUR 2007, 766) donde se estima la suspensión cautelar contra una orden de cierre de una actividad hotelera (una pensión) considerando que dicha actividad tenía una licencia provisional, aun cuando el Ayuntamiento había decretado el cierre una vez que el tiempo de la licencia había expirado.

La segunda, la STS de 18 de diciembre de 2002 (RJ 2003, 214): Conforme a la doctrina contenida en esta Sentencia, en los procedimientos que tienen por objeto la impugnación de una licencia provisional de apertura, el otorgamiento durante la tramitación del contencioso de la licencia definitiva de instalación, no es razón suficiente para evitar la clausura de la actividad derivada de la revocación de la licencia provisional.

D. Problemas jurídicos complejos

La jurisprudencia suele afirmar con toda normalidad que el ámbito de las licencias provisionales se rige por criterios de discrecionalidad administrativa (STS de 24 de septiembre de 1981 [RJ 1981, 3815]).

En este sentido, la jurisprudencia ha hablado de la existencia en estos casos de licencias provisionales de una «situación privilegiada de dispensa de Ley sometida a un régimen de aplicación muy restrictivo y ampliamente discrecional», de «relajación de la norma obligatoria», de «atenuación de lo estrictamente reglado», de autorización de «obras en principio no legalizables», «de atenuación de manera apreciable de la rigidez del método», de «posibles autorizaciones aunque no se acomoden al plan»[16].

Otras sentencias proclaman la existencia de una potestad reglada en estos casos. Así la sentencia del TSJ de Madrid de 24 de enero de 2002 (RJCA 2002, 649):

---

16. Me remito esta vez a las referencias jurisprudenciales que cita en este sentido I. MOLINA FLORIDO, «El control judicial de la discrecionalidad en las licencias de obras y usos provisionales», *El Consultor de los Ayuntamientos y de los Juzgados*, nº 8, Quincena 30, abril-14 mayo 2002, Ref. 1381/2002, p. 1381, Tomo 1.

«Finalmente ha de destacarse que tales licencias son el fruto de la actuación de una potestad reglada, ya que el futuro verbal "podrán" que aparece en el texto del artículo 58.2 apunta, no a una discrecionalidad administrativa, sino a una habilitación o atribución de potestad».

La sentencia del TSJ de Madrid de 7 de noviembre de 2000 (RJCA 2000, 2376) tiende incluso a reconocer un derecho subjetivo del interesado siempre que cumpla con los requisitos necesarios para el otorgamiento de la licencia provisional:

«Por tanto, no constando en el caso litigioso en qué medida se dificultaría la ejecución del planeamiento, no existió obstáculo urbanístico para otorgar licencia provisional. No actuó, por tanto, de modo ajustado a derecho la Administración demandada al denegar la licencia con carácter de provisional. Y no constando, por otra parte, obstáculo alguno para la procedencia de la licencia de actividad solicitada, procederá su otorgamiento, pero previa la tramitación correspondiente y el cumplimiento de todos los requisitos legales» (igualmente, la sentencia del TSJ de Galicia de 18 de octubre de 2002 [JUR 2003, 112712]).

En esta línea, la sentencia del TSJ de Andalucía (Sala de Málaga) de 30 de septiembre de 2004 (JUR 2005, 148280) destaca también que tales licencias «son el fruto de una actuación **no discrecional** en absoluto sino de una habilitación legal o atribución de potestad y la dificultad de interpretación que los conceptos jurídicos indeterminados comportan».

Por otro lado no es de recibo una **licencia provisional por convenio** *contra legem*. Según la sentencia del TSJ de Andalucía (Sala de Málaga) de 30 de septiembre de 2004 (JUR 2005, 148280):

«Las licencias otorgadas al amparo de convenios urbanísticos dependientes de futuros Planes de Ordenación carecen de la debida cobertura legal al no basarse en un instrumento de planeamiento vigente que le ampare, como ha sido puesto de manifiesto por esta Sala en numerosas sentencias[17]».

---

17. En relación al convenio urbanístico, la doctrina del Tribunal Supremo admite tanto convenios de gestión urbanística, para la gestión o ejecución de un planeamiento ya aprobado, como convenios de planeamiento, que constituyen una manifestación de una actuación convencional frecuente en las Administraciones Públicas y tienen por objeto la preparación de una modificación o revisión del planeamiento en vigor. Aunque es indudable que el urbanismo constituye una competencia jurídico-pública, ello no excluye la participación y colaboración de los administrados en el mismo (como resulta de los artículos 4, 52 ó 119 del Texto Refundido de la Ley del Suelo, de 1976). Existen aspectos concretos susceptibles de compromiso o acuerdo entre la Administración y los particulares, lo que da lugar a la figura de los convenios urbanísticos. En la medida en que éstos no incidan sobre competencias de las que la Administración puede disponer por vía contractual o de pacto, los convenios urbanísticos de planeamiento aparecen como instrumentos de acción concertada que, en la práctica, pueden asegurar una actuación urbanística eficaz, la consecución de objetivos concretos y la ejecución efectiva de actuaciones beneficiosas para el interés general.

La jurisprudencia ha venido precisando también, en forma reiterada, que las exigencias de interés público que justifican la potestad de planeamiento urbanístico implican que su ejercicio no pueda encontrar límite en estos convenios que la Administración concierte con los particulares. Los convenios de planeamiento son, por ello, convenios preparatorios

Pero las licencias provisionales pueden ser un instrumento de debate en el contexto de un problema de **legalización de actividades.**

Es tal la amplitud de casos y la riqueza de la jurisprudencia en el tema que nos ocupa, que ésta parece gobernar el régimen jurídico de las licencias provisionales sobre la propia legislación, que trasciende *en cierta medida,* atendiendo a motivos de equidad y de justicia, sin olvidar por ello mismo lo deficiente del planteamiento legislativo, disperso éste y sin una especial elaboración ni a nivel estatal ni autonómico.

Unas veces, como ocurre con la sentencia del TS de 20 de enero de 1990 (RJ 1990, 551) se admite la licencia provisional si existe una justificación, es decir si no se dificulta la ejecución del Plan, de modo que priman ciertos factores para determinar la **posible justificación de lo actuado,** por encima del dato de si existe o no por ejemplo una actividad desmontable:

> «La justificación dependerá tanto de la importancia de la actividad y el coste económico de lo que quiera construirse y haya necesariamente que demoler después, como del tiempo que pueda preverse para la ejecución del Plan».

Habría que destacar, por lo tanto, ciertos casos que nos presenta la jurisprudencia en los que se tienen en cuenta justificaciones materiales, situaciones de excepcionalidad o especial complejidad. Después de corroborarlo seguidamente, pasaremos a estudiar, en particular, los casos en que, por otra parte, la licencia provisional llega a aplicarse como una especie de instrumento de posible debate en el contexto de las posibles legalizaciones.

_____

de una modificación futura del planeamiento que, en cuanto tales, tienen una sustantividad propia incluso a efectos de su impugnación en vía contenciosa (artículo 234 del Texto Refundido de la Ley del Suelo). Por otra parte, es perfectamente posible la terminación de un procedimiento –como lo es la conclusión del convenio urbanístico– en forma negociada (artículo 24 de la Ley de Expropiación Forzosa, aplicable supletoriamente en materia de urbanismo) estando también admitida ya expresamente en una Ley posterior a la aplicable en este caso, como resulta del artículo 88.2 de la Ley 30/1992, de 26 de noviembre, de Régimen Jurídico de las Administraciones Públicas y del Procedimiento Administrativo Común.
Es cierto que las competencias jurídico-públicas son irrenunciables y se ejercen por los órganos que las tienen atribuidas como propias (artículo 4 de la Ley de Procedimiento Administrativo de 1958), por lo que no resulta admisible una «disposición» de la potestad de planeamiento por vía contractual. Cualquiera que sea el contenido de los acuerdos a los que un Ayuntamiento llegue con los administrados, la potestad de planeamiento que se ejerza con carácter posterior ha de actuarse siempre en aras del interés general y según principios de buena administración, para lograr la mejor ordenación urbanística posible, sin perjuicio de las consecuencias indemnizatorias que, ya en otro terreno, pueda desencadenar, en su caso, el apartamiento por parte de la Administración o de los administrados de convenios urbanísticos previos o preparatorios de un cambio de planeamiento (sentencias de 23 de junio de 1994 [RJ 1994, 5339], 18 de marzo [RJ 1992, 3376] y 13 de febrero de 1992 [RJ 1992, 2828] y 21 de septiembre de 1991 [RJ 1991, 6818]).

En torno a esa primera idea de justificación profundiza de forma interesante la STS de 13 de octubre de 1986 (RJ 1986, 6422) cuando afirma:

> «En primer lugar, es preciso que tengan por objeto usos u obras "justificadas". Esta expresa dicción literal, que parece referir la "justificación" sólo a las obras y no a **los usos,** ha de ser corregida extendiéndola también a éstos: sólo la condición razonable de la obra o del uso puede determinar su autorización, siquiera sea provisional, en contra del destino previsto en el planeamiento. Puede estimarse que en el supuesto litigioso se da esta racionalidad del uso: las características del edificio –su fecha– data del siglo XV y la parte recayente al jardín y al lago de finales del XVIII o principios del XIX, sus dimensiones, gastos de conservación, etc., podrían justificar el uso pretendido –f. 86 de los autos, informe pericial–».

«Como se ve, la jurisprudencia estima que la justificación vendrá dada por la confrontación de dos elementos, la importancia del uso, coste de la obra y beneficios, por una parte, y el tiempo que tardará en ejecutarse el planeamiento (con la consiguiente inutilización del suelo caso de no autorizarse la obra o uso provisional) por otra» (I. Molina, *op. cit.*).

En este sentido la STS de 3 de diciembre de 1991 (RJ 1991, 9389) afirma que «las licencias provisionales son un último esfuerzo del ordenamiento jurídico-urbanístico para evitar restricciones no justificadas al ejercicio de los derechos, y que se fundan en la necesidad de no impedir **obras o usos** que resulten inocuos para el interés público satisfaciéndose así el derecho a la explotación económica de un bien por su propietario, explotación que, no hay duda, es parte del contenido del derecho dominical».

En el contexto de las licencias de apertura, mediante estas licencias se trata de compaginar el derecho del empresario a establecerse, a trabajar y a dar trabajo, con el derecho de los ciudadanos a que no se les haga correr riesgos que comprometan, más de lo razonablemente permisible, su seguridad personal y la de sus bienes[18].

«Sólo desde esta preocupación por no causar perjuicios innecesarios o evitables a los empresarios que han arriesgado su capital en el sector de los espectáculos se puede explicar el hecho, en apariencia insólito, de que la licencia provisional pueda ser otorgada, incluso, "de oficio", y mientras se continúa la tramitación para elevarla a definitiva. Al empresario que no se le puede dar "todo" lo que pide (apertura definitiva del local), siempre será

---

18. L. De la Morena y de la Morena, «Las licencias de espectáculos públicos: su doble configuración legal y jurisprudencial y sus interrelaciones con las licencias urbanísticas y las de actividades clasificadas» (IV) *El Consultor de los Ayuntamientos y de los Juzgados,* nº 13, Quincena 15-29 julio 2001, Ref. 2225/2001, p. 2225, Tomo 2.

preferible darle "algo" (apertura provisional) que no darle "nada" (denegación de la licencia). Estamos, pues, ante una concesión de lo pedido que podemos calificar, triplemente, de "parcial", pues al solicitante sólo se le da parte de lo pedido, de "condicionada", ya que, para que surta plenos efectos, se le impone la "subsanación" de las deficiencias observadas y el que tales deficiencias no supongan, según los Técnicos que así lo certifiquen, riesgos inaceptables para las personas y los bienes, y de "temporal", ya que si en el plazo de seis meses, prorrogables por otros seis, no ha subsanado las deficiencias advertidas la licencia provisional quedará sin efecto y se entenderá denegada la solicitud inicialmente formulada»[19].

El riesgo de las licencias provisionales está en que, «por un uso abusivo de las mismas y de sus prórrogas, o por la inercia a una mayor comodidad de los gestores municipales, pudieren convertirse, de hecho, en "definitivas" e incondicionadas. Frente a tal riesgo, el Reglamento reacciona, como ya hemos visto, arbitrando tres tipos de medidas o cautelas: 1) la de que sólo podrán ser otorgadas mientras se procede a la subsanación de las deficiencias advertidas, ya sean éstas imputables al propio proyecto, ya lo sean a una mala ejecución del mismo; 2) que tales deficiencias no supongan riesgos inasumibles para la seguridad de las personas y así lo certifiquen los Técnicos responsables; y 3) fijándoles a los titulares de tales licencias un plazo máximo de duración de seis meses, prorrogables, por una sola vez, por otros seis meses, transcurridos los cuales perderán ya todos sus derechos, incluido el derecho a obtener una nueva licencia provisional yuxtaponible a la anterior, pues, lógicamente, no se puede volver a conceder lo mismo que se acaba de denegar, y denegado lo principal (la posibilidad de que la licencia provisional se convierta en definitiva), denegado quedará, también, lo accesorio: la posibilidad de obtener una nueva licencia provisional»[20].

Seguidamente, se alude a ciertos casos en que los órganos jurisdiccionales se han enfrentado con la aplicación de las licencias provisionales en el contexto de las posibles legalizaciones.

En primer lugar, puede citarse la STS de 15 de octubre de 1985 (RJ

---

19. L. DE LA MORENA Y DE LA MORENA, «Las licencias de espectáculos públicos: su doble configuración legal y jurisprudencial y sus interrelaciones con las licencias urbanísticas y las de actividades clasificadas» (IV), *El Consultor de los Ayuntamientos y de los Juzgados*, nº 13, Quincena 15-29 julio 2001, Ref. 2225/2001, p. 2225, Tomo 2.

20. L. DE LA MORENA Y DE LA MORENA, «Las licencias de espectáculos públicos: su doble configuración legal y jurisprudencial y sus interrelaciones con las licencias urbanísticas y las de actividades clasificadas» (IV), *El Consultor de los Ayuntamientos y de los Juzgados*, nº 13, Quincena 15-29 julio 2001, Ref. 2225/2001, p. 2225, Tomo 2.

1985, 5313) informando de un supuesto en que, tras la constatación de que las obras de construcción de un hotel no eran legales, porque se habían hecho en zona de reserva urbana y costa, se verificó igualmente la posibilidad de su legalización, otorgándole una licencia de **usos** provisionales e instando al interesado para que solicitara licencia.

Asimismo, significativa es la STS de 8 de mayo de 1986 (RJ 1986, 4392). En este caso, una **actividad** determinada era incompatible con el planeamiento, razón por la cual se procedió, primero, a otorgar licencia provisional y, segundo, a instar la modificación del plan. La actividad *ocupaba una zona verde pero se entendió que «en el presente caso la zona verde inicial no se suprime sino que simplemente se traslada y aún se amplía apreciablemente»*, sin que la Sala estime el argumento de la parte recurrente a cuyo tenor «hay desviación de poder al utilizarse la potestad de planeamiento modificando el hasta entonces vigente para legalizar en el ámbito urbanístico las resoluciones (...)».

Más bien, en esta sentencia de 8 de mayo de 1986 (RJ 1986, 4392) se concluye que, «en torno a la legalización *a posteriori* de esta Central Nuclear, se estimó totalmente correcto este procedimiento de legalización posterior, ya que el Plan urbanístico (municipal o comarcal) no puede ir generalmente por delante de un Proyecto como el de autos porque "una Central nuclear exige (por razones de ubicación, seguridad, etc.) disponer de una serie de datos generales que no se poseen en el momento de redactar o aprobar un plan"».

En general, es conocido que, cuando la actuación se ha realizado sin licencia, procede examinar si es procedente su legalización. Ciertamente, si en el marco de estos procedimientos de legalización se otorga la licencia provisional podrá ser porque se piensa que es posible su legalización, como razona la STS de 6 de julio de 1985 (RJ 1985, 4931):

> «Que entrando a analizar lo que se plantea fundamentalmente en la litis, se ha de llegar a las siguientes conclusiones, a la vista de cuantos datos se han aportado: **A),** que **la actividad sancionada es legalizable,** como admite la propia Corporación Metropolitana, al informar favorablemente en 21 de mayo de 1981, la licencia provisional instada por el Sr. M. A. al Ayuntamiento de Molins de Rey, en 29 de enero de 1980, y por el hecho de que en la resolución sancionadora en 30 de julio de 1981 se aplica el artículo 90.1 del Reglamento de Disciplina Urbanística, que precisamente se refiere a las actuaciones realizadas sin licencia, cuando sean legalizables por ser conformes con la normativa urbanística aplicable, por tanto, la decisión que se adopte por el Tribunal, ha de estar necesariamente condicionada por esta premisa: que la actividad sancionada es legalizable, y de ella se han de extraer las pertinentes consecuencias».

Los límites los expone la STS de 31 de diciembre de 1985 (RJ 1986,

1538), dejando claro que, en este caso, la licencia provisional, como posible medio aplicable para legalizar las actuaciones ilegales, no es posible, ni siquiera de forma subsidiaria a la legalización ordinaria de las mismas, ante la imposibilidad de legalizar lo actuado:

«Según el Plan general de Ordenación Urbana, como se acredita por certificación de 7 de enero pasado obrante en autos, los terrenos se incluyen en la Subárea IM-54-1, cuyo **uso** es verde público y la **obra** a que se contrae el correspondiente expediente es construcción con cimentación, levantado de muros, cubierta, carpintería y división interior para aseo y almacén con unas dimensiones totales de 8,5 por 5,50 m».

«CONSIDERANDO que, conforme a los artículos 184 y 185 de la Ley del Suelo y Ordenación Urbana y arts. 29 y siguientes del Reglamento de Disciplina Urbanística, la legalización de las Obras sin licencia sólo procede cuando el otorgamiento de ésta es posible».

«CONSIDERANDO que no puede acogerse la invocación actora del art. 58.2 de la Ley, porque, de una parte, **la autorización en precario de que se trata es una facultad discrecional del Ayuntamiento** –de naturaleza distinta, por tanto, a la propia licencia de obras– y, de otra, **no se dan los requisitos exigidos por dicho precepto, el carácter provisional de las obras que no se prueba,** y, sobre todo, el informe preceptivo y vinculante de la Comisión Provisional de Urbanismo, e igual suerte merece el argumento esgrimido sobre la vigencia del Plan, pues ésta es indefinida una vez aprobado y publicada su aprobación que se ha producido en lo que aquí respecta –suelo urbano–, quedando en suspenso de aprobación definitiva, por Orden de 26 de abril de 1980, sólo el suelo urbanizable programado».

«(...) donde el actor produjo el acto de edificación, es decir, en zona verde, también tenía la calificación de zona verde en el régimen anterior sobre calificación de usos del suelo municipal derivado del originario Plan General de 1962; sin que, por consiguiente, el acto clandestino de edificación, y las facultades de legalización previstas en los artículos 184 y 185 de la Ley del Suelo, puedan encontrar razón justificante alguna ya *que la prohibición de edificar en zona verde se halla sancionada con la nulidad radical o de pleno derecho de las licencias de edificación,* cualquiera que fuere la magnitud de la obra, que el Ayuntamiento otorgase en las examinadas circunstancias según terminantemente establece al efecto el artículo 188.2 de la citada Ley en su Texto Refundido».

«SEGUNDO.–En alegación de carácter subsidiario, para el supuesto de ser ya ejecutivo el nuevo Plan General (posibilidad que así el apelante viene a reconocer) con delimitación también nueva de la zona verde que incluyera el emplazamiento de la obra clandestina, dicha parte invoca el artículo 58.2 del Texto Refundido para amparar su facultad de pedir *licencia provisional o en precario en orden a legalizar en tal concepto la cuestionada obra; alegación ésta a la que corresponde asignar la misma suerte desestimatoria, toda vez que en el texto del mencionado precepto se define como presupuesto básico para su aplicación que la obra provisional no dificulte la ejecución que la obra provisional no dificulte la ejecución del Plan, y en las circunstancias del presente caso, basta el examen de los planos e informes expedientales sobre el particular, para evidenciar el obstáculo que a dichos fines urbanísticos presentaría la ubicación en zona verde pública de un edificio accesorio de industria sita en la limítrofe zona de reserva industrial y destinado a los servicios sanitarios de los obreros de la activi-*

dad de producción de maquinaria agrícola; constituyendo materia independiente de la del actual proceso la de las compensaciones correspondientes al accionante en la efectiva y equitativa distribución de los beneficios y cargas del planeamiento pero en ejecución del Plan al que obviamente es pertinente la vía indemnizatoria no ya sólo del modo expropiatorio de la facultad de edificar inherente al derecho de propiedad, o bien de éste, sino por los agregados perjuicios a la industria de referencia».

Otra línea jurisprudencial es significativa (sentencias del Tribunal Supremo de 23 de diciembre de 1985 [RJ 1986, 866] y de 7 de noviembre de 1985 [RJ 1985, 6499]) cuando pone de manifiesto el abuso en la invocación de la licencia provisional, cuando en realidad el asunto debe plantearse conforme a los medios ordinarios de concesión de licencia «definitiva» (es decir, no provisional) y de posible o no legalización:

«Que ante todo, y dado los conceptos de "licencia en precario", o licencia provisional que aquí han sido invocados, conviene precisar *que tal tipo de licencias jurídicamente no existen;* las **licencias urbanísticas,** que como es sabido son una actuación administrativa en ese ámbito por la cual se controla el ajuste del proyecto presentado a la normativa aplicable, es siempre definitiva aunque pueda ser para obras provisionales, es decir transitorias o constitutivas de un medio o instrumento necesario para la realización de otras, agotándose con ello, constituyendo la situación prevista en el artículo 58,2 de la Ley del Suelo, con la inevitable limitación que dicho precepto asimismo contiene –(Sentencias de 5 de mayo de 1971 [RJ 1971, 2343], 31 de diciembre de 1977 [RJ 1977, 4985] o 7 de julio de 1982 [RJ 1982, 5358]–, siéndoles, por lo demás, aplicable el régimen legal que rige las licencias de urbanismo»).

Es decir, procederá, en su caso, la legalización (conforme a la STS de 3 de diciembre de 1985 [RJ 1985, 6513]) pero no a través de una licencia provisional, sino siguiendo el modo ordinario al efecto (igualmente, STS de 26 de septiembre de 1985 [RJ 1985, 5286]). De esta última sentencia puede seleccionarse el párrafo siguiente donde se pone de manifiesto la procedencia de la licencia definitiva, pero no provisional:

«CUARTO.–Igualmente, debe estimarse correcta la decisión de denegar la autorización de **uso** provisional, al amparo de lo dispuesto en el artículo 58.2 del vigente Texto Refundido de la Ley del Suelo, puesto que **resulta patente que, en el caso examinado, no se pretende ningún uso de carácter transitorio o eventual, sino la consolidación de una industria de carácter permanente y duración indefinida,** que, a todas luces, contradice la nota de provisionalidad que exige la Ley para que pueda aplicarse la excepción invocada».

En este sentido nos dice la STS de 17 de junio de 1985 (RJ 1985, 4130) lo siguiente:

«A pesar del calificativo de provisionales, contenido en las mismas, **han de considerarse, por su propia existencia, como definitivas, igualmente no ofrece duda que dichas licencias,** como ya tuvo ocasión de expresar ampliamente esta

Sala en sentencia de seis de junio de mil novecientos ochenta y uno, no se proyectaron sobre usos y obras provisionales, sino de carácter definitivo como eran, la construcción y puesta en funcionamiento de una central electro-nuclear» (igualmente, STS de 7 de diciembre de 1982 [RJ 1982, 7925]).

Por contrapartida, si la **obra o uso** autorizada provisionalmente pasa a ser compatible con la nueva ordenación, **podrá aquélla terminar** *imponiéndose de facto.* En estos casos, la regla de la demolición (sin indemnización) cede y aquélla se declara impertinente, consolidándose la actuación autorizada provisionalmente, tal como afirma la STS de 25 de enero de 1982 (RJ 1982, 354):

«Ya en el escrito de reposición se ponía de manifiesto por la actora que aquel Ordenamiento Urbanístico que del modo expuesto determinó el carácter provisional de la licencia concedida, había sido modificado mediante determinado acuerdo de la Comisión de Planeamiento y Coordinación del Área Metropolitana y, según se alegaba, en forma que devenía **compatible el nuevo planeamiento con la construcción** que se ordenaba demoler, planteándose con ello un nuevo tema cuya significación no podía desconocerse al tiempo de resolver el citado recurso, ni es soslayable en el presente jurisdiccional, toda vez que si la única condición jurídica que justificaba aquella provisionalidad de la licencia no era otra que la necesidad de evitar que con una definitiva concesión pudieran crearse situaciones no autorizadas por el Plan que en su momento rigiese, a la inversa y por la misma razón, **no tendría por qué decretarse el derribo si es que lo llamado a demoler devenía permitido por una nueva Ordenación legalizante de su subsistencia, sobre todo cuando, como bien afirma quien recurre y declaran, entre otras, las sentencias del TS de 27 junio 1973 (RJ 1973, 5209) y 1 julio 1975 (RJ 1975, 3804), la demolición es medida extrema** a la que sólo puede llegarse cuando la legalización de lo, de un modo u otro, indebidamente construido no sea posible, remedio previo que excluye el constituido por aquélla, sobre cuya posibilidad no se pronunció la Resolución recurrida ni acerca del cual se practicó actuación ni información técnica específica tendente a su adveración, a pesar de encontrarse compelida la Administración a reparar y decidir en relación con ello, aun cuando nada se hubiera alegado al respecto, omisión no subsanable en sede contenciosa, no ya porque no se ha deducido pretensión concreta alguna ante esta Sala, sino principalmente por faltar elementos de juicio para resolver sobre este punto, excluyéndose así la aplicación del principio de economía procesal, que si, jurídicamente, es utilizable, de hecho no puede serlo en defecto de los indispensables acreditamientos que demanda la existencia de un Plan Parcial específico para la Ordenación de la Antigua Estación del Niño Jesús en el que, lo mismo que en el llamado General de Madrid, estaba prevista la apertura de la calle obstaculizada por la construcción que se ordenaba demoler, y la de otro planeamiento de Ordenación del llamado Barrio del Niño Jesús, que es el que la demandante alega como modificado el 30 abril 1975 por la Comisión de Planeamiento, diferenciación y posible distinta regulación urbanística sospechable en los sectores sobre los que se proyectan o posiblemente se incidan, y que requiere la sustanciación de un complejo expediente legalizante, en el que se advere no sólo la efectiva supresión del vial inicialmente previsto, sino la prevalente aplicación de este último Plan al Sector donde la construcción fue practicada, y la necesidad, en su caso, de que la promotora "C., S. A.", atempere y conforme, si ello es procedente, a las previsiones del mismo aquel otro que ordenaba la citada Estación, si es que no fuese distinto, todo lo que determina la procedencia de declarar la nulidad del acuerdo desestimatorio del recurso de reposición, para que, practicando cuantas actuaciones administrativas resulten necesarias al efecto, *se dicte nueva resolución declarativa de la procedencia de citada legalización o, por la imposibilidad de llevarla a cabo, la que confirme de nuevo la orden de demolición recurrida».*

En este mismo sentido de excepcionalidad de la demolición se manifiestan las STS de 4 de noviembre de 1985 (RJ 1985, 6303) y la ilustrativa STS de 17 de marzo de 1982 (RJ 1982, 2134) cuando *aplica los principios de interdicción de la arbitrariedad y desviación de poder a las posibles demoliciones de actividades sujetas a licencia provisional,* partiendo de que incluso en estos casos la demolición tiene límites jurídicos y una sujeción a Derecho (igualmente, la STS de 14 de abril de 1992 [RJ 1992, 3428]).

Asimismo, la STS de 20 de octubre de 1988 (RJ 1988, 8022) afirma el «carácter restrictivo que preside todo lo relacionado con la demolición de obras, que comporta la obligación de agotar todas las posibilidades legales antes de adoptar tan drástica medida y que en el presente caso se traduce en la necesidad de que el Ayuntamiento se manifieste sobre la concesión de la licencia provisional de unas **obras** que, en otro caso, deben ser demolidas».

Otras veces, simplemente, se nos informa de que en la práctica la licencia provisional se ha empleado para legalizar una actuación (caso de la sentencia del TSJ de Galicia de 27 de julio de 2000 [RJCA 2000, 1765]): «el presente recurso se dirige contra la Resolución del Ayuntamiento de Coiros de 24-10-1996 por la que se otorga licencia provisional de **obra** para la legalización de un muro de contención al frente de la parcela de la vivienda de doña María Ángeles V. N. y don José N. V.», estimando el recurso y anulando la licencia provisional: «la petición de licencia provisional no fue originariamente planteada sino que sólo fue deducida tras el oportuno requerimiento de legalización del cierre no acomodado a la licencia en su día otorgada, y si a ello se añade que ni siquiera en la fecha actual consta que se halla cumplido la exigencia normativa sobre inscripción en el Registro de la Propiedad, de lo hasta aquí expuesto cabe deducir la necesidad de estimar el presente recurso ante lo que resulta una desacertada aplicación de los preceptos mencionados sobre otorgamiento de licencia provisional».

No del todo lejano materialmente es el supuesto de la STS de 20 de mayo de 1985 (RJ 1985, 4118) donde se informa de un caso en que, ante una construcción en una zona verde, «el Alcalde acuerda la inmediata suspensión de las **obras** en ejecución y requiere a la Industria recurrente para que solicite la oportuna licencia de obra; todo ello al amparo del artículo ciento ochenta y cuatro de la Ley del Suelo, sin embargo, la requerida solicita una licencia provisional en diez y siete de junio de mil novecientos ochenta que no es concedida por resolución de la Comisión Permanente de diez y siete de noviembre de mil novecientos ochenta y uno».

Esta sentencia sirve de ejemplo igualmente de una situación habitual, es decir la existencia de una irregularidad generalizada, que no sirve al denunciado para liberarse de sus posibles responsabilidades alegando el principio de igualdad.

Finalmente, exponemos algunos ejemplos de aplicación de licencias provisionales y su alcance práctico. Así, el Casino Las Palmas abrió sus puertas en el emblemático hotel Santa Catalina de la ciudad de Las Palmas de Gran Canaria, el 14 de diciembre de 1987. Fue una licencia provisional que años más tarde se convertiría en definitiva, pero que requirió desde el primer momento una especial atención en el desarrollo de todas las actividades ya que «se partía de cero». Otro ejemplo puede ser el matadero comarcal de Jarrio: tras cinco meses de inactividad ante la apertura de un expediente al anterior concesionario por la vulneración de diversas cláusulas del convenio y que supuso la rescisión del servicio se nombra una nueva empresa, se le otorga licencia provisional y tras seis meses de tiempo para desarrollar su trabajo saldrá a concurso el servicio. Otro caso puede ser el de la licencia provisional a la empresa Alcaesar Funercoria S. L. En Coria para la reforma y posterior apertura de salas velatorio en la residencia de ancianos La Inmaculada, licencia anulada por motivos formales. Lógicamente, es preciso remitirse a las sentencias *supra* estudiadas, al referirse a posibles supuestos de este tipo. Asimismo, en internet pueden consultarse algunos ejemplos sobre licencias provisionales en el contexto de la legalización de actividades.

6. NOTAS SOBRE DISCIPLINA URBANÍSTICA

A. Régimen jurídico general

Si se produce una infracción urbanística ha de reaccionar la Administración.

Lo propio en la legislación autonómica es que se prevean como piezas separadas la orden de suspensión y la de restablecimiento de la legalidad. Participan en todo caso de naturaleza jurídica distinta.

Cuando el ilícito no ha finalizado cabe que la Administración decrete la **pieza Separada de Suspensión.** El acuerdo de suspensión no tiene naturaleza sancionadora.

En caso contrario procede la pieza separada de restablecimiento del orden infringido que se inicia con la incoación del procedimiento sancionador siempre que no haya trascurrido más de cuatro años desde la terminación de las obras o uso del suelo realizados sin licencia u orden de ejecución o sin ajustarse a sus condiciones, a menos que se trate de actuaciones en Sistemas Generales, espacios libres, viales, equipamientos y espacios naturales protegidos, ya que en estos supuestos no prescribe la acción de restauración de la legalidad.

Respecto al citado plazo de cuatro años de prescripción interesa la STS 13 de julio de 1985 (RJ 1985, 5099) F. 2. «(...) *sólo puede comenzarse a contar desde la "total terminación" de las obras realizadas, como con toda rotundidad disponen los artículos 185.1 del Texto Refundido de la Ley del Suelo y 31.1 del Reglamento de Disciplina Urbanística, terminación total que lógicamente comporta la instalación de las puertas, ventanas y elementos de acabado interior y exterior de los que carece, o al menos carecía la obra de autos, cuando en el período de prueba se rindió por el perito procesal su dictamen»*.

Ha de otorgarse al interesado un plazo de legalización para que ajuste las obras a la licencia u orden preexistente o solicite la licencia o autorización urbanística que corresponda. El Tribunal Supremo ha admitido en determinados supuestos de obras manifiestamente contrarias al ordenamiento urbanístico y justificado en razones de urgencia del restablecimiento del orden infringido, que se prescinda del requerimiento de legalización.

Tal como acredita la práctica existente, la resolución de restablecimiento de la legalidad urbanística establece un plazo para el inicio y terminación de las operaciones de restablecimiento

Por lo demás, el concreto régimen de infracciones y sanciones se prevé en las legislaciones urbanísticas autonómicas. Es sabido que rigen los principios y garantías del Derecho penal y del Derecho administrativo sancionador.

B. Régimen de las demoliciones en la práctica jurisprudencial

La jurisprudencia mantiene el carácter excepcional de la demolición, como medida extrema que se ha de adoptar como último recurso, tras un requerimiento al interesado para que en el plazo de dos meses pueda solicitar la legalización de lo construido y se compruebe por la Administración si efectivamente lo construido conculca o no la ordenación urbanística.

Así, la STSJ de Madrid de 27 de junio de 2005 (JUR 2005, 180525) señala:

> «Debe tenerse en consideración que la simple ejecución de unas obras sin haber obtenido la previa licencia, no constituye por sí infracción urbanística, ya que se trata de un mero requisito de carácter formal que tiene por exclusiva finalidad autorizar dichas obras. Por ello la falta de solicitud de licencia es subsanable y la autoridad administrativa debe posibilitar dicha subsanación cuando advierta la omisión. La Sentencia del Tribunal Supremo de 24 de mayo de 1985, señala que "como quiera que la falta de licencia no supone necesariamente que los actos de edificación o de uso del suelo infrinjan la ordenación urbanística, *la ley no dispone como medida fatal e ineludible la drástica demolición en todo caso, sino que prevé un procedimiento encaminado a verificar si la actividad se ajusta o no a la ordenación aplicable*, mediante el examen de la solicitud de licencia que el interesado habrá de formalizar en el plazo de dos meses, bajo apercibimiento de demolición o de impedimento definitivo de los usos (...)"».

Es cierto, como dice el informe jurídico que el artículo 52 del Reglamento de Disciplina Urbanística (Real Decreto 2187/1978, de 23 de junio) impone a la Administración adoptar las medidas tendentes a reponer los bienes afectados al estado anterior a la producción de la situación ilegal, pero también, por su parte, el artículo 29 del Reglamento de Disciplina Urbanística dispone un *trámite previo de legalización,* al sostener que en el caso de realizarse actos de edificación o uso del suelo sin licencia se dispondrá un requerimiento al interesado para que en el plazo de dos meses pueda solicitar la licencia. Transcurrido dicho plazo sin solicitarse la licencia, aun en el caso de que las obras pudieran ser legalizadas, el Ayuntamiento acordará la demolición. De este modo, aunque las obras ejecutadas sin licencia sean por la Administración consideradas «incompatibles» con la ordenación vigente no podría decretarse de plano la demolición de las mismas.

La justificación de la necesidad de dicho procedimiento previo se encuentra claramente explicada en la STSJ de la Comunidad de Madrid de 16 de diciembre de 2003 (JUR 2004, 142052):

> «Hay casos en que la ilegalidad de las obras o edificaciones puede ser patente, manifiesta (éstos son conceptos jurídicos indeterminados que exigen su explicación y concreción), pero la realidad demuestra que en urbanismo raras veces lo ilegal aparece pacíficamente como manifiestamente incompatible con la ordenación urbanística. Los Planes de Urbanismo son reglamentos de gran complejidad y el análisis de cada caso de supuesta ilegalidad, incluso la que se muestra en principio como manifiesta y patente, bien merece "la tramitación del oportuno expediente"».

Así, incurre en nulidad el expediente de protección de la legalidad urbanística tramitado por el Ayuntamiento sin haberse requerido para que se solicitara la licencia correspondiente. Por todas puede verse la STSJ de Cantabria de 6 de octubre de 2004 (JUR 2004, 281498):

> «Resulta, por tanto, aplicable la jurisprudencia del Tribunal Supremo que declaraba que "conforme a este art. y al 184 de la misma Ley, desarrollados en los arts. 29 y 31 del Reglamento de Disciplina Urbanística, la demolición de lo construido, tanto en el caso de inexistencia de licencia como en el de no acomodarse las obras a las condiciones de las que se posea y, respecto en éste, a lo construido vulnerándolas, no es una medida que pueda adoptarse sin más, sino como culminación de un *iter* procedimental en el que previamente ha de requerirse al promotor para que solicite la licencia omitida o ajuste las obras a las condiciones de la licencia que tenga, a fin de darle ocasión de legalizar su situación, bien solicitando una licencia complementaria para el exceso, siendo después cuando cabe decretarla y sólo en los supuestos de que no se hayan pedido las oportunas licencias o de que, pedidas éstas, las mismas hayan sido denegadas por ser su otorgamiento contrario a las prescripciones del planeamiento, así como también en el de que, sin petición de licencia, no se haya procedido al necesario acomodamiento" (SSTS 3-10-88 y 14-12-89). Consecuentemente, la falta del requerimiento de legalización, cuando el mismo sea procedente, dará lugar a la nulidad del acto administrativo afectado por faltar uno de los elementos esenciales en dicho caso para la validez del procedimiento encaminado a la Protección de la Legalidad Urbanística».

En idéntico sentido se manifiesta la STSJ de la Comunidad de Madrid de 29 de mayo de 2003 (JUR 2003, 268240).

La STS de 10 marzo 1987 (RJ 1987, 3522) viene a señalar la necesidad de tener en cuenta todas las circunstancias que concurren en cada caso para poner en marcha el procedimiento de legalización y, en todo caso, antes de proceder a una medida tan excepcional y drástica como es la demolición:

> «**Octavo.**–Aunque podría dudarse si estas especiales circunstancias son suficientes, en entidad, para contrarrestar del todo el facto negativo, contrario a la legalización, se cuenta con otro dato, de mayor trascendencia: la existencia de un Avance de la Revisión del Plan Comarcal de Salamanca, clasificando a estos terrenos de "Zona de Desarrollo Residencial", según da cuenta el Arquitecto Municipal en su informe de 12 de mayo de 1981, recogido en la Resolución del Ministerio de Obras Públicas y Urbanismo, residenciada en este proceso.
>
> **Noveno.**–**Tenemos pues, unos actos propios del Ayuntamiento, que fomentaron la creencia del actor de la posibilidad de edificar en el lugar en que lo ha hecho, y, lo que es más importante, una nueva clasificación de los terrenos en un instrumento urbanístico, como es el aludido "Avance", que, aunque de limitados efectos, los que le son asignados en el art. 28 de la Ley del Suelo y en el art. 115 del Reglamento de Planeamiento, denotan un propósito de la Administración de rectificación, con posibilidades de que el mismo pueda convertirse en realidad.**
>
> **Décimo.**–Si a lo dicho se suma la gran cautela que es preciso observar cuando se plantea el problema de la demolición de lo que ha representado una

inversión de bienes materiales y trabajo humano, muy tenido en cuenta por la jurisprudencia de este Tribunal, como fue tenido en la Ley del Suelo de 1956 (art. 228), la conclusión que se impone es la de tener que revocar la sentencia que nos ocupa y anular la resolución recurrida, del citado Departamento Ministerial, de 14 de febrero de 1983, por no conforme a derecho, declarando la **procedencia de mantener la edificación de que se trata, considerándola, de momento, fuera de ordenación, como el propio actor propuso en su demanda, a la espera de lo que el futuro ordenamiento urbanístico resuelva, lo que es factible, incluso encontrándonos en el procedimiento en el que derivó las actuaciones de que se trata:** el del art. 43 al que se remiten los arts. 86 y 85 de la vigente Ley del Suelo. Sin que se aprecien motivos para una especial imposición de costas».

Se pone de manifiesto que en la práctica las revisiones o nuevas elaboraciones de planeamiento representan un medio, en la práctica, de legalización de defectos e irregularidades, siendo ésta, evidentemente, una conclusión poco alentadora.

Por otro lado, téngase en cuenta el régimen legal de prescripción y de caducidad en materia de infracciones y sanciones, porque en la práctica administrativa juegan, como es sabido, un determinante papel como posible medio de defensa.

Por contrapartida, el interesado en la ejecución de actos, frente a la inactividad de la Administración, tiene actualmente su punto de referencia en el artículo 29.2 de la LJCA 29/1998.

PARTE SÉPTIMA
LA REPARCELACIÓN

Capítulo I

Concepto

La reparcelación podría definirse como la agrupación o integración del conjunto de fincas comprendidas en un polígono o unidad de actuación para su nueva división ajustada al Plan, con adjudicación de las parcelas resultantes a los propietarios de las primitivas en proporción a sus respectivos derechos, y a la Administración competente, en la parte que corresponda conforme a la legislación urbanística y al Plan.

La reparcelación comprende asimismo la determinación de las indemnizaciones o compensaciones para que quede plenamente cumplido entre los distintos propietarios afectados de la unidad reparcelable, el principio de equidistribución de beneficios y cargas derivados la ordenación urbanística.

La reparcelación se lleva a cabo técnica y económicamente mediante la tramitación y aprobación de un instrumento de gestión denominado generalmente Proyecto de Reparcelación (aunque no en todas las CCAA, pues, por ejemplo, en Castilla y León se denomina Proyecto de Actuación) que deberá contener la documentación y determinaciones previstas en la legislación urbanística aplicable. Los Proyectos de Reparcelación se pueden tramitar y aprobar juntamente con el planeamiento que ejecutan o bien una vez aprobado éste, tramitándose entonces de forma separada.

La reparcelación podrá ser voluntaria o forzosa, dando lugar a la adjudicación de suelo resultante o a una indemnización compensatoria o sustitutoria de la adjudicación de suelo.

La reparcelación voluntaria es la concertada por todos los propietarios afectados con el objeto de que el cumplimiento de sus obligaciones urbanísticas se concrete de modo más acorde con sus preferencias. Aunque hay excepciones en algunas Comunidades Autónomas (por ejemplo en la Comunidad Valenciana) por lo general ésta será formalizada en documento público y será sometida a información pública por el plazo que establezca la legislación urbanística aplicable. Recaída la aprobación municipal, para la inscripción en el Registro de la Propiedad se procederá conforme a lo establecido en la normativa hipotecaria.

Cuando no existe acuerdo de todos los propietarios de la unidad de actuación para realizar la reparcelación y, por tanto, el municipio la impone, de oficio o a instancia de parte, por ser necesaria para la ejecución del instrumento de planeamiento se dice que la Reparcelación es Forzosa. Esta clase de reparcelación es a la que vamos a referirnos en este tema.

En varias legislaciones urbanísticas autonómicas se contempla la posibilidad de innecesariedad de la reparcelación. Así, causas o situaciones en la que se indica que no ha de procederse a tramitar un proyecto de reparcelación pueden ser, por ejemplo, cuando todos lo terrenos de la unidad de actuación pertenezcan a un solo propietario; cuando no sea precisa la equidistribución de beneficios y cargas y el resto de fines objeto de la reparcelación; cuando la ejecución del Plan afecte a una superficie anteriormente reparcelada sin alterar el equilibrio económico entre los propietarios; cuando los propietarios de suelo renuncien a la reparcelación y la Administración actuante acepte la localización del aprovechamiento correspondiente, etc.

Capítulo II

Objeto y funciones de la reparcelación

1. OBJETO

Puede decirse que es objeto de la reparcelación forzosa:

a) la equidistribución entre los interesados de los beneficios y cargas de la ordenación urbanística.

b) la regularización de las fincas para adaptar su configuración a las exigencias del planeamiento.

c) la situación sobre parcelas determinadas y en zonas aptas para la edificación del aprovechamiento establecido por el Planeamiento y la localización sobre parcelas determinadas y en zonas aptas para la edificación del aprovechamiento que corresponde a la Administración actuante.

Tal como señala el artículo 72 del Real Decreto 3288/1978, de 25 de agosto, por el que se aprueba el Reglamento de Gestión Urbanística (RGU), cualquiera de estas finalidades justifica por sí sola la reparcelación, aunque no concurra las otras. Por ello se atribuye tradicionalmente a la reparcelación una **triple función**:

En primer lugar una **función jurídica,** en cuanto instrumento de justicia distributiva, al garantizar el principio de distribución equitativa de los beneficios y cargas establecidos por el planeamiento entre los propietarios afectados, evitando el enriquecimiento injusto de unos a costa de otros. El principio de equidistribución de cargas y beneficios que se ha considerado tradicionalmente como un principio básico de nuestro ordenamiento jurídico urbanístico. Atendiendo a este carácter de derecho/deber de la distribución equitativa de los beneficios y cargas del planeamiento, es por lo que ya desde el TRLS de 1976, invirtiendo la carga de la prueba consagrada en la LS de 1956, se presume necesaria la reparcelación mientras que no se demuestre su innecesariedad.

En segundo lugar, la reparcelación cumple una **función técnica,** consistente en regularizar la configuración de las fincas afectadas para adaptar su configuración a las exigencias de planeamiento.

En tercer lugar, con la reparcelación se atiende a una **función física o material,** consistente en localizar o situar sobre parcelas determinadas y zonas aptas para la edificación el aprovechamiento subjetivo de cada uno de los propietarios así como el aprovechamiento no susceptible de apropiación privada que ha de ser cedido a la Administración.

2. ÁMBITO DE LA REPARCELACIÓN

La reparcelación se extiende a todos los terrenos comprendidos en la unidad de actuación definido en el Plan de cuya ejecución se trate o delimitado por el procedimiento al efecto.

La unidad reparcelable quedará determinada, sin necesidad de nuevo acuerdo, cuando recaiga la aprobación definitiva del Plan o delimitación del polígono o unidad de actuación a que se refiere el párrafo anterior.

Capítulo III

Iniciativa y documentación integrante del proyecto de reparcelación

Los Proyectos de Reparcelación pueden ser elaborados de oficio por la Administración actuante (sea el Ayuntamiento u otra) o a instancia de parte por los interesados o por el urbanizador.

Una vez presentado en el Ayuntamiento un Proyecto de Reparcelación para desarrollar una actuación integrada, con toda su documentación completa, no puede aprobarse definitivamente ningún otro Proyecto presentado con posterioridad para desarrollar la misma actuación, mientras el Ayuntamiento no resuelva denegar la aprobación del primero.

Los documentos que, básicamente, han de integrar un Proyecto de Reparcelación son los siguientes:

– Memoria.

– Relación de propietarios e interesados.

– Propuesta de adjudicación de fincas resultantes, con expresión del aprovechamiento correspondiente y la designación nominal de los adjudicatarios.

– Tasación de derechos, edificaciones y construcciones que deban extinguirse.

– Cuenta de liquidación provisional.

– Planos.

Capítulo IV

Procedimiento de tramitación y aprobación de un proyecto de reparcelación

En la fase inicial de la tramitación de un Proyecto de Reparcelación (generalmente con carácter previo o simultáneo al inicio del período de información pública) es preciso solicitar al Registro de la Propiedad el certificado de la titularidad y situación de las fincas iniciales incluidas en la unidad de actuación. Por su parte, los propietarios y titulares de derechos afectados por una actuación urbanística están obligados a exhibir los títulos que posean y declarar las situaciones jurídicas que conozcan y afecten a sus fincas. Un principio importante que rige la reparcelación en esta materia es el de que en caso de discordancia entre los títulos y la realidad física de las fincas comprobada por los técnicos de la Reparcelación, debe prevalecer ésta sobre aquéllos.

Una vez comprobado que el Proyecto reúne los requisitos exigidos, corresponde al órgano municipal competente conforme a la legislación sobre régimen local, acordar su aprobación inicial tal como fue presentado o con las modificaciones que procedan, y la apertura de un período de información pública cuyo plazo dependerá de la legislación urbanística propia. Este acuerdo debe publicarse en el Boletín Oficial de la Provincia o de la Comunidad Autónoma y notificarse a los propietarios y titulares de derechos que consten en el Registro de la Propiedad y a los demás interesados que consten en el Catastro.

Concluida la información pública, corresponde al órgano municipal competente resolver las alegaciones presentadas y si hubiera de modificarse el Proyecto de Reparcelación como consecuencia de la resolución de las mismas, se concederá nueva audiencia a los afectados por dichas modificaciones introducidas en la nueva versión del Proyecto de Reparcelación para que aleguen lo que estimen conveniente respecto de su derecho.

Posteriormente, se volverá a informar por los técnicos de la Administración respecto de las alegaciones formuladas en la fase de audiencia y, en su caso, procederá la aprobación definitiva del Proyecto de Reparcelación mediante resolución motivada, señalando los cambios que procedan respecto de lo aprobado inicialmente y que hayan de quedar incorporados definitivamente al Proyecto.

Este acuerdo debe publicarse en el Boletín Oficial de la Provincia o de la Comunidad Autónoma y notificarse a los propietarios e interesados y, una vez definitivo en vía administrativa, se inscribirá en el Registro de la Propiedad, previo otorgamiento de documento público, notarial o administrativo, que exprese su contenido.

Capítulo V

Efectos de la reparcelación

La aprobación definitiva del Proyecto de Reparcelación produce los siguientes efectos:

a) Transmisión al Municipio, en pleno dominio y libres de cargas, gravámenes y ocupantes, de los terrenos que deban ser objeto de cesión, para su afección a los usos previstos en el planeamiento y su incorporación al Patrimonio Municipal de Suelo, en su caso.

b) Afección de los terrenos destinados en el planeamiento urbanístico para la ejecución de dotaciones urbanísticas públicas a dicha ejecución, sin más trámites.

c) Subrogación, con plena eficacia real, de las fincas de origen por las parcelas resultantes adjudicadas, siempre que quede claramente establecida su correspondencia.

d) Afección real de las parcelas resultantes adjudicadas al cumplimiento de las obligaciones exigibles para la ejecución de la actuación, y en especial al pago de los gastos de urbanización, conforme al saldo de la cuenta de liquidación correspondiente.

e) Respecto de los derechos y cargas que deban extinguirse y de las construcciones, instalaciones y plantaciones que deban destruirse, el acuerdo de aprobación del Proyecto tiene el mismo efecto que el acta de ocupación a efectos expropiatorios.

f) Las adjudicaciones de parcelas y las indemnizaciones que resulten de la reparcelación gozan de las exenciones y bonificaciones fiscales establecidas en la legislación aplicable respecto de los tributos que graven los actos documentados y las transmisiones patrimoniales.

g) Una vez aprobado el Proyecto, pueden realizarse y documentarse operaciones jurídicas complementarias que no se opongan al contenido sustancial de la reparcelación efectuada ni a las determinaciones de los instrumentos de planeamiento y gestión urbanística aplicables, ni causen perjuicio a terceros.

Reglas o principios inspiradores de la reparcelación según la legislación urbanística

En la legislación de las Comunidades Autónomas, de forma muy semejante o coincidente y en clara sintonía con el RGU estatal, se recogen una serie de reglas o principios que han de aplicarse al realizar una reparcelación. Entre estos principios inspiradores, podemos citar los siguientes:

1. La libertad de pactos entre los propietarios y el Urbanizador, a efectos de consensuar reparcelaciones voluntarias, incluso horizontales. Estos pactos tendrán como único límite la observancia de la normativa aplicable y del planeamiento.

2. La justa valoración de los bienes y derechos aportados.

3. La adjudicación de aprovechamiento subjetivo a los propietarios será directamente proporcional a la superficie de las fincas de origen que aquéllos aporten a la reparcelación. Este principio se traducirá en las siguientes reglas:

a) El derecho de los propietarios será proporcional al Aprovechamiento Subjetivo que corresponda a la superficie de sus respectivas fincas que queden incluidas dentro del área reparcelable.

b) En caso de discordancia entre los títulos y la realidad física prevalecerá ésta sobre aquéllos en el expediente de reparcelación.

4. Cuando un propietario aporte varias fincas a la reparcelación, independientemente de su localización, se tratará de agrupar el aprovechamiento generado por todas ellas y se procurará concentrar su adjudicación en el menor número de fincas posible, localizándolas de forma contigua o, al menos, próxima entre sí, en la medida en que sea técnicamente viable y no se perjudique el interés público o el derecho de terceros.

5. Se procurará, siempre que la aplicación de las exigencias de la parce-

lación lo permitan, aplicar el criterio de la superposición de la parcela resultante con la parcela inicial –es decir, se procurará adjudicar terrenos de la anterior propiedad– exigiéndose para aplicar esta regla la íntegra coincidencia de superficies y que el aprovechamiento subjetivo complete el derecho adjudicado Para la aplicación de la regla de superposición entre finca de origen y parcela de resultado se exige que la totalidad de los derechos del propietario complete una parcela de resultado y que esa parcela ocupe únicamente terrenos de la finca de origen de ese propietario y que las antiguas propiedades no estén situadas, total o parcialmente, en terrenos destinados por el Plan a dotaciones públicas u otros usos incompatibles con la propiedad privada. En caso de que no fuera posible aplicar la superposición, subsidiariamente, se atenderá al criterio de proximidad.

6. El Proyecto de Reparcelación procurará el mantenimiento en el proceso Urbanizador del mayor número de propietarios posible, reduciendo al máximo los supuestos de indemnización sustitutoria de adjudicación. Por ello, se procurará que la ordenación detallada establezca, en la medida que lo permitan las características constructivas de las tipologías edificatorias previstas, una parcela mínima acorde con los derechos derivados de las superficies de las fincas originarias. La consecución de este principio no puede comportar, en ningún caso, el menoscabo de la mejor ordenación urbanística, en función del interés público.

7. No se adjudicarán parcelas ni cuotas de parcela, sino que se concederá una indemnización sustitutoria, a aquellos propietarios cuyo derecho, una vez deducida la retribución al Urbanizador en caso de que ésta sea en especie, no alcance, al menos, el 15 por ciento de la parcela mínima fijada por el planeamiento, con las siguientes excepciones:

a) En caso de proindivisos de origen que no se extingan en el Proyecto de Reparcelación.

b) Si existe acuerdo entre propietarios cuya suma de derechos alcance para resultar adjudicatarios en proindiviso de la totalidad de una parcela mínima, siempre que así lo soliciten por escrito durante la exposición al público del Proyecto de Reparcelación.

8. La fecha para determinar el derecho de los propietarios afectados será la de iniciación del expediente de reparcelación

Capítulo VII

Aplicación jurisprudencial de las reglas o principios de la reparcelación

En un plano legislativo, como acabamos de indicar, la legislación urbanística recoge las reglas o principios que han de presidir la adjudicación a los propietarios de las parcelas resultantes de la reparcelación.

La jurisprudencia ha venido desarrollando y matizando igualmente estos criterios de la legislación urbanística.

Un elemento esencial de todo proceso reparcelatorio, como ya nos consta, es la adjudicación de las fincas resultantes. En este sentido, fundamental es, tal como deja claro el Tribunal Supremo, la necesidad de que se conozcan los criterios aplicables para la adjudicación de las parcelas resultantes (STS de 21 de octubre de 1992 [RJ 1992, 8042]).

De ahí que no sea de recibo la adjudicación si no son conocidos o deducibles los criterios utilizados o seguidos para haber llevado a cabo dicha adjudicación de fincas. En efecto, es oportuno exponer los límites negativos de aquello que no es posible sobre el particular. En este sentido, la STSJ de la Comunidad Valenciana de 30 de diciembre de 2003 (JUR 2004, 164325) declara no ajustada a Derecho la adjudicación de las parcelas resultantes porque la Sala llega a la conclusión de «no conocer los criterios de evaluación tenidos en cuenta en dicha adjudicación, que parecen de carácter voluntarista por parte del redactor del Proyecto de Reparcelación, más que a criterio de cumplimiento de las determinaciones establecidas en la legislación urbanística».

Otra de las reglas o criterios para la adjudicación de parcelas que se han citado es la de que las fincas resultantes de la reparcelación estén situadas en el lugar de origen o en el lugar más próximo posible al de las antiguas propiedades de los nuevos titulares. En este sentido, por ejemplo, la STSJ de Asturias de 17 de noviembre de 2004 (JUR 2006, 5462) deja claro que *habrá de «procurarse»* el cumplimiento de este criterio. Se entiende así que, si no hay una vulneración crasa del criterio de proximidad, no se produce la nulidad de lo actuado (STSJ de Murcia de 30 de marzo de 2002 [RJCA 2002, 636]). Así pues, la jurisprudencia relativiza, o mejor explica, el sentido de esta regla prevista en el común de la legislación urbanística. En este sentido, es asimismo preciso destacar que la legislación urbanística de Castilla y León (artículo 82.3 de la LUCyL) establece como especialidad propia del sistema de compensación «*que no serán de obligado cumplimiento las reglas sobre reparcelación 1ª, 2ª y 3ª del artículo 75.3, por acuerdo unánime de la Junta, o bien del Ayuntamiento a instancia del propietario o propietarios a los que corresponda al menos el 50 por ciento del aprovechamiento de la unidad de actuación*».

Otro principio fundamental rector de la reparcelación es el de proporcionalidad entre el aprovechamiento objetivo de la finca adjudicada a un propietario y la superficie de la finca originaria según el aprovechamiento subjetivo del que por ella se es titular. En este sentido, la finca adjudicada al propietario se formará, si es posible, con terrenos integrantes de su antigua propiedad. En relación a éste, la STS de 11 de marzo de 1999 (RJ 1999, 2173) afirma: «el aspecto fundamental de todo expediente de reparcelación radica en que la finalidad que ha de presidir debe estar caracterizada por la proporcionalidad igualitaria entre los derechos aportados y recibidos por cada propietario y la equitativa distribución de los beneficios y cargas del planeamiento» (igualmente, STS de 31 de octubre de 1995 [RJ 1995, 7717]; STSJ de Murcia de 30 de septiembre de 2000 [JUR 2000, 228089]).

El enjuiciamiento judicial podrá extenderse a si los metros de las fincas resultantes guardan proporción con los metros de las fincas de origen más las indemnizaciones que establezca en su caso el Proyecto de Reparcelación, afirmando la legalidad de éste (STSJ de la Comunidad Valenciana de 18 de junio de 2003 [JUR 2004, 24013]).

Lo normal es que la reparcelación satisfaga sencillamente estas exigencias de igualdad y proporcionalidad aplicando un coeficiente general o básico de ponderación para cada uso de suelo. Sólo de no lograrse clara o fácilmente la proporcionalidad, la adjudicación podrá corregirse ponderando los distintos valores, según su localización, de las fincas originarias y adjudicadas, siempre que existan diferencias apreciables en aquéllos que justifiquen la corrección y ésta se calcule adecuadamente en el Proyecto de Reparcelación.

En este sentido, por ejemplo la STSJ de la Comunidad Valenciana de 11 de diciembre de 2002 (RJCA 2003, 267) examina si las diferencias de valor entre finca originaria y resultante quedan compensadas con la aplicación del coeficiente corrector del 1,15, llegando a la conclusión de que además ha de indemnizarse la depreciación con la suma de 4.122.128 pesetas. Otro ejemplo es la STSJ de Murcia de 16 de junio de 1999 (RJCA 1999, 1780), en el sentido de que la reparcelación es improcedente si no se tienen en cuenta factores de ponderación de la situación de las parcelas cuando ésta sea la forma de conseguir el trato igualitario de todos los propietarios en un sector concreto, ya que debe considerarse si existían diferencias entre el valor de la finca que tenía derecho el interesado que le fuera adjudicada y la que realmente le ha sido (en esta línea STS de 11 de marzo de 1999 [RJ 1999, 2173]).

No obstante, incidiendo en la idea expuesta, el establecimiento pormenorizado de coeficientes puede ser, a juicio de la Sala, «un motivo de confusión que podría haberse obviado con la simple utilización de un coeficiente general tanto en adjudicaciones y cargas, con lo que se conseguiría la finalidad propia de la Reparcelación» (STSJ de Extremadura de 28 de febrero de 2002 [JUR 2002, 118189]).

En suma, «la justa distribución de beneficios y cargas no puede deducirse de uno solo de los factores, como hace la actora, sino de la comparación de todos ellos, perspectiva ésta global que no permite afirmar que aquel principio haya sido conculcado» (STSJ de la Comunidad Valenciana de 18 de junio de 2003 [JUR 2004, 24013]).

En definitiva, tal como nos recuerda la STSJ de la Comunidad Valenciana de 14 de enero de 2003 (RJCA 2004, 64), el principio rector en materia de reparcelaciones es el de igualdad.

En este contexto otro criterio es el de «preferencia por la adjudicación en proindiviso frente a las compensaciones en metálico». Puede establecerse un régimen de escalas o preferencias, de cara a la adjudicación de las parcelas, siguiendo la sentencia del TS de 6 de febrero de 1996 (RJ 1996, 896). Esta resolución establece que se hará siempre que sea posible la adjudicación de parcelas individuales. En su defecto, entra en aplicación la adjudicación proindiviso. Y en su defecto, es decir, en último término, dice la sentencia, la indemnización económica, la cual es improcedente si la parcela es superior al 15 por ciento de la parcela mínima edificable.

Como ya se ha indicado, los derechos de los propietarios se definirán en la fecha de iniciación del procedimiento de aprobación del expediente reparcelatorio. Este régimen es seguido igualmente por la jurisprudencia. Así, la STS de 22 de enero de 1992 (RJ 1992, 748) reafirma la validez del artículo 86.3 del RGU en este contexto, cuando dice: «... preciso es partir de

(...) que la fecha para determinar el derecho de los propietarios afectados por la reparcelación es la de iniciación del expediente de reparcelación, cuya iniciación se produce por ministerio de la Ley cuando se aprueba definitivamente la delimitación del polígono o unidad de actuación (arts. 86.3 y 101.1 del Reglamento de Gestión Urbanística). Quiere decirse que la valoración de las aportaciones ha de hacerse atendiendo a la situación jurídica de las mismas al tiempo de producirse la mentada aprobación definitiva».

Igualmente, la STS de 26 de mayo de 1997 (RJ 1997, 3947) reafirma la validez o aplicación del artículo 86.3 del RGU en este contexto, cuando dice: «por su parte el artículo 86.3 establece que "la fecha para determinar el derecho de los propietarios afectados será la de iniciación del expediente de reparcelación". Quiere decirse con ello que los derechos que el Ayuntamiento ha de tener en cuenta en el proyecto de reparcelación son los de los propietarios de la unidad reparcelable en el momento de iniciación del expediente de reparcelación. En el expediente está acreditado que en el momento de su inicio las entidades demandantes, y en principio, ostentaban los derechos urbanísticos reclamados. No ha habido prueba acreditativa de que tales derechos urbanísticos se los reservó el dueño de la finca matriz, supuesto en el que a él le deberían haber sido imputados dichos derechos».

Una vez se han expuesto los criterios jurisprudenciales sobre las reglas materiales de la reparcelación, es preciso entrar en los criterios jurisprudenciales sobre las reglas procedimentales. En este plano **procedimental,** la STSJ de Murcia de 30 de septiembre de 2000 (JUR 2000, 228089) considera improcedente una impugnación basada en alegaciones no formuladas en fase de información pública.

Determinante es, asimismo, la prueba. En efecto, las doctrinas expuestas a la luz de la jurisprudencia permiten afirmar que el caso concreto podrá encajar dentro de un supuesto de proporcionalidad entre fincas resultante y originaria o en un supuesto (en el criterio de los tribunales) de ausencia de proporcionalidad. De ahí la importancia de hacer ver a la Sala que el supuesto en cuestión se subsuma en una u otra situación. Ilustrativo es el siguiente texto jurisprudencial seleccionado de una sentencia del Tribunal Supremo:

> «Para que pueda prosperar una pretensión de anulación por dichas causas, no basta con la simple invocación de la quiebra de dicho principio, sino que es necesario que la parte que la alegue acredite la desigualdad de trato que denuncia respecto de los demás propietarios de terrenos afectados por la misma unidad reparcelable» (STS de 11 de marzo de 1999 [RJ 1999, 2173]). De ahí que esta sentencia acuse el hecho de que la parte apelante no haya probado o ale-

gado siquiera la inexactitud o falta de rigor de las precisiones expresadas sobre tal extremo en la Memoria del Proyecto. Tampoco ha combatido ni contradicho, ni alegado su desajuste a la normativa anteexpuesta respecto a los criterios utilizados en el Proyecto para definir y cuantificar los derechos de los afectados, en la aportación de las fincas y en la adjudicación de las mismas o de su equivalente económico. La parte apelante se ha limitado a exponer que las superficies adjudicadas a algunos propietarios no son iguales, comparativamente con otros, a las aportadas, pero no justifica tal aserto, porque como ya hemos dicho, la superficie a adjudicar no está en directa relación de igualdad con la aportada, sino en función de dicha superficie y de su valor urbanístico que integra un concepto tan esencial y variable como el de su aprovechamiento urbano y su situación, lo que puede determinar más notables diferencias entre el valor de cada unidad de derecho estimada a los efectos de la valoración de las fincas aportadas y de su reflejo en el resultado de la reparcelación.

La mera indicación de diferencias habidas entre las superficies recibidas por los propietarios, no es indicativa, por sí sola, de la desigualdad denunciada por el apelante, en aplicación de los criterios legales».

Conviene, igualmente, centrar la posición del Proyecto de Reparcelación afirmando que éste no contiene determinaciones urbanísticas propias e independientes, sino que aplica al terreno las de los Planes o Normas que ejecuta (STSJ de la Comunidad Valenciana de 18 de junio de 2003 [JUR 2004, 24013]).

Régimen de los bienes de dominio y uso público afectados por una reparcelación. El ejemplo de los caminos de titularidad pública

Interesa seguidamente hacer alusión a un problema que se plantea frecuentemente en la práctica de las reparcelaciones, es decir, el relativo a los aprovechamientos relacionados con los caminos del sector. Es decir, el legislador español se vio en la necesidad de dar una solución, aplicando la lógica de la reparcelación característica de nuestro Derecho, al problema de los caminos o viales existentes antes de la Reparcelación en la unidad reparcelable y la sustitución de éstos y creación, mediante la técnica reparcelatoria, de unos viales diferentes.

Al respecto es preciso tener en cuenta el artículo 47.3 del RGU (y en su día el artículo 30 del Reglamento de Reparcelaciones de 1966, que fue derogado en 1993) y la legislación autonómica en este sentido.

Según el artículo 47.3 del RGU, «en todo caso deberá tenerse en cuenta que cuando las superficies de los bienes de dominio y uso público anteriormente existentes que fueren igual o inferior a la que resulte como consecuencia de la ejecución del Plan, se entenderán sustituidas unas por otras. Si tales superficies fueran superiores a las resultantes de la ejecución del Plan, la Administración percibirá el exceso, en la proporción que corresponda, en terrenos edificables».

Sobre esta regulación se han pronunciado las SSTS de 20 de julio de 2005 (RJ 2005, 6727); de 23 de noviembre de 1993 (RJ 1993, 8520); de 30 de junio de 1982 (RJ 1982, 5250); de 7 de marzo de 1987 (RJ 1987, 3510). De esta jurisprudencia se desprenden las siguientes reglas:

1. Si los metros resultantes (tras la ejecución del plan), de bienes públicos adquiridos de forma no onerosa, son mayores o iguales de los que exis-

tían, se compensan y no corresponde aprovechamiento subjetivo al Ayuntamiento.

2. Si los metros resultantes (tras la ejecución del plan), de bienes públicos adquiridos de forma no onerosa, son menores de los que existían, el Ayuntamiento ha de percibir aprovechamiento por el exceso.

3. Si la Administración aporta un bien adquirido a título oneroso (por ejemplo expropiación) o previa desafectación o patrimonial, ha de obtener el aprovechamiento correspondiente.

Así, en la STS de 20 de julio de 2005 (RJ 2005, 6727) se deja claro que los «bienes que no proceden de cesiones obligatorias y gratuitas como consecuencia de los deberes de cesión obligatoria que recaen en los propietarios del suelo han de merecer compensación».

No en vano, la nueva legislación estatal de suelo introduce un artículo 190 bis en la Ley 33/2003, de 3 de noviembre, del Patrimonio de las Administraciones Públicas en este sentido: «Cuando los instrumentos de ordenación territorial y urbanística incluyan en el ámbito de las actuaciones de urbanización o adscriban a ellas terrenos afectados o destinados a usos o servicios públicos de competencia estatal, la Administración General del Estado o los organismos públicos titulares de los mismos que los hayan adquirido por expropiación u otra forma onerosa participarán en la equidistribución de beneficios y cargas en los términos que establezca la legislación sobre ordenación territorial y urbanística».

Esta cuestión de la distinción en adjudicación o no de aprovechamiento a la Administración titular de bienes de dominio y uso público dependiendo de si han sido adquiridos de forma onerosa y si han sido adquiridos de forma gratuita se ha plasmado en la legislación autonómica. Así, el artículo 171.2 de la Ley 16/2005, de 30 de diciembre, Urbanística Valenciana o el artículo 170.4 del Decreto Legislativo 1/2005, de 10 de junio, por el que se aprueba el Texto Refundido de la Ley del Suelo de la Región de Murcia o el 238 del Reglamento de la Ley del Suelo de Castilla y León (Decreto 22/2004, de 29 de enero), cuyo texto reproducimos como ejemplo de legislación autonómica muy clarificadora en este sentido:

«**1.** Los bienes de dominio público incluidos en la unidad de actuación para los cuales el planeamiento urbanístico mantenga el uso que motivó su afectación o adscripción al uso general o a los servicios públicos no deben verse afectados por la gestión urbanística.

2. Cuando en la unidad existan bienes de dominio público para los cuales el planeamiento urbanístico establezca un uso diferente del que motivó su afectación o adscripción al uso general o a los servicios públicos, se aplican los siguientes criterios:

a)   Para los de titularidad no municipal, el Ayuntamiento debe instar ante la Administración competente el procedimiento que corresponda para su mutación demanial o desafectación.

b)   Para los de titularidad municipal, se aplica la legislación sobre régimen local.

c)   En caso de duda sobre su titularidad, deben entenderse municipales.

3.   Cuando los bienes de dominio público hayan sido adquiridos de forma onerosa, su Administración titular tiene derecho al aprovechamiento correspondiente a su superficie.

4.   Cuando los bienes de dominio público hayan sido adquiridos por cesión gratuita, se aplican las siguientes reglas:

a)   Cuando su superficie total sea igual o inferior a la superficie de los bienes de dominio público que resulten del planeamiento urbanístico, se entienden sustituidos unos por otros.

b)   Cuando su superficie total sea superior a la superficie de los bienes de dominio público que resulten del planeamiento urbanístico, su Administración titular tiene derecho, como propietaria, al aprovechamiento correspondiente al exceso de superficie.

5.   Cuando no sea posible determinar el carácter oneroso o gratuito de la adquisición de los bienes de dominio público desafectados, se presume su adquisición por cesión gratuita.

Régimen indemnizatorio y de intereses tras la anulación judicial de una reparcelación

Otro tema importante es el de la determinación del régimen jurídico de los intereses por indemnizaciones derivadas de la anulación judicial de una reparcelación. El caso se refiere a sentencias que reconocen a un particular recurrente (afectado por una reparcelación) unos determinados gastos por traslado de industria, planteándose distintas incidencias: Primero, si es procedente en Derecho el abono de los intereses, junto a la cantidad a que asciende la indemnización y que determina expresamente la sentencia del TSJ. Segundo, cómo han de calcularse los intereses, en especial el *dies a quo* y el *dies ad quem*. Tercero, si el deudor, que ha de satisfacer la cantidad a que se refiere la sentencia del TSJ, es el Ayuntamiento o si, más bien, la cantidad referida corresponde ser asumida a los propietarios de las parcelas de resultado.

En cuanto a si es procedente en Derecho el abono de los intereses, junto a la cantidad a que se refiera la sentencia, la fijación de intereses puede hacerse en la propia sentencia (como hace la STSJ de Cataluña de 27 de octubre de 2005 [JUR 2006, 67215]), o remitiéndose ésta a la fase de ejecución (caso de la STSJ de Cataluña de 26 de mayo de 2005 [JUR 2006, 52248]) o guardar todo silencio, supuesto de la sentencia que nos ocupa en este caso práctico.

Procede en Derecho conceder los intereses junto a la cantidad principal de indemnización. No sólo por razones de justicia material y de restablecimiento íntegro de la víctima y de aplicación de principios generales de este carácter, sino especialmente porque *lege lata* es el criterio seguido por la jurisprudencia que se ha enfrentado con dicha cuestión resolviéndola de forma unánime en el sentido expuesto. Así, la sentencia del Tribunal Supremo de 9 de abril de 2003 (RJ 2003, 3692) dice claramente que «el criterio que rige los intereses de demora es que se devengan automáticamente y se reconocen incluso de oficio por el órgano judicial», añadiendo la sentencia del TSJ de Andalucía de 23 de julio de 2003 (RJCA 2003, 959) que su «devengo es imperativo, aunque no fueran pedidos en vía administrativa, criterio éste que puede aplicarse por una evidente razón de analogía al caso de la indemnización contemplada en el artículo 52.2 RGU».

Sobre la segunda cuestión relativa a cómo realizar, en su caso, el cálculo de los intereses desde el punto de vista de la fijación del *dies a quo* y del *dies ad quem* en principio la materia de reparcelaciones no está regulada, desde el punto de vista de la determinación de los intereses de las indemnizaciones procedentes de una reparcelación, en la legislación urbanística. Es más, el artículo 98.3 del Reglamento estatal de Gestión Urbanística 3288/1978 realiza una remisión expresa a la Ley de Expropiación Forzosa (en adelante, LEF) para conocer los criterios aplicables al caso.

Está asentado en nuestro Derecho que la determinación de los intereses por indemnizaciones o impagos debidos se rige por el artículo 57 de la citada Ley expropiatoria (STS de 3 de mayo de 1995 [RJ 1995, 3780]; STS de 9 de abril de 2003 [RJ 2003, 3692]).

Por tanto, el importe de las indemnizaciones ha de ser incrementado en los intereses de demora, desde el transcurso del plazo de seis meses a contar desde la aprobación definitiva de la Reparcelación y Cuenta de Liquidación Provisional hasta la fecha del pago.

El *dies a quo* ha de ser el siguiente a aquel en que se cumplan los seis meses de la aprobación definitiva del Proyecto de Reparcelación y Cuenta de Liquidación Provisional (por aplicación de los artículos 57 de la LEF y 71 de su Reglamento; así lo ha entendido la jurisprudencia: STS de 9 de abril de 2003 [RJ 2003, 3692]; STS de 3 de mayo de 1995 [RJ 1995, 3780]; STS de 22 de mayo de 1979 [RJ 1979, 2062]; STSJ de Cataluña de 29 de octubre de 2003 [RJCA 2003, 1041]).

Ello es así porque, en virtud del artículo 48 de la LEF, estos seis meses se han de entender como una especie de período voluntario para proceder al pago de la indemnización, en este caso, y por ello, durante este período no se generan intereses de demora. O acaso también cabe ser entendido este régimen como un trato de favor con la Administración, tal como argumenta alguna sentencia de las citadas.

Por tanto, en el presente la fecha inicial del cómputo de intereses de demora sería el 28 de noviembre de 1998.

Por su parte el *dies ad quem* ha de ser el momento de pago o consignación del precio (STS de 21 de noviembre de 1979 [RJ 1979, 3729] y de 3 de mayo de 1995 [RJ 1995, 3780] y STSJ de Madrid de 28 de abril de 2005 [JUR 2005, 159926]).

Es claro que dicho *dies ad quem* será, en efecto, el día del pago efectivo por el deudor, devengándose intereses hasta ese instante y, desde luego, no lo será el momento en que se realizó el pago parcial previsto en el Proyecto de Reparcelación y su cuenta de liquidación provisional. En este sentido, la STS de 9 de abril de 2003 (RJ 2003, 3692) dice ilustrativamente que:

> «El *dies ad quem* para el devengo de intereses de demora al día en que se llevó a cabo la consignación, sin tener en cuenta que la cantidad fijada como indemnización procedente por la pérdida del arrendamiento en la sentencia es superior a la señalada en el Proyecto de Reparcelación aprobado por el Ayuntamiento, por lo que los intereses de demora se devengarán hasta que la cantidad total procedente, en concepto de indemnización, sea íntegramente pagada según ha declarado reiterada jurisprudencia al fijar los intereses de demora en la determinación y pago del justiprecio, cuyos preceptos son aplicables, por lo que la cantidad total, señalada por la sentencia, devengará el interés legal hasta que la cantidad fue consignada en su momento y, desde esta fecha hasta su completo pago, devengará interés legal la suma que no fue consignada entonces».

> «(...) El quinto motivo, basado en el incorrecto cálculo de los intereses legales de demora con infracción de lo dispuesto en el artículo 57 de la Ley de Expropiación Forzosa y de la doctrina jurisprudencial, recogida en las Sentencias de esta Sala que se citan, debe, sin embargo, ser estimado por incurrir, ciertamente, la sentencia recurrida en las infracciones denunciadas.

> Como ha declarado esta Sala, hasta constituir doctrina legal en materia de responsabilidad por demora en la fijación y pago del justiprecio (Sentencias de 3 de abril de 1993, 26 de marzo de 1994 y 31 de marzo de 2001, entre otras), el *dies ad quem* para el cálculo de los intereses legales de demora es aquel en que se produce el efectivo pago de la cantidad adeudada (artículo 57 de la Ley de Expropiación Forzosa), que, en caso de impugnación en sede jurisdiccional, es aquella que se determina en sentencia firme (artículo 73.2 del Reglamento de la Ley de Expropiación Forzosa), de modo que, al haber fijado la Sala de instancia como *dies ad quem* para el cálculo de los intereses de demora, a pesar de haber elevado en su sentencia la cuantía de la indemnización a pagar, la fecha en que se le abonó a la recurrente la cifra aprobada definitivamente por el Ayuntamiento, dicha Sala ha vulnerado lo establecido en los citados preceptos de la Ley de Expropiación Forzosa y de su Reglamento así como la referida doctrina jurisprudencial.

> QUINTO.–La estimación de este quinto y último motivo de casación comporta que, conforme a lo dispuesto por el artículo 95.2 d) de la vigente Ley Jurisdiccional, debamos anular tal pronunciamiento la sentencia recurrida y resolver lo que corresponda dentro de los términos en que aparece planteado el debate, que no son otros que la fijación del término o día final para el cálculo de los intereses legales de demora de la total cantidad adeudada en concepto de indemnización y premio de afección.

> Al haberse pagado en su día a la recurrente exclusivamente la cifra apro-

bada por el Ayuntamiento con el Proyecto de Reparcelación, mientras que la sentencia recurrida incrementó dicha suma, incluido el cinco por ciento como premio de afección, la total cantidad adeudada con arreglo a dicha sentencia devengará el interés legal del dinero desde el día 9 de mayo de 1995 hasta el día 8 de septiembre del mismo año, en que se hizo el referido pago, y desde el día 9 de septiembre de 1995 hasta su completo pago se deberá abonar el interés legal de la cantidad en que la sentencia recurrida incrementó la suma ya satisfecha».

«(...) *Declaramos que la total cantidad, incluido el premio de afección, fijada en la sentencia recurrida como indemnización en favor de la entidad (...) devengará el interés legal del dinero desde el día 9 de mayo de 1995 hasta el día 8 de septiembre del mismo año, y desde el día 9 de septiembre de 1995 hasta su completo pago se deberá abonar dicho interés legal de la cantidad en que la sentencia recurrida incrementó la suma ya satisfecha*».

La tercera cuestión planteada *supra* recordemos que se refiere a si el deudor que ha de satisfacer la cantidad a que se refiere la sentencia del TSJ es el Ayuntamiento o si, más bien, la cantidad referida corresponde ser asumida a los propietarios de las parcelas de resultado.

Es aplicable el artículo 98 del citado Reglamento estatal de Gestión Urbanística a cuyo tenor «las plantaciones, obras, edificaciones e instalaciones que no puedan conservarse se valorarán con independencia del suelo, *y su importe se satisfará a los propietarios o titulares interesados, con cargo al proyecto, en concepto de gastos de urbanización*».

Además, según el artículo 100.5 del mismo texto normativo «los gastos de urbanización y de proyectos se distribuirán a prorrata entre *todos los adjudicatarios de las fincas resultantes, con arreglo al valor de éstas*».

PARTE OCTAVA
RECEPCIÓN Y CONSERVACIÓN DE OBRAS DE URBANIZACIÓN

Capítulo I

Régimen jurídico, en especial las entidades urbanísticas de conservación

La función de urbanizar inherente a la gestión urbanística comprende la gestión integral del mismo hasta su completa transformación en suelo urbanizado apto para su edificación.

El TRLS de 2008 prevé que la dirección de la función urbanística corresponde al Ayuntamiento, pero admitiendo la iniciativa privada. El suelo habrá de contar finalmente con los servicios precisos para su consideración como suelo urbano, y especialmente, como solar, para poder ser así edificado.

El suelo conseguirá de esta forma su consideración como urbanizado, cumpliendo el TRLS de 2008 cuando exige al efecto que las parcelas estén integradas de forma legal y efectiva en la red de dotaciones y servicios característicos de los núcleos urbanos.

La definición concreta de las obras a realizar viene expresada en la legislación urbanística y en el planeamiento y en el proyecto de urbanización. El urbanizador en cuestión está vinculado a la ejecución del planeamiento aprobado, sin que pueda alterar las obras de urbanización requeridas para la ejecución del mismo, aunque se admite la posibilidad de adaptar las previsiones del instrumento de planeamiento para lograr la correcta ejecución de las obras de urbanización que deban acometerse.

Las obras de urbanización habrán de ser suficientes para dotar al suelo de los requisitos exigidos para ser susceptible de edificación, es decir, que adquiera la condición de solar.

En la práctica los Ayuntamientos no siempre recepcionan adecuadamente las obras, planteándose problemas de inactividad administrativa, en especial en los municipios pequeños.

Como la gestión es privada, lo propio es que las «Entidades Urbanísticas de Conservación» lleven a cabo la conservación y mantenimiento de las obras de urbanización, dotaciones e instalaciones de los servicios públicos.

El Reglamento de Gestión Urbanística (Real Decreto 3288/1978, de 25 de agosto) dice en su artículo 25.3: «Será obligatoria la constitución de una Entidad Urbanística de Conservación siempre que el deber de conservación de las obras de urbanización recaiga sobre los propietarios comprendidos en un polígono o unidad de actuación en virtud de las determinaciones del Plan de ordenación o bases del programa de actuación urbanística o resulte expresamente de disposiciones legales. En tales supuestos, la pertenencia a la Entidad de Conservación será obligatoria para todos los propietarios comprendidos en su ámbito territorial».

Al ser la gestión urbanística generalmente privada la creación de dichas entidades descargan parte de responsabilidad a los Ayuntamientos.

En la legislación autonómica se regula actualmente la conservación de las obras de urbanización, la recepción y dichas entidades, aunque la regulación viene siendo algo parca al respecto.

Es esencial a la recepción de obras una labor fiscalizadora de la Administración previa a dicha recepción. Además, hay que contar con que el urbanizador habrá prestado las debidas garantías de aseguramiento de la ejecución de las obras de urbanización. A la Administración corresponde la dirección, realización, concesión, impulso y supervisión de la ejecución de las obras de urbanización.

Por tanto, la gestión urbanística no finaliza con la mera ejecución de las obras de urbanización, ya que deberá asumir la conservación de las obras ejecutadas hasta su entrega a la Administración actuante.

La intervención de las Entidades Urbanísticas de Conservación supone una excepción al régimen general por el que la entidad local deberá asumir la obligación de conservación de las obras de urbanización ejecutadas así como la prestación de los servicios públicos básicos. La legislación urbanística hace recaer la asunción de la carga de conservación de la urbanización en los propietarios.

Por tanto, desde que se tenga por recepcionadas las obras de urbanización, bien sea de forma expresa, bien sea de forma tácita por el transcurso del plazo establecido o por actos de la Administración que impliquen la recepción, el Ayuntamiento deberá atender a la prestación de servicios públicos y conservación de la urbanización, salvo que ésta esté encomendada a

Entidad Urbanística de Conservación, y proceder a la devolución de las garantías prestadas por el Agente Urbanizador.

Capítulo II

Procedimiento de recepción

La recepción de las obras de urbanización conlleva un procedimiento. El promotor, al terminar las obras de urbanización, lo pone en conocimiento del Ayuntamiento, para que éste las acepte y recepcione. La legislación urbanística suele fijar un plazo para que el Ayuntamiento inspeccione las obras y señale acto seguido una fecha para su recepción, salvo si detecta errores subsanables concediendo plazo para ello, de tal modo que la falta de resolución en ese plazo significa la recepción de las obras por aquel de forma tácita. Esta recepción sin embargo es provisional, y deberá transcurrir un plazo de un año de garantía para que la misma se definitiva.

Tras la recepción definitiva de las obras, el promotor privado queda libre de responsabilidad (lo que se manifiesta tras el plazo de garantía al menos de un año desde la recepción provisional), si bien, el juego del silencio administrativo positivo puede dar como resultado la recepción tácita. La falta de reconocimiento de la misma por la Administración conlleva que ésta pueda desatender su obligación de conservación de las obras ejecutadas y la prestación de los servicios públicos.

Aunque la jurisprudencia del Tribunal Supremo fue inicialmente reticente a la recepción tácita de las obras, contemplando únicamente la recepción formal y expresa de las obras de urbanización finalmente admite en su jurisprudencia la recepción tácita.

Esta evolución es reflejada por la STS de 21 de junio de 2001 (RJ 2001, 5800): «ante tan clara conclusión sobre la obligación de la Administración actuante a la conservación y mantenimiento de las instalaciones y obras de urbanización, vino siendo doctrina mantenida por este Tribunal, la necesidad de un acto formal de aceptación de la cesión por parte de la Administración, para el nacimiento de su obligación de mantener y conservar las obras de urbanización, más no obstante, el actual criterio jurisprudencial del Tribunal Supremo, sobre tal cuestión, reflejado, entre otros, por las sentencias de 22 (RJ 1993, 8515) y 29 de noviembre de 1993 (RJ 1993, 8796), **admite como**

posible, válida y eficaz la recepción y aceptación tácitas, deducible de actos propios de la Administración vinculantes para la misma».

En la legislación autonómica podrán existir variantes. Así, en la murciana se distingue entre una recepción provisional por plazo de un año y una recepción definitiva con devolución de las garantías depositadas[1]. Pero en el artículo 188 de la Ley Urbanística Valenciana 16/2005 no se distingue entre recepción provisional y definitiva, considerando recepcionadas las obras por el transcurso de tres meses desde el ofrecimiento de recepción, sin perjuicio de la existencia de un plazo de garantía de un año. La LOUA de Andalucía contempla el mismo régimen de recepción de la urbanización, difiriendo únicamente en el plazo para la recepción definitiva que será de cuatro meses.

Muy presente habrá de tener, asimismo, la legislación pública contractual, en la que se prevé el régimen jurídico principal de la recepción de obras.

Y si el promotor se ha separado del proyecto de urbanización las obras no podrán ser recepcionadas salvo que las modificaciones se justifiquen por haber sido necesarias durante la ejecución, en cuyo caso podrán acometerse las obras presentando posteriormente un documento refundido del proyecto de urbanización.

---

1. Véase J. E. SERRANO (codirector), *Comentarios a la legislación urbanística de Murcia,* Madrid, 2008.

Anexo Jurisprudencial

1. LA EJECUCIÓN DE LAS OBRAS DE URBANIZACIÓN HA DE HACERSE SEGÚN EL PLANEAMIENTO

STS de 28 de octubre de 1997 (RJ 1997, 7635): «La cuestión es mucho más sencilla. Veamos: en suelo urbano no puede edificarse hasta tanto la respectiva parcela no tenga la condición de solar, salvo que se asegure la ejecución simultánea de la urbanización y la edificación, en alguna de las formas establecidas en el artículo 40.1 del Reglamento de Gestión Urbanística (artículo 83.1, en relación con el 82, del Texto Refundido de la Ley del Suelo). Este compromiso de urbanizar alcanza no sólo a las obras que afecten al frente de fachada o fachadas, sino a toda la infraestructura necesaria para que puedan prestarse los servicios públicos necesarios (abastecimiento de agua, saneamiento, alumbrado, pavimentación de aceras y calzadas) hasta el punto de enlace con las redes generales y viarias en funcionamiento (artículo 40.2 del Reglamento de Gestión Urbanística)».

2. RÉGIMEN DE GARANTÍAS

STS de 10 de mayo de 1995 (RJ 1995, 3792): «En el caso que nos ocupa está acreditado, también por prueba pericial de perito insaculado, que el grado de ejecución de la urbanización es muy deficiente y se ha limitado a ofrecer acceso rodado y acometidas de agua y luz a las diferentes parcelas a medida que se ha ido produciendo la demanda, es decir, se puede estimar que las obras realizadas no se corresponden con lo estipulado en el Proyecto original de 1971. Por otra parte aunque la demandante aseguró en el Hecho Tercero de su demanda que el 25% del valor establecido se probará "sin lugar a dudas que no rebasa la cifra de 846.194 pesetas", tal aseveración no ha quedado acreditada por prueba alguna. Este cúmulo de circunstancias son los que, indudablemente, han movido a la Administración municipal a hacer uso de las facultades que le concedía el artículo 211 de la Ley del Suelo de 1956; facultades también existentes en el artículo 223 del Texto Refundido de 1976 (RCL 1976, 1192 y ApNDL 13889) y ahora en el Texto Refundido de 26 junio 1992 (RCL 1992, 1468), artículo 301. Facultades de ejecución forzosa y vía de apremio para exigir el cumplimiento de sus deberes a las empresas urbanizadoras que se armonizan con las medidas que se disponen en el artículo 104 de la Ley de Procedimiento Administrativo y que son las que con todo acierto estima aplicables la sentencia de instancia en el Fundamento Cuarto».

STS de 31 de mayo de 1999 (RJ 1999, 5526):

«No se trata realmente de imponer al Ayuntamiento un plazo para la ejecución de las obras que él mismo exigió ejecutar, para después repercutir la parte correspondiente al recurrente, ni de cuestionar la legalidad de la decisión municipal de exigir, conforme al artículo 83.2.2º TRLS, un aval en garantía de la obligación, que según dicho precepto recae sobre el constructor, de costear la urbanización, pues se trata de obligaciones impuestas por acuerdos municipales no impugnados por el recurrente. Se trata de decidir si prestado ese aval sin que en su exigencia ni en su constitución se señalase un plazo para su vigencia, el mismo puede permanecer a disposición de la Administración indefinidamente, en el caso presente durante un plazo superior a diez años, durante el cual el Ayuntamiento no ha ejecutado las obras cuyo importe había ordenado garantizar, y es evidente que se impone una respuesta negativa. La obligación impuesta por el artículo 83.3.2º TRLS ha de realizarse simultáneamente a la construcción y ha de haberse cumplido como requisito previo a la autorización de la ocupación de los edificios, por lo que es inaceptable la exigencia de un aval en garantía de unas obras que no sólo no se ejecutan de ese modo sino que no se llegan a llevar a efecto en los diez años siguientes a la construcción. En tal caso, la indefinición del plazo de vigencia del aval cede en importancia ante el hecho acreditado de que la obligación garantizada no se ha llevado a cabo por quien podía hacerlo en un plazo razonable, lo que conduce a la pérdida de sentido del aval».

3. RÉGIMEN JURÍDICO DE LAS ENTIDADES DE CONSERVACIÓN; CARÁCTER ADMINISTRATIVO; LOS ESTATUTOS COMO NORMA RECTORA DE ACTUACIÓN

STS de 21 de diciembre de 2006 (RJ 2007, 474):

«En la misma línea la STS de 14 de febrero de 1990 (RJ 1990, 1316) señaló que **"no hay duda alguna que las Entidades urbanísticas colaboradoras tienen carácter administrativo y dependen de la Administración actuante,** como dice el artículo 26 de Reglamento de Gestión Urbanística (RCL 1979, 319); están integradas por propietarios de bienes sitos en un polígono o unidad de actuación; se rigen, además de por sus propios Estatutos, por las normas específicas y generales sobre entidades colaboradoras; y concretamente las Entidades de Conservación tienen como finalidad, como su propio y expresivo nombre indica, la conservación de las obras de urbanización, además del mantenimiento de las dotaciones e instalaciones de los servicios públicos, en los casos como el que nos ocupa, según antes hemos razonado debiendo determinarse la participación de los propietarios en esta obligación, en función de los criterios señalados legalmente o en sus propios Estatutos (arts. 68 y 69 del Reglamento de Gestión)...". Sin embargo las mismas (STS de 19 de septiembre de 1988 [RJ 1988, 6720]) «no gozan de personalidad jurídica sino a partir del momento de su inscripción en el correspondiente Registro –art. 26, 2 del Reglamento de Gestión Urbanística– y por tanto ha de ser a partir de ese momento cuando han de entrar en juego las consecuencias jurídicas que derivan de su carácter administrativo».

STS de 1 de abril de 2004 (RJ 2004, 2329):

«Del artículo 25.3 del Reglamento de Gestión resulta que la conservación de las obras de urbanización es el objetivo inexcusable al que responde la constitución de las entidades de conservación, pero junto a este objetivo el artículo 8.2 del Reglamento de Gestión establece que dichas entidades podrán igualmente realizar tareas de conservación y administración de las unidades residenciales creadas y de bienes y servicios que formen parte de su equipamiento, de donde se desprende que dichas entidades pueden concretar en los estatutos por los que han de regirse, según dispone el artículo 6.3 del Reglamento de Gestión, el alcance de esa tarea de administración en un sentido más amplio que la estricta reparación y mantenimiento de las obras de urbanización ejecutadas».

STS de 26 de octubre de 1998 (RJ 1998, 7688):

«Se regirán por el principio de publicidad del procedimiento y toma de acuerdos y por un sistema democrático en la adopción de decisiones».

STS de 13 de marzo de 2000 (RJ 2000, 3674): en tanto la Entidad de Conservación no asuma obligaciones que no le están atribuidas, es posible su creación para poder cumplir, desde su inicio, las obligaciones que le correspondan.

4. OBLIGACIÓN DEL URBANIZADOR DE LLEVAR A CABO LA COMPLETA Y PERFECTA EJECUCIÓN DE LAS OBRAS ASÍ COMO SU CONSERVACIÓN EN LAS DEBIDAS CONDICIONES HASTA SU ENTREGA A LA ADMINISTRACIÓN

Sentencia del Tribunal Supremo de 11 de diciembre de 2003 (RJ 2003, 9372):

«La aplicación de esa doctrina al caso de autos conduce a la desestimación de aquel único motivo de casación, pues la sentencia recurrida, que detalla cuáles eran las obras de saneamiento, alumbrado, red de agua, red viaria y zonas verdes previstas en el proyecto de urbanización, plan especial de ordenación industrial y plan parcial y, sin embargo, no ejecutadas, afirma, ante todo, con un razonamiento basado en los preceptos (artículos 67 y 114 de la Ley del Suelo de 1956, 83 y 120 del Texto Refundido de 1976 [RCL 1976, 1192] y 46 a 67 del Reglamento de Gestión Urbanística [RCL 1979, 319], este último *a sensu contrario*) y en la jurisprudencia (sentencias de 22 de octubre de 1982 [RJ 1982, 5800], 17 de febrero de 1986 [RJ 1986, 1591], 28 de septiembre de 1987 [RJ 1987, 8264], 21 de noviembre de 1989 [RJ 1989, 8346] y 14 de junio de 1997 [RJ 1997, 5042]) que entiende aplicables, que la completa y perfecta ejecución de las obras de urbanización, así como su conservación en las debidas condiciones hasta su entrega a la Administración, son obligaciones a cargo del particular promotor de las mismas por expresa disposición legal, resaltando a continuación la obligación del promotor en el caso de inejecuciones iniciales, en cuyo apoyo transcribe, en parte, una de aquellas sentencias, en la que se justifica (según la transcripción entrecomillada que la sentencia recurrida hace) la legalidad de la exigencia de la ejecución de dichos servicios a la promotora (y no a los compradores de parcelas de la urbanización)».

5. IMPOSIBILIDAD DE RECEPCIÓN DE LAS OBRAS DE URBANIZACIÓN HASTA SU TOTAL TERMINACIÓN, ES DECIR, SU COMPLETA Y EFECTIVA REALIZACIÓN

STS de 12 de mayo de 1998 (RJ 1998, 4259):

«Es incuestionablemente cierto que tal como afirma la parte apelante, la recepción de las obras de urbanización ha de verificarse desde el momento en que estén conclusas, pero no lo es menos, que su no completa y efectiva realización, impide la ocupación de los edificios –artículo 41.2 del Reglamento de Gestión Urbanística y citado–, sin que en ningún caso la Administración esté obligada a recibir las obras urbanizadoras hasta su total terminación, conforme a lo previsto a esos efectos, ni se responsabiliza del estado y conservación de tales obras hasta que se consume tal recepción de las mismas, tal como dispone el artículo 67 del citado Reglamento de Gestión».

PARTE NOVENA

PATRIMONIOS MUNICIPALES DE SUELO (Y VIVIENDA PROTEGIDA)

Se estudia seguidamente el régimen jurídico de los patrimonios municipales del suelo, incidiendo también en su transmisión y gestión.

En este contexto se harán también alusiones a la vivienda protegida, considerando su relación especial con los citados patrimonios.

Es sabido que el tema de los PMS va ligado en la práctica al problema de financiación de los Ayuntamientos. Pese a ser una función pública, el urbanismo tiene una base privada en España desde la Ley del Suelo de 1956, al otorgar a los propietarios (en definitiva, el sector privado) el protagonismo de la gestión urbanística y, con ello, tanto la parte lucrativa como la parte negativa de la asunción de las cargas públicas. Ante la inexistencia de otras alternativas reales de financiación de las funciones públicas, la riqueza que procede de este urbanismo de base privada se ha ido aprovechando para financiar cada vez mayores necesidades y cometidos públicos. De esta lógica no consiguen situarse al margen los propios patrimonios municipales del suelo.

Ante este tipo de problemáticas se acrecienta la necesidad de conocer el régimen jurídico de los patrimonios municipales de suelo.

Actualmente, para realizar un estudio de los patrimonios municipales del suelo, interesa partir, sin perjuicio de la legislación autonómica y otras disposiciones que se irán comentando, del nuevo TRLS/2008. La LS/2007 derogó los artículos 276 y 280.1 del TRLS/1992, que estaban hasta ahora vigentes en virtud de la disposición derogatoria única de la LRSV 6/1998, y por supuesto deroga las regulaciones que contenía la LRSV (artículo 40.3).

Patrimonios municipales de suelo (y vivienda protegida)

1. RÉGIMEN JURÍDICO

A. En un plano evolutivo

El PMS es una institución cuya configuración jurídica ha sufrido a lo largo de su existencia movimientos pendulares en función de las distintas políticas del suelo que la configuran y en paralelo con los problemas de financiación de las Haciendas Locales.

El PMS fue instituido por la **LS/1956** como un instrumento de política antiespeculativa, constituido por un conjunto de bienes de que las Corporaciones Locales se pueden servir «para regular el precio en el mercado de solares» (Exposición de Motivos), con la finalidad de «prevenir, encauzar y desarrollar técnica y económicamente la expansión de las poblaciones» (SSTS de 2 de noviembre de 1995, recurso de apelación 3132/1991 [RJ 1995, 8060]; de 31 de octubre de 2001, recurso de casación 4723/1996 [RJ 2001, 8391]; de 2 de noviembre de 2001, recurso de casación 4735/1996 [RJ 2001, 9687]; y de 7 de noviembre de 2005, recurso nº 7053/2002 [RJ 2006, 2034]).

La regulación de esa Ley pasa al **Texto Refundido de la Ley del Suelo de 1976,** si bien como novedades más destacables se pueden señalar que la cesión del 10% del aprovechamiento medio en suelo urbanizable se pretende que constituya la base de los PMS y que el destino de los bienes que integran el Patrimonio Municipal de Suelo se amplía, pues se facilita la financiación de las obras de infraestructura primaria y del equipamiento urbano o dotaciones públicas –muy deficitarias en aquellos momentos– y la construcción de viviendas sujetas a algún régimen de protección oficial para atender las necesidades de vivienda de la población con menores ingresos (art. 169 TRLS/1976).

Esta preocupación en aras de conseguir que los PMS ayuden a resolver el problema de la vivienda social ha sido una constante.

La reforma del Suelo operada por la Ley 8/1990, de 25 de julio y el Texto Refundido de la Ley del Suelo, aprobado por **Real Decreto Legislativo 1/1992,** cuyo Preámbulo dice que no parece «justo ni coherente con el contenido del art. 47 de la Constitución que las Entidades Locales utilicen terreno de su propiedad con miras puramente lucrativas, contribuyendo a incrementar las tensiones especulativas en vez de atenuarlas», **potencia considerablemente los PMS, cuantitativamente,** al ampliar los bienes y derechos que habían de integrar necesariamente los PMS y cualitativamente, al ampliar los fines de los PMS, que se establecían en el art. 89.2 del TRLS/1976, a «regular el mercado de terrenos» y a «facilitar la ejecución del planeamiento» (art. 271.1 del TRLS/1992) **pero restringe los posibles destinos de los bienes del PMS,** los cuales «una vez incorporados al proceso de urbanización y edificación deben ser destinados a la construcción de viviendas sujetas a algún régimen de protección pública o a otros usos de interés social, de acuerdo con el planeamiento urbanístico» (art. 280.1 TRLS/1992).

De ahí que, con posterioridad a la STC 61/1997 (RTC 1997, 61), la jurisprudencia afirmara en su día, sobre el sistema de fuentes normativas, que, «aunque dispersas, se encuentran en la Ley del Suelo de 1976 (arts. 89 a 93 y 165 y siguientes) y Ley del Suelo de 1992 (arts. 276 y 280.1), no declarados inconstitucionales por la STC 61/1997» (STSJ de Castilla y León [Valladolid] de 28 de noviembre de 2003 [JUR 2004, 252355]; igualmente, STSJ de Madrid de 20 de julio de 2004 [JUR 2004, 299333]).

B. Responde este sistema normativo al principio rector de la política social y económica consagrado en el art. 47 de la Constitución Española

Este principio, como tal, ha de informar la legislación positiva, la práctica judicial y la actuación de los poderes públicos (art. 53.3 CE) y se encamina a dar respuesta al grave **problema actual de la vivienda,** que constituye el espacio necesario para poder desarrollar derechos fundamentales como el de la intimidad personal y familiar y el de la dignidad de la persona.

Esta regulación es, por tanto, coherente con el resto de disposiciones de la legislación en materia de vivienda. Así, el artículo 25.2 de la Ley de Bases de Régimen Local considera, en todo caso, competencia municipal la promoción y gestión de las viviendas y los servicios públicos locales que tienden a la consecución de los fines señalados como competencia de las entidades locales, aludiéndose expresamente a ellas en el artículo 7 del Real Decreto

2960/1976, de 12 de noviembre, que aprobó el Texto Refundido de la legislación de viviendas de protección oficial y que en el artículo 17 menciona la posibilidad de concertar créditos con la Banca oficial.

C. El artículo 16 del RBEL 1372/1986

1. Los patrimonios municipales de suelo se regularán por su legislación específica.

2. Los bienes patrimoniales que resultaren calificados como suelo urbano o urbanizable programado en el planeamiento urbanístico quedarán afectos al patrimonio municipal del suelo.

2. FINES DEL PATRIMONIO MUNICIPAL DEL SUELO

A. Regulación del TRLS del Estado de 2008

El nuevo TRLS estatal de 2008 constituye hoy el punto de referencia para determinar el destino legal posible de los bienes de los patrimonios públicos del suelo y de los ingresos obtenidos mediante la enajenación de los mismos.

En esencia, se sigue, no obstante, el marco regulador conceptual existente, considerando que el destino de los bienes que integran dichos patrimonios deberá ser el de la construcción de viviendas sujetas a algún régimen de protección pública y «otros usos de interés social» y considerando que los ingresos obtenidos mediante su enajenación se destinarán a la conservación, administración y ampliación del mismo.

Esta regulación ha de relacionarse con el artículo 16.b del mismo TRLS estatal, donde se afirma, dentro de los deberes de la promoción de las actuaciones urbanísticas, el de entregar a la Administración, y con destino a patrimonio público del suelo, el suelo correspondiente al porcentaje de la edificabilidad media ponderada de la actuación, o del ámbito superior de referencia en que ésta se incluya, que fije la legislación reguladora de la ordenación territorial y urbanística.

En este mismo TRLS/2008 se establece una reserva de suelo para la vivienda de protección pública (un mínimo de un 30%).

Y la Disposición Transitoria Primera matiza que «la reserva para vivienda protegida exigida en la letra b) del artículo 10 de esta Ley se aplicará a todos los cambios de ordenación cuyo procedimiento de aprobación se inicie con posterioridad a la entrada en vigor de esta Ley, en la forma dispuesta por la legislación sobre la ordenación territorial y urbanística (...)».

B. Distinción del caso del destino de los ingresos derivados de la enajenación del patrimonio municipal del suelo del supuesto de la determinación de los destinos posibles de dicho patrimonio

Por una parte, los **bienes** del Patrimonio Municipal del Suelo deberán ser destinados a la construcción de viviendas sujetas a algún régimen de protección pública o a otros usos de interés social, de acuerdo con el planeamiento urbanístico.

Así por ejemplo, dice la STS de 7 de noviembre de 2005, Recurso nº 7053/2002 (RJ 2006, 2034) que «en el supuesto de autos, estando incluidas las parcelas en el ámbito del Proyecto de Reparcelación antes citado teniendo el carácter de edificables, debe entenderse que estaban incorporadas al proceso de urbanización y edificación, y por ello, debían destinarse a la construcción de viviendas sujetas a algún régimen de protección pública o a otros usos de interés social, según se desprende del artículo 280.1 del Texto Refundido antes citado».

Por otra parte, cuando la Administración quiera vender este patrimonio debe destinar los ingresos a la «conservación y ampliación del mismo».

En este sentido, la STS de 7 de noviembre de 2005, Recurso nº 7053/2002 (RJ 2006, 2034) afirma que «este conjunto de bienes tiene una característica especial, a saber, que su finalidad específica se realiza mediante la circulación propia del tráfico jurídico pero sin disminución o merma del propio Patrimonio, toda vez que el producto de las **enajenaciones** de los bienes de éste habrá de destinarse a la conservación y ampliación del propio Patrimonio (art. 93 del TRLS)».

C. Doctrina jurisprudencial sobre el destino de los patrimonios municipales del suelo

Interesa conocer la doctrina jurisprudencial sobre el destino o fines del patrimonio citado. Su interés radica a mi juicio en las reflexiones de tipo general que contiene, aun cuando adolezca de modo no infrecuente de una cierta confusión en la presentación de sus razonamientos y conclusiones.

Siguiendo, pues, la jurisprudencia puede afirmarse que, a lo largo de la evolución legislativa del PMS en función de las políticas de suelo que querían realizarse, **han variado sus fines,** los bienes que lo forman y el destino que se puede dar a esos bienes, pero el conjunto de bienes que integran el PMS tiene una **característica especial que se ha mantenido a lo largo de todas las reformas legislativas,** que consiste en la realización de su finalidad mediante la circulación propia del tráfico jurídico pero sin disminución o merma del propio patrimonio, toda vez que el producto de las **enajenaciones** de los bienes de éste ha de destinarse a la conservación y ampliación del propio Patrimonio (art. 93 del TRLS/1976 y 276.2 del TRLS/1992).

Los Tribunales vienen especialmente recalcando que el patrimonio Municipal de Suelo, en cuanto patrimonio separado, nace afecto a unos fines determinados, **naturaleza finalística** que no sólo implica a qué se deben dedicar los bienes que inicialmente integran este patrimonio, sino que condiciona el que los ingresos obtenidos mediante la **enajenación** de los terrenos incorporados a este patrimonio separado, o la sustitución de los aprovechamientos correspondientes, se han de destinar a la conservación o ampliación del mismo, no alterándose la existencia de dicho patrimonio por los cambios de bienes o derechos que singularmente lo componen, siendo además **un patrimonio que no puede confundirse con el general de las corporaciones** locales, a pesar de las relaciones que puedan existir entre ambos.

Por ello, dice el TS, entre otras en sus sentencias de 2 de noviembre de 1995 (RJ 1995, 8060) y de 25 de octubre de 2001 (RJ 2001, 9408), «las **dotaciones económicas** que se ponen a disposición del PMS constituye **un fondo rotatorio de realimentación continua,** por aplicaciones sucesivas al mismo fin de dicho Patrimonio, lo que constituye una técnica visible de potenciación financiera» (igualmente, STSJ de Madrid de 22 de marzo de 2002 [RJCA 2002, 563]).

Así se ha venido aceptando pacíficamente que el PMS constituye un «**patrimonio separado**» (lo que expresamente está dicho en el art. 276.2 del TRLS 1992). La Ley ha querido y quiere –dice el TS– que el Patrimonio Municipal del Suelo funcione como un patrimonio separado, es decir, como un conjunto de bienes afectos al cumplimiento de un fin determinado (STS de 7 de noviembre de 2005, Recurso nº 7053/2002 [RJ 2006, 2034]).

Este fin **no puede ser por tanto cualquiera de los que las Corporaciones han de perseguir** según la legislación de régimen local, sino los específicos y concretos de «regular el mercado de terrenos, obtener reservas de suelo para actuaciones de iniciativa pública y facilitar la ejecución del planeamiento» (art. 276.1 del TRLS/1992).

En términos de la STS de 7 de noviembre de 2005 (Recurso n.º 7053/ 2002) (RJ 2006, 2034) «la Ley ha querido y quiere que el Patrimonio Municipal del Suelo funcione como un patrimonio separado, es decir, como un conjunto de bienes afectos al cumplimiento de un **fin determinado, fin que aquí no es cualquiera de los que las Corporaciones han de perseguir según la legislación de régimen local** (artículos 25 y 26 de la Ley de Bases de Régimen Local de 2 de abril de 1985), sino el específico y concreto de "prevenir, encauzar y desarrollar técnica y económicamente la expansión de las poblaciones" (artículo 89.2 del Texto Refundido de 9 de abril de 1976), y ha querido y quiere expresamente, con una claridad elogiable, que el producto de las enajenaciones de terrenos del Patrimonio se destine no a cualquier fin, por loable y razonable que sea, **sino al específico de la conservación y ampliación del propio Patrimonio Municipal del Suelo** (artículo 93, ya citado)».

Ésta es la caracterización que el legislador ha dado a los PMS, dice la STS de 25 de octubre de 2001 (RJ 2001, 9408), «y se comprenderá que, ante tamaña claridad, **sólo una expresa previsión** legislativa en contrario puede hacer que los mismos, abandonado su origen, su caracterización y su finalidad pasen a convertirse en fuente de financiación de otras y muy distintas necesidades presupuestarias municipales. Esto, desde luego, puede hacerlo el legislador (asumiendo el posible riesgo de desaparición de los Patrimonios Municipales del Suelo), pero no puede hacerse por la vía de la interpretación sociológica de las normas jurídicas (art. 3.1 del Código Civil), porque esa interpretación ha de respetar, en todo caso, el espíritu y finalidad de las normas, muy otros, como hemos visto, a la financiación general e indiscriminada de las necesidades municipales» (igualmente, STS de 7 de noviembre de 2005, Recurso n.º 7053/2002 [RJ 2006, 2034]).

Dice en este sentido la STS de 7 de noviembre de 2005 (Recurso n.º 7053/2002) (RJ 2006, 2034): «Nos hallamos frente a una cuestión ampliamente tratada por este Tribunal en múltiples sentencias. Así en la de 7 de noviembre de 2002 (RJ 2002, 10310), se recuerdan los pronunciamientos anteriores de 2 de noviembre de 1995 (RJ 1995, 8060), 14 de junio de 2000 (RJ 2000, 5471), 25 de octubre de 2001 (RJ 2001, 9408), 31 de octubre de 2001 (RJ 2001, 8391), 2 de noviembre de 2001 (RJ 2001, 9687), 29 de noviembre de 2001 (RJ 2002, 3133) y 27 de junio de 2002 (RJ 2002, 5943) respecto a la **"imposibilidad de que los Ayuntamientos conviertan el Patrimonio Municipal del Suelo en fuente de financiación de cualesquiera necesidades municipales"**».

Tal como razona en este sentido la STSJ de Castilla y León (Valladolid) de 28 de noviembre de 2003 (JUR 2004, 252355) «en definitiva, como se venía a decir en el Preámbulo del TRLS de 1992 no es justo ni coherente con el contenido del art. 47 de la Constitución que las Entidades Locales utilicen sus terrenos **para resolver sus problemas de financiación, ni para la realización de cualesquiera intereses urbanísticos,** siendo de esencia de la institución –en cuanto vinculada al art. 47 CE y en el marco de un Estado social (art. 1.1 CE) como el nuestro– que se utilice por la Administración para intervenir en el mercado de terrenos removiendo los obstáculos que impidan o dificulten que la libertad e igualdad del individuo y de los grupos sean reales y efectivas (art. 9.2 CE)». Igualmente, STSJ del País Vasco de 31 de abril de 1999 (JT 1999, 1439).

En este mismo sentido, interpreta la STS de 31 de octubre de 2001 (RJ 2001, 8391) los usos de interés social (art. 280.1 TRLS/1992) a que se han de destinar los bienes del PMS, como **«no equivalentes a mero interés urbanístico».**

Igualmente, para la STS de 31 de octubre de 2001 (RJ 2001, 8391) «el concepto de **"interés social no es equivalente a mero interés urbanístico",** sino que es un concepto más restringido. El artículo 1.1 de la Constitución Española que define nuestro Estado como un Estado social, en relación con el artículo 9.2 de la misma, puede darnos por analogía una idea de lo que sea el concepto más modesto de uso de interés social: aquel que tiende a que la libertad y la igualdad del individuo y de los grupos sean reales y efectivas o a remover los obstáculos que impidan o dificulten su plenitud o a facilitar la participación de todos los ciudadanos en la vida política, económica, cultural y social».

Importante es precisar que **el acto administrativo no ha de imponer específicamente que lo que se recibe pasa a integrar el patrimonio municipal** del suelo para la construcción de viviendas de protección oficial u otros usos de interés social, sino que ha de expresar su finalidad inmediata, que es la incorporación de los terrenos reservados al patrimonio municipal del suelo, y no la mediata, el futuro destino a viviendas de protección u otros usos sociales, pues esta última finalidad ya está dispuesta en la Ley. Si más tarde tales bienes no se destinan a esa finalidad, eso constituirá un problema distinto, a discutirse en otro pleito. Por tanto, el acto de transmisión, que no tiene por qué expresar lo que ya está dicho en la Ley, sólo habrá lugar a anularlo cuando específica y confesadamente se exprese en el acto que la finalidad mediata perseguida no se corresponda con la querida por la Ley, o es incompatible con ella (STSJ de Castilla y León de 28 de noviembre de 2003 [JUR 2004, 252355]; igualmente STSJ de la Comunidad Valenciana de 20 de febrero de 2004 [JUR 2005, 4482]; STS de 27 de junio de 2002 [RJ 2002, 6144]; STSJ del Pais Vasco de 27 de febrero de 2003 [JUR 2003, 117160]).

D. El interés de la casuística

Interesa reseñar casos concretos en los que no se ha admitido la disposición hecha por el Ayuntamiento respecto de su patrimonio municipal de forma legítima, por referencia esencialmente al caso de la enajenación de estos bienes.

«Tal consolidada interpretación impide pueda prosperar la pretensión municipal de que la **compra de un edificio para el Servicio Municipal de Hacienda** con lo obtenido de la venta de las parcelas del patrimonio municipal del suelo encaje en tal disposición de la legislación urbanística. Si la normativa urbanística establece un fin último como es el destino a la construcción de viviendas sujetas a algún régimen de protección pública o a otros usos de interés social de acuerdo con el planteamiento urbanístico a él debemos atenernos **sin que quepan interpretaciones flexibles** en una disposición tan clara como la aquí concernida. Destino que no se aprecia en la obtención de efectivo para la construcción de un edificio destinado al Servicio Municipal de Hacienda **ni tampoco en la adquisición del recinto del cuartel de Benalúa** para su desarrollo urbanístico» (STS de 7 de noviembre de 2005, Recurso nº 7053/2002 [RJ 2006, 2034]).

Conforme a esta misma STS de 7 de noviembre de 2005 (RJ 2006, 2034) corresponde anular la venta en pública subasta de parcelas integrantes del Patrimonio Municipal del Suelo para destinar su importe a la construcción de **un centro socio cultural y deportivo, la construcción del edificio del archivo municipal, adquisición de locales para centros de tercera edad, inversiones en centros de enseñanza,** etc., con otras numerosas referencias jurisprudenciales.

Para la STS de 25 de octubre de 2001 (RJ 2001, 9408) no procede la enajenación de PMS para la **construcción de polideportivos o el soterramiento de trenes,** por ser simplemente finalidades urbanísticas.

Según la STSJ de Castilla y León (Burgos) de 30 de septiembre de 2005 (número de recurso 652/2002) (JUR 2002, 228491) el PMS está constituido por terrenos (artículo 276.2 del TRLS/1992) y no por equipamientos ni viviendas, y por ello no pueden alegarse (según hace la Corporación demandada) como ejemplo de reinversión del producto de las enajenaciones **la construcción de polideportivos o el soterramiento de trenes o la construcción de pasos inferiores o de muros de trenes o los gastos de inundaciones o las compras de viviendas; todas ellas son finalidades urbanísticas,** loables y de indudable interés público, pero que no contribuyen a aumentar ni a conservar el PMS, tal como exige el artículo 276.2 del TRLS/1992.

Desde luego, tampoco se excepcionan estos criterios por el hecho de que exista un informe municipal que pretende acreditar la reinversión (STS de 2 de noviembre de 2001 [RJ 2001, 9687]). Según razona uno de sus F.: «Pues bien; en el presente caso se consigna en el Presupuesto un ingreso de 964.987.498 pesetas como producto de la enajenación de terrenos del PMS, sin que esa misma cantidad se consigne como gasto **para la conservación y ampliación del mismo PMS,** produciéndose así una infracción del artículo 276.2 del TRLS/1992».

La STS de 31 de octubre de 2001 (RJ 2001, 8391) rechaza unas finalidades variadas plasmadas en un Convenio que van desde el **pago de una deuda antigua hasta la adquisición de unas plantas bajas y sótanos cuyo uso no consta,** pasando por un designio estrictamente urbanístico sin más, finalidades todas ellas lícitas y plausibles pero que exceden de las específicas que impone el art. 280.1 del TRLS/1992.

Ilustrativo es el caso examinado por la STSJ de la Comunidad Valenciana de 27 de febrero de 2004 (JUR 2004, 309861):

> «CUARTO. Como vemos el acuerdo del Pleno del Ayuntamiento de Xátiva que se recurre destina los ingresos obtenidos por la venta de solares a:
>
> 1. La cantidad de 2.655,33 € a la finalización de las **obras de urbanización** de los polígonos C y F, que en todo caso deben ser sufragados por los propietarios de los solares, mediante la aplicación de cuotas urbanísticas en relación a la superficie de los terrenos.
>
> 2. La cantidad de 7.371,38 € a la **construcción del Teatro,** que no se encuentra en el supuesto de construcción de viviendas o de interés social. En todo caso será un interés general, pero no el exigido por la Ley
>
> 3. 3. La cantidad de 601.013,70 €, para la construcción de **tres fuentes ornamentales,** que por supuesto no se encuentra entre los fines de conservación y ampliación del propio patrimonio municipal del suelo.

A juicio de la Sala, el acuerdo del Pleno del Ayuntamiento que se recurre, conculca lo establecido en los artículos 276.2 y 280.1 del Texto Refundido de la Ley del Suelo de 1992, por lo que procederá declarar la **disconformidad a derecho».**

Otro supuesto es el enjuiciado por la STSJ de Castilla y León (Burgos) de 30 de septiembre de 2005 (JUR 2005, 228491):

> «Pues bien, ninguna de las dos contraprestaciones que el Ayuntamiento demandado recibe en el Convenio impugnado como equivalente a la parcela del Patrimonio Municipal del Suelo que permuta puede decirse que se refieran a un uso de interés social. Y así:
>
> a) Ni está probado que la "regeneración, el adecentamiento y la urbanización **del frente marítimo** de los Barrios de Gros y Sagües [a que al parecer se destinan las parcelas 12 y 13 del Ensanche de la Zurriola, que el Ayuntamiento recibe de (...) S.A."], tenga un interés social fuera del meramente urbanístico, por importante que éste sea).
>
> b) Ni está probado que lo tenga el pago de la deuda que el Ayuntamiento mantenía con "(...) S.A." a propósito de las **obras de cimentación** y cierre realizadas en el Solar "K", deuda que se remontaba nada más y nada menos que al año 1986, cuando el Ayuntamiento adquirió dicho solar.
>
> c) Ni desde luego consta que lo tengan la planta baja y la planta sótano 1ª del edificio de siete plantas que "(...) S.A." debe construir en la parcela nº 26, y que han de ser entregadas al Ayuntamiento.
>
> En consecuencia, la finalidad de la permuta que el Convenio consagra no es la "edificación de viviendas de protección pública u otro uso de interés social", sino unas **finalidades variadas,** que van desde **el pago de una deuda antigua hasta la adquisición de unas plantas** cuyo uso no consta, pasando por un designio estrictamente urbanístico sin más, finalidades todas ellas lícitas y plausibles pero que exceden de las específicas que el artículo 280.1 del Texto Refundido de 1992 impone. Acertó el Tribunal de instancia, pues, al anular el acto recurrido por esta causa».

En definitiva, los objetivos principales que tiene la constitución de este tipo de suelo son regular el mercado de suelo, facilitar el desarrollo urbano y territorial, y que las Administraciones dispongan de suelo para actuaciones de iniciativa pública, más concretamente para la construcción de viviendas de protección oficial u otros usos de interés social.

E. Planteamientos doctrinales

Ciertos autores han tendido a suavizar los rigores de la jurisprudencia. Así, S. MARTÍN VALDIVIA[1], criticando los criterios de la jurisprudencia, afirma: «además, el TS no termina de ajustar sus explicaciones acerca de qué hacer cuando (...) no exista necesidad de encauzar el crecimiento de la población ni, en general, sean perentorias las actuaciones tendentes a alcanzar los fines genéricos del patrimonio y, por ende, tampoco se haga necesaria la constante

---

1. *Urbanismo y especulación. Los patrimonios públicos del suelo,* Editorial Montecorvo, Madrid, 1998, p. 216.

adquisición de suelo que cumpla con ese ciclo retroalimentario forzoso que tanto hemos criticado».

Y por lo que se refiere a la interpretación del «uso» social que han de merecer los terrenos adscritos al PMS deben ser a juicio de este autor los que determina el anexo de Reglamento estatal de planeamiento en su artículo 2 (dotaciones): espacios libres de dominio y uso público, centros culturales y docentes, servicios de interés público y social, aparcamientos y red de itinerarios peatonales. Por exclusión, por tanto, ni zonas verdes, ni centros docentes, ni red viaria (rodoviaria o peatonal).

Para A. MENÉNDEZ REXACH, «Referencias sobre el significado actual de los patrimonios públicos», *Ciudad y Territorio,* nº 95-96, 1993, pp. 207 y ss., es admisible «cualquier operación encaminada a la satisfacción de necesidades colectivas»[2].

Parece nuevamente plantearse la vieja tensión entre el idealismo y el realismo a la hora de tomar decisiones: el ideal es en efecto que los PMS no sean el instrumento de financiación de las actividades locales y a ese fin debe tenderse. Ahora bien, más adecuado puede ser el planteamiento realista, es decir admitir expresamente ciertos fines urbanísticos, pero sólo éstos, como fines sociales capaces de ser asumidos por esta vía.

En todo caso, a mi juicio, si el problema radica en las restricciones que especialmente se manifiestan en el plano de la disposición de los **ingresos** obtenidos por la enajenación del patrimonio municipal del suelo, una posible solución práctica puede ser la de adquirir, con el ingreso obtenido, **terrenos** aptos donde materializar los proyectos de interés social que son permiti-

---

2. Así, igualmente, es decir en esta misma línea flexible, T. R. FERNÁNDEZ RODRÍGUEZ, *Manual de Derecho urbanístico,* 1993, p. 155; T. A. QUINTANA LÓPEZ/M. LOBATO GÓMEZ, *La constitución y gestión de los patrimonios municipales del suelo,* Madrid, 1996, pp. 40 y ss. admitiendo un empleo flexible del criterio de «otros usos de interés social» siempre que estén previstos en el planeamiento urbanístico. Véase también F. CASTILLO GÓMEZ, «Constitución, titularidad y gestión de los patrimonios municipales de suelo», *Actualidad Administrativa,* 16, 1996; de a misma autora «Los patrimonios municipales de suelo: destino y finalidad», *Revista El Consultor de los Ayuntamientos,* nº 21, 2000; J. M. DÍAZ LEMA, «Los patrimonios municipales de suelo en el Texto Refundido de 1992», *RDU,* 136, pp. 44 y 45; F. FONSECA FERRANDIS, *Régimen jurídico de los patrimonios municipales del suelo,* 1996; F. IGLESIAS GONZÁLEZ, *Administración pública y vivienda,* Madrid, 2000; F. B. LÓPEZ-JURADO ESCRIBANO, *Los patrimonios municipales de suelo: sus caracteres y operatividad,* Granada, 1992; J. L. LORENTE TALLADA, *El patrimonio municipal del suelo (especial referencia a la Comunidad Valenciana),* Valencia, 1996; J. J. RAPOSO ARCEO, «Instrumentos de intervención en el mercado del suelo: patrimonios públicos del suelo», en: VVAA, *Ordenación urbanística y protección del medio rural de Galicia,* La Coruña 2004, pp. 187 y ss.; RUEDA PÉREZ, *Perspectivas del régimen del suelo, urbanismo y vivienda,* 2003; J. E. SERRANO LÓPEZ, *Política del suelo y Derecho urbanístico español,* Murcia, 1983.

dos, en cambio, por la legislación. Al menos en parte quedaría resuelto el problema por esta vía (posiblemente casos de polideportivos, centros sanitarios, geriátricos, etc.).

3. EL CASO DE LA IMPUGNACIÓN DE LOS PRESUPUESTOS LOCALES

Cuestión que debe resolverse es si, como sostienen a veces los Ayuntamientos demandados, el control de las enajenaciones de bienes del PMS –y, por tanto, la verificación de la obligación de destinar el importe de esas enajenaciones a los bienes legalmente determinados– ha de darse, no en la fase de aprobación del Presupuesto, sino con ocasión y en el marco de los expedientes sobre tales enajenaciones.

Este punto ha sido tratado por el Tribunal Supremo, entre otras, en la STS de 7 de noviembre de 2002 (RJ 2002, 10310). Dicho Tribunal ha venido aceptando con normalidad no sólo la impugnabilidad de los actos concretos de enajenación de bienes del PMS sin guardar el destino establecido en la Ley, sino la impugnabilidad directa de los Presupuestos Municipales por ese mismo incumplimiento.

Pueden ofrecerse textos jurisprudenciales con ejemplos. Según la STSJ de Castilla y León (Valladolid) de 28 de noviembre de 2003 (JUR 2004, 252355):

«En el Presupuesto impugnado se prevé la venta de bienes integrantes del PMS por importe de 29.680.000 de euros y sólo se consignan 5.000.000 de euros para la adquisición de terrenos, por lo que se produce una disminución del PMS de 24.680.000 de euros, ya que no pueden computarse los conceptos que se especifican en el apartado II B, 2), c) de los fundamentos de derecho de la contestación a la demanda porque no se destinan a la conservación y Administración ampliación del PMS, porque el PMS está constituido por terrenos (art. 276.2 del TRLS/1992 y 124 de la Ley 5/1999 de Urbanismo castellano-leonesa) (STS 25 de octubre de 2001) y el art. 276.2 no puede confundirse con el art. 280.1 TRLS, pues una cosa es que los bienes del PMS una vez incorporados al proceso de urbanización y edificación hayan de ser destinados a la construcción de viviendas o a otros usos de interés social de acuerdo con el planeamiento y otra distinta es que, si se enajenan –como es el caso enjuiciado– el producto haya de reinvertirse en el propio PMS y no en otras finalidades, aunque sean finalidades urbanísticas, loables y de interés público, que la Administración puede llevar a cabo a través de otros mecanismos distintos al PMS en ejercicio de sus competencias en materia de urbanismo».

Por tanto, para la Sala el incumplimiento de la obligación de reinversión de los 24.680.000 euros hace ilegal el Presupuesto en este extremo, lo que conduce a la estimación del recurso. Ha de tenerse presente que la ilegalidad del Presupuesto no viene dada por la enajenación de terrenos del PMS, sino por la falta de inversión de una cantidad igual, al menos, para conservación o aumento del PMS.

Y añade:

> «NOVENO También es ilegal el Presupuesto por infracción de lo dispuesto en el art. 146.2 LRHL, que prohíbe destinar los ingresos afectados a satisfacer el conjunto de las obligaciones municipales en relación con el art. 53 de la Ley General Presupuestaria y las reglas 355, 356, 357 y 376 y ss. de la Instrucción para la Contabilidad de la Administración Local, aprobada por OM de 17 de julio de 1990, que permiten un control contable para hacer que efectivamente el PMS y los bienes y fondos que lo integran cumplan su destino legal, lo que en modo alguno choca con el principio del presupuesto único, al que está anudado el principio de unidad de caja, recogido en el art. 177.1.b) de la Ley 39/1988, de 28 de diciembre, reguladora de las Haciendas Locales, como dice el Ayuntamiento demandado, pues una cosa es que los fondos líquidos, provengan de donde provengan, entren en la Tesorería municipal desprovistos de cualquier afectación y otra que los ingresos de los que provienen esos fondos sí estén afectados y que dejen antes del último apunte contable, que es el ingreso del metálico en la Tesorería, la **suficiente huella** contable que pueda servir para el control de su afectación efectiva en las operaciones de fin de ejercicio».

De este modo, esta sentencia del TSJ de Castilla y León no estima la pretensión del Ayuntamiento según la cual el «PMS no debe disponer de una contabilidad separada dentro del presupuesto general del ayuntamiento, porque dicha afirmación choca con el principio de presupuesto único, al que está anudado el principio de unidad de caja, recogido en el art. 177.1.b) de la Ley 39/1988, de 28 de diciembre, reguladora de las haciendas locales (...)».

Otro caso interesante, en esta misma línea, puede ser el enjuiciado por la STSJ de Madrid de 20 de julio de 2004 (JUR 2004, 299333): «Pues bien, en el presente caso se consignaron en el Presupuesto en el apartado de Ingresos, unos procedentes del producto de las parcelas referidas que deben integrar el Patrimonio Municipal del Suelo, sin que esa misma cantidad resultante se consigne como gasto para la conservación y ampliación del Patrimonio Municipal del Suelo produciéndose así una infracción del art. 276.2 de la Ley del Suelo de 1992. Se precisa en la Ley el destino que se debe dar a los bienes del Patrimonio Municipal del Suelo como suelo, y el producto de su enajenación (arts. 276.2 y 280.1)...» (igualmente, STSJ de Madrid de 11 de noviembre de 2004 [JUR 2005, 18597] y STSJ de Asturias de 30 de septiembre de 2005 [RJCA 2005, 1080]).

Expresiva es la STSJ de Castilla y León (Valladolid) de 28 de noviembre de 2003 (JUR 2004, 252355), ya que refleja el sentir posible de Ayuntamientos e interesados:

> «**Respecto al argumento de que otros Ayuntamientos de esta Comunidad hacen lo mismo** que el demandado cabe decir que el principio de igualdad ante la Ley no da cobertura a un "imposible derecho a la igualdad en la ilegalidad" (SSTC 43/1982 [RTC 1982, 43] y 40/1989 [RTC 1989, 40], entre otras), ni puede pretender que se declare conforme a Derecho su actuación por el hecho de que no hayan sido impugnados los Presupuestos de otros Ayuntamientos –que no es así lo evidencian las sentencias citadas del TS y la sentencia de esta Sala de 27 de febrero de 2003 (RJCA 2003, 744) que anuló los de Salamanca de 1998– pues cada uno responde de su propia actuación, con independencia de lo que ocurra con otros, siendo lo único relevante si la actuación impugnada es o no conforme a derecho».

El rigor de los Tribunales llega a ser extremo cuando incluso las costas se imponen al Ayuntamiento. Veámoslo a la luz de la didáctica sentencia del TSJ de Castilla y León (Valladolid) de 28 de noviembre de 2003 (JUR 2004, 252355):

> «UNDÉCIMO.–**Se imponen las costas al Ayuntamiento demandado,** al amparo del art. 139 de la Ley Jurisdiccional, porque, como se ha dicho, la obligación de reinversión del producto de la enajenación de los bienes del PMS en su conservación y ampliación, cuyo incumplimiento hace ilegal el presupuesto impugnado, estaba establecida en un precepto legal, estatal, específico y la doctrina constante y uniforme jurisprudencial que lo había interpretado resultaba de plena aplicación. Además por analogía con lo que se establece en el párrafo segundo del apartado 1 del art. 139. no está justificado, desde la perspectiva del derecho a la tutela judicial efectiva, que soporte los gastos de un proceso quien con escasos medios y en interés de todos los ciudadanos litiga y, con anterioridad, ha intentado evitar el proceso al formular alegaciones en el trámite de aprobación del Presupuesto con indicación del precepto legal y la doctrina jurisprudencial que justificaba su postura recibiendo de la Administración una respuesta meramente formal que no se correspondía con el problema y la normativa y jurisprudencia que se invocaba por la recurrente» (en el mismo sentido, la STS de 31 de octubre de 2001 [RJ 2001, 8391]).

Por contrapartida, pero en coherencia con lo expuesto, la STSJ de La Rioja de 21 de marzo de 2003 (JUR 2003, 188020) desestima el recurso porque «consta en autos certificación de 10-5-2002, del Ayuntamiento de Logroño (Intervención Municipal) según la cual el importe de la enajenación litigiosa tiene el carácter de "ingreso específico afectado a un fin determinado", según el artículo 146.2 de la Ley 39/1988, de 28 de diciembre, reguladora de las Haciendas Locales; destinándose el ingreso exclusivamente a la financiación de gastos de inversión incluidos en el subprograma presupuestario municipal "611.30 Patrimonio Municipal del Suelo"».

Toda esta interpretación jurisprudencial sería coherente, por otra parte, con el artículo 162 de la Ley de las Haciendas Locales.

4. RECAPITULACIÓN

Interesaría retener una serie de reglas de importante consideración:

Una cosa es que los bienes del PMS una vez incorporados al proceso de urbanización y edificación hayan de ser destinados a la construcción de viviendas protegidas o a otros usos de interés social de acuerdo con el planeamiento y otra distinta es que, si se enajenan, el producto haya de reinvertirse en el propio PMS, y no en otras finalidades (STSJ de Castilla y León [Burgos] de 30 de septiembre de 2005 [número de recurso 652/2002] [JUR 2005, 228491])[3].

El incumplimiento de esta obligación de reinversión hace ilegal al Presupuesto (STSJ de Castilla y León [Burgos] de 30 de septiembre de 2005 [número de recurso 652/2002] [JUR 2005, 228491])[4].

---

3. Conviene reproducir el texto de referencia de esta sentencia: «este precepto (artículo 276.2 del TRLS/1992) no puede confundirse ni mezclarse con el 280.1: una cosa es que los bienes del PMS una vez incorporados al proceso de urbanización y edificación hayan de ser destinados a la construcción de viviendas protegidas o a otros usos de interés social de acuerdo con el planeamiento y otra distinta es que, si se enajenan, el producto haya de reinvertirse en el propio PMS, y no en otras finalidades». De ahí que la Sala concluya: «por ello no pueden alegarse (según hace la Corporación demandada) como ejemplo de reinversión del producto de las enajenaciones la construcción de polideportivos o el soterramiento de trenes o la construcción de pasos inferiores o de muros de trenes o los gastos de inundaciones o las compras de viviendas; todas ellas son finalidades urbanísticas, loables y de indudable interés público, pero que no contribuyen a aumentar ni a conservar el PMS, tal como exige el artículo 276.2 del TRLS/1992».

4. Conviene igualmente reproducir el texto de esta misma STSJ de Castilla y León (Sala de Burgos): «El incumplimiento de esta obligación de reinversión de los 1.747 millones de pesetas (en rigor, 1.147 millones, pues 600 sí se destinan a esa finalidad), hace ilegal al Presupuesto en ese extremo. Pero si relevantes son las mencionadas sentencias no menos relevante es el criterio expuesto por esta Sala en la sentencia de fecha 11 de noviembre de 2003, dictada en el recurso 440/2001 en un caso similar al de autos donde se enjuicia un supuesto de permuta de bienes integrados en el PMS. En esta sentencia y en torno a la naturaleza y finalidad del PMS se establece lo siguiente:
"(...) el Patrimonio Municipal del suelo se configura legalmente como un patrimonio separado dentro del patrimonio de las entidades locales, constituido esencialmente por terrenos, cualquiera que sea su calificación urbanística adscritos a la finalidad genérica de regular el mercado de terrenos, obtener dotaciones de suelo para actuaciones de iniciativa pública y facilitar la ejecución de planeamiento, no olvidemos que se encuentra regulado con carácter

básico por los preceptos 276.1 y 2 y 280 del texto refundido de 26 de junio de 1992, que no fueron afectados por la sentencia del Tribunal Constitucional 61/1997.

En definitiva los objetivos principales que tiene la constitución de este tipo de suelo son regular el mercado de suelo, facilitar el desarrollo urbano y territorial, y que las administraciones dispongan de suelo para actuaciones de iniciativa pública, más concretamente para la construcción de viviendas de protección oficial u otros usos de interés social.

En consonancia con estas finalidades marcadas por la legislación básica estatal, la Comunidad Autónoma de Castilla y León regula estos patrimonios en los artículos 123 a 131 de la Ley 5/1999 de 8 de abril de 1999, de Urbanismo de Castilla y León.

El patrimonio Municipal de Suelo, en cuanto patrimonio separado, nace afecto a unos fines determinados, naturaleza finalística que no sólo implica a qué se deben dedicar los bienes que inicialmente integran este patrimonio, sino que condiciona el que los ingresos obtenidos mediante la enajenación de los terrenos incorporados a este patrimonio separado, o la sustitución de los aprovechamientos correspondientes, se han de destinar a la conservación o ampliación del mismo, no alterándose la existencia de dicho patrimonio por los cambios de bienes o derechos que singularmente lo componen, siendo además un patrimonio que no puede confundirse con el general de las corporaciones locales, a pesar de las relaciones que puedan existir entre ambos.

Otra característica de dicho patrimonio, que deriva de la doble calificación de los bienes que integran el patrimonio municipal del suelo, como patrimonio separado y como bienes patrimoniales es que tales bienes son enajenables, como corresponde a su finalidad de intervenir en el mercado del suelo, sin que sea precisa la previa desafectación de los mismos a un servicio o uso público, ya que la enajenación se hace precisamente por razón de su propio fin y no para apartarse del mismo.

Por su parte la LUCyL también establece la enajenabilidad de este tipo de patrimonio al que venimos refiriéndonos, señalando concretamente el artículo 125, en la redacción vigente al momento de producirse el acto administrativo, también vigente al dictarse la presente resolución, "Los bienes de los patrimonios públicos de suelo, los fondos adscritos a los mismos, así como los ingresos obtenidos por su enajenación deberán destinarse necesariamente a alguno de los siguientes fines de interés social previstos en el planeamiento urbanístico", y el 127 al regular la transmisión indica: "1. La transmisión de los bienes de los patrimonios públicos de suelo podrá realizarse mediante cesión gratuita o enajenación por precio inferior al valor de su aprovechamiento:

a) A favor de Administraciones públicas, entidades de Derecho público dependientes de ellas, mancomunidades o consorcios, siempre que se comprometan a destinarlos a alguno de los fines señalados en el artículo anterior.

b) A favor de entidades privadas de interés público sin ánimo de lucro, siempre que se comprometan a destinarlos a la construcción de viviendas con protección pública o a otros usos de interés social que redunden en manifiesto beneficio del Municipio.

2. Asimismo, los bienes de los patrimonios públicos de suelo podrán transmitirse mediante enajenación o permuta por precio no inferior al valor de su aprovechamiento, de forma directa:

a) A favor de propietarios a los que corresponda un aprovechamiento superior al permitido por el planeamiento en la unidad de actuación en la que estén incluidos sus terrenos.

b) A favor de propietarios a los que corresponda un aprovechamiento inferior al permitido por el planeamiento en la unidad de actuación en la que estén incluidos sus terrenos, únicamente cuando se trate de transmitirles dicho exceso de aprovechamiento.

3. En otro caso, los bienes de los patrimonios públicos de suelo sólo podrán transmitirse mediante enajenación o permuta por precio no inferior al valor de su aprovechamiento, previo concurso público, cuyo pliego de condiciones señalará, según los casos, plazos de urbanización y edificación, precios máximos de venta o arrendamiento de las edificaciones, y demás condiciones que procedan; si el concurso quedara desierto, los terrenos podrán enajenarse directamente antes de un año conforme al mismo pliego".

En suma, para saber si el acto administrativo objeto de recurso es conforme a derecho, en tanto en cuanto se ven implicados en el mismo terrenos que integran el patrimonio municipal del suelo, hemos de centrarnos primero, en si es posible la enajenación de este tipo de suelo, segundo, si es correcto el sistema utilizado para ello, y tercero, si se cumplen las previsiones contempladas en la legislación urbanística, lo que en última instancia consistirá en analizar si lo adquirido por la corporación municipal satisface dichas previsiones normativas (STSJ de Castilla y León de 11 de noviembre de 2003, recurso 440/2001 [JUR 2003, 272839]).

5. DISPOSICIÓN O TRANSMISIÓN DE LOS PATRIMONIOS MUNICIPALES DE SUELO

Una característica de dicho patrimonio municipal del suelo, que deriva

_____

Determinada pues, la posibilidad de enajenación de este patrimonio, resta por analizar si se cumple con el destino previsto normativamente.

A este respecto el 280.1 del Texto refundido de 1992, vigente y con carácter básico, señala que los bienes del patrimonio municipal del suelo, una vez incorporados al proceso de urbanización y edificación, deberán ser destinados a la construcción de viviendas sujetas a algún régimen de protección pública o a otros usos de interés social, de acuerdo con el planeamiento urbanístico.

El carácter básico de este precepto obliga a que las Comunidades Autónomas sólo puedan delimitar o precisar su alcance. Dicho precepto señala dos tipos posibles de destino, uno la construcción de viviendas sujetas a algún régimen de protección pública, y dos, la posibilidad de permitir otros destinos de interés social, concepto jurídico indeterminado, que da lugar a una intervención activa de la administración autonómica que es la llamada a concretar, dentro de los márgenes previstos para el control de los conceptos jurídicos indeterminados, a señalar que puede recogerse bajo este concepto. La LUCyL concreta en su artículo 125.1 cuáles son esos fines de interés social:

a) Conservación, gestión o ampliación de los propios patrimonios públicos de suelo.

b) Construcción de viviendas acogidas a algún régimen de protección pública.

c) Ejecución de dotaciones urbanísticas públicas, incluidos los sistemas generales.

d) Compensación a propietarios a los que corresponda un aprovechamiento superior al permitido por el planeamiento en la unidad de actuación en la que estén incluidos sus terrenos, así como a propietarios cuyos terrenos hayan sido objeto de ocupación directa.

e) Otros fines de interés social previstos en el planeamiento urbanístico o vinculados a su ejecución, de la forma que se determine reglamentariamente.

Así las cosas, el siguiente paso en el análisis que estamos realizando pasa por examinar si con lo que se adquiere por la Ayuntamiento demandado se cumplen o no estos fines de interés social.

Interesante a estos efectos es señalar que el acto administrativo estudiado no ha de imponer específicamente que lo que se recibe pasa a integrar el patrimonio municipal del suelo para la construcción de viviendas de protección oficial u otros usos de interés social, sino que ha de expresar su finalidad inmediata, que es la incorporación de los terrenos reservados al patrimonio municipal del suelo, y no la mediata, el futuro destino a viviendas de protección u otros usos sociales, pues esta última finalidad ya está dispuesta en la Ley. Si más tarde tales los bienes no se destinan a esa finalidad, eso constituirá un problema distinto, a discutirse en otro pleito. Por tanto, el acto de transmisión, que no tiene por qué expresar lo que ya de la doble calificación de los bienes que integran el patrimonio municipal del suelo, como patrimonio separado y como bienes patrimoniales, es que tales bienes **son enajenables,** como corresponde a su finalidad de intervenir en el mercado del suelo, sin que sea precisa la previa desafectación de los mismos a un servicio o uso público, ya que la enajenación se hace precisamente por razón de su propio fin y no para apartarse del mismo.

En cuanto a la enajenación del patrimonio municipal del suelo ésta ha de seguir en principio las reglas generales de enajenación de los bienes locales (RBCL) y las normas reguladoras de la contratación de las Corporaciones Locales con las especialidades que pueda establecer la legislación urbanística autonómica. Tradicionalmente, la legislación estatal preveían el régimen de subasta (artículos 92 y 164 a 170, en especial 168 del TRLS/1976[5]) o concurso (artículo 284.1[6] del TRLS/1992[7]), respectivamente (SSTS de 30 de octubre de 1990 [RJ 1990, 8400] y de 21 de diciembre de 1993 [RJ 1993, 9839]), sin perjuicio de la posibilidad de la enajenación directa (que en ambos Textos Refundidos se preveía) para el caso en que quedara desierto el concurso o la subasta.

La regla general para la enajenación de bienes patrimoniales de las Enti-

---

está dicho en la Ley, sólo habrá lugar a anularlo cuando específica y confesadamente se exprese en el acto que la finalidad mediata perseguida no se corresponde con la querida por la Ley, o es incompatible con ella (...)».

5. Artículo 168: 1. La enajenación de terrenos pertenecientes a las Entidades Locales requerirá subasta pública, cuyo tipo de licitación será el valor urbanístico o, si excediere de éste, el que resulte de sumar al importe de adquisición la parte proporcional de las obras y servicios establecidos, gastos complementarios de gestión o preparación, alojamiento para familias o Empresas radicadas e indemnizaciones satisfechas.
    2. Si la subasta quedare desierta, la Corporación podrá enajenar directamente dentro del plazo máximo de un año, con arreglo al precio tipo de licitación y estableciendo la obligación de comenzar la edificación en el plazo de seis meses y terminarla en otro adecuado a la importancia de la misma.

6. Según el artículo 284.1 del TRLS/1992 «1. Los terrenos pertenecientes al Patrimonio Municipal del Suelo con calificación adecuada a los fines establecidos en el artículo 280.1 sólo podrán ser enajenados en virtud de concurso. Su precio no podrá ser inferior al valor urbanístico del aprovechamiento real que les corresponda. El pliego de condiciones fijará plazos máximos para la realización de las obras de urbanización y edificación, o sólo de estas últimas si el terreno mereciera la calificación de solar, así como precios máximos de venta o arrendamiento de las edificaciones resultantes de la actuación».

7. No obstante, según el artículo 280.2 del TRLS/1992: «Mientras no esté aprobada la ordenación detallada de los terrenos integrantes del Patrimonio, así como cuando ésta atribuya una calificación urbanística incompatible con los fines señalados en el número anterior, la enajenación de aquéllas podrá llevarse a cabo mediante concurso o subasta. En ambos casos, el precio a satisfacer por el adjudicatario no podrá ser inferior al valor urbanístico del aprovechamiento real que tuviera ya atribuido el correspondiente terreno».

dades locales es el procedimiento de subasta según la legislación local. Así lo declara el artículo 80 del Texto Refundido de las Disposiciones vigentes en materia de Régimen Local de 18 de abril de 1986, ratificado en el artículo 112.2 del Reglamento de Bienes de las Entidades Locales de 13 de junio de 1986.

La cesión o transmisión onerosa, siguiendo las reglas del concurso o de la subasta, que acabamos de estudiar, permite ser excepcionada, en determinados casos.

La excepción podrá referirse a la necesidad de seguir dichas reglas procedimentales. En este caso hablamos de cesión directa.

O podrá referirse al carácter oneroso de la transmisión cuando admitamos la posibilidad de una cesión gratis de los terrenos municipales. En estos casos hablamos de cesión gratuita.

Cuando se sume el carácter directo al carácter gratuito de la operación hablaremos de cesión gratuita directa.

En el TRLS, la enajenación directa, es decir sin concurso o subasta está prevista en el TRLS/1976 en sus artículos 169.1 y 170[8]. Por su parte, la **cesión gratuita o por precio inferior al de coste se prevé** en el **TRLS/1976** en sus artículos 166.1[9] y 167[10].

_____

8. Artículo 169.1: «1. No obstante, la enajenación de terrenos del Patrimonio municipal del suelo podrá efectuarse directamente para los siguientes <u>fines</u>: a) Edificios públicos destinados a Organismos oficiales; b) Edificios de servicio público, de propiedad pública o particular, que requieran un emplazamiento determinado sin propósito especulativo, como centros parroquiales, culturales, sanitarios o instalaciones deportivas; y c) Construcción de viviendas por Organismos oficiales.
Artículo 170: 1. Con los mismos requisitos señalados en el artículo anterior y los demás que se previenen en el presente, también podrán enajenarse directamente terrenos para edificar viviendas a los peticionarios siguientes: a) Entidades de carácter benéfico y social que sean promotoras de viviendas de protección oficial; y b) Personas económicamente débiles, para su acceso a la pequeña propiedad, en operaciones de conjunto aprobadas por el Ministro de la Vivienda, a iniciativa propia de las Corporaciones Locales o del Instituto Nacional de la Vivienda. 2. En el supuesto del apartado b) que antecede, los Planes y pliegos de condiciones, con fijación del precio, se expondrán al público en la Casa Consistorial durante dos meses. 3. Dentro de ese plazo, las personas a quienes interesare adquirir parcelas dirigirán sus solicitudes al Ayuntamiento, con los documentos justificativos de su situación familiar y económica».

9. Artículo 166.1: «toda cesión de terrenos a título gratuito o por precio inferior al de coste precisará que sean destinados para atender necesidades de viviendas de carácter social y se someterá a la autorización del Ministro de la Gobernación, previo informe del Ministro de la Vivienda en las condiciones y con la formalidades establecidas reglamentariamente. 2. Las cesiones a título oneroso de terrenos del Patrimonio municipal del suelo estarán exceptuadas de la autorización ministerial».

10. Dice este artículo 167: «cuando la permanencia de los usos a que se destinen los terrenos

En este marco de la legislación del TRLS/1976, el **Real Decreto-Ley 3/ 1980,** sobre creación de suelo y agilización de la gestión urbanística, en su artículo 2, contempla igualmente la posibilidad de la **transmisión gratuita**[11].

La doctrina entiende que, en estos casos, en que el TRLS/1976 y el citado Decreto-Ley prevén la transmisión *gratuita* estamos ante casos al mismo tiempo de transmisión *directa*[12].

Del TRLS/1992 han sido derogadas las regulaciones sobre el particular de las cesiones directas o gratuitas. Pero interesa conocerlas. En su artículo 284.2 y 3 prevé la enajenación **directa:** «2. Si el concurso quedare desierto, el Ayuntamiento podrá enajenar directamente dentro del plazo máximo de un año, con arreglo al pliego de condiciones. 3. La cesión a entidades de carácter benéfico y social, que promuevan viviendas de protección pública, no requerirá concurso». Por su parte, la cesión **gratuita** se regula en el artículo 285 del TRLS/ 1992: «Las **Administraciones** públicas urbanísticas y entidades instrumentales de éstas podrán transmitirse directamente y a título gratuito terrenos con fines de promoción pública de **viviendas,** construcción de equipamiento comunitario u otras instalaciones de uso público o **interés social**». Asimismo, interesa el artículo 286 del TRLS/1992 («cesiones a título **gratuito**»): 1. En casos justificados podrán los Ayuntamientos ceder terrenos gratuitamente o por precio inferior al de su valor urbanístico para ser destinados a viviendas de protección pública, mediante **concurso** cuyo pliego de condiciones establecerá las condiciones previstas en el artículo 284. 2. Cuando la permanencia de los usos a que se destinen los terrenos lo requiera podrán también los Ayuntamientos ceder **directamente,** por precio inferior al de su valor urbanístico o con carácter gratuito, el dominio de terrenos en favor de **Entidades o Instituciones Privadas de interés público sin ánimo de lucro para destinarlos a usos de interés social** que redunden en beneficio manifiesto de los respectivos municipios.

En la legislación local la **cesión gratuita** de un solar de propiedad muni-

---

lo requiera, las Entidades Locales, previo informe del Ministerio de la Vivienda y autorización del de la Gobernación, podrán ceder directamente, por precio inferior al de coste o con carácter gratuito, el dominio de terrenos en favor de Entidades o Instituciones públicas para destinarlos a fines que redunden en beneficio manifiesto de los respectivos municipios».

11. Dice este Real Decreto-Ley: «1. Los Organismos a que se refiere el artículo anterior podrán transmitir, a título gratuito, a la Administración del Estado, los terrenos de su propiedad con destino a la instalación de servicios públicos. 2. Las Administraciones Públicas Urbanísticas podrán transmitirse entre sí, a título gratuito, terrenos de su propiedad para la construcción de viviendas de protección oficial, creación de suelo para su oferta pública con dicha finalidad o instalación de equipamientos comunitarios. 3. La resolución del correspondiente expediente se someterá a la aprobación del Consejo de Ministros cuando la Administración del Estado o sus Organismos autónomos actúen como cedentes o cesionarios».

12. B. DÍAZ GAZTELU, *Instrumentos de intervención en el mercado del suelo. El patrimonio municipal del suelo,* Madrid, 2006, p. 97; J. L. MERELO ABELA, *Régimen jurídico y gestión del suelo urbano y urbanizable,* Barcelona, 2000, p. 736; J. E. SERRANO LÓPEZ, *Política del suelo y derecho urbanístico español,* Murcia, 1983.

cipal la regulación está contenida en los artículos 80.2 de la Ley 7/1985, 79 del Texto Refundido de Régimen local y artículos 109 y 110 del Reglamento de Bienes aprobado por RD 1372/1986, de 13 de junio. El artículo 79.2 del Texto refundido de las disposiciones legales vigentes en materia de Régimen Local dispone que «los bienes inmuebles patrimoniales no podrán cederse gratuitamente salvo a Entidades o Instituciones públicas y para fines que redunden en beneficio de los habitantes del término municipal, así como a las instituciones privadas de interés público sin ánimo de lucro». Y este principio es corroborado por el artículo 109.2 del citado Reglamento de Bienes.

La jurisprudencia del Tribunal Supremo considera que las sociedades públicas son entidades con ánimo de lucro. Según la STS de 26 de febrero de 2002 (RJ 2002, 2625):

> «Dentro de las entidades públicas a las que cabe realizar la cesión para fines que redunden en beneficio de los habitantes del término municipal no pueden figurar las empresas privadas de capital municipal ordenadas a la gestión directa de los servicios municipales de promoción de la vivienda. La posibilidad de gestión directa de los servicios está reconocida en los preceptos del ordenamiento básico estatal de régimen local que han sido ya recogidos. Sin embargo, una empresa no adquiere carácter público por el hecho de constituir instrumento de gestión de un servicio público, aun cuando esté vinculada desde el punto de vista económico a un ente público garantizada por la titularidad de su capital. El carácter público de una entidad sólo deriva de su sometimiento a un régimen de Derecho público, y no puede residir en que su actuación tenga por objeto un servicio público o vaya encaminada a lograr fines que redunden en beneficio de los habitantes del municipio».

«Sin embargo, la **sentencia de esta Sala de 29 de septiembre de 1992**, recurso número 1449/1990, declara que la limitación general de la cesión de terrenos a una sociedad mercantil que pudiera derivarse de los arts. 79.2 del Texto Refundido en materia de Régimen Local de 18 de abril de 1986 y 109.2 del Reglamento de Bienes de 13 junio de 1986, debe armonizarse con el supuesto excepcional del artículo 166 del Texto Refundido de la Ley del Suelo, que permite, como medida excepcional de fomento a la edificación, la cesión de terrenos a título gratuito para atender necesidades de carácter social, sin limitación alguna en orden a la naturaleza o finalidad de los beneficiarios y que por su carácter especial debe primar sobre la norma general, cuando concurra su concreto supuesto de hecho».

(...) Desde el punto de vista de los requisitos formales de la cesión, se ha puesto en duda la **procedencia de ceder gratuitamente un solar a una empresa privada que, aun siendo de capital municipal y hallándose encargada de la gestión de competencias municipales de promoción de la vivienda, actúa con ánimo de lucro.**

«Como se ha visto, la empresa beneficiaria de la cesión del solar no puede conside-rarse comprendida en el artículo 79 del Texto refundido de las disposiciones legales vigentes en materia de Régimen Local, por no tratarse de una entidad pública o de una institución sin ánimo de lucro. Sin embargo, esta circunstancia no es suficiente para postular la nulidad de la cesión, de acuerdo con la doctrina antes recogida de la sentencia de esta Sala de 29 de septiembre de 1992, recurso número 1449/1990».

Así pues, la STS de 29 de septiembre de 1992 (RJ 1992, 6988) (F. quinto) admite la cesión gratuita de terrenos para atender necesidades de carácter social, en orden a la naturaleza de los beneficiarios.

Por otra parte, la STS de 26 de febrero de 2002 (RJ 2002, 2625) deja claro que no supone vulneración del Derecho de la competencia la interven-ción pública en el mercado de la vivienda (puede verse también la STSJ de Castilla y León [Burgos] de 17 de diciembre de 2004 [JUR 2005, 14191]).

A la luz de todas estas regulaciones y doctrinas comentadas ha de verse el supuesto de la cesión gratuita de los patrimonios municipales a favor de una sociedad municipal de capital íntegramente público siempre que ésta se encargue de promover la construcción de viviendas de carácter social (STS de 29 de septiembre de 1992 [RJ 1992, 6988] y artículos 166 y 167 del TRLS 1976, pese al 109.2 del RBCL).

Las fundaciones de titularidad pública son entes de carácter benéfico-social sin ánimo de lucro (artículo 2.1 de la Ley 50/2002, de 26 de diciembre de Fundaciones). Asimismo, mutualidades, cooperativas, patronatos pueden beneficiarse de este régimen aun cuando no sean públicas, al no tener finali-dad de lucro, o cesiones entre administraciones.

En función de la legislación autonómica podrá haber modulaciones a la hora de admitir la cesión gratuita o de prever la exigencia del concurso según el tipo de entidad o la función encomendada a ésta[13].

---

13. Así, en la Comunidad Valenciana por ejemplo interesa, sobre la transmisión de los bienes integrantes de los patrimonios públicos del suelo, el artículo 264 de la LUV: «*1. Los bienes integrantes de los patrimonios públicos de suelo podrán ser objeto de transmisión en los siguientes términos:* a) Mediante enajenación *por concurso público.* b) *Mediante subasta,* cuando los bienes enajenados no estén sujetos a límite en el precio de explotación o no tengan el precio tasado oficialmente. c) *Directamente,* por precio no inferior al valor de los terrenos, a entida-des de carácter benéfico y social y a promotores públicos, que promuevan la construcción de viviendas de protección pública. d) Mediante cesión *gratuita* a organismos públicos, sociedades, entidades o empresas de capital íntegramente público, o a otras administracio-nes públicas, siempre que el destino de la referida cesión sea la construcción sobre el suelo cedido de viviendas sujetas a algún régimen de protección pública».
Puede verse H. GOSÁLVEZ PEQUEÑO, «La enajenación de los bienes integrantes de los patri-monios de suelo en el Derecho urbanístico de Andalucía», *RDU,* 214, pp. 130 y ss.

Dentro de estas formas de disposición puede citarse también la permuta. Para el Tribunal Supremo (en la sentencia de 16 de julio de 2001 [RJ 2001, 7757]) «la permuta es un sistema excepcional de enajenación de bienes patrimoniales municipales, frente a la norma general de realización de subasta pública (artículo 80 del Texto Refundido de 1986), que demanda el cumplimiento estricto de los requisitos establecidos por el artículo 112.2 del Reglamento de Bienes de las Entidades Locales. Estos requisitos son que, previo expediente, se acredite la necesidad de efectuar la permuta, y que la diferencia de valor entre los bienes que se trate de permutar no sea superior al 40 por 100 del que lo tenga mayor, requisito este último sobre el cual no se plantea cuestión en el presente proceso. La sentencia de la Sala Cuarta de este Tribunal Supremo de 1 de julio de 1988 (RJ 1988, 5844) (cuyo criterio se reitera en la de 18 de octubre de 1990 [RJ 1990, 8145]) declara que la necesidad de la permuta integra un concepto jurídico indeterminado, con un amplio margen de apreciación de la Administración, que se concreta en la valoración de dos extremos diferentes que atañen a la necesidad de la adquisición de determinados bienes y, además, a que para tal adquisición, desde el punto de vista del interés público, resulte indicada la permuta. Por lo que al tratarse de un sistema excepcional de enajenación son aplicables los presupuestos del Reglamento de Bienes de las Entidades Locales aprobado por Real Decreto 1372/1986, de 13 de junio, por el que se aprueba el Reglamento de Bienes de las Entidades Locales que establece en su artículo 113 que antes de iniciarse los trámites conducentes a la enajenación del inmueble se procederá a depurar la situación física y jurídica del mismo, practicándose su deslinde si fuese necesario, e inscribiéndose en el Registro de la Propiedad si no lo estuviese» (STSJ de Castilla y León [Burgos] de 19 de abril de 2002 [JUR 2002, 145175]; igualmente, STSJ de Aragón de 14 de noviembre de 2003 [JUR 2004, 76740]).

Si no se cumple el presupuesto de la diferencia de valor entre los bienes que se trate de permutar se origina la nulidad de lo actuado (STSJ de Andalucía [Málaga] de 21 de marzo de 2002 [JUR 2003, 118966] y STSJ de Andalucía [Málaga] de 31 de julio de 2003 [RJCA 2003, 888]).

Cuestión interesante es la relativa a la posibilidad de una permuta del PMS por obra futura. Podría en efecto plantearse esta posibilidad de un negocio jurídico según el cual el Ayuntamiento aporta un bien de su propiedad a cambio del compromiso de una empresa de construir una edificación sobre el mismo siempre presuponiendo que se respetan las equivalencias del 40% del valor de los bienes. Para valorar la viabilidad de esta hipótesis planteada puede servir la STSJ de Cataluña de 30 de octubre de 2002 (JUR 2003,

120451). Para explicar el supuesto de hecho conviene reproducir un par de párrafos del texto de la propia sentencia:

«– Del Convenio de 26.5.94, dejado sin efecto por el acuerdo aquí recurrido, se desprende que el Ayuntamiento asume el compromiso de tramitar el oportuno expediente para permutar el terreno de su propiedad por cuatro viviendas, dos locales comerciales y una plaza de parquing a construir por la actora.

– Tal permuta decide no llevarse a efecto por las razones apuntadas, por considerar que en este caso no se dan los principios de publicidad y libre concurrencia a los que la Dirección General de la Administración Local de la Generalitat de Catalunya supedita la conformidad.

– Ello presupone, pues, que se ha tramitado el oportuno expediente, pero deja sin resolver la cuestión relativa a la vinculación de la Administración a la aprobación de la permuta».

Para la Sala esta operación no es posible si no se hace con el respeto de los principios de publicidad, concurrencia y vinculación a la mejor oferta:

«Y al respecto cabe precisar que el Decreto 336/88, de 17 de octubre, impone una serie de limitaciones y requisitos en la enajenación de bienes patrimoniales a los entes locales siendo destacable la regla general establecida en el artículo 42 cuando dice que la enajenación de bienes patrimoniales se debe hacer por subasta pública, de acuerdo con la normativa reguladora de la contratación de los entes locales, excepto que se trate de una permuta.

Y si bien es cierto que la permuta **puede recaer sobre cosa futura,** un supuesto del cual puede verse en el denominado de aportación de solar, mediante el cual una parte, dueña de un solar, lo transmite a un promotor o contratista para levantar una edificación a cambio de pisos o locales de la futura construcción, aquí se planteó, a la vista de la comunicación recibida del Departament de Governació, **el respeto de los principios de publicidad y libre concurrencia** en la operación proyectada.

Tales principios, como hemos visto, no necesitan concurrir en la permuta y sí en cualquier otra enajenación de bienes patrimoniales de los entes locales.

Pero lo que aquí se plantea es si tal permuta ha de permitir excepcionar la regla general contenida en el artículo 42 en cuanto:

1. La publicidad y libre concurrencia ha de ser la regla general en la enajenación de bienes patrimoniales propios de la Administración local. Ello trae consigo la necesidad de interpretar en sus justos términos cualquier excepción a la regla general.

2. La excepción que permite el supuesto de permuta requiere acreditar la necesidad o la conveniencia de efectuarla. Y tal necesidad o conveniencia, en el supuesto de cosa futura que pueda ser realizada por un conjunto indeterminado de sujetos, ha de extenderse a la necesidad de que sea un determinado promotor o contratista, para no soslayar por esta vía aquellos principios que han de regir la enajenación de tales bienes.

3. Dicha justificación no ha sido siquiera argumentada por lo que ha de entenderse que no concurre en el supuesto aquí enjuiciado.

En consecuencia, procede la desestimación del presente recurso en cuanto nos hallamos ante un perjuicio derivado de la no aprobación de la permuta que no puede ser tachado de antijurídico en cuanto mantiene su apoyo en la legislación que regula la enajenación de los bienes patrimoniales pertenecientes a la Administración Local y que resulta de obligado cumplimiento.

CUARTO: Se aprecian motivos para hacer una expresa condena en costas de conformidad a la Ley Jurisdiccional, a la vista de lo expuesto en los fundamentos anteriores, apreciándose temeridad en la oposición» (en este sentido, también la STS de 31 de octubre de 2001 [RJ 2001, 8391]).

En la práctica es sabido que el PMS derivado del 10 por ciento de cesión obligatoria a favor del Ayuntamiento es muchas veces vendido al propio urbanizador adjudicatario del programa con la pretendida justificación que se enajenan en su favor unidades de aprovechamiento antes de que el bien patrimonial sea adjudicado a la Administración local tras la reparcelación, a modo de adquirir una financiación pública por esta vía. Cuando al urbanizador se le selecciona por concurso, al menos debe preverse en las bases esta opción.

También representa un problema el hecho de que estos PMS están vinculados, igualmente en su precio de enajenación, a la construcción de vivienda protegida.

En general, la práctica genera a veces situaciones que precisan de un asesoramiento adecuado en estas materias.

Téngase también en cuenta que el nuevo TRLS del Estado de 2008 determina que el suelo lo adquiere la Administración libre de cargas de urbanización.

Cada vez más los concursos arraigan en los distintos actos de disposición del PMS.

En caso de una reclasificación con convenio en el que se pactan las plusvalías a favor del Ayuntamiento, lo más correcto es, al menos, que aquéllas reviertan en un mayor porcentaje (del legal) de PMS.

6. LA GESTIÓN DE LOS PATRIMONIOS MUNICIPALES DE SUELO

A. Ideas principales

Cabe concebir, junto a la gestión directa, otras formas que propicien la colaboración empresarial en la gestión de los patrimonios municipales de suelo, en especial pensando en la construcción de vivienda protegida, siguiendo el *desideratum* legal.

En este sentido, pueden citarse las sociedades mixtas, las cooperativas, los consorcios urbanísticos y el derecho de superficie.

La primera ha de seguir la regla de concurso para la selección del socio privado del Ayuntamiento. Además, la sociedad se ceñirá a la fase de promoción, debiendo contratar con otra empresa la construcción de las obras. Los beneficios de la participación empresarial no serán sólo directos, sino también indirectos. Dentro de estos últimos cabe pensar en la propia influencia en la fase de construcción o en la atracción de proyectos de vivienda libre ligados o no al sector donde se interviene para la creación de vivienda protegida. La cesión de los terrenos habrá de seguir igualmente las reglas que acabamos de ver de cesión onerosa.

Las cooperativas pueden presentarse de forma ligada a la previa constitución de una empresa mixta en la que intervienen Ayuntamiento y uno o varios promotores privados. Permite esta fórmula la adjudicación directa del Ayuntamiento mediante procedimiento negociado a favor de los cooperativistas, aunque se presenta el inconveniente de la indefinición en la determinación del marco de influencia de los empresarios socios del Ayuntamiento de cara a poder estar presentes en la fase de construcción del proyecto.

Los consorcios urbanísticos y el derecho de superficie se abren paso igualmente dentro de este contexto de creciente preocupación por la construcción de vivienda protegida aprovechando la colaboración empresarial.

B. Sociedades mixtas

a) *Justificación de las sociedades*

Las sociedades mixtas son un instrumento apto para dar entrada al sector privado siempre que ello repercuta en la mejor realización de los intereses públicos. La entrada de un particular, en la gestión de un servicio o actividad, puede verse motivada por la necesidad de solventar una situación deficitaria de la empresa municipal (que puede incluso situarse en situación próxima a la quiebra) y por supuesto por la conveniencia de contar con un socio que, preocupado por la obtención de un beneficio económico, consiga una gestión más ágil y eficaz del servicio público. De esta forma, los poderes públicos se benefician del conocimiento del sector privado, cuya participación puede servir para asegurar las actuaciones programadas y para aportar, de forma interesante, una mayor capacidad de financiación (STSJ de la Comunidad Valenciana de 30 de junio de 2004 [JUR 2005, 1741]; STSJ de Madrid de 16 de julio de 2004 [RJCA 2005, 82]; STSJ de la Comunidad

Valenciana de 7 de enero de 2000 [RJCA 2000, 2141]; STSJ de Madrid de 26 de mayo de 2005 [JUR 2005, 173243]; STS de 2 de octubre de 2000 [RJ 2000, 8853]; Informe de la Dirección General de Tributos de 15 de febrero de 1996).

Es dato conocido que la sujeción al Derecho privado consigue simplificar la gestión, ya que las técnicas más rígidas presupuestarias, de personal, de adquisición de bienes, de contratación en general, son más flexibles.

Se plantea, en este contexto, la posibilidad de crear una sociedad mercantil mixta a fin de gestionar los PMS para crear VPO.

La participación en la sociedad puede reportar al socio privado además la obtención de opciones preferenciales en las obras y servicios que demande su socio el Ayuntamiento, en el marco de las opciones que permita el concurso público. Esto se refiere a promotores o constructores que integran la sociedad, o bien a las entidades financieras que igualmente la integran; en este último supuesto en relación con la financiación que requieran las operaciones de la sociedad mixta.

Así pues, la creación de una sociedad de capital parcialmente público para la gestión de patrimonios públicos, a fin de realizar vivienda protegida, otorga al socio privado una serie de beneficios directos pero también indirectos. Estos últimos pueden llegar a ser a la postre más relevantes incluso que los primeros. La «presencia» del socio privado en la sociedad es un modo de adquirir suelo público para la realización de actuaciones garantizadas, ya que el precio de la vivienda resultante está tasado por ley.

Por su parte, no deberíamos pensar en la obtención de un beneficio directo, necesariamente, por parte de los Ayuntamientos. Más bien, éstos podrán rentabilizar sobradamente su presencia en una sociedad mixta considerando los fines sociales que se consiguen de esta forma.

b) Problemas jurídicos principales

Una vez se han visto las ventajas de constituir una sociedad de economía mixta para la gestión de vivienda protegida en los PMS es conveniente entrar en el debate de las cuestiones controvertidas principales que plantea la gestión de los citados patrimonios a través de las sociedades mercantiles.

La primera alude a la propia posibilidad en Derecho de constituir este tipo de sociedades.

La segunda se refiere al grado de exigencia en el cumplimiento de los principios de publicidad y de concurrencia para la selección del contratista.

La tercera consiste en el grado de las exigencias legales en cuanto a las posibilidades de cesión de los bienes a la sociedad de economía mixta.

La cuarta puede ser la relativa al régimen de constitución de la sociedad.

c) *Sistema de fuentes y régimen jurídico. Posibilidad en Derecho de las sociedades mixtas para la gestión del patrimonio público del suelo*

En principio, la posibilidad de crear una sociedad de capital parcialmente público es clara conforme a la legislación aplicable sobre el particular:

– Decreto 1169/1978, de 2 de mayo, sobre constitución de sociedades urbanísticas por el Estado, organismos autónomos y corporaciones locales, dictado en desarrollo del artículo 115 del Texto Refundido de la Ley del Suelo de 1976[14]. Tanto en el Preámbulo como en el artículo 1.1 se prevén las sociedades de economía mixta «sin excluir ninguno de los fines comprendidos en el ámbito urbanístico».

– Ley 7/1985, de 2 de mayo, Reguladora de las Bases de Régimen Local, modificada por Ley 57/2004, de 16 de diciembre (artículo 85, indicando las formas de gestión).

– LCSP 30/2007, de 30 de octubre, indicando las formas de contratación para la gestión de un servicio público.

– Texto Refundido de las Disposiciones vigentes en materia de Régimen Local de 18 de abril de 1986, artículo 103.1, admitiendo las formas societarias como forma de gestión de una actividad o servicio.

– Reglamento de Servicios de las Corporaciones locales aprobado por Decreto de 17 de junio de 1955, artículos 102 y 103, reconociendo las empresas mixtas para la realización de actividades y servicios.

– En este mismo sentido, TRLS/1976, artículo 115 y Reglamento de Gestión Urbanística aprobado por RD 3288/1978.

– Reglamento de Bienes de las Entidades Locales de 13 de junio de 1986.

– Ley Urbanística Valenciana, artículo 118, previendo las sociedades ur-

---

14. Véase Asociación Española de Promotores Públicos de Vivienda y Suelo, *Las sociedades urbanísticas como promotoras públicas de vivienda, suelo y equipamiento,* Boletín informativo nº 79, junio 2004; E. Arana García, *Las sociedades municipales de gestión urbanística,* Madrid, 1997.

banísticas para la iniciativa de presentación de un PAI. Y 263, donde consta la posibilidad de una sociedad mixta para la gestión de patrimonios públicos del suelo.

Sin perjuicio de estas normas, es preciso consultar la legislación autonómica (por ejemplo en la Comunidad Valenciana el tema de la gestión de los patrimonios públicos del suelo y la intervención privada en los patrimonios públicos del suelo se regula en los artículos 263 y 265 de la Ley 16/2005, de 30 de diciembre)[15].

Las sociedades urbanísticas pueden crearse por la Administración «sin excluir ninguno de los fines comprendidos en el ámbito urbanístico» (Preámbulo del Decreto 1169/78), precisando su artículo 3 los siguientes fines:

A)   Estudios urbanísticos, incluyendo en ellos la redacción de planes de ordenación y proyectos de urbanización y la iniciativa para su tramitación y aprobación.

B)   Actividad urbanizadora que puede alcanzar tanto a la promoción de la preparación de suelo y renovación o remodelación urbana como a la de dotación de servicios, para la ejecución de los planes de ordenación.

C)   Gestión y explotación de obras y servicios resultantes de la urbanización, en caso de obtener la concesión correspondiente, conforme a las normas aplicables en cada caso.

Para la realización de dicho objeto social el citado Real Decreto (en el artículo 3.2) prevé que la Sociedad urbanística podrá:

_____

15.   En el artículo 263 («Gestión de los patrimonios públicos del suelo») se nos informa acerca de las entidades que pueden gestionar dicho patrimonio: «1. La gestión de los patrimonios públicos del suelo podrá ejercerse directamente por su Administración titular, por organismos, entidades o empresas de capital íntegramente público o *participadas mayoritariamente por la administración,* entidades públicas empresariales, mancomunidades, consorcios o sociedades urbanísticas». Se hacen menciones, en particular, a las sociedades mercantiles, que conviene tener en cuenta: «Artículo 263.2: "Las Administraciones titulares de patrimonios públicos de suelo podrán constituir sociedades anónimas o empresas de economía mixta para la gestión de los mismos". Artículo 265. La intervención privada en los patrimonios públicos del suelo: 1. Las Administraciones que, en aplicación de esta ley, deban constituir patrimonios públicos del suelo podrán participar en sociedades mercantiles cuyo capital social sólo parcialmente corresponda a la administración titular, para la gestión del mismo de acuerdo con sus fines. 2. Las sociedades deberán constituirse para actuaciones concretas, de las establecidas por el planeamiento, en régimen de concurrencia pública u ofreciéndolas restringidamente a los propietarios de los inmuebles afectados, pero en condiciones de igualdad».
Así pues, se admiten expresamente las sociedades como gestoras del referido patrimonio. Otro plano distinto es el régimen jurídico aplicable para la selección del agente privado que pueda formar parte de las mismas y el aplicable a la transmisión de los bienes.

A)   Adquirir, transmitir, constituir, modificar y extinguir toda clase de derechos sobre bienes muebles o inmuebles que autorice el derecho común, en orden a la mejor consecución de la urbanización, edificación y aprovechamiento del área de actuación.

B)   Realizar convenios con los Organismos competentes, que deban coadyuvar, por razón de su competencia, al mejor éxito de la gestión.

C)   Enajenar, incluso anticipadamente, las parcelas, que darán lugar a los solares resultantes de la ordenación, en los términos más convenientes para asegurar su edificación en los plazos previstos.

D)   Ejercitar la gestión de los servicios implantados, hasta que sean formalmente asumidos por la Corporación Local u Organismo competente.

Determinante resulta conocer el límite previsto en el artículo 3.5 del citado Real Decreto «la ejecución de obras se adjudicará por la sociedad en régimen de libre concurrencia, sin que, en ningún caso, pueda dicha sociedad ejecutarlas directamente». De este modo, se indica que la sociedad mixta no puede ejecutar las obras directamente, debiendo sacarlas a concurso.

Contando con estos límites legales, la posibilidad de las sociedades urbanísticas, y de las funciones mencionadas, ha sido reconocida por las SSTS de 29 de septiembre de 1992 (RJ 1992, 6988), de 17 de junio de 1998 (RJ 1998, 4770), 2 de octubre de 2000 (RJ 2000, 8853) y 26 de febrero de 2002 (RJ 2002, 2625), admitiendo estas sociedades mixtas para la construcción de vivienda protegida e incluso de vivienda libre.

d)   Procedimiento de selección del contratista. Las reglas de publicidad y de concurrencia

Una cuestión que debe, entonces, aclararse es si la selección del contratista está sujeta a los principios de publicidad, concurrencia y vinculación a la mejor oferta.

En el marco del contrato administrativo de obras no está prevista la sociedad de economía mixta, a diferencia del ámbito del contrato administrativo de gestión de servicios públicos que puede servirnos de referencia. La legislación contractual pública parte de la sujeción en general al régimen al régimen del contrato de obras o al de realización de obras por la propia Administración. Sin embargo, se abren paso fórmulas financieras de realización de obras públicas que excepcionan cada vez más en todo o en parte el sistema contractual público de selección del contratista y adjudicación.

La concepción amplia del servicio público en nuestro Derecho (a lo que se suma la figura del contrato público de servicios) permite que el contrato de gestión de servicios públicos pueda ser, en cuanto al seguimiento de las reglas de publicidad y de concurrencia, para la constitución de sociedades de economía mixta, un ámbito de referencia.

Son significativos los cambios que ha venido experimentando la regulación de esta cuestión en torno al contrato de gestión de los servicios públicos. *La LCAP/1995 abrió la posibilidad de interpretar (siguiendo su artículo 155.2) la inaplicación del sistema mentado de garantías concursales* en caso de que la Administración optara por una sociedad de capital mayoritariamente público, junto al caso, pacífico éste, de la inaplicación en supuestos de creación de sociedades de capital íntegramente público.

En la jurisprudencia no faltan ejemplos de decidida aplicación del sistema previsto en el citado artículo 155.2. Así por ejemplo la sentencia del TSJ de Andalucía, Granada, de 25 de febrero de 2002 (RJCA 2002, 525) parte de que la constitución de una sociedad de capital mayoritariamente público (en puridad la *transformación* de una sociedad de capital íntegramente público en sociedad de capital mayoritariamente público) no requiere (y no permite) aplicar la legislación contractual pública en lo referente a la adjudicación mediante concurso, «ya que el artículo 155.2 de la LCAP/1995 es inequívoco a su juicio en este sentido, a diferencia, por cierto, de la nueva Ley de contratos de 2000, dice también la sentencia»[16].

Igualmente, pueden citarse las sentencias (dos) de la Sala de contencioso-administrativo del TSJ de Murcia de 23 de junio de 1999 (nº 557/1999, recurso contencioso-administrativo nº 2246/1997) (RJCA 1999, 1586) y de 31 de julio de 2002 (sentencia nº 760/2002, recurso contencioso-administrativo nº 1413/1999) (RJCA 2002, 769).

En la primera de las dos sentencias mencionadas se impugna un

_____

16. A pesar de que en este supuesto la Administración local había considerado (erróneamente a juicio de la Sala) que procedía el régimen de gestión indirecta (y por tanto el concurso previsto en la legislación contractual pública) la Sala examinó si, no obstante, la aplicación del régimen jurídico propio de las sociedades de capital íntegramente público (en definitiva, el Derecho privado con interferencia de Derecho administrativo en cuanto al procedimiento y adopción de decisiones de la Junta General) permitía mantener la legalidad de los actos impugnados; «en consecuencia, la impugnación de estos últimos se sujetaba al Derecho administrativo y es competencia de la jurisdicción contencioso-administrativa, pues no pueden olvidarse las reglas de colegialidad del órgano y las reglas de funcionamiento que le son intrínsecas, que hace que sus actos constituyan un acto separable de naturaleza administrativa».

Acuerdo (del Ayuntamiento de Lorca) por el que se aprueba el pliego de cláusulas administrativas particulares para la selección mediante concurso público de un socio privado para la constitución de una Sociedad de Economía Mixta destinada a la gestión de los servicios municipales del ciclo integral del agua (abastecimiento de agua potable, alcantarillado y depuración de aguas residuales)[17].

---

17. En esencia, según la Sala, «no puede entenderse aplicable al presente caso el art. 155.2 LCAP en cuanto establece que no serán aplicables las disposiciones del Título II del Libro II (contratos de gestión de servicios públicos) a la gestión del servicio público que se efectúe mediante la creación de entidades de derecho público destinadas a este fin, ni aquellas en que la misma se atribuya a una sociedad de derecho privado en cuyo capital sea exclusiva o mayoritaria la participación de la Administración o de un Ente público de la misma (...). De la conjunción de los arts. 155.2 y 157 LCAP 13/1995 (donde se enumeran los modos de gestión indirecta de los servicios públicos), *se extrae la consecuencia de que la prestación de un servicio público mediante una sociedad de derecho privado en la que la entidad local sea mayoritariamente propietaria de las acciones, es un modo de gestión directa,* de forma que solamente cabría hablar de gestión indirecta cuando el Ayuntamiento participara de forma minoritaria en la sociedad de economía mixta constituida que no es el supuesto de autos».

De esta forma, entendió la Sala que «debe considerarse modificado el art. 85.3 c) y 4 de la Ley 7/1985 cuando, respectivamente, establece como fórmula de gestión directa de los servicios municipales la efectuada mediante una "sociedad mercantil cuyo capital pertenezca íntegramente a la entidad local" y como fórmula de gestión indirecta la efectuada mediante una "sociedad mercantil y cooperativa... cuyo capital social sólo parcialmente pertenezca a la entidad local", así como los arts. 104 y 105 del TRLRL 781/1986)».

La Sala no comparte el criterio de la parte codemandada (...) cuando dice que estos preceptos no están derogados ni afectados por la Ley de Contratos de las Administraciones Públicas al no incluirse como tales en su disposición derogatoria, ni cuando afirma que «deben considerarse aplicables como íntegramente de una legislación local en materia de contratación local más especial que la Ley de Contratos que afecta a todas las Administraciones Públicas». A tenor de esta sentencia, «olvida la parte codemandada que la Ley 13/1995, de 18 de marzo, contiene una regulación general de los contratos administrativos con carácter de legislación básica a tenor del art. 149.1.18 de la Constitución (con las exclusiones que señala la disposición final primera) y por tanto que, si bien es cierto que la disposición derogatoria solamente deroga expresamente el Reglamento de Contratación de las Corporaciones Locales, el resto de la legislación local y en concreto los preceptos que se refieren a la contratación local, contenidos en la Ley de Bases de Régimen Local y en el Texto Refundido de Régimen Local, así como en el Reglamento de Servicios de las Corporaciones Locales, deben considerarse afectados por la Ley de Contratos de las Administraciones Públicas, y en tal sentido solamente aplicables en cuanto no se opongan a la misma (art. 1 LCAE 13/1995)».

Dicho lo anterior cabe concluir afirmando que no existen inconvenientes legales para que el Ayuntamiento de Lorca decidiera prestar el servicio público referido constituyendo una sociedad de economía mixta en la que tuviera una participación mayoritaria *(aunque se equivocara al entender después de entrar en vigor la Ley 13/1995 que con ello gestionaba indirectamente y no directamente un servicio público).* Y ello porque para constituir una «sociedad de economía mixta» no es imprescindible que la Corporación local sea propietaria única del capital social como se desprende de lo expresamente señalado en el art. 155.2 LCAP al incluir como modo de gestión directa excluido de su ámbito de aplicación la realizada por una sociedad de derecho privado en la que el capital pertenezca mayoritariamente a la Administración, supuesto en el que su constitución y estructura debe regirse por las normas

La jurisprudencia que acaba de estudiarse debe considerarse superada primero por el artículo 154.2 del TRLCAP aprobado por RDLeg 2/2000, de 16 de junio y segundo por la LCSP 30/2007, en tanto en cuanto, logrando de nuevo la debida coherencia con la legislación local, se considera sólo como gestión directa la gestión mediante sociedad de capital íntegramente público (igualmente, puede verse el artículo 182 del Reglamento del TRLCAP).

De hecho, tradicionalmente, con el paréntesis de la LCAP de 1995, venía aplicándose la forma de concurso para constituir una sociedad de capital mayoritariamente público (STS de 4 de julio de 2003 [RJ 2003, 4592]). De ahí que se confirme la regla de concurso (STS de 22 de abril de 2005 [RJ 2005, 4716]; STSJ del País Vasco de 27 de febrero de 2003 [JUR 2003, 117160]).

El Derecho europeo va descubriendo la aplicación de los principios generales del Tratado y de contratación pública en el ámbito de las sociedades mixtas, tal como permite afirmar la Communication intérpretative de la Comisión concernant l'application du droit communautaire des marchés publics et des concessions aux partenariats public-privé institutionnalisés (PPPI) de 5 de febrero de 2008 (C [2007] 6661). En esta Comunicación se pretende aclarar, ante las dudas existentes, el alcance de la aplicación de los principios fundamentales del Tratado en el ámbito de la creación de sociedades mixtas.

La ratio del Derecho europeo está en general en la aplicación de las reglas de publicidad, concurrencia y vinculación a la mejor oferta respecto de actividades relacionadas con servicios y obras, conforme a la jurisprudencia del TJCE y otra jurisprudencia relevante anterior[18]. Clara es, en este sentido, la STJCE de

_____

de derecho mercantil que sean aplicables según el tipo de sociedad que se constituya, siendo perfectamente admisibles tanto la forma de sociedad anónima, como la de responsabilidad limitada expresamente admitidas por el art. 130 del Texto Refundido de Régimen Local.

Esta doctrina es confirmada y seguida por otra sentencia de la misma Sala, de 31 de julio de 2002 (sentencia nº 760/2002, recurso contencioso-administrativo nº 1413/1999) (RJCA 2002, 769).

18. Desde una perspectiva general, sobre las garantías aplicables en la fase de adjudicación de un contrato de gestión de servicios públicos, es significativo cómo el Derecho comunitario se sitúa al margen de estos planteamientos contractuales entre Administración y sociedad mercantil. Al jurista español podrá sorprenderle, con razón, esta pasividad del Derecho comunitario en este ámbito de las relaciones entre Administración y empresas gestoras de servicios públicos, que contrasta con el empeño que muestran la Comisión y el Tribunal de Justicia de Luxemburgo a la hora de afirmar en general (es decir, en cualquier otro ámbito contractual público) la aplicación del régimen jurídico de contratos públicos. Una explicación puede encontrarse en que, en los contratos de gestión de servicios públicos, el Derecho comunitario viene mostrando abiertamente sus limitaciones, seguramente como consecuencia de que en el Derecho francés, que sirve de inspiración al legislador comunitario, no está muy avanzado el régimen jurídico de garantías de contratos administrativos por lo que respecta a la adjudicación del contrato de concesión de servicios públicos.

11 de enero de 2005, asunto C-26/03 (TJCE 2005, 1) (Stadt Halle): «en el supuesto de que una entidad adjudicadora proyecte celebrar un contrato a título oneroso referente a servicios comprendidos dentro del ámbito de aplicación material de la Directiva 92/50, en su versión modificada por la Directiva 97/52, **con una sociedad jurídicamente distinta de ella en cuyo capital participa junto con una o varias empresas privadas, deben aplicarse siempre los procedimientos de contratación pública previstos en dicha Directiva**». En el contexto del contrato de obras, la STJCE de 1 de febrero de 2001, asunto C-237/99 (TJCE 2001, 24) declara que la República Francesa ha incumplido las obligaciones que le incumben en virtud de la Directiva 93/37/CEE del Consejo[19] al no publicarse en el *Diario Oficial de las Comunidades Europeas* los anuncios de licitación correspondientes a los contratos públicos anunciados por los **servicios públicos** de construcción y urbanización de Val-de-Marne y de París y la **sociedad anónima gestora de viviendas** de alquiler moderado (...) en el *Bulletin officiel des annonces des marchés publics* de los días 7 y 16 de febrero de 1995 y en el *Moniteur des travaux publics et du bâtiment* de 17 de febrero de 1995, respectivamente. Interesa igualmente la STJCE de 18 de noviembre de 1999, asunto C-107/98 (TJCE 1999, 270) (Teckal Srl) en tanto en cuanto pone de manifiesto que, entre entidades, es preciso aplicar el régimen de concurso: «La Directiva 93/36/CEE del Consejo, de 14 de junio de 1993, sobre coordinación de los procedimientos de adjudicación de contratos públicos de suministro, es aplicable cuando una entidad adjudicadora, como un ente territorial, proyecta celebrar por escrito, con una entidad formalmente distinta de ella y autónoma respecto a ella desde el punto de vista decisorio, un contrato a título oneroso que tiene por objeto el suministro de productos, independientemente de que dicha entidad sea o no, en sí misma, una entidad adjudicadora». Por su parte, la STJCE de 10 de noviembre de 2005, asunto C-29/04 (TJCE 2005, 332) (Mödling) declara «que la República de Austria ha incumplido las obligaciones que le incumben en virtud de la Directiva 92/50/CEE del Consejo, de 18 de junio de 1992, sobre coordinación de los procedimientos de adjudicación de los contratos públicos de servicios, al haberse adjudicado el contrato de eliminación de residuos en el municipio de Mödling sin haberse observado las normas de procedimiento y publicidad establecidas en el artículo 8 de la citada Directiva, en relación con sus artículos 11, apartado 1, y 15, apartado 2». Así pues, el concurso será un medio para valorar las ofertas atendiendo a una serie de criterios prefijados. Éstos harán referencia a la naturaleza y estructura de la empresa (estructura organizativa, proyección benéfico-social...), a la experiencia profesional (volumen de obra ejecutada y realización de promociones de vivienda protegida, etc.), a las condiciones técnicas y económico-financieras, así como otros posibles criterios de valoración.

En la jurisprudencia se distingue frecuentemente el supuesto de creación de una sociedad mercantil, para la gestión de un servicio público, del supuesto relativo a **la venta de acciones, por parte del Ayuntamiento, dando entrada de esta forma al capital privado** y, con ello, a un nuevo socio respecto de una sociedad ya constituida (sentencias del TSJ de la Comunidad Valen-

---

19. Directiva de 14 de junio de 1993, sobre coordinación de los procedimientos de adjudicación de los contratos públicos de obras, concretamente, las que le imponía su artículo 11, apartado 2.

ciana de 17 de enero de 2003 [RJCA 2003, 244], y del TSJ de Madrid de 23 de enero de 2003 [RJCA 2003, 754]).

La cuestión debatida consiste en determinar si procede, en tales casos, el concurso o si, por el contrario, es necesaria la subasta. En ambas sentencias citadas vence el particular recurrente y se razona que la enajenación de capital público o acciones (del 49% de las acciones) representa un caso de venta de bienes patrimoniales y, por tanto, ha de proceder obligatoriamente la subasta.

La citada STSJ de la Comunidad Valenciana se basa en la jurisprudencia del TS. Primero en la STS de 5 de marzo de 1997 (RJ 1997, 1661) que recuerda la obligatoriedad de aplicar dichos preceptos en la enajenación de bienes patrimoniales, aun cuando puedan concurrir circunstancias o especialidades que aconsejen acudir a otros sistemas[20].

_____

20. Se razona: «A la vista de estos hechos ha de entenderse que era obligado para la Diputación Provincial estar a lo dispuesto en el artículo 80 del Texto Refundido de las Disposiciones vigentes en materia de Régimen Local, que impone la celebración de subasta. Debe añadirse por otra parte que desde luego la normativa vigente no exime del trámite de la subasta cuando la enajenación se hace a entes públicos y que eventualmente la celebración de aquella subasta hubiera podido ser de más interés para la Diputación Provincial que la venta a un ente público por precio inferior al de tasación. *Por todo ello no puede compartirse el juicio de la representación letrada del ente local sobre la rigidez excesiva de la Sentencia del Tribunal de instancia en la aplicación de la vinculación positiva al ordenamiento jurídico. Ciertamente la Administración se encuentra vinculada a los mandatos positivos del ordenamiento vigente* y de ellos provienen sus potestades públicas, aunque esto no es obstáculo para que las Administraciones, a falta de norma puntual expresa, puedan actuar en defensa del interés público siempre que lo hagan en el contexto del ordenamiento jurídico y de acuerdo con la normatividad inmanente en la naturaleza de las instituciones. Pero esta última posibilidad es cuestión muy distinta de que por las Administraciones públicas se prescinda de trámites esenciales que el legislador ha establecido en garantía del interés que los entes locales gestionan y defienden. Todo ello conduce a que deba desestimarse el presente recurso de apelación y confirmarse la Sentencia apelada...».
De este modo, el TSJ afirma que «no podemos calificar el negocio jurídico como contrato administrativo para la gestión del servicio público, pues no adopta la naturaleza propia de tales contratos, ya que ni se concede el servicio para su gestión indirecta por el adjudicatario, ni se formula netamente la constitución de una fórmula de gestión mixta por gestión interesada o sociedad mixta. Sin embargo, y ello es el principal problema de este litigio, el resultado de la transmisión de las acciones va a ser –en la intención manifestada por la Administración provincial en el expediente– la existencia final de una sociedad mixta, para lo que se previene, incluso, la aprobación posterior por los órganos societarios de unos nuevos estatutos sociales».
Así pues, «esta calificación de enajenación de bienes patrimoniales conlleva, como alega la parte actora y no es desconocido por la propia Administración, que trata de ello en la documentación del expediente administrativo el utilizar el cauce de la subasta para la misma. El artículo 80 del Real Decreto Legislativo 781/1986, de 18 de abril, por el que se aprueba el texto refundido de las Disposiciones Legales Vigentes en materia de Régimen Local, expresa: "Las enajenaciones de bienes patrimoniales habrán de realizarse por subasta pública. Se exceptúa el caso de enajenación mediante permuta con otros bienes de carácter inmobiliario"».

El TSJ no ignora que en estos casos concurre, no obstante, una circunstancia especial –sobre la que la Administración demandada y la mercantil codemandada fundan la validez de los acuerdos– y es la de que, mediante *la enajenación de acciones, se está estableciendo una forma de cogestión de los servicios públicos afectados.*

Sin embargo, este hecho no va a ser tan determinante, para el TSJ, como para llevar a afirmar la posibilidad de excepcionar la garantía de subasta: «entiende la Sala que la fórmula de gestión de los servicios públicos de forma indirecta o de cogestión (en los términos legales de gestión interesada o sociedad de economía mixta) debe ser establecida en la forma prevista normativamente y de manera expresa, por lo que la forma de enajenación parcial de las acciones no es admisible legalmente como procedimiento de otorgamiento de la cualidad de concesionario o de gestor compartido, para lo que tendría que haberse dispuesto una de las expresadas fórmulas y ello mediante la adopción formal de los acuerdos plenarios en ese orden y tramitación de los expedientes de contratación conforme a las normas que regulan su establecimiento»[21] (en este mismo sentido, STSJ de Madrid de 23 de enero

---

Para dejarlo zanjado, *«esta norma tiene carácter imperativo para la Administración local, en el sentido de que no cabe obviar esta necesidad de subasta, pues la misma se establece por el legislador como garantía de integridad del patrimonio y suficiencia de la hacienda local»;* por esta misma razón, dichas enajenaciones se someten, cuando se refieren a ciertos bienes o de determinado valor –por sí o en relación con los recursos de la Corporación– a *otras garantías cuales son atribución al Pleno, la exigencia de una mayoría reforzada y el informe o autorización de la Comunidad Autónoma* (22, 47 de la Ley 7/1985, de 2 de abril, Reguladora de las Bases del Régimen Local, y 79 y siguientes del Real Decreto Legislativo 781/1986, de 18 de abril, por el que se aprueba el texto refundido de las Disposiciones Legales Vigentes en materia de Régimen Local).

21. Por tanto, *«no se aprecia que pueda admitirse el que por la similitud con la fórmula de la gestión indirecta o compartida se proceda a obviar el mandato legal de acudir a la subasta».* Un argumento clave sería aquel a cuyo tenor, «en manos de la Administración ha estado el optar por la adopción de la fórmula indirecta o de la enajenación de acciones y si se ha decidido –por las razones que sean– el proceder a la enajenación de acciones, no es admisible el que deje de aplicarse la previsión legal en ese sentido; máxime cuando con ello –como alega la parte actora– se disminuyen los ingresos de la Corporación, pues al limitarse a un máximo la puntuación en concurso por el precio de las acciones, nadie puja por encima de ese máximo y se frustra la obtención del mayor precio posible (lo cual no quiere decir –por otra parte– que el adquirente tenga que carecer de solvencia técnica, pues ésta se podía haber exigido como requisito para acceder a la subasta al mejor postor)».
Nuevamente, el TSJ se apoya en el TS: «en este orden, debemos recordar la doctrina de la Sala Tercera del Tribunal Supremo, la cual en sentencia de 28 de febrero de 1997 (RJ 1997, 1300), recuerda la obligatoriedad de seguir los trámites de la legislación local –con los requisitos de procedimiento, acuerdos plenarios, autorizaciones y subasta– para la enajenación de bienes patrimoniales, sin que la utilización de los principios esenciales de la legislación de contratos releve de ello ("... Ciertamente la enajenación de bienes de las Entidades Locales está sujeta al régimen jurídico previsto en la Ley de Bases de Régimen Local, Texto Refundido de las disposiciones legales de Régimen Local y Reglamento de

de 2003 [RJCA 2003, 754]; STSJ de la Comunidad Valenciana de 17 de enero de 2003 [RJCA 2003, 244]).

La Ley 33/2003, de 3 de noviembre, del Patrimonio de las AAPP, establece como sistema ordinario (para la enajenación de inmuebles) el concurso y no la subasta (artículo 137.2), conforme a las tendencias dominantes, por otra parte, en el Derecho comparado y en el Derecho comunitario europeos, aunque la legislación local puede entenderse no afectada por esta regulación[22].

En este contexto corresponde profundizar en la posibilidad de la *adquisición por el Ayuntamiento de participaciones o acciones de empresas ya constituidas.*

Estamos ante una fórmula prevista en la propia legislación pública. En este sentido, el artículo 104 del reglamento de Servicios de las Corporaciones locales de 17 de junio de 1955 afirma que «las empresas mixtas, previo expediente de municipalización o provincialización, podrán estar constituidas a través de los procedimientos siguientes:

1º. **Adquisición, por la Corporación interesada, de participaciones o acciones de empresas ya constituidas, en proporción suficiente para compartir la gestión social**».

2º. Fundación de la sociedad con intervención de la Corporación y aportación de los capitales privados por alguno de los procedimientos siguientes:

Bienes de las Corporaciones Locales, siendo de resaltar que las transmisiones a título oneroso sólo pueden acordarse por el Ayuntamiento en pleno [art. 22.2.l) de la Ley de Bases] por mayoría simple si su cuantía no excede del 10% de los recursos ordinarios del presupuesto, en cuyo caso se exige la mayoría que establece el art. 47.3.k), debiendo comunicarse al órgano correspondiente de la Comunidad Autónoma, salvo que su valor exceda del 25% de los recursos ordinarios del presupuesto, en cuyo caso se exige autorización según el art. 79.1 del Texto Refundido y el art. 109.1 del Reglamento de Bienes y todo ello mediante subasta [art. 80 del Texto Refundido y art. 112 del Reglamento de Bienes]... Frente a lo anterior no cabe alegar que se han seguido los principios esenciales que rigen en la contratación administrativa de publicidad, igualdad y concurrencia, pues con independencia de éstos cuando la Ley exige un determinado procedimiento de adjudicación no cabe prescindir del mismo, debiendo significarse que las razones aducidas para justificar el incumplimiento denunciado no son decisivas, pues los objetivos municipales pueden conseguirse también a través de la subasta y prueba de ello...")».
En definitiva, acaba primando la aplicación de la legislación reguladora de enajenación de bienes patrimoniales, que termina yuxtaponiéndose sobre (y desplazando a) la legislación contractual pública.

22. Por otra parte, aunque sea en su mayor parte una cuestión terminológica conviene tener en cuenta que para la LCSP 30/2007 el concurso ha pasado a ser la adjudicación cuando no sea el precio el único elemento aplicable; y la subasta cuando sí lo sea.

a. Suscripción pública de acciones[23], o

b. Concurso de iniciativas, en el que se admitan las sugerencias previstas en el párrafo 2 del artículo 176 de la Ley[24].

3º. Convenio con empresa única ya existente, en el que se fijará el estatuto por el que hubiere de regirse en lo sucesivo.

Así pues, a modo de recapitulación es difícilmente justificable la ausencia de concurrencia para la selección del contratista en atención a los argumentos expuestos y basados en el estudio de la jurisprudencia y de la propia LUV (artículos 265.2 y 262.1 de la LUV).

Lógicamente, es decisión de ambas partes (Ayuntamiento y empresario) la asunción de los riesgos inherentes a la opción de eludir el concurso, por ejemplo a través de convenios urbanísticos donde, como contraprestación por un servicio realizado, la empresa asuma directamente el compromiso de realizar las construcciones de vivienda protegida en unas determinadas condiciones pactadas entre ambas partes. Pero, en principio, todo convenio habría de seguir igualmente el régimen de concurso, tal como ha dejado clara la jurisprudencia del Tribunal de Justicia de la Unión Europea en su caso Teatro de Milán.

Por su parte, el supuesto relativo a la venta de acciones, por parte del Ayuntamiento, dando entrada de esta forma al capital privado y, con ello, a un nuevo socio respecto de una sociedad ya constituida presupone la celebración de una subasta en el ámbito local, tal como ya nos consta.

Otra opción, que confirman ciertas prácticas existentes, es la relativa a la constitución de sociedades puramente privadas cuyo objeto social sea la construcción de la referida vivienda, de modo que, acto seguido, la Administración pase a adquirir participaciones en la empresa privada. Es una fórmula que entendemos cuando menos discutible si se hace sin concurso aunque nos constan experiencias en que se ha hecho de esta forma.

e) La cuestión relativa a la transmisión de bienes a la sociedad de capital parcialmente público

La cuestión planteada se refiere al carácter oneroso o gratuito de las transmisiones y al precio de venta del suelo.

---

23. Véase el artículo 20 del Texto Refundido de la Ley de Sociedades Anónimas.

24. J. L. MERELO ABELA, *Régimen jurídico y gestión del suelo urbano y urbanizable,* Barcelona, 2000, pp. 775 y ss.

Nos consta ya el hecho de que la legislación (así el artículo 264.1.d de la LUV) afirme que los bienes integrantes de los patrimonios públicos de suelo podrán ser objeto de transmisión en los siguientes términos: *(...)* «d) Mediante cesión *gratuita* a organismos públicos, sociedades, entidades o empresas de capital íntegramente público, o a otras administraciones públicas, siempre que el destino de la referida cesión sea la construcción sobre el suelo cedido de viviendas sujetas a algún régimen de protección pública».

Por tanto, si la sociedad es de capital parcialmente público parece difícilmente excepcionable la cesión *onerosa* (en vez de la cesión gratuita), además de la regla de concurso, como ya nos consta.

Estas reflexiones han de completarse con una referencia al régimen de enajenación o cesión de la legislación urbanística autonómica, por ejemplo el previsto en el artículo 262 de la Ley Urbanística Valenciana, relativo a la vinculación de los patrimonios públicos de suelo a la construcción de vivienda de protección pública: en municipios de una determinada población (más de 10.000 habitantes) han de destinarse íntegramente los patrimonios públicos de suelo correspondientes al tanto por ciento de la cesión de aprovechamiento urbanístico que le corresponda (por actuaciones en suelo urbanizable residencial) a la promoción de viviendas de protección pública, sin perjuicio de que esta regla se matiza en municipios de menos habitantes o, en general, conforme al régimen de exenciones que prevé dicho precepto.

Pues bien, la gestión entonces podrá hacerse bien mediante promoción directa, bien por enajenación gratuita u onerosa del suelo vinculada a tal fin. **Al menos la mitad de este suelo deberá ser enajenado de forma onerosa, en cuyo caso será por concurso, o cesión gratuita de terrenos.** El precio de la enajenación no podrá sobrepasar, incluyendo los gastos de urbanización que puedan corresponderle, el máximo fijado por la legislación reguladora de Viviendas de Protección Oficial o tipo equivalente que la sustituya, para el lugar y momento en que se produzca (artículo 262.1 *in fine* de la citada Ley).

En cuanto al **precio de enajenación,** es preciso considerar la legislación autonómica (en la Comunidad Valenciana el Decreto 41/2006, de 24 de marzo, del Consell de la Generalitat, por el que se regulan las actuaciones protegidas para facilitar el acceso a la vivienda en la Comunidad Valenciana en el marco del Plan Estatal 2005-2008 y del Plan de Acceso a la Vivienda de la Comunidad Valenciana 2004-2007 y, en concreto, con la Disposición adicional Novena. Limitación al valor de los terrenos):

    1.   El valor de los terrenos donde se vayan a promover viviendas protegidas, añadido al total importe del presupuesto de las obras de urbanización *no podrá*

exceder del 15 por ciento de la cifra que resulte de la suma de los precios máximos de venta o adjudicación de las viviendas protegidas y libres, locales de negocio, garajes y trasteros.

Cuando se proyecten grupos no inferiores a 500 viviendas, el porcentaje establecido en el párrafo anterior podrá incrementarse en un 5 por ciento, no pudiendo exceder del 20 por ciento de la cifra a que se refiere el párrafo anterior.

2. Sólo a efectos de comprobar el cumplimiento de lo dispuesto en esta disposición, se asignará a las viviendas libres un valor por metro cuadrado útil igual al del módulo de venta que corresponda a la zona donde está ubicada la promoción. Cuando se trate de locales de negocio, el valor asignado será de 1,5 veces el módulo de venta.

3. En el supuesto de que los terrenos no tengan completadas las obras de urbanización, además de las garantías exigibles por la legislación urbanística para la ejecución simultánea a la edificación, se computará como valor de los terrenos el valor del suelo más coste de las obras de urbanización precisas, tal y como se definen en el artículo 73.2.b) de la Ley Reguladora de la Actividad Urbanística.

En caso de que los terrenos estén en un Programa para el desarrollo de Actuaciones Integradas, se sumará al valor de los terrenos, el importe de la cuota de urbanización correspondiente a la parcela en los términos que resulten de la certificación librada al efecto por el Registrador de la Propiedad.

4. Cuando por motivos sociales, arquitectónicos o urbanísticos se estime necesario, el director general de Vivienda y Proyectos Urbanos podrá exceptuar de la limitación que establece el apartado 1 de esta disposición mediante Resolución motivada y de acuerdo con los informes técnicos correspondientes[25].

Por otro lado, en el Real Decreto 3148/1978, sobre viviendas de protec-

---

25. Por poner otro ejemplo, podemos citar el Decreto 315/2002, de 30 de diciembre, sobre régimen de viviendas de protección oficial y medidas financieras en materia de vivienda y suelo del País Vasco. *Artículo 5.*–Limitaciones en el precio de suelo y costes de urbanización: 1.–El valor de los terrenos sumado al total importe de los costes de urbanización de las promociones de viviendas de protección oficial no podrá exceder del 15% del precio máximo de venta de las viviendas y demás edificaciones protegidas en el caso de viviendas sociales, y del 20% de dicho precio cuando se trata de viviendas de protección oficial de régimen general, salvo que estas últimas sean viviendas de baja densidad, en cuyo caso el citado porcentaje será del 25%.
2.–A los efectos previstos en el párrafo anterior, se considerarán como costes de la urbanización los siguientes: a) El coste de las obras de vialidad rodada y peatonal, suministro de agua, saneamiento, alcantarillado, energía eléctrica, telecomunicaciones, alumbrado público, arbolado y jardinería y cualquier otra obra o servicio preciso para la correcta urbanización de las dotaciones públicas locales del ámbito, previstas en el plan que se ejecuta y el coste de ejecución de las obras de las demás dotaciones públicas, de acuerdo con la asignación realizada por el planeamiento. b) El coste de las obras de supresión de plantaciones y demolición de obras de urbanización, edificios, instalaciones y demás obras de toda clase incompatibles con la ejecución del plan. No se computarán las indemnizaciones procedentes de tales actos. c) El coste de redacción y tramitación del planeamiento de desarrollo, proyectos de urbanización y los gastos de gestión y financiación precisos para la total urbanización del ámbito.

ción oficial que desarrolla el Real Decreto-ley 31/1978, de 31 de octubre, sobre Política de Vivienda, en su artículo 2 «ámbito de aplicación» se establece que la protección oficial, en las condiciones que para cada caso se establecen a continuación, se extenderá también a los locales de negocio situados en los inmuebles destinados a vivienda (...), a los talleres de artesanos (...), a las edificaciones, instalaciones y servicios complementarios (...).

f) Constitución de la sociedad

En principio, el procedimiento administrativo general para la iniciación de actividades económicas se prevé en el artículo 97 del Texto Refundido de las Disposiciones vigentes en materia de Régimen Local de 18 de abril de 1986. Nos remitimos a dicho precepto para esta primera cuestión que debe tenerse en cuenta[26].

Ahora bien, presupuesto esto, debemos avanzar en el tema del procedimiento propiamente dicho de constitución de la sociedad de capital mayoritariamente público.

Conviene tener en cuenta, asimismo, una serie de premisas elementales. Primero, la sociedad puede ser constituida por el Ayuntamiento directamente o a través de un ente público local. Asimismo, la sociedad puede constituirse para una actividad concreta o bien, con carácter permanente, para distintas actividades encomendadas por el ayuntamiento (artículos 3.3 y 7 del Real Decreto 1169/1978).

Los socios privados que formarán parte de la sociedad mixta serán empresas promotoras o constructoras, entidades bancarias o financieras, y consultoras de servicios.

La Administración, en el **pliego de condiciones,** expresará la selección del socio privado en función de las necesidades del municipio.

El socio privado normalmente aportará capital, en contraposición a la Administración que suele aportar bienes de patrimonio público de suelo. De esta forma, se obtiene un capital en metálico que amplia los recursos de la sociedad. Además, suele ser habitual que en los pliegos se establezcan cláusulas que impongan la obligación del socio privado de realizar desembolsos

---

26.   J. L. MERELO ABELA, *Régimen jurídico y gestión del suelo urbano y urbanizable,* Barcelona, 2000, p. 772, con un comentario de la STS de 30 de enero de 1995 (RJ 1995, 3010) donde se prevén matices.

iniciales de dinero, previa solicitud de la sociedad pública, a tipos de interés preferencial[27].

Presuponiendo la forma de concurso para la constitución de la sociedad, habrá de anunciarse éste, siguiendo las reglas generales de la legislación contractual pública.

Igualmente, siguiendo dicha legislación, habrá una fase de presentación de las ofertas. Y, concluido el plazo de presentación, se procederá a la apertura de plicas. Los servicios administrativos del Ayuntamiento confeccionarán la lista de las ofertas recibidas y acto seguido se constituirá la mesa de contratación, con posible subsanación de las deficiencias observadas (en los términos de la LCSP y la numerosa jurisprudencia existente sobre el particular) y adjudicación final por el Pleno de la Corporación.

Los requisitos formales de tipo mercantil se regulan en la Ley de Sociedades de responsabilidad limitada de 23 de marzo de 1995 (véase el artículo 11.1, donde se requiere la escritura pública como medio de constitución de la sociedad).

Sobre la forma societaria pueden consultarse los artículos 103.1 del TRLRL y 105 del reglamento de Servicios y 6 del Decreto 1169/1978. Importante es retener que, si se trata de una Sociedad Anónima, el Reglamento del Registro Mercantil impone la obligación de su valoración por perito independiente, lo que plantea problemas de su inadecuada valoración si se tiene en cuenta el límite de valor de repercusión del mismo para viviendas protegidas y el elevado precio que suele pagarse por él.

Por el contrario la Ley de Sociedades de Responsabilidad limitada, en su artículo 21 no impone la necesidad de esta valoración independiente, respondiendo de su valor los socios, lo que economiza medios y recursos.

Los órganos de gobierno se mencionan en el Reglamento de Servicios de las Corporaciones locales aprobado por Decreto de 17 de junio de 1955 y artículo 85 ter 3ª de la Ley de Bases tras la modificación por Ley 57/2003, de 16 de diciembre, de medidas de modificación del gobierno local: «Los estatutos determinarán **la forma de designación y el funcionamiento de la**

---

27. Sirva de ejemplo la siguiente cláusula obtenida de un pliego de selección de socio en el que el ofertante: «Se compromete, caso de resultar adjudicatario, a aportar en concepto de préstamo a la Empresa Mixta hasta xxx miles de € para acometer las necesidades del Servicio, según los criterios del Consejo de Administración».
     Posteriormente se indica que se «valorará particularmente el menor porcentaje de interés en la devolución de las inversiones previstas».

Junta General y del Consejo de Administración, así como los máximos órganos de dirección de las mismas».

C. Consorcios urbanísticos

Los consorcios urbanísticos están previstos en el Real Decreto 3288/ 1978, de 25 de agosto, por el que se aprueba el Reglamento de Gestión Urbanística para el desarrollo y aplicación de la Ley sobre régimen del Suelo y Ordenación Urbana. El artículo 12 dice concretamente:

«1.   Las Administraciones públicas podrán consorciarse para el desarrollo de fines propios de la gestión y ejecución de actividades urbanísticas.

2.   A los consorcios se podrán incorporar particulares, previo convenio acerca de las bases que hayan de regir su actuación.

3.   Tanto el acuerdo a que se refiere el número anterior como los demás actos necesarios para la constitución definitiva del consorcio requerirán:

a.   Que la actividad cuyo desarrollo se aborda en común esté dentro de la esfera de capacidad de los sujetos consorciados.

b.   Que cada uno de dichos sujetos cumpla con los requisitos que la legislación que le sea aplicable establezca como necesarios para obligarse contractualmente y para disponer de fondos de su propiedad o a su cargo».

Por su parte, el artículo 13 prevé.

«Los consorcios urbanísticos pueden tener por objeto una o varias de las finalidades siguientes:

a.   Elaborar estudios y realizar trabajos de promoción urbanística de áreas, zonas o polígonos determinados.

b.   Abordar la formación y ejecución de Planes parciales o especiales y programas de actuación urbanística.

c.   Unificar tareas de gestión del desarrollo urbanístico de áreas o de polígonos, aunque sea sin asumir de modo directo funciones de ejecución del Planeamiento, colaborando con la administración o administraciones urbanísticas que sean competentes por razón de la materia o del territorio.

d.   Realizar obras de infraestructura urbanística.

e.   Crear o gestionar servicios complementarios de urbanizaciones.

f.   Cuidar de la conservación de nuevas urbanizaciones, gestionando de modo unificado las competencias o deberes propios de los miembros del consorcio».

Interesa igualmente el artículo 14 del mismo Reglamento de Gestión Urbanística:

«1.   Los consorcios urbanísticos realizarán sus actividades en nombre propio o en nombre de los sujetos consorciados, según las disposiciones establecidas en sus bases de constitución.

2.   Los entes consorciados podrán encomendar al consorcio cualesquiera

otras actividades cuyo ejercicio no tenga el carácter de intransferible, según lo que al respecto disponga la legislación en cada caso aplicable.

3. En ningún caso podrá delegarse en el consorcio la potestad de establecer tributos, pero sí se le podrá encomendar la recaudación unificada de aquellos que graven el suelo o su aprovechamiento, pudiendo en este caso recurrir a la vía de apremio.

4. Los entes consorciados no pueden delegar en el consorcio la potestad expropiatoria, si bien pueden encomendarle la gestión de las expropiaciones que los mismos acuerden.

5. Cuando el consorcio establezca servicios susceptibles de aprovechamiento individualizado, podrá imponer y recaudar las contraprestaciones correspondientes».

De la jurisprudencia puede seleccionarse la interesante STSJ de Castilla y León (Burgos) de 15 de abril de 2005 (RJCA 2005, 971). La Sala **no se plantea problema jurídico para admitir la presencia de particulares en el consorcio** (bien es cierto que el particular era un propietario afectado por la actuación urbanística), aunque desea dejar claro que la participación de los particulares en un consorcio tiene un carácter voluntario (reconduciendo el tema hacia los convenios urbanísticos) y no obligatorio para la Administración:

«De esta redacción (el Reglamento de Gestión Urbanística aprobado por Real Decreto 3288/1978, de 25 de agosto, artículos *supra* citados) se desprende que por el mero hecho de que la parte recurrente cumpla los requisitos de que la actividad a desarrollar esté dentro de la esfera de capacidad de los sujetos consorciados y cumpla con los requisitos exigidos por la legislación aplicable como necesarios para obligarse contractualmente y para disponer de fondos de su propiedad o a su cargo, no tiene por qué estar obligada la Administración para admitir a este particular como parte consorciada y permitir su integración en el consorcio, sino que además se exige que exista un convenio que establezca las bases que hayan de regir su actuación. Ello sin perjuicio de que el convenio suscrito por las partes no sea estrictamente un mero convenio urbanístico, sino que excede del mismo en cuanto que recoge otro tipo de actuaciones que no son exclusivamente urbanísticas, como son el pago de justiprecio a RENFE de los suelos liberados como consecuencia de la puesta en servicio de la Variante Ferroviaria, o el pago de la financiación municipal de esta variante; fines que exceden de una mera actuación urbanística. Por ello es preciso indicar que sí que son aplicables los artículos 87 de la Ley 7/85 y 110 del Real Decreto Legislativo 781/86. Se trata, por consiguiente, de un convenio urbanístico atípico, en cuanto que excede de las meras actuaciones urbanísticas, ya sea de planeamiento, ya sea de gestión. No se vulnera el art. 67 de la Ley 5/99 por no permitir incorporarse a la recurrente en el consorcio puesto que no se establece como obligación de la administración admitir a otros particulares y entidades de derecho privado; sin perjuicio de que en determinados supuestos se exija la obligación de admitirlos o incorporar a estos particulares si lo solicitan, como es el supuesto de ser propietario de suelo o encontrarse afectado por la actuación urbanística [art. 67.2.c) de la Ley 5/99][28], que no concurre en la recurrente, pues los terrenos a los que se refiere la gestión urbanística de este convenio son los terrenos liberados por RENFE, sin perjuicio de que este convenio (por eso es atípico) recoja el apartado relativo a sufragar los gastos que se deriven de las expropiaciones de los terrenos por donde va a discurrir el nuevo trazado ferroviario. No se trata de una facultad de los particulares de incorporarse al convenio, sino que esta característica de poder incorporarse al convenio se da como obligatoria para la Administración en los supuestos expresamente previstas en la Ley, no en aquellos en que no se encuentra expresamente previsto, y ello es claro por cuanto que el convenio, aun cuando no sea un típico convenio administrativo, supone un acuerdo de voluntades entre el particular y la Administración, cosa que no ocurre con la recurrente, en que la Administración no tiene intención de celebrar convenio con ella, y sin que exista un precepto legal que le obligue a la administración a celebrar este convenio que se quiere imponer por la recurrente».

Este carácter convencional o voluntario lo recoge la sentencia del Tribunal Supremo de fecha 15 de marzo de 1997 (RJ 1997, 1677): «La objeción no puede prosperar. Se ha adelantado ya que los convenios urbanísticos constituyen una actuación convencional frecuente en la práctica de las Administraciones Públicas. Es indudable que el urbanismo constituye una competencia jurídico-pública, siendo cierto que esta naturaleza reduce y condiciona necesariamente la intervención de los administrados en el mismo, pero sin que ello excluya su participación y colaboración (*ad exemplum,* artículos 4, 52 ó 119 del Texto Refundido de la Ley del Suelo de 1976)».

Volviendo a la STSJ de Castilla y León (Burgos) de 15 de abril de 2005 (RJCA 2005, 971) «existen aspectos concretos susceptibles de compromiso o

---

28. Artículo 67. Entidades para la gestión urbanística: 1. Las Administraciones públicas y las entidades de Derecho público dependientes de ellas podrán constituir mancomunidades, gerencias, consorcios y sociedades mercantiles para la gestión urbanística, conforme a lo dispuesto en su legislación reguladora. A los consorcios y sociedades mercantiles podrán incorporarse los particulares y las entidades de Derecho privado. 2. Los propietarios afectados por actuaciones urbanísticas podrán participar en su gestión mediante entidades urbanísticas colaboradoras, como las juntas de compensación, las asociaciones de propietarios en los sistemas de cooperación, concurrencia y expropiación y las destinadas a la conservación y mantenimiento de la urbanización, las cuales: Tendrán carácter administrativo y dependerán en este orden del Ayuntamiento; asimismo, se regirán por el Derecho público en lo relativo a organización, formación de voluntad de sus órganos y relaciones con el Ayuntamiento. Su constitución y estatutos deberán ser aprobados por el Ayuntamiento, y adquirirán personalidad jurídica con su inscripción en el correspondiente registro de la Administración de la Comunidad Autónoma. Deberán reconocer el derecho de los propietarios afectados por la actuación urbanística a la que estén vinculadas, a incorporarse en las mismas condiciones y con análogos derechos que los miembros fundadores. La afección de una finca a los fines y obligaciones de una entidad urbanística colaboradora tendrá carácter real, y, a tal efecto, su constitución y estatutos se harán constar en el Registro de la Propiedad.

acuerdo entre la Administración y los particulares, lo que da lugar a la figura de los convenios urbanísticos, como instrumentos de acción concertada que en la práctica pueden asegurar una actuación urbanística eficaz, la consecución de objetivos concretos y la ejecución efectiva de actuaciones beneficiosas para el interés general».

Se ha destacado la entrada de particulares en los consorcios urbanísticos, si bien por referencia a los propietarios afectados por la urbanización[29]. En la Comunidad de Madrid se han realizado y continúan en la actualidad desarrollándose un amplio conjunto de actuaciones de promoción de suelo a través de consorcios urbanísticos, constituidos, entre la Comunidad de Madrid y los Ayuntamientos de los distintos municipios implicados, principalmente, para la construcción de nuevos barrios residenciales.

«La colaboración institucional se ha visto reforzada por la participación de agentes privados y por una nueva fórmula de relación con los **propietarios del suelo,** con la que muchos de ellos seguían estando presentes en la operación, a pesar de actuarse por expropiación, ya que se ha recurrido en numerosas ocasiones a abonar el justiprecio expropiatorio mediante pagos diferidos con suelos urbanizados en el ámbito de actuación»[30].

«La característica fundamental de estas promociones consiste en que es la propia Administración consorciada la que tiene la iniciativa durante todo el proceso, que comienza con la formulación y aprobación del planeamiento general y de desarrollo que legitima y determina la operación urbanística, y pasa por la adquisición de los terrenos incluidos en el ámbito de actuación, su urbanización y la realización de las cesiones de suelo correspondientes, hasta concluir con la adjudicación a particulares de las parcelas dotadas de

---

29. M. T. FERNÁNDEZ DE LIENCRES CEREZUELA, «Nuevas fórmulas de ejecución del planeamiento urbanístico: la actuación urbanística a través de consorcios urbanísticos y los convenios urbanísticos. El caso de Leganés (Madrid)», en: www.fundicot.org/grupo03.htm). Numerosos ejemplos de consorcios urbanísticos en Madrid pueden encontrarse en www.madrid.org y www.ucm.es. Sobre el procedimiento de constitución del consorcio y aprobación de sus estatutos, y cuestiones de organización de los consorcios urbanísticos J. A. LÓPEZ PELLICER, *El consorcio urbanístico,* Madrid, 1984, pp. 91 y ss., y STSJ de Galicia de 21 de julio de 2004 (RJCA 2005, 466); Los consorcios urbanísticos en la Comunidad de Madrid: una fórmula de gestión para los años 90, Madrid, 1995 (véase www.mcu.es/bases/spa/isbn/ISBN.html.).

30. Como ejemplo sirvan las quince operaciones descritas en el libro «Los consorcios urbanísticos de la Comunidad de Madrid» publicado por la Dirección General del Suelo, Consejería de Obras Públicas, Urbanismo y Transportes de Madrid en 1999, con unos datos totales de más de diecisiete millones de metros cuadrados de suelo urbanizados, creando 51.892 viviendas, con capacidad residencial cercana a los 200.000 habitantes (M. T. FERNÁNDEZ DE LIENCRES CEREZUELA, «Nuevas fórmulas de ejecución del planeamiento urbanístico...»).

todos los servicios urbanísticos, a través de concursos públicos de suelo». «Esta operación se caracteriza por haber actuado mediante el sistema de expropiación pero con la peculiaridad de que se ha dejado a los propietarios del suelo que intervengan en su desarrollo, al obtener la práctica totalidad de los terrenos necesarios mediante permutas diferidas en virtud de las cuales se les adjudica suelo totalmente urbanizado. Lo que ha permitido agilizar el procedimiento expropiatorio, a la vez que el pago del justiprecio no ha supuesto un desembolso económico previo para las Administraciones actuantes»[31].

Este régimen puede considerarse especial respecto de los **consorcios en general** de la legislación local, donde se requiere la ausencia de ánimo de lucro de los partícipes (artículo 87 de la Ley 7/1985, de 2 de mayo, Reguladora de las Bases de Régimen Local, modificada por Ley 57/2004, de 16 de diciembre, artículo 85, indicando las formas de gestión; STSJ de Asturias de 18 de febrero de 2005 [JT 2005, 644]; STSJ de Castilla y León [Burgos] de 3 de mayo de 2002 [JUR 2002, 195145]; STS de 30 de abril de 1999 [RJ 1999, 4692]; STS de 20 de septiembre de 2005 [RJ 2005, 8686])[32].

No obstante, el principio aparece relativizado en la práctica, tal como enseña CARCELLER FERNÁNDEZ[33], al informarnos de una asociación (en realidad un consorcio) especial de Derecho privado de interés público para la gestión de las aguas en Tarragona, integrada por la Generalidad de Cataluña, varios ayuntamientos y una serie de empresas industriales del Campo de Tarragona.

D. La opción de las cooperativas[34]

En el marco de las posibles opciones, en particular empresariales, para la gestión de los patrimonios municipales de suelo con el fin de construir vivienda protegida es interesante la fórmula de las cooperativas.

En realidad estamos ante una solución que exige encajar distintos meca-

---

31. M. T. FERNÁNDEZ DE LIENCRES CEREZUELA, «Nuevas fórmulas de ejecución del planeamiento...», cit.

32. R. MARTÍN MATEO, *Entes locales complejos*, Madrid, 1987, pp. 109 y ss.

33. «El consorcio de aguas de Tarragona», *Homenaje a Clavero*, Tomo II, pp. 1079 y ss.

34. Véase: Ley 27/1999, de 16 de julio, de Cooperativas; Ley Foral 5/2006, de 11 de abril, de modificación de la Ley Foral 12/1996, de 2 de julio, de Cooperativas de Navarra, para la adición de la regulación de las cooperativas de iniciativa social; F. SOSA WAGNER, *La gestión de los servicios públicos locales*, Pamplona, 2008; L. F. PRIETO GONZÁLEZ, *Las empresas mixtas locales*, Madrid, 1996.

nismos y aplicar diferentes leyes, ya que no existe (respecto de lo que vamos a contar) una ley *ad hoc.*

Para estudiar este fenómeno es oportuno partir de las propias escrituras donde ha podido verse recogido este tipo de operaciones. Se trata, en la experiencia que conocemos, de escrituras de cesión onerosa de parcelas mediante procedimiento negociado con condición resolutoria otorgada por un determinado Ayuntamiento a favor de una cooperativa concreta.

En este tipo de negocios jurídicos comparecen, de un lado, el Alcalde y el Secretario del Ayuntamiento, y, de otro lado, el representante de la cooperativa, constituida ésta por tiempo indefinido e inscrita en el Registro de Cooperativas de la Comunidad Autónoma. Este último ejerce como presidente del Consejo Rector de la cooperativa.

En la escritura se expone que el Ayuntamiento es dueño del bien patrimonial, y se describe la parcela y su calificación jurídica dentro del inventario de bienes locales y su inscripción en el Registro de la Propiedad.

Acto seguido, se deja constancia del acuerdo municipal previo de enajenación del bien **mediante procedimiento negociado** a favor de la cooperativa compareciente con destino a la construcción de viviendas de protección oficial, aprobándose al mismo tiempo el Pliego de condiciones jurídicas y económico-administrativas, que rigen la cesión onerosa mediante el procedimiento negociado. El Pliego se expide por el Servicio de Patrimonio del Ayuntamiento y se exhibe al notario.

La escritura afirma que el Ayuntamiento cede y transmite el bien por un determinado valor, manifestándose que las sumas ya se han satisfecho al Ayuntamiento. Asimismo, de conformidad con el Pliego de condiciones que rige la enajenación, y con la oferta de la cooperativa adquirente, se deja constancia notarialmente de que las parcelas deberán destinarse a la construcción de un número concreto de viviendas, de plazas de garaje, de trasteros y, en su caso, de locales comerciales.

Los precios máximos de venta de las viviendas y anejos son los indicados por Acuerdo municipal.

Conforme a la oferta de la cooperativa, se establecen los plazos para la presentación de los proyectos y solicitudes de licencia, para el inicio de las obras, para la obtención de la calificación provisional del proyecto, para la terminación de las viviendas y para la calificación definitiva de protección oficial de las viviendas construidas.

En la escritura se deja constancia de los derechos de tanteo y retracto por un plazo de diez años en favor del Ayuntamiento respecto de la transmisión de las viviendas y los anejos, precisando el deber de notificación de la cooperativa y los adquirentes (...).

También se estipula la condición resolutoria de modo que el incumplimiento por parte de la cooperativa adjudicataria o de sus causahabientes produce la resolución automática del contrato, reintegrándose la finca al Ayuntamiento.

Las obligaciones se precisan en dicha escritura.

La transmisión está sujeta al IVA y los gastos e impuestos se satisfacen por la parte adquirente. Los comparecientes manifiestan que la cesionaria ya ha prestado la garantía definitiva.

La promoción puede realizarse en ejecución de un Programa de viviendas para jóvenes del Plan municipal de viviendas, conforme al cual el Ayuntamiento facilita suelo urbanizado a las cooperativas de viviendas de jóvenes encomendando la gestión de las cooperativas a una empresa municipal.

Una de las claves del sistema está, por tanto, en la enajenación de las parcelas municipales a la cooperativa, y directamente, es decir, mediante procedimiento negociado, de conformidad con la legislación urbanística (por ejemplo, artículos 200 y 280 del Texto Refundido de la Ley sobre Régimen del Suelo y Ordenación Urbana de la Región de Murcia) y por la legislación estatal supletoria, dado el caso, esto es, el artículo 170.1.a del Texto Refundido de la Ley sobre Régimen del Suelo de 1976, según el cual podrán enajenarse directamente terrenos para edificar viviendas a las entidades de carácter social que sean promotoras de viviendas de protección oficial. Entonces, resulta fundamental argumentar, para dar cumplimiento a esta legislación, el carácter social de la cooperativa a la que se ofrecen directamente las parcelas. Dicho carácter social se corresponde con la promoción de VPO, con el hecho de que la constitución de la cooperativa es de iniciativa municipal y se explica asimismo considerando el procedimiento público de selección de los integrantes y porque la gestión de la cooperativa está asistida por una empresa municipal, además de que se está dando cumplimiento a un Programa municipal de viviendas.

En efecto, es importante el dato de la selección de los miembros integrantes de la cooperativa (los socios del Ayuntamiento) en régimen de concurrencia pública, previa convocatoria en el Boletín Oficial Regional y en la prensa, mediante sorteo y previa comprobación de que los peticionarios reúnen los requisitos establecidos por el propio Ayuntamiento. La cooperativa asume el compromiso de estar asistida por la empresa municipal. En realidad, dicha cooperativa facilita la gestión indirecta municipal del referido Programa de viviendas para jóvenes. Este hecho explica que exista un control municipal en cuanto a gastos, calidades, precios y destinatarios.

El Pliego de Condiciones para la enajenación se somete a información pública por edicto publicado en el Boletín Oficial de la Comunidad. A la cooperativa se le ofrece un plazo para formalizar su oferta concreta, de acuerdo con el Pliego de condiciones, presentando dicha cooperativa una petición de adjudicación de las parcelas. La Comisión Técnica de Valoración comprueba que la oferta de la cooperativa reúne los requisitos del Pliego.

La propia cooperativa se compromete a vender las viviendas que construya en las parcelas conforme a un precio máximo estipulado.

Interesante es asimismo que los precios máximos de adjudicación se pueden revisar previa autorización del Ayuntamiento, de conformidad con los precios máximos que resulten de la resolución de calificación provisional de viviendas de protección pública; de acuerdo con ello, en el supuesto de que se aumente el precio máximo de venta, se deberá abonar al Ayuntamiento el importe correspondiente al 15% del incremento que, en su caso, resulte.

Conviene apuntar algo respecto del Pliego de condiciones jurídicas y económico-administrativas que ha de regir la cesión onerosa mediante procedimiento negociado de las parcelas con destino a la construcción de vivienda de protección pública del Programa de viviendas para jóvenes en régimen de cooperativa de viviendas de iniciativa municipal. Dicho Pliego se apoya en el artículo 47 de la Constitución. Se insiste en que la cooperativa es de iniciativa municipal, en la concurrencia pública ya referida, en la legislación aplicable que se citó *supra,* en el carácter social de la cooperativa, en el precio de la cesión, en las garantías, en las condiciones de los cooperativistas adjudicatarios, en el destino de las parcelas y, fundamentalmente, en las proposiciones para tomar parte en el procedimiento negociado.

El procedimiento parte de la recepción de un escrito del Ayuntamiento por parte de la cooperativa donde se le invita a participar en el procedimiento negociado. Acto seguido se presenta la oferta de la cooperativa en el plazo de tres meses desde la recepción del mencionado escrito, para tomar parte en el procedimiento negociado a través de la empresa municipal. Las ofertas se presentarán en dos sobres cerrados, uno con la documentación acreditativa de la capacidad para contratar, y el otro con la proposición económica y demás documentación sobre la promoción.

En el interior del primer sobre se contiene el CIF de la cooperativa licitadora y el DNI de la persona que la representa, la escritura de constitución de la sociedad cooperativa, la escritura que acredite la representación de la misma, la declaración de estar al corriente de las obligaciones tributarias y de la Seguridad social, la relación de socios, el informe de la empresa municipal acreditativo del cumplimiento de condiciones de los socios.

En el segundo sobre se contiene la proposición económica, el estudio económico financiero que demuestre la viabilidad de la promoción (analizando y justificando el número de viviendas de posible construcción, el precio propuesto, los pagos que deben realizar los adquirentes, los costes financieros y de gestión, en su caso), el programa de ejecución del proyecto y el avance de proyecto de construcción de las viviendas.

Acto seguido el Pliego se refiere a la apertura de documentación, el informe de la Comisión Técnica y la adjudicación definitiva. Tras la adjudicación en el plazo de quince días procede el pago de la fianza definitiva. Seguidamente se regula el pago del precio de la venta, el cual debe ser abonado por la cooperativa. Para finalizar se prevé la formalización de la cesión onerosa, los plazos de solicitud de licencia, los derechos de tanteo y retracto, las obligaciones de la cooperativa adjudicataria, las sanciones y el carácter del contrato.

Desde el punto de vista de la empresa municipal, lo descrito hasta el momento (es decir, el régimen de cooperativa), no es sino un procedimiento más de los posibles de gestión de suelo para VPO seguidos por la urbanizadora municipal[35].

---

35. Desde el punto de vista de la empresa municipal las otras opciones de gestión son: 1º) Compra directa por parte de dicha empresa de suelo bruto, en lugares asequibles, realizando el planeamiento de desarrollo, los proyectos de reparcelación y urbanización, así como la contratación de las obras de urbanización precisas.
2º) Acuerdos con propietarios de terrenos urbanizables por los que ellos aportaban dichos terrenos asumiendo la empresa municipal el proceso de desarrollo y transformación del suelo en urbano, distribuyendo equitativamente las parcelas conforme al convenio previo de costes.
3º) Expropiación convenida por el Ayuntamiento con los propietarios de terrenos con pago en efectivo o en parcelas urbanizadas y Convenio entre el Ayuntamiento y la empresa local para que esta complete el proceso urbanizador recibiendo, a su vez, parcelas urbanizadas.
4º) Adquisición por dicha empresa municipal de suelo urbanizable como aportación no dineraria en ampliaciones de capital social, siendo las aportaciones de los demás socios en efectivo.
5º) Gestión para la formación de cooperativas de viviendas con objeto de presentarse a los concursos para la adjudicación de parcelas de suelo municipal.

Concretamente, la gestión parte de acuerdo del Pleno del Ayuntamiento por el que se aprueba una propuesta de la empresa municipal que establece el derecho de la cooperativa a ser adjudicataria directa de suelo municipal. El esquema es, por tanto, el siguiente:

a) La empresa municipal estudia las necesidades de vivienda en un cuatrienio y el destino y emplazamiento de la fracción de las mismas, según niveles de renta, a VPO.

b) Dicha empresa analiza las disponibilidades de suelo municipal en diferentes estados y la programación en el cuatrienio, tratando de concordar con las necesidades.

c) La empresa referida redacta avances de proyectos de edificación, avanzando número y tipo de viviendas, sus costos y la aplicación de las máximas ayudas de los Planes Estatales de Vivienda.

d) La empresa propone la convocatoria de un concurso entre personas que reúnan determinadas condiciones para integrarse, según su elección y con expresión del tipo de vivienda que desean, en las cooperativas que se constituyan para la adjudicación directa de las parcelas propuestas por la empresa local. Los requisitos suelen ser:

– Todos y cada uno de los que exija el Plan Estatal de Vivienda vigente.

– Estar empadronado en el Municipio el día de la publicación del concurso.

– Integrarse en la cooperativa por la que opten.

– Preferencia por los jóvenes menores de 35 años o personas mayores de 65 años.

– Tener unos ingresos inferiores a 2,5 IPREM.

e) Cumplido el plazo de presentación de solicitudes para el concurso, se procede al acto público del sorteo para la adscripción ordenada a las cooperativas en formación.

f) Tras el sorteo, se celebran Asambleas constitutivas de las cooperativas en las que elige el consejo rector, se aprueban los estatutos, de conformidad con la Ley y las condiciones establecidas por el Ayuntamiento y, según las viviendas del Avance y el orden del sorteo se forma la lista provisional de socios y la lista de espera. En la misma Asamblea se aprueba un plan de desembolsos iniciales, de conformidad con el estudio previo realizado por la

Empresa, a la que se encarga la gestión de la Cooperativa. También se acuerda solicitar la adjudicación de la parcela reservada por el Ayuntamiento, así como la solicitud de la Calificación Provisional de VPO.

g)   Estos acuerdos se elevan a escritura pública y se inscriben en el registro correspondiente.

h)   Una vez inscrita y adoptado el acuerdo de adjudicación de la parcela por el Ayuntamiento, tras el Informe favorable, se procede a escriturar la adjudicación, haciendo constar las condiciones establecidas por el Ayuntamiento, entre otros el pago estipulado y los derechos de tanteo y retracto a favor de éste[36].

i)   A partir de este momento, la Cooperativa funciona autónomamente, gestionada por la Empresa municipal y obligada a la supervisión de la Dirección General de Vivienda y a la justificación final de lo establecido por el Ayuntamiento.

Así pues, la empresa local mantiene una relación de asistencia y control respecto de la cooperativa, asegurando que se realicen con éxito los fines sociales propuestos. Se presenta seguidamente un cuadro definitorio de las relaciones o estipulaciones entre sociedad y Ayuntamiento.

La empresa local realiza los servicios de promoción de información, gestión y administración para la promoción del edificio, quedando, por tanto, excluidos aquellos servicios que requieran intervención profesional específica, como arquitectos, abogados, auditores y otros.

Para la adecuada prestación de estos servicios por parte de la empresa local la cooperativa se compromete a facilitar los datos precisos a tal fin con periodicidad mensual, especialmente de todos los actos de disposición de fondos y acuerdos de las Asambleas de la cooperativa.

Los servicios de la empresa municipal se prestarán dentro de los campos

---

36.   Ejemplifica la STS de 20.05.2008 (Rec. 3428/2001; S. 1ª) (RJ 2008, 3157): la Sala ratifica la sentencia recurrida que reconoce el derecho de tanteo de la Administración tras la notificación efectuada por los propietarios de un piso de protección oficial a la Delegación Territorial del Departamento de Ordenación del Territorio, Vivienda y Medio Ambiente del Gobierno Vasco, manifestando que iban a proceder a la transmisión de tal vivienda. Sostiene el TS que por mucho que días después volviesen a notificar que las partes del contrato desistían del mismo, al ser el tanteo una oferta legal de venta y al no nacer con la transmisión sino con la oferta, quedaron vinculados, de suerte que no podían desistir de su decisión hasta que transcurriera el plazo de caducidad impuesto en la ley, durante el cual la Administración podía ejercer su derecho como así hizo.

señalados de información, gestión y administración, sin interferencia ni menoscabo de las atribuciones y responsabilidades detentadas por otras personas o entidades intervinientes en las actuaciones de la Cooperativa o de la promoción, tales como dirección de obra, constructor, entidades financieras, etc., que se regirán por sus contratos respectivos.

La retribución a la empresa municipal por la prestación de los anteriores servicios contratados será del cuatro por ciento (4%) de los costes totales de la promoción.

Estos servicios se inician desde la fecha de la firma de este contrato y se darán por concluidos una vez hayan terminado las obras y se haya obtenido la calificación definitiva. En ese momento se procederá a efectuar la liquidación de la promoción y una vez aprobada y dentro de los seis meses siguientes se hará entrega a la cooperativa de los documentos debidamente cumplimentados y puestos al día, obligándose la cooperativa al cambio del domicilio social y a la atención de sus obligaciones societarias.

Serán causas de resolución del presente contrato de servicios, en su caso, además de los previstos en la legislación vigente, el cumplimiento negligente demostrado y notificado fehacientemente en materia grave para la cooperativa por parte de la empresa local, así como el incumplimiento de las obligaciones de la Cooperativa que impidan a ésta atender adecuadamente sus compromisos.

Tanto la solicitud de los servicios como la prestación de los mismos se plantean desde la voluntad de colaboración, por ello, para cuantas cuestiones discrepantes puedan surgir en el cumplimiento o interpretación del presente documento, las partes se someten al procedimiento de arbitraje de equidad, según lo previsto en la Ley, recurriendo solamente a los Tribunales ante el incumplimiento por cualquiera de las partes del laudo dictado por los árbitros.

Todo lo que antecede se firma por parte de la empresa y de la cooperativa.

Desde el punto de vista de los empresarios privados este sistema puede tener interés por varios motivos. En principio, conforme al régimen jurídico que acaba de ser explicado las empresas constructoras entran en el plano de la construcción previo requerimiento de sus servicios por la empresa municipal (dentro de los márgenes de colaboración que acabamos de describir) aunque la decisión final (sobre la empresa que ha de llevar a cabo la construcción de las viviendas) sea adoptada por la cooperativa.

El interés de esta forma de gestión, de las cooperativas, es evidente desde el momento en que puede realizarse la cesión directa de los bienes locales (sin necesidad, por tanto, de concurso) a dicha cooperativa (comprometiéndose ésta al abono del 15% del valor tasado de la vivienda en el momento de la adquisición).

El carácter público de la actividad pretendida y la dependencia de la cooperativa respecto de la empresa municipal, así como la propia legislación, explican el porqué de esta omisión de las reglas de concurso o subasta para la cesión del bien, considerando además el concurso o sorteo que se realiza entre los interesados para entrar a formar parte de la cooperativa que, conforme al procedimiento negociado, se beneficiará de la adjudicación del bien. Por explorar quedaría la posibilidad de un convenio, dentro de las estipulaciones entre la empresa local y la cooperativa, según el cual dicha empresa municipal no sólo asiste a la cooperativa sino que además la propone la empresa constructora final.

E. El Derecho de superficie

a) Fuentes reguladoras

Se regula en el TRLS/2008 el derecho de superficie como un instrumento de la función social de la propiedad al favorecer en la actual regulación su operatividad para facilitar el acceso de los ciudadanos a la vivienda y, con carácter general, diversificar y dinamizar las ofertas en el mercado inmobiliario.

Asimismo, el régimen contenido en el nuevo Texto Refundido está dirigido a superar la deficiente situación normativa de este derecho. Y es que desde el punto de vista urbanístico, el derecho de superficie ha tenido una trayectoria irregular y sólo desde épocas recientes parece estar encontrando un cierto reconocimiento no exento de inconvenientes. Básicamente el principal obstáculo con el que se encuentra el derecho de superficie para poder llegar a tener calado en el tráfico jurídico urbanístico deriva de la no adquisición de propiedad alguna y de su limitación temporal, como ha explicado con acierto el propio Tribunal Supremo en su STS de 24 de marzo de 1992 (RJ 1992, 3384), en la que afirma que la asunción por las Leyes del Suelo (art. 157 de la Ley de 12 de mayo de 1956, art. 171 de la de 9 de abril de 1976) de la técnica jurídica del derecho de superficie, encuadrada dentro de un capítulo dedicado al fomento de la edificación, no ha ofrecido los resultados apetecidos, porque edificar en suelo que, al fin y al cabo, es ajeno no despierta demasiada confianza, sin duda porque las edificaciones actuales, sobre todo en las grandes ciudades, se materializan en ingentes bloques de viviendas de elevado presupuesto y construidos pensando en una duración indefinida.

Sin embargo, el derecho de superficie es una institución jurídica viva y útil para el tráfico urbanístico actual, que conviene que las entidades públicas tengan presente, pues también presenta ventajas, como la de ser una meca-nismo para conservar en manos públicas el suelo y al mismo tiempo facilitar la ampliación del parque de viviendas de protección pública, o la de contri-buir a contener los precios del suelo edificable y a la recuperación y reten-ción de las plusvalías urbanísticas por parte de la comunidad, etc[37].

También puede ser útil, con función de garantía, como alternativa a las permutas de suelo por edificación futura, regulando los plazos dentro de los cuales el superficiario deba construir, y pactando un régimen liquidatorio del derecho que finalice con la constitución de la construcción en régimen de propiedad horizontal y la atribución de algunos departamentos resultan-tes al propietario del terreno. En la práctica, la utilización de esta figura legal es hoy bastante frecuente en relación con la construcción y explotación de centros comerciales.

El Código Civil español menciona, pero no regula, el derecho de superfi-cie en su artículo 1611.

En cuanto a la modalidad urbanística del derecho de superficie fue regu-lado, por primera vez, de forma autónoma en la Ley del Suelo de 1956 (ar-tículos 157 al 161), posteriormente en el Texto Refundido de la Ley del Suelo de 1976 (artículos 171 a 174), más tarde en los artículos 287 a 290 del Texto Refundido de la Ley del Suelo de 26 junio de 1992; y hasta hace poco en los artículos 35 y 36 de la Ley estatal del suelo 8/2007, de 28 de mayo.

En la actualidad, a nivel estatal, se recoge una regulación del derecho de superficie en los artículos 40 y 41 del TRLS/2008, dentro del Título V dedicado a la función social de la propiedad y gestión del suelo: el artículo 40 se dedica al contenido, constitución y régimen, mientras que el artículo

---

37. R. ARNAIZ EGUREN, *La inscripción registral de actos urbanísticos,* Madrid, 1999; B. DÍAZ GAZTELU, *Instrumentos de intervención en el mercado del suelo,* Madrid, 2006; J. L. MERELO ABELA en su obra *Régimen jurídico y gestión del suelo urbano y urbanizable,* Barcelona, 2000, p. 767 y ss.; J. L. DE LOS MOZOS, *El derecho de superficie en general y en relación con la planificación urbanística,* Madrid, 1974, pp. 241 ss.; T. A. QUINTANA LÓPEZ/M. LOBATO GÓMEZ, *La constitución y gestión de los patrimonios municipales del suelo,* Madrid, 1996, pp. 69 y ss.

41 regula la transmisión, gravamen y extinción del derecho de superficie. Asimismo, según el artículo 40.4 del TRLS/2008 hay que estar en lo no previsto por la legislación estatal a las normas del Derecho civil y al propio título constitutivo del derecho.

En segundo lugar, como legislación vigente en esta materia no hay que olvidar la legislación autonómica. Así, por ejemplo, en la regulación del derecho de superficie en la Comunidad Valenciana, contenida en el artículo 267 de la nueva Ley Urbanística 16/2005, de 30 de diciembre, únicamente se alude a la constitución por parte de las entidades públicas (la Generalitat, las entidades locales, los organismos autónomos, las entidades públicas empresariales y las sociedades públicas, cuyo capital pertenezca total o parcialmente a la administración), indicándose que, dentro de los ámbitos de su competencia, podrán éstas constituir el derecho de superficie en terrenos de su titularidad con destino a la construcción de viviendas, servicios complementarios, instalaciones industriales y comerciales u otros usos determinados en los planes urbanísticos y de ordenación del territorio, cuyo derecho corresponderá al superficiario, por el plazo que establezca el acto de constitución del derecho de superficie. En todos los demás aspectos (reales, formales, plazos, etc.) se remite expresamente la LUV a la normativa estatal aplicable.

Por último, indicar que la regulación que se contenía en el artículo 16 del Reglamento Hipotecario de 14 de febrero de 1947 ha sido declarada nula en su práctica totalidad –en cuanto su contenido fue modificado por el artículo 1 y por la disposición adicional única del RD 1867/1998, que han sido declarados nulos por SSTS de 24 de febrero de 2000 (RJ 2000, 2888), de 22 de mayo de 2000 (RJ 2000, 6275), de 12 de diciembre de 2000 (RJ 2001, 552) y de 31 de enero de 2001 (RJ 2001, 1083)–, por lo que no faltan quienes entienden que cobra vigencia la redacción anterior al Real Decreto 1867/1998, salvo en los aspectos que ya hubiesen sido derogados por la Ley del Suelo.

b) Concepto

El derecho de superficie es un derecho real limitado, susceptible de ser gravado y transmitido, que recae sobre una finca ajena y por el cual se atribuye temporalmente al superficiario el derecho de tener y mantener una construcción en suelo ajeno, derecho que suele denominarse «propiedad superficiaria». En virtud de este derecho de superficie, de carácter temporal y reversible, se mantiene, por tanto, una separación entre la propiedad de lo que se construye y la del suelo en el que se efectúa la construcción o plantación.

El objeto o contenido del derecho de superficie se define actualmente en el artículo 40.1 del TRLS/2008 del modo siguiente:

> «El derecho real de superficie atribuye al superficiario la facultad de realizar construcciones o edificaciones en la rasante y en el vuelo y en el subsuelo de una finca ajena, manteniendo la propiedad temporal de las construcciones o edificaciones realizadas. También puede constituirse dicho derecho sobre construcciones o edificaciones ya realizadas o sobre viviendas, locales o departamentos de construcciones o edificaciones atribuyendo al superficiario la propiedad temporal de las mismas, sin perjuicio de la propiedad separada del titular del suelo».

c) *Elementos personales del derecho de superficie*

Se indica en la jurisprudencia (por todas, STS de 28 de abril de 1992 [RJ 1992, 4114]) que la especialidad más característica de este derecho real de disfrute descansa en la necesidad de separar o distinguir, por un lado, el titular de lo construido que disfruta del suelo ajeno en tanto domina lo construido (denominado superficiario), del dueño del suelo sobre el que se construye (denominado concedente, superficiante o, simplemente propietario del terreno), por otro lado.

Son, pues, elementos personales del derecho de superficie el concedente, por una parte, y el superficiario, por otra parte.

En cuanto a quiénes pueden ser concedentes del derecho de superficie, es decir, quiénes pueden ser titulares del suelo sobre el que se constituye el citado derecho, se indica en el artículo 40.2 *in fine* del TRLS/2008, que sólo puede constituirse este derecho por el propietario del suelo, sea éste persona pública (el Estado, las CCAA, las Entidades Locales, etc.) o sea particular. Es decir, pueden ser concedentes del derecho de superficie tanto sujetos públicos como sujetos privados, pero en ambos casos han de ser propietarios de las fincas o terrenos sobre los que se constituye este derecho.

Por otra parte, pueden ser superficiarios tanto los particulares como las personas públicas, pues la regulación no excluye expresamente la posibilidad de que lo sean las personas públicas.

d) *Elementos reales del derecho de superficie*

Una de las novedades que introdujo la Ley del Suelo 8/2007, respecto del TRLS/1976 y del TRLS/1992, fue la existencia de tres modalidades posibles de constitución del derecho de superficie mediante la construcción de edificios sobre el suelo ajeno o rasante, en el vuelo ajeno y en el subsuelo ajeno. Esto se mantiene en el TRLS/2008, en cuyo artículo 40.1 se aprecia una clara influencia del artículo 16.1 del Reglamento Hipotecario de 1947, en su versión anterior al RD 1867/1998, donde se establece que para la eficaz constitución del derecho de superficie debe inscribirse a favor del superficiario el derecho de construir edificios en suelo ajeno y el de levantar nuevas construcciones sobre el vuelo o efectuarlas bajo el suelo de fundos ajenos.

Los elementos reales del derecho de superficie son, por una parte, el suelo, vuelo o subsuelo sobre los que recae el derecho de superficie, y por otra parte, en su caso, la contraprestación o canon superficiario.

Se deduce de la regulación urbanística que el suelo sobre el que puede constituirse el derecho de superficie será privado en el caso de los particulares y público de carácter patrimonial en el caso de las Entidades públicas, encontrándose en esta situación los bienes integrantes del Patrimonio municipal de suelo. Es ilustrativa, por todas, la STS de 1 de octubre de 2003 (RJ 2003, 8133) que anula y casa la sentencia de la Sala lo contencioso-administrativo del TSJ de Aragón por haberse constituido un derecho real de superficie sobre un bien de carácter demanial, pues, contrariamente a lo que había entendido el Tribunal de instancia, el terreno no había sido desafectado.

Debe tratarse de suelos aptos para materializar la edificación que va a realizar el superficiario y, por consiguiente, de terrenos para los cuales el planeamiento ha fijado un uso o destino compatible con el objeto del derecho de superficie.

En este sentido, respecto de los bienes integrantes del Patrimonio Municipal del Suelo existe una limitación de destino que ha de tenerse en cuenta y que viene legalmente impuesta por el artículo 39 del TRLS de 2008. De acuerdo con este precepto, los bienes y recursos que integran el Patrimonio Municipal del Suelo deberán ser destinados a la construcción de viviendas sujetas a algún régimen de protección pública o a otros usos de interés social, de acuerdo con los instrumentos de ordenación urbanística. Aunque también es cierto que en los casos en que el destino del derecho de superficie sean viviendas de protección pública gozarán éstas de las ventajas que se establezcan en la concesión de calificaciones, préstamos y ayudas previstas en la legislación protectora de viviendas.

Como conclusión de lo dicho hasta ahora puede señalarse que, en el caso de las entidades públicas, ya no está limitado el objeto o destino de los derechos de superficie constituidos sobre todos los terrenos de su propiedad (como ocurría antes de la STC 67/1997 [RTC 1997, 61]), sino únicamente sobre los derechos de superficie constituidos sobre terrenos integrantes del patrimonio municipal del suelo, a causa de su propia naturaleza. Y en el caso de los particulares, esta limitación de destino no rige, como es lógico, y así se puede deducir del artículo 40.1 del TRLS/2008.

Por otra parte, no resultaba pacífico en la doctrina si cabía constituir el derecho de superficie sobre inmuebles construidos. Un primer sector de opinión afirmaba que no existía obstáculo alguno para ello, siempre que la edificación existente sea conforme con el planeamiento. Otro, en cambio, afirmaba que si el objeto del derecho de superficie era edificar en suelo ajeno, cuando el terreno ya está edificado, la obligación se limitaría a la edificación restante. Sin embargo, la Ley del Suelo 8/2007 acabó con la dialéctica doctrinal al señalar expresamente en su artículo 35.1 (actualmente 40.1 TRLS/2008) que el derecho real de superficie también puede constituirse sobre construcciones o edificaciones ya realizadas, e incluso va más allá refiriéndose a posibilidad de su constitución sobre viviendas, locales o departamentos de edificaciones.

En cuanto a la materialización del derecho de superficie a través de la construcción, se exige legalmente al superficiario en el artículo 41.5 del TRLS/2008 que edifique en el plazo previsto en el título de constitución[38], so pena de extinción del derecho de superficie. Esta condición resolutoria por no haber edificado en tiempo se regulaba ya en el artículo 289.1 del TRLS/1992 y en el artículo 173.1 del TRLS/1976 del modo siguiente: «El derecho de superficie se extinguirá si no se edifica en el plazo previsto en el Plan o en el convenio, si fuera menor».

Como segundo de los elementos reales del derecho de superficie hay que referirse a la contraprestación a recibir por el concedente. A este respecto, la legislación actualmente aplicable (artículo 40.3 TRLS/2008), es prácticamente idéntica al contenido del artículo 288.3 TRLS, aunque viene a recoger dos precisiones, que antes no se contenían, sobre aspectos que la doctrina había discutido. En primer lugar, establece claramente que el derecho de superficie se podrá constituir tanto con carácter oneroso como con carácter gratuito. La segunda de ellas se refiere a que el pago de la contraprestación ha de abonarse al titular del suelo, extremo que antes no se decía

---

38. El art. 16.1.C) del Reglamento Hipotecario, en su redacción anterior al RD 1867/1998, establece que debe constar en la inscripción del derecho de superficie el plazo señalado para realizar la edificación, que no podría exceder de cinco años. En sentido semejante señalaba ya la LS 1956, en su artículo 159.1, que «el superficiario deberá construir, en el plazo y del modo que se hubiese señalado, sin que aquél pueda exceder de cinco años, en las concesiones otorgadas por el Estado y demás personas públicas».

expresamente, de modo que cabía la interpretación de que el titular del terreno pactase el pago de la contraprestación a una tercera persona.

La constitución gratuita del derecho de superficie por parte de los particulares no parece ofrecer ninguna duda ni mayores problemas, pues ha de entenderse que en este caso rige el principio de autonomía de la voluntad.

En cuanto a la constitución gratuita del derecho de superficie por parte de las entidades públicas, no hay que olvidar que la constitución de un derecho de superficie sobre un bien patrimonial de una Administración deberá respetar los requisitos sobre el carácter oneroso o gratuito contenidos en las normas sobre disposición de los bienes de las Administraciones públicas (concurso o subasta, cesiones gratuitas, etc.) contenidas en la legislación urbanística o si se trata de bienes que formen parte de un Patrimonio Público de Suelo en la normativa estatal, autonómica o local sobre tales bienes. A este respecto, por ejemplo, el artículo 172.1 del TRLS/1976 señalaba que «la adjudicación directa podrá hacerse gratuitamente o por precio inferior al coste, siempre que los terrenos sean destinados a los fines previstos en los artículos 166 y 169». Estos fines no son otros que las viviendas de carácter social, edificios públicos destinados a Organismos oficiales, los edificios de servicio público (de propiedad pública o particular) que requieran un emplazamiento determinado sin propósito especulativo, como centros parroquiales, culturales, sanitarios o instalaciones deportivas y la construcción de viviendas por Organismos oficiales.

Cuando el derecho de propiedad se constituye a título oneroso, establece el artículo 40.3 del TRLS/2008 que «la contraprestación del superficiario podrá consistir en el pago de una suma alzada por la concesión o de un canon periódico, o en la adjudicación de viviendas o locales o derechos de arrendamiento de unas u otros, o en varias de estas modalidades a la vez, sin perjuicio de la reversión total de lo edificado al finalizar el plazo que se hubiera pactado al constituir el derecho de superficie». Esta obligación podrá asegurarse con garantías de trascendencia real, en virtud del artículo 16.1.e del Reglamento Hipotecario de 1947.

e) Elementos formales del derecho de superficie

Para que la constitución del derecho de superficie sea válida, tanto si el concedente es una entidad pública como si es un particular, exige el artículo 40.2 del TRLS/2008 que se formalice siempre en escritura pública y que se proceda a su inscripción en el Registro de la Propiedad[39].

_____
39. A diferencia del artículo 288.2 TRLS/1992 y del propio Anteproyecto de Ley del Suelo, que hablan de eficacia del derecho, la nueva LS 2007 no se refería a si la inscripción en

La escritura pública en que se establezca el derecho de superficie deberá fijar el plazo de duración del derecho de superficie, que, de acuerdo con el artículo 40.2 del TRLS/2008 no podrá exceder de noventa y nueve años, sin establecer plazos diferentes en virtud de si los concedentes son personas públicas o particulares[40]. En este punto también se aprecia la impronta del artículo 16.1.a del Reglamento Hipotecario, que, viene exigiendo como *condictio sine qua non* de los títulos constitutivos del derecho de superficie que éstos reúnan o recojan una serie de circunstancias, entre las que se encuentra el plazo de duración del derecho único, es decir, sin distinguir por la naturaleza jurídica del concedente.

De acuerdo con el artículo 16.1 del Reglamento Hipotecario, además de las circunstancias generales necesarias para la inscripción según la legislación hipotecaria, y de la fijación del plazo, han de determinarse o fijarse en la escritura las siguientes circunstancias:

a)   Determinación del canon o precio que haya de satisfacer el superficiario, si el derecho se constituyere a título oneroso.

b)   Plazo señalado para realizar la edificación, que no podrá exceder de cinco años; sus características generales, destino y costo del presupuesto.

c)   Pactos relativos a la realización de actos de disposición por el superficiario.

d)   Garantías de trascendencia real con que se asegure el cumplimiento de los pactos del contrato.

---

el Registro de la Propiedad de la escritura pública es un requisito constitutivo o de eficacia frente a terceros. Precisamente, el valor de la inscripción registral del derecho de superficie es uno de los motivos que llevó al Tribunal Supremo a declarar nulo el RD 1867/1998 (por el que se daba nueva redacción, entre muchos otros, al artículo 16.1 del Reglamento Hipotecario), en cuanto había venido a extralimitarse del sentido del entonces vigente artículo 288.2 del TRLS/1992. Con la nueva redacción del artículo 16.1, actualmente anulada, la inscripción en el Registro se exigía como requisito constitutivo del derecho de superficie, mientras que la Ley del Suelo de 1992 hablaba únicamente de la inscripción como requisito para la eficacia frente a terceros.

40.   En este extremo se separa la nueva legislación estatal del suelo de la legislación urbanística hasta ahora vigente, dado que se unifica el plazo de duración del derecho de superficie en noventa y nueve años, de modo que desaparece la distinción de plazos del TRLS/1992 que dependía del hecho de si el concedente del derecho de superficie es una entidad pública (plazo máximo de setenta y cinco años) o un particular (plazo máximo de noventa y nueve años). Hemos de recordar que tampoco el artículo 16.1.a) del Reglamento Hipotecario distinguía en función de la naturaleza jurídica del concedente y recogía un plazo único, aunque era de cincuenta años y por ello fue derogado por los artículos 173.1 de la Ley del Suelo de 1976 y 289.2 de la Ley del Suelo de 1992, al venir a establecer un plazo mayor.

f) *Transmisión, gravamen y extinción del derecho de superficie.*

Los cuatro primeros apartados del artículo 41 del TRLS/2008 se ocupan de la transmisión y gravamen del derecho de superficie, regulando esta cuestión más detalladamente que en la legislación anterior, donde únicamente se contenía una mención general a la posibilidad de transmitir y gravar este derecho. Puede afirmarse que, una vez más, este contenido recogido en el texto refundido de la Ley del Suelo estatal es fruto de las disquisiciones doctrinales.

En concreto, señala el artículo 41:

«1. El derecho de superficie es susceptible de transmisión y gravamen con las limitaciones fijadas al constituirlo.

2. Cuando las características de la construcción o edificación lo permitan, el superficiario podrá constituir la propiedad superficiaria en régimen de propiedad horizontal con separación del terreno correspondiente al propietario y podrá transmitir y gravar como fincas independientes las viviendas, los locales y los elementos privativos de la propiedad horizontal, durante el plazo del derecho de superficie, sin necesidad del consentimiento del propietario del suelo.

3. En la constitución del derecho de superficie se podrán incluir cláusulas y pactos relativos a derechos de tanteo, retracto y retroventa a favor del propietario del suelo, para los casos de las transmisiones del derecho o de los elementos a que se refieren, respectivamente, los dos apartados anteriores.

4. El propietario del suelo podrá transmitir y gravar su derecho con separación del derecho del superficiario y sin necesidad de consentimiento de éste. El subsuelo corresponderá al propietario del terreno y será objeto de transmisión y gravamen juntamente con éste, salvo que haya sido incluido en el derecho de superficie».

En cuanto al régimen extintivo del derecho de superficie, se regula en el último apartado del artículo 41 del TRLS/2008. Básicamente no difiere su contenido del anterior TRLS/1992, incluyendo como principal diferencia o puntualización el hecho de que se pueda pactar, a la hora de constituir el derecho de superficie, cómo va a ser el régimen liquidatorio del derecho de superficie una vez extinguido el mismo [lo cual podría entenderse en la línea, en cierto sentido, del artículo 16.1.a) del Reglamento Hipotecario de 14 de febrero de 1947 cuando establece que, transcurrido el plazo del derecho, lo edificado pasará a ser propiedad del dueño del suelo, *salvo pacto en contrario*].

Así, de acuerdo con el artículo 41.5 son causas extintivas del derecho de superficie las siguientes:

a) Transcurso del plazo para edificar sin que el superficiario haya cumplido dicha obligación (extinción por resolución del título constitutivo).

b) Transcurso del plazo por el que se constituyó el derecho de superficie. Se trata del supuesto más típico de extinción del derecho de superficie y tendrá como efectos, por una parte, que el dueño del suelo hará suya la propiedad de lo edificado, sin que deba satisfacer indemnización alguna cualquiera que sea el título en virtud del cual se hubiere constituido aquel derecho, aunque pueden pactarse reglas para la liquidación del régimen del derecho de superficie. Y, por otra parte, conlleva asimismo la extinción de toda clase de derechos reales o personales impuestos por el superficiario.

c) Por reunión en una misma persona de las condiciones de propietario del suelo y superficiario. En este caso, las cargas que recayeren sobre uno y otro derecho continuarán gravándolos separadamente hasta el transcurso del plazo del derecho de superficie.

Como causas no determinadas legalmente, pero apuntadas por la doctrina como modo habitual de extinción de los derechos reales, podemos referirnos, entre otras, al abandono o renuncia del superficiario, al mutuo disenso, a la expropiación forzosa o a la condición resolutoria establecida por las partes. En cuanto a la expropiación, conviene conocer la doctrina jurisprudencial a este respecto, según la cual hay que distinguir la expropiación del propio derecho de superficie (que no da lugar a indemnización separada) y la expropiación de la construcción objeto del derecho de superficie: «no es obstáculo a ello el que el artículo 6.3 del Reglamento de la Ley de Expropiación Forzosa aprobado por Decreto de 26 de abril de 1957 disponga que "los titulares de derechos e intereses sobre el bien expropiado... no percibirán indemnización independiente, sin perjuicio de que pueden hacerlos valer sobre el justo precio derivado de la expropiación principal" pues este precepto únicamente puede referirse al derecho de superficie en sí, no al derecho originado por la expropiación de construcciones, licencias o autorizaciones conseguidas por el propietario de las mismas que, por tanto tiene derecho a hacer uso de todos los derechos que la Ley de Expropiación Forzosa concede (...)» (STSJ de la Comunidad de Madrid de 25 de noviembre de 2002 [JUR 2003, 144848]).

Es importante indicar, por último, que la destrucción de lo edificado no supone una causa automática de extinción del derecho de superficie, ya que el superficiario puede volver a construir nuevamente sobre el terreno en tanto no se extinga el plazo máximo de duración de su derecho.

PARTE DÉCIMA
LOS CONVENIOS URBANÍSTICOS

1. REFERENCIA HISTÓRICA, CONCEPTO Y FILOSOFÍA DE LOS CONVENIOS

No obstante su actualidad, al urbanismo histórico no han sido ajenos los convenios urbanísticos. En el siglo XIX los convenios aparecen junto a las distintas técnicas o acciones más características del momento. En el contexto de las alineaciones los convenios se celebran con el fin de evitar el procedimiento expropiatorio o de agilizarlo una vez que éste se ha puesto en marcha; pueden por tanto asociarse aquéllos a la necesidad de facilitar la adquisición de suelo por parte de los poderes públicos. Asimismo, cuando la Administración impulsa los característicos procesos de ensanche y reforma interior de las ciudades, surgen convenios como medio para fomentar la colaboración del particular en la realización de las obras de urbanización y por tanto como cauce de colaboración en el ejercicio de una función pública, la urbanística. En definitiva, desde siempre se han puesto de manifiesto ciertas limitaciones con las que se enfrenta la acción pública urbanística (en este contexto de cara a la realización de las obras necesarias) y por tanto la necesidad de buscar la colaboración de los particulares. También se deja espacio a la colaboración o iniciativa privada en el contexto de la implantación de las disposiciones higiénicas y sanitarias (mediante exenciones tributarias y subvenciones en favor de empresas colaboradoras; art. 12 de la Ley de Casas Baratas de 1911).

La LS/1956, a pesar de pretender la unilateralidad de decisiones, no pudo renunciar a la actuación de los particulares mediante convenios o formas convenidas de colaboración con los particulares en el ejercicio de la función pública urbanística (arts. 137 a 141, donde se regula la colaboración de los particulares en labores de ejecución, previéndose el concesionario de obra urbanizadora seleccionado por licitación pública; art. 117, donde se prevén convenios para costear las obras de urbanización de los propietarios).

Pero es precisamente por reacción frente a la LS 1956 como en realidad se introduce en sentido *moderno,* por el TRLS/1976, el llamado urbanismo concertado (con el antecedente del Decreto 2432/1972, de 18 de agosto). En suma, facilitando la actuación de los particulares mediante convenios se prevé la *posibilidad* de que las entidades locales, de oficio o a instancia de parte, convoquen concursos para la formulación y ejecución de los Programas de Actuación Urbanística (por tanto en suelo urbanizable no programado), con la consiguiente adjudicación a un concursante que deberá formular el correspondiente Programa de actuación de acuerdo con el avance de planeamiento aprobado. No obstante, dichas Entidades podían ejecutar directamente los PAU o prescindir de la apertura del concurso (arts. 146 y ss. del TRLS/1976).

Por su parte, la LRSV 1998 consideró que «en los supuestos de actuación pública, la Administración actuante promoverá, en el marco de la legislación urbanística, la participación de la iniciativa privada», y en su filosofía la LRSV de 1998 no es distante del TRLS/1976 (ni tampoco del espíritu del desarrollismo económico de los tiempos del TRLS/1976)[1].

Pero la actuación de los particulares mediante convenios o formas convenidas de colaboración desbordan los márgenes de cualquier previsión legal (en general, véanse los arts. 88 de la LRJAP-PAC 30/1992, 111 TRLRL/1986, art. 77 LJCA 20/1998). Estamos ante uno de esos fenómenos que impulsan nuevas necesidades y tendencias sociales asociadas tanto a una ágil y eficaz gestión administrativa como a la conveniencia de abrir mayores cauces de participación de los particulares en el ejercicio de funciones públicas, como es el caso de la urbanística.

Se generan así convenios urbanísticos atípicos dirigidos a la modificación del planeamiento urbanístico torpedeando el contenido y funcionalidad de los planes generales. Mediante este tipo de convenios, el Ayuntamiento se compromete a clasificar o calificar los terrenos atribuyéndoles determina-

---

1. Por lo que se refiere al TRLS/1992 no parte éste de la *ratio* del urbanismo concertado, sino más bien de la idea del dirigismo de los poderes públicos (véase el art. 19). No obstante, en primer término, el TRLS/1992 confirma que las Entidades locales puedan convocar concursos para la formulación y ejecución de los Programas de Actuación Urbanística (arts. 177 a 184). Contempla asimismo otros casos o ejemplos relacionados de forma más o menos directa con formas de actuación convenida entre particulares y Administración. Éste es el caso de los convenios que puede celebrar la Administración con los particulares para satisfacer el justiprecio mediante la adjudicación de terrenos situados dentro o fuera del área de reparto donde se encuentran los expropiados (art. 217), o para llevar a cabo una expropiación (art. 213) o para la constitución de servidumbres cuando «para la ejecución de un Plan no fuere menester la expropiación del dominio» (art. 211), o para fijar los compromisos que se hubieren de contraer entre el urbanizador y el Ayuntamiento en los casos de planes de iniciativa particular [art. 105.2.d)]. Se sitúan en esta línea, los convenios mediante los cuales se permite que el pago de los gastos de urbanización, que han de asumir los propietarios, se haga mediante terrenos edificables o se haga de forma aplazada (arts. 155.2 y 163.3 respectivamente). También puede encajar en este contexto el supuesto contemplado en el art. 151.4, donde se faculta a la Administración a transmitir los excesos de aprovechamiento siempre que el uso de los terrenos en la unidad de ejecución no sea adecuado a los fines del Patrimonio Municipal del suelo. En este contexto, el art. 282.2 permite las cesiones de Patrimonio municipal de suelo, donde nuevamente puede ser encajado el convenio (con las limitaciones no obstante que prevén los preceptos siguientes). Las cesiones de terrenos por la vía convenio son también usuales (STS de 18 de junio de 1991 [RJ 1991, 5186]).

dos usos e intensidades y el propietario a compensar los beneficios adquiridos incrementando las cesiones gratuitas al Ayuntamiento más allá de las cesiones previstas en el ordenamiento jurídico. Pero los convenios también podrán celebrarse con fines recaudatorios o, lo que es más problemático, eludiendo la aplicación de medios coercitivos y sancionadores, a los efectos de conseguir la legalización de ciertas acciones urbanísticas. Es «problemático» cuando de esta forma se eluda la imposición de una sanción que deba aplicarse.

La colaboración mediante los convenios se inspira en parte en la idea del _do ut des_. Ambas partes convienen la satisfacción de sus intereses recíprocos, para mejor realización de los fines públicos en caso de la Administración. Y es obvio que este planteamiento lleva consigo la necesidad de aplicar límites jurídicos. Pero antes de mencionar los límites y garantías, es preciso insistir en la idea anterior, esencial a los pactos o convenios y que en lo urbanístico lleva a conceder a la Administración la posibilidad de aprovechar los márgenes de apreciación o discrecionalidad que le otorga la legalidad administrativa a la hora de realizar el planeamiento urbanístico; siendo varias las opciones posibles, podrá buscarse un punto de encuentro con los intereses de los particulares y sacar provecho de este tipo de circunstancias para la mejor realización de los fines públicos que, a la postre, es lo que interesa. El particular, movido por su particular interés, colabora en definitiva en la mejor realización de los intereses públicos. La posición jurídica del particular que pacta con la Administración no es la de un concesionario sino la de un «colaborador» en el ejercicio de funciones públicas.

Es obvio, como decíamos, que este tipo de planteamientos acentúe la necesidad de transparencia y de publicidad en la celebración de convenios. El problema jurídico de los convenios es, en realidad, el problema de sus límites y controles jurídicos.

Los convenios «_atípicos_» son cada vez más «típicos», desde el momento en que la legislación urbanística autonómica, superando ciertos reparos de la jurisprudencia, reconoce y matiza el empleo de los convenios urbanísticos (disposición adicional cuarta de la Ley valenciana 4/1992, de 5 de junio, de Suelo no urbanizable).

El reconocimiento de los convenios pasa necesariamente por establecer límites jurídicos insistiendo en su transparencia y su publicidad. Esto es en definitiva lo que hace dicha legislación autonómica nada más reconocer los convenios urbanísticos, tanto respecto de los convenios para la ejecución del planeamiento como de los convenios que se suscriban con motivo de la formulación y aprobación de los planes o con el objeto de que la Administración tome la iniciativa y tramitación de los pertinentes procedimientos para la modificación del planeamiento.

Otros límites que es preciso aunque sólo sea recordar se refieren a la imposibilidad de contravenir el ordenamiento jurídico y a la indisponibilidad de las potestades públicas (art. 94.2 de la Ley 5/1999, de 5 de abril, de Castilla y León). Dicha indisponibilidad es un criterio o límite sobre el que incide de forma especial la jurisprudencia. Así, la STS de 15 de abril de 1992 (RJ 1992, 4051) afirma que «no resulta posible una disposición de la potestad de planeamiento por vía contractual (...)». «Nunca podría aquél (el convenio) limitar el contenido de las potestades autonómicas» (STS de 13 de febrero de 1992 [RJ 1992, 2828]). «Aquella potestad ha de actuarse para lograr la mejor ordenación posible, sin perjuicio de las consecuencias jurídicas que ya en otro terreno pueda desencadenar el apartamiento de convenios anteriores» (STS de 13 de julio de 1990 [RJ 1990, 6034]).

De entre la numerosa jurisprudencia existente una sentencia ilustrativa, sobre el correcto funcionamiento de los convenios, es la STS de 15 de febrero de 1994 (RJ 1994, 1448), en tanto en cuanto primero establece ciertos límites y reservas y, segundo, admite la celebración de los convenios aportando datos de interés sobre su sentido y alcance práctico. Por una parte, «el convenio viene a ser un instrumento facilitador de la actuación urbanística que en modo alguno puede implicar derogación (ni un beneficio de la Administración ni en favor de los particulares) de las reglamentaciones de carácter imperativo, ni puede condicionar el ejercicio de las potestades urbanísticas, por ser el urbanismo una auténtica función pública indisponible e irrenunciable».

Entendido así, añade dicha STS de 15 de febrero de 1994 (RJ 1994, 1448), no existen mayores problemas para admitir un convenio que venga a plasmar en la realidad lo establecido en el planeamiento. Concretamente en el presente supuesto el convenio *plasma* «la expectativa de aprovechamiento que la parte actora tenía por reconocérselo así las Normas subsidiarias (...) *favoreciendo y facilitando la gestión de la urbanización (...), por localizar y materializar parte del proceso ejecucional a efectos urbanísticos mediante la cesión de los terrenos de cesión obligatoria y gratuita a que estaba obligada la parte actora al amparo de lo dispuesto en los artículos 83.3.1, 120 y 124.1 de la Ley del Suelo, concretando igualmente el volumen de edificabilidad de la parte actora de los terrenos de su propiedad* (...)».

En esta línea de sacar partido, en buen sentido, a la figura del convenio se sitúa también la STS de 25 de marzo de 1992 (RJ 1992, 3387). El convenio viene a evitar, en este caso, la indemnización prevista en el TRLS/2008 (antes artículos 41 y ss. de la LRSV), lo que evidentemente contribuye a realizar o favorecer los intereses públicos siempre que no se pongan en riesgo otro tipo de valores jurídicos superiores: «al tratarse pues de un Plan Parcial en curso de ejecución y sin posibilidad de consumación, el referido Convenio urbanístico ofrecía como la única posibilidad viable para eludir las consecuencias indemnizatorias a que se refiere el art. 87.2 de la Ley del Suelo, que, en otro caso, hubieran devenido inevitables».

Pero el convenio no sólo debe respetar las leyes sino también los planes urbanísticos: «el convenio urbanístico no tiene, en general, y por sí solo valor normativo reglamentario autónomo, ni puede prevalecer en definitiva contra las determinaciones del Plan que ulteriormente se apruebe» (STS de 29 de noviembre de 1993 [RJ 1993, 9062]; igualmente, STS de 16 de febrero de 1993 [RJ 1993, 1204]; STS de 30 de octubre de 1997 [RJ 1997, 7638]).

No obstante, como esta misma sentencia (STS de 29 de noviembre de 1993 [RJ 1993, 9062]) reconoce, «el convenio deja de ser convenio si es asumido válidamente por el Plan, pues a partir de entonces sus estipulaciones cuentan como determinaciones de éste» (véase también la STS de 6 de noviembre de 1997 [RJ 1997, 8003]).

El convenio, como forma de actuación administrativa, no podrá llevar a una huida del Derecho administrativo, lo que ocurre cuando se utiliza un convenio en lugar de otra forma de actuación, que es la que procede conforme al objeto que se pretende. Es el caso de la STS de 18 de octubre de 1990 (RJ 1990, 8145) cuando establece que la «nulidad radical» de un convenio de permuta de bienes, «por cuanto el mismo, pese a tratarse de una permuta de bienes de las Corporaciones locales, fue celebrado sin darse cumplimiento a lo prescrito en el artículo 98.2 del reglamento de Bienes de las Corporaciones locales, precepto este último que exige para la procedencia de la permuta la previa tramitación de un expediente que acredite su necesidad así como la equivalencia de valores». La nulidad radical se presenta «al haber sido adoptado prescindiendo total y absolutamente del procedimiento legalmente establecido» (otros ejemplos en la STS de 15 de febrero de 1999 [RJ 1999, 1705]).

Pero será necesario estar al caso concreto. A veces un convenio será una simple forma de regular o definir el régimen de obligaciones de los propietarios definido en el ordenamiento jurídico. Una licencia condicionada a la realización de ciertas cesiones no es tanto un convenio como una obligación legal (STS de 25 de enero de 1999 [RJ 1999, 178]).

Un estudio de los convenios urbanísticos puede hacerse a la luz de la jurisprudencia existente. Los convenios son una institución llamada fundamentalmente a su aplicación práctica. Esto justifica que, seguramente, el mejor método para su estudio y conocimiento sea hacer una referencia a la jurisprudencia.

En este sentido, sobre su definición y funcionalidad interesa la STS de 3 de abril de 2001 (RJ 2001, 4150), según la cual «los convenios urbanísticos constituyen una manifestación de la **participación de los administrados** en el ejercicio de las potestades urbanísticas que corresponden a la Administración. El carácter jurídico-público de estas potestades no excluye, en una concepción avanzada de las relaciones entre los ciudadanos y la Administración, la intervención de aquéllos en aspectos de la actuación administrativa susceptibles de compromiso».

La finalidad de los convenios, según esta misma sentencia de 3 de abril de 2001 (RJ 2001, 4150), es «servir como instrumento de acción concertada **para asegurar una actuación urbanística eficaz,** la consecución de objetivos concretos y la ejecución efectiva de actuaciones beneficiosas para el interés general».

Según la STSJ de Asturias de 29 de mayo de 2003 (RJCA 2003, 880), los convenios son instrumentos facilitadores de la actuación urbanística que sirven para eliminar los puntos de fricción entre Administración y administrados *ab initio,* no siendo meros actos de trámite, sino que se dirigen a preparar y poner en marcha una actuación urbanística posterior, constituyendo una realidad o acto sustantivo e independiente del procedimiento de modificación o revisión del Plan.

Siguiendo esta misma STSJ de Asturias de 29 de mayo de 2003 (RJCA 2003, 880), los convenios adquieren vigencia, o mejor, producen efectos urbanísticos, cuando se incorporan al Plan y, una vez incorporados, corren la misma suerte que el Plan, de modo que serán nulos cuando existan determinaciones del planeamiento que lo sean (STS de 15 de diciembre de 1993 [RJ 1993, 9561]).

«Los convenios urbanísticos **vinculan a las partes** que los hubieran concertado, en los términos que señala el Código Civil, cuando en ellos queda establecido con claridad suficiente los acuerdos de voluntades alcanzados, por lo que las prestaciones asumidas por los particulares a través de ellos, en la medida que coincidan con las exigidas en las leyes o por los planes en vigor, son exigibles directamente en virtud de lo dispuesto en tales normas (STS de 15 de febrero de 1994 [RJ 1994, 1448]), correspondiendo la función de interpretar el contrato a los tribunales de instancia, cuyo resultado hermenéutico ha de ser mantenido y respetado en casación, a no ser que el mismo sea arbitrario, absurdo o contrario a la Ley» (STSJ de Canarias –Santa Cruz de Tenerife– de 30 de octubre de 2002 [JUR 2003, 90822], citando abundante jurisprudencia del Tribunal Supremo).

Con ello vemos que obligado es partir de lo que significan los convenios urbanísticos, y así podemos señalar (...) que este tipo de convenios son **instrumentos de acción concertada entre la Administración y los particulares que aseguran** a los entes públicos una actuación urbanística eficaz, la consecución de objetivos concretos y la ejecución efectiva de actuaciones beneficiosas para el interés general; su finalidad no es otra que complementar las finalidades legales en materia de urbanismo, posibilitando el acuerdo de las partes afectadas por el planeamiento, eliminando puntos de fricción y los obstáculos que pueda ocasionar una determinada actuación urbanística (STSJ del País Vasco de 28 de marzo de 2003 [JUR 2003, 142492]).

En cuanto a los **tipos de convenios urbanísticos,** pueden ser éstos «de planeamiento, cuando tienen por objeto una modificación o revisión del planeamiento en vigor a cambio de prestaciones del particular; de ejecución, cuando en el convenio se celebra en la fase de ejecución del planeamiento urbanístico para la gestión o ejecución de un planeamiento ya aprobado; y convenios urbanísticos de expropiación que se celebran durante la tramitación de un procedimiento de expropiación forzosa» (STSJ del País Vasco de 28 de marzo de 2003 [JUR 2003, 142492]).

En particular, «los convenios de planeamiento constituyen una actuación convencional que tiene por objeto la preparación de una modificación o revisión del planeamiento, que se dirigen a preparar o poner en marcha un desarrollo del planeamiento, pero que constituye una realidad o acto sustantivo independiente del procedimiento de modificación o revisión del Plan, pero que es una realidad autónoma, susceptible de impugnación independiente, porque la potestad de planeamiento no es susceptible de disposición contractual. Es decir, la norma de planeamiento podrían impugnarse por los motivos que le son propios, autónomas, por razones procedimentales o por vulnerar normativa superior; pero no por no acomodarse a los términos de un convenio urbanístico suscrito entre un particular y la Administración, porque el ejercicio de la potestad de planeamiento no es disponible contractualmente. Cuestión distinta serán las acciones que correspondan al particular frente a la Administración si considera que no se han respetado los términos del convenio urbanístico y ello ha producido perjuicios al recurrente. Resulta obvio recordar que lo anterior es predicable de cualquier convenio urbanístico de planeamiento; es decir, que tampoco el convenio urbanístico suscrito con otro particular obligaría a la Administración a ejercer su potestad de planeamiento en los términos convenidos, sino en interés general y de acuerdo con el ordenamiento urbanístico, sin perjuicio de las acciones que pudieran corresponder a quienes suscribieron el convenio» (STSJ del País Vasco de 28 de marzo de 2003 [JUR 2003, 142492]).

Es, pues, clásica la distinción entre convenio de gestión urbanística y convenios de planeamiento. Los primeros se concluyen para la gestión o ejecución del planeamiento. Los segundos constituyen una manifestación y una actuación convencional frecuente en las Administraciones Públicas que tiene por objeto la preparación de una modificación o revisión del planeamiento en vigor, pero constituyendo el convenio una realidad o acto sustantivo independiente del procedimiento de modificación o revisión del plan de que se trate, de modo que el convenio no queda afectado en su validez por las vicisitudes de la modificación, que es una actuación posterior (STSJ de Asturias de 29 de mayo de 2003 [RJCA 2003, 880]).

2. EL INCUMPLIMIENTO POR LA ADMINISTRACIÓN DEL CONVENIO TIENE CONSECUENCIAS INDEMNIZATORIAS

A. Doctrina general. Ejemplos y supuestos

En la jurisprudencia está consagrada la regla según la cual el incumplimiento del convenio por parte de la Administración da lugar a responsabilidad administrativa.

El **principio general** es que «la falta de cumplimiento por el poder público comprometido de convenios urbanísticos tendrá las consecuencias indemnizatorias o de otra índole dimanantes del principio de responsabilidad si concurren los requisitos para ello (STS de 15 de marzo de 1997, que cita las de 23 de junio de 1994, 18 de marzo de 1992, 13 de febrero de 1992 y 21 de septiembre de 1991). Los recurrentes no pretenden la nulidad del Plan, ni ser reintegrados en el aprovechamiento del que fueron privados por la revisión de éste, sino ser resarcidos como consecuencia del incumplimiento del convenio celebrado con el Ayuntamiento» (STS de 3 de abril de 2001 [RJ 2001, 4150]).

Un **primer ejemplo** de estimación de la acción de responsabilidad puede ser la STS de 3 de abril de 2001 (RJ 2001, 4150). En virtud del convenio enjuiciado en este supuesto el particular cede unos terrenos con destino a viales a cambio de un mayor cómputo de volumen edificable en favor de los terrenos que permanecían en propiedad de los particulares. El Ayuntamiento, con motivo de la revisión del Plan General pasa a considerar los terrenos como de infraestructura de servicios técnicos privándolos de edificabilidad. Unos años después, el Ayuntamiento pasa a expropiar las parcelas restantes. Los particulares recurren entonces pretendiendo que dentro de los terrenos expropiados se incluyeran aquellos que habían sido cedidos en virtud del convenio. Por tanto, incumpliendo éste, el Ayuntamiento se apodera de unos terrenos para su destino a vial público sin compensar ni indemnizar por su valor. El TS afirma el derecho de particular a ser indemnizado por el valor de las parcelas cedidas al Ayuntamiento para la apertura de la calle extendiendo el valor de justiprecio que se había aplicado a las parcelas restantes.

Esta conclusión se apoya en la jurisprudencia sobre indemnización económica en caso de incumplimiento de convenios expropiatorios. En el Antecedente de Hecho Segundo, motivo VI de la citada STS de 3 de abril de 2001 (RJ 2001, 4150) se cita la jurisprudencia que sirve de apoyo: sentencias de 29 de marzo de 1984, 18 de julio de 1990 (RJ 1990, 5877), 21 de septiembre de 1990 (RJ 1990, 6884), 22 de octubre de 1990 (RJ 1990, 7499), 28 octubre de 1990, 3 de noviembre de 1990 (RJ 1990, 8622), 21 de noviembre de 1990 (RJ 1990, 9131), 15 de febrero de 1991 (RJ 1991, 1043), 26 de marzo 1991 (RJ 1991, 2067), 24 de julio de 1991, 18 de junio 1992 (RJ 1992, 4700), 23 de septiembre de 1992 (RJ 1992, 6980), 18 de enero de 1993 (RJ 1993, 26), 21 de enero 1993 (RJ 1993, 55), 30 de enero de 1993 (RJ 1993, 60), 27 de marzo de 1993 (RJ 1993, 1919) y, especialmente, las de 24 de diciembre de 1994 (RJ 1994, 10655) _(irrelevancia de la inactividad del propietario en cuanto a la elaboración de los instrumentos de planeamiento)_, 4 de mayo de 1993 (RJ 1993, 3472) (inexistencia de obligación de los propietarios en cuanto al planeamiento urbanístico parcial o de detalle), 28 de enero de 1983 (RJ 1983, 368) y 29 de marzo de 1984 (RJ 1984, 1448) (que refiere la valoración al momento en que la sentencia adquiera firmeza).

Otro ejemplo puede ser el enjuiciado por la STS de 28 de noviembre de 2000 (RJ 2000, 9991); los propietarios, en virtud de convenio urbanístico ceden gratuitamente al Ayuntamiento una parte de la parcela con la condición de que la extensión cedida sea computada a efectos de volumen edificable a favor de los cedentes. El Tribunal Supremo verifica el incumplimiento del convenio por parte del Ayuntamiento y confirma el criterio de la sentencia recurrida, según el cual la indemnización ha de referirse a la pérdida de edificabilidad.

Igualmente, según la STS de 13 de diciembre de 2000 (RJ 2000, 10525), el incumplimiento del convenio por parte del Ayuntamiento da lugar a indemnización a favor del recurrente, en concreto, la cantidad resultante de obtener la diferencia entre el volumen de edificabilidad concedido por el PGOU y el reconocido por el convenio.

Asimismo, la STSJ de Aragón de 24 de enero de 2001 (JUR 2001, 145728), afirma el derecho de CAMPSA a ser indemnizada por el Ayuntamiento (en concepto expropiatorio y por la redacción de los proyectos de solicitud de licencias), ya que CAMPSA cumple con su compromiso de desalojo de un terreno mientras que el Ayuntamiento no cumple con su pacto de cesión de terrenos y reubicación del punto de venta (en términos similares las SSTS de 14 de marzo de 1985 [RJ 1985, 1246] y de 5 de abril de 2004 [RJ 2004, 2416]; STSJ de Andalucía –Málaga– de 5 de mayo de 2004 [JUR 2004, 199966], citando las SSTS de 23 de junio de 1994, 18 de marzo y 13 de febrero de 1992 y 21 de septiembre de 1993).

La STSJ de Canarias (Santa Cruz de Tenerife) de 30 de octubre de 2002 (JUR 2003, 90822), declara el derecho del particular a que la Administración desaloje el bien ocupado y *fija como indemnización las rentas que no se han podido percibir por ocupar el Ayuntamiento el edificio.*

En la STSJ de Murcia de 30 de junio de 2003 (JUR 2003, 212305), la Sala confirma el incumplimiento del convenio (en virtud del cual se cedieron unos terrenos a cambio del reconocimiento de un determinado aprovechamiento urbanístico) y, ante la apropiación del terreno por parte de la Administración sin cumplir con la contraprestación debida, determina como valor de los terrenos (y por tanto de la indemnización) el valor medio del terreno entre aquel que aportó la Administración y aquel que aportó el particular.

La indemnización no procede si no hay incumplimiento por parte del Ayuntamiento (STSJ de Asturias de 8 de junio de 2001 [JUR 2001, 237156]; igualmente STSJ de la Comunidad Valenciana de 29 de mayo de 2003 [JUR 2004, 34741], ya que, según la Sala, del convenio no se deducía la interpretación que invocaba el particular).

Los Tribunales se han basado en la no indemnizabilidad de las «meras expectativas» en casos en que el planeamiento finalmente afirma la clasificación de suelo como no urbanizable frente a lo estipulado en el convenio

(STSJ de Castilla y León [Burgos] de 26 de enero de 2001 [JUR 2001, 73963]).

Tampoco termina reconociéndose la indemnización si la parte no prueba lo convenido o no acredita los daños ocasionados (STSJ de Andalucía –Sevilla– de 22 de abril de 1999 [RJCA 1999, 1309]; STSJ de Asturias de 29 de mayo de 2003 [RJCA 2003, 880]; STSJ de Galicia de 4 de marzo de 2004 [JUR 2004, 260642]) o si, más que un perjuicio, los terrenos se han revalorizado como consecuencia del convenio (STSJ de la Comunidad Valenciana de 28 de junio de 2002 [JUR 2003, 69761]).

B. La inactividad de los propietarios en dar efectividad a los derechos urbanísticos reconocidos en un Convenio no es obstáculo para el cumplimiento de las obligaciones contraídas por la Administración

«La jurisprudencia ha afirmado reiteradamente, en sentencias invocadas por la parte recurrente, que _la inactividad de los propietarios en dar efectividad a los derechos urbanísticos reconocidos en un convenio no es obstáculo para el cumplimiento de las obligaciones contraídas por la Administración._ Según las sentencias del Tribunal Supremo de 24 de marzo de 1984, 31 de marzo de 1990 (RJ 1990, 2275), 18 de junio de 1990 (RJ 1990, 4709), 16 de julio de 1990 (RJ 1990, 5895), 18 de julio de 1990 (RJ 1990, 5877), 23 de octubre de 1990 (RJ 1990, 7502), 28 de noviembre de 1990 (RJ 1990, 8641), 14 de diciembre de 1990 (RJ 1990, 9924), 1 de febrero de 1991 (RJ 1991, 715), 28 de febrero de 1991 (RJ 1991, 1093), 7 de noviembre de 1991 (RJ 1991, 8383) y 24 de diciembre de 1994 (RJ 1994, 10655), entre otras, no exonera a la Administración municipal de su obligación de cumplimiento por equivalente del convenio expropiatorio, al no poder realizarse la edificabilidad asignada, la imputada inactividad del propietario en cuanto a la elaboración por el mismo de los adecuados instrumentos de planeamiento urbanístico, pues tal actividad planificadora incumbe a dicha Administración, como presupuesto indispensable para hacer efectivo el pago en volumen, para no convertir en ilusorio lo que debe ser una tangible realidad. Debe obtenerse la conclusión de que, tratándose de suelo urbano, el retraso en solicitar la licencia de construcción no es obstáculo a la efectividad de los derechos urbanísticos reconocidos en el convenio y consolidados en virtud del planeamiento. La Administración, en efecto, puede reaccionar contra dicho retraso mediante los instrumentos previstos en el ordenamiento, pero esto no la exime del cumplimiento de sus compromisos» (STS de 3 de abril de 2001 [RJ 2001, 4150]).

«No es obstáculo a esta apreciación lo dispuesto en el artículo 87.2 de la Ley del Suelo de 1976, aplicable por razones temporales al caso examinado. Según este precepto, la modificación o revisión de la ordenación de los terrenos y construcciones establecida por los Planes sólo podrá dar lugar a indemnización si se produce antes de transcurrir los plazos previstos para la ejecución de los respectivos Planes o Programas, o transcurridos aquéllos, si la ejecución no se hubiera llevado a efecto por causas imputables a la Administración. La jurisprudencia exige que se hayan incorporado al patrimonio de los propietarios los derechos urbanísticos reconocidos en el Plan objeto de modificación o revisión mediante el ejercicio de la función urbanizadora en grado suficientemente avanzado (sentencias, entre otras, de 30 de enero de 1990 [recursos 453/1986 y 653/1986], 6 de marzo de 1990 [RJ 1990, 1957] [recurso 403/1988], 23 de mayo de 1990 [RJ 1990, 4275] [recurso 823/1986], 10 de julio de 1990 [RJ 1990, 6025] [recurso 243/1986], 30 de junio de 1980 [RJ 1980, 3379], 24 de noviembre de 1981, 1 de febrero de 1982 [RJ 1982, 773], 6 de julio de 1982 [RJ 1982, 5347], 25 de octubre de 1982 y 12 de mayo de 1987 [RJ 1987, 5255]). En el caso enjuiciado, los propietarios tenían patrimonializado su derecho al aprovechamiento por tratarse de suelo urbano. Aunque así no fuera, dicha patrimonialización debe entenderse consumada en el caso examinado, por otra parte, en virtud del reconocimiento del derecho en el convenio existente. El Ayuntamiento el 12 de abril de 1972 aceptó la cesión de terrenos propiedad de los demandantes con destino a viales indicando que con relación a los terrenos que quedasen de su propiedad el volumen edificable se computaría de conformidad con la nota 2ª del cuadro de la norma N-3-4.1 de dicho Plan de ordenación sobre la superficie total de la parcela. Este acuerdo municipal, en los términos en que aparece configurado, tiene carácter sinalagmático y perfecciona un convenio entre el Ayuntamiento y los interesados que supone la incorporación al patrimonio de éstos de un derecho subjetivo y no sólo el reconocimiento de las facultades o expectativas que derivan del planeamiento» (STS de 3 de abril de 2001 [RJ 2001, 4150]).

C. El ejercicio de la acción de responsabilidad

A este respecto conviene reproducir el contenido de la STS de 3 de abril de 2001 (RJ 2001, 4150):

«(...) Los particulares afectados no ejercitaron acción alguna de responsabilidad desde el momento en que se produjo la revisión del Plan (año 1980) hasta el año 1992, por lo que se produjo la dejación de su derecho, tampoco puede ser aceptado.

La extinción de los derechos subjetivos por dejación o inactividad se halla regulada por el ordenamiento jurídico, que, descartada la concurrencia de otras posibles causas, como la renuncia, vincula este efecto al transcurso de plazos determinados. En consecuencia, la Sala de instancia no pudo concluir que se había producido una dejación o decadencia del derecho ejercitado sin apreciar el transcurso del plazo de prescripción o, en último término, de caducidad determinado en la ley para su ejercicio. Sin embargo, dicha prescripción no ha sido alegada en la instancia por la parte demandada y, en consecuencia, no ha sido sometida a contradicción. El Ayuntamiento ha invocado la dejación del derecho por los propietarios por no haber solicitado licencia para construir como ya hemos examinado, pero no la prescripción del derecho a reclamar el cumplimiento del crédito dimanante del incumplimiento del convenio.

Esto impide examinar, en primer término, cuál es el plazo aplicable. Podría, en efecto, discutirse si es aplicable el plazo de un año desde que se produce el hecho causante del perjuicio, como ocurriría si se entendiera que se trata de una acción para reclamar la responsabilidad patrimonial de la Administración (artículo 40 de la Ley de Régimen Jurídico de la Administración del Estado y 121 de la Ley de Expropiación forzosa, aplicables por razones temporales al caso examinado). Este plazo es el aplicado, en un supuesto de reclamación de indemnización por modificación del Plan, por la sentencia de 6 de abril de 1993, recurso nº 10876/1990, fundamentos quinto y sexto. Si se entiende, más acertadamente, que el perjuicio deriva directamente del incumplimiento del convenio, se trataría de una acción por responsabilidad contractual. Aun así, podría resultar aplicable el plazo de cinco años, que corresponde a los créditos contra las Administraciones Públicas, o el de quince años fijado con carácter general para la prescripción de las acciones personales no sujetas a plazo. Tampoco pueden examinarse las cuestiones de hecho acerca del momento inicial y final del cómputo y de si concurren causas de interrupción de la prescripción. Entrar a examinar la posible prescripción de la acción comporta, pues, apreciar un motivo de excepción a la pretensión formulada que no ha podido ser discutido por las partes ni sometido a prueba. Compete alegar y probar la extinción de las obligaciones a quien se opone a su cumplimiento. En consecuencia, la sentencia impugnada infringe, como se denuncia, la jurisprudencia sobre eficacia de los convenios urbanísticos cuando rechaza la pretensión de resarcimiento por su incumplimiento fundándose en una extinción del derecho que carece de motivo legal»

3. LOS CONVENIOS NO VINCULAN AL PLANIFICADOR...

«El convenio no vincula a la Administración en cuanto a las determinaciones a establecer en el ámbito del planeamiento urbanístico, sin perjuicio de las consecuencias que se deriven del incumplimiento de lo convenido por la Administración» (STSJ del País Vasco de 28 de marzo de 2003 [JUR 2003, 142492]).

Las exigencias del interés público que justifican la potestad de planteamiento urbanístico, manifestada mediante la promulgación de los planes como normas reglamentarias de general y obligado acatamiento, impiden, sin embargo, que aquella potestad pueda considerarse limitada por los convenios que la Administración concierte con los administrados. La Administración no puede disponer de dicha potestad. «La potestad de planeamiento ha de actuarse siempre en aras del interés general y según principios de buena administración para lograr la mejor ordenación urbanística posible» (STS de 3 de abril de 2001 [RJ 2001, 4150]).

«Lo importante en este momento es concluir que el convenio preexistente no vincula al planificador, en concreto en relación con el Estudio de Detalle referido y no tiene la vinculación pretendida por el recurrente, a los efectos de provocar la nulidad del proyecto de reparcelación, todo ello sin perjuicio de las consecuencias indemnizatorias que en relación con dicho incumplimiento puedan generarse, algo que hemos dicho queda al margen de este recurso y dado que, como hemos visto, los motivos impugnatorios que se incorporan a la demanda están vinculados en exclusiva al desconocimiento por la Administración del convenio, en cuanto llegó a aprobar definitivamente el Proyecto de reparcelación desconociendo lo previamente acordado en el citado convenio, ha de concluirse en la desestimación del recurso, todo ello con las salvedades aludidas en relación con las pretensiones del recurrente, vinculadas al incumplimiento del convenio, con lo que habrá de estarse a las vías impugnatorias oportunas, singularmente al recurso 1511/99 y sobre todo al 1915/00, donde se impugna la decisión del Ayuntamiento de Santurtzi de resolver el citado convenio» (STSJ del País Vasco de 28 de marzo de 2003 [JUR 2003, 142492]; igualmente STSJ de Cataluña de 10 de octubre de 2003 [JUR 2004, 3546]).

Según la STS de 29 de febrero de 2000 (RJ 2000, 2330), «frente a las determinaciones del Plan General no es viable la pretensión de oponer lo acordado en un convenio urbanístico y (...) el Plan General goza de la naturaleza de norma y no es susceptible de disposición por acuerdo contractual o de voluntades».

En esta sentencia citada en último lugar llegó a entenderse que no hubo incumplimiento del convenio, por carecer éste de validez, ya que la ordenación de un Plan General no puede quedar vinculada por un convenio.

En fin, el litigio podrá producirse en el momento de la aprobación del planeamiento cuando éste no recoja las estipulaciones del convenio (STSJ de Galicia de 4 de marzo de 2004 [JUR 2004, 260642]).

4. EL RIESGO DE LOS CONVENIOS

En la práctica es tarea habitual la de tener que dilucidar si un convenio se extralimita en el régimen de estipulaciones por contravenir la legislación. Así por ejemplo las reglas de permuta de bienes. En este plano, puramente práctico, _no es infrecuente que se celebren convenios urbanísticos que encubran un incumplimiento de las reglas de disposición de bienes locales, frente a lo cual reaccionan los órganos de la jurisdicción contencioso-administrativa_ (STSJ del País Vasco de 23 de diciembre de 2002 [JUR 2003, 74966]). Asimismo, el sistema administrativo aplicable, legislación local y contractual propicia que puedan plantearse litigios sobre la corrección de los pliegos de condiciones para la enajenación de los PMS (STS de 25 de mayo de 2004 [RJ 2004, 4035], STS de 7 de febrero de 2006 [RJ 2006, 2828]).

Un ejemplo puede ser el de los **convenios que quieren eludir el régimen de permuta.** La permuta tiene que ser, según la jurisprudencia, entre bienes inmuebles, no entre bienes y derechos (STS de 16 de febrero de 2005 [RJ 2005, 2514], entre otras muchas), interpretándose el término «bien inmueble» de forma estricta. Así en esta STS de 16 de febrero de 2005 (RJ 2005, 2514) se recoge el caso de un convenio con una permuta en la que la oferta patrimonial consistía en transmitir al Ayuntamiento la propiedad de un solar sito en Aspe y además extinguir voluntariamente el derecho de arrendamiento del local municipal donde se explotaba un bar, a cambio del local que poseía el Ayuntamiento en la Avenida de la Constitución y de la cantidad de 12.400.000 ptas. Pues bien, el Tribunal Supremo entiende que no se trata de permuta inmobiliaria a pesar de haberse entregado al Ayuntamiento un bien inmueble:

> _«Las consideraciones expuestas conducen a la conclusión de que se aceptó una oferta patrimonial en virtud de la cual se opera la enajenación de un bien patrimonial en contradicción con lo dispuesto en las normas que refieren a la enajenación de bienes patrimoniales y antes citadas, pues ni se ha realizado por subasta pública, ni se ha permutado el bien patrimonial con otro bien de carácter inmobiliario,_ toda vez que a cambio del mismo se recibe junto al solar de la CALLE000 nº NUM000 la extinción de un

derecho de arrendamiento, y en consecuencia falla uno de los requisitos que necesariamente han de concurrir para la enajenación mediante permuta de bienes patrimoniales, sin que por tanto sea necesario entrar en el análisis de las demás cuestiones planteadas por los actores».

Además, en el caso de la permuta, la ley exige (junto con una determinación referida al valor de los bienes inmuebles que se pretenden permutar) que se acredite en el expediente la «necesidad» de efectuar la permuta, siendo la jurisprudencia muy variable a la hora de interpretar esa «necesidad»: así lo indica expresamente la STS de 10 de diciembre de 2004 (RJ 2005, 34), entre otras muchas.

Por lo tanto, en los convenios es imprescindible considerar si se está eludiendo el régimen material de las reglas de enajenación de bienes locales. Una sentencia interesante es la STS de 14 de octubre de 2005 (RJ 2005, 7136), en la que el TS entiende que un *convenio urbanístico* en el que se pacta la entrega de un terreno del patrimonio municipal de suelo a cambio de una compensación económica implica o encubre la enajenación de un bien local, que debería haberse realizado mediante el pertinente concurso, de acuerdo con la legislación autonómica aplicable. De este modo, al tratarse de un convenio contrario a una norma imperativa, se declara nulo dicho convenio urbanístico:

> «Lo que el Tribunal *a quo* ha anulado es un convenio celebrado para modificar un proyecto de compensación de una unidad de actuación en el que se sustituye la cesión de una parcela concreta, que había pasado a integrar el patrimonio municipal del suelo, según lo establecido en los artículos 124 del Reglamento de Gestión Urbanística y 127.3 de la Ley de Ordenación del Territorio y Urbanismo de La Rioja, por una compensación en metálico, ya que, en definitiva, dicha modificación aprobada del proyecto de compensación encubre una enajenación de terreno, perteneciente al patrimonio municipal del suelo, sin haber convocado el correspondiente concurso, como requiere el citado artículo 169 de la Ley 10/1998 de Ordenación del Territorio y Urbanismo de La Rioja».

Otra sentencia interesante es la STS de 13 julio 2004 (RJ 2005, 413):

> «Claro es que esa falta de justificación arrastra también la fundada sospecha de que la mejor o la más adecuada ordenación urbanística del municipio no es una de las razones que ha presidido o regido el compromiso adquirido por la Administración al aprobar el convenio, sino que, al contrario, es la "utilidad" de éste desde otras perspectivas la que ha llevado a comprometer la determinaciones urbanísticas pactadas. Si es así, el convenio habría condicionado realmente, de modo inadmisible, el ejercicio de la potestad de planeamiento.
>
> (...)».

En la misma línea, en el informe del Secretario General de la Corporación antes citado, referido a una propuesta de convenio anterior pero ligado, por lo dicho, al finalmente aprobado, se lee que la propuesta de convenio que aquí se examina, tiene un objeto extraño, distinto al que caracteriza a los convenios urbanísticos atípicos, cual es, en este caso, el satisfacer el saldo de una deuda, según se dice, que a juicio del informante no existe, y que incide en los pactos municipales establecidos hace tiempo con la mercantil Cointe, SA (acuerdos de 19/04/1995 y 18/11/96).

Y dada esa ligazón de acuerdos que vemos alegada, tampoco es ocioso resaltar lo que se lee al folio 430 de los autos, pues allí, dentro de un informe que emite el 16 de diciembre de 1997 el Director del Área de los Servicios Técnicos, se dice que el saldo a favor de Cointe, SL sería de 956.609.487 de pesetas, proponiendo en el Convenio la conversión de dicha deuda en aprovechamiento urbanístico.

Si ello es así, esto es, si se persigue con el convenio (también y junto a un hipotético interés urbanístico no justificado) la liquidación y pago de una deuda contraída por la Corporación,...

(...)

Pero es que además, debe afirmarse por principio que la Administración no puede utilizar sus potestades de clasificación y calificación del suelo con la finalidad de satisfacer sus propias deudas, pues las determinaciones a través de las cuales se concretan los usos de éste no constituyen un valor que se integre en el patrimonio de aquéllas. Por ende, si ésa es la razón determinante de la perfección de un convenio urbanístico, habrá que afirmar que «su causa es ilícita y que la Administración ha incurrido en el vicio de la desviación de poder, por haber ejercitado sus potestades para fines distintos de los fijados por el ordenamiento jurídico».

PARTE UNDÉCIMA
ENAJENACIÓN DE BIENES PARA LA REALIZACIÓN DE FINES URBANÍSTICOS: DERECHO DE LA COMPETENCIA Y DERECHOS DE TANTEO Y RETRACTO

1. ENAJENACIÓN DE BIENES PÚBLICOS PARA FINES URBANÍSTICOS Y AYUDAS DE ESTADO

En otro capítulo anterior de este libro se aludía a la problemática de los concursos, que, cada vez más, están presentes en la realización de fines y proyectos urbanísticos. Se afirmaba que una actuación al margen del concurso público, por parte de la Administración o de los empresarios, puede jurídicamente no reunir el nivel de calidad jurídica deseado, a pesar de que el mundo de la concurrencia, para la realización de proyectos empresariales no viene aún exigido siempre con toda la claridad necesaria por la legislación administrativa.

Pero el problema no termina sólo, muchas veces, con la realización de la regla de concurso (aun cuando de esta forma los problemas principales queden resueltos), ya que surge un segundo obstáculo relativo a la aplicación de la normativa sobre ayudas públicas en casos en que una parte sustancial del concurso en cuestión se refiera a la enajenación de un suelo público.

Es preciso tener en cuenta en esta materia la Comunicación 97/C 209/03 de la Comisión relativa a los elementos de ayuda en las ventas de terrenos y construcciones por parte de los poderes públicos (publicada en el *Diario Oficial de las Comunidades Europeas* el 10 de julio de 1997, DO C 209, p. 3; en lo sucesivo, «Comunicación relativa a las ventas de terrenos»).

En su punto I, dicha Comunicación se marca como objetivos definir la práctica de la Comisión en materia de examen de las ventas de terrenos por parte de los poderes públicos, reducir el número de casos que deban ser examinados con arreglo a los artículos 87 CE y 88 CE y, con tal fin, dirigir recomendaciones de carácter procedimental a los Estados miembros.

En su punto II.1, titulado «Venta mediante licitación incondicional», dicha Comunicación indica, en particular, que «la venta de terrenos [...] mediante licitación suficientemente anunciada, abierta e incondicional, similar a una subasta, adjudicada al mejor o único postor *es, por definición, una venta realizada a su valor de mercado,* que no contiene, por consiguiente, ningún elemento de ayuda de Estado».

En su punto II.2, titulado «Venta sin licitación incondicional» señala, en particular, lo siguiente:

> «Cuando los poderes públicos no tengan la intención de recurrir al procedimiento descrito en el punto [II.1], se deberá proceder, antes de las negociaciones de venta, a una tasación a cargo de uno o más tasadores de activos independientes con objeto de determinar el valor de mercado, basándose en indicadores de mercado y en criterios de evaluación comúnmente reconocidos. El precio de mercado resultante constituirá el precio mínimo de compra admisible para que no se considere que existe ayuda de Estado».

En su punto II.3, titulado «Notificación», la Comunicación relativa a las ventas de terrenos *señala, en esencia, que para que la Comisión pueda determinar si existe o no ayuda de Estado, los Estados miembros deberán notificarle, sin perjuicio de la norma denominada de minimis, cualquier operación que no se haya llevado a cabo conforme a uno u otro de los procedimientos descritos en los puntos II.1 y II.2.*

Por otro lado, puede tenerse en cuenta que, según la Comisión Europea, cuando los bienes públicos se venden por poderes públicos por debajo del precio de mercado nos encontramos ante una posible ayuda de Estado.

Es doctrina del TPI (sentencia de 16 de septiembre de 2004 [TJCE 2004, 257], asunto T-274/01, Valmont Nederland BV contra Comisión de las Comunidades Europeas) que:

> «Constituyen ventajas a efectos del artículo 87 CE, apartado 1, las intervenciones que, bajo formas diversas, alivian las cargas que normalmente recaen sobre el presupuesto de una empresa y que, por ello, se asemejan a una subvención (véanse, en este sentido, las sentencias del Tribunal de Justicia de 23 de febrero de 1961, De Gezamenlijke Steenkolenmijnen in Limburg/Alta autoridad, 30/59, Rec. p. 3, apartado 39, e Italia y SIM 2 Multimedia/Comisión, citada en el apartado 37 *supra,* apartado 35), como, en particular, el suministro de bienes o la prestación de servicios en condiciones preferenciales (véanse, en este sentido, las sentencias del Tribunal de Justicia de 2 de febrero de 1988, Van der Kooy y otros/Comisión, asuntos acumulados 67/85, 68/85 y 70/85, Rec. p. 219, apartados 28 y 29, y de 20 de noviembre de 2003, GEMO, C-126/01, Rec. p. I-0000, apartado 29).
>
> Aplicado al caso de la venta de un terreno a una empresa por parte de una entidad pública, la consecuencia de este principio es que debe determinarse si, en particular, el adquirente no habría podido conseguir el precio de venta en condiciones normales de mercado».

En este sentido, la sentencia del Tribunal de Primera Instancia de 6 de marzo de 2002 (TJCE 2002, 92), Diputación Foral de Álava y otros/Comisión, asuntos acumulados T-127/99, T-129/99 y T-148/99, Rec. p. II-1275, apartado 73, no recurrida en casación en ese punto afirma que «a este respecto, el Tribunal de Primera Instancia recuerda que la venta de bienes por parte de una autoridad pública, como la realizada a través de Gasteizko Industria, en condiciones preferenciales puede constituir una ayuda de Estado» (sentencia del Tribunal de Justicia de 11 de julio de 1996, SFEI y otros, C-39/94, Rec. p. I-3547, apartado 59). «Para apreciar si, en el caso de autos, (...) recibió una ayuda de Estado con ocasión de la adquisición del terreno de 100.000 m², debe examinarse si dicha empresa compró el terreno de que se trata a un precio que no hubiera podido obtener en condiciones normales de mercado (sentencias del Tribunal de Justicia de 29 de abril de 1999, España/Comisión, C-342/96, Rec. p. I-2459, apartado 41, y de 29 de junio de 1999, DM Transport, C-256/97, Rec. p. I-3913, apartado 22)».

Conviene precisar el límite del concepto de ayuda según la STPI 12 de diciembre de 2006 (TJCE 2006, 362) (asunto T-95/03, Asociación de Empresarios de Estaciones de Servicio de la Comunidad Autónoma de Madrid y Federación Catalana de Estaciones de Servicio contra Comisión de las Comunidades Europeas):

«Por último, en lo que atañe a la tercera alegación, relativa al papel supuestamente secundario de la existencia de una transferencia directa o indirecta de recursos en el análisis de las ayudas de Estado, basta señalar que, *según reiterada jurisprudencia, sólo las ventajas concedidas directa o indirectamente a través de fondos estatales se consideran ayudas a los efectos del artículo 87 CE, apartado 1* (sentencias Sloman Neptun, antes citada, apartado 19; Viscido y otros, antes citada, apartado 13, y PreussenElektra, antes citada, apartado 58). *Por tanto, una medida estatal que no implica una transferencia directa o indirecta de recursos del Estado no puede ser calificada de ayuda de Estado en el sentido del artículo 87 CE, apartado 1,* aunque cumpla los demás requisitos previstos por dicha disposición (véase, en este sentido, la sentencia Viscido y otros, antes citada, apartados 15 a 16)».

En cuanto a los límites, la jurisprudencia controla el procedimiento seguido por la Comisión y no es infrecuente que se anulen decisiones de la Comisión por estos motivos procedimentales o por falta de prueba de las argumentaciones de sus Decisiones. Por otro lado, si una intervención estatal debe considerarse una compensación que constituye la contrapartida de las prestaciones realizadas por las empresas beneficiarias para el cumplimiento de *obligaciones de servicio público,* de forma que estas empresas no gozan, en realidad, de una ventaja financiera y que, por tanto, dicha intervención no tiene por efecto situarlas en una posición competitiva más favorable respecto a las empresas competidoras, tal intervención no está sujeta al artículo 87 CE, apartado 1 (sentencias del Tribunal de Justicia de 24 de julio de 2003

[TJCE 2003, 218], Altmark Trans y Regierungspräsidium Magdeburg, C-280/00, Rec. p. I-7747, apartado 87, y de 27 de noviembre de 2003 [TJCE 2003, 396], Enirisorse, asuntos acumulados C-34/01 a C-38/01, Rec. p. I-0000, apartado 31).

Para que a tal compensación no se le aplique, en un caso concreto, la calificación de ayuda de Estado, deben cumplirse una serie de requisitos (sentencias citadas Altmark Trans y Regierungspräsidium Magdeburg [TJCE 2003, 218], apartado 88, y Enirisorse [TJCE 2003, 396], apartado 31):

> En primer lugar, la empresa beneficiaria debe estar efectivamente encargada de la ejecución de obligaciones de servicio público y éstas deben estar claramente definidas. En segundo lugar, los parámetros para el cálculo de la compensación deben establecerse previamente de forma objetiva y transparente, para evitar que ésta confiera una ventaja económica que pueda favorecer a la empresa beneficiaria respecto a las empresas competidoras. En tercer lugar, la compensación no puede superar el nivel necesario para cubrir total o parcialmente los gastos ocasionados por la ejecución de las obligaciones de servicio público, teniendo en cuenta los ingresos correspondientes y un beneficio razonable por la ejecución de estas obligaciones. En cuarto lugar, cuando la elección de la empresa encargada de ejecutar obligaciones de servicio público, en un caso concreto, no se haya realizado en el marco de un procedimiento de contratación pública, el nivel de la compensación necesaria debe calcularse sobre la base de un análisis de los costes que una empresa media, bien gestionada y adecuadamente equipada para poder satisfacer las exigencias de servicio público requeridas, habría soportado para ejecutar estas obligaciones, teniendo en cuenta los ingresos correspondientes y un beneficio razonable por la ejecución de estas obligaciones.

En conclusión, ha de considerarse esta doctrina. Si se realiza inadecuadamente el concurso público, los problemas jurídicos pueden terminar recayendo sobre el propio empresario, al tener que devolver la ayuda y tener que sufrir los posibles perjuicios (inversiones...) que se hayan derivado de las actuaciones posteriores a la adjudicación del mismo.

Otros problemas jurídicos, en este contexto de los concursos públicos que cada vez más impone la sensibilidad de los nuevos tiempos, pueden referirse a aquellos casos en que el bien a enajenar sea un bien privado sobre el cual la Administración ha instado la expropiación forzosa, anunciándose ésta en los propios pliegos o bases del concurso, cuya finalidad es la adquisición del suelo para su posterior trasmisión a una empresa. En concreto, es práctica asentada la de permitir convenios preexpropiatorios entre los propietarios y *el adjudicatario* del proyecto, porque de esta forma el precio será superior al que resulte de la expropiación (beneficiándose así a los propietarios) y también porque se agiliza la realización de los intereses públicos.

Pero pueden plantearse distintas incidencias jurídicas que requieren de un tratamiento adecuado a las peculiaridades de cada caso concreto.

2. LOS DERECHOS DE TANTEO Y RETRACTO

A. Dimensión garantista a favor de los particulares

Los derechos de tanteo y retracto parecen cobrar actualidad como técnica apta para la mejor realización de fines públicos y sociales. De ahí que la legislación administrativa cada vez de forma más frecuente contemple estos derechos. Esto lo hace, lógicamente, por referencia a la Administración, para facilitar a ésta la mejor realización de sus fines y competencias.

No obstante, en el Derecho administrativo también cabe plantear, antes de abordar la temática planteada, la posibilidad de un derecho de tanteo o retracto a favor de los particulares frente a posibles ventas que realice la Administración. En esta dimensión, que voy a analizar en primer lugar, interesaría la vertiente garantista inherente, como es sabido, al Derecho público. Sobre el posible ejercicio de los derechos de tanteo y retracto por los particulares puede partirse, en un ámbito administrativo, de la jurisprudencia de la Sala de lo contencioso-administrativo del Tribunal Supremo y en particular de la sentencia de 25 de marzo de 2004 (RJ 2004, 2407).

En esta interesante sentencia se deja clara la improcedencia de una interpretación restrictiva del ejercicio de los derechos de tanteo y retracto por los particulares. El supuesto de la sentencia se refería a una venta que realizaba la Administración de unos bienes («bienes» que la Administración previamente les había expropiado); la Administración (el Ministerio de Fomento) había estimado el recurso administrativo (interpuesto por una entidad que había comprado los bienes de otro particular) reconociendo así su derecho de tanteo sobre la venta realizada y esta estimación en vía administrativa llevó a la entidad adjudicataria de la venta de los bienes públicos a recurrir esta resolución estimatoria, ante la Audiencia Nacional, solicitando la improcedencia del derecho de tanteo y requiriendo la declaración de intransmisibilidad del derecho de tanteo a favor de la entidad que lo había ejercitado. La sentencia de la Audiencia Nacional, estimatoria del recurso contencioso-administrativo, es finalmente recurrida ante el Tribunal Supremo por la entidad que ejerció el derecho de tanteo y el citado Tribunal estima el recurso de casación interpuesto.

Según el Alto Tribunal, procede reconocer el referido derecho de tanteo también a la entidad que había adquirido los bienes a los iniciales propietarios en relación con la venta de los bienes que practicó el Ministerio de Fomento. El Tribunal Supremo revoca la sentencia impugnada de la Audiencia Nacional, por haber hecho ésta una interpretación restrictiva de los citados derechos. Esta interpretación es improcedente a juicio del citado Tribunal, reconociendo éste el derecho de tanteo y, en especial, su transmisibilidad: «en efecto, el no reconocimiento de la transmisibilidad del derecho de tanteo supone que la Sentencia recurrida ha infringido *dicha regulación,* al interpretar restrictivamente el citado derecho».

Estos derechos de tanteo y retracto procederían en especial (según el Supremo) en aquellos casos en que haya que compensar a los propietarios de algún perjuicio que se derive de una situación concreta existente. Evidentemente en la base de esta sentencia se encuentran los preceptos del Código Civil donde se reconoce dicho derecho y, en particular, su transmisibilidad (artículos 1521, 1526, 1271 y ss. y 1112 del Código Civil).

Sentadas estas bases, cabría debatir la posibilidad de introducir el procedimiento de enajenación de los bienes públicos «a solicitud de parte interesada en la adjudicación» conforme al artículo 138.1 de la Ley 33/2003, de 3 de noviembre, del «Patrimonio de las Administraciones Públicas». Podría plantearse la posibilidad de reconocer los derechos de tanteo y retracto a favor de la persona que tomara la referida iniciativa y que propusiera el proyecto o bases en estos casos (*sistema* éste previsto en los artículos 122 y 123 del Reglamento de Servicios de las Corporaciones Locales aprobado por Decreto de 17 de junio de 1955).

El procedimiento ordinario para la enajenación de estos bienes ha pasado a ser el concurso en virtud del artículo 137.2 de la Ley citada en último lugar, aunque esta Ley de Patrimonio de las Administraciones Públicas prevé también la posibilidad de adjudicación directa de la enajenación de los bienes patrimoniales en razón de la colindancia del terreno entre otros supuestos que recoge el artículo 137.4.

Es importante incidir en que, de cara a la adjudicación de los bienes puestos en venta por la Administración, es aplicable igualmente la legislación pública contractual de forma supletoria. En este sentido, la promulgación de la Directiva del Parlamento Europeo y del Consejo 2004/18/CE, de 31 de marzo de 2004, sobre coordinación de los procedimientos de adjudicación de los contratos públicos de obras, de suministros y de servicios, así como la Comunicación de la Comisión 2001/C 333/08 insiste en la necesidad de incorporar adecuadamente los aspectos sociales y medioambientales en la fase de adjudicación de un contrato público.

Esta relación, que acaba de hacerse, con la perspectiva puramente contractual no es baladí, porque, en consecuencia, la Junta Consultiva de Contratación Administrativa no valora positivamente los derechos de tanteo y retracto al considerarlos una excepción a la concurrencia. En conclusión, puede producirse, en torno a este tema, un significativo conflicto de intereses entre la procedencia de estos derechos (de forma garantista, como hemos podido comprobar) y su improcedencia en el sentido expuesto.

B. Significación de los derechos de tanteo y retracto (a favor de la Administración) para la mejor realización de fines públicos

En este contexto, es preciso afirmar en especial la procedencia en Derecho de los derechos de tanteo y retracto *en favor de sujetos públicos,* conforme a los fines sociales y públicos que representan. De hecho, esto lleva al legislador a no escatimar a la hora de reconocer (y muy ampliamente) los derechos referidos cuando se trata, en efecto, de una entidad pública. Esto se manifiesta claramente en el ámbito urbanístico, aunque también en una muy numerosa legislación administrativa cuando se trata de tutelar algún fin de carácter social o público en general. La tendencia legislativa es clara, por otra parte, en el sentido de reconocer de forma cada vez más contundente estos derechos a favor de las entidades públicas. *Diríamos que, en gran medida, se espera de esta técnica o institución de los derechos reales de tanteo y retracto la solución de numerosos problemas sociales de especial importancia en el contexto del nuevo urbanismo, así como la solución de importantes retos públicos, entre ellos medioambientales. En particular, la tendencia legislativa lleva a apostar por el reconocimiento de estos derechos de tanteo y retracto a favor de la Administración autonómica, para la mejor tutela de los fines públicos y sociales.*

Parece conveniente, primero, ilustrar las afirmaciones hechas con una breve referencia general al reconocimiento reforzado en la nueva legislación administrativa de los derechos de tanteo y retracto como técnica de apoyo del legislador cuando a éste interesa realizar alguna finalidad pública de especial relevancia. De ahí que esta técnica de los derechos de tanteo y retracto haya proliferado en casos de transmisiones onerosas de suelo protegido por razones ambientales (Decreto 29/1993 de la Consellería de Agricultura, Ganadería y Montes de la Xunta de Galicia, de 11 de febrero, sobre declaración, del parque natural de Baixa Limia-Serra do Xurés,) o que los derechos de tanteo y retracto se reconozcan abiertamente a favor de las Comunidades Autónomas, por ejemplo, en casos de transmisiones onerosas de montes (artículo 25 de la Ley 43/2003, de 21 de noviembre, de Montes; artículo 16 de la Ley 2/1995, de 10 de febrero, de protección y desarrollo del patrimonio forestal de La Rioja; igualmente, artículo 45 de la Ley 4/1989, de 21 de julio, de Ordenación Agraria y Desarrollo Rural del Principado de Asturias, modificada por la Ley 3/1997, de 24 de noviembre, o el ejemplo clásico de los artículos 86 a 97 de la Ley de Arrendamientos Rústicos).

La experiencia obtenida, mediante la aplicación de estos derechos parece ser positiva por ponerse así remedio a situaciones endémicas que parecían tradicionalmente imposibles de resolver. Por ejemplo, muy numerosos terrenos se han adquirido de esta forma, por la Administración, preservándolos así de inadecuados procesos urbanísticos, logrando en cambio la realización de fines sociales o el mantenimiento de sus valores ambientales (en aplicación, por ejemplo, de la disposición adicional tercera de la Ley de la Comunidad Valenciana 4/2004, de 30 de junio, de Ordenación del Territorio y Protección del Paisaje, donde se prevén estos derechos de tanteo y retracto).

La legislación administrativa fomenta el uso y ejercicio de estos derechos de tanteo y retracto en especial por referencia a entidades públicas que persiguen fines sociales en un contexto como el urbanístico marcado por la especulación. Esto explica que en el ámbito de la legislación estrictamente urbanística, que nos interesa especialmente, el legislador no parezca dudar a la hora de prever estos derechos de tanteo y retracto, en especial cuando se trata de tender a la mejor consecución de fines sociales, en el contexto de las transmisiones onerosas de suelos (o también edificaciones) destinados a vivienda de protección pública.

Es común que la legislación urbanística autonómica prevea que los Municipios, en el planeamiento territorial y urbanístico, han de delimitar zonas en las que las transmisiones onerosas de bienes inmuebles estén sujetas, en su favor, al derecho de tanteo y, en su caso, al de retracto. Y precisamente dichas zonas son aquéllas donde se incluyen terrenos destinados por el planeamiento territorial y urbanístico, en virtud de su calificación, para la construcción de viviendas sometidas a un régimen de protección pública o a otros usos de interés público y social –junto al caso de los terrenos sujetos expresamente por el planeamiento territorial y urbanístico a actuaciones de rehabilitación– (así, ya el Real Decreto Legislativo 1/1992, de 26 de junio, por el que se aprueba el Texto Refundido de la Ley sobre el Régimen del Suelo y Ordenación Urbana, artículos 291 y ss.; o en la legislación autonómica vigente: por ejemplo, el artículo 83 del Decreto Legislativo 1/2004, de 28 de diciembre, por el que se aprueba el Texto Refundido de la Ley de Ordenación del Territorio y de la Actividad Urbanística de Castilla-La Mancha; artículos 240 y siguientes de la Ley 2//2001, de 25 de junio, de Ordenación Territorial y Régimen Urbanístico del Suelo de Cantabria; un buen ejemplo de la aplicación práctica de este sistema es el artículo 4.3.12: «Delimitación de áreas de tanteo y retracto» del PGOU de Málaga aprobado en julio de 1998).

Interesante es poner de manifiesto que, mientras que el citado TRLS estatal de 1992 preveía el derecho de tanteo y retracto a favor de los Ayuntamientos, la legislación autonómica reconoce este derecho a las Administraciones Autonómicas en el contexto, por cierto, de los suelos destinados a vivienda de protección oficial. En este sentido, hay que citar el artículo 220.1 del Decreto Legislativo 1/2004, de 22 abril, por el que se aprueba el Texto Refundido de las disposiciones legales vigentes en materia de Ordenación del Territorio y Urbanismo del Principado de Asturias señala expresamente que el Principado de Asturias podrá proceder, al igual que los Ayuntamientos, a la delimitación de áreas en que las transmisiones onerosas de terrenos y edificaciones queden sujetas al ejercicio de los derechos de tanteo y retracto.

Todo este sistema de los derechos de tanteo y retracto vinculados a zonas donde se prevea la construcción de viviendas de protección oficial cuenta con la aprobación de los Tribunales de Justicia. Así, la sentencia del Tribunal Supremo de 16 de noviembre de 1998 reconoce el derecho de retracto sobre terrenos adjudicados para la promoción de viviendas de protección oficial ejercitado con fecha 12 de marzo de 1987 por la Comisión de Gobierno de la Corporación Metropolitana de Barcelona como sucesora de la Comisión de Urbanismo de Barcelona.

En la sentencia de 25 de mayo de 2004 (RJ 2004, 4035), el Tribunal Supremo examina la legalidad de unos Pliegos para la enajenación mediante concurso público de parcelas adscritas al Patrimonio Municipal del Suelo con destino a la construcción de viviendas sujetas a regímenes de protección pública.

Finalmente, la sentencia del TSJ de Castilla y León de 29 de abril de 2003 (JUR 2003, 145843) afirma la posibilidad de que la Administración fije en el planeamiento urbanístico las zonas afectadas por los derechos de tanteo y retracto en cuanto a las transmisiones onerosas de suelo que se realicen con apoyo en la discrecionalidad administrativa de que goza dicha Administración.

Incluso el Tribunal Constitucional ha tenido ocasión de dejar clara la constitucionalidad de la previsión legal de derechos de tanteo y retracto a favor de las Administraciones o sus entidades en casos como los referidos (SSTC 156/1995 [RTC 1995, 156] y 170/1989 [RTC 1989, 170] y 207/1999 [RTC 1999, 207]).

En la última de las citadas, se afirma gráficamente que «los derechos de tanteo y retracto se configuran como un mecanismo o técnica jurídica establecido con la plausible finalidad de combatir el fenómeno de la especulación del suelo, haciendo asimismo viable la construcción de viviendas que, por su régimen de protección pública, sean asequibles al sector más desfavorecido de la población, en acomodación a los mandatos constitucionales contenidos en los arts. 33.2 y 47 CE» (igualmente, sentencia del Tribunal de Justicia del País Vasco de 20 de marzo de 2003 [JUR 2003, 142245]).

Por supuesto, junto al reconocimiento en la legislación autonómica urbanística de derechos de tanteo y retracto sobre los suelos destinados a viviendas de protección pública también prevé dicha legislación un derecho preferente de adquisición en las transmisiones de las viviendas de protección oficial (Ley 7/1988, de 15 de abril, de derecho preferente de adquisición en las transmisiones de viviendas de protección oficial a favor de la Administración de la Comunidad Autónoma del País Vasco; Decreto 103/1997, de 6 de mayo, de desarrollo de la Ley 7/1988, de 15 de abril, sobre derecho preferente de adquisición a favor de la Administración de la Comunidad Autónoma del País Vasco en las transmisiones de viviendas de protección oficial).

Parece existir, así pues, un sobrado fundamento para plantear el ejercicio de los derechos de tanteo y retracto, en aquellas zonas donde el planeamiento prevea algún tipo de régimen de protección pública. En el actual contexto normativo se apuesta por esta técnica a los efectos de lograr fines públicos y sociales de primera magnitud.

Esto explica que, junto a los derechos de tanteo y retracto, lleguen a preverse subvenciones para la adquisición onerosa de suelo para formación de patrimonios públicos con destino preferente a la promoción de vivienda de protección oficial (por ejemplo, Orden de 30 de diciembre de 2002, del Consejero de Vivienda y Asuntos Sociales del País Vasco, sobre medidas financieras en materia de suelo y urbanización referente a la adquisición onerosa de suelo para formación de patrimonios públicos de suelo con destino preferente a la promoción de vivienda de protección oficial; Ley 9/2000, de 21 de diciembre, de Presupuestos Generales de la Junta de Comunidades de Castilla-La Mancha para el año 2001 donde se contemplan asignaciones para el ejercicio de los derechos de tanteo y retracto que realice la Junta de Comunidades de Castilla-La Mancha y que tengan por finalidad adquirir suelo destinado a viviendas de protección oficial o libre de precio tasado, actuaciones industriales públicas y otras de finalidad social; o, ya antes, la Ley 4/1991, de 13 de diciembre, de Presupuestos Generales de Castilla-La Mancha para 1992).

Este régimen jurídico se sigue igualmente por la Ley 9/2001, de 17 de julio, del Suelo de la Comunidad de Madrid.

Dice esta Ley en su Preámbulo: «especial consideración merece la previsión que efectúa la Ley en relación con las viviendas sometidas a algún régimen de protección pública. Respecto de este tipo de viviendas se introduce la posibilidad de que la Comunidad de Madrid pueda ejercer los derechos de tanteo y retracto *tanto sobre el suelo* cuyo destino, según el planeamiento, sea la construcción de viviendas en régimen de protección, como sobre las propias viviendas sometidas a este régimen».

De ahí que su artículo 182 («Bienes sujetos a derechos de tanteo y retracto y Administraciones titulares de éstos») establezca la siguiente regulación:

«1. Estarán sujetos al derecho de tanteo y, en su caso, retracto:

a) En favor de la Comunidad de Madrid y de los municipios, las transmisiones onerosas de bienes inmuebles, sean terrenos, construcciones o edificaciones, así como la constitución y transmisión igualmente onerosas de derechos reales sobre los mismos, que se realicen:

1º. En las reservas de terrenos para el patrimonio público de suelo delimitadas por los instrumentos de ordenación del territorio y el planeamiento urbanístico.

2º. En ámbitos o terrenos sujetos por el planeamiento urbanístico a actuaciones de rehabilitación del patrimonio arquitectónico con finalidad residencial.

3º. En Espacios Naturales Protegidos.

4º. En las zonas de suelo no urbanizable de protección o urbanizable no sectorizado que se delimiten a tal fin por los instrumentos de la ordenación del territorio y el planeamiento urbanístico o, en su defecto, por acuerdo municipal o resolución de la Consejería competente en materia de ordenación urbanística, previa información pública por plazo de veinte días.

5º. En los demás casos previstos por la legislación sectorial.

b) En favor de la Comunidad de Madrid, las transmisiones onerosas de bienes inmuebles, sean terrenos, construcciones o edificaciones, así como la constitución y transmisión igualmente onerosas, de derechos reales sobre los mismos, que se realicen en los terrenos y edificaciones que, por su calificación urbanística, deban destinarse a la construcción de viviendas sujetas a algún régimen de protección pública.

A estos efectos la delimitación de los suelos sometidos a derecho de tanteo y retracto se llevará a cabo por los instrumentos de la ordenación del territorio, por el planeamiento urbanístico, o por Resolución de la Consejería competente por razón de la materia, previa información pública por plazo de 20 días.

2. Los derechos de tanteo y retracto a que se refiere la letra a) del número anterior podrán ser ejercidos indistintamente por cualquiera de dichas Administraciones, ordenándose tal ejercicio por la regla de la prioridad temporal.

3. El plazo máximo de sujeción de las transmisiones al ejercicio de los derechos de tanteo y retracto será de ocho años, a contar desde la aprobación de la correspondiente delimitación. En los espacios naturales protegidos tendrán, no obstante, vigencia indefinida, en tanto subsista la declaración de aquéllos.

4. Su ejercicio se rige por esta Ley y sus normas de desarrollo y, en todo lo no previsto en ellas, por la legislación general de pertinente aplicación» (pueden verse también los artículos 183 y ss.).

Ya el Proyecto de Ley del Suelo de la Comunidad de Madrid (de mayo de 2001) en el Título IV afirmaba que se introducía la posibilidad de que la Comunidad de Madrid pudiera ejercer los derechos de tanteo y retracto tanto sobre el suelo cuyo destino, según el planeamiento, sea la construcción de viviendas en régimen de protección, como sobre las propias viviendas sometidas a este régimen.

Por tanto, habrá que seguir la evolución de este tema que plantea en la práctica jurídica a veces cierta complejidad pero que puede servir para el mejor desarrollo de los intereses públicos sin que ello pueda llevar a una merma de las garantías de los particulares.

PARTE DUODÉCIMA
RESPONSABILIDAD ADMINISTRATIVA EN EL URBANISMO

Capítulo I

Doctrina general pensando en la casuística del urbanismo

1. RÉGIMEN JURÍDICO GENERAL DE LA LEY 30/1992, DE 26 DE NOVIEMBRE, DE RÉGIMEN JURÍDICO DE LAS ADMINISTRACIONES PÚBLICAS Y DEL PROCEDIMIENTO ADMINISTRATIVO COMÚN

Conviene tener en cuenta, primero, el régimen general de responsabilidad administrativa y, segundo, su aplicación en el ámbito puramente urbanístico.

Los particulares tendrán derecho a ser indemnizados por las Administraciones Públicas correspondientes, de toda lesión que sufran en cualquiera de sus bienes y derechos, salvo en los casos de fuerza mayor, siempre que la lesión sea consecuencia del funcionamiento normal o anormal de los servicios públicos (artículo 139.1 de la Ley 30/1992, de 26 de noviembre, de Régimen Jurídico de las Administraciones Públicas y del Procedimiento Administrativo Común, en adelante, LRJAP-PAC).

De esta forma se proclama en nuestro Derecho la regla de responsabilidad objetiva, al no ser necesaria la concurrencia de dolo o culpa para poder exigir dicha responsabilidad.

En todo caso, el daño alegado habrá de ser efectivo, evaluable económicamente e individualizado con relación a una persona o grupo de personas (artículo 139.2 de la LRJAP-PAC y muy numerosa jurisprudencia en este sentido).

Según el artículo 141 de la LRJAP-PAC «sólo serán indemnizables las lesiones producidas al particular provenientes de daños que éste no tenga el deber jurídico de soportar de acuerdo con la Ley. No serán indemnizables los daños que se deriven de hechos o circunstancias que no se hubiesen podido prever o evitar según el estado de los conocimientos de la ciencia o de la técnica existentes en el momento de producción de aquéllos, todo ello sin perjuicio de las prestaciones asistenciales o económicas que las leyes puedan establecer para estos casos» (pueden consultarse los apartados 2 y 3 de este artículo para los criterios de valoración y cálculo de la cuantía de la indemnización).

Tras el artículo 142 de la misma LRJAP-PAC se regulan los «procedimientos de responsabilidad patrimonial». Interesa conocer las reglas siguientes:

1. La anulación en vía administrativa o por el orden jurisdiccional contencioso-administrativo de los actos o disposiciones administrativas no presupone derecho a la indemnización, pero si la resolución o disposición impugnada lo fuese por razón de su fondo o forma, el derecho a reclamar prescribirá al año de haberse dictado la Sentencia definitiva, no siendo de aplicación lo dispuesto en el punto 5 (STS de 13 de junio de 2007, rec. 9070/2003 [RJ 2007, 3695]).

2. El derecho a reclamar prescribe al año de producido el hecho o el acto que motive la indemnización o de manifestarse su efecto lesivo. En caso de daños, de carácter físico o psíquico, a las personas el plazo empezará a computarse desde la curación o la determinación del alcance de las secuelas.

3. La resolución administrativa de los procedimientos de responsabilidad patrimonial, cualquiera que fuese el tipo de relación, pública o privada, de que derive, pone fin a la vía administrativa.

4. Si no recae resolución expresa se podrá entender desestimada la solicitud de indemnización.

5. En el artículo 144 se regula la «responsabilidad de Derecho Privado» y los artículos 145 y siguientes la responsabilidad de las autoridades y personal al servicio de las Administraciones Públicas.

El sistema es básicamente el siguiente: los particulares exigirán directamente a la Administración pública correspondiente las indemnizaciones por los daños y perjuicios causados por las autoridades y personal a su servicio. Y la Administración, cuando hubiere indemnizado a los lesionados, exigirá de oficio de sus autoridades y demás personal a su servicio la responsabilidad en que hubieran incurrido por dolo, o culpa o negligencia graves, previa instrucción del procedimiento que reglamentariamente se establezca.

En materia urbanística interesa también la responsabilidad del Estado legislador[1]. Dice la LRJAP-PAC que «las Administraciones Públicas indemnizarán a los particulares por la aplicación de actos legislativos de naturaleza no expropiatoria de derechos y que éstos no tengan el deber jurídico de soportar, cuando así se establezcan en los propios actos legislativos y en los términos que especifiquen dichos actos»[2].

En todo caso, la jurisprudencia no viene siguiendo el criterio, presente en dicho artículo, de si el acto legislativo dispone expresamente o, por el contrario, omite la referencia a la indemnización procedente. Lo determinante es más bien, para el Tribunal Supremo, la prueba de los distintos elementos de la responsabilidad: «no es descartable, dice por ejemplo la STS de 29 de diciembre de 1997 (RJ 1998, 342), que pueda existir responsabilidad aun tratándose de actos legislativos, cuando la producción del daño revista caracteres lo suficientemente singularizados e imprevisibles como para que pueda considerarse producida o relacionada con la actividad de la Administración llamada a aplicar la Ley»[3].

---

1. Sobre la responsabilidad del Estado legislador pueden verse los trabajos de J. Bermejo Vera (director), *Derecho Administrativo. Parte Especial*, Parte Sexta («La responsabilidad patrimonial de los poderes públicos»), pp. 917 y ss.; A. Blasco Esteve, en VVAA, *Comentario sistemático a la Ley de Régimen Jurídico de las Administraciones Públicas y del Procedimiento Administrativo Común*, Madrid, 1993, pp. 421; E. García de Enterría, *La responsabilidad patrimonial del Estado legislador en el Derecho español*, Madrid, 2007; E. García de Enterría/T. R. Fernández Rodríguez, «La expropiación forzosa», en *Curso de Derecho administrativo II*, Título VI Caps. XIX y XX; E. García de Enterría/T. R. Fernández Rodríguez, «La responsabilidad patrimonial de la Administración», en *Curso de Derecho administrativo II*, Título VI Cap. XXI; F. Garrido Falla, «Sobre la responsabilidad del Estado legislador», *RAP*, 118, 1989, pp. 35 y ss.; F. Garrido Falla, «A vueltas con la responsabilidad del Estado legislador: las sentencias del Tribunal Supremo de 11 de octubre de 1991 y de 5 de marzo de 1993», *REDA*, 81, pp. 111 y ss.; J. Leguina Villa, en VVAA *La nueva Ley de Régimen Jurídico de las Administraciones Públicas y del Procedimiento Administrativo Común*, Madrid, 1993, pp. 408 y ss.; E. Linde Paniagua, «Amnistía, control de constitucionalidad y responsabilidad patrimonial del Estado legislador», *REDA*, 16, 1978, pp. 95 y ss.; T. Quintana López, «La responsabilidad del Estado legislador», *RAP*, 135, 1994, pp. 103 y ss.; J. A. Santamaría Pastor, «La teoría de la responsabilidad del Estado legislador», *RAP*, 68, 1972, pp. 57 y ss.; J. E. Soriano García, «Responsabilidad del Estado legislador y proceso descolonizador», *REDA*, 30 1981, pp. 582 y ss.; igualmente, G. Ariño Ortiz, «Leyes singulares, leyes de caso único», *RAP*, 118, 1989, pp. 57 y ss.

2. En especial STS de 8 de octubre de 1998 (RJ 1998, 7903) y SSTS de 17 de febrero de 1998 (RJ 1998, 1677) y 6 de marzo de 1998 (RJ 1998, 2491), en relación con la STC 28/1997, de 13 de febrero de 1997.

3. Junto a las sentencias citadas pueden consultarse las SSTS de 12 de enero de 1998 (RJ 1998, 254); de 29 de diciembre de 1997 (RJ 1998, 342); de 19 de diciembre de 1997 (RJ 1997, 8787); de 19 de diciembre de 1997 (RJ 1997, 9424); de 24 de mayo de 1997 (RJ 1997, 3983); de 13 de febrero de 1997 (RJ 1997, 978), etc. (referidas al supuesto «típico» de la desestimación del recurso contencioso-administrativo interpuesto por Agentes de aduanas reclamando daños y perjuicios por la entrada en vigor del Acta Única Europea y por la Ley del Estado español que ratificó dicho Acta).
   El mismo planteamiento se sigue respecto de los daños causados por la Ley 24/1988, de 28

En este contexto jurisprudencial tiene especial interés la STS de 17 de febrero de 1998 (RJ 1998, 1677), no tanto por declarar la indemnización en favor de los interesados por la lesión patrimonial sufrida por un acto legislativo (concretamente, la aprobación de la Ley del Parlamento de las Islas Baleares 3/1984, de 31 de mayo, de declaración de «Es Trenc-Salobrar de Campos» como Área Natural de Especial Interés), hecho significativo considerando la excepcionalidad de los casos de reconocimiento de responsabilidad por actos legislativos.

La importancia de esta sentencia estaría también en haberse enfrentado directamente con la compleja cuestión de si puede derivarse responsabilidad administrativa aun cuando los actos legislativos omiten toda referencia sobre el particular de la responsabilidad. Además esta sentencia servirá para contrastar el criterio seguido jurisprudencialmente con el criterio sentado por el citado artículo 139.3 de la Ley 30/1992: «las Administraciones públicas indemnizarán a los particulares por la aplicación de actos legislativos (...) *cuando así se establezca en los propios actos legislativos y en los términos que especifiquen dichos actos*».

En realidad, la STS de 17 de febrero de 1998 (RJ 1998, 1677) es el resultado de un interesante proceso marcado por una decisiva sentencia del Tribunal Constitucional (STC 28/1997 [RTC 1997, 28]), de donde proceden los distintos argumentos de fondo de aquella otra sentencia. El Tribunal Constitucional se enfrenta con una cuestión de inconstitucionalidad cuyo objeto principal es el examen de constitucionalidad de dos Leyes del Parlamento de las Islas Baleares que declaran una zona como área natural de especial interés (Leyes 1/1984, de 14 de marzo de ordenación y protección de áreas naturales de interés especial, y 3/1984, de 31 de mayo, de declaración de «Es Trenc-Salobrar de Campos» como Área Natural de Especial Interés).

---

de julio, a los Agentes de Cambio y Bolsa, en los términos explicados en la STS de 18 de septiembre de 1997, (RJ 1997, 6917), pudiéndose destacar el siguiente argumento invocado reiteradamente y característico de este tipo de situaciones: «nada permite suponer en consecuencia que resultara vulnerada la confianza de los agentes (...). En estos casos, permanece con todo su sentido la exigencia de que se mantenga la potestad de innovación normativa, con el fin de que no queden petrificadas regulaciones al margen de la evolución real de los intereses generales (...)».

Esta jurisprudencia invoca distintos criterios y preceptos jurídicos para la resolución del caso planteado (entre ellos el artículo 139.3 de la Ley 30/1992) sin que exista contradicción alguna entre todos ellos, según el Tribunal Supremo. Por otra parte, la indemnización solicitada se derivará de la responsabilidad por aplicación de actos legislativos *de naturaleza no expropiatoria*.

Entre los motivos de inconstitucionalidad alegados se invocaba la posible vulneración del artículo 33 de la Constitución ante la omisión, en dichas leyes, de una cláusula de responsabilidad en favor de los perjudicados por la «afectación pública de dicho Área». Es preciso también aclarar que la sentencia del Tribunal Constitucional se está refiriendo a una causa judicial que a su vez tiene como punto de referencia la legislación anterior a la Ley 30/1992 (y por tanto a su artículo 139.3).

El argumento principal de esta sentencia del Tribunal Constitucional sería que «el hecho de no establecer expresamente (dichas leyes) eventuales previsiones indemnizatorias, sólo supone que habrá que estarse a lo dispuesto en la legislación común en materia de responsabilidad de la Administración». Por tanto, «si bien la denominada responsabilidad del Estado legislador no tiene una legislación de directa aplicación[4], ésta se asienta en los mismos principios que regulan la responsabilidad patrimonial de la Administración contenidos en el artículo 106 CE, 40 de la Ley de Régimen Jurídico de la Administración del Estado, artículos 120 a 123 de la Ley de Expropiación Forzosa, artículos 133 a 138 del Reglamento de Expropiación Forzosa y en la materia urbanística de que tratamos el artículo 87.2 de la Ley del Suelo. Son éstas normas de cuya constitucionalidad no se duda de las que, en última instancia, depende el fallo».

Coherentes con esta doctrina son otras dos conclusiones no menos relevantes de esta sentencia del Tribunal Constitucional. La primera es que no puede apreciarse la inconstitucionalidad de dichas leyes por el hecho de que aquéllas no contuvieran expresamente una cláusula de responsabilidad en favor de los perjudicados «pues la necesaria integración de tales leyes en el ordenamiento jurídico conduce a colmar esa laguna con arreglo a los principios generales que regulan la responsabilidad patrimonial de la Administración». Éste sería el argumento principal de la STC 28/1997 (RTC 1997, 28), a pesar de que el TC pudo también apoyarse en que una Ley autonómica posterior a las citadas (Ley 1/1991, que sustituyó aquéllas) determinó en su disposición adicional sexta que en «los proyectos presupuestarios de la Comunidad Autónoma se preverán los recursos precisos para afrontar la responsabilidad económica que pueda suponer las calificaciones urbanísticas de los terrenos».

La segunda conclusión importante es que en todo momento el Tribunal

---

4. De este inciso se desprende que el recurso contencioso-administrativo del que trae causa es anterior a la Ley 30/1992.

Constitucional está entendiendo que su doctrina se refiere al caso de la responsabilidad del Estado legislador (no al supuesto de la expropiación forzosa):

> «La cuestión debatida se contrae, en consecuencia, a la problemática de la denominada responsabilidad del Estado legislador, siendo de aplicación los principios relativos a la responsabilidad de las Administraciones Públicas, así como lo dispuesto en la legislación sobre expropiación forzosa».

Es preciso entonces llamar la atención sobre la contradicción entre la literalidad de los términos del artículo 139.3 de la Ley 30/1992 y de la jurisprudencia que acaba de comentarse. Téngase también presente que el TC está elaborando, en materia de responsabilidad del Estado legislador, una propia doctrina constitucional que se hace derivar del artículo 33.2 de la Constitución y que no puede estar en modo alguno mediatizada por el criterio presente en el artículo 139.3 de la Ley 30/1992.

Considerando que el TC, en la presente sentencia, se enfrentaba con el problema de si puede hacerse derivar responsabilidad en aquellos casos en los que los propios actos legislativos no lo prevean, y versando el artículo 139.3 de la Ley 30/1992 sobre esta materia, no habría estado de más que el TC se hubiera *referido* a dicho artículo (vigente desde hacía cinco años en el momento de pronunciarse esta sentencia) tal como por cierto hace la jurisprudencia del TS.

Pues bien, sobre la base de esta STC 28/1997 (RTC 1997, 28) se dicta la STS de 17 de febrero de 1998 (RJ 1998, 1677), a la que se aludía anteriormente, y en la cual el Tribunal Supremo se enfrenta con la pretensión indemnizatoria ejercitada por los recurrentes con el apoyo de la citada sentencia del Tribunal Constitucional. En suma, el TS (en el interesante fundamento sexto, último párrafo de la STS de 17 de febrero de 1998 [RJ 1998, 1677]) sigue la doctrina del TC que acaba de comentarse sentando por tanto que «el hecho de que en la ley no se disponga expresamente un cauce reparador para compensar las limitaciones al ejercicio del derecho de propiedad significa que este extremo quedará sometido a la normativa general del ordenamiento jurídico sobre la *responsabilidad patrimonial*»[5]. El TS reconoce, en con-

---

5. También en este caso (al igual que en las distintas sentencias del TS de los últimos años) se siente obligado el TS a aludir al artículo 139.3 de la Ley 30/1992. En principio, se refiere a dicho artículo en términos más originales que otras sentencias del propio TS, diciendo que «aun cuando la regulación vigente en la actualidad no es por razones cronológicas aplicable al caso conviene poner de manifiesto cómo la regulación contenida en el artículo 139.3 de la Ley de Régimen Jurídico de las Administraciones Públicas y del Procedimiento Administrativo Común *no es radicalmente contraria a estas conclusiones* (reconocimiento de la responsabilidad del Estado legislador cuando concurran los presupuestos de responsabilidad), *si bien exige determinar el alcance del nuevo requisito establecido en el sentido de que la previsión de la indemnización y de su alcance arranque del propio acto legislativo que motiva la lesión*» (la

clusión, el derecho de los recurrentes a ser indemnizados por los gastos realizados para la urbanización de Ses Covetes Forestas[6].

No son éstas las únicas reglas de la jurisprudencia que sirven de pauta para la determinación del régimen jurídico de la llamada responsabilidad del Estado legislador en aplicación del artículo 139.3 de la Ley 30/1992.

Aunque desligada de la jurisprudencia constitucional puede citarse la STS de 8 de octubre de 1998 (RJ 1998, 7903), por seguirse en este fallo el mismo criterio de la STC 28/1997 (RTC 1997, 28)[7]. Sienta primero el Tribunal Supremo que «el Legislador, al tomar la iniciativa normativa en el más alto grado, debe al mismo tiempo adoptar las previsiones para evitar el resultado dañoso en la aplicación de aquélla». Y añade: en caso contrario, el legislador adquiere la obligación de indemnizarlo para el mantenimiento de los principios constitucionales de igualdad y justicia fiscal (sin que la descoordinación entre Administraciones públicas no puede alegarse como causa de justificación para eludir el deber de indemnizar)[8].

En esta línea, una significativa STS de 8 de abril de 1997 (RJ 1997, 2666) da por hecho (en su Fundamento tercero) que la omisión de previsión legal expresa sobre la materia de responsabilidad no impedirá la correspondiente indemnización, siempre que se demuestre que la norma procedente del Poder Legislativo supone para sus concretos destinatarios un sacrificio patrimonial de carácter especial, ya que la excepción en este contexto se refiere al caso en que la «propia norma, por razones de interés público, *excluya expresamente* la indemnización, advirtiendo que si el legislador se pronuncia por la exclusión de la responsabilidad ni el Consejo de Ministros por mor de lo establecido en el artículo 97 de la Constitución, ni los órganos jurisdiccionales podrán en tanto la ley mantenga su vigencia, resolver con prescindencia

---

cursiva y el texto entre paréntesis son nuestros). No obstante, la presente STS no «determina» o precisa dicho alcance.

6. Otra sentencia (STS de 6 de marzo de 1998 [RJ 1998, 2491]) sigue la doctrina de la STC 28/1997 (RTC 1997, 28) (de la que también trae causa) pero no estima el recurso, por no haberse demostrado la existencia de un sacrificio singular.

7. La misma doctrina se establece en la STS de 9 de octubre de 1998 (RJ 1998, 7905).

8. Finalmente, interesa esta sentencia a efectos de ilustrar en qué casos llega a prosperar la acción resarcitoria. El supuesto de esta sentencia se refirió a un perjuicio causado «por el hecho de haberse implantado un impuesto por la antes citada Ley de Canarias 5/1986, sobre Combustibles y que la empresa apelada no pudo repercutir en cuanto a los stocks que tenía en sus depósitos en el momento de aplicarse la nueva imposición, dado que los precios de venta al público son fijados administrativamente y al rebajarlos resultaron inferiores a la suma del precio de compra y el nuevo impuesto autonómico».

de lo en ella establecido». Entiendo que la cuestión remitiría en estos casos a la posible inconstitucionalidad de la ley (véase *infra* el apartado siguiente).

Así pues, en conclusión puede decirse que hasta la fecha la jurisprudencia mantiene que la omisión, en la Ley, de una cláusula de responsabilidad de daños no impide la exigencia de la correspondiente indemnización ante los órganos jurisdiccionales del orden contencioso-administrativo. Por otra parte, la ley no deviene inconstitucional por dicha omisión.

En otro plano se mueve, pues, la jurisprudencia del TC que revisó la Ley de Costas y la Ley de Aguas, observando si la compensación prevista en las propias leyes era o no suficiente constitucionalmente para garantizar a los afectados.

2. LA IMPUTACIÓN DEL DAÑO A LA ADMINISTRACIÓN

A. Dimensión subjetiva. Responsabilidad concurrente

El tema de la imputación del daño tiene una dimensión subjetiva (determinación de la Administración responsable) y objetiva (determinación de cuándo se produce dicha imputación).

Lo primero lleva a citar el artículo 140 de la LRJAP-PAC («Responsabilidad concurrente de las Administraciones Públicas»):

1. Cuando de la gestión dimanante de fórmulas conjuntas de actuación entre varias Administraciones públicas se derive responsabilidad en los términos previstos en la presente Ley, las Administraciones intervinientes responderán de forma solidaria. El instrumento jurídico regulador de la actuación conjunta podrá determinar la distribución de la responsabilidad entre las diferentes Administraciones públicas.

2. En otros supuestos de concurrencia de varias Administraciones en la producción del daño, la responsabilidad se fijará para cada Administración atendiendo a los criterios de competencia, interés público tutelado e intensidad de la intervención. La responsabilidad será solidaria cuando no sea posible dicha determinación.

No es infrecuente que el problema, en un determinado proceso, sea determinar la Administración responsable, ya que entran en juego posibles criterios de imputación subjetiva del daño causado (STSJ de Cataluña de 27 de enero de 2006 [JUR 2006, 135083], condenando a un Ayuntamiento por los daños ocasionados a un particular por la rotura de una tubería; STSJ de Andalucía, Granada, de 10 de noviembre de 2003 [JUR 2004, 27181]; STSJ de Madrid de 8 de noviembre de 2004 [JUR 2005, 110685]; STS de 26 de julio de 2001 [RJ 2001, 8032]).

Cuestión que no es baladí, porque puede llegar a desestimarse finalmente el recurso contencioso-administrativo si éste no ha escogido con acierto la Administración realmente responsable en el caso concreto (STSJ de Extremadura de 9 de mayo de 2006 [JUR 2006, 174690], desestimando el recurso dirigido contra la Comunidad Autónoma porque la vía era de titularidad local y no autonómica).

Puede servirnos de ejemplo para profundizar en este planteamiento, el caso de los daños causados a los particulares por redes o emisarios. En principio, habrá de seguir el criterio de la Administración titular de la vía de comunicación o red en cuestión, según informa la jurisprudencia relativa a la imputación de daños causados por el estado de carreteras o caminos (STSJ de Extremadura de 9 de mayo de 2006 [JUR 2006, 174690]).

Otro segundo criterio de imputación podrá ser el de observar qué Administración tiene competencias relacionadas con el incidente producido a los efectos de concretar qué Administración ha sido responsable, por incumplimiento o negligencia o acción u omisión, del daño causado (STS del País Vasco de 22 de febrero de 2002 [JUR 2002, 219535], donde se dilucida si se imputa el daño no sólo a la Administración encargada de su mantenimiento sino a la Administración competente en materia de salvamento o seguridad: Diputación y Comunidad Autónoma, respectivamente).

No siempre, por tanto, el daño se imputa a la Administración titular de la vía, ya que habrá que estudiar si dicho daño se produce por incumplimiento de los deberes previstos en la legislación por referencia a una Administración diferente. Éste es el caso de la STSJ de Murcia de 21 de mayo de 2004 (JUR 2004, 289163): aunque la lesión se produjo en un cruce de carreteras (y, por tanto, la responsabilidad parecía ser de la Administración autonómica titular de la vía), en realidad el daño se imputaba al Ayuntamiento y a su empresa gestora, ya que a éstas incumbía la señalización de las obras en la zona.

En el ámbito de las aguas se aplica el criterio de imputación del daño a la Administración que lo causa como consecuencia del incumplimiento de sus competencias previstas en la legislación administrativa (STSJ de Cataluña de 3 de febrero de 2004 [JUR 2004, 102675]; STSJ de Castilla y León de 12 de enero de 2001 [JUR 2001, 114144]; STSJ de Aragón de 27 de septiembre de 2004 [JUR 2005, 70344]; STSJ de Canarias, Las Palmas, de 27 de enero de 2006 [JUR 2006, 100196]).

En este sentido, conviene no olvidar que a las Administraciones locales se les atribuye la necesidad de velar por el buen funcionamiento de las canalizaciones (alcantarillado, desagües) así como su limpieza y mantenimiento de las mismas (artículos 25 y 26 de la LBRL).

También ha de considerarse la regla asentada tradicionalmente en nuestro Derecho según la cual responderá, si existe éste, el concesionario del servicio público por los daños ocasionados por su funcionamiento, salvo que el daño se produjera por orden de la Administración (STSJ de Canarias de 26 de febrero de 2002 [JUR 2002, 277466]; STSJ de Murcia de 21 de mayo de 2004 [JUR 2004, 289163]).

Asimismo, podrá existir responsabilidad concurrente de las Administraciones Públicas (artículos 18 del RD 429/1993, de 26 de marzo y 140 de la LRJAP-PAC 30/1992, de 26 de noviembre).

Pero no es de recibo la responsabilidad concurrente si se puede imputar el daño a una sola Administración, que es la responsable (STSJ de Cataluña de 26 de noviembre de 2003 [JUR 2004, 28516]; STSJ de Cataluña de 3 de febrero de 2004 [JUR 2004, 102675]; STSJ de Canarias, Las Palmas, de 27 de enero de 2006 [JUR 2006, 100196] y STS de 23 de noviembre de 1999 [RJ 2000, 1370], citada en aquélla).

Cuando se produce una situación de indefinición jurídica (no infrecuente en la práctica) ésta no parece favorecer a nadie, ya que todos los agentes implicados asumen el riesgo de tener que asumir la imputación de los posibles perjuicios o lesiones a un tercero, máxime considerando que los criterios judiciales se aplican con una abierta discrecionalidad del juzgador.

Si se produjera, entonces, un daño no imputable al propio perjudicado habría que partir no sólo del dato de la titularidad del emisario, sino también del conocimiento de las competencias normativas de las respectivas Administraciones a efectos de comprobar, acto seguido, con qué precepto concreto se relaciona la causación concreta del daño, es decir con qué función omitida o indebidamente ejercitada se relaciona dicho daño.

En último término, a mi juicio, la imputación del daño a la Administración no puede servir para que se produzcan situaciones de indefensión.

B. Imputación a la Administración del daño causado por tercero. *Culpa in vigilando*

Seguidamente se trata también el problema de las posibles responsabilidades administrativas derivadas de actuaciones de terceros. En este contexto destaca el supuesto de la colaboración de particulares en el ejercicio de funciones públicas, aunque también se presentan otros ejemplos, así los casos en que la Administración autoriza un proyecto urbanístico.

Es claro que la colaboración de los particulares en el ejercicio de funciones públicas lleva consigo un traslado de responsabilidades desde el lado público al lado privado. Si el legislador, o la propia Administración, delega parte de la función pública en un tercero es porque desea transferir la responsabilidad pública en el sector privado.

En principio, parece claro que nadie puede conseguir eludir la responsabilidad que le incumbe o desprenderse de la responsabilidad que se deriva de sus propios actos u omisiones.

El establecimiento de unos criterios de responsabilidad administrativa, en estos casos, es difícil en términos apriorísticos; en general, el supuesto se reconduce a aquellas situaciones de culpa «in vigilando» o «in omitiendo» en virtud de las cuales se consigue imputar el daño a la Administración en el caso concreto.

No obstante, el desarrollo jurisprudencial permite aportar una serie de reglas orientativas de la responsabilidad administrativa en estos ámbitos de la colaboración privada en el ejercicio de funciones públicas, tomando como pauta, con las precisas adaptaciones en el caso concreto, la jurisprudencia de la *culpa in vigilando*. En todo caso, este tipo de problemas en torno a la conexión entre lo público y lo privado son los problemas jurídicos del mundo moderno.

Desde luego, han de concurrir en todo caso, los presupuestos de la responsabilidad administrativa (carácter objetivo de la responsabilidad por funcionamiento normal o anormal del servicio público, daño efectivo, evaluable económicamente e individualizado; en este contexto STS de 28 de noviembre de 1998 [RJ 1998, 9967]).

En este sentido, en un caso referido a un centro escolar, la jurisprudencia relaciona «funcionamiento del servicio» con «función o actividad docente, instalaciones o elementos materiales y vigilancia o custodia, y no con otros factores concurrentes ajenos al servicio y propios del afectado» (sentencia de la Audiencia Nacional de 26 de septiembre de 2002 [RJCA 2002, 1260], siguiendo la sentencias de 16 de marzo de 2000 y 8 de marzo de 2001 [JUR 2001, 294189], entre otras). En consecuencia, la Audiencia imputa el daño a la Administración debido a la caída de un alumno del rellano de unas escaleras, aplicando el criterio de la *culpa in vigilando* sobre el que incidiré después.

También es preciso partir de que la responsabilidad de la Administración Pública «se resiste a ser definida apriorísticamente, con carácter general, puesto que cualquier acaecimiento lesivo se presenta normalmente no ya como el efecto de una sola causa, sino como el resultado de un complejo de hechos y condiciones que pueden ser autónomos entre sí o dependientes de otros» (STS de 28 de noviembre de 1998 [RJ 1998, 9967]; STS de 4 de mayo de 1999 [RJ 1999, 4910]).

Ha de exigirse, igualmente, una «causalidad adecuada». Esto lleva a determinar «si la concurrencia del daño era de esperar en la esfera del curso normal de los acontecimientos o, si, por el contrario, queda fuera de este posible cálculo, de forma que sólo en el primer caso si el resultado se corresponde con la actuación que lo originó, es adecuado a ésta, se encuentra en relación causal con ella y sirve como fundamento del deber de indemnizar» (STS de 28 de noviembre de 1998 [RJ 1998, 9967]).

En estos casos, lo normal es que, si se imputa responsabilidad a la Administración, se presente «concurrencia de culpas»: «la concurrencia de causas diferentes en la producción de un resultado dañoso no exonera de responsabilidad patrimonial a la Administración, sino que ha de valorarse para moderar equitativamente la cuantía de la reparación o indemnización» (STS de 25 de febrero de 1998 [RJ 1998, 1810]).

En tanto en cuanto se produzca una intervención administrativa (característica ésta cuando una determinada actividad se asume como servicio público) estaremos propiciando la posibilidad de una responsabilidad administrativa. Así es como esta sentencia consigue responsabilizar a la Administración (el Canal de Isabel II, entidad de Derecho público adscrita a la Consejería de la Presidencia de la Comunidad de Madrid) ante un defectuoso funcionamiento de los servicios de agua y de gas[9].

Importante es relacionar el caso de la responsabilidad administrativa por daño causado por tercero con la *Administración autorizante*. En estos casos, con mayor motivo aún, la responsabilidad en principio recae sobre el particular que realiza la actividad autorizada en virtud de la cláusula sin perjuicio de terceros[10]. No obstante, la jurisprudencia en estos casos ha llegado a imputar algunas veces el daño a la Administración. Esta jurisprudencia sería algo así como el límite de la regla anterior de residenciamiento de responsabilidad en el particular[11].

Por ejemplo, en la STS de 28 de noviembre de 1998 (RJ 1998, 9967) se estima el recurso contencioso-administrativo interpuesto por la mujer de un piloto fallecido en un vuelo que fue autorizado por Estado (parte recurrida) «sin estarle permitido a la aeronave realizar el tipo de transporte que efectuó y sin contar con plan de vuelo previamente, ni seguro de viajeros, lo que no impidió la preceptiva autorización del vuelo, *por lo que si la autorización se hubiera prestado por el servicio administrativo en legal forma, eso es, con sujeción a lo prevenido en los artículos 150 y 151 de la Ley de navegación Aérea, la aeronave habría de haber quedado en tierra, al denegarse, como hubiera sido correcto, la autorización de vuelo solicitada y el accidente habría sido imposible que se produjera*».

Otras veces, en casos similares, esta interpretación se ve reforzada con apoyo en la «culpa in vigilando» y con posible apoyo también en la omisión de la debida eficiencia con que debió actuar la Administración (STS de 28 de enero

9. Así pues, la Administración puede actuar como «factor coadyuvante al resultado» (STS de 28 de noviembre de 1998 [RJ 1998, 9967]).

10. «Es lícita la autorización que condiciona su concesión al pago de los posibles daños que pudieran ocasionarse» (STS de 26 de abril de 1995 [RJ 1995, 3653], *AA*, nº 9, 1996 § 161 Sala 3ª): «esta previsión responde a la dualidad que la propia Ley de Aguas preconiza entre la autorización del vertido y su gravamen mediante el canon y las responsabilidades a terceros o específicas respecto de los daños ocasionados a los bienes del dominio público hidráulico, a cargo del concesionario o del titular de la autorización», ya que «no se puede pretender que la autorización del vertido y el pago del canon constituya una patente de impunidad frente a los daños causados a bienes de dominio público o de terceros con ocasión del vertido».

11. Vid. J. JORDANO FRAGA, «La responsabilidad de la Administración con ocasión de los daños al medio ambiente», *Revista de Derecho Urbanístico,* nº 119 (1990), p. 101; I. SANZ RUBIALES, *Los vertidos en aguas subterráneas,* Madrid, 1997, p. 205.

de 1993 [RJ 1993, 422], relativa a un caso de fallecimiento por accidente en un velódromo municipal con culpa de la propia víctima pero con responsabilidad en parte del Ayuntamiento por no haber tomado «medidas verdaderamente eficaces para impedir el acceso a las instalaciones»; asimismo STS de 18 de abril de 2007, recurso 1152/2003 [RJ 2003, 3684]).

En este sentido, el examen de la relación de causalidad (entre el daño y la inactividad de la Administración en la prevención de situaciones de riesgo) ha de dirigirse a dilucidar, como se señala en la sentencia de la Sala Tercera del Tribunal Supremo de 7 de octubre de 1997 (RJ 1997, 7393) «... si, dentro de las pautas de funcionamiento de la actividad de servicio público a su cargo, se incluye *la actuación necesaria para evitar el menoscabo*».

Y se aporta en la propia sentencia el siguiente criterio: «... Para sentar una conclusión en cada caso hay que atender no sólo al contenido de las obligaciones explícita o implícitamente impuestas a la Administración competente por las normas reguladoras del servicio, *sino también a una valoración del rendimiento exigible en función del principio de eficacia que impone la Constitución Española a la actuación administrativa*».

Así pues, en casos de responsabilidad, por omisión de la Administración, la cuestión clave de la imputación del daño es la determinación de la posible relación de causalidad, con el límite en todo caso de la fuerza mayor, «entre la omisión administrativa y el fallecimiento», sin ser necesario que concurra «anormalidad del servicio» (STS de 4 de mayo de 1999 [RJ 1999, 4910], relativa a «un suicidio de un recluso en su celda por *culpa in vigilando* dado el carácter defectuoso de la vigilancia llevada a cabo por los funcionarios sobre el suicida»).

Este criterio de la culpa in vigilando puede relacionarse con supuestos de **defectuosa «inspección» de la Administración** (STSJ de Aragón de 15 de febrero de 1999 [RJCA 1999, 3096], responsabilizando a la Administración ante la caída de unas rocas en la calzada con daños en un vehículo particular; STS de 25 de enero de 1992 [RJ 1992, 1343], responsabilidad administrativa por inspección técnica ineficiente de unas bombonas de propano).

Se reconoce asimismo responsabilidad administrativa en caso de «deficiencias» en el funcionamiento del servicio (STS de 2 de abril de 1992 [RJ 1992, 3328]: fallecimiento de una persona extinguiendo un incendio en auxilio de un Ayuntamiento).

Otras veces estos mismos criterios de imputación del daño a la Administración se formulan desde el punto de vista de la omisión de los deberes adecuados de vigilancia. A igual conclusión llega la STS de 28 de marzo de 2000 (RJ 2000, 4051), en un supuesto de un suicidio de recluso con antecedentes suicidas por *culpa in vigilando y omisión del deber adecuado de vigilancia*. O la STS de 12 de julio de 1999 (RJ 1999, 7150), ante un suicidio en un Hospital psiquiátrico-militar por parte de un soldado con crisis y depresiones sin que la Administración hubiera prestado un seguimiento del caso y una vigilancia adecuada.

De ahí que también la STS de 20 de octubre de 1997 (RJ 1997, 7254) (daños como consecuencia del desmoronamiento de la Presa de Tous) considere que existe responsabilidad administrativa porque «los daños se hubieran evitado, en parte, si no se hubiera producido el desmoronamiento de la Presa, al haber funcionado correctamente los mecanismos de apertura de las compuertas y se hubieran cumplido por la Administración los deberes de vigilancia, control y salvamento en la superficie afectada», sin que (en este supuesto), incluso admitiendo la existencia de incidencia de fuerza mayor, llegue a eximirse a la Administración de toda responsabilidad «por un hecho que, con independencia de que fuese o no previsible, no puede en forma alguna reputarse inevitable».

También puede servirnos el criterio del «riesgo creado» en virtud del cual se imputa el daño a la Administración cuando ésta conoce que pueden ocasionarse daños y no toma las medidas apropiadas para evitarlo, creando una situación de riesgo: «la Administración municipal ha de responder de las consecuencias derivadas de la actividad relacionada con el ejercicio de sus competencias, especialmente concernientes al mantenimiento de la seguridad, con ocasión de las fiestas populares, debiendo asumir dicha Corporación las responsabilidades que entrañan consecuencias dañosas, que razonablemente pueden considerarse incardinadas o relacionadas con la celebración normal o anormal de la fiesta popular, sin que en el caso examinado consten hechos suficientemente significativos para estimar alterada la relevancia causal de la actividad del Ayuntamiento en la autorización de la fiesta y la no prevención de sus consecuencias negativas» (STS de 15 de diciembre de 1997 [RJ 1997, 9357], relativa a un caso de daños en festejos de fuegos artificiales).

Este criterio del riesgo se muestra de forma tan marcada que, en el Derecho alemán, llega a definir todo el sistema de la culpa in vigilando («Gefährdungshaftung», es decir, responsabilidad por «riesgo» o «peligro» –OSSENBÜHL-)

Este criterio del riesgo asumible puede matizarse con otra doctrina jurisprudencial de interés: «para que el daño concreto producido por el funcionamiento del servicio a uno o varios particulares sea antijurídico *basta con que el riesgo inherente a su utilización haya rebasado los límites impuestos por los estándares de seguridad exigibles conforme a la conciencia social.* No existirá entonces deber alguno del perjudicado de soportar el menoscabo y, consiguientemente, la obligación de resarcir el daño o perjuicio causado por la actividad administrativa será a ella imputable» (STSJ de Castilla y León, sede de Burgos, de 22 de marzo de 2002 [RJCA 2002, 346]).

La Administración no puede tampoco (según la STSJ de Castilla y León, sede de Burgos, de 22 de marzo de 2002 [RJCA 2002, 346]) limitarse a declinar su responsabilidad, sin indicar al perjudicado a cuál de las partes contratantes corresponde responder, ya que «esta omisión constituye motivo suficiente para atribuir la responsabilidad a la propia Administración»[12].

---

12. En el presente supuesto, se responsabiliza a un Ayuntamiento por los daños causados por un acto de pirotécnica, en fondo, nuevamente, por omisión de los deberes adecuados de vigilancia: «las medidas adoptadas, fueron realmente insuficientes, y así lo acreditan los hechos ocurridos, debiendo señalarse que la actuación del Ayuntamiento no puede limitarse a adoptar unas medidas de seguridad, sino que ha de vigilar que las mismas se cumplan, y que en todo caso, las adoptadas sean "suficientes" para salvaguardar la integridad física de los espectadores, lo que aquí no aconteció, pues como hemos dicho, el actor se encontraba presenciando los fuegos artificiales –y ello no ha sido contradicho por la demandada– fuera de la zona de seguridad delimitada por la Corporación, a pesar de lo cual resultó lesionado por el impacto de un cohete».
Añade: «En efecto,ténganse en cuenta que los espectáculos de pirotecnia, como el que ahora nos ocupa, entrañan siempre un peligro en sí mismos, siendo generadores de riesgo, y por ello, la obligación de reparar el daño que sobrevenga a un tercero, es una clara

A juicio de la Sala el problema radica fundamentalmente «en constatar el examen de la relación de causalidad inherente a todo caso de responsabilidad extracontractual»[13].

Otros casos de responsabilidad administrativa por hecho de terceros son los recogidos en la STS de 11 de octubre de 1975 (por «omisión de la actividad administrativa obligada» en la evitación de la contaminación de un río), del TSJ de la Comunidad Valenciana, de 7 de marzo de 1997, declarando **la responsabilidad patrimonial de un Ayuntamiento por autorizar la apertura de un establecimiento y no vigilar su nivel de ruidos y vibraciones; STS de 26 de diciembre de 1995 (RJ 1995, 9209) responsabilizando al Ayuntamiento por los daños ocasionados por el derrumbamiento de un edificio.**

Lo normal, cuando concurra culpa de tercero, será, no obstante, que la omisión o tolerancia de la Administración no origine responsabilidad administrativa y que los daños se imputen a su causante directo. La STS de 17 de marzo de 1993 (RJ 1993, 2037) exige, en este sentido, «prudencia en los casos en que los daños se achacan a la pura inactividad de la Administración» (igualmente, en el Derecho comparado: STS alemán de 10 de diciembre de 1987, BGHZ 102, 350).

De todo esto es ejemplo la STS de 24 de septiembre de 1991 (RJ 1991,

---

exigencia jurídica que no puede obviarse, so pretexto de que se observaron las medidas de seguridad reglamentarias, si resulta que el daño se hubiese podido evitar haciendo algo más, esto es, adoptando medidas de seguridad que hubiesen sido efectivas y suficientes para evitar el acaecimiento de hechos como el que ahora estamos examinando».

13. Esta STSJ de Castilla y León, Burgos, de 22 de marzo de 2002 (RJCA 2002, 346) aporta los siguientes criterios para determinar la relación de causalidad: a) Que entre las diversas concepciones con arreglo a las cuales la causalidad puede concebirse, se imponen aquellas que explican el daño por la concurrencia objetiva de factores cuya inexistencia, en hipótesis, hubiera evitado aquél. b) No son admisibles, en consecuencia, otras perspectivas tendentes a asociar el nexo de causalidad con el factor eficiente, preponderante, socialmente adecuado o exclusivo para producir el resultado dañoso, puesto que –válidas como son en otros terrenos– irían en éste en contra del carácter objetivo de la responsabilidad patrimonial de las Administraciones Públicas. c) La consideración de hechos que puedan determinar la ruptura del nexo de causalidad, a su vez, debe reservarse para aquellos que comportan fuerza mayor –única circunstancia admitida por la ley con efecto excluyente–, a los cuales importa añadir la intencionalidad de la víctima en la producción o el padecimiento del daño, o la gravísima negligencia de ésta, siempre que estas circunstancias hayan sido determinantes de la existencia de la lesión y de la consiguiente obligación de soportarla. d) Finalmente, el carácter objetivo de la responsabilidad impone que la prueba de la concurrencia de acontecimientos de fuerza mayor o circunstancias demostrativas de la existencia de dolo o negligencia de la víctima suficiente para considerar roto el nexo de causalidad corresponda a la Administración, pues no sería objetiva aquella responsabilidad que exigiese demostrar que la Administración que causó el daño procedió con negligencia, ni aquella cuyo reconocimiento estuviera condicionado a probar que quien padeció el perjuicio actuó con prudencia.

6971), en la cual se desestima el recurso contencioso-administrativo interpuesto por unos adquirentes de unas **viviendas construidas por un promotor que edificó en suelo urbanizable** conforme a la calificación otorgada en este sentido a dicho suelo por un simple proyecto de plan urbanístico. La tolerancia, en este caso, de la Administración, respecto de las obras realizadas no se considera título de imputación suficiente, ya que corresponde a los adquirentes cerciorarse de la situación urbanística de los terrenos.

En este sentido, no puede llegarse a una suerte de «responsabilidad universal del Estado que garantizara toda clase de daños». Por eso, la muerte de un recluso como consecuencia de una sobredosis de droga, no es imputable a la Administración (en el caso de la sentencia de la Audiencia Nacional de 27 de abril de 2001 [JUR 2001, 293398]), frente a una pretendida culpa *in vigilando* por el hecho de no haberse impedido la entrada de drogas en el establecimiento penitenciario, a pesar de ser cierto que sobre la Administración Penitenciaria recae el deber de velar por la vida, la salud y la integridad de los internos (artículo 3.4 de la Ley Orgánica 1/1979, de 26 de septiembre, General Penitenciaria). Además, el hecho de que alguien se encuentre cumpliendo condena en un establecimiento penitenciario «es un dato sin duda relevante pero no es por sí mismo suficiente para afirmar la existencia de un nexo causal entre el funcionamiento del servicio penitenciario y cualquier daño personal o material».

Esta línea se sigue también respecto de la posible responsabilidad administrativa ocasionada por unos daños a un alumno al accidentarse cuando intentó penetrar en el centro escolar desde el exterior, la sentencia de la Audiencia Nacional de 5 de julio de 2000 (RJCA 2000, 2589) nos indica de forma interesante los límites:

«Como ha advertido el Consejo de Estado en sus Dictámenes, y ha hecho suyo el Tribunal Supremo en Sentencias anteriores –por todas la de 6 de noviembre de 1996 ó 24 de septiembre de 1997–, "la Administración no tiene el deber de responder, sin más, de todos los daños que puedan sufrir los alumnos en Centros Escolares de su titularidad, sino que para que proceda la responsabilidad patrimonial pública deberán darse los requisitos que la caracterizan, legalmente establecidos, *analizando las circunstancias concurrentes en cada caso*"».

El deber adecuado de vigilancia se precisa del modo siguiente: «al estar ante una responsabilidad objetiva, resultaría indiferente, a los efectos de su nacimiento, la mayor o menor diligencia desplegada por los profesores que debían estar vigilando el descanso, momento en que se produjo el accidente; por ello existirá relación de causalidad cuando el accidente se hubiera producido a consecuencia, o al menos influido, por una ausencia total de vigilancia; *pero de lo actuado resulta que el accidente no se debió a dicha falta de vigilancia ni un aumento de esta vigilancia a niveles más allá de lo razonable tampoco habría evitado el accidente,* sobre todo pues el accidente se produce cuando el menor accidentado trata de penetrar en el centro escolar desde el exterior, y saltando la pared medianera que separa dicho centro de una Iglesia colindante; pared medianera en la que, precisamente, se estaban realizando obras para impedir el acceso ilegal[14]».

De este nivel adecuado de diligencia desprende la Audiencia la ausencia de causalidad: «Por lo tanto, no se aprecia nexo de causalidad alguno que permita relacionar la actividad administrativa con la lesión producida por el hijo del recurrente y ello pues debe considerarse que el accidente no tiene más relación con la actividad de la Administración educativa que el hecho de que se produjo en un centro docente durante el horario escolar; de admitirse en este caso la responsabilidad de la Administración, se *estaría convirtiendo a ésta en una especie de aseguradora universal que respondería de todo aquel resultado dañoso que se pudiera producir en el interior de sus instalaciones, cualquiera que fuera el modo de producirse el accidente causante del daño o la conducta del propio perjudicado. Del hecho de que la responsabilidad de la Administración se configure como una responsabilidad objetiva y que la responsabilidad se extienda a los hechos acaecidos aún por caso fortuito, no puede derivarse que se deba olvidar la exigencia de la adecuada relación de causalidad entre la conducta y el resultado dañoso*».

Por contrapartida, si el perjudicado tiene un seguro con una compañía privada, no vale excepcionar esta circunstancia por la Administración como causa de enriquecimiento injusto para eludir su responsabilidad (STS de 26 de febrero de 1991 [RJ 1991, 1087]).

Como explica la sentencia del TSJ del País Vasco de 16 de mayo de 2003 (JUR 2003, 182339), «el hecho de haber percibido como indemnización 400.000 ptas. de la Compañía Aseguradora Sun Alliance, con la que el Centro de Iniciación Profesional del Ayuntamiento tenía suscrita una póliza de accidentes, *en nada empece al ejercicio de la acción de responsabilidad patrimonial que aquí se postula*, y en ese sentido la resolución recurrida ciertamente adolecería de una cierta incongruencia».

Ahora bien, con ser cierto lo anterior, no lo es menos que *«lo que sí impide el ejercicio de la acción de responsabilidad patrimonial es la renuncia del derecho a reclamar efectuada por el propio recurrente, en la medida en que no cabe soslayar que, según el recibo-finiquito que obra al folio 41 del expediente, el actor formuló expresa renuncia al ejercicio de cuantas acciones civiles y penales le correspondieran, así como al percibo de cualquier otra indemnización que pudiera corresponderle»*. Interesante es esta sentencia del TSJ del País Vasco de 16 de mayo de 2003 (JUR 2003, 182339) cuando viene a admitir que, mediando culpa de tercero, la responsabilidad de la Administración tiene límites lógicos, presuponiendo en todo caso una situación de inactividad o bien una situación de ineficiencia de su parte[15].

---

14. «Todo ello tal como resulta tanto del Informe del Arquitecto, como del Informe del Equipo de Dirección como de la declaración testifical realizada en fase de prueba a propuesta de la Administración demandada en la que el testigo claramente indica que vio al hijo del ahora recurrente penetrar en el Instituto desde el exterior y saltando la valla».

15. «Por lo demás, indicar que tampoco consta acreditada la necesaria relación de causalidad que ha de existir entre la lesión y el funcionamiento del servicio público; antes bien, si nos atenemos a los hechos, tal y como consta acreditado que se produjeron, obligado es advertir que el nexo causal aparece interferido por la acción de un tercero y, si bien en principio no queda excluido que se establezca la imputación de la responsabilidad a la Administración en los supuestos de daños producidos a causa de la acción directa de terceros debe repararse, sin embargo, en que el nexo causal ha de establecerse en estos supuestos, bien en relación a una situación de inactividad por omisión de la Administración, o bien con relación a una situación de ineficiencia administrativa. De forma que, para la apreciación

Para el final hemos reservado la compleja cuestión de la carga de la prueba, ya que es evidente que ésta recae sobre quien alega los perjuicios, aunque llega a admitirse generalmente, por la jurisprudencia, una cierta flexibilidad (con límites, por su parte) en cuanto al rigor de la carga de la prueba:

«Cabe recordar, a este efecto, que, en aplicación de la remisión normativa establecida en el artículo 74.4 y Disposición Adicional Sexta de la Ley Jurisdiccional de 1956 (artículo 60.4 de la vigente Ley 29/1998, de 13 de julio), rige en el proceso contencioso-administrativo el principio general, inferido del artículo 1.214 de Código Civil, que atribuye la carga de la prueba a aquel que sostiene el hecho ("semper necesitas probandi incumbit illi qui agit") así como los principios consecuentes recogidos en los brocardos que atribuyen la carga de la prueba a la parte que afirma, no a la que niega (ei incumbit probatio qui dicit non qui negat) y que excluye de la necesidad de probar los hechos notorios (notoria non egent probatione) y los hechos negativos (negativa no sunt probanda). En cuya virtud, este Tribunal en la administración del principio sobre la carga de la prueba, ha de partir del criterio de que cada parte soporta la carga de probar los datos que, no siendo notorios ni negativos y teniéndose por controvertidos, constituyen el supuesto de hecho de la norma cuyas consecuencias jurídicas invoca a su favor (por todas, sentencias de la Sala de lo Contencioso-Administrativo del TS de 27.11.1985, 9.6.1986, 22.9.1986, 29 de enero y 19 de febrero de 1990, 13 de enero, 23 de mayo y 19 de setiembre de 1997, 21 de septiembre de 1998)».

Pero todo ello con límites: «ello, sin perjuicio de que la regla pueda intensificarse o alterarse, según los casos, en aplicación del principio de la buena fe en su vertiente procesal, mediante el criterio de la facilidad, cuando hay datos de hecho que resultan de clara facilidad probatoria para una de las partes y de difícil acreditación para la otra (sentencias TS [3ª] de 29 de enero, 5 de febrero y 19 de febrero de 1990, y 2 de noviembre de 1992, entre otras)»[16].

---

de la responsabilidad de la Administración cuando concurre la actividad de tercero y la inactividad de la Administración, debe tenerse en cuenta el criterio jurisprudencial señalado en la sentencia de la Sala Tercera del Tribunal Supremo de 17 de marzo de 1993 (RJ 1993, 2037) –en el mismo sentido las SSTS de 27.11.1993 (RJ 1993, 8945) y 31.1.1996 (RJ 1996, 474)– a cuyo tenor "... ni el puro deber abstracto de cumplir ciertos fines es suficiente para generar su responsabilidad (por mera inactividad de la Administración) cuando el proceso causal de los daños haya sido originado por un tercero, ni siempre la concurrencia de la actuación de éste exime de responsabilidad a la Administración cuando el deber abstracto de actuación se ha concretado e individualizado en un caso determinado...".».

16. Sigue argumentando esta sentencia del TSJ del País Vasco que «en el presente supuesto no se ofrecen por el recurrente ninguna de dichas líneas argumentales, limitándose a sostener que la acción culposa es directamente imputable al alumno que manipuló indebidamente la máquina provocando el estallido del ladrillo, refiriendo a continuación que existió *culpa in vigilando* del profesor, en tanto que, según esgrime, de no haber omitido el profesor la diligencia debida, prestando una atención normal al alumno, se hubiera impedido una manipulación indebida. *Sin embargo, tal afirmación genérica no puede ser acogida al estar desprovista, no sólo de carga argumental, (repárese en que el recurrente omite explicitar de*

C. El criterio de imputación de la pérdida de oportunidad legítima

Interesa advertir que la doctrina científica ha desarrollado especialmente lo que ha dado en llamarse «**el resarcimiento de la pérdida de oportunidad**», con el solo límite de que la pérdida de la ventaja aparezca como incierta o meramente hipotética y no como un daño.

En estos casos, para que pueda plantearse la responsabilidad administrativa, ha de poder decirse que el hecho ilícito ha provocado la pérdida de la utilidad; la responsabilidad surge no por la pérdida de la ventaja sino por la «pérdida en sí de la oportunidad». La lesión es injusta porque la víctima no tiene el deber de soportarla.

De este modo, el Consejo de Estado se ha pronunciado a favor de la responsabilidad denominada de pérdida de oportunidad procesal (Dictámenes 35/1999, 1582/1999, 343/1999, 3425/2000, 1671/2001, 857/2001, 2043/2002, 2752/2002).

En nuestro ordenamiento se reconoce el concepto de responsabilidad por pérdida de oportunidad. Así, plasma este principio general de responsabilidad administrativa la Ley que incorpora a nuestro ordenamiento la Directiva 2004/17/CE, es decir, la Ley 31/2007, sobre procedimientos de contratación en los sectores excluidos (agua, energía, transportes y servicios postales) cuando reconoce (al igual que la predecesora Ley 48/1998, en transposición de la directiva 92/50/CEE) el derecho de cualquier persona que tenga o haya tenido un derecho subjetivo o interés legítimo en la adjudicación de alguno de los contratos incluidos en la misma (artículo 104.1 de la Ley 31/2007; en la Ley 48/1998 artículo 54.1) el derecho a reclamar una indemnización, cuando se hubiere probado que ha habido infracción de lo dispuesto en la presente Ley y que el reclamante hubiere tenido una posibilidad real de obtener el contrato si no se hubiera cometido la infracción (artículo 112 de la Ley 31/2007).

_____

manera expresa cómo, por qué y de qué forma se omitió la diligencia debida y cómo, se haberse prestado una atención normal, no se hubiera producido el evento dañoso), sino también del menor sustrato probatorio, incumpliendo así la carga procesal que a él le es exigible, sin que sea posible deducir la existencia de la *culpa in vigilando* del profesor que se alega, de la mera producción del accidente sin más, pues es notorio que no siempre la presencia y atención del profesor puede evitar accidentes como el aquí acontecido. En suma, no existiendo datos o elementos de juicio que permitan hacer ver a este Tribunal que fuera la falta de la diligencia debida por parte del profesor la que ha operado como causa eficiente del siniestro, forzoso se hace concluir con que no aparece acreditado la existencia de un nexo causal eficiente entre una actuación omisiva de la Administración y el resultado dañoso, lo que releva del examen de si puede o no tenerse por acreditado la pérdida de visión del 50% del ojo que se alega» (TSJ del País Vasco de 16 de mayo de 2003 [JUR 2003, 182339], cit.).

Y se considera dentro de este supuesto el caso en que el licitador no pudo participar en el procedimiento por causa imputable a la Administración.

En este sentido, los daños que derivan de la infracción de la norma que constriñen a la Administración a desenvolver una conducta en un tiempo razonable han de ser indemnizados y el título jurídico que justifica el resarcimiento no es sino el mero incumplimiento culpable de la Administración; la contrariedad constituye un desvalor tan importante que justifica por sí el surgimiento de la obligación resarcitoria.

D. Imputación en caso de inactividad o retraso

La superación del plazo de resolución es un caso claro de incumplimiento de la Administración que origina responsabilidad (GARCÍA TREVIJANO GARNICA, *El silencio administrativo en el Derecho español,* Madrid, 1990; del mismo autor, *El silencio administrativo en la nueva Ley de régimen Jurídico de las Administraciones públicas y del Procedimiento administrativo común,* Madrid, 1994).

Si el título de imputación es el incumplimiento no se libera la Administración acreditando incluso la ausencia de culpa. Si la Administración, transcurrido el término máximo establecido, no ha dictado una resolución expresa, o habiéndolo hecho no lo notifica, incumple uno de los deberes que conforman la relación jurídica procedimental. Y si este incumplimiento genera daños y es imputable a la Administración, el interesado tiene derecho a ser indemnizado. Esta modalidad de incumplimiento es expresiva de un funcionamiento anormal, por lo que la Administración ha de reparar los daños que produzca[17].

De ahí que el retraso en la finalización de los procedimientos administrativos es motivo de imputación del daño. La jurisprudencia admite la responsabilidad causada por los daños en supuestos de retraso, tal como tendremos ocasión de comprobar más adelante.

Puede haber daños imputables a la morosidad administrativa en supuestos en que la resolución puede ser favorable si se dicta en una determinada fecha, pero menos beneficiosa o denegatoria si se dicta en otra posterior. Piénsese en el particular de sesenta años que solicita autorización para abrir un establecimiento farmacéutico; si la Administración tarda seis años en con-

---

17. L. MEDINA ALCOZ, *La responsabilidad patrimonial por acto administrativo,* Madrid, 2005, pp. 201 y ss.

testar la resolución ha de ser negativa necesariamente porque en esa fecha, estará el peticionario en situación de jubilado –tiene 66 años– y carece de uno de los requisitos que exige la normativa aplicable (L. MEDINA ALCOZ, *La responsabilidad patrimonial por acto administrativo*, Madrid, 2005, pp. 201 y ss.).

> En estos casos, el incumplimiento del deber de responder en plazo ha mutilado la oportunidad de obtener una ventaja apetecida y ha impedido que se haya realizado la actividad lucrativa. Además, dicho incumplimiento ha hecho inútiles los gastos que, con miras a la explotación de la utilidad, había realizado el solicitante; son daños que causa el retraso y que se imputan a la Administración por el dato del incumplimiento del deber de responder dentro de plazo. Si se inmovilizan capitales u otros recursos y realizan gastos el particular no tiene el deber de soportarlos.

> Para determinar si la denegación ilegal de la ventaja ha impedido la obtención de unas ganancias incurriendo la Administración en responsabilidad, es preciso realizar un examen de lo que la doctrina italiana denomina *giudizio prognostico, giudizio di septtanza* que, partiendo de un criterio de normalidad, establezca en qué medida un correcto ejercicio de la función administrativa habría producido un resultado ventajoso apetecido, un juicio que arroje el coeficiente de probabilidad de consecución y, a su través, de alguna de estas conclusiones: que no hay nexo causal entre la irregularidad administrativa y la ventaja dejada de obtener porque las posibilidades del interesado eran nulas o despreciables, o que lo hay porque las posibilidades eran muchas (L. MEDINA ALCOZ, *La responsabilidad patrimonial por acto administrativo*, Madrid, 2005, pp. 201 y ss.).

En todo caso tendrán que existir derechos y no simples expectativas (STS de 26 de noviembre de 1999 [RJ 2000, 1376]).

En supuestos de inactividad la Administración no puede ganar ventaja alguna por este hecho. Nos explica R. RIVERO (en VVAA, *El silencio administrativo, urbanismo y medio ambiente*, Valencia, 2006, p. 278) que en estos casos de inactividad administrativa además del silencio positivo «otra consecuencia, consagrada por el Tribunal Constitucional, es la incompatibilidad con la tutela judicial efectiva de toda posición de ventaja que adquiera la Administración como consecuencia del incumplimiento de su obligación de resolver (sentencias del Tribunal Constitucional 6/1986 y 204/1986). Una vez que la Administración no ha actuado como es debido pierde su legitimidad para exigirle al interesado que siga correctamente los pasos procedimentales rigurosamente». «El incumplimiento de la obligación de resolver es un supuesto de mal funcionamiento de la Administración». De manera que «los perjuicios derivados de la mala administración no deben ser asumidos por los propios perjudicados»[18].

---

18. En estas situaciones podrá producirse una vulneración del deber de responder, del principio de buena fe, del principio de confianza legítima y del principio de seguridad jurídica. En este sentido, R. ALONSO IBÁÑEZ (en VVAA, *El silencio administrativo, urbanismo y medio ambiente*, Valencia, 2006 p. 292) afirma:
    «El incumplimiento de la obligación de resolver y notificar en plazo no sólo es una con-

En suma, el incumplimiento del deber de resolver vulnera el principio de seguridad jurídica y también el artículo 42 de la LRJAP-PAC.

Es oportuno profundizar en la doctrina de la confianza legítima, siguiendo la explicación jurídica que aporta en este sentido, L. MEDINA ALCOZ, «Confianza legítima y responsabilidad patrimonial», *REDA*, 130, pp. 275 y ss., cuando explica dicho principio basándose en la prohibición de actuar de forma incoherente o contradictoria y afirmando, por tanto, la vigencia de una obligación de no defraudar las expectativas objetivamente depositables en tal género de conductas, lo que arraiga en la genérica exigencia de actuar de buena fe, es decir la *bona fides contrahendo*.

La Administración debe asumir todos los perjuicios derivados de la defraudación de confianza, porque si la Administración se hubiera abstenido de mantener un comportamiento contrario a la buena fe el interesado no habría realizado determinados gastos e inversiones ni habría descartado otras vías de negocio pensando en la prestación futura.

E. La imputación del daño en caso de retraso de la Administración según la jurisprudencia aplicable al caso

La jurisprudencia tiene claro que el retraso o incumplimiento del deber de responder genera la debida responsabilidad administrativa.

---

ducta contraria al deber de buena administración, sino que igualmente es contraria al principio de seguridad jurídica o, en la formulación de la jurisprudencia del TJCE, al principio de confianza legítima, principio este último de formulación judicial inicial pero que se halla consagrado en la actuación como uno de los principios generales inspiradores de la actuación administrativa en el artículo 3.1 de la LRJAP-PAC. Sin entrar en los diversos matices con los que son interpretados y aplicado estos principios, y a pesar que lo demandan, en general, es que los poderes públicos protejan la confianza de los ciudadanos, que ajustan su conducta económica a la legislación vigente, frente a cambios normativos que no sean razonablemente previsibles (STC 273/2000, de 15 de noviembre), así como frente a cambios –carentes igualmente de razonable previsibilidad– en la interpretación administrativa del Derecho aplicable (J. J. LAVILLA, *Seguridad jurídica, estudios para la reforma de la Administración Pública*, Madrid, p. 146), lo que resulta incuestionable es que la seguridad jurídica demanda certeza no ya sobre el derecho aplicable sino también sobre la forma en que éste será aplicado. Esto es, en palabras del Tribunal Constitucional, en el principio de seguridad jurídica se incluyen, entre otros aspectos, la expectativa razonablemente fundada del ciudadano en cual ha de ser la actuación del poder en la aplicación del Derecho (STC 27/1981, de 20 de julio). En nuestro caso y dado que la Administración está obligada a dictar resolución expresa en todos los procedimientos y a notificarla cualquiera que sea su forma de iniciación (artículo 42.1 de la LRJAP-PAC), ya no es que exista una expectativa razonablemente fundada a una determinada actuación administrativa que pueda derivar en una infracción del principio de seguridad jurídica, sino que la previa imposición legal de un deber a la Administración, en los términos establecidos en el artículo 42.1,2 y 3 LRJPAC, refuerza la situación jurídica de los ciudadanos ante determinadas actuaciones administrativas, las referidas a la terminación de los procedimientos, situación que si bien

En la sentencia de la Audiencia Nacional de 15 de abril de 2004 (JUR 2004, 146954) se declara la indemnización por daños y perjuicios por demora de la actuación de la Administración en la iniciación de los trámites para dar cumplimiento a una orden ministerial relativa a un expediente de inutilidad física.

En la STSJ de Cataluña de 30 de abril de 2003 (RJCA 2004, 99) se obliga a la Administración a indemnizar por los daños sufridos por contagio de enfermedad en el ganado, por retraso de la Administración en adoptar las medidas normativas para prevenir y erradicar la enfermedad (igualmente STSJ de Cataluña de 11 de noviembre de 2003 [JUR 2004, 27285] o STSJ de Cataluña de 30 de mayo de 2003 [JUR 2004, 34761]).

O han de indemnizarse todos los daños ocasionados por el retraso en el otorgamiento de una subvención (STSJ de Andalucía de 23 de julio de 2001 [JUR 2002, 106709]).

Tal como declara la STSJ de Cataluña de 14 de septiembre de 2000 (JUR 2001, 17027) han de indemnizarse los daños causados por el retraso de la Administración en la determinación del centro para impartir enseñanza teórica de contrato de aprendizaje que impidió su realización.

Igualmente, se imputa el daño a la Administración (tal como afirma la sentencia de la Audiencia Nacional de 29 de marzo de 2000 [RJCA 2000, 2157]) causado como consecuencia del retraso en la ejecución del fallo de una sentencia donde se reconoce al actor la adjudicación del mando al que había concursado.

El retraso no supone causa de exoneración de responsabilidad (STS de 27 de enero de 1999 [RJ 1999, 24]) sino todo lo contrario.

Otro ejemplo es el de la sentencia del TSJ del País Vasco de 24 de febrero de 2000 (RJCA 2000, 526), donde se declara el derecho a ser indemnizado por el retraso producido en el nombramiento de la actora, después de que se había declarado su derecho a ser nombrada y la obligación de cese de otra persona que no poseía la titulación debida para el cargo, indemnizándose los salarios dejados de percibir, la retribución por antigüedad, el daño moral, más los intereses legales.

La indemnización, tal como proclama la LRJAP-PAC 30/1992, de 26 de noviembre, ha de servir para reparar el perjuicio integral de la víctima.

O se declara el derecho a ser indemnizado por los daños ocasionados por un *abandono* por parte del Estado de la ejecución de un planeamiento (STS de 30 de junio de 1998 [RJ 1998, 5621]).

En esta línea, la STS de 7 de marzo de 1995 (RJ 1995, 1870) identifican un retraso, primero, en la concesión por la Administración de la cédula de calificación definitiva de las viviendas como de protección oficia, sin que haya justificación para la demora, debiéndose indemnizar por los daños causados.

---

no ha llegado a articularse como un derecho subjetivo típico a que los procedimientos se resuelvan expresamente, sí es configuradora de un derecho subjetivo reaccional».

El límite se sitúa en que la tardanza estuviera justificada por la complejidad del asunto y la multitud de afectados (sentencia de la Audiencia Nacional de 19 de mayo de 2006 [JUR 2006, 170900]) o que el retraso se deba al propio perjudicado (STS de 7 de octubre de 2000 [RJ 2000, 9100]).

Otro ejemplo es la sentencia de la Audiencia Nacional de 12 de junio de 2006 (RJCA 2006, 444), reconociendo la indemnización solicitada por el particular, por los distintos perjuicios causados por un retraso de la Administración en efectuar la transferencia a la caja de previsión social de las Comunidades Europeas de una cantidad correspondiente al equivalente actuarial actualizado de los derechos a pensión de jubilación. Esta sentencia de forma interesante va analizando la concurrencia de los distintos elementos constitutivos de la responsabilidad patrimonial de la Administración: lesión patrimonial en la doble modalidad de lucro cesante y daño emergente, relación de causalidad, existencia de lesión real y efectiva, nunca potencial o futura,

Por su parte, la sentencia del TSJ de Cataluña núm. 626/1995 (RJCA 1995, 565) reconoce una indemnización por el valor de los bienes muebles situados en una casa que fue derribada al no contestar la Administración a la solicitud del particular, ya que éste confiaba en una posible respuesta a sus escritos, antes de que se ejecutara el acto de derribo.

F. La imputación de daños por no aprobación de un plan (sentencia del Tribunal Supremo de 16 de septiembre de 2004)

Ilustrativa es, en efecto, la STS de 16 de septiembre de 2004 (RJ 2004, 6453) cuando no duda en responsabilizar a la Administración por todos y cada uno de los perjuicios ocasionados en el particular, como consecuencia *de la no aprobación de un Plan,* ante la publicación de la Ley 6/1992 que declaraba Reserva Natural las Marismas de Santoña y de Noja suspendiendo las actividades en la zona y supeditando las medidas resarcitorias o compensatorias a la aprobación de un Plan de Ordenación de los Recursos Naturales que «hasta la fecha, que sepamos, no ha sido elaborado ni publicado».

A continuación la sentencia, en el párrafo siguiente, afirma de modo contundente que «**los perjuicios, sin duda en este caso han sido causados por omisión, por falta de actividad, al no haberse aprobado el Plan que resolviera la cuestión planteada,** entendiendo que el particular no tiene el deber jurídico de soportar los daños derivados de dicha inactividad que constituye título suficiente, a juicio de la Sala, para justificar la imputación del daño a la Administración y ello con base en el principio de seguridad jurídica, implícito en el de confianza legítima, por lo que, apreciando la existencia del daño y el nexo causal, entiende que la Administración del Estado, como única personada en las actuaciones ha de abonar, conforme a las bases que se determinan en el fundamento de derecho octavo, los daños derivados de la suspensión de los trabajos cuya determinación y cuantía difiere al trámite de ejecución de sentencia».

Sigue argumentando esta sentencia que «las bases contenidas en el fundamento de derecho (...) parten de la ganancia dejada de obtener, después de destacar que existe un daño y que la recurrente es titular de la concesión, que la tiene arrendada, con lo que, indudablemente, se está refiriendo al importe del canon arrendaticio dejado de percibir, condenando al abono de dicho daño teniendo en cuenta que la recurrente no explota directamente las dolomitas de la que es concesionaria, fijando como fecha inicial para concretar el daño aquella en que los trabajos quedaron provisionalmente suspendidos y hasta la Sentencia del Tribunal Constitucional en que se declara la inconstitucionalidad de la Ley 6/1992, pues es –dice la sentencia recurrida– a partir de entonces cuando surge el derecho o la obligación de la Comunidad Autónoma de Cantabria de dictar la pertinente disposición, excluyendo por tanto la obligación de la Administración Central, Administración que ahora declaramos responsable».

Por lo demás, el Abogado del Estado reconoce que la sentencia coloca el origen o causa de la imputabilidad administrativa en el hecho de no haberse dictado un Plan de Ordenación de los recursos naturales (...).

Y finalmente la sentencia afirma con toda contundencia la necesidad de indemnizar por los distintos daños que la no aprobación del plan ha causado al particular:

> «Mas es lo cierto que como se deduce de la prueba pericial incorporada a las actuaciones, las concesiones mineras están arrendadas y constituye un hecho notorio, por tanto, que estando fijado el canon arrendaticio, según se afirma en aquel informe, en función del volumen de material extraído al no poderse realizar esta extracción dicho canon no pudo cuantificarse ni, lógicamente, fue abonado en el período en que la concesión minera estuvo suspendida en sus efectos, lo que impidió la extracción del mineral, y ello, por notoriedad, constituye un perjuicio evidente, como así lo ha manifestado la Sala de instancia en la sentencia recurrida tal perjuicio es atribuible a la Administración del Estado que dicta una Ley reguladora de la Reserva de Santoña y Noja aplazando las ulteriores consecuencias a la aprobación de un Plan que debió de haberse aprobado en el plazo de un año como exige la Disposición Adicional Primera de la Ley 6/1992, obligación legal que incumplió obligando a la suspensión provisional de trabajos con el consiguiente daño originada a la titular de la explotación en relación con el canon arrendaticio, al que lógicamente ha de entenderse que se refiere la Sala cuando habla de lucro cesante en función de su condición de arrendadora de la concesión minera, y cuyo daño efectivamente es atribuible, hasta que se dicta la Sentencia del Tribunal Constitucional que declara la nulidad de la Ley, a la Administración del Estado pues sólo a partir de tal sentencia quedó establecida por dicho alto Tribunal la competencia para regular la materia, hasta el extremo de que dicho Tribunal dispone la vigencia

de las previsiones contenidas en la Ley que anulaba en tanto la Comunidad de Cantabria no ejerciera sus competencias. En definitiva, todo ello supone que el motivo de casación alegado ha de ser rechazado y, con ello, confirmada la sentencia de instancia que reconoce el derecho a la indemnización de ese lucro cesante en los términos que dispone, entendido ese lucro cesante como canon arrendaticio dejado de percibir desde la efectiva paralización de los trabajos de explotación de las concesiones y hasta que se dicta la Sentencia del Tribunal Constitucional, en cuyo período de tiempo era obligación de la Administración del Estado haber dictado el Plan de Ordenación correspondiente».

En cambio, en un caso similar la STS de 14 de mayo de 2004 (RJ 2004, 4406) no se reconoce la indemnización porque los daños son hipotéticos y futuros, al depender de aquello que determine el PORN.

G. Lesiones patrimoniales de futuro acaecimiento (sentencia del TSJ de La Rioja de 23 de marzo de 2001)

Es claro que la responsabilidad administrativa es tanto por actuación como por omisión (STS de 25 de mayo de 1995 [RJ 1995, 4031], tomada de J GONZÁLEZ PÉREZ, *Comentarios a la LRSV 6/1998,* 1998, pp. 703).

Igualmente, ha de tenerse en cuenta que, a pesar de que no cabe la indemnización por daños futuros, procede indemnizar las *lesiones patrimoniales de futuro acaecimiento, siempre que éstas sean de «anticipada certeza de su acaecimiento en el tiempo»*, tal como pone de manifiesto la STSJ de La Rioja de 23 de marzo de 2001 (JUR 2001, 178778):

> «Cabe integrar dentro del concepto del daño efectivo también aquellas **lesiones patrimoniales de futuro acaecimiento, siempre que éstas sean de "anticipada certeza de su acaecimiento en el tiempo",** y no de simple posibilidad, dado su carácter contingente y aleatorio. Por todo ello, y aun debiendo reconocerse la efectiva realidad de lesión patrimonial en la falta de explotación de tales aparatos recreativos, su real alcance, en sintonía con reiterada jurisprudencia de la Sala 3ª del Tribunal Supremo (sentencia 15 de octubre de 1986 [RJ 1986, 5688], citada por la de 15 de diciembre de 1997 [RJ 1997, 9157]), ha de apreciarse de modo prudente y restrictivo, puesto que no es admisible como indemnización una mera posibilidad de dejar de obtener unos beneficios. Por ello, y en ejercicio ponderado y racional de la obligada modulación del daño por tal concepto, se estima como más acertado limitar tal perjuicio a sólo tres años de falta de explotación, rechazándose su ampliación a todo el tiempo de duración del contrato de arrendamiento. Partiéndose, pues, de la recaudación media diaria calculada en el informe pericial (3.664 pesetas/día), debe atemperarse el daño efectivamente padecido por tal concepto en la suma de 4.012.080 pesetas. Por lo que el total de los daños y perjuicios a indemnizar por el Ayuntamiento demandado se ha de fijar en la suma de 8.035.165 pesetas».

A continuación se estudia la responsabilidad administrativa en el ámbito estrictamente urbanístico, aludiendo a los casos más significativos.

Capítulo II

Responsabilidad administrativa en caso de anulaciones y revisiones de licencias

1. DOCTRINA GENERAL

En nuestro Derecho, en caso de anulación de actos o licencias procede aplicar el régimen de responsabilidad administrativa a favor del particular afectado. Esta anulación puede ser consecuencia de la revisión del acto administrativo instada por la propia Administración, o puede ser consecuencia de una estimación judicial vía recurso a favor de una pretensión de anulación de la licencia otorgada.

La doctrina general aplicable a estos supuestos de responsabilidad administrativa derivada de otorgamiento de licencia (o de anulación de licencia) se contiene, por ejemplo, en la STS de 30 de enero de 1987 (RJ 1987, 2032). En primer lugar se reconoce la responsabilidad administrativa en estos casos:

> «La indemnización de daños y perjuicios por causas de anulación de licencias municipales (de obra, edificación, etc.) es correlativo lógico de toda revocación de licencias por tal causa, tal como prevenía el art. 16 del Rglto. de Servicios y en el art. 172 de la anterior Ley, y hoy recoge el art. 232, párrafo 1 del texto legal vigente y el art. 38 del Reglamento de Disciplina Urbanística al proclamar el principio de responsabilidad de la Administración conforme al régimen jurídico general, por ser indudable que la anulación de una licencia ocasiona a su titular unos daños y perjuicios ciertos y determinables, porque, en todo caso, supone la imposibilidad de continuar realizando la actividad autorizada e incluso puede llegarse a la demolición de lo realizado. Por ello es claro que el administrado en estos supuestos sufre una lesión patrimonial que es consecuencia directa del obrar no correcto de la Administración, y así la procedencia de la indemnización que como regla nadie discute con base en la declaración de responsabilidad que los preceptos citados consagran en relación con el principio constitucional consagrado en el art. 106 de la Constitución –SSTS de 26 febrero y 14 marzo 1980 (RJ 1980, 1057 y 2192), 26-9-1981 (RJ 1981, 3848) y 14-12-1983 (RJ 1983, 6341), etc.–».

La regla anterior se atenúa cuando existe dolo, culpa o negligencia graves imputables al perjudicado; pero aun así **no basta que el peticionario tuviera conocimiento de la infracción o ilegalidad en que incurriere el proyecto presentado para que produzca la exención de responsabilidad,** tal como explica esta misma STS de 30 de enero de 1987 (RJ 1987, 2032):

«TERCERO.–Sin embargo, en esta materia, la regla general tiene una importante excepción en la norma contenida en el número 2º del art. 232 de la citada Ley (art. 39 del Reglamento) al preceptuar que "en ningún caso habrá lugar a indemnización si existe dolo, culpa o negligencia graves imputables al perjudicado"; prueba que ha de correr a cargo de quien la alegue –como causa de exoneración– conforme a las reglas generales. Y si es cierto que cuando se otorga una licencia que infrinja el ordenamiento, lo es a petición del interesado y como regla de conformidad con el proyecto presentado, por lo que hace difícil la posibilidad de alegar desconocimiento de la infracción (salvo en casos de ordenaciones urbanísticas incompletas o confusas, etc.). Sin embargo ello no es suficiente porque la nueva normativa no supone una exención total o absoluta de responsabilidad (frente al sistema anterior), sino que **exige la existencia de dolo o culpa grave imputable al administrado, no bastando que el peticionario tuviera conocimiento de la infracción o ilegalidad en que incurriere el proyecto presentado para que produzca la exención de responsabilidad sino que estos conceptos hay que entenderlos en relación con la conducta o actuación del particular-peticionario dentro del procedimiento de concesión de licencia ya que la conciencia de ilegalidad por parte del interesado resulta insuficiente a estos efectos, por cuanto que la Administración municipal al otorgar la licencia no puede prescindir de un estudio completo de la petición para ver si se adecúa o no al plan o norma urbanística aplicable en razón de los informes de sus propios técnicos, de aquí que "el dolo o culpa grave" del peticionario haya de relacionarse con la forma de presentar el proyecto, actuación en el procedimiento, etc., mediante formas o modos inexactos que pudieran razonablemente inducir a error a la Administración concedente.**

CUARTO.–La tesis de la sentencia apelada declaratoria de la exoneración de responsabilidad de la Administración basada en la culpa grave que imputa a la actuación del actor a lo largo del procedimiento administrativo (la no instalación de una medida correctora que se estima esencial: salida de humos y olores por una chimenea) que determinó el vicio causante de la nulidad decretada, "a quien –dice– no puede pasar desapercibido que uno de los condicionamientos esenciales de la licencia era la construcción de la chimenea, la que no hizo y por tanto colaboró de una manera decisiva a que se decretara la nulidad de la licencia y consiguiente cierre del establecimiento". Sin embargo tal razonar no resulta convincente –por insuficiente– a los efectos que aquí se discute, ya que como se ha dicho **"el conocimiento" de la posible "ilegalidad" no es determinante por sí solo de la exoneración, al hacer falta algo más, esto es, ver cuál haya sido la actuación del peticionario de la licencia en el procedimiento de concesión y también la valoración de las demás circunstancias concurrentes en relación con la normativa aplicable, así como la actuación de la propia Administración.** Y desde esta perspectiva de enjuiciamiento se observa la imposibilidad de atribuir al administrado reproche alguno en relación con su forma de actuación, ya que la misma fue diáfana en todo momento como lo demuestra el hecho acreditado en el expediente de que las dificultades que surgieron, *a posteriori*, en la adopción de las medidas correctoras (en especial salida de humos por chimenea *ad hoc*) impuestas por la comisión provincial de servicios técnicos y contenidas en el proyecto original fueron debidas a la oposición de la comunidad de propietarios de la finca a que se utilizaran a tal fin elementos comunes de la finca (existiendo resoluciones jurídicas al efecto) que impidieron llevar a la práctica las previsiones del proyecto al que la Comisión dio el visto bueno. Pero si esto es así, también lo es que la situación se documentó en el expediente y las soluciones alternativas dadas por el peticionario de la licencia (salidas de humos al exterior mediante extracción forzada y dos ventiladores para renovación del aire colocados en la parte frontal del edificio, etc.) fueron estimadas adecuadas y suficientes por los servicios técnicos municipales (dictamen de 2 marzo 77) y en consecuencia la C. M. P. por mayoría, concedió la licencia de apertura, después de amplia deliberación –según se explicita en el acuerdo– en la que se ponderó, en concreto, el tema de las medidas correctoras establecidas de conformidad con la solución alternativa aprobada por sus técnicos y sólo se añade que por el Ingeniero Técnico se comprobase –implícitamente se alude a un control *a posteriori* o de ejercicio– la eficacia de las medidas según indicaba ya el acuerdo de la Comisión de Servicios Técnicos de 23-11-76.

QUINTO.–Como se ve el administrado solicitante no sustrajo a conocimiento de la Administración ningún dato de interés. Por el contrario ofreció y realizó soluciones alternativas (salida de humos, acondicionamiento de bajo, trampas, etc.) que merecieron la aprobación municipal de conformidad con sus servicios técnicos. Después en vista de la impugnación de los vecinos (comunidad y otros) la Administración municipal no sólo no resolvió sino que omitió toda actuación o puesta en conocimiento del interesado titular de la licencia, debiendo resaltarse como es obligado que la licencia de apertura fue anulada por sentencia de la Sala de lo Contencioso de La Coruña de 7 de mayo 79 (Rº 1077/77 y 23/78) en base de dos motivos: uno por entender incompetente el órgano municipal decisor (la C. M. P. en vez del Alcalde y haber éste votado en contra). Y otro por entender haberse producido una variación sustancial de las medidas correctoras propuestas y aprobadas por la Comisión Provincial de Urbanismo, como era la eliminación de la chimenea de salida de humos y olores, sin que estimare suficiente la solución alternativa dada en base o con arreglo en la que llama "opinión subjetiva de los técnicos municipales". **Si ello es así no parece que al particular solicitante de la licencia pueda imputársele culpa o negligencia grave alguna dado que, en un día, solicitó en forma la licencia, no existiendo impedimento de ordenanza o de otro tipo urbanístico que impidiera llevar a la práctica el proyecto a no ser la imposibilidad jurídica –no material, etc.– de ocupar o apoyarse en elementos comunes del edificio sin contar con la anuencia de los copropietarios, pero estas dificultades sobrevenidas –y ya se verá su alcance al fijar la cuantía de la indemnización– fueron comunicadas al expediente y ofrecidas soluciones alternativas asumidas por el Ayuntamiento de acuerdo con sus técnicos, por lo que no es imputable –en este caso– al administrado culpa o negligencia grave como causa determinante de la exoneración de responsabilidad de la Administración.**

SEXTO.–En el tema de la cuantía de los daños o perjuicios no queda más remedio que deferirlo al trámite de ejecución de sentencia, ya que no ha habido en el proceso debate y justificación cumplida de las partidas reseñadas en el apartado 6º de los fundamentos de hecho».

(las negritas son originales)

En este mismo sentido, tal como nos dice otra sentencia del Tribunal Supremo (de 30 septiembre 1987 [RJ 1987, 6552]) es «doctrina jurispruden-cial reiterada que la culpa o negligencia graves (y, por supuesto, el dolo) no se originan por el conocimiento más o menos completo que se pueda tener de la infracción, porque la "gravedad" exige que la conducta sea tan intensa que la licencia no se hubiera dado sin ella –Sentencia de 4 julio 1980 (RJ 1980, 3410)– y que se proyecte sobre el procedimiento de concesión, puesto que las normas urbanísticas obligan a la Administración y a los administrados y el Ayuntamiento no puede prescindir de un examen acabado para compro-bar si el proyecto está o no conforme con el Plan».

Igualmente, según la STS de 6 de diciembre de 1980 (RJ 1980, 4988) debe indemnizarse por la Administración si se produce error en la concesión de la licencia (por equívoca interpretación por ejemplo del plan o norma aplicable).

Significativa es la STS de 28 de mayo de 1997 (RJ 1997, 4412) donde se concede la indemnización solicitada, en un caso en que se había anulado una licencia, siendo el motivo de la anulación un error de interpretación (por parte de la Administración, competente para otorgar las licencias) de una ordenanza aplicable en relación con el volumen edificable admisible.

La sentencia del TSJ de La Rioja de 23 de marzo de 2001 (JUR 2001, 178778) desarrolla esta doctrina explicando que la responsabilidad no deriva del aspecto subjetivo del actuar antijurídico sino del aspecto objetivo de la ilegalidad del perjuicio que se materializa en la realidad de unos daños y perjuicios. En el caso enjuiciado por esta sentencia, los perjuicios se deriva-ron de la anulación jurisdiccional de una licencia de apertura, ordenándose la indemnización derivada de la falta de explotación de la actividad durante los años en que estuvo paralizada la actividad.

Estos mismos criterios se siguen en las STS de 22 de noviembre de 1985 (RJ 1986, 473), STS de 30 de abril de 1991 (RJ 1991, 3437), STS de 18 de octubre de 2000 (RJ 2000, 10012), STS de 26 de septiembre de 1990 (RJ 1990, 7394), STS de 25 de enero de 1984 (RJ 1984, 155), SAN de 30 de septiembre de 2005 (JUR 2005, 269008), STS de 20 de octubre de 1997 (RJ 1997, 7503), STSJ de Baleares de 27 de octubre de 2003 (JUR 2004, 42271), STSJ de Extremadura de 13 de marzo de 2006 (JUR 2006, 110268), STSJ de

Castilla y León de 21 de noviembre de 2003 (JUR 2004, 77082), STSJ de Cataluña de 18 de octubre de 2004 (JUR 2004, 303184), STSJ de Asturias de 30 de septiembre de 2005 (sent. nº 1497/05) (JUR 2005, 242116), en todas ellas estimando la existencia de responsabilidad administrativa derivada de daños y perjuicios por la anulación de una licencia sin que existiera culpa del administrado.

Unas veces la sentencia prevé expresamente las cifras indemnizables y otras veces se remite la determinación a la fase de ejecución de la sentencia. La base legal para todo ello es el articulado donde se prevé la responsabilidad administrativa (LRJAP-PAC 30/1992 y normativa local: artículo 54 de la LBRL, 223 del RD 2568/86, de 28 de noviembre), ya que, en efecto, han de concurrir los presupuestos propios de la responsabilidad administrativa.

En suma, la anulación de una licencia, aunque no signifique un automático reconocimiento de la responsabilidad administrativa en el sentido expuesto, podrá comportar responsabilidad administrativa, mediando el cumplimiento de los demás presupuestos de esta institución jurídico administrativa, como ocurre en el presente caso.

2. OTORGAMIENTO ERRÓNEO DE UNA LICENCIA Y RESPONSABILIDAD ADMINISTRATIVA

A. Régimen procedimental

Se profundiza seguidamente en el régimen jurídico del error en el otorgamiento de una licencia por contravenir la legislación urbanística.

Vamos a comprobar también cómo la jurisprudencia incide en la posibilidad de considerar que en estos casos de licencias concedidas por error la culpa puede ser en todo o en parte del propio solicitante de la licencia.

Por otra parte, conviene conocer el alcance de los concretos conceptos indemnizatorios asumibles por el Consistorio en último término.

En principio, el debate sobre las posibles consecuencias del otorgamiento erróneo de la licencia lleva a estudiar en especial dos cuestiones.

Primero, desde la perspectiva procedimental, las derivadas del instituto de la revisión de actos declarativos de Derecho (incidiendo igualmente en la posibilidad y límites de la rectificación de errores y en la posibilidad y límites de la vía de los recursos de reposición).

Segundo, desde la perspectiva material, las derivadas del instituto de la responsabilidad administrativa, considerando que esta perspectiva presenta ricos contenidos.

En efecto, lo primero que debe observarse es qué procedimiento seguir cuando la Corporación verifica que se ha otorgado erróneamente una licencia que concede un derecho a un particular que no se justifica en virtud de la ley aplicable. En principio, la cuestión remite a la «revisión de los actos en vía administrativa» (Título VII de la Ley 30/1992, de 26 de noviembre, de Régimen Jurídico de las Administraciones Públicas y del Procedimiento Administrativo Común, en adelante LRJAP-PAC).

Una vez dictado un acto administrativo se plantea el problema de saber si la Administración tiene o no libertad para retirarlo del mundo jurídico. En principio, la respuesta a esta cuestión se halla justamente en las previsiones del citado Título. En principio, la Administración que ha dictado un acto podrá retirarlo bien al estimar un recurso interpuesto contra dicho acto, bien, sin que medie recurso, por sí misma de oficio. La revisión de oficio supone, por tanto, la retirada por la Administración de un acto suyo anterior mediante otro acto de signo contrario y está regulada en los artículos 102 a 106 de la LRJAP-PAC. La solución del presente tema ha de considerar dos perspectivas principales. Primero, el principio de legalidad que postula a favor de la posibilidad de revocar actos cuando se constata su ilegalidad; segundo, el principio de seguridad jurídica cuyo *quid* está en que nadie puede ir en contra de sus propios actos y que postula a favor de la conservación de los actos ya dictados y, en este sentido, la protección de las situaciones consolidadas por los actos administrativos, sobre todo si éstos son actos favorables que amplían la esfera de actuación del interesado, como es el caso de la licencias.

En el artículo 102 de la LRJAP-PAC se regula la revisión de actos nulos y en el artículo que sigue la de actos anulables, mientras que en el artículo 105 se prevé la rectificación de errores.

Lo ordinario, salvando interpretaciones forzadas del caso, es partir del artículo 103, donde se regula la declaración de lesividad de actos anulables[19].

---

19. Artículo 103. Declaración de lesividad de actos anulables. «1. Las Administraciones públicas podrán declarar lesivos para el interés público los actos favorables para los interesados que sean anulables conforme a lo dispuesto en el artículo 63 de esta Ley, a fin de proceder a su ulterior impugnación ante el orden jurisdiccional contencioso-administrativo. 2. La declaración de lesividad no podrá adoptarse una vez transcurridos cuatro años desde que se dictó el acto administrativo y exigirá la previa audiencia de cuantos aparezcan como interesados en el mismo, en los términos establecidos por el artículo 84 de esta Ley. 3. Transcurrido el plazo de seis meses desde la iniciación del procedimiento sin que se hu-

Al margen de estas opciones procedimentales es preciso tener en cuenta aquella otra más sencilla que abre la estimación a un recurso de reposición (artículos 107 y ss. de la LRJAP-PAC). La limitación, no obstante, de esta vía de recurso por tercero legitimado está en el plazo de impugnación, ya que al ser un mes, puede dificultar la erradicación del acto del mundo jurídico cuando el error se descubre una vez ha trascurrido este efímero plazo, sin perjuicio del debate sobre la posibilidad general de admitir un recurso administrativo extemporáneo por la Administración siempre que no sea una forma fraudulenta de obviar alguna regla de procedimiento o algún derecho.

En todo caso, el desenlace por la vía de recurso o por la vía de la revisión o lesividad es el mismo en cuanto al fondo, ya que la consecuencia va a ser la determinación de las posibles responsabilidades en que haya podido en su caso incurrir la Administración anulando el acto que declaró en su día. Es importante matizar esta afirmación en el sentido de que, en principio, podrá bastar con la simple declaración de nulidad del acto declarado, ora por sentencia previa declaración de lesividad, ora por la propia estimación del recurso por la Administración. Pero el particular, en tales casos, podrá no aquietarse y pretender una responsabilidad derivada de la anulación. Esto no tiene por qué ser así necesariamente, ya que la anulación del acto y la responsabilidad no tienen que asociarse en todo caso. En efecto, puede ocurrir, por ejemplo, que el error cometido por la Administración, y posterior procedimiento de revisión, haya sido ocasionado por completo por el propio particular. En tales casos, habrá nulidad del acto pero no responsabilidad.

Sobre el modo de presentarse los hechos podemos basarnos en un caso real, sentenciado por la STS de 2 de octubre de 1999 (RJ 1999, 8323). En concreto, se había producido una desestimación presunta por silencio, de la reclamación de daños y perjuicios sufridos por el interesado, como consecuencia de una declaración de lesividad y anulación jurisdiccional de una licencia de obras. Así pues, evidenciado el error por el Ayuntamiento (pues el planeamiento según fue aprobado por la Comisión Provincial de Urbanismo sólo autorizaba la construcción de dos plantas además de la planta baja) se acordó por la Alcaldía de la Corporación la suspensión parcial de los efectos de la licencia sólo en lo relativo a la planta de exceso, dándose

---

biera declarado la lesividad se producirá la caducidad del mismo. 4. Si el acto proviniera de la Administración General del Estado o de las Comunidades Autónomas, la declaración de lesividad se adoptará por el órgano de cada Administración competente en la materia. 5. Si el acto proviniera de las entidades que integran la Administración Local, la declaración de lesividad se adoptará por el Pleno de la Corporación o, en defecto de éste, por el órgano colegiado superior de la entidad».

traslado a la Sala de lo Contencioso-Administrativo, lo que con oposición de la hoy actora, dio lugar a los autos n.º 1203/1987 de la Sección Primera de la Audiencia Territorial de Barcelona y que concluyeron por Sentencia de fecha 15 de enero de 1988 que alzó la suspensión acordada.

En la STS de 20 de enero de 2005 (RJ 2005, 719), de forma similar, el Alcalde procede a suspender unas obras ejecutadas en virtud de licencia, concediendo un plazo para su legalización a la empresa, declarando lesivo el acto por el Pleno del Ayuntamiento e impugnando éste la licencia ante la jurisdicción contencioso-administrativa.

La revisión de oficio debe distinguirse de la rectificación de errores. El error generalmente no significa una simple habilitación para la rectificación de errores, ya que si se declaran derechos por la Administración debe hacerse uso de la declaración de lesividad.

Así lo pone de manifiesto, por todas, la STS de 4 de mayo de 1993 (RJ 1993, 3687), asumiendo la doctrina de la sentencia impugnada:

> «TERCERO.–Entiende la parte recurrente en su escrito de demanda que la licencia concedida el 16-12-1987 es un acto declarativo de derechos que requiere para su anulación la previa declaración de lesividad para el interés municipal y la ulterior impugnación ante la Jurisdicción Contencioso-Administrativa, conforme al art. 110.1 de la vigente Ley de Procedimiento Administrativo en relación con el art. 56 de la Ley de esta Jurisdicción. *Ciertamente entiende esta Sección que deben distinguirse las actuaciones administrativas declarativas de derechos de las determinadas por mero error, pues mientras que los primeros en cuanto atribuyan derechos no pueden ser anulados* per se *por la Administración autora del acto, sino que debe proceder conforme señalan los arts. 109 y 110 de la Ley de Procedimiento Administrativo, los errores materiales pueden rectificarse en cualquier momento;* conforme al art. 111 del mismo texto legal. Es evidente que nos encontramos, con referencia al Decreto de 16-12-1987, en un supuesto de error material y no de un acto declarativo de derechos para la actora, como se prueba: a) Porque la licencia de apertura ya estaba denegada con anterioridad –por Resolución de 18 febrero de dicho año– lo que fue notificado en forma a la interesada que interpuso recurso de reposición, que fue desestimado por Decreto de 11-5-1987, lo que también se comunicó a la actora. b) Porque la resolución denegatoria de la licencia de apertura decía que se debiera acoger al régimen de establecimientos especializados y se hacía saber que debiera solicitarse para "venta de frutos secos y variantes" o alternativamente para "la venta de pan", pero no para la "venta de frutos secos, variantes y pan, y la Resolución de 16-12-1987 lo era para frutos secos y variantes, pero, en modo alguno, para tal concepto y el de pan, como se pone de relieve con toda evidencia del expediente administrativo con la propuesta de la concesión, decreto de concesión y licencia, todos estos documentos coincidentes en dicho punto. c) Finalmente, porque consta con toda claridad el error de la Administración en la pluralidad de expedientes y la pronta anulación cuando se descubre el error"».

En la práctica si por ejemplo el error de la Administración se descubre después de que el Plan Parcial se hubiere aprobado definitivamente, por ejemplo, una ocupación de una franja de una vía pecuaria, la propia Administración podrá *proponer* al particular que modifique el Plan Parcial aprobado definitivamente. Estamos ante casos en que se elude la revisión de oficio mediante una *modificación* acordada del Plan aprobado.

Por contrapartida, llegar al resultado de la «modificación» *impuesta* del Plan Parcial llevaría consigo las pertinentes exigencias procedimentales (artículos 102.2 y 103 de la LRJAC-PAC 30/1992) y de responsabilidad administrativa por los daños y perjuicios causados al particular, lo que, cuando menos, se referiría a los honorarios técnicos devengados con ocasión de la tramitación de la versión del Plan Parcial que fue objeto de aprobación y a los demás perjuicios evaluables económicamente. La jurisprudencia (en el marco de los procedimientos de revisión de oficio de los artículos 102.2 y 103 de la LRJAC-PAC 30/1992, de 26 de noviembre) confirma la procedencia de la revisión de oficio y de las garantías indemnizatorias del particular en aquellos casos en que la Administración debe o quiere repercutir contra un Plan aprobado.

Es ilustrativa la sentencia del Tribunal Supremo de 17 de octubre de 1988 (RJ 1988, 7760), afirmando la responsabilidad administrativa derivada de la revisión de oficio de un Plan Parcial ante la vulneración del Plan General (o la sentencia del Tribunal Supremo de 19 de abril de 1979 [RJ 1979, 1586], cuando considera que el vicio del Plan Parcial –no respeto de las zonas verdes previstas en el Plan General– es de nulidad absoluta por ausencia del procedimiento debido para justificar de esta forma la revisión de oficio del Plan Parcial; STS de 11 de mayo de 1979 [RJ 1979, 2450], conjugando los intereses de la eficacia de los planes y el de la posible suspensión de sus determinaciones; asimismo STS de 3 de abril de 1990 [RJ 1990, 3579]).

Tras la aprobación del Plan Parcial, puede discutirse si el error advertido puede convalidarse. O si puede ser corregido en el marco de la tramitación del Proyecto de Urbanización. Es sabido que un Proyecto de Urbanización (conforme a reiterada jurisprudencia del Tribunal Supremo y demás instancias judiciales del orden contencioso-administrativo) no es un documento adecuado para realizar cuestiones de ordenación, conforme a la vinculación del referido proyecto al simple plano de la definición de las obras de urbanización inherentes a la ordenación del Plan.

Los Proyectos de Urbanización no pueden contener determinaciones sobre ordenación, son actos de ejecución de los instrumentos de planeamiento que carecen de carácter normativo (artículo 98.1 de la Ley 7/2002, de 17 de diciembre, de Ordenación Urbanística de Andalucía, 97.2 de la Ley 5/1999, de 25 de marzo Urbanística de Aragón, etc.) «sin perjuicio de que puedan efectuar adaptaciones exigidas por la ejecución material de obras» (sentencia del TSJ del País Vasco de 29 de noviembre de 2004, rec. 1196/ 1998 [JUR 2005, 39561]) y sin que esté claro que sea exigible legalmente que un Proyecto de Urbanización deba ser sometido a Informe por parte de la Administración Autonómica cuando el Plan ya fue sometido a dicho Informe[20].

A la luz de esta doctrina legal, jurisprudencial y científica es, en efecto, complejo pero posible admitir que, por esta vía de la modificación o tramitación del Proyecto de Urbanización, puedan resolverse este tipo de incidencias. Es posible si no se afectan cuestiones de ordenación.

No han faltado fallos flexibles en cuanto a la «corrección de errores» (STS de 26 de febrero de 1987 [RJ 1987, 3376]):

> «OCTAVO.–*Por lo que se refiere a la observación n.º 31, pese a todo el montaje argumental del recurrente respecto del traslado de un vial veinticinco metros hacia el sur* para hacer coincidir su alineación con la fachada sur de la plaza de la iglesia de Calella, *lo cierto es que tal cuestión carece en absoluto de trascendencia, por cuanto tal observación sólo tiene un objeto rectificar un error material sufrido en los planos que se señalan en la observación y no realizar modificación alguna del Plan General que permanece intacto en su real configuración, razones todas ellas que abonan también la desestimación de este motivo impugnatorio».*

No obstante, a tenor de la LRJAP-PAC y de jurisprudencia de sobrado conocimiento no es obligada o fácil esta interpretación o solución, pudiéndose recordar la conocida doctrina que justifica la corrección de errores cuando se mantenga la subsistencia o pervivencia del acto[21].

B. Criterios aplicables para la determinación de las concretas responsabilidades desde el punto de vista subjetivo de los sujetos que han de asumir el daño: Administración o particular

a) *Responsabilidad de la Administración*

En cuanto a la determinación de las responsabilidades, por parte de la Administración o del propio interesado, existen unas reglas que deben conocerse.

---

20. A. CANO MURCIA, *Proyectos y obras de urbanización,* Madrid, 2006, pp. 36, 84, 91.

21. J. GONZÁLEZ PÉREZ, *Comentarios a la LRJAP-PAC,* 3ª ed. Madrid, 2004, p. 2481.

En el plano de la normativa aplicable, ha de estarse al artículo 240 del Real Decreto legislativo 1/92 por el que se aprobó el Texto Refundido sobre el Régimen del Suelo y Ordenación Urbana y que no fue afectado por la STC 61/1997 (RTC 1997, 61) y cuyo tenor fue recogido en iguales términos por la LRSV y se regulaba anteriormente en el artículo 232 del TRLS/1976.

Por contrapartida, en puridad, «el conocimiento de la ilegalidad por el peticionario de la licencia luego anulada no es determinante, por sí solo, de la aplicación de la excepción exoneradora de responsabilidad administrativa (SS. 27-9-85 [RJ 1985, 4294], 22-11-85 [RJ 1986, 473] y 30-1-87 [RJ 1987, 2032]) ya que la Administración al otorgar la licencia no puede –ni debe– prescindir de un estudio completo de la petición» (STS de 20 de enero de 2005 [RJ 205, 719]).

«La indemnización de daños y perjuicios por causas de anulación de licencias municipales (de obra, edificación, etc.) es correlativo lógico de toda revocación de licencias por tal causa, tal como prevenía el art. 16 del Reglamento de Servicios y en el art. 172 de la anterior Ley, y hoy recoge el art. 232, párrafo 1 del TRLS y el art. 38 del Reglamento de Disciplina Urbanística, al proclamar el principio de responsabilidad de la Administración conforme al régimen jurídico general, por ser indudable que la anulación de una licencia ocasiona a su titular unos daños y perjuicios ciertos y determinables, porque, en todo caso, supone la imposibilidad de continuar realizando la actividad autorizada e incluso puede llegarse a la demolición de lo realizado. Por ello es claro que el administrado en estos supuestos sufre una lesión patrimonial que es consecuencia directa del obrar no correcto de la Administración, y así la procedencia de la indemnización que como regla nadie discute con base en la declaración de responsabilidad que los preceptos citados consagran en relación con el principio constitucional consagrado en el art. 106 de la CE» (STS de 30 de enero de 1987 [RJ 1987, 2032]; STS de 26 de febrero de 1980 [RJ 1980, 1057]).

Se destaca, igualmente, esta perspectiva garantista basándose en la confianza legítima que el acto puede causar sobre el administrado, siempre que el particular no haya provocado con su conducta la ilegalidad de la actuación favorable.

b) *Ausencia de responsabilidad de la Administración: el deber del solicitante de presentar una licencia conforme a Derecho*

No obstante lo dicho anteriormente, en esta materia, la regla general tiene una importante excepción en la norma contenida en el número 2º del art. 232 del TRLS/1976 y 39 del RGU, al preceptuar que «en ningún caso habrá lugar a indemnización si existe dolo, culpa o negligencia graves imputables al perjudicado»; prueba que ha de correr a cargo de quien la alegue –como causa de exoneración– conforme a las reglas generales. Y si es cierto que cuando se otorga una licencia que infrinja el ordenamiento, lo es a petición del interesado y como regla de conformidad con el proyecto presentado, por lo que hace difícil la posibilidad de alegar desconocimiento de la infracción (salvo en casos de ordenaciones urbanísticas incompletas o confusas, etc.). Sin embargo ello no es suficiente porque «la nueva normativa no supone una exención total o absoluta de responsabilidad (frente al sistema anterior), sino que exige la existencia de dolo o culpa grave imputable al administrado» (STS de 20 de enero de 2005 [RJ 2005, 719]).

En idéntico sentido, según la STS de 26 de septiembre de 2000 (RJ 2000, 8610) «la responsabilidad por licencias urbanísticas se determina, según el artículo 232 del Texto Refundido de la Ley sobre Régimen del Suelo y Ordenación Urbana de 9 de abril de 1976, conforme a las normas que regulan con carácter general la responsabilidad patrimonial de la Administración; de ahí que para que sea viable una pretensión indemnizatoria de esta naturaleza se ha de haber producido un daño efectivo, evaluable económicamente, antijurídico e individualizable en relación a una persona o grupo de personas».

«Cuando concurren estas circunstancias procede el derecho a indemnizar, siempre que no exista dolo, culpa o negligencia grave imputables al perjudicado –artículo 232 *in fine* del Texto Refundido de 1976–».

«Existe en este particular una reiterada doctrina jurisprudencial –entre otras, en sentencias de 21 de marzo (RJ 1995, 2504), 2 de mayo, 10 de octubre (RJ 1995, 7049) y 25 de noviembre de 1995, 25 de noviembre (RJ 1996, 9230) y 2 de diciembre de 1996, 16 de noviembre de 1998, 20 de febrero, 13, 29 y 12 de julio de 1999 (RJ 1999, 7150) y 20 de junio de 2000 (RJ 2000, 7082)– que sostiene la exoneración de la responsabilidad para la Administración, a pesar del carácter objetivo de la misma, cuando es la conducta del propio perjudicado o la de un tercero la única determinante del daño producido».

Así, según la STS de 20 de enero de 2005 (RJ 2005, 719) «en el caso de autos debe concluirse estimándose el único motivo de casación interpuesto por el Ayuntamiento de Gelida, con la consiguiente exoneración de responsabilidad patrimonial del mismo, por cuanto debe considerarse que fue exclusivamente la grave conducta negligente de los instantes de la licencia, al solicitar éstas, sabedores como eran de que no concurrían los presupuestos normativamente exigibles para su concesión, la que determinó que posteriormente las licencias con el desarrollo cronológico que se ha expuesto hubieran tenido que ser anuladas. Es evidente que de negligencia grave debe reputarse la actuación de quien solicita una licencia de actividades para la apertura de la pedrera a que nos hemos referido en suelo clasificado como suelo no urbanizable, sin tener la autorización de la Comisión de Urbanismo de Barcelona, que posteriormente fue denegada. Cuando menos debe concluirse que los solicitantes no adoptaron las "precauciones necesarias" y más cuando como dice la Sentencia de instancia no es en modo alguno creíble que los actores en su condición de ostentar la titularidad de un complejo empresarial dedicado precisamente a las actividades extractivas, ignorasen que sus peticiones de licencias de obras y de actividades carecían del necesario soporte legal, tanto en el momento de presentación de sus solicitudes, cuanto en el de la adopción de los Acuerdos municipales, concediendo las mismas, pues ninguna duda hay de que precisamente por la actividad a la que se dedicaban tenían que ser sabedores de que el Ayuntamiento de Gelida no podía conceder la licencia de actividades, sin la autorización de la Comisión de Urbanismo de Barcelona, y pese a ello se aprovecharon de unas licencias cuya concesión sabían que no era procedente».

Cuando esto ocurre, no cabe entender que la Administración se basa en simples conjeturas en cuanto a la actuación de la actora.

c) Concurrencia de culpas de la Administración y del solicitante de la licencia

Interés especial tiene el caso de la concurrencia de culpas a tenor de la doctrina de la STS de 17 de noviembre de 1988 (RJ 1988, 9128):

> «QUINTO.–Todo lo anterior conduce a la conclusión de que **en la producción de los daños reclamados han contribuido dos causas: el comportamiento del actor que indujo a error a la Administración, al acompañar sus peticiones de licencia con omisión de datos esenciales para su concesión y la actuación de la Administración al no cumplir con su obligación de comprobar la exactitud de aquéllos y solicitar los preceptivos informes, concurriendo, por tanto, una concurrencia de culpas de que posibilita,** por la vía del artículo 1103 del Código Civil, **la moderación de la responsabilidad reclamada,** de acorde con lo declarado en las Sentencias del Tribunal Supremo de 8 de marzo de 1967 (RJ 1967, 4060), 25 de enero y 5 de noviembre de 1974 (RJ 1974, 569) y Dictámenes del Consejo de Estado de 20 de octubre de 1960 y 1 de julio de 1971; **reparto de culpas que, en este supuesto, y por no existir otros elementos que los derivados de los hechos expuestos, se entiende que debe repartirse por igual entre la Administración y el actor** (según dicho Dictamen de 1º de julio de 1971) que, por último, no tiene derecho a los intereses, legales pedidos al haberse fijado el montante de su crédito en el seno de este proceso».

d) *Propuesta de algunos criterios prácticos. Escalas de modulación de responsabilidades*

En coherencia con la doctrina expuesta, habrá que partir del deber del propio solicitante de presentar una licencia conforme a Derecho si quiere beneficiarse de las facultades que desea atribuirse en virtud del *petitum* de la solicitud misma. Y habrá que considerar igualmente que al propio solicitante le corresponde presentar en regla sus solicitudes, sin perjuicio del deber de los Ayuntamientos de tutelar el cumplimiento de la Ley.

Para matizar las responsabilidades, podrá observarse en cierta medida, para delimitar responsabilidades, públicas y privadas, si el Ayuntamiento dispone de un equipo técnico sobrado o si, por contrapartida, estamos ante un solicitante que viene dedicándose profesionalmente a la actividad urbanística.

Este argumento tiene peso para la interesante STSJ de Cataluña de 25 de mayo de 2001 (JUR 2001, 232662) cuando se fija en el dato de que el Ayuntamiento que cometió el error disponía de «normales servicios técnicos y jurídicos», al ser además «un municipio de tipo medio en el mapa territorial de Cataluña», sin que quepa admitir que «fuera sabedor de aquel desajuste».

En definitiva, estamos, a mi juicio, ante una simple aplicación general de los criterios del instituto de responsabilidad administrativa consistentes no sólo en que si hay culpa de la víctima no puede derivarse responsabilidad de la Administración sino también del hecho de que no existe relación de causalidad de causa-efecto *cuando el solicitante conocía la ilegalidad de la propia solicitud* (STSJ de Aragón de 2 de septiembre de 2003 [JUR 2004, 47164]).

Por otra parte, se propone por mi parte partir de esta escala de determinación de responsabilidades:

1. Si el particular actúa con engaño, u oculta interesadamente datos a la Administración, es claro que la responsabilidad es suya exclusiva (STS de 15 de abril de 2003 [RJ 2003, 3775]).

2. Si el solicitante presenta en regla la licencia y el proyecto de obras y la Administración corrige estos datos equivocándose es clara igualmente la responsabilidad de la Administración.

3. El supuesto anterior es diferente de aquel otro en que el Ayuntamiento comete un error por omisión, es decir porque el propio particular interesado no presentó en regla sino defectuosamente la licencia y el Ayuntamiento no se da cuenta del error conforme a Ley.

4. Un cuarto supuesto puede seleccionarse y es el relativo a cuando el solicitante es quien induce al error de la Administración. Dentro de esta situación se contempla (según la STS de 20 de noviembre de 1979 [RJ 1979, 3793]) el caso en que se presenta una solicitud silenciando datos de consideración necesaria. No existe, pues, responsabilidad administrativa en estos casos.

Por tanto, no basta con la afirmación de los principios generales expuestos, ya que «hace falta algo más, esto es, ver cuál haya sido la actuación del peticionario de la licencia en el procedimiento de concesión, además de resultar precisa la valoración de las circunstancias concurrentes en relación con la normativa aplicable, actuación de la propia Administración, etc.» (STS de 14 de diciembre de 1983 [RJ 1983, 6341]).

C. Criterios aplicables desde un punto de vista de los conceptos indemnizables (aprovechamientos, costes de redacción de proyectos, etc.)

Podemos partir de la STS de 2 de octubre de 1999 (RJ 1999, 8323), a la que antes nos referíamos. Después de la declaración de lesividad del acto, se anula el acto por sentencia y surge la cuestión (en otro proceso) relativa a las responsabilidades posibles de la Administración por la anulación del acto declarativo de derechos con la consecuencia de reducción de una planta de edificación.

Sentadas las bases de la posibilidad de que, por consecuencia de la anulación del acto declarativo de derechos en que consiste la licencia, se deriven daños indemnizables es necesario analizar las diferentes partidas pretendidas con el fin de comprobar si concurren en las mismas los requisitos legales.

La primera de ellas, dice la sentencia recurrida que el Tribunal Supremo confirma, se contrae a la **pretendida producción del daño fundado en la disminución de la edificabilidad y lucro cesante por la pérdida de beneficios esperados.** Pero según el Tribunal esta pretensión indemnizatoria no es de recibo obtener un beneficio incumpliendo la ley:

> «En este sentido es necesario recordar que el derecho a edificar viene determinado, según la conocida estructura secuencial del derecho de propiedad urbanística, por el otorgamiento de la correspondiente licencia, *siempre que el proyecto fuera conforme con la ordenación existente.* Así el contenido concreto del derecho a edificar no se deriva de la licencia sino del plan, siendo la licencia una mera técnica de remoción de límites de un derecho preexistente, por lo que no hay reducción de su contenido. *Así la mera anulación de la licencia por su sola existencia no deberá configurar derechos indemnizatorios.* Cuestión diferente de la expresada es aquel supuesto en que por modificación del planeamiento se opere reducción

del derecho a edificar, y sea necesaria la revocación de licencias concedidas, que contiene una problemática ciertamente diferente de la actual cuestión litigiosa».

La segunda de las partidas se refiere al **lucro cesante.** Pero, según esta sentencia, *«esta partida tampoco resulta atendible pues, la mera expectativa de la realización de un negocio de réditos esperados, superiores a los producidos, no tiene el carácter dañoso derivado del acto que se pretende».*

Otra de las partidas hace referencia al **coste de modificación de escritura.** Según esta doctrina jurisprudencial, «si bien se aporta recibo, no consta prueba de a qué obedece el mismo, ni qué clase de modificación o escritura ha sido efectuada, por lo que debe ser desestimada».

Otro concepto indemnizatorio es el referido a la **restitución de las cantidades pagadas de más en concepto de tasas por la expedición de licencia** que resultó posteriormente anulada. No obstante, según esta sentencia, «existiendo acuerdo favorable de la Corporación en este sentido, no atendido por la actora solamente (según afirma) por que no se estimara que se conformaba con las pretensiones de la Administración, procede, dado el carácter revisor de la jurisdicción y su conformidad a derecho, su desestimación sin perjuicio eso sí, de acudir a la Administración demandada a fin de que cumpla lo acordado en orden a dicha restitución».

Finalmente, un extremo interesante es el referido a los **costes del proyecto técnico** producidos por la necesidad de la adaptación del mismo al nuevo aprovechamiento, ya que se produce en este punto una controversia entre el Tribunal Superior de Justicia y el Tribunal Supremo:

Según el órgano jurisdiccional mencionado en primer lugar, no procede, en atención a los hechos del caso, admitir esta indemnización: «si bien inicialmente la partida parece adecuada, *deja de serlo en tanto es exclusivamente producida por la voluntad del perjudicado.* Así del Acuerdo de la corporación nº 717/1987, de fecha 18 de septiembre de 1987, por el que se suspenden los efectos de la licencia, se deduce literalmente: "... efectuándose en tal caso las oportunas correcciones en el proyecto técnico presentado en este ayuntamiento, *para lo cual se le ofrece la colaboración de los Servicios Técnicos Municipales de Arquitectura".* Los costes por tanto sobreañadidos por redacción y ejecución del Proyecto, según consta de tal acuerdo y de la contestación a la posición nº 11ª de la confesión judicial evacuada por la actora, son debidos a "que tenía sus arquitectos y no aceptó el ofrecimiento hecho por el ayuntamiento" a lo que en conclusiones, y a modo de justificación no acreditada, se añade "ya tenía un encargo profesional". Con tal fundamento, siendo ejercicio de opción libre del actor, dado el ofrecimiento de la corporación, el acudir a los gastos añadidos de la redacción del proyecto por profesionales de su confianza, debe excluirse de tal partida el derecho a la indemnización».

En cambio, según el TS, «en la Sentencia recurrida, si bien se reconoce tal incremento de costes como indemnizable en principio, se desestima la reclamación al efecto formulada *debido al ofrecimiento de colaboración por los servicios técnicos municipales, que, en opinión de la Sala de instancia, hicieron innecesario acudir a los servicios de profesionales libres*». Argumenta el TS:

> «No compartimos, sin embargo, el parecer de dicha Sala para denegar la reparación de tales gastos, en principio porque el peticionario de una licencia ha de encomendar, lógicamente, la ejecución del proyecto de obras a los técnicos de su confianza pues no es éste el cometido de los de la Administración, y, en segundo lugar, porque explicablemente, como aduce el recurrente, difícilmente podía depositar su confianza en unos servicios municipales, cuya inicial intervención no evitó el otorgamiento de una licencia contra el planeamiento con la secuela de avatares y pleitos relatados en el fundamento jurídico segundo de la Sentencia recurrida, de manera que, al denegar la reparación de tal perjuicio, cifrado en el coste del nuevo proyecto técnico y de los gastos de visado del Colegio, la Sentencia recurrida ha infringido los preceptos citados en el motivo de casación invocado y la Jurisprudencia de esta Sala que los interpreta, por lo que con tal alcance ha ser estimado el mismo»[22].

El tema de quién debe asumir finalmente el coste de los honorarios técnicos, si el particular solicitante o la Administración, viene a ser común

---

22. Interesa completar las referencias del texto con la siguiente doctrina de la misma sentencia: «Finalmente, el recurrente entiende que entre los honorarios de letrados y derechos de procuradores deben incluirse los causados en el proceso seguido en la instancia y en este recurso de casación, pero tal pretensión ha de ser desestimada, pues, en cuanto a los primeros, no cabe otro pronunciamiento que el derivado de lo dispuesto por el artículo 131.1 de la Ley de esta Jurisdicción de 1956 y respecto de los segundos el que ordena el artículo 102.2 y 3 de la misma, sobre lo que en su momento nos pronunciaremos. SÉPTIMO.–Al ser estimable por las razones expuestas el motivo de casación invocado sólo en lo relativo a la indemnizabilidad de los gastos originados al titular de la licencia anulada por la redacción de un nuevo proyecto de obras ajustado a las determinaciones urbanísticas, hemos de resolver, según establece el artículo 102.2 de la Ley Jurisdiccional, lo que corresponda dentro de los términos en que aparece planteado el debate, que quedaron acotados en el fundamento jurídico primero de esta nuestra Sentencia. De los documentos aportados por el demandante en la fase probatoria del proceso, que obran también en el expediente administrativo, se deduce que los honorarios profesionales por el proyecto básico y el de ejecución ascendieron a la suma de un millón setecientas veintisiete mil doscientas noventa y seis pesetas (1.727.296 ptas.), mientras que el visado en el Colegio de Aparejadores y Arquitectos Técnicos de Barcelona importó la cantidad de treinta y siete mil novecientas sesenta y dos pesetas (37.962 ptas.), como se reclamó en la demanda y se solicita ahora en casación, cantidades que han de añadirse a la fijada por la Sala de instancia como indemnización que el ayuntamiento demandado debe abonar al recurrente, titular de la licencia de obras anulada».

en el escenario jurisprudencial relativa a estos casos de revisión de oficio del acto administrativo. Otro ejemplo pueden consultarse en la STSJ de Cataluña de 25 de mayo de 2001 (JUR 2001, 232662), donde se afirma que los honorarios asumibles por la Administración son sólo los relativos al desajuste que produce la Administración, es decir los que se corresponden con el trabajo hecho para cumplir el condicionado de la licencia, no otros trabajos hechos con posterioridad o en la vía administrativa anterior. También se afirma en esta sentencia que el lucro cesante, en principio indemnizable, no puede ser asumido en este tipo de casos en que el beneficio se adquiriría de forma ilícita, siendo el beneficio antijurídico (en idéntico sentido, con otro ejemplo que ilustra de la casuística existente, STS de 27 de septiembre de 1985 [RJ 1985, 4295]; o STS de 22 de noviembre de 1985 [RJ 1986, 473] con otro ejemplo, siendo determinante observar si el particular acredita los perjuicios en relación con los honorarios técnicos relacionados con la licencia).

Como puede comprobarse, en caso de advertirse un error por parte de la Administración en el otorgamiento de la licencia es preferible actuar lo antes posible, para evitar que se consumen mayores perjuicios. Si han comenzado las obras procederá dictar una orden de paralización contra las mismas (STSJ de Cataluña de 27 de noviembre de 2001 [RJCA 2002, 19]; STS de 9 de abril de 1997 [RJ 1997, 2646]).

A veces es preciso observar la identidad real del caso y observar si, en vez de un error en el otorgamiento de la licencia, nos encontramos, más bien, ante perjuicios derivados de cambios de planeamiento, no indemnizables (STS de 16 de noviembre de 1982 [RJ 1982, 7277]) o ante alegaciones interesadas de los particulares de la existencia de errores de la Administración (STS de 19 de enero de 1991 [RJ 1991, 545]; STSJ de La Rioja de 31 de julio de 2002 [JUR 2002, 254260]).

En toda esta doctrina, como puede fácilmente entenderse, hay un considerable margen de apreciación judicial.

Capítulo III

Responsabilidad administrativa por desclasificación de suelo

1. RÉGIMEN JURÍDICO

Los criterios generales de responsabilidad administrativa han de ser completados con las referencias pertinentes a la legislación sectorial, por ejemplo urbanística, donde se plantean no pocos matices al planteamiento hecho genérico de responsabilidad administrativa.

A mi juicio, el debate sobre las posibles indemnizaciones puede realizarse sobre los siguientes conceptos esenciales, los cuales no participan de un régimen jurídico coincidente o plenamente equiparable:

1. Honorarios de tramitación de los Planes y Programas.

2. Inversiones derivadas de la compra de suelo.

3. Sustracción de aprovechamientos.

4. Otros posibles daños y perjuicios derivados del caso concreto[23].

En principio, una desclasificación plantea, primero, la posibilidad de discutir su legalidad misma (ya que la discrecionalidad para desclasificar un suelo está sujeta a criterios jurídicos). Y, segundo, plantea la posibilidad de presentar las oportunas reclamaciones de responsabilidad administrativa por parte de los sujetos afectados.

---

23. Algunas referencias doctrinales son las siguientes: E. CORRAL GARCÍA, «Responsabilidad de la Administración por su actividad urbanística: los supuestos indemnizatorio en la LRSV», *El Consultor,* junio 2006; F. GARCÍA GÓMEZ DE MERCADO, «La responsabilidad de la Administración: especial consideración del ámbito urbanístico», *RDU,* 182, 2000, pp. 11 y ss.; véanse también F. PERALES MADUEÑO, «El derecho de propiedad y los derechos adquiridos ante la alteración de los planes parciales y especiales», *RDU,* 91, pp. 13 y ss.; F. GONZÁLEZ PALMA, «El artículo 87.3 de la Ley del Suelo: las vinculaciones o limitaciones singulares», *RDU,* 104 (1987).

Para abordar esta problemática mencionada en último lugar hay que partir de la «regulación de los supuestos indemnizatorios» que prevé la legislación del suelo, sin olvidar la LRJPAC 30/92 (artículos 139 a 143) y la propia Constitución (artículos 33 y 106.2) o la legislación autonómica (artículo 4 del Decreto legislativo canario 1/2000, de 8 de mayo, por el que se aprueba el TR de las leyes de Ordenación del Territorio y de Espacios Naturales en Canarias,...).

Es obvio que no toda alteración de planeamiento provoca un derecho a ser indemnizado, ya que es preciso que concurran ciertos requisitos.

Es más, el principio general no es otro que el de la ausencia de indemnización por causa de ordenación urbanística (STS de 24 de junio de 1999 [RJ 1999, 5289]; STS de 5 de octubre de 1998 [RJ 1998, 7983], etc.). Así, en la STSJ de Madrid de 11 de julio de 2002 (JUR 2003, 5962) se examinó la legalidad del cambio de clasificación del suelo de urbanizable programado a no urbanizable, estimando ésta conforme a derecho y sin reconocimiento de las indemnizaciones solicitadas por dicha reclasificación con apoyo en el principio general de no indemnizabilidad por razón de ordenación urbanística, en el carácter estatutario de la propiedad inmobiliaria, en la inexistencia de prueba de vinculación especial y por no haberse probado que el retraso en la ejecución fuera por causa imputable a la Administración; igualmente, STS de 18 de marzo de 2003 (RJ 2003, 3792); STSJ del País Vasco de 31 de octubre de 2002 (JUR 2003, 05640); STSJ de Madrid de 27 de junio de 2003 (JUR 2003, 248694); SSTSJ de Baleares de 1 de junio de 2001 (JUR 2001, 227340) y de 26 de febrero de 2002 (RJCA 2002, 80); STS de 3 de noviembre de 1992 (RJ 1992, 743); STS de 27 de septiembre de 1999 (RJ 1999, 7930); STSJ de Canarias de 8 de mayo de 2001 (JUR 2002, 33114) porque no existe un aprovechamiento adquirido, aunque la sentencia no informa de las razones que llevan a la Sala a concluir este criterio.

No vamos a extendernos a explicar en este momento la directa relación entre este criterio y la conocida concepción estatutaria del derecho de propiedad o entre aquél y el hecho de que el cauce ordinario para realizar las compensaciones entre propietarios (en un plano urbanístico) es el de la reparcelación urbanística.

En este contexto se entiende también que la clasificación originaria del suelo como no urbanizable no origina derechos indemnizatorios porque dicha clasificación se corresponde con «el contenido natural de la propiedad» (STS de 6 de marzo de 1998 [RJ 1998, 2491]).

Pero el problema de la desclasificación del suelo consiste en una situación particular, es decir aquella que origina la introducción de un nuevo criterio urbanístico (establecido por plan o incluso derivado de directa aplicación legal) que se impone sobre un plan en cuya virtud el suelo estaba clasificado como urbano o urbanizable, imponiendo en cambio la clasificación de no urbanizable o rústico.

Regulación más importante: el nuevo TRLS del Estado 2008.

El TRLS/2008 regula esta cuestión de forma similar al anterior artículo 41.1 de la LRSV: «indemnización por alteración de planeamiento». Parece conveniente reproducir la regulación de esta materia:

«Supuestos indemnizatorios:

Dan lugar en todo caso a derecho de indemnización las lesiones en los bienes y derechos que resulten de los siguientes supuestos:

a) La alteración de las condiciones de ejercicio de la ejecución de la urbanización, o de las condiciones de participación de los propietarios en ella, por cambio de la ordenación territorial o urbanística o del acto o negocio de la adjudicación de dicha actividad, siempre que se produzca antes de transcurrir los plazos previstos para su desarrollo o, transcurridos éstos, si la ejecución no se hubiere llevado a efecto por causas imputables a la Administración.

Las situaciones de fuera de ordenación producidas por los cambios en la ordenación territorial o urbanística no serán indemnizables, sin perjuicio de que pueda serlo la imposibilidad de usar y disfrutar lícitamente de la construcción o edificación incursa en dicha situación durante su vida útil».

El supuesto ordinario o claro, de aplicación afirmativa de este precepto, es el relativo a un determinado plan que ha llegado a la fase final de realización, modificándose dicho plan antes de haberse podido consumar los aprovechamientos urbanísticos previstos en aquél.

En estos casos, el presupuesto fundamental, para que pueda producirse indemnización, lo establece en estos casos el propio precepto citado del TRLS de 2008, como acabamos de ver: la alteración ha de producirse antes de transcurrir los plazos previstos para el desarrollo del plan, es decir, ha de producirse una alteración anticipada del planeamiento.

Las expectativas se convierten en derechos cuando el propietario cumple las cargas y deberes impuestos legalmente en el proceso urbanizador y edificatorio. Esto ocurre claramente cuando el propietario cumple sus deberes y contribuye a hacer físicamente posible su ejercicio[24].

---

24. Varios Autores, *Comentarios a la Ley 6/1998*, 2ª edición, Pamplona, 2002 pp. 709, con apoyo en citas jurisprudenciales. Véase también A. Blasco Esteve, «Supuestos indemnizatorios en la LS de 2007», *REALA*, 304, 2007, pp. 9 y ss.

En tales supuestos claros, el plan está en fase de ejecución, ya que las facultades del propietario generan un contenido patrimonial (STSJ de Cantabria de 20 de marzo de 2001 [JUR 2001, 127348]; STSJ de Baleares de 21 de septiembre de 2004 [JUR 2004, 264152]; STSJ de Canarias de 5 de julio de 2005 [RJCA 2005, 726])[25].

El precepto citado de la legislación estatal del suelo está pensando en indemnizar los perjuicios derivados de una reducción o anulación de los aprovechamientos en los que con buena fe confiaban los ejecutores del plan cuando éstos han actuado «con la exigible diligencia para llegar a su ejecución, cumpliendo todos los trámites previos necesarios para ella, incluida la cesión de terrenos, prevista en el plan anterior» (STS de 5 de octubre de 1998 [RJ 1998, 7983]).

Así pues, la legislación estatal del suelo vigente como la LRSV 6/1998 siguen en esencia los criterios de la legislación precedente, tal como afirma la STS de 11 de octubre de 2004 (RJ 2004, 7763):

> «... Objeto del pleito que nos ocupa, lo que en él se viene debatiendo, tanto en la vía administrativa como ante la Sala de instancia, y también ahora ante nosotros, es la responsabilidad patrimonial en materia urbanística por alteración anticipada del planeamiento; una materia que tiene su regulación propia que arranca del artículo 87.2º del TRLS de 1976, pasa luego por los artículos 86 a 89 de la Ley 8/1990 y 237 a 241 del RDL 1/1992, y se contiene, en la actualidad en los artículos 41 a 44 de la Ley 6/1998».

Las posibles responsabilidades incumben en principio al Ayuntamiento, a pesar de poder ser un acto de trámite la aprobación local[26].

En torno a las desclasificaciones encontramos sentencias dispares en cuanto a los conceptos indemnizables.

En efecto, es frecuente que se impute el daño a la Administración, aunque el problema puede estar en la determinación del alcance de la responsabilidad y si ésta comprende primero los honorarios profesionales, segundo los gastos de inversión en la compra del suelo y tercero la sustracción de los aprovechamientos adquiridos.

El mayor interés está en el debate del último concepto indemnizatorio mencionado.

---

25. V. Laso Baeza, «El nuevo régimen de los supuestos indemnizatorios en la Ley 6/1998, de 13 de abril», *RDU*, 163, pp. 989 y ss.

26. J. A. Chinchilla Peinado, «Urbanismo y responsabilidad patrimonial», *RDU*, 162, 1998, pp. 55 y ss., citando y comentando dos ilustrativas sentencias en este sentido.

Un principio general es el de adecuación entre el grado de consolidación del derecho perjudicado y la consecuencia indemnizatoria. Este principio se prevé en la STS de 20 de diciembre de 1997 (RJ 1998, 1238) cuando afirma que, sólo si los aprovechamientos urbanísticos previstos en la ordenación han sido patrimonializados, la modificación del Planeamiento implica lesión de un derecho ya adquirido, procediendo así la indemnización prevista en el artículo 87.2, **cuyo contenido habrá de fijarse en perfecta congruencia con los contenidos de los derechos de los que se ha visto privado el propietario.**

En este mismo contexto, la STS de 7 de noviembre de 2000 (RJ 2000, 9393), de forma interesante afirma:

> «Desde la perspectiva que estamos considerando **la indemnización por la privación legislativa de derechos de carácter urbanístico debe estar en congruencia con el grado del contenido patrimonial consolidado del que se priva a su propietario,** como ponen hoy de manifiesto, casi con plasticidad, los artículos 23 y siguientes del Real Decreto Legislativo 1/1992, de 26 de junio, por el que se aprueba el Texto Refundido de la Ley sobre el Régimen del Suelo y Ordenación Urbana, al describir la gradual incorporación de los derechos derivados de la ordenación urbanística al patrimonio del propietario –derecho a urbanizar, derecho al aprovechamiento urbanístico, derecho a edificar y derecho a la edificación–».

Esta sentencia de 7 de noviembre de 2000 (RJ 2000, 9393) es un buen ejemplo de imputación del daño a la Administración, también de los límites de la responsabilidad administrativa, dado que en este caso, finalmente, la indemnización se limita al reconocimiento del reintegro por los gastos de honorarios por la tramitación del Programa.

En este sentido, esta STS de 7 de noviembre de 2000 (RJ 2000, 9393) reconoce que, en estos casos en que se produce una desclasificación de suelo urbanizable a suelo no urbanizable, se produce un «sacrificio singular injustificado», siendo procedente la indemnización por el hecho de que una ley declare como área rural de interés paisajístico con desapoderación de todo tipo de aprovechamiento lucrativo.

En estos supuestos está claro, aplicando el principio de confianza legítima, la indemnización por los gastos realizados por las sociedades; dicho principio «permite mantener la razonabilidad y legitimidad de dichos gastos y, por ende, justifica el que no exista por parte de los propietarios la carga de soportar las consecuencias de su inutilidad sobrevenida por la alternación mediante ley de las previsiones urbanísticas que los justificaron».

La jurisprudencia es claro que reprocha la inactividad. Esta STS de 7 de noviembre de 2000 (RJ 2000, 9393) se basa en la sentencia de 12 de mayo de 1987 (RJ 1987, 5255) para hacer notar cómo el mecanismo indemnizatorio del artículo 87 de la Ley sobre Régimen del Suelo y Ordenación Urbana (1976) determina que si, confiando en la subsistencia durante un cierto plazo de una determinada ordenación urbanística, se han hecho inversiones y gastos jugará el derecho de la indemnización previsto en el artículo 87 de la citada Ley.

Pero finalmente esta STS de 7 de noviembre de 2000 (RJ 2000, 9393) concluye: «más concretamente y en lo que ahora importa la jurisprudencia ha declarado la indemnizabilidad de los gastos hechos para la preparación y aprobación de los instrumentos urbanísticos adecuados para el desarrollo y ejecución de la ordenación» vigente –así, la sentencia de 17 de junio de 1989–.

La base es la confianza legítima y la seguridad jurídica (igualmente STSJ Baleares de 15 de diciembre de 1993 [RJCA 1993, 47]).

Existen casos, en cambio, que entran de lleno en la responsabilidad administrativa por sustracción de aprovechamientos, tal como permite ejemplificar la STSJ de Baleares de 8 de junio de 2006 (JUR 2006, 211527): el particular había llevado a cabo un 40% de la ejecución de obras de urbanización del sector, momento en el cual se produce la entrada en vigor de la Ley autonómica 1/2000, de 9 de marzo de Espacios Naturales impidiéndose la actividad urbanizadora a la mercantil sobre terrenos de su propiedad. El Tribunal verifica que no se ha producido pasividad alguna de la entidad promotora en el cumplimiento de sus deberes impuestos en el Plan Parcial. Este tipo de situaciones «entran de lleno», razona la Sala, en el artículo 41 de la ley estatal de 13 de abril de 1998, apoyándose en las SSTS de 12 de mayo de 1987 (RJ 1987, 5255) y 14 de abril de 1992 (RJ 1992, 3422), 15 febrero 1994 (RJ 1994, 1446), 9 febrero 1999 (RJ 1999, 1878) y 30 junio 2001 (RJ 2001, 8220).

La doctrina ha tenido ocasión de matizar estos planteamientos de forma favorable al particular afectado, razonando que en el caso del suelo sectorizado existen argumentos para sostener que el derecho tiene un cierto contenido patrimonial (llegando a reconocer un derecho a ser indemnizado por las inversiones financieras realizadas), ya que «parece entonces que al suelo ya le corresponde cierto aprovechamiento, aunque no esté realmente urbanizado o transformado». La vía del artículo 44.1 incluiría como partidas indemnizables la redacción de los instrumentos de planeamiento, y los «gastos de realización material de las obras de urbanización (incluidos los gastos financieros)»[27].

Finalmente, téngase en cuenta el estudio realizado *supra* sobre la responsabilidad del Estado legislador, ya que se relaciona muy especialmente con posibles casos de desclasificación.

2. LA INDEMNIZACIÓN DE LAS INVERSIONES REALIZADAS EN LA COMPRA DE UN SUELO QUE SUFRE UNA RECLASIFICACIÓN

La responsabilidad administrativa puede no sólo llevar a reconocer la asunción de los gastos de honorarios por la elaboración del Programa o Plan. También es posible la asunción de las inversiones realizadas en la compra de un suelo urbanizable que sufre un cambio de clasificación a suelo no urbanizable. Ilustra una importante y significativa STS de 12 de mayo de 1987 (RJ 1987, 5255), Ponente: Excmo. Sr. D. Francisco Javier Delgado Barrio.

Tal como vamos a ver procede la responsabilidad administrativa cuando el particular compró el suelo (es decir, no era propietario originario) como suelo urbanizable, sufriendo dicho suelo seguidamente los efectos de una desclasificación. El caso de la citada sentencia de 12 de mayo de 1987 (RJ 1987, 5255) consiste en dilucidar si resulta o no procedente indemnizar a los demandantes como consecuencia de la alteración de la ordenación urbanística de sus terrenos que, sometidos al Plan Parcial La Riba, resultaron afectados por la Revisión del Plan Especial del Parque Natural de la Montaña de Sant Llorenc de Munt y Serra de l'Obach, alteración ésta que se produjo cuando todavía no habían transcurrido los plazos previstos para la ejecución de aquel Plan Parcial.

Positivamente ha de indicarse que lo que se reclama es la diferencia existente entre el valor real o de mercado que tenían los terrenos propiedad de los demandantes incluidos en el perímetro del Plan Parcial La Riba antes de la «descalificación» de dicho Plan Parcial y el valor real o de mercado que tienen después de dicha «descalificación» que elimina las posibilidades de urbanización.

Negativamente será de precisar que no se pretende el pago de los desembolsos que hayan podido realizarse en atención a la ordenación urbanística de los terrenos.

---

27. A. Blasco, «Supuestos indemnizatorios en la nueva Ley del Suelo de 1998», *Documentación administrativa*, 252-253, 1998.

Primeramente el Tribunal Supremo sitúa en el contexto adecuado el derecho de propiedad:

> «Ninguna duda existe respecto de que la potestad administrativa de planeamiento se extiende a la reforma de éste: la naturaleza reglamentaria de los planes, en un sentido, y la necesidad de adaptarlos a las exigencias cambiantes de la realidad, en otro, justifican plenamente el *ius variandi* que en este ámbito se reconoce a la Administración –arts. 45 y siguientes del Texto Refundido de la Ley del Suelo–.
>
> Este hecho plantea el problema de la situación de los propietarios ante la modificación del planeamiento. Y es que los Planes, ante todo, establecen una determinada ordenación en atención a lo que el interés público reclama, pero a la vez y como consecuencia esa ordenación delimita el contenido del derecho de propiedad –arts. 76 y 87,1 del ya citado Texto Refundido–. En efecto la clasificación y la calificación del suelo implican la atribución de una determinada calidad que opera como presupuesto desencadenante de la aplicación del estatuto jurídico correspondiente.
>
> Este carácter estatutario de la propiedad inmobiliaria significa que su contenido será en cada momento el que derive de la ordenación urbanística, siendo pues lícita la modificación de ésta, modificación que, por otra parte, no debe dar lugar a indemnización en principio dado que como ya se ha dicho las facultades propias del dominio, en cuanto creación del ordenamiento, serán las concretadas en la ordenación urbanística vigente en cada momento.

Sin embargo, y frente a lo expuesto, argumenta el Alto Tribunal, aparece la regla excepcional del art. 87.2 del Texto Refundido que prevé la indemnización, en lo que ahora importa, para los supuestos de modificación o revisión anticipada de los Planes Parciales (...)».

Acto seguido, esta sentencia afianza o proclama una serie de principios rectores en materia de responsabilidad administrativa por alteración del planeamiento que ya conocemos, al habernos referido a esta cuestión anteriormente, pero que conviene explicarlos a la luz de esta ilustrativa resolución judicial:

> «Para que proceda la indemnización será necesaria la existencia de una lesión en los bienes o derechos de los administrados –art. 106.2 de la Constitución, art. 40 de la Ley de Régimen Jurídico de la Administración del Estado, etc.–.
>
> Y puesto que el problema se suscita en materia urbanística, habrá que determinar en qué momento surgen derechos que sean susceptibles de sufrir aquella lesión, concretando si nacen de la mera aprobación del planeamiento o si por el contrario es necesario que concurran otros presupuestos.
>
> QUINTO: Con este planteamiento importará recordar el sistema de definición del derecho de propiedad del suelo en nuestro ordenamiento.
>
> El punto de partida es el del contenido del dominio en el suelo no urbanizable –aprovechamiento exclusivamente agrícola, ganadero o forestal–. Dado que en tales supuestos no se establece indemnización alguna –art. 87.1 del Texto

Refundido– es claro que la Ley de nada ha privado al propietario. Y al propio tiempo, como tampoco añade nada al contenido natural de la propiedad, no se le imponen deberes especiales.

En cambio en el suelo urbano y en el urbanizable se incorporan al derecho de propiedad contenidos urbanísticos artificiales que no están en la naturaleza y que son producto de la ordenación urbanística. No sería justa esta adición de contenidos si se produjera pura y simplemente y por ello, como contrapartida, en tales supuestos se imponen importantes deberes –arts. 83.3 y 84.3 del Texto Refundido– cuyo cumplimiento exige un cierto lapso temporal dada la complejidad de su ejecución. Pues bien, *sólo cuando tales deberes han sido cumplidos puede decirse que el propietario ha "ganado" los contenidos artificiales que se añaden a su derecho inicial (...).*

SEXTO: En el supuesto litigioso la ejecución del Plan parcial La Ribia estaba lejos de haber llegado a su fase final: **A)** Con anterioridad a la aprobación definitiva del Plan Especial del Parque Natural de Sant Llorenc de Munt no se había transmitido al Ayuntamiento ningún terreno de cesión obligatoria incluido en el ámbito del mencionado Plan Parcial –folio 199–; **B)** Tampoco se han realizado las obras de infraestructura previstas en dicho Plan parcial –informe pericial, folios 206, apartado f) y 213–. En realidad así viene a reconocerse en el propio escrito de recurso de alzada –folio 25–.

No puede, pues, en modo alguno entenderse que el grado de ejecución del Plan Parcial La Riba implicase ya una adquisición de derechos cuya privación pudiera dar lugar a indemnización.

SÉPTIMO: Pero el problema ha de ser planteado también en un momento anterior al ya expuesto refiriéndolo no a los aprovechamientos finales establecidos en la ordenación urbanística sino a la expectativa de urbanización que deriva del Plan Parcial, expectativa ésta que la Exposición de Motivos de la Reforma de la Ley del Suelo de 1976 estima ya consolidada».

Dicho esto, esta sentencia desarrolla la doctrina que ahora interesa resaltar, relativa a si es procedente una indemnización de daños y perjuicios derivados de los gastos e inversiones de compra de un suelo que ha experimentado una depreciación económica como consecuencia de su desclasificación por alteración del planeamiento.

Primeramente, de nuevo esta resolución judicial se detiene en cuestiones generales, antes de llegar al criterio concreto:

«La pregunta que otra vez habrá que formular es la de si siempre y sin más la privación de esa expectativa origina ya el derecho a la indemnización. También ahora la solución habrá de venir por la vía del concepto de la lesión a tener siempre en cuenta cuando de pronunciar una responsabilidad de la Administración se trata.

La ya citada Exposición de Motivos arroja luz sobre el problema al referirse a la seguridad del tráfico jurídico: si confiando en la subsistencia durante un cierto plazo de una determinada ordenación urbanística se han hecho inversiones y gastos jugará entonces, sí, el derecho de la indemnización. El plazo, por virtud de lo dispuesto en el art. 87.2 opera dando seguridad al mercado inmobiliario y a las actividades de ejecución del planeamiento realizadas vigente el Plan, puesto que aunque se modifique éste no provocarán pérdidas para el inversor.

Quiérese decir que el supuesto de hecho del art. 87.2 no se integra únicamente por la alteración de la ordenación urbanística: es preciso, además, que confiando en la subsistencia de ésta se hayan desarrollado actividades y gastos que devengan inútiles por virtud de la alteración anticipada. **No todos los propietarios, pues, de terrenos afectados por la modificación del planeamiento resultan amparados por el art. 87.2 sino únicamente los que, sobre la base de una cierta ordenación, hayan desarrollado aquellas actuaciones. Así se produce la lesión. Y desde luego el perjuicio indemnizable estará en relación con el contenido de dichas actuaciones».**

Y finalmente el Tribunal entra en la cuestión objeto principal de debate, afirmando que «en el supuesto litigioso, dado que la Revisión del Plan Especial del Parque Natural de Sant Llorenç de Munt ha venido a impedir la urbanización que posibilitaba el Plan parcial de La Riba, se reclama una indemnización que se cifra en la "diferencia existente entre el valor real o de mercado que tenían los terrenos propiedad de los demandantes incluidos en el perímetro del Plan Parcial La Riba antes de la descalificación de dicho Plan parcial y el valor real o de mercado que tienen después de dicha descalificación"».

Y a este respecto, será de advertir:

«**A**) El mayor valor que en el mercado alcanzan unos terrenos por virtud de la vigencia de un Plan parcial no es obra exclusiva de éste sino consecuencia también de una clasificación anterior como suelo urbanizable programado.

B) Para que una específica indemnización del tipo de la que se reclama resultara procedente –recuérdese que aquí se está protegiendo la seguridad del tráfico jurídico– sería preciso que los terrenos hubieran sido adquiridos ya a los precios resultantes de sus posibilidades urbanísticas; así, en el caso de que una alteración anticipada de la ordenación hiciera inviable la urbanización, provocando un descenso de valor, se produciría la lesión indemnizable. No es éste el caso litigioso en el que ni siquiera se alega una adquisición de los terrenos en las condiciones mencionadas».

Esto es así, dado que «quien ya era propietario de unos terrenos antes de la aprobación del Plan parcial y lo sigue siendo después de su modificación no ha sufrido lesión patrimonial efectiva por el hecho de que sus fincas subieran de precio para después recuperar el más bajo valor de mercado anterior». «Todo ello sin perjuicio de que las personas que hayan hecho gastos en relación con el Plan parcial litigioso que hayan devenido inútiles por consecuencia de la nueva ordenación puedan reclamar la congruente indemnización –lo que no es objeto de estos autos– y sin perjuicio también de que la ordenación del Plan Especial del Parque Natural de San Llorenc de Munt, en sí misma, pueda dar lugar a indemnizaciones como ha señalado esta Sala en la sentencia de 2 de febrero de 1987 (RJ 1987, 2043)»[28].

Téngase en cuenta que esta doctrina se ve confirmada por la STS de 17 de octubre de 1988 (RJ 1988, 7760). Véase también la STSJ de la Comunidad Valenciana de 19 de febrero de 2004 (RJCA 2004, 1050).

3. RECONOCIMIENTO DE LA INDEMNIZACIÓN SI EL RETRASO O INEJECUCIÓN SE DEBE A LA ADMINISTRACIÓN

La responsabilidad administrativa presupone la debida diligencia de los ejecutores del plan. De lo contrario sólo existen expectativas urbanísticas no indemnizables. De ahí que éstos han de ejecutar los planes en el debido plazo. De ahí también que, si no consta un plazo expreso para dicha ejecución, el intérprete de la norma tendrá que examinar si han actuado aquéllos diligentemente; se habla en estos casos de que en el plan existe un «plazo implícito» (STS de 15 de noviembre de 1993 [RJ 1993, 10115]).

Por eso el TRLS de 2008 y ya el artículo 30.a LS 2007 extienden el reconocimiento de la indemnización al caso en que el retraso o inejecución se debe a la Administración (STS de 6 de abril de 1993 [RJ 1993, 2616]; STS de 12 de julio de 1999 [RJ 1999, 5887]).

En este sentido, la STS de 5 de octubre de 1998 (RJ 1998, 7983) reconoce en estos casos la indemnización, ya que «el efectivo cumplimiento de los deberes y actuaciones que impone a los propietarios el ordenamiento jurídico es el que determina la patrimonialización de los contenidos artificiales del derecho de propiedad agregados al contenido inicial y es claro que la privación de esos derechos patrimoniales ya asumidos al producirse el

---

28. La doctrina ha comentado oportunamente esta sentencia (L. MARTÍN REBOLLO, *La responsabilidad patrimonial de las Administraciones Públicas en el ámbito urbanístico,* Santander, 1993) afirmando que «la responsabilidad es también –y especialmente en el campo urbanístico– el precio de una políticas, que no pueden hacerse a espaldas y a las expensas de los particulares que han asumido deberes en virtud del plan, pero también consolidado derechos derivados del mismo (...) Si el cambio (de planeamiento) es anterior a la adquisición del derecho al aprovechamiento éste aún no se ha patrimonializado, pero ello no quiere decir que la modificación del plan no pueda causar daños en el sentido de lesionar un derecho, el derecho a urbanizar, justamente, que es la fase que procede a la adquisición del derecho al aprovechamiento urbanístico».

nuevo planeamiento es la causa determinante de la procedencia de la pertinente indemnización reparatoria de la lesión».

A efectos de precisar el perjuicio indemnizable interesa la STS de 12 de julio de 1999 (RJ 1999, 5887), cuando afirma que «la existencia de una **pérdida patrimonial para el recurrente ha de valorarse en función de la edificabilidad perdida como consecuencia del nuevo planeamiento** respecto de la reconocida en el Proyecto reparcelatorio». En este caso se había producido una pérdida de edificabilidad de un 50% como consecuencia, primero, de un cambio de planeamiento y, segundo, como consecuencia de la tardanza en la aprobación del Proyecto de Reparcelación por parte de la Administración. El hecho de que el particular no presentara escritos reclamando la tramitación del expediente no eximió de responsabilidad a la Administración pero provocó la reducción de la responsabilidad.

En estos casos se produce una «limitación singular, al haberse privado de edificabilidad» (STS de 16 de febrero de 1998 [RJ 1998, 1214]).

Como puede fácilmente comprenderse, en la práctica jugará un papel importante probar el cumplimiento diligente de los deberes urbanísticos o la posible inejecución en plazo debido por causa imputable a la Administración.

En este sentido, puede profundizarse en la STS de 5 de octubre de 1998 (RJ 1998, 7983). Esta resolución recuerda que «la responsabilidad administrativa también se produce cuando los promotores del proyecto urbanizatorio correspondiente actuaron con la exigible diligencia para llegar a su ejecución, cumpliendo todos los trámites previos necesarios para ella incluida la cesión de los terrenos prevista en el plan parcial anterior y sin embargo la urbanización no se **consumó por causas esencialmente imputables a la Administración,** puesto que, en este supuesto, el efectivo cumplimiento de los deberes y actuaciones que impone a los propietarios el ordenamiento urbanístico es lo que determina la patrimonialización de los contenidos artificiales del derecho de propiedad agregados al contenido inicial natural por la ordenación urbanística, y es claro que la privación de esos derechos patrimoniales ya asumidos al producirse el nuevo planeamiento es la causa determinante de la procedencia de la pertinente indemnización reparatoria de esa lesión». «Es pues, la Administración quien en este sistema asume la responsabilidad de la ejecución de las obras de urbanización, por lo que la causa de su no finalización antes de la aprobación del nuevo planeamiento es imputable a ella, salvo prueba en contrario, no existente en estos autos».

En suma, la inejecución ha de imputarse a la Administración que era la responsable del impulso para ello, por lo que conforme al artículo 87.2 de la Ley del Suelo de 1976 ha de declararse la procedencia de la petición indemnizatoria formulada por la parte recurrente que se fijará en la ejecución de sentencia, consistente en la **repercusión económica derivada de la diferencia de aprovechamientos urbanísticos en el citado sector, entre la prevista en el Plan Parcial de 1974 y la regulada en el acuerdo de revisión modificación del Plan General de ordenación urbana de Sitges de 10 de marzo de 1989.**

En consecuencia, en estos casos el retraso se debe a la Administración, ella causa el daño y debe indemnizarlo, aunque sin olvidar el tenor literal del articulado del TRLS/2008, que ya conocemos.

Capítulo IV

Responsabilidad administrativa por indebida paralización de las obras

Cuando se decreta por la Administración una paralización indebida (por ejemplo porque el sujeto sí estaba cumpliendo con la licencia otorgada o porque el caso en puridad no se refiere a un incumplimiento de la licencia otorgada) es aplicable el régimen de responsabilidad administrativa por los daños causados por la paralización de las obras.

Así, en la STSJ de Castilla y León (Sala de Burgos) de 27 de febrero de 1999 (RJCA 1999, 3744), el recurrente alegaba que se le había concedido licencia para una nave de x dimensiones, mientras que el Ayuntamiento afirmaba que la licencia era para una nave de dimensiones menores, motivo por el cual la Corporación decretó la paralización de las obras. Al verificar el órgano jurisdiccional la veracidad del ajuste a la licencia de las obras, la consecuencia fue la declaración de la responsabilidad administrativa a favor del recurrente por los distintos daños causados, entre ellos los ocasionados por la retirada de personal, de materiales y maquinaria, etc. En consecuencia, puede advertirse del cuando menos riesgo en que incurre una Administración, si procede a una paralización de obras que puede no ser conforme a Derecho.

Igualmente, en la sentencia del TSJ de Navarra de 29 de enero de 1997 (RJCA 1997, 446) se indemnizan, por la paralización de las obras y suspensión de la licencia, los *perjuicios morales* ocasionados.

Interesante es la STS de 20 de enero de 1997 (RJ 1997, 311). El caso se refería a una paralización de obras que, posteriormente, fue archivada por el propio Ayuntamiento. En estos casos procede también la reclamación de daños y perjuicios por la paralización decretada al menos hasta el momento del referido archivo.

La sentencia de la Audiencia Nacional 13 de mayo de 2004 (RJCA 2004, 534) reconoce una indemnización de 3.419.937,27 euros por el hecho de haberse levantado el efecto de la paralización como consecuencia del resultado de otro proceso, corroborándose entonces que el particular no tenía obligación de soportar la paralización decretada. Se indemniza la rentabilidad no percibida de los beneficios no obtenidos, la reducción del valor de los inmuebles cuyas obras fueron paralizadas, los intereses de la inversión paralizada, los costes del capital inmovilizado, los intereses de pólizas de crédito, las liquidaciones contractuales satisfechas por la rescisión de contratos laborales, los costes de conservación de los inmuebles, los honorarios profesionales (en este mismo sentido se pronuncia la sentencia de la Audiencia Nacional de 29 de septiembre de 2004 [JUR 2005, 222460]).

En la STS de 30 de noviembre de 1984 (RJ 1984, 450) se estimó que la causación de los perjuicios derivaba del hecho de que el administrado había cumplido con los requerimientos hechos por la Administración, pese a que ésta, aun así, no levantó la paralización de las obras.

También se estima la pretensión indemnizatoria en las STS de 12 de mayo de 1999 (RJ 1999, 3631); STS de 7 de octubre de 1996 (RJ 1996, 8216); STS de 16 de julio de 1986 (RJ 1986, 5114); STS de 28 de noviembre de 1997 (RJ 1997, 9435); STS de 3 de enero de 1979 (RJ 1979, 7), etc.

Más complejo es el caso cuando la orden de paralización carece de base. Me refiero a casos en los que no se trata, en realidad, de dilucidar si el particular cumple o no cumple con la licencia otorgada. Más bien, se trata de casos en los que no hay base o presupuesto para decretar la paralización, porque el supuesto no se refiere en puridad a un incumplimiento de la licencia. Las situaciones podrán no ser coincidentes entre sí. Podrá producirse por ejemplo algún abuso en la utilización de este mecanismo jurídico de la paralización cuando, también por ejemplo, se intenten imponer por esta vía condicionantes nuevos a la licencia de origen, eludiendo el régimen de la revisión del acto administrativo que debe proceder. Podrá ocurrir que la paralización sea desproporcionada en sí misma, en consideración a los elementos del caso, procediendo entonces no la «paralización» sino la «subsanación para comprobar la posibilidad de corrección de deficiencias» (tal como permite afirmar la STS de 19 de febrero de 1988 [RJ 1988, 1371] y tal como más adelante se afirmará de nuevo).

O, simplemente, puede ocurrir que la Administración haya incurrido en errores fácticos de apreciación como sucede en el caso enjuiciado en la sentencia del TSJ de Canarias (Sala de las Palmas), de 19 de junio de 2002 (JUR 2003, 98023), relativa a un supuesto en el que la Corporación local había decretado la paralización de unas obras ajenas al expediente tramitado, ya que las obras paralizadas estaban fuera del espacio físico ocupado por el recinto histórico donde sí habría procedido decretar la paralización.

También cabe presentar en este contexto los casos en que se decrete por el Ayuntamiento, y no por el órgano jurisdiccional, la paralización de unas obras, como consecuencia de una sentencia anulatoria de una licencia, pero apelada, considerando que los artículos 83 y 84 de la Ley reguladora de la Jurisdicción Contencioso-Administrativa afirman que la apelación se produce en dos efectos, a salvo de la posibilidad de la ejecución provisional de la sentencia. Y aun así habría que determinar qué significado tiene la ejecución de la sentencia, pues no es infrecuente que el significado debe ser fruto de una labor de interpretación sobre el alcance concreto y preciso del efecto anulatorio. En estos casos, si persiste el desacuerdo, las pautas deberán ser dadas por los órganos de justicia, no por la Administración que es simple parte del proceso.

Importa sobre estas cuestiones de posibles requerimientos de paralización desproporcionados la interesante STS de 6 de diciembre de 1980 (RJ 1980, 4988). Primeramente, el Tribunal Supremo insiste en las garantías procedimentales e indemnizatorias en estos supuestos: «el acuerdo municipal que concede una licencia de obras otorga a su titular unos derechos, de los que no puede ser privado sin el cumplimiento de un doble requisito: de una parte, la obligatoriedad de oírle en el expediente –sentencia por ejemplo de 14 de octubre de 1969–; de otra, la necesidad de indemnizar al titular de la licencia los daños y perjuicios que se le ocasionen por la anulación, normalmente a cargo del Ayuntamiento que la otorgó erróneamente –arts. 16 del Reglamento de Servicios y 172 de la Ley del Suelo–», citando seguidamente numerosa jurisprudencia en su apoyo. En estas garantías procedimentales se insiste significativamente con apoyo en los clásicos postulados del Derecho administrativo[29].

Pero, lo interesante es que, según esta STS de 6 de diciembre de 1980 (RJ 1980, 4988), «la revocación o anulación de licencias de construcción deberá limitar sus efectos a lo imprescindible, no afectando a la parte de edificación en la que no se produce infracción de normas urbanísticas, siempre que existan posibilidades técnicas o interés económico para que subsista,

---

29. M. J. GALLARDO, «La creciente decadencia jurisprudencial del principio de audiencia al interesado en el procedimiento administrativo: una visión crítica», *RAAP*, 57/2005, pp. 161 y ss., citando sentencias que califica como «esperanzadoras», como las del TS de 12 de febrero de 1990 (RJ 1990, 774) y 30 de abril de 1992 (RJ 1992, 4207), donde el citado principio de audiencia se entiende de forma rigurosa a favor del particular.

ya que de conformidad con los artículos 6 y 21.2.c) del Reglamento de Servicios el contenido de los actos debe adaptarse a los fines que los justifiquen, y como señala la sentencia del Alto Tribunal de 14 de octubre de 1969 (RJ 1969, 4583), *la existencia de vulneraciones no debe provocar necesariamente la anulación total de la licencia*».

En este contexto del examen del fundamento mismo de una orden de paralización tiene, evidentemente, relevancia el principio de proporcionalidad, consagrado ampliamente, como es sabido, por la jurisprudencia de los juzgados y tribunales de la jurisdicción contencioso-administrativa. Quiérese decir que una paralización desproporcionada convierte en nula la propia exigencia que conlleva el acto.

La citada STS de 6 de diciembre de 1980 (RJ 1980, 4988) es importante, no tanto o sólo porque pone de manifiesto la importancia de las garantías procedimentales, sino también porque permite afirmar algo por otra parte obvio, es decir, que *la existencia de vulneraciones no debe provocar necesariamente la anulación total de la licencia.*

En este sentido, no es infrecuente ni que las distintas partes procesales afectadas por las sentencias judiciales tengan que estudiar o interpretar los efectos que concretamente produce una anulación de un acto, ni tampoco lo es que los propios órganos jurisdiccionales tengan que matizar o precisar los efectos concretos que producen los fallos anulatorios.

Así, la STS de 13 de junio de 2006 (RJ 2006, 5954) reacciona contra una interpretación por parte de la Administración en cuya virtud –de la anulación de la licencia– debían asumirse por el particular afectado los costes de demolición de unas determinadas obras cuando, en realidad, la anulación provoca, más bien, un efecto indemnizatorio a favor del particular y no un gravamen sobre sus derechos. En efecto, en estos casos, es preciso observar si la anulación no conlleva, por el contrario, una indemnización a favor del particular por los daños derivados de la anulación de la licencia. Todo esto explica también el hecho de que existan anulaciones *parciales* de actos o que existan estimaciones *parciales* de los recursos contencioso-administrativos (STS de 9 de diciembre de 1992 [RJ 1992, 9829]; STSJ del País Vasco de 24 de julio de 2000 [RJCA 2000, 2670]; STSJ de Galicia de 26 de octubre de 2005 [JUR 2006, 76434]).

O que procedan las licencias *condicionadas* (STS de 24 de mayo de 1995 [RJ 1995, 3810]). Y hasta casos de licencias condenadas *ab initio* a su incumplimiento (como afirma la STSJ de Cataluña nº 390/1995, recurso 665/1990 [RJCA 1995, 393]).

Es decir, los efectos de las anulaciones deberán matizarse en cada caso, en función del tenor literal de las sentencias y de la realidad de los hechos existentes y de los propios principios generales del Derecho administrativo (proporcionalidad, etc.).

Interesante es también la STS de 5 de junio de 1981 (RJ 1981, 2549) cuando se apunta que no es de recibo la introducción de «limitaciones en el *ius aedificandi* sin el respaldo de las normas urbanísticas contenidas en el planeamiento vigente», sin que exista discrecionalidad en estos casos de la Administración o del juzgador. Igualmente, la STS de 21 de julio de 1983 (RJ 1983, 4080), en un problema de determinación de la edificabilidad que ha de corresponder al particular, hizo primar en todo caso el criterio que se desprendía del planeamiento, basándose el Tribunal Supremo en la «absoluta obligatoriedad de los planes, tanto para la Administración como para los particulares, prohibiendo de un modo total la reserva o dispensación de los que en ellos se ordene».

PARTE DECIMOTERCERA

LA ABSTENCIÓN Y RECUSACIÓN DE LAS AUTORIDADES Y FUNCIONARIOS DE LA ADMINISTRACIÓN PÚBLICA EN EL EJERCICIO DE SUS FUNCIONES EN EL ÁMBITO DEL URBANISMO. INCOMPATIBILIDADES Y DECLARACIONES DE BIENES

1. LA ABSTENCIÓN Y RECUSACIÓN

En la práctica del urbanismo se observa un creciente interés por el conocimiento y aplicación de las reglas de abstención y recusación y régimen de incompatibilidades. Esta problemática, que afecta especialmente a la vida local (por ejemplo, cuando se trata de adoptar determinadas decisiones o la aprobación de planes urbanísticos), se enmarca dentro de la lucha contra el fraude y dentro del empeño en una actuación objetiva de las autoridades y funcionarios de la Administración Pública.

En los artículos 28 y 29 de la LRJAP-PAC se regulan la abstención y la recusación.

La base está en el artículo 103.1 de la Constitución Española donde se establece que «la Administración Pública sirve con objetividad los intereses generales (...) con sometimiento pleno a la Ley y al Derecho». Asimismo se prevé en el apartado tercero de dicho artículo 103 la adopción de garantías y cautelas legales para lograr la imparcialidad.

Esa objetividad e imparcialidad que se exige constitucionalmente a las autoridades y funcionarios de la Administración Pública en la prestación del servicio o en el cumplimiento de los intereses generales es correlato o consecuencia del principio de igualdad ante la Ley proclamado en el artículo 14 de la Constitución Española, considerándose causas de abstención –y recusación– aquellas que puedan redundar en una propensión lógica de afinidad o rechazo, esto es, de discriminación, en el ejercicio de sus funciones (STSJ de Baleares de 11 de julio de 2003 [JUR 2004, 40693]).

Partiendo de este deber de objetividad e imparcialidad que por mandato constitucional ha de presidir la actuación de las Administraciones Públicas y del personal a su servicio, el Tribunal Constitucional en su STC 235/2000, de 5 de octubre (RTC 2000, 235), ha tenido ocasión de señalar que «la imparcialidad en el ejercicio de la función pública viene garantizada *ad extra,* es decir, en las relaciones con los administrados, por una serie de cautelas legales, entre las que ocupa un lugar destacado la obligación de abstención

(...) cuando concurren determinadas circunstancias previstas legalmente que pueden poner en peligro objetivo la rectitud de su actuación».

De todo lo afirmado hasta el momento podría ya deducirse una definición de la abstención como el instituto jurídico que persigue impedir que participen en la adopción de decisiones o en la instrucción y resolución de un procedimiento administrativo aquellos sujetos en los que concurren circunstancias que no garantizan su actuación objetiva e imparcial.

Late, en definitiva, en el fondo de estas técnicas de la abstención y la recusación el mismo Derecho natural, que exige a las autoridades y agentes de las Administraciones Públicas un comportamiento ejemplar que evite situaciones comprometidas y sospechosas, lo que ha dado lugar a la construcción de una «moralidad administrativa» (véase la STS de 25 junio 1991 [RJ 1991, 6326]).

Descendiendo del nivel constitucional, el deber de abstención referido a las autoridades y personal al servicio de cualquiera de las Administraciones Públicas encuentra su regulación en el artículo 28 de la Ley 30/1992, de 26 de noviembre, de Régimen Jurídico de las Administraciones Públicas y del Procedimiento Administrativo Común (en adelante, Ley 30/1992), que establece:

«1. Las autoridades y el personal al servicio de las Administraciones en quienes se den algunas de las circunstancias señaladas en el número siguiente de este artículo se abstendrán de intervenir en el procedimiento y lo comunicarán a su superior inmediato, quien resolverá lo procedente.

2. Son motivos de abstención los siguientes:

A) Tener interés personal en el asunto de que se trate o en otro en cuya resolución pudiera influir la de aquél, ser administrador de sociedad o entidad interesada, o tener cuestión litigiosa pendiente con algún interesado.

B) Tener parentesco de consanguinidad dentro del cuarto grado o de afinidad dentro del segundo, con cualquiera de los interesados, con los administradores de entidades o sociedades interesadas y también con los asesores, representantes legales o mandatarios que intervengan en el procedimiento, así como compartir despacho profesional o estar asociado con éstos para el asesoramiento, la representación o el mandato.

C) Tener amistad íntima o enemistad manifiesta con alguna de las personas mencionadas en el apartado anterior.

D) Haber tenido intervención como perito o como testigo en el procedimiento de que se trate.

E) Tener relación de servicio con persona natural o jurídica interesada directamente en el asunto, o haberle prestado en los dos últimos años servicios profesionales de cualquier tipo y en cualquier circunstancia o lugar.

3. La actuación de autoridades y personal al servicio de las Administracio-

nes Públicas en los que concurran motivos de abstención no implicará, necesariamente, la invalidez de los actos en que hayan intervenido.

4. Los órganos superiores podrán ordenar a las personas en quienes se dé alguna de las circunstancias señaladas que se abstengan de toda intervención en el expediente.

5. La no abstención en los casos en que proceda dará lugar a responsabilidad».

Y ciñéndonos más estrictamente al ámbito local, hemos de referirnos al artículo 76 de la LBRL, cuyo tenor literal es reproducido, a su vez, en los artículos 21 y 185 del Reglamento de Organización, Funcionamiento y Régimen Jurídico de las Entidades Locales, aprobado por Real Decreto 2568/1986, de 28 de noviembre (en adelante, ROF):

«Sin perjuicio de las causas de incompatibilidad establecidas por la Ley, los miembros de las Corporaciones locales deberán abstenerse de participar en la deliberación, votación, decisión y ejecución de todo asunto cuando concurra alguna de las causas a que se refiere la legislación de procedimiento administrativo y contratos de las Administraciones públicas. La actuación de los miembros en que concurran tales motivos implicará, cuando haya sido determinante, la invalidez de los actos en que hayan intervenido».

Por su parte, el artículo 96 del ROF determina que el miembro de la Corporación que deba abstenerse de participar en la deliberación y votación, teniendo incluso la obligación de abandonar el salón mientras se discuta y vote el asunto.

Como suele ocurrir, la regulación de esta figura de la abstención respecto del ámbito local no es, ni mucho menos, una novedad de la Constitución Española de 1978, sino que, tiene una honda raigambre histórica, pues ya estaba presente en la Real Pragmática de 9 de julio de 1500 dada en Sevilla por los Reyes Católicos, en la Nueva Recopilación de 1567 o en la Novísima Recopilación de 1806; posteriormente, ya en el régimen constitucional, se ha regulado, por ejemplo, en la Ley Municipal de 1870, en el Estatuto Municipal de Calvo Sotelo de 1924 o, más recientemente, en el Reglamento de Organización, Funcionamiento y Régimen Jurídico de las Corporaciones Locales de 17 de mayo de 1952 y en la Ley de Régimen Local de 1955 (tal como informa E. Corral García, *El funcionamiento de los órganos colegiados de las entidades locales: sus sesiones,* Madrid, 2006, pp. 221 y ss.).

Como puede apreciarse de la lectura de los preceptos referidos de la LBRL y del ROF, las causas de abstención de los miembros de las Corporaciones locales son las mismas que las que afectan a cualquier otra Administración Pública, realizándose expresamente una remisión a la normativa reguladora general, tanto en materia procedimental, como en materia contractual.

De entre las diferentes causas recogidas en el artículo 28.2 de la Ley 30/1992 puede profundizarse en las dos primeras (letras a y b del citado precepto); es decir, el estudio del deber de abstención que afectaría a los miembros de la Corporación local por la existencia de un interés personal propio de los munícipes en el asunto de que se trate y por la existencia de un interés de mandantes o de parientes de los munícipes dentro del cuarto grado de consanguinidad o segundo de afinidad.

La jurisprudencia, cuando se enfrenta a la segunda de las causas de abstención que señala el artículo 28.2 de la Ley 30/1992 («tener parentesco de consanguinidad dentro del cuarto grado o de afinidad dentro del segundo, con cualquiera de los interesados»), suele analizarla conjuntamente con la causa primera («tener interés personal en el asunto de que se trate»), debido a que es muy común que concurran ambas causas al mismo tiempo, y esta misma metodología va a ser aplicada en este estudio.

Como primer paso hay que determinar qué se debe entender por «interés personal». Advierte la jurisprudencia a este respecto que se trata de un concepto jurídico indeterminado que admite ser valorado en función del caso concreto, aunque existen unos principios generales desarrollados por la jurisprudencia (STSJ de Galicia de 23 de noviembre de 2000 [RJCA 2001, 399]), a los que vamos a hacer referencia a continuación.

La STS de 16 de abril de 1990 (RJ 1990, 3642) determina que por interés personal a que hace referencia la Ley de Procedimiento Administrativo debe entenderse interés privado y que el mismo no puede confundirse con el interés público en el ejercicio de las funciones públicas.

En este mismo sentido se pronuncia la STSJ de Castilla y León, Burgos, de 20 de mayo de 2004 (JUR 2004, 174129), muy ilustrativa a nuestros efectos pues la misma recayó en un procedimiento en el que fue determinante el voto favorable de dos concejales con parientes con propiedades en la zona afectada por los acuerdos sobre obras de alumbrado público impugnados:

> «Resulta probado "que el marido de la primera –concejala– y dos hijos del segundo –concejal– son sujetos pasivos del IBM por otros tantos bienes de naturaleza urbana sitos en la zona afectada por las obras de alumbrado público aprobadas"; ahora bien de tales datos no se puede presumir e inferir sin más la conclusión, como lo hace la actora, de que sendos concejales tenían interés directo y personal en la adopción de dichos acuerdos y por ello en la ejecución de mencionadas obras de alumbrado. Y considera la Sala que con sólo esos datos no se puede inferir tal interés directo o personal, que de haber concurrido debería haber motivado la abstención de los anteriores, toda vez que el proyecto de alumbrado que luego se aprobó por su extensión y amplitud, afecta a la

generalidad de todos los vecinos y más concretamente a un gran número de personas, y no sólo a los familiares de sendos concejales, motivo por el cual la Sala considera que no puede apreciarse que los mismos tuvieran un interés personal directo al margen de su condición de concejal en la aprobación de dichas obras; y un dato que corrobora la falta de acreditación de este interés directo es que en la votación ambos concejales siguieron la disciplina de voto de partido, por cuanto que su voto favorable se corresponde con el voto favorable de todos los concejales pertenecientes a IU y al PSOE. Es decir que si votaron favorablemente lo fue al margen de sus intereses personales y sí por decisión del propio grupo municipal. Con base a lo anterior, por tanto no cabe apreciar la causa de nulidad esgrimida por la parte actora, por cuanto que sendos concejales, no tenían la obligación de abstenerse al no haberse acreditado que tuvieran un interés personal y directo, tan revelante y suficiente como para que al margen de otras consideraciones y motivaciones políticas, les llevara a votar favorablemente; y por ello procede desestimar el recurso en este concreto motivo de impugnación».

La jurisprudencia (STS 13 de marzo de 1984 [RJ 1984, 1750], STS de 22 de diciembre de 1986 [RJ 1987, 1553], STS de 25 de mayo de 1987 [RJ 1987, 5841], etc.) ha venido distinguiendo entre el interés cívico general de los Concejales y el interés directo, personal y patrimonial de éstos, en el sentido de que el interés directo surge, en general, cuando de la adopción o no del acuerdo deriva de manera inmediata, directa y segura un provecho, un beneficio o una utilidad personal –específica– de contenido sustancialmente económico para el Concejal o persona a él vinculada, mientras que cuando del acto o acuerdo de que se trate no deriva, de una manera inmediata y segura, un beneficio económico para el Concejal o sus parientes, no puede hablarse, en consecuencia, de un interés personal y directo. Así la STS de 25 de mayo de 1987 (RJ 1987, 5841):

«Como ha dicho esta Sala en su reciente Sentencia de 22 de diciembre de 1986 (RJ 1987, 1553), el interés directo al que alude el artículo 227 del Reglamento de Organización, Funcionamiento y Régimen Jurídico de las Corporaciones Locales de 1952, no es un interés cívico general sino el interés particular, propio y directo, ya personal, ya de mandantes o de parientes hasta el tercer grado de los munícipes; y lo que origina la causa de incompatibilidad a que se refiere aquel precepto son los intereses particulares propios o de parientes o mandantes del Alcalde o de los Concejales en el asunto de interés general que ha de ser debatido en la sesión municipal, tal como entendió y aplicó este Tribunal en sus Sentencias de 28 de abril de 1979 (RJ 1979, 2157) y 30 de marzo de 1959 (RJ 1959, 1415); mas no puede proclamarse con carácter indiscriminado y general subsumible en el indicado art. 227 que está incurso en tal causa de incompatibilidad un Alcalde o un Concejal que por el mero hecho de serlo pertenezcan a una Asociación Cultural sin ánimo de lucro constituida exclusivamente para los fines educativos y culturales antes referidos; y menos cuando ni siquiera se aduce el menor motivo que pudiera hacer aun remotamente atisbar la existencia de algún interés ajeno al puro y propio de colaborar con la mencionada Asociación Cultural para el cumplimiento de sus altruistas fines».

En este mismo sentido, la STSJ de Cataluña de 12 de febrero de 2004 (JUR 2004, 156387), tras desechar la pretensión de la actora denunciando la no abstención en el momento de su votación de un concejal por no haberse acreditado que fuera titular de varias parcelas, sino haber resultado ser propietario de una parcela entre seiscientas existentes en el sector afectado donde precisamente tenía su residencia habitual, se pronuncia en la misma línea de distinguir entre interés cívico general e interés particular:

> «reiteradamente ha venido estableciendo el Tribunal Supremo que el interés al que alude ya en tesis general el artículo 28.1.a) de la Ley de Procedimiento Administrativo Común, de 26 de noviembre de 1992, en relación con el 76 de la Ley de Bases de Régimen Local, no es un interés cívico general, sino el interés particular, propio y directo, ya personal, ya de mandantes o de parientes de los munícipes; y lo que origina la causa de incompatibilidad en que incurren a su tenor son los intereses particulares propios o de parientes o mandantes del Alcalde o de los Concejales en el asunto de interés general que ha de ser debatido en la sesión municipal».

Es también un criterio asentado el de que la obligación de abstenerse en una votación se produce cuando se tiene en el asunto un interés patrimonial, cuando del resultado positivo o negativo de la votación puede derivarse un enriquecimiento en el patrimonio real y efectivo, no potencial. Así, según la sentencia del TSJ de Navarra de 31 de octubre de 2002 (JUR 2002, 285961):

> «hay un interés personal en el asunto cuando de su resolución sea particular o general puede obtenerse alguna ventaja o beneficio. Para saber, pues, si el funcionario de cuya abstención o recusación se trata tiene algún interés en el asunto objeto de regulación, ha de verse si el interés general que deriva de éste coincide con su interés particular. Pero ¿de qué interés hablamos? No hablamos de un interés eventual o hipotético, el que puede tener cualquier ciudadano comprendido en el ámbito de aplicación de la norma; hablamos de un interés actual determinado por la relación del funcionario con una situación o cosa, afectadas directamente por la nueva regulación».

Debe también tenerse en cuenta que la jurisprudencia ha apreciado que no cabe confundir el interés directo, personal y patrimonial, que no puede ser protegido por el voto desinteresado, con el interés legítimo y hasta obligado que los Alcaldes y Concejales deben tener en la resolución de los problemas administrativos y económicos de la comunidad (STS de 13 de marzo de 1964 [RJ 1964, 1041]), y aunque a veces ambos intereses puedan concurrir, hay que delimitar bien ambos intereses para determinar si concurre o no causa de abstención. Así, la Sentencia del Tribunal Supremo de 25 junio 1991 (RJ 1991, 6326), que concluye que en el caso de autos no existía un interés personal del Alcalde, entre sus Fundamentos Jurídicos, considera:

> «Así las cosas, el primer punto que salta a la vista es el constituido por el hecho de la intervención de este Alcalde en el asunto que nos ocupa, a pesar

del interés personal y directo que tiene en el mismo, puesto que los terrenos sobre los que se ha de asentar el vertedero son de su propiedad, facilitando el uso de los mismos mediante un contrato de arrendamiento, por veinticinco años, a base de una renta anual de un millón doscientas mil pesetas.

Las circunstancias que la Sala tiene en cuenta para no servirse del interés personal del referido Alcalde en el otorgamiento de la licencia de que se trata convirtiéndolo en motivo de nulidad del acto, principalmente son las siguientes:

1ª) la de que su dicho interés no ha sido incompatible con la defensa de los intereses de su municipio, situando el emplazamiento del vertedero en el lugar que menos podía perjudicarle; permitiéndole el percibo de un canon o tasa de doscientas pesetas por tonelada de residuos, la construcción de una carretera hasta el Santuario de la Virgen, el arreglo y pavimentación de otra carretera y la consolidación y restauración de tres Iglesias románicas; 2ª) la de que su acuerdo, aun siendo el definitivo en vía administrativa, como hemos expuesto, viene ya muy marcado en la parte material y sustantiva por lo acordado por la citada Comisión Provincial de Urbanismo. Lo que permite presumir que una nulidad del acto recurrido, por el simple hecho de la no abstención del Alcalde, sólo pudiera servir para una pérdida de tiempo y un gasto de energías, sin influjo en el resultado final de las nuevas actuaciones».

Por otra parte, la Jurisprudencia del Tribunal Supremo ha diferenciado entre el «interés institucional» que afecta esencialmente al órgano, independientemente de quién sea su titular y el «interés personal». Por ello ha precisado que no existe incompatibilidad, ni obligación de abstenerse, cuando se aprueba o se delibera sobre el sueldo del Alcalde o las dietas por asistencias de los Concejales. Lo trascendente en este caso es la institución, no la persona. De no aceptarse esta diferenciación, quizá pudiera votarse el sueldo del Alcalde, pero no las dietas por asistencia de los Concejales y ninguno de ellos el Presupuesto en el que los mismos se contienen. Otro tanto sucedería con las Ordenanzas fiscales, que en mayor o menor medida, afectan a todos los Corporativos.

En materia de los instrumentos de planeamiento, a nuestro juicio, no existe un interés concreto patrimonial y directo detectable, sino un interés institucional, de modo que todos los miembros de la Corporación tienen perfecto derecho a votar en virtud del derecho fundamental que les reconoce el art. 23.1 de la CE y no existe obligación de abstención. Es muy normal, sobre todo en municipios pequeños, que los distintos Corporativos sean propietarios de terrenos o viviendas y lo mismo sus familiares y, si no se entendiera que existe un interés institucional en desarrollar la ordenación urbana del municipio, sería imposible aprobar un Plan General o unas Normas Subsidiarias, como viene a reconocer la STSJ de Cataluña de 12 de febrero de 2004 (JUR 2004, 156387):

«(...) Sin que pueda proclamarse, con carácter indiscriminado y general subsumible en los indicados preceptos, que está incurso en causa de incompatibilidad un Alcalde o un Concejal por el mero hecho de haber participado en la votación de proyectos o disposiciones afectantes al interés general del municipio, y menos cuando ni siquiera se aduce el menor motivo que pudiera permitir, ni remotamente, el atisbar la existencia de algún interés ajeno al general. Pues, en otro caso, la mera residencia de los componentes del Pleno en el término municipal, paralizaría prácticamente el efectivo funcionamiento y actuación de tal órgano, al menos al momento de aprobar ordenanzas o cualesquiera otras disposiciones de carácter general».

Podemos profundizar seguidamente en los supuestos en que los órganos jurisdiccionales han declarado la nulidad del acuerdo por entender que se ha incumplido el deber legal de abstención por parte de alguno o varios miembros de la Corporación.

De todo lo expresado hasta el momento se puede deducir que la jurisprudencia viene entendiendo que, para que se dé el «interés personal en el asunto», basta con que se ostente en él un interés legítimo que pueda ser afectado por la decisión que ha de adoptarse. El interés ha de ser propio y particular y directo, ya sea personal, ya de mandantes o parientes, y no cabe confundir éste con el interés cívico general o institucional.

Por ello, cuando los Tribunales anulan acuerdos de las Corporaciones locales por incumplimiento del deber legal de abstención de alguno de sus miembros es porque queda probado y acreditado el interés personal en el asunto o porque resultó determinante la intervención de quien tenía un interés personal y directo en el asunto.

Así ocurre, entre otras muchas, en la STSJ de la Comunidad Valenciana de 24 de enero de 2003 (RJCA 2003, 220) al considerar exigible la abstención del Alcalde en la sesión de asignación de dedicación exclusiva; en la sentencia del TSJ de Extremadura de 27 de septiembre de 2002 (JUR 2002, 265221), ya que «lo cierto y verdad es que en el asunto deliberado y decidido concurría un interés de los concejales»; en la sentencia del TSJ de Castilla y León (Burgos) de 28 de junio de 2002 (JUR 2002, 205074), al haber quedado acreditado que los concejales eran beneficiarios también del acuerdo de prórroga adoptado; también se estima el recurso, por haber causa de abstención que se incumple, en la STSJ de Extremadura de 12 de mayo de 1998 (RJCA 1998, 2203) o en la STSJ de Aragón de 10 de mayo de 2000 (RJCA 2000, 2451), ya que existe «conflicto de intereses»; o en la STS de 19 de octubre de 1993 (RJ 1993, 7367), que aprecia que la no abstención de los Concejales particularmente interesados en la modificación del planeamiento determina la impugnabilidad de los acuerdos de aprobación provisional aun cuando ésta se considere como acto de trámite.

Una sentencia que declara el incumplimiento del deber legal de abstención de varios munícipes que resulta ilustrativa es la STSJ de Cataluña de 21 de abril de 2004 (JUR 2004, 151445): el supuesto de hecho de la misma se refiere a un acuerdo de alteración de los límites de los términos municipales –con el objeto, entre otros, de promover la edificación en la zona– adoptado con la intervención de diversos concejales en quienes concurría motivo de abstención por la existencia de un interés directo, derivado de su condición de propietarios o familiares de propietarios de una parte significativa de los terrenos afectados por el expediente:

> «(...) En el caso que ahora se examina, de la prueba practicada en autos se desprende que el Alcalde y dos de los Concejales que concurrieron a la adopción del acuerdo del ayuntamiento de Tornabous de 26 de marzo de 1998 eran propietarios o familiares de propietarios, dentro del grado de parentesco fijado por la ley, de diversos terrenos situados en la franja que era objeto del expediente de alteración de términos municipales, alcanzando dichas fincas una proporción significativa, cifrada en un 9,8875% del territorio segregado.
>
> En tales circunstancias, debe considerarse que concurría en este caso un interés personal en el resultado del expediente por parte del Alcalde y de los citados Concejales, especialmente si se atiende al hecho de que una de las razones justificativas de la alteración de los términos municipales de autos era la de promover la edificación en la zona, a fin de obtener la continuidad entre los núcleos de Tornabous y El Tarrós, lo cual supondría obviamente un beneficio personal para los citados corporativos o para sus familiares dentro del grado legal de parentesco, de modo que debieron abstenerse, en aplicación de lo dispuesto en el artículo 152 de la Ley Municipal y de Régimen Local de Cataluña.
>
> Por otra parte, la intervención del Alcalde y de los referidos Concejales fue determinante del acuerdo adoptado, desde el momento en que se exigía una mayoría reforzada del total de los siete miembros de la Corporación, de acuerdo con lo que dispone el artículo 112.2.a) de la citada Ley Municipal catalana.
>
> En definitiva, la concurrencia de todas las circunstancias expuestas determina la invalidez del acuerdo municipal adoptado con la intervención de los referidos corporativos y, por ello, de las actuaciones ulteriores».

En cuanto a los **efectos del incumplimiento del deber legal de abstención,** concurriendo causa legal para la abstención, la inobservancia de la misma por parte de algún miembro de la Corporación produciría dos tipos o clases de efectos: por una parte, los que se refieren a la responsabilidad de quienes debiendo abstenerse no lo hacen y, por otra parte, los efectos que se refieren al propio acto o acuerdo alcanzado en la Corporación con la presencia y voto de dicho miembro.

A continuación vamos a analizar estos efectos.

A) Efectos sobre el miembro de la Corporación local con obligación de abstenerse.

El artículo 28.5 de la Ley 30/1992 establece que la no abstención en los casos en que proceda dará lugar a responsabilidad. Esta responsabilidad podrá tener tanto carácter civil o patrimonial como carácter penal, al tratarse de actos realizados en el ejercicio del cargo (artículo 78 de la LBRL y 22 del ROF).

B) Efectos sobre el acto o acuerdo alcanzado en la Corporación con la presencia y voto de dicho miembro.

El artículo 28.3 de la Ley 30/1992, establece que la actuación de autoridades y personal al servicio de las Administraciones Públicas en los que concurran motivos de abstención no implicará, necesariamente, la invalidez de los actos en que hayan intervenido.

Por su parte, el artículo 185 del ROF dispone que la actuación de los Miembros en que concurran los motivos de abstención implicará la invalidez de los actos en los que hayan intervenido cuando dicha actuación haya sido determinante.

Una reiterada jurisprudencia del Tribunal Supremo, por ejemplo las SSTS de 10 de febrero de 1993 (RJ 1993, 550), de 1 de abril de 1996 (RJ 1996, 3759), de 6 de diciembre de 1985 (RJ 1985, 6381), de 16 de julio de 1984 (RJ 1984, 4235), reproduciendo la doctrina sentada por las SSTS de 17 de diciembre de 1975 y 18 de mayo de 1976 (RJ 1976, 2886), ha interpretado estos preceptos, entendiendo que el incumplimiento del deber legal de abstención por alguno o algunos miembros de la Corporación determinará la nulidad de la actuación en que haya intervenido cuando con tal participación se conculquen las reglas esenciales para la formación de la voluntad de los órganos colegiados de tal modo que la participación de dicho miembro hubiese tenido influencia decisiva en el resultado de la votación y, por tanto, en la adopción o no del acuerdo por la Corporación local.

Es muy clara al respecto la STS de 25 de mayo de 1987 (RJ 1987, 5841:

«el Acuerdo adoptado con la mayoría absoluta legal necesaria seguiría siendo válido, máxime cuando ya tiene declarado esta Sala en la Sentencia de 6 de diciembre de 1985 (RJ 1985, 6381) que tanto con arreglo a la especial norma del referido artículo 227 del Reglamento de Organización, Funcionamiento y Régimen Jurídico de las Corporaciones Locales (según la cual el Alcalde y los Concejales no podrán tomar parte en las deliberaciones y acuerdos sobre asuntos en que tengan interés directo, por lo que incluso deben abandonar el salón mientras se discute y vota el asunto), como al tenor de lo estatuido con carácter general en el artículo 20 en relación con el 47 de la Ley de Procedimiento Administrativo (que regula el deber de abstención de las Autoridades y funcionarios en casos análogos), la nulidad consiguiente a la actuación de quienes por tal motivo debieron no intervenir en el acto únicamente se origina, según los apartados 3 y c) respectivamente de estos artículos, cuando con tal participación se conculquen las reglas esenciales para la formación de la voluntad de los órganos colegiados, por lo que la Jurisprudencia ha declarado la invalidez del Acuerdo si la infracción del artículo 227 tiene trascendencia "sustancial, no sólo en cuanto a la defensa del criterio que inspiró aquel Acuerdo haciéndolo prevalecer sobre el parecer contrario, sino en cuanto condujo a una votación obtenida por un *quorum* que en otro caso no hubiera existido" (Sentencia de 30 de marzo de 1959 [RJ 1959, 1415]), e inversamente, mantiene su eficacia, si al tomarse el Acuerdo, la eliminación de quien debió abstenerse no hubiera alterado el resultado de la votación (Sentencia de 18 de mayo de 1976 [RJ 1976, 2886])».

2. MEDIDAS DE LA NUEVA LEGISLACIÓN ESTATAL DEL SUELO EN MATERIA DE INCOMPATIBILIDADES, CONFLICTOS DE INTERESES O DECLARACIÓN DE BIENES PATRIMONIALES

La nueva legislación estatal (TRLS/2008) modificó la LBRL en ciertos extremos que procuran evitar todo atisbo de corrupción en la vida local.

En el artículo 75.7 de la LBRL se regula la necesidad de formular por los representantes locales y los miembros no electos de la Junta de Gobierno local las declaraciones sobre causas de posible incompatibilidad o sobre cualquier actividad que les proporcione o pueda proporcionar ingresos económicos. También formularán declaración de sus bienes patrimoniales y de la participación en sociedades de todo tipo, antes de la toma de posesión con ocasión del cese y al final del mandato y cuando se modifiquen las circunstancias de hecho. Dichas declaraciones se realizarán, publicarán e inscribirán en los Registros de intereses en los términos expuestos en este precepto.

Asimismo, en el nuevo artículo 75.8 se indica que durante los dos años siguientes a la finalización de su mandato les serán de aplicación las limitaciones al ejercicio de actividades privadas establecidas en la Ley 5/2006 de 19 de abril, de regulación de los conflictos de intereses de los miembros de Gobierno y de Altos cargos de la Administración General del Estado.

Finalmente, se prevé la inclusión de una nueva Disposición Adicional decimoquinta en la LBRL referida al régimen de incompatibilidades y declaraciones de actividades y bienes de los directivos locales y otro personal al servicio de las entidades locales, donde se puntualiza qué se entiende por personal directivo y cuáles son los funcionarios de la Administración local afectados por estas nuevas medidas.

PARTE DECIMOCUARTA
LA PRÁCTICA PROCESAL DEL URBANISMO

1. PROBLEMAS PROCESALES COMUNES EN LA FASE DE INTERPOSICIÓN DEL RECURSO CONTENCIOSO-ADMINISTRATIVO Y DE LA DEMANDA

A. Capacidad

Seleccionamos primeramente algunos temas y problemas relativos a la fase de interposición del recurso contencioso-administrativo y demanda, relacionados con la materia urbanística, por el carácter frecuente con que se plantean en este ámbito.

Al ser muchas veces personas jurídicas las entidades recurrentes, es preciso tener en cuenta la necesidad de adjuntar al recurso contencioso-administrativo copia del **acuerdo acreditativo de la voluntad de litigar** por el órgano competente de la sociedad (según los Estatutos), debiendo adjuntarse, por lo tanto, también dichos estatutos para que pueda apreciarse que el Acuerdo se ha adoptado por órgano societario competente. Exigencia de aportación que tiene como excepción, lógica, el supuesto en el que esos documentos acreditativos se incorporaron o insertaron en lo pertinente en el documento acreditativo de la representación del compareciente.

En todo caso, la omisión de este requisito es subsanable. La duda surge en torno a cómo y cuándo se ha de producir esa subsanación. Respecto a esta cuestión entiende la jurisprudencia más reciente (importante es en este sentido la STS de 6 de febrero de 2007 [RJ 2007, 3308] o la STS de 11 de febrero de 2008 [RJ 2008, 1129]) que en torno a la necesidad de ese requerimiento para la subsanación de defectos procesales deben ser tenidas en consideración las razones dadas en diversos pronunciamientos de esta Sala que interpretan lo dispuesto en el artículo 138 de la Ley 29/1998, reguladora de la jurisdicción contencioso-administrativa. Cabe citar, entre otras, las sentencias de 29 de enero de 2008 (casación 62/2004) (RJ 2008, 443) y 31 de enero de 2007 (casación 6157/03) (RJ 2007, 289) en las que se explica que el citado artículo 138 diferencia con toda claridad el supuesto, previsto en su número 2, de que sea el propio órgano jurisdiccional el que, de oficio, aprecie la existencia de un defecto subsanable, en cuyo caso, necesariamente, ha de dictar providencia reseñándolo y otorgando plazo de diez días para la subsanación; de aquel otro, previsto en su número 1, en el que el defecto se alega por las partes en el curso del proceso, en cuyo caso, el litigante que incurrió en el defecto podrá subsanarlo u oponer lo que estime pertinente dentro de los diez días siguientes al de la notificación del escrito que contenga la alegación. A partir de esa primera distinción, en esas mismas sentencias decimos, y ahora lo reiteramos, que una interpretación conforme con la Constitución de los números 1 y 3 del artículo 138 no impone que, habiéndose alegado el defecto en el curso del proceso, el órgano jurisdiccional requiera en todo caso de subsanación antes de dictar sentencia de inadmisión; pero también se indica allí que tal requerimiento sí resulta necesario en algunos casos, lo que se explica en los siguientes términos: «(...) alegado el defecto, sólo será exigible el requerimiento previo del órgano jurisdiccional cuando sin él pueda generarse la situación de indefensión proscrita en el artículo 24.1 de la Constitución; lo que ocurriría si la alegación no fue clara, o si fue combatida, bien dentro del plazo de aquellos diez días, bien en cualquier otro momento posterior; pues si fue combatida y el órgano jurisdiccional no comparte los argumentos opuestos, surge una situación en la que, como una derivación más del contenido normal del derecho a la tutela judicial efectiva, es exigible una advertencia implícita, a través del previo requerimiento, de lo infundado de esos argumentos y de la confianza nacida de ellos de obtener una sentencia que, como demanda aquel contenido normal, se pronuncie sobre el fondo de la cuestión litigiosa...». En el caso que nos ocupa era clara e inequívoca la alegación de inadmisibilidad del recurso planteada en la contestación a la demanda; y la Sala de instancia actuó de acuerdo con lo previsto en el artículo 138.1 LJCA al conferir a la recurrente un plazo de diez días para que formulase alegaciones sobre esa cuestión, lo que la representación de AOCTI llevó a efecto mediante escrito presentado el 16 de septiembre de 2006. Pero, una vez evacuado ese trámite, si el órgano jurisdiccional no compartía lo que la Asociación recurrente manifestaba en su escrito acerca de la inexistencia del defecto, y al mismo tiempo la Sala de instancia consideraba que el defecto era subsanable –como explica la propia sentencia, «mediante acuerdo de la Asamblea General»– así debió indicarlo a la parte actora requiriéndola para que lo subsanase. No hizo tal cosa la Sala de instancia sino que, sin haber mediado requerimiento, dictó sentencia declarando inadmisible el recurso, solución ésta que no resulta conciliable con la doctrina jurisprudencial que antes hemos reseñado y que genera una situación de indefensión vulneradora del artículo 24.1 de la Constitución. En consecuencia, el motivo de casación debe ser acogido y la sentencia de instancia casada y anulada. Pero no porque la parte recurrente no hubiese incurrido en el defecto que señala la sentencia sino porque, tratándose de un defecto subsanable, la Sala de instancia ha declarado la inadmisibilidad del recurso sin previamente haber requerido a la Asociación recurrente para que lo subsane.

Es decir, que una vez evacuado ese trámite de subsanación, si el órgano jurisdiccional no comparte lo que la parte haya manifestado en su escrito –y si considera el defecto subsanable– tiene la obligación de requerir a la parte para que subsane tal defecto. No puede el órgano jurisdiccional, sin mediar requerimiento en tal sentido, dictar sentencia declarando inadmisible el recurso, ya que se genera una situación de indefensión vulneradora del artículo 24.1 de la Constitución.

Esta jurisprudencia ha dado a entender, asimismo, que ha de subsanarse en el plazo de 10 días, pero desde que se denuncia el vicio (por la parte demandada) en el proceso judicial, con un intento de apoyar esta regla en el artículo 128 de la LJCA.

No queda siempre claro si se puede subsanar adoptando el Acuerdo tras la interposición del recurso contencioso-administrativo, interpretación ésta que ha de imponerse forzosamente a la luz del principio de la tutela judicial efectiva (artículo 24 de la CE). Aunque sí cabe mencionar, por ejemplo, la STSJ de PV de 27 de febrero de 2008 (RJCA 2008, 373), o la STSJ de Baleares de fecha 9 de enero de 2004 (JUR 2004, 60934), a cuyo tenor, sí sería posible la subsanación mediante la adopción de acuerdo tras la interposición del recurso contencioso-administrativo: «Puestas así las cosas, como no puede deducirse en modo alguno que concurriese circunstancia precisa de urgencia cualquiera para que la Junta Directiva actuase la facultad que los Estatutos de la Asociación atribuyen a la Junta General, aun así, cabía subsanación mediante acuerdo que hubiese sido adoptado por la Asamblea General con posterioridad a la interposición del contencioso, incluso con posterioridad a que se ofreciese trámite de alegaciones sobre la causa de inadmisibilidad esgrimida por la Administración demandada, pero tampoco se ha producido».

Esta línea más correcta aparece en la STSJ de Cataluña 533/2007, JUR 310970, admitiendo la subsanación por la ratificación del recurso contencioso-administrativo, en el momento procesal posterior. Por lo tanto:

«Con carácter previo al examen de las cuestiones de fondo que se suscitan en este proceso, debe desestimarse la concurrencia de la causa de inadmisibilidad del recurso que invoca la Administración demandada, por no haberse acreditado el cumplimiento de los requisitos exigidos para entablar acciones las personas jurídicas, con arreglo a las normas o estatutos que les sean de aplicación, según lo establecido en el artículo 45.2.d) de la Ley Jurisdiccional. Para ello, basta constatar que el Consejo de Administración de la entidad actora, en su sesión de 24 de febrero de 2006, ha acordado **ratificar, en lo que fuere menester, la interposición del presente recurso, tal y como** queda acreditado con la certificación expedida por el Secretario de dicho Consejo, que **se acompañó al escrito de conclusiones de la recurrente**, de modo que resulta indubitada la voluntad de la actora en orden a sostener la pretensión anulatoria que ejercita en este proceso».

En definitiva, tras la nueva LJCA y este tipo de exigencias para las personas jurídico-privadas hay que prestar atención a este tipo de posibles riesgos de inadmisión.

B. Legitimación

En materia de **legitimación** es sabida la necesidad de un interés legítimo para recurrir (SSTSJ de Cataluña de 14 de julio de 2005 [JUR 2006, 214045], y de 1 de julio de 2005, sentencia número 608/2005 [JUR 2006, 217255], STS de 13 de enero de 1994 [RJ 1994, 524]; STS de 3 de julio de 1990 [RJ 1990, 8963]; STS de 23 de junio de 1987 [RJ 1987, 6524], STSJ de Madrid de 16 de febrero de 2006 [JUR 2006, 227706], STS de 26 de junio de 2007, rec. 9763/2004 [RJ 2007, 6754]).

Puede que se planteen problemas con la legitimación si una persona física es el recurrente y en un momento procedimental precedente actuó como miembro de una UTE. Nuevamente, ha de imponerse la interpretación según la cual ha de afirmarse la legitimación a la luz del principio de la tutela judicial efectiva (artículo 24 de la CE) y no sino éste es el criterio seguido por la jurisprudencia (sentencia del TSJ de Extremadura de 20 de septiembre de 2002 [JUR 2002, 264477]; sentencia del TSJ de Islas Canarias [sede de Las Palmas], de 26 de abril de 2002 [JUR 2002, 277729]), etc.).

Por otra parte, la jurisprudencia ha venido poniendo límites (en el contexto de la inadmisibilidad de los recursos) frente a acciones ejercitadas con mala fe y con abuso de derecho, declarándolas improcedentes, así en *el contexto de las acciones públicas o populares*. En efecto, los tribunales han considerado que «el ejercicio de la acción pública en el ámbito urbanístico está sujeto a los límites generales o comunes que nuestro ordenamiento jurídico impone al ejercicio de cualquier derecho, cuales son, básicamente, las exigencias de la buena fe y la proscripción del abuso del derecho», ya que «lógicamente, el ejercicio de esta acción pública está sujeto a las exigencias del artículo 7.1 y 7.2 del Código Civil, sobre las exigencias de la buena fe y de la interdicción del abuso del derecho y el ejercicio antisocial del mismo» (STS de 26 de julio de 2006 [RJ 2006, 6330]).

Interesante es la STS de 22 enero 1980 (RJ 1980, 244) («ejercicio abusivo de la acción pública»):

> «La actuación del recurrente no se ha hallado guiada por la buena fe que en el ejercicio de todo derecho exige el párr. 1º del art. 7º del CC, pues es claro que él ha pretendido el uso de una facultad pública, como es la del art. 223 de la Ley del Régimen del Suelo, y que por la autoridad municipal se usara de sus atribuciones para satisfacer sus pasiones en contra del denunciado, hermano suyo, del que, a lo que parece, le separan graves diferencias; procede por tanto, en cumplimiento de lo señalado en el párr. 2º del expresado artículo del CC, que es precepto de aplicación general en nuestro ordenamiento jurídico, no amparar el ejercicio de un derecho que, por la forma y circunstancias de su actuación, es abusivo al sobrepasar manifiestamente los límites normales de su ejercicio, ya que con ello sólo se busca el daño de un tercero, no necesario imprescindiblemente para el beneficio de la comunidad cuyos intereses tiene encomendado salvaguardar la autoridad municipal de la ciudad de Lugo, todo lo cual determina la improcedencia del recurso jurisdiccional interpuesto y la pertinencia de que se declare la conformidad jurídica del acto denegatorio presunto recaído respecto del escrito de 19 septiembre 1973, sin que proceda hacer especial declaración de condena respecto de las costas y tasas judiciales causadas en ambas instancias».

Igualmente, según la STS de 2 de noviembre de 1989 (RJ 1989, 8169): «el denunciante, al no poder esgrimir perjuicio alguno con la edificación de que se trata, revela que sólo es movido por algún sentimiento personal, lo que permite traer a colación la doctrina sentada en la Sentencia de 22 de enero de 1980 (RJ 1980, 244), en la que se declara que _el ejercicio de la acción pública de la Ley del Suelo, buscando exclusivamente el daño de un tercero y no el beneficio propio o de la colectividad, constituye un abuso de derecho, determinante de la desestimación del recurso. Siempre, claro está, que la estimación no proceda por imperativos objetivos del ordenamiento urbanístico del sector»_.

En este plano más restrictivo, puede citarse la STS de 6 de marzo de 1991 (RJ 1991, 1978) en el contexto de una reparcelación: «ciertamente la reparcelación es un sistema de actuación de los Planes de Urbanismo que constituye una operación esencialmente particular, en la que juega un papel decisivo la voluntad privada; en ella están implicados derechos subjetivos de contenido económico sólo ejercitables por su titular y no por otra persona que carezca de este concreto interés. Es como ha dicho la sentencia de 29 de septiembre de 1980 (RJ 1980, 3463), la fase última del proceso de definición sucesiva del contenido urbanístico del derecho de propiedad que no puede quedar agotado en la fase previa normativa. De ahí que el ejercicio de la acción pública del artículo 235 en este ámbito urbanístico esté más limitado que en otros y deba ceñirse a exigir la observancia de la legislación urbanística, de los Planes, Proyectos, Normas y Ordenanzas, pero sin pretender el reconocimiento de una situación jurídica individualizada, de un derecho subjetivo, para lo cual es insoslayable la legitimación del artículo 28 de la Ley Jurisdiccional (RCL 1956, 1890 y NDL 18435). Una interpretación más favorable o extensa traspasaría los límites impuestos por la seguridad jurídica y por el principio de la buena fe, obstativo del abuso del derecho».

C. Impugnación directa e indirecta de planeamiento

En virtud de los artículos 25 y 26 y 31 de la LJCA de 13 de julio de 1998 es procedente el recurso contencioso-administrativo contra las disposiciones generales, además de contra los actos administrativos impugnables de aplicación.

Los Planes (así los generales) son recurribles tanto directamente (STS de 19 de junio de 1991 [RJ 1991, 5193]; STS de 4 de julio de 2001 [RJ 2001, 6423]; STS de 20 de marzo de 1990 [RJ 1990, 2244], etc.) como por vía indirecta (STS de 29 de octubre de 1986 [RJ 1986, 7728]).

La impugnación directa no tiene por qué referirse más que al concreto aspecto del Plan que sea lesivo para los intereses de los particulares (STS de 26 de julio de 2003 [RJ 2003, 6059], anulación del Plan General «únicamente en lo relativo a la cantera»; STS de 18 de abril de 1997 [RJ 1997, 2784]: impugnación del PG «únicamente en lo que se refiere al aprovechamiento»).

En cuanto al recurso indirecto, éste procederá contra los actos de aplicación, alegando que el propio plan es ilegal. Es sabido que la falta de impugnación directa no impide la impugnación indirecta. Asimismo, se admite la impugnación de un Plan también con motivo de la emanación de otros planes más específicos. Puede en cambio no ser de recibo la impugnación formal de un acto de aprobación de un Programa a través de un recurso contra una reparcelación[1].

---

1. El Tribunal Supremo, Sala 3ª, Sección 5ª, en sentencia de fecha 24 de marzo de 2004, Recurso 6461/2001 (RJ 2004, 3286), confirmando la sentencia de la sección Primera de la Sala de lo contencioso-Administrativo del Tribunal Superior de Justicia de la Comunidad Valenciana en el Recurso Contencioso-Administrativo nº 2007 de 1998 (JUR 2001, 274610), afirma en este sentido: «... Hay que distinguir los instrumentos de planeamiento de los encaminados a la ejecución de éste, participando los programas de actuaciones integradas del ordenamiento jurídico propio de la Comunidad Valenciana de la naturaleza de los instrumentos de gestión y ejecución del planeamiento, a diferencia de los programas de Actuación urbanística del sistema jurídico estatal, contemplados en los artículos 35.1 d) y 142 del

En estos casos de impugnaciones indirectas de planes rige, en cuanto a la determinación del órgano al que dirigir el recurso, el artículo 107.3 de la LRJAP-PAC y, por tanto, se dirigirá contra el órgano que dictó la disposición.

Reglamento de Planeamiento, que constituían auténticos instrumentos de ordenación. El carácter de instrumento de gestión del Programa aprobado definitivamente en el acuerdo municipal impugnado se deduce de su propio enunciado y contenido, y tiene como finalidad, al igual que el proyecto de Reparcelación aprobado conjuntamente, desarrollar el Plan Parcial de un determinado Sector...».

Al menos, para poder admitir que pueda producirse una impugnación indirecta, el recurso tiene que haber referido los motivos de impugnación a cuestiones de *ordenación urbanística*, es decir, de planeamiento. Así, la Sentencia nº 298/06 de fecha 13 de marzo de 2006 (JUR 2006, 249868), de la Sección Segunda de la Sala de los Contencioso-Administrativo del Tribunal Superior de Justicia de la Comunidad Valenciana: «Es doctrina pacífica, y reiteradamente aplicada por este Tribunal, la de permitir impugnar indirectamente un PAI, en cuanto instrumento de ordenación urbanística [art. 12.G) LRAU], a través de la impugnación de los proyectos de Reparcelación (art. 26.1 LJCA) pero, en cualquier caso tal posibilidad de impugnación indirecta deriva precisamente de su condición de instrumentos de ordenación y, por tanto, aparece vinculada a su contenido normativo, pero no a los que constituyen propiamente actos de gestión; y efectivamente, como advierte la Corporación demandada, el TS ha afirmado que "como con acierto se dice el recurrente, al tratarse de una delimitación en suelo urbano de una Unidad de Actuación para su ejecución, las determinaciones que efectúa el plan carecen de los elementos necesarios que permitan calificar a la delimitación como una verdadera norma o disposición administrativa de carácter general sino más bien, sino concretos y determinados destinatarios y su vigencia no indefinida sino referida a un período concreto de ejecución, la calificación adecuada debe ser la de acto administrativo singular. De ahí que consentida por el transcurso de los plazos de recurso la delimitación del polígono o Unidad de Actuación, no parece posible volver a plantear la legalidad de la misma". (S. 22/noviembre/1994); en S. de 27/mayo/1999, con relación a la posibilidad de impugnación indirecta, ha señalado que "El acierto o desacierto de esta argumentación depende de la naturaleza que tenga en el Derecho Urbanístico la fijación del sistema de actuación para un polígono o unidad de actuación, pues, en efecto, si tiene la naturaleza de disposición de carácter general (como los mismos Planes), será posible su impugnación indirecta, al amparo de lo dispuesto en el artículo 39.2 y 4 de la Ley Jurisdiccional, aprovechando la impugnación de un acto o disposición derivados: por el contrario, si tiene la condición de mero acto administrativo que aplica el Plan General o las Normas Subsidiarias, no será posible su impugnación indirecta y la inadmisibilidad estaría bien declarada", añadiendo que "la opinión de este Tribunal es que la fijación del sistema de ejecución (se encuentre previsto en el propio Plan o se señale después por el procedimiento legalmente establecido) es sólo el señalamiento de qué normativa –cooperación, compensación, expropiación– debe ser aplicada para la gestión urbanística de un polígono o unidad de actuación, es decir, es sólo la concreción de las normas aplicables, concreción que, referida a un determinado espacio físico, se agota una vez que la gestión ha concluido. Se trata, por lo tanto, de un acto que no se encuadra en el ordenamiento jurídico para su aplicación sucesiva y reiterada (como las normas), sino que surte sus efectos una vez sola y exclusiva. Esta naturaleza de simple acto administrativo de la fijación del sistema de actuación es la que explica que la ley exija para su establecimiento la audiencia de todos los propietarios interesados [artículo 38.1.b) del Reglamento de Gestión Urbanística, al que se remite el artículo 155.1 del mismo] lo que resultaría insólito si se tratara de una disposición de carácter general"; doctrina que se reitera en S. de 23/julio/1999; finalmente, en S. de 21/junio/2000, se remite a las anteriores para concluir que la delimitación de una Unidad de Actuación no es una norma jurídica, por lo que no cabe su impugnación indirecta...».

En cuanto al órgano jurisdiccional competente, el artículo 8 de la Ley jurisdiccional 29/1998 residencia en los Juzgados de lo contencioso-administrativo: «Los Juzgados de lo Contencioso-administrativo conocerán, en única o primera instancia según lo dispuesto en esta Ley, de los recursos que se deduzcan frente a los actos de las entidades locales o de las entidades y corporaciones dependientes o vinculadas a las mismas, *excluidas las impugnaciones de cualquier clase de instrumentos de planeamiento urbanístico*».

Este precepto lleva a precisar en el recurso contencioso-administrativo su objeto real de impugnación. A veces es necesario indagar si el acto impugnado tiene realmente la naturaleza de instrumento de planeamiento o de instrumento de gestión (que carece de contenido normativo y se limita a desarrollar los instrumentos de planeamiento). Esta circunstancia se muestra especialmente acusada allí donde el Plan puede ser parte integrante de un Programa (un PAI, en el caso de la Comunidad Valenciana); la jurisprudencia del TSJ de la Comunidad Valenciana afirma que los PAI o los PRI son de forma primaria instrumentos que ordenan la gestión urbanística, y, por tanto, no son asimilables a los instrumentos de planeamiento urbanístico, de modo que la competencia para su conocimiento corresponde a los Juzgados de lo contencioso-administrativo, a salvo del caso de que los PAI o los PRI modifiquen la ordenación estructural (ATSJ de 27 de octubre de 2008 [JUR 2008, 375235) entre otros muchos).

Un límite con que cuenta la impugnación indirecta de planes puede ser el de que no se pueden invocar con éxito procesal los defectos formales en la elaboración de las disposiciones de carácter general, tal como viene afirmando la jurisprudencia[2].

D. Materia cautelar

En materia cautelar el criterio central es el de la pérdida de la finalidad legítima del recurso y el *periculum in mora*[3].

En caso de impugnarse un Plan el particular puede enfrentarse con el criterio jurisprudencial excepcional, en materia cautelar, según el cual «el interés público está más acentuado que si de un acto singular se tratase, lo

---

2. Véase R. BONACHERA VILLEGAS, *El control jurisdiccional de los reglamentos,* Pamplona, 2006; V. CELEMÍN SANTOS, *Derecho reglamentario y recurso contencioso-administrativo,* Barcelona, 2007; E. GARCÍA DE ENTERRÍA, *Legislación delegada, potestad reglamentaria y control judicial,* 3 ed., Madrid, 2006; J. M. TRAYTER JIMÉNEZ, *El control del planeamiento urbanístico,* Madrid, 1996, pp. 354 y ss.

3. Me remito al *Tratado de Derecho administrativo,* 8 tomos, editorial civitas, del que soy autor, para un estudio general sobre el proceso administrativo.

cual condiciona en grado sumo la suspensión» (ATS de 27 de diciembre de 1990 [RJ 1990, 10265]; ATS de 7 de septiembre de 1991 [RJ 1991, 6813], etc.).

2. LA INSEGURIDAD JURÍDICA EN LA EJECUCIÓN DE LA SENTENCIA, LA FUERZA DE LOS HECHOS Y EL SUBDESARROLLO DE ESPACIOS JURÍDICOS

En general, el tema de los efectos, de la sentencia anulatoria de un reglamento, sobre los actos firmes dictados en su aplicación, no es, desde luego, ni fácil ni pacífico[4]. La cuestión parece especialmente compleja cuando se relaciona con la materia urbanística, estudiando las consecuencias jurídicas reales de la anulación judicial de un plan urbanístico.

El sentido jurídico genuino de la anulación judicial de un reglamento no puede ser otro que el de procurar trasladar en la medida de lo posible, el efecto de nulidad del reglamento a los actos firmes dictados en aplicación del mismo.

Esta aseveración podrá ser admitida por cualquiera, a pesar del debate doctrinal y jurisprudencial y a pesar de las dificultades prácticas (la «fuerza

---

4. J. Aldomá Buixadé/J. Mauri Majós, «La ejecución de sentencias que declaran la nulidad de normas sobre retribuciones del personal local», en el *Libro Homenaje al profesor Entrena Cuesta,* Madrid, 2003, p. 861; A. E. Asís Roig, «El tiempo como factor distorsionante de los efectos de la anulación judicial de los reglamentos», *RAP,* 120, 1989; del mismo, «La conservación de los actos no firmes dictados en ejecución de una disposición general declarada nula», *REDA,* 59, 1988; A. Calonge/J. A. García de Coca, «Nulidad de pleno derecho y derogación de las normas: reciente doctrina sobre el artículo 120 de la Ley de Procedimiento Administrativo», *REDA,* 73, 1992; M. R. Espejo Meana, «Nulidad del Reglamento: efectos jurídico-materiales de la sentencia sobre los actos dictados en su aplicación. Comentario a la Sentencia de la Sala 3ª, Sección 2ª del TS de 12 de julio de 1991», *Revista Andaluza de Administración Pública,* 12, 1992; E. García de Enterría, «La eliminación general de la norma reglamentaria nula con ocasión de recursos contra sus actos de aplicación», *REDA,* 66, 1990; R. Gómez-Ferrer Morant, «Nulidad de reglamentos y actos dictados durante su vigencia» *REDA,* 14, 1977; S. González-Varas Ibáñez, *Comentarios a la Ley de la Jurisdicción Contencioso-administrativa (Ley 29/1998, de 13 de julio) adaptados a la nueva concepción subjetiva,* Editorial Tecnos, Madrid, 1999, comentario al artículo 73; J. González Pérez, *Los recursos administrativos y económico-administrativos,* Madrid, 1975; L. Lavilla Alsina, «La revisión de oficio de los actos administrativos», *RAP,* 34, 1961, pp. 53 y ss.; J. R. Parada Vázquez, «Principio de decisión ejecutoria y proceso contencioso», *RAP,* 55, 1968, pp. 65 y ss.; M. Rebollo Puig, «Comentario al artículo 73», *REDA,* 100, 1999; M. Sánchez Morón, «El objeto del recurso contencioso-administrativo» en *Comentarios a la LJCA,* Lex Nova, Valladolid, 1999; J. Tornos Mas, «De nuevo sobre el control de los Decretos Legislativos; la declaración de nulidad por vicios de carácter procedimental del Decreto de 20 de diciembre de 1974 en materia de disciplina de mercado», *REDA,* 32, 1982.

de los hechos») e incluso teóricas, ya que tampoco queda siempre claro qué significa «en Derecho» ejecutar una sentencia que anula una disposición de carácter general.

Los propios contornos de conceptos tan elementales y básicos como los de nulidad y anulabilidad llegan a difuminarse[5]. Los efectos, de la anulación judicial de un reglamento, sobre los actos dictados en su aplicación admiten distintas interpretaciones. Es conocido que, frente a una posible primera actitud «rigorista» tendente a aplicar el efecto de la nulidad a los actos dictados en aplicación del reglamento (en una línea acorde con el propio sentido de la teoría clásica de las nulidades), se mantiene de forma más realista (por todos, GÓMEZ-FERRER, cit.) que «la nulidad (del reglamento) no se comunica de forma automática e inevitable a los actos dictados a su amparo». No sólo aquella primera posición «ideal» de la teoría de las nulidades tendría «sentido jurídico». También esta otra postura lo tiene desde el momento en que, precisamente, abandona los planteamientos ideales para contactar con la realidad abriendo cauces para resolver los problemas jurídicos existentes en la práctica y explicando los criterios legislativos del artículo 120 de la vieja LPA y del 73 de la vigente LJCA.

Desde una perspectiva procesal, la claridad de la legislación administrativa de ejecución de sentencias (artículos 103 y siguientes de la LJCA) contrasta con la falta de claridad muchas veces en la práctica acerca de cómo ejecutar la sentencia[6]. En cuanto a lo primero, es conocido que el momento

---

5. Los propios efectos *ex tunc* de la nulidad, o la invalidez *ab initio* e insubsanable de los actos nulos, la inexistencia de un régimen de sujeción a plazo para su contestación o impugnación, pueden ponerse en cuestión. Véase M. BELADIEZ ROJO, «Nulidad y anulabilidad. Su alcance y significación», *RAP*, 133, 1994; de la misma, *Validez y eficacia de los actos administrativos*, Madrid, 1994 (y A. NIETO, en el prólogo a esta obra citada en último lugar); J. M. BOQUERA OLIVER, «Grados de ilegalidad del acto administrativo», *RAP*, 100-102, 1983, pp. 1003 y ss.; J. A. GARCÍA-TREVIJANO GARNICA, *Los actos administrativos,* Madrid, 1986, pp. 386 y ss.; R. PARADA VÁZQUEZ, *Derecho administrativo, Tomo I,* Madrid, 1997, p. 206; véase también J. A. SANTAMARÍA PASTOR, *La nulidad de pleno derecho de los actos administrativos. Contribución a una teoría de la ineficacia en el Derecho público,* Madrid, 1975.

6. Faltaría analizar la casuística, elaborar situaciones y establecer empíricamente criterios. En este contexto, algunos trabajos son: J. M. BAÑO LEÓN, «Comentario al artículo 103.4 y 5», *REDA*, 100, 1999; del mismo, «La fuerza normativa de lo fáctico», *REDA*, 59, 1988; F. CORDÓN MORENO, *El proceso contencioso administrativo*, Pamplona, 1999, pp. 265 y ss.; T. FONT LLOVET, *La ejecución de las sentencias contencioso-administrativas. Aspectos constitucionales,* Madrid, 1985; del mismo autor, «Medidas para hacer efectiva la ejecución de las sentencias», en el *Libro Homenaje al Profesor González Pérez,* Madrid, 1993; J. GONZÁLEZ PÉREZ, *Manual de práctica forense administrativa,* Madrid, 1999, pp. 300 y ss.; A. B. GÓMEZ DÍAZ, «La eficacia de las sentencias contencioso-administrativas», *RAP*, 144, 1998; F. SOSA WAGNER/T. QUINTANA LÓPEZ, «La ejecución de las sentencias contencioso-administrativas», *Documentación Administrativa*, 209, 1987.

de la ejecución de la sentencia no es el momento apropiado para debatir el contenido del fallo[7] y que las sentencias deben cumplirse «en la forma y términos que en éstas se consignen» (artículo 103.2 de la citada Ley jurisdiccional), de tal modo que «serán nulos de pleno Derecho los actos y disposiciones contrarios a los pronunciamientos de las sentencias que se dicten *con la finalidad* de eludir su cumplimiento» (artículo 103.4 de la LJCA). Además, es sabido que en fase de ejecución de sentencias no pueden discutirse temas de fondo que ya fueron juzgados (STS de 15 de octubre de 2008 [RJ 2008, 5733]).

Pensando en especial en el supuesto objeto de análisis (dilucidar las consecuencias, en el plano de la ejecución, de una sentencia anulatoria de un plan urbanístico), lo habitual en nuestro Derecho es que el pronunciamiento judicial anulatorio no contenga pauta alguna para su ejecución ni tampoco referencia alguna a la realidad fáctica frente a la cual se sitúa la referida sentencia[8] (debiéndose además respetar el límite que impone el artículo 71.2 de la LJCA: imposibilidad de que los órganos jurisdiccionales determinen la forma en que han de quedar redactados los reglamentos).

Así pues, aunque es pacífico admitir que la sentencia tiene que ser cumplida «sin contrariar el contenido del fallo» y «en la forma y términos que en *éstas* se consignen», no queda siempre claro cuáles son los pasos que deben darse a la hora de ejecutar el fallo.

Sin embargo, la fase de ejecución representa el momento crucial del litigio, por referirse a la efectividad misma del contenido del Derecho y del fallo. Cuando termina el proceso es cuando realmente puede comenzar el auténtico «proceso» para las partes, un proceso abierto, complejo y a veces inseguro. Esto es tan cierto que a las partes o a sus representantes puede resultarles más fácil aventurar o predecir el contenido de la sentencia (al comienzo del proceso) que predecir el resultado de la ejecución de la sentencia (en el momento de dictarse ésta)[9].

---

7. El artículo 109 de la vigente Ley de la jurisdicción contencioso-administrativa de 13 de julio de 1998 establece que las partes pueden plantear incidentes de ejecución de sentencia «sin contrariar el contenido del fallo».

8. Por ejemplo STS de 4 de marzo de 2003 (RJ 2003, 3762); STS de 4 de febrero de 2003 (RJ 2003, 842), etc.

9. Puede verse T. R. FERNÁNDEZ RODRÍGUEZ, «Algunas reflexiones sobre las formas indirectas de incumplimiento por la Administración de las sentencias de los tribunales de la jurisdicción contencioso-administrativa», *RAP,* 73, 1974: «a partir de este momento (la sentencia) es cuando empieza a advertirse un cierto desfallecimiento en la actitud de la Sala sentenciadora, a quien corresponde según la Ley, promover y activar la ejecución de la sentencia (...)».

No es descartable una labor de ajuste o adecuación del contenido de la sentencia a la realidad de los hechos que se presentan en el momento de su ejecución, como forma de llevar a cabo el cumplimiento mismo de la sentencia.

Al margen de los supuestos de «imposibilidad de ejecución», por haber desaparecido el objeto de la sentencia[10], no es infrecuente que los casos de ejecución o cumplimiento posible de la sentencia admitan *a priori* diferentes maneras de ejecución en función de la realidad fáctica existente: subsanación del vicio, elaboración de un nuevo plan, revisión de las licencias, retroacción de actuaciones y modificación del plan, reviviscencia del anterior, revisión de las licencias, demolición de las edificaciones, posibles indemnizaciones, etc.

Por tanto, ante la indefinición (en términos positivos) de los modos de ejecutar una sentencia se presenta el criterio de carácter negativo de no poder contrariar el contenido del fallo y el límite de los posibles incidentes de ejecución de sentencia. Dichos incidentes (o la posible tutela del Tribunal Constitucional si la ejecución contraviene el artículo 24 de la CE) actúan como mecanismos procesales correctores del sistema que consiguen evitar que el fallo se desvirtúe.

La propia práctica judicial confirma que tampoco los jueces asumen siempre una posición protagonista en cuanto al establecimiento de pautas positivas y apriorísticas de actuación para la ejecución de su propia sentencia. Y, por su parte, la sentencia estimatoria de un recurso contencioso-administrativo se limita muchas veces a declarar un derecho, sin que aquélla nos saque de dudas a efectos de determinar cómo ha de realizarse el derecho declarado. Tampoco generalmente el recurso de «aclaración» *aclara* demasiado.

Así pues, una sentencia que anula por ejemplo un plan urbanístico se enfrenta con distintas realidades fácticas posibles que terminan influyendo en la fase de ejecución.

Un rigor extremo en el momento de la ejecución de las sentencias puede llegar a causar perjuicios contrarios a la lógica existente en el momento en que se dicta la sentencia. En la ejecución puede terminar imponiéndose la fuerza de los hechos y la aplicación de un principio de proporcio-

_____

10. Véanse los supuestos jurisprudenciales que aporta F. PERA VERDAGUER, *Comentarios a la Ley de la jurisdicción contencioso-administrativa*, 6ª edición, Madrid, 1998, p. 737. Añado, en materia urbanística, el ATS de 16 de julio de 1991 (RJ 1991, 6335).

nalidad como principio llamado a conseguir el cumplimiento *posible* de la sentencia. En la fase de ejecución de sentencias, el plano ideal de la declaración judicial de derechos por sentencia sufre un ajuste a la realidad.

En todo caso, es preocupante la inseguridad jurídica en la fase de ejecución de sentencias. Una sentencia admite regímenes más o menos «rigurosos» o «estrictos» de ejecución; son posibles o concebibles formas «drásticas» y otras más «flexibles» de ejecución. Después de un proceso judicial sometido a estrictas pautas procedimentales regladas y sujeto a rigurosos principios (entre ellos el meticuloso principio de congruencia), y después de una sentencia pronunciada conforme a pautas de legalidad, la fase final de la ejecución de sentencias puede ser el momento de lo inesperado.

Pese a todos los principios procesales, cuando llega la hora de la verdad de la terminación del procedimiento y realización del Derecho, se presenta el riesgo de que la sentencia quede en nada y se frustre así el derecho del recurrente o, por contrapartida, tampoco es descartable ni la «ejecución-sorpresa» que cause unos perjuicios desproporcionados para el interés público o de terceros y ni siquiera (en esta línea) los «excesos de rigor de ejecución por parte de la propia Administración», que, en definitiva, son «excesos de rigor o extralimitaciones que se imputan al propio órgano jurisdiccional, que es quien ejecuta la sentencia y no al ente administrativo que en el proceso de ejecución se limita a acordar lo que el órgano jurisdiccional ordena»[11].

El mundo del Derecho y de la legalidad parece terminar rindiéndose ante el mundo de las «posibles actitudes humanas» que puedan adoptar no sólo las partes procesales (la mayor o menor tenacidad de la Administración, la resignación o el carácter combativo del recurrente), sino también los propios miembros que integran los órganos jurisdiccionales (el juez exigente, el más condescendiente).

El problema de la ejecución de sentencias de nulidad de un plan urba-

---

11. STS de 18 de mayo de 1998 (RJ 1998, 3850). Pueden aportarse (de la situación de «exceso de rigor en la ejecución») dos posibles ejemplos; el primero, la STS de 28 de junio de 1993 (RJ 1993, 4748), decretando aquélla de forma «añadida» (a la declaración judicial de la sentencia) la «suspensión del ejercicio profesional» durante el período de cierre de una farmacia. El segundo la citada STS de 18 de mayo de 1998 (RJ 1998, 3850) referente a un supuesto en el cual un Ayuntamiento pretendía introducir (de forma discutible) cláusulas de total exoneración de responsabilidad frente al particular afectado para el momento de la ejecución del fallo. El TS entiende que el Ayuntamiento se extralimita y va más lejos de lo que es «ejecución estricta».

nístico radica en el habitual estado de consolidación de las construcciones y edificaciones presente en el momento de pronunciarse la sentencia.

El planteamiento habitual en torno a la ejecución o inejecución de sentencias, dibujando un escenario sobre el cual es culpable la Administración como sujeto incumplidor de la sentencia, puede ser un planteamiento simplista, ya que generalmente es un cúmulo de factores el que explica que la sentencia no sea siempre plenamente ejecutable en su sentido propio o genuino.

Primero, la creación de una poderosa realidad fáctica que termina desvirtuando la ejecución de la sentencia puede deberse a que, antes de pronunciarse la sentencia de fondo, no se han adoptado judicialmente las medidas necesarias para evitarlo (por ejemplo medidas cautelares o incluso medidas de carácter preventivo). De ahí, claro está, la importancia de la justicia cautelar[12].

12. Sobre las medidas cautelares y su importancia, primeramente, E. García de Enterría, «El problema de los poderes del Juez nacional para suspender cautelarmente la ejecución de las Leyes nacionales en consideración al Derecho Comunitario Europeo», *REDA*, 63, 1989, pp. 411 y ss.; del mismo autor, «Las medidas cautelares que puede adoptar el Juez nacional contra el Derecho Comunitario: la Sentencia Zuckerfabrick del Tribunal de Justicia de las Comunidades Europeas de 21 de febrero de 1991», *REDA*, 72, 1991, pp. 537 y ss.; del mismo autor, *La batalla por las medidas cautelares: derecho comunitario europeo y proceso contencioso-administrativo español*, 2ª ed., Madrid, 1995.
Igualmente, J. M. Álvarez-Cienfuegos Suárez, «Las medidas cautelares en la Ley de la jurisdicción contencioso-administrativa de julio de 1998», *AJA*, 370 1998; M. Bacigalupo Saggese, «El sistema de tutela cautelar en el contencioso-administrativo alemán, tras la reforma de 1991», *RAP*, 128, 1992, pp. 413 y ss.; y su trabajo en *REDA*, 94, 1997; R. O. Bustillo Bolado, *RAP*, 143, 1997, pp. 285 y ss.; E. Coca Vita, «A vueltas con la suspensión de la ejecución de actos administrativos recurridos: Últimas aportaciones doctrinales y jurisprudenciales», *RAP*, 127, 1992, pp. 241 y ss.; E. Collado García-Lájara, «Las medidas cautelares en la nueva Ley de la jurisdicción contencioso-administrativa», *La Ley*, 4682, 1998; C. Chinchilla Marín, *La tutela cautelar en la nueva justicia administrativa*, Madrid, 1991; J. Díaz Delgado/V. Escuin Palop, «La suspensión de los actos administrativos recurridos en el proceso especial de la Ley de Protección Jurisdiccional de los Derechos Fundamentales», *RAP*, 117, 1988, pp. 193 y ss.; C. Escudero Herrera, «De la instrumentalidad de las medidas cautelares» *AA*, 25, 1998; J. M. Fernández Pastrana, «La influencia de la Constitución en la jurisprudencia sobre suspensión de los actos administrativos», *RAP*, 120, 1989, pp. 277 y ss.; T. Font i Llovet, «Nuevas consideraciones en torno a la suspensión judicial de los actos administrativos», *REDA*, 34, 1982, pp. 477 y ss.; I. Del Guayo Castiella, *Judicial Review y justicia cautelar*, Madrid, 1997; M. Lafuente Benaches, «Ampliación de las medidas cautelares: la aplicación del artículo 1428 de la LEC al proceso contencioso-administrativo (ATS de 2 de noviembre de 1993)», *RGD*, 596, 1994, pp. 4983 y ss.; F. López Ramón, «Límites constitucionales de la autotutela administrativa», *RAP*, 114, 1988; J. Martín Fernández, «La suspensión de la ejecución de los actos tributarios en vía contencioso-administrativa», *Jurisprudencia tributaria Aranzadi*, 64, 1995, pp. 15 y ss.; L. L. Meilán Gil, *RAnAP*, 28, 1996, pp. 11 y ss.; J. V. Morote Sarrión, *REDA*, 94, 1997; M. Ortells Ramos/M. P. Calderón Cuadrado, *La tutela judicial cautelar en el derecho español*, Granada 1996; E. Osorio Acosta, *La suspensión jurisdiccional del acto administrativo*, Madrid, 1995; L. Parejo Alfonso, «La tutela judicial cautelar en el orden

En este sentido, el criterio dominante en la praxis judicial es el de la excepcionalidad de la suspensión cautelar de los planes urbanísticos. Se argumenta, por ejemplo, que en los planes urbanísticos está «más acentuado el interés público» que en los simples actos administrativos, hecho que «condiciona en grado sumo la suspensión, supeditándola a la producción con la ejecución de unos daños y perjuicios, no ya difíciles e imposibles de reparar, sino de una entidad semejante o superior a los que a la comunidad acarrearían las dilaciones en ejecutar» (ATS de 27 de diciembre de 1990 [RJ 10265]), o se razona que el plan «aporta un valor añadido al de la legalidad de un acto singular» (ATS de 7 de septiembre de 1991 [RJ 1991, 6813], ATS de 22 de febrero de 1994 [RJ 1994, 1463]).

En consecuencia, si los órganos jurisdiccionales, después de valorar la posibilidad de una medida cautelar suspensiva, no decretan la suspensión o paralización de las obras de ejecución del plan, esta decisión terminará pesando en el momento de la ejecución de la sentencia: ésta podrá no ser ejecutada en su «genuino» sentido porque indirectamente el propio órgano jurisdiccional ha asumido en parte la realidad fáctica existente y porque, entonces, se pueden causar graves perjuicios a la Administración y a terceros, propietarios, urbanizadores o adquirentes de buena fe.

Podría, entonces, propugnarse una aplicación general de la medida cautelar suspensiva en estos casos de sentencias de anulación de planes urbanísticos, como vía de solución del problema desde este punto de vista de la ejecución de las sentencias.

Pero también esta opción, como idea de sistema, presentaría sus riesgos e inconvenientes, en especial considerando que los daños que puede ocasionar la paralización de las obras como consecuencia de la suspensión cautelar

contencioso-administrativo», *REDA*, 49, 1986, pp. 19 y ss.; J. L. Requero Ibáñez, «Las medidas cautelares *provisionalísimas* en el proceso contencioso-administrativo: comentarios al ATS de 2 de noviembre de 1993», *AJA*, 132, 1994, pp. 9 y ss.; J. F. Rodríguez-Arana Muñoz, «De nuevo sobre la suspensión judicial del acto administrativo», *REDA*, 64, 1989, pp. 639 y ss.; F. Sainz Moreno, «Suspensión del acto administrativo y caución suficiente», *REDA*, 15, 1977, pp. 659 y ss.; J. A. Santamaría Pastor, «Tutela judicial efectiva y no suspensión en vía de recurso», *RAP*, 100-102, 1983, vol. II, pp. 1609 y ss.; M. Sarmiento Acosta, «Nueva funcionalidad de las medidas cautelares en el contencioso español», *RAP*, 129, 1992, pp. 385 y ss.; I. Serrano Butragueño, «Medidas cautelares por competencia desleal», *La Ley*, 4149, 1996; F. Sosa Wagner, «Los estudiantes condenados pueden estudiar (Sentencia de la Sala de lo Contencioso de Vizcaya de 16 de diciembre de 1975)», *REDA*, 8, 1976, pp. 170 y ss.; J. Suay Rincón, «Una resolución novedosa en materia de medidas cautelares: "Auto del Tribunal Supremo de 12 de marzo de 1984"», *REDA*, 50, 1986, pp. 265 y ss.; J. Tornos Mas, «Suspensión cautelar en el proceso contencioso-administrativo y doctrina jurisprudencial», *REDA*, 61, 1989, pp. 119 y ss.

pueden imputarse a la parte recurrente (aplicando el artículo 133.3 de la Ley de la jurisdicción contencioso-administrativa), a pesar de que la decisión de admisión de la medida cautelar suspensiva no ha correspondido sino a los Juzgados o Tribunales de la jurisdicción contencioso-administrativa[13].

En todo caso, en este momento de decidir judicialmente la posible suspensión de las obras pueden terminar pesando hechos tales como los daños que se causan al promotor o contratista, los compromisos financieros o hipotecarios contraídos, etc. Y, por su parte, esta omisión de la justicia cautelar contribuye a la consolidación de una realidad fáctica indeseable. Y, a su vez, esta realidad fáctica de consolidación en la ejecución del plan termina repercutiendo en el alcance de la ejecución de las sentencias. Y, con todo ello, la justicia administrativa pierde efectividad y hasta sentido.

Cierto que los urbanizadores deberían empezar a asumir más en serio que, ante un plan impugnado, se corre el *riesgo* de la anulación del plan y de la demolición de las edificaciones construidas.

Los factores de la inejecución de las sentencias son, pues, complejos y diversos.

Ante la omisión de criterios jurídicos o pautas legislativas[14] acerca de la ejecución de la sentencia, queda ésta muchas veces a merced de las partes, a salvo de que algún interesado plantee un incidente y obligue de esta forma a *intervenir* al órgano jurisdiccional.

---

13.   Puede verse sobre el particular la jurisprudencia sobre el artículo 124.4 de la Ley de la jurisdicción contencioso-administrativa de 1956: ATS de 10 de febrero de 1972 (RJ 1972, 843), ATS de 21 de enero de 1977 (RJ 1977, 409), STS de 26 de mayo de 1978 (RJ 1978, 2131), STS de 26 de septiembre de 1984 (RJ 1984, 4548), STS de 4 de marzo de 1989 (RJ 1989, 1771), STS de 30 de octubre de 1989 (RJ 1989, 7584), STS de 5 de febrero de 1991 (RJ 1991, 1580). Y sobre el artículo 133.3 de la Ley de jurisdicción contencioso-administrativa de 13 de julio de 1998: sentencia de 18 de noviembre de 2002.

14.   Al parecer, además, la ejecución de sentencias no computa, como trabajo hecho o función judicial desempeñada, de cara a medir la productividad de la labor judicial realizada.
      En este sentido, tampoco debemos olvidar, como posible traba añadida a la ejecución de las sentencias, la necesidad de que exista una intencionalidad o ánimo contrario a la ejecución, por parte de la Administración, para que pueda considerarse que la Administración está eludiendo el cumplimiento de la sentencia (véase T. FONT I LLOVET, «Justicia administrativa y ejecución de sentencias», en el *Libro Homenaje al profesor Entrena Cuesta*, Madrid, 2003, p. 824). Véase también M. CLAVERO ARÉVALO, «Actuaciones administrativas contrarias a los pronunciamientos de las sentencias», en el *Libro Homenaje al profesor Entrena Cuesta*, Madrid, 2003, p. 927.
      En este contexto pueden considerarse los supuestos en que se dicta una Ley como medio de subsanación del vicio reglamentario acusado en la sentencia (J. GARCÍA LUENGO, «La subsanación retroactiva de reglamentos nulos mediante su elevación de rango», *REDA*, 111, 2001).

Incluso cabe discutir si la sentencia puede establecer este tipo de «pautas» cuando el recurrente no ejercita más que una genérica pretensión de anulación (v.gr. de un plan urbanístico), sin informar al órgano jurisdiccional acerca de aquello que realmente interesa al recurrente. A la luz del propio principio de congruencia, no está claro que el órgano jurisdiccional deba extraer mayores consecuencias procesales de aquellas que permite la demanda. De ahí la importancia del tema procesal de las pretensiones. Es decir, si la parte no ejercita bien la pretensión procesal corre un cierto riesgo de no conseguir aquello que realmente le *interesa*[15]. Es conveniente aclarar al Juzgado o Tribunal qué se pretende con el recurso de anulación del plan, para evitar que la sentencia tenga un contenido meramente declarativo. Por tanto, la propia práctica procesal parece en parte culpable de que las sentencias no se ejecuten con el rigor deseable, desde el momento en que las partes pueden no precisar correctamente sus pretensiones procesales.

Dado el caso, este modelo (que impera en nuestro Derecho) de anulación más inejecución (v.gr. de «ejecución a medias») puede llegar acaso a satisfacer al propio recurrente[16].

A pesar de los conocidos efectos propios de una declaración de nulidad de la sentencia, conforme a la llamada incluso popularmente «teoría de las nulidades», en la ejecución termina venciendo, cuando más, una actitud de acomodación de las realidades existentes a una nueva realidad modificada «en parte» por la sentencia. Pueden primar actitudes de recomposición y de ajuste de situaciones y de retroacción de actuaciones al momento de la omisión del trámite o garantía omitidos. Finalmente, un cambio o revisión de planeamiento servirá para convalidar todas las irregularidades cometidas.

Y es que, volviendo a la perspectiva material (ya no procesal) de los efectos de la anulación judicial de un reglamento sobre los actos dictados en su aplicación, también desde esta perspectiva se confirma cuanto estamos diciendo. Parece imponerse claramente cada vez más el planteamiento doctrinal «realista» que parte de que la nulidad de pleno derecho no conduce necesariamente a unas consecuencias de extraordinaria gravedad respecto

---

15.   STS de 18 de mayo de 1998 (RJ 1998, 3851): a pesar del antiformalismo imperante en nuestro Derecho, el particular (en este caso) fijó incorrectamente la pretensión y corrió el riesgo de inadmisión del recurso, aunque finalmente ésta no se decretara.

16.   Por ejemplo, cuando un concejal impugna un Acuerdo de aprobación de un plan urbanístico, ¿desea éste realmente que la anulación del plan lleve consigo la demolición de todas las edificaciones con el abono de una cuantiosa cifra de indemnización por daños y perjuicios por parte de su Corporación local?

de las actuaciones llevadas a cabo durante la vigencia de la disposición y que afirma (en consecuencia) que dicha anulación puede llegar a tener distintas consecuencias en función principalmente del carácter del vicio (no es lo mismo, desde luego, una anulación por un defecto procedimental que por un defecto de fondo) y de la compatibilidad o incompatibilidad de los actos con la legalidad aplicable en el momento en que aquélla se pronuncia, junto a otros posibles condicionantes como por ejemplo también la distinta repercusión que (en el momento de analizar el alcance de la declaración de nulidad del reglamento sobre los actos) puedan llegar a tener principios tales como los de seguridad jurídica (artículo 9 de la CE), buena fe, confianza legítima, proporcionalidad, etc. De ahí que, en función de estos condicionantes, dicha nulidad pueda significar ora la conservación de los actos firmes dictados en virtud de un plan anulado (en especial cuando el vicio de nulidad del reglamento sea un vicio de forma y no de fondo), ora la revisión de oficio (en especial cuando se compruebe que dichos actos son contrarios al ordenamiento vigente después de haberse anulado el plan). También puede llegar a significar la posible responsabilidad administrativa (una vez se anula el plan) a favor de los perjudicados o, por el contrario, la devolución a la Administración de lo indebidamente pagado al particular. Y llega a afirmarse la posibilidad de la reviviscencia de la disposición anterior (frente al tenor literal del Código Civil, artículo 2) o incluso la posibilidad (tampoco descartable *lege ferenda*) de abrir los plazos legales de impugnación contra los actos firmes una vez se anula el plan que les sirve de apoyo.

El problema de la inejecución real de la sentencia no es, por tanto, un problema exclusivo de la fase procesal de ejecución de sentencias. El problema hunde sus raíces en los diversos factores que estamos comentando[17].

Estamos ante un problema complejo que afecta a todo el sistema procesal contencioso-administrativo. O, acaso, debamos rendirnos a la evidencia de que el contencioso-administrativo tiene, en cuanto tal, unos límites propios en cuanto al modo de satisfacer las pretensiones de las partes, límites inherentes a su propia configuración y funcionamiento.

En este sentido, TRAYTER JIMÉNEZ termina reconociendo que «la experiencia demuestra que, salvo contadas ocasiones, no acaban derrumbándose construcciones y edificaciones realizadas al amparo de un plan anulado judi-

---

17. Véase también R. MARTÍN MATEO, La eficacia social de la jurisdicción contencioso-administrativa, Madrid, 1989; V. AGUADO I CUDOLÁ, *El recurso contra la inactividad de la Administración en la Ley de la jurisdicción contencioso-administrativa*, Madrid, 2001.

cialmente». «En la práctica, una serie de distorsiones (procesales) acaban consolidando las obras de urbanización y edificación».

En los casos de disciplina urbanística la demolición es más fácil que en los casos de anulaciones de planes. Algunas veces parece que tienen que presentarse situaciones especiales o singulares, tales como la ejemplaridad de la condena y el carácter individualizado del perjuicio (STS de 27 de marzo de 1992 [RJ 1992, 3360], que afecta a la hermana de su Majestad el Rey y en la cual el TS reacciona contra una modificación del planeamiento, decretada por el Alcalde de Palma de Mallorca, como medio de ejecución de la sentencia[18]) o tales como la imposibilidad de subsanación ante la gravedad del vicio de nulidad (STSJ de Canarias, Las Palmas, de 16 de junio de 2000 [RJCA 2000, 1957], en la cual el Tribunal reacciona contra una pretendida subsanación de deficiencias procedimentales llevadas a cabo por un órgano manifiestamente incompetente para ello: el Ayuntamiento, en vez de la Comunidad Autónoma).

En casos de disciplina urbanística, FONT LLOVET[19] aporta una sentencia en esta misma línea argumental, concretamente la del TSJ de Cataluña de 12 de febrero de 1996 (confirmada por la STS de 5 de abril de 2001 [RJ 2001, 3030]), donde el TSJ reaccionó frente a una pretendida imposibilidad de ejecución de la sentencia (alegada por el Ayuntamiento) y frente a una modificación del plan realizada por éste para amparar la situación afectada por la anulación de la licencia[20].

---

18. Es el único ejemplo, de esta situación de excepción, que aporta el exhaustivo estudio y aporte de citas jurisprudenciales de J. M. TRAYTER JIMÉNEZ, _El control del planeamiento urbanístico_, Madrid, 1996, pp. 400 y ss.

19. T. FONT LLOVET, «Justicia administrativa y ejecución de sentencias», en el _Libro Homenaje al profesor Entrena Cuesta_, Madrid, 2003 p. 819.

20. Tampoco vence la fuerza de los hechos cuando las obras de urbanización o las posibles adquisiciones de terceros se realizan en el marco de un «proyecto de plan urbanístico» que no llega a aprobarse. Este supuesto es, pues, diferente, a aquel de la anulación de planes válidamente aprobados (y por tanto ejecutorios) con situaciones consolidadas. La STS de 24 de septiembre de 1991 (RJ 1991, 6971) (F. sexto) se enfrenta con un caso de obras realizadas por un promotor con ocasión de una recalificación de los terrenos en un Proyecto de Planeamiento que califica aquéllos como urbanizables. Esta sentencia no reconoce responsabilidad administrativa por los daños derivados en dichos terceros adquirentes como consecuencia de una pretendida «tolerancia o permisibilidad», por parte de la Administración, para que el promotor empezase las obras. No es suficiente dicha tolerancia para imputar el daño a la Administración, ya que el perjuicio se debe al proceder ilegal del promotor y a los propios adquirentes por haber omitido la «elemental precaución (que les corresponde) de cerciorarse de la situación urbanística» de los terrenos que adquieren. Esta sentencia es una llamada de atención para promotores que actúan ilegalmente y para terceros adquirentes, aunque por referencia a obras sin el apoyo en un plan aprobado.

En muchos casos existe para urbanizadores o terceros adquirentes tan sólo un «riesgo», un riesgo de demolición, seguramente parcial, respecto de aquello que no se sostenga después de subsanado el vicio en que incurrió el plan. Trámite de subsanación sobre el cual, es lógico pensar, también pesará la fuerza de los hechos.

«Fuerza de los hechos» que puede terminar venciendo incluso a la hora de determinar ora la paralización, ora, por el contrario, la ejecución de las obras que (en su caso) resten para terminar de edificar en la zona afectada por el plan urbanístico anulado por sentencia judicial, tal como corrobora algún ejemplo jurisprudencial (entre otros posibles: sentencia del Tribunal Superior de Justicia de Baleares de 29 de junio de 1999, nº 461/1999 [RJCA 1999, 1624] y Auto nº 1719/1994, de 7 de junio de 2002).

A efectos de completar los criterios que han sido apuntados (y a efectos de desarrollar jurídicamente esta materia), parece conveniente emplear un método empírico sobre la praxis de la ejecución de las sentencias de este tipo o carácter anulatorio de planes urbanísticos. Se trata básicamente de citar algunas sentencias que anulan planes urbanísticos, exponiendo cómo se han ejecutado en la práctica. Resumidamente, pueden ponerse estos ejemplos:

Un primer grupo de sentencias sería aquel en cuya virtud se anula el plan y la ejecución de la sentencia ha consistido en una simple retroacción de actuaciones (sentencias del Tribunal Superior de Justicia de Murcia de 29 de septiembre de 2000 y de 29 de diciembre de 2000, respectivamente sentencias nº 712/2000 [RJCA 2001, 240] y nº 975/2000 [JUR 2001, 67943] y sentencia del Tribunal Superior de Justicia de Madrid de 20 de diciembre de 2001, nº 1816/2001 [RJCA 2002, 739]).

Otras veces *la propia sentencia* establece expresamente dicha retroacción como vía de ejecución (sentencia del Tribunal Superior de Justicia de Asturias de 23 de mayo de 2001, nº 452/2001 [JUR 2001, 200406], Sentencia del Tribunal Superior de Justicia de la Comunidad Valenciana [sección 1ª] de 18 de septiembre de 2000 [JUR 2001, 58044] y Sentencia del Tribunal Supremo de 20 de noviembre de 1996 [Sala de lo Contencioso-Administrativo, Sección 5ª] [RJ 1996, 8224]).

Significativo es descubrir casos en los que, incluso, en la ejecución de sentencias anulatorias se plantean incidentes de ejecución sin que la anulación del plan esté impidiendo que se sigan realizando las obras que prevé el plan anulado (sentencia del Tribunal Superior de Justicia de Baleares de 29 de junio de 1999, nº 461/1999 [RJCA 1999, 1624].

También se ha planteado el debate, en la ejecución de sentencias, de optar por la redacción de un nuevo plan ante la dificultad de subsanación de los defectos; la ejecución de sentencias permanece en manos de la Administración, quien en la práctica puede tomar este tipo de decisiones (sentencia del Tribunal Superior de Justicia de la Comunidad Valenciana de 23 de septiembre de 1994, Sentencia del Tribunal Supremo de 17 de abril de 2000, recurso nº 7792/1994 [RJ 2000, 5454], y Sentencia del Tribunal Superior de Justicia de la Comunidad Valenciana de 7 de julio de 2003, nº 1009/2003, recurso nº 1633/00 [JUR 2004, 222915]).

Otra situación se refiere a la ejecución de sentencias en las que se reconduce la acción de anulación de la parte hacia una indemnización solicitada en el recurso contencioso-administrativo (sentencia del Tribunal Superior de Justicia de la Comunidad Valenciana de 5 de febrero de 2003, sección 1ª, sentencia nº 156/2003, recurso nº 61/98 [RJCA 2004, 358]. Y sentencias del TSJ de la Comunidad Valenciana de 31 de octubre de 2002 [RJCA 2003, 316] y de 25 de noviembre de 2002 [JUR 2003, 72817]).

En ausencia de criterios positivos, como criterios de carácter negativo, junto a los incidentes de ejecución de sentencias (*supra* referidos), se sitúa el amparo constitucional para reparar inejecuciones parciales o totales (además de la cuestión indemnizatoria). En este sentido, puede citarse la STC 167/1987, de 28 de octubre (RTC 1987, 167), ya que es ejemplo tanto de los posibles fraudes de ley que pueden producirse en la fase de ejecución de sentencias como también del interés de una vía procesal de defensa de los posibles perjudicados por la ejecución o inejecución del fallo, es decir, el amparo que en definitiva otorga el Tribunal Constitucional en casos en que el órgano jurisdiccional, con su actitud, no consigue tutelar suficientemente los derechos del perjudicado[21].

---

21. Otro caso: la STC 167/1987 (RTC 1987, 167) es un ejemplo de reacción frente a supuestos de fraude de ley por la Administración y de posible condescendencia judicial en cuanto al cumplimiento del fallo. En este supuesto, la Administración, frente a la condena del Tribunal Supremo de reponer en su puesto a un funcionario, optó por suprimir la oficina en San Francisco trasladando sus funciones a otra oficina de nueva creación en Los Ángeles, destinando al interesado a los servicios centrales del Departamento. Frente a la decisión del TS, de requerir al interesado a que interpusiera un nuevo recurso contencioso-administrativo, el Tribunal Constitucional amparó el derecho del interesado, insistiendo en que la tutela judicial efectiva no puede llevar a que el órgano jurisdiccional se desentienda de la ejecución del fallo. Son casos estos de cumplimientos puramente formales o ficticios, o de «desobediencia disimulada».
En cuanto al papel del TC, conviene precisar que «el punto central del debate, en orden a si se ha producido vulneración del derecho del demandante a la ejecución de la sentencia

Un caso interesante es, igualmente, el de la sentencia del Tribunal Superior de Justicia de Madrid de 27 de febrero de 2003, nº 216/2003 (RJCA 2003, 917). En cuanto a los hechos, esta sentencia resuelve el recurso contencioso-administrativo contra la Orden de la Consejería de Obras Públicas, Urbanismo y Transportes de la Comunidad de Madrid de 17 de abril de 1997, por la que se hacen públicos los Acuerdos del Consejo de Gobierno de la Comunidad de Madrid relativos a la aprobación definitiva de la Revisión del PGOU de Madrid. La sentencia estima el recurso y anula «aquellas determinaciones que suponen la desclasificación de los terrenos clasificados en el Plan General de 1985 como Suelo No Urbanizable de Especial Protección»[22]. En cuanto al fondo, la sentencia se apoya en el carácter reglado del suelo urbano y no urbanizable de protección como límite a la discrecionalidad del planeamiento urbanístico, así como en los oportunos condicionantes medioambientales y, finalmente, en la Memoria del Plan General, como elemento fundamental en este contexto para evitar la arbitrariedad, máxime cuando en el presente caso, a juicio de la Sala, existe una falta de motivación o una motivación defectuosa respecto de la citada desclasificación[23].

3. NOTAS SOBRE LA IMPOSIBILIDAD DEL CUMPLIMIENTO DE LA SENTENCIA

En la práctica procesal un problema interesante es el de si realmente

---

en sus propios términos, integrante de la tutela judicial efectiva *ex* art. 24 CE, estriba en determinar si los autos impugnados, dictados por la Sala sentenciadora, como Juez de la ejecución (...) se han apartado o no del significado y alcance de los pronunciamientos de la Sentencia de la que traen causa» (STC 240/1998 [RTC 1998, 240] y STC 219/1994 [RTC 1994, 219]; STC 73/2000 [RTC 2000, 73]).

Desde un punto de vista indemnizatorio, la anulación judicial de un plan por culpa de la Administración puede acarrear, dado el caso, un serio problema económico para el erario público y, por tanto, para la colectividad, como consecuencia de aplicar el instituto de la responsabilidad administrativa. Se entiende así que puedan plantearse complejos problemas jurídicos (en la fase de ejecución de sentencias, mediante incidentes) cuando los Ayuntamientos pretendan eludir todo tipo de consecuencia indemnizatoria mientras que al particular le interese resarcirse de los daños que le causa la sentencia a costa del citado Ayuntamiento o le interese beneficiarse del fallo para exigir una indemnización frente a la Administración (STS de 18 de mayo de 1998 [RJ 1998, 3850], declarando que la fase procesal adecuada para este tipo de litigios es la de los incidentes, sin proceder el planteamiento de un recurso *ex novo*).

22. T. IVORRA ARDITE, «Algunas cuestiones sobre la sentencia 216/2003, del Tribunal de Justicia de Madrid, de 27 de febrero de 2003», *Revista de Derecho Urbanístico*, nº 204, septiembre 2003, pp. 11 y ss., y SSTS de 7 de febrero de 2000 (RJ 2000, 1935) y de 16 de mayo de 2002 (RJ 2002, 4182).

23. Véase S. GONZÁLEZ-VARAS IBÁÑEZ, «Hacia un modelo contencioso-administrativo preventivo. El ejemplo de la "ejecución" de las sentencias de anulación de un plan urbanístico», *RAP*, nº 163, 2004, pp. 41 y ss.

concurre una causa de imposibilidad de ejecución de la sentencia, o si en cambio la Administración está eludiendo en realidad el cumplimiento del fallo.

La Administración puede, con mayor o menor derecho o justificación, realizar ciertas prácticas que la parte vencedora en juicio puede considerar que no son de recibo porque no son acordes con el contenido de la sentencia. Pero, asimismo, es evidente que dicho contenido dista en la práctica muchas veces de ser claro. O que la sentencia no ha podido prever las distintas incidencias de futuro que se ocasionan a través de su ejecución material. De ahí la complejidad de este tipo de situaciones que, en la práctica procesal, tendrán que irse resolviendo mediante incidentes de ejecución de sentencias. Ciertamente, el quid de la tutela judicial efectiva puede aludir a la fase ejecutoria.

Conviene asimismo recordar que, para que sean eficaces las normas deben ser íntegramente publicadas, de modo que si la posterior publicación de las normas se entiende como una convalidación «en el sentido del artículo 53 de la antigua LPA sus efectos se producen desde la fecha de su publicación, salvo que se puedan otorgar efectos retroactivos de conformidad con lo dispuesto en el artículo 45 pero sin que dicha retroactividad lesione derechos de terceros» (STSJ de Andalucía, Málaga, de 17 de diciembre de 2008, citando la STS de 10 de abril de 2000; puede verse también la STS de 24 de julio de 2007 [RJ 2007, 7728]).

En todo caso, es claro que, tal como afirma la LJCA 20/1998, «las partes están obligadas a cumplir las sentencias en la forma y términos que en éstas se consignen», siendo «nulos de pleno derecho los actos y disposiciones contrarios a los pronunciamientos de las sentencias, que se dicten con la finalidad de eludir su cumplimiento».

Asimismo, «si concurriesen causas de imposibilidad material o legal de ejecutar una sentencia, el órgano obligado a su cumplimiento lo manifestará a la autoridad judicial a través del representante procesal de la Administración, dentro del plazo previsto en el apartado segundo del artículo anterior, a fin de que, con audiencia de las partes y de quienes considere interesados, el Juez o Tribunal aprecie la concurrencia o no de dichas causas y adopte las medidas necesarias que aseguren la mayor efectividad de la ejecutoria, fijando en su caso la indemnización que proceda por la parte en que no pueda ser objeto de cumplimiento pleno».

En este sentido, cada vez más se pone de manifiesto la necesidad de mejorar la tutela judicial efectiva a través de la fase de ejecución de sentencias. Los jueces han de estar especialmente atentos a los posibles incidentes de ejecución de sentencias que puedan plantear las partes alegando posibles prácticas disconformes con el contenido del fallo.

Por contrapartida, la Administración a veces puede requerir tiempo para ejecutar una sentencia; así por ejemplo, la ejecución de una orden de derribo puede llevar consigo todo un procedimiento de valoración del coste del derribo, de contratación de las obras de la demolición, de consignación presupuestaria para que la contratación sea válida, de embargo con posible auxilio de otras Administraciones diferentes de aquella sobre la que recae el fallo, etc. Es decir, pueden ser variopintas las situaciones y se exige una especial atención y sensibilidad judicial en estos casos.

ANEXO LEGISLATIVO

REAL DECRETO LEGISLATIVO 2/2008, de 20 junio. SUELO

SUELO. Aprueba el Texto Refundido de la Ley de Suelo

I

La Disposición final segunda de la Ley 8/2007, de 28 de mayo, de Suelo, delegó en el Gobierno la potestad de dictar un Real Decreto Legislativo que refundiera el texto de ésta y los preceptos que aún quedaban vigentes del Real Decreto Legislativo 1/1992, de 26 de junio, por el que se aprobó el Texto Refundido de la Ley sobre Régimen del Suelo y Ordenación Urbana. El plazo para la realización de dicho texto era de un año, a contar desde la entrada en vigor de aquélla.

Dicha tarea refundidora, que se afronta por medio de este Texto Legal, se plantea básicamente dos objetivos: de un lado aclarar, regularizar y armonizar la terminología y el contenido dispositivo de ambos textos legales, y de otro, estructurar y ordenar en una única disposición general una serie de preceptos dispersos y de diferente naturaleza, procedentes del fragmentado Texto Refundido de 1992, dentro de los nuevos contenidos de la Ley de Suelo de 2007, adaptados a las competencias urbanísticas, de ordenación del territorio y de vivienda de las Comunidades Autónomas. De este modo, el objetivo final se centra en evitar la dispersión de tales normas y el fraccionamiento de las disposiciones que recogen la legislación estatal en la materia, excepción hecha de la parte vigente del Real Decreto 1346/1976, de 9 de abril, por el que se aprueba el Texto Refundido de la Ley sobre Régimen del Suelo y Ordenación Urbana, que tiene una aplicación supletoria salvo en los territorios de las Ciudades de Ceuta y Melilla y, en consecuencia, ha quedado fuera de la delegación legislativa por cuya virtud se dicta este Real Decreto Legislativo.

II

Como recuerda la Exposición de Motivos de la Ley 8/2007, de 28 de mayo, de Suelo, la historia del Derecho urbanístico español contemporáneo

1149

se forjó en la segunda mitad del siglo XIX, en un contexto socio-económico de industrialización y urbanización, en torno a dos grandes tipos de operaciones urbanísticas: el ensanche y la reforma interior, la creación de nueva ciudad y el saneamiento y la reforma de la existente. Dicha historia cristalizó a mediados del siglo XX con la primera Ley completa en la materia, de la que sigue siendo tributaria nuestra tradición posterior. En efecto, las grandes instituciones urbanísticas actuales conservan una fuerte inercia respecto de las concebidas entonces: la clasificación del suelo como técnica por excelencia de la que se valen tanto la ordenación como la ejecución urbanísticas, donde la clase de urbanizable es la verdadera protagonista y la del suelo rústico o no urbanizable no merece apenas atención por jugar un papel exclusivamente negativo o residual; la instrumentación de la ordenación mediante un sistema rígido de desagregación sucesiva de planes; la ejecución de dichos planes prácticamente identificada con la urbanización sistemática, que puede ser acometida mediante formas de gestión pública o privada, a través de un conjunto de sistemas de actuación.

Desde entonces, sin embargo, se ha producido una evolución capital sobre la que debe fundamentarse esta Ley, en varios sentidos.

En primer lugar, la Constitución de 1978 establece un nuevo marco de referencia para la materia, tanto en lo dogmático como en lo organizativo. La Constitución se ocupa de la regulación de los usos del suelo en su artículo 47, a propósito de la efectividad del derecho a la vivienda y dentro del bloque normativo ambiental formado por sus artículos 45 a 47, de donde cabe inferir que las diversas competencias concurrentes en la materia deben contribuir de manera leal a la política de utilización racional de los recursos naturales y culturales, en particular el territorio, el suelo y el patrimonio urbano y arquitectónico, que son el soporte, objeto y escenario necesario de aquéllas al servicio de la calidad de vida. Pero además, del nuevo orden competencial instaurado por el bloque de la constitucionalidad, según ha sido interpretado por la doctrina del Tribunal Constitucional, resulta que a las Comunidades Autónomas les corresponde diseñar y desarrollar sus propias políticas en materia urbanística. Al Estado le corresponde a su vez ejercer ciertas competencias que inciden sobre la materia, pero debiendo evitar condicionarla en lo posible.

Aunque el legislador estatal se ha adaptado a este Orden, no puede decirse todavía que lo haya asumido o interiorizado plenamente. En los últimos años, el Estado ha legislado de una manera un tanto accidentada, en parte forzado por las circunstancias, pues lo ha hecho a caballo de sucesivos fallos constitucionales. Así, desde que en 1992 se promulgara el último Texto Refundido Estatal de la Ley sobre Régimen de Suelo y Ordenación Urbana, cuyo contenido aún vigente, se incorpora a este texto, se han sucedido seis reformas o innovaciones de diverso calado, además de las dos operaciones de «legislación negativa» en sendas Sentencias Constitucionales, las números 61/1997 y 164/2001. No puede decirse que tan atropellada evolución –ocho innovaciones en doce años– constituya el marco idóneo en el que las Comunidades Autónomas han de ejercer sus propias competencias legislativas sobre ordenación del territorio, urbanismo y vivienda.

Esta situación no puede superarse añadiendo nuevos retoques y correcciones, sino mediante una renovación más profunda plenamente inspirada en los valores y principios constitucionales antes aludidos, sobre los que siente unas bases comunes en las que la autonomía pueda coexistir con la igualdad. Para ello, se prescinde por primera vez de regular técnicas específicamente urbanísticas, tales como los tipos de planes o las clases de suelo, y se evita el uso de los tecnicismos propios de ellas para no prefigurar, siquiera sea indirectamente, un concreto modelo urbanístico y para facilitar a los ciudadanos la comprensión de este marco común. No es ésta una Ley urbanística, sino una Ley referida al régimen del suelo y la igualdad en el ejercicio de los derechos constitucionales a él asociados en lo que atañe a los intereses cuya gestión está constitucionalmente encomendada al Estado. Una Ley, por tanto, concebida a partir del deslinde competencial establecido en estas materias por el bloque de la constitucionalidad y que podrá y deberá aplicarse respetando las competencias exclusivas atribuidas a las Comunidades Autónomas en materia de ordenación del territorio, urbanismo y vivienda y, en particular, sobre patrimonios públicos de suelo.

Con independencia de las ventajas que pueda tener la técnica de la clasificación y categorización del suelo por el planeamiento, lo cierto es que es una técnica urbanística, por lo que no le corresponde a este legislador juzgar su oportunidad. Además, no es necesaria para fijar los criterios legales de valoración del suelo. Más aún, desde esta concreta perspectiva, que compete plenamente al legislador estatal, la clasificación ha contribuido históricamente a la inflación de los valores del suelo, incorporando expectativas de revalorización mucho antes de que se realizaran las operaciones necesarias para materializar las determinaciones urbanísticas de los poderes públicos y, por ende, ha fomentado también las prácticas especulativas, contra las que debemos luchar por imperativo constitucional.

En segundo lugar, esta Ley abandona el sesgo con el que, hasta ahora, el legislador estatal venía abordando el estatuto de los derechos subjetivos afectados por el urbanismo. Este reduccionismo es otra de las peculiaridades históricas del urbanismo español que, por razones que no es preciso aquí desarrollar, reservó a la propiedad del suelo el derecho exclusivo de iniciativa privada en la actividad de urbanización. Una tradición que ha pesado sin duda, desde que el bloque de constitucionalidad reserva al Estado el importante título competencial para regular las condiciones básicas de la igualdad en el ejercicio de los derechos y el cumplimiento de los deberes constitucionales, pues ha provocado la simplista identificación de tales derechos y deberes con los de la propiedad. Pero los derechos constitucionales afectados son también otros, como el de participación ciudadana en los asuntos públicos, el de libre empresa, el derecho a un medio ambiente adecuado y, sobre todo, el derecho a una vivienda digna y asimismo adecuada, al que la propia Constitución vincula directamente con la regulación de los usos del suelo en su artículo 47. Luego, más allá de regular las condiciones básicas de la igualdad de la propiedad de los terrenos, hay que tener presente que la ciudad es el medio en el que se desenvuelve la vida cívica, y por ende que deben reconocerse asimismo los derechos mínimos de libertad, de participación y de prestación de los ciudadanos en relación con el urbanismo y con su medio tanto rural como urbano. En suma, la Ley se propone garantizar en estas materias las condiciones básicas de igualdad en el ejercicio de los derechos y el cumplimiento de los deberes constitucionales de los ciudadanos.

En tercer y último lugar, la del urbanismo español contemporáneo es una historia desarrollista, volcada sobre todo en la creación de nueva ciudad. Sin duda, el crecimiento urbano sigue siendo necesario, pero hoy parece asimismo claro que el urbanismo debe responder a los requerimientos de un desarrollo sostenible, minimizando el impacto de aquel crecimiento y apostando por la regeneración de la ciudad existente. La Unión Europea insiste claramente en ello, por ejemplo en la Estrategia Territorial Europea o en la más reciente Comunicación de la Comisión sobre una Estrategia Temática para el Medio Ambiente Urbano, para lo que propone un modelo de ciudad compacta y advierte de los graves inconvenientes de la urbanización dispersa o desordenada: impacto ambiental, segregación social e ineficiencia económica por los elevados costes energéticos, de construcción y mantenimiento de infraestructuras y de prestación de los servicios públicos. El suelo, además de un recurso económico, es también un recurso natural, escaso y no renovable. Desde esta perspectiva, todo el suelo rural tiene un valor ambiental digno de ser ponderado y la liberalización del suelo no puede fundarse en una clasificación indiscriminada, sino, supuesta una clasificación responsable del suelo urbanizable necesario para atender las necesidades económicas y sociales, en la apertura a la libre competencia de la iniciativa privada para su urbanización y en el arbitrio de medidas efectivas contra las prácticas especulativas, obstructivas y retenedoras de suelo, de manera que el suelo con destino urbano se ponga en uso ágil y efectivamente. Y el suelo urbano –la ciudad ya hecha– tiene asimismo un valor ambiental, como creación cultural colectiva que es objeto de una permanente recreación, por lo que sus características deben ser expresión de su naturaleza y su ordenación debe favorecer su rehabilitación y fomentar su uso.

III

El Título preliminar de la Ley se dedica a aspectos generales, tales como la definición de su objeto y la enunciación de algunos principios que la vertebran, de acuerdo con la filosofía expuesta en el apartado anterior.

IV

Por razones tanto conceptuales como competenciales, la primera materia específica de que se ocupa la Ley es la del estatuto de derechos y deberes de los sujetos afectados, a los que dedica su Título I, y que inspiran directa o indirectamente todo el resto del articulado. Con este objeto, se definen tres estatutos subjetivos básicos que cabe percibir como tres círculos concéntricos:

Primero, el de la ciudadanía en general en relación con el suelo y la vivienda, que incluye derechos y deberes de orden socio-económico y medioambiental de toda persona con independencia de cuáles sean su actividad o su patrimonio, es decir, en el entendimiento de la ciudadanía como un estatuto de la persona que asegure su disfrute en libertad del medio en el que vive, su participación en la organización de dicho medio y su acceso igualitario a las dotaciones, servicios y espacios colectivos que demandan la calidad y cohesión del mismo.

Segundo, el régimen de la iniciativa privada para la actividad urbanística, que –en los términos en que la configure la legislación urbanística en el marco de esta Ley– es una actividad económica de interés general que afecta tanto al derecho de la propiedad como a la libertad de empresa. En este sentido, si bien la edificación tiene lugar sobre una finca y accede a su propiedad –de acuerdo con nuestra concepción histórica de este instituto–, por lo que puede asimismo ser considerada como una facultad del correspondiente derecho, la urbanización es un servicio público, cuya gestión puede reservarse la Administración o encomendar a privados, y que suele afectar a una pluralidad de fincas, por lo que excede tanto lógica como físicamente de los límites propios de la propiedad. Luego, allí donde se confíe su ejecución a la iniciativa privada, ha de poder ser abierta a la competencia de terceros, lo que está llamado además a redundar en la agilidad y eficiencia de la actuación.

Tercero, el estatuto de la propiedad del suelo, definido –como es tradicional entre nosotros– como una combinación de facultades y deberes, entre los que ya no se cuenta el de urbanizar por las razones expuestas en el párrafo anterior, aunque sí el de participar en la actuación urbanizadora de iniciativa privada en un régimen de distribución equitativa de beneficios y cargas, con las debidas garantías de que su participación se basa en el consentimiento informado, sin que se le puedan imponer más cargas que las legales, y sin perjuicio de que el legislador urbanístico opte por seguir reservando a la propiedad la iniciativa de la urbanización en determinados casos de acuerdo con esta Ley, que persigue el progreso pero no la ruptura.

V

Correlativos de los derechos de las personas son los deberes básicos de las Administraciones con que la Ley abre su Título II.

Los procedimientos de aprobación de instrumentos de ordenación y de ejecución urbanísticas tienen una trascendencia capital, que desborda con mucho el plano estrictamente sectorial, por su incidencia en el crecimiento económico, en la protección del medio ambiente y en la calidad de vida. Por ello, la Ley asegura unos estándares mínimos de transparencia, de participación ciudadana real y no meramente formal, y de evaluación y seguimiento de los efectos que tienen los planes sobre la economía y el medio ambiente. La efectividad de estos estándares exige que las actuaciones urbanizadoras de mayor envergadura e impacto, que producen una mutación radical del modelo territorial, se sometan a un nuevo ejercicio pleno de potestad de ordenación. Además, la Ley hace un tratamiento innovador de este proceso de evaluación y seguimiento, con el objeto de integrar en él la consideración de los recursos e infraestructuras más importantes. Esta integración favorecerá, a un tiempo, la utilidad de los procesos de que se trata y la celeridad de los procedimientos en los que se insertan.

Mención aparte merece la reserva de suelo residencial para la vivienda protegida porque, como ya se ha recordado, es la propia Constitución la que vincula la ordenación de los usos del suelo con la efectividad del derecho a la vivienda. A la vista de la senda extraordinariamente prolongada e intensa de expansión de nuestros mercados inmobiliarios, y en particular del residencial, parece hoy razonable encajar en el concepto material de las bases de la ordenación de la economía la garantía de una oferta mínima de suelo para vivienda asequible, por su incidencia directa sobre dichos mercados y su relevancia para las políticas de suelo y vivienda, sin que ello obste para que pueda ser adaptada por la legislación de las Comunidades Autónomas a su modelo urbanístico y sus diversas necesidades.

En lo que se refiere al régimen urbanístico del suelo, la Ley opta por diferenciar situación y actividad, estado y proceso. En cuanto a lo primero, define los dos estados básicos en que puede encontrarse el suelo según sea su situación actual –rural o urbana–, estados que agotan el objeto de la ordenación del uso asimismo actual del suelo y son por ello los determinantes para el contenido del derecho de propiedad, otorgando así carácter estatutario al régimen de éste. En cuanto a lo segundo, sienta el régimen de las actuaciones urbanísticas de transformación del suelo, que son las que generan las plusvalías en las que debe participar la comunidad por exigencia de la Constitución. La Ley establece, conforme a la doctrina constitucional, la horquilla en la que puede moverse la fijación de dicha participación. Lo hace posibilitando una mayor y más flexible adecuación a la realidad y, en particular, al rendimiento neto de la actuación de que se trate o del ámbito de referencia en que se inserte, aspecto éste que hasta ahora no era tenido en cuenta.

VI

El Título III aborda los criterios de valoración del suelo y las construcciones y edificaciones, a efectos reparcelatorios, expropiatorios y de responsabilidad patrimonial de las Administraciones Públicas. Desde la Ley de 1956, la legislación del suelo ha establecido ininterrumpidamente un régimen de valoraciones especial que desplaza la aplicación de los criterios generales de la Ley de Expropiación Forzosa de 1954. Lo ha hecho recurriendo a criterios que han tenido sin excepción un denominador común: el de valorar el suelo a partir de cuál fuera su clasificación y categorización urbanísticas, esto es, partiendo de cuál fuera su destino y no su situación real. Unas veces se ha pretendido con ello aproximar las valoraciones al mercado, presumiendo que en el mercado del suelo no se producen fallos ni tensiones especulativas, contra las que los poderes públicos deben luchar por imperativo constitucional. Se llegaba así a la paradoja de pretender que el valor real no consistía en tasar la realidad, sino también las meras expectativas generadas por la acción de los poderes públicos. Y aun en las ocasiones en que con los criterios mencionados se pretendía contener los justiprecios, se contribuyó más bien a todo lo contrario y, lo que es más importante, a enterrar el viejo principio de justicia y de sentido común contenido en el artículo 36 de la vieja pero todavía vigente Ley de Expropiación Forzosa: que las tasaciones expropiatorias no han de tener en cuenta las plusvalías que sean consecuencia directa del plano o proyecto de obras que dan lugar a la expropiación ni las previsibles para el futuro.

Para facilitar su aplicación y garantizar la necesaria seguridad del tráfico, la recomposición de este panorama debe buscar la sencillez y la claridad, además por supuesto de la justicia. Y es la propia Constitución la que extrae expresamente –en esta concreta materia y no en otras– del valor de la justicia un mandato dirigido a los poderes públicos para impedir la especulación. Ello es perfectamente posible desvinculando clasificación y valoración. Debe valorarse lo que hay, no lo que el plan dice que puede llegar a haber en un futuro incierto. En consecuencia, y con independencia de las clases y categorías urbanísticas de suelo, se parte en la Ley de las dos situaciones básicas ya mencionadas: hay un suelo rural, esto es, aquel que no está funcionalmente integrado en la trama urbana, y otro urbanizado, entendiendo por tal el que ha sido efectiva y adecuadamente transformado por la urbanización. Ambos se valoran conforme a su naturaleza, siendo así que sólo en el segundo dicha naturaleza integra su destino urbanístico, porque dicho destino ya se ha hecho realidad. Desde esta perspectiva, los criterios de valoración establecidos persiguen determinar con la necesaria objetividad y seguridad jurídica el valor de sustitución del inmueble en el mercado por otro similar en su misma situación.

En el suelo rural, se abandona el método de comparación porque muy pocas veces concurren los requisitos necesarios para asegurar su objetividad y la eliminación de elementos especulativos, para lo que se adopta el método asimismo habitual de la capitalización de rentas pero sin olvidar que, sin considerar las expectativas urbanísticas, la localización influye en el valor de este suelo, siendo la renta de posición un factor relevante en la formación tradicional del precio de la tierra. En el suelo urbanizado, los criterios de valoración que se establecen dan lugar a tasaciones siempre actualizadas de los inmuebles, lo que no aseguraba el régimen anterior. En todo caso y con independencia del valor del suelo, cuando éste está sometido a una transformación urbanizadora o edificatoria, se indemnizan los gastos e inversiones acometidos junto con una prima razonable que retribuya el riesgo asumido y se evitan saltos valorativos difícilmente entendibles en el curso del proceso de ordenación y ejecución urbanísticas. En los casos en los que una decisión administrativa impide participar en la ejecución de una actuación de urbanización, o altera las condiciones de ésta, sin que medie incumplimiento por parte de los propietarios, se valora la privación de dicha facultad en sí misma, lo que contribuye a un tratamiento más ponderado de la situación en la que se encuentran aquéllos. En definitiva, un régimen que, sin valorar expectativas generadas exclusivamente por la actividad administrativa de ordenación de los usos del suelo, retribuye e incentiva la actividad urbanizadora o edificatoria emprendida en cumplimiento de aquélla y de la función social de la propiedad.

VII

El Título IV se ocupa de las instituciones de garantía de la integridad patrimonial de la propiedad: la expropiación forzosa y la responsabilidad patrimonial. En materia de expropiación forzosa, se recogen sustancialmente las mismas reglas que ya contenía la Ley sobre Régimen del Suelo y Valoraciones, traídas aquí por razones de técnica legislativa, para evitar la dispersión de las normas y el fraccionamiento de las disposiciones que las recogen. En materia de reversión y de responsabilidad patrimonial, los supuestos de una y otra se adaptan a la concepción de esta Ley sobre los patrimonios públicos de suelo y las actuaciones urbanizadoras, respectivamente, manteniéndose en lo demás también los criterios de la Ley anterior. Se introduce, además, un derecho a la retasación cuando una modificación de la ordenación aumente el valor de los terrenos expropiados para ejecutar una actuación urbanizadora, de forma que se salvaguarde la integridad de la garantía indemnizatoria sin empeñar la eficacia de la gestión pública urbanizadora.

VIII

El Título V contiene diversas medidas de garantía del cumplimiento de la función social de la propiedad inmobiliaria. Son muchas y autorizadas las voces que, desde la sociedad, el sector, las Administraciones y la comunidad académica denuncian la existencia de prácticas de retención y gestión especulativas de suelos que obstruyen el cumplimiento de su función y, en particular, el acceso de los ciudadanos a la vivienda. Los avances en la capacidad de obrar de los diversos agentes por los que apuesta esta Ley (apertura de la iniciativa privada, mayor proporcionalidad en la participación de la Administración en las plusvalías) deben ir acompañados de la garantía de que esa capacidad se ejercerá efectivamente para cumplir con la función social de la propiedad y con el destino urbanístico del suelo que aquélla tiene por objeto, ya sea público o privado su titular.

Toda capacidad conlleva una responsabilidad, que esta Ley se ocupa de articular al servicio del interés general a lo largo de todo su cuerpo: desde la responsabilidad patrimonial por el incumplimiento de los plazos máximos en los procedimientos de ordenación urbanística, a la posibilidad de sustituir forzosamente al propietario incumplidor de los plazos de ejecución, el mayor rigor en la determinación de los destinos de los patrimonios públicos de suelo o las medidas arbitradas para asegurar que se cumple ese destino aun cuando se enajenen los bienes integrantes de los patrimonios públicos de suelo.

El contenido del Título se cierra con una regulación del régimen del derecho de superficie dirigida a superar la deficiente situación normativa actual de este derecho y favorecer su operatividad para facilitar el acceso de los ciudadanos a la vivienda y, con carácter general, diversificar y dinamizar las ofertas en el mercado inmobiliario.

IX

Por último, el Título VI contiene una serie de preceptos que, localizados hasta ahora de manera fragmentada en el Real Decreto Legislativo 1/1992, de 26 de junio, por el que se aprobó el Texto Refundido de la Ley sobre Régimen del Suelo y Ordenación Urbana, ha parecido razonable agrupar bajo la denominación de «Régimen Jurídico». En él se contienen las actuaciones con el Ministerio Fiscal a consecuencia de infracciones urbanísticas o contra la ordenación del territorio, las peticiones, actos y acuerdos procedentes en dichos ámbitos, las posibles acciones y recursos pertinentes y las normas atinentes al Registro de la Propiedad que ya han sido objeto de desarrollo reglamentario mediante el Real Decreto 1093/1997, de 4 de julio, por el que se aprobaron las normas complementarias al Reglamento para la ejecución de la Ley Hipotecaria sobre inscripción en el Registro de la Propiedad de actos de naturaleza urbanística.

La introducción de este Título, y la de aquellos otros preceptos que habían perdido coherencia sistemática en el contenido subsistente del Real Decreto Legislativo 1/1992, que ahora la recuperan mediante su inserción donde corresponde en la estructura de la Ley 8/2007, junto a la labor de aclaración, regularización y armonización realizadas, permiten derogar ambas disposiciones generales y recuperar finalmente en un solo cuerpo legal la unidad de la legislación estatal en la materia, al amparo de lo dispuesto en la Disposición final segunda de la Ley 8/2007, de 28 de mayo, de Suelo.

En su virtud, a propuesta de la Ministra de Vivienda, de acuerdo con el Consejo de Estado y previa deliberación del Consejo de Ministros en su reunión del día 20 de junio de 2008, dispongo:

Artículo único. Aprobación del Texto Refundido de la Ley de Suelo.

Se aprueba el Texto Refundido de la Ley de Suelo.

Disposición Adicional única. Remisiones normativas.

Las referencias normativas efectuadas en otras disposiciones al Real Decreto Legislativo 1/1992, de 26 de junio, por el que se aprobó el Texto Refundido de la Ley sobre Régimen del Suelo y Ordenación Urbana y a la Ley 8/2007, de 28 de mayo, de Suelo, se entenderán efectuadas a los preceptos correspondientes del Texto Refundido que se aprueba.

Disposición Derogatoria única. Derogación normativa.

Quedan derogadas todas las disposiciones de igual o inferior rango que se opongan al presente Real Decreto Legislativo y al Texto Refundido que aprueba y, en particular, las siguientes:

a)   La Ley 8/2007, de 28 de mayo, de Suelo.

b)   El Real Decreto Legislativo 1/1992, de 26 de junio, por el que se aprueba el Texto Refundido de la Ley sobre Régimen del Suelo y Ordenación Urbana.

Disposición Final única. Entrada en vigor.

El presente Real Decreto Legislativo y el Texto Refundido que aprueba entrarán en vigor el día siguiente al de su publicación en el «Boletín Oficial del Estado».

Texto Refundido de la Ley de Suelo

TÍTULO PRELIMINAR
DISPOSICIONES GENERALES

Artículo 1.   Objeto de esta Ley.

Esta Ley regula las condiciones básicas que garantizan la igualdad en el ejercicio de los derechos y en el cumplimiento de los deberes constitucionales relacionados con el suelo en todo el territorio estatal. Asimismo, establece las bases económicas y medioambientales de su régimen jurídico, su valoración y la responsabilidad patrimonial de las Administraciones Públicas en la materia.

Artículo 2.   Principio de desarrollo territorial y urbano sostenible.

1.   Las políticas públicas relativas a la regulación, ordenación, ocupación, transformación y uso del suelo tienen como fin común la utilización de este recurso conforme al interés general y según el principio de desarrollo sostenible, sin perjuicio de los fines específicos que les atribuyan las Leyes.

2.   En virtud del principio de desarrollo sostenible, las políticas a que se refiere el apartado anterior deben propiciar el uso racional de los recursos naturales armonizando los requerimientos de la economía, el empleo, la cohesión social, la igualdad de trato y de oportunidades entre mujeres y hombres, la salud y la seguridad de las personas y la protección del medio ambiente, contribuyendo a la prevención y reducción de la contaminación, y procurando en particular:

a)   La eficacia de las medidas de conservación y mejora de la naturaleza, la flora y la fauna y de la protección del patrimonio cultural y del paisaje.

b)   La protección, adecuada a su carácter, del medio rural y la preservación de los valores del suelo innecesario o inidóneo para atender las necesidades de transformación urbanística.

c)   Un medio urbano en el que la ocupación del suelo sea eficiente, que esté suficientemente dotado por las infraestructuras y los servicios que le son propios y en el que los usos se combinen de forma funcional y se implanten efectivamente, cuando cumplan una función social.

La persecución de estos fines se adaptará a las peculiaridades que resulten del modelo territorial adoptado en cada caso por los poderes públicos competentes en materia de ordenación territorial y urbanística.

3.   Los poderes públicos promoverán las condiciones para que los derechos y deberes de los ciudadanos establecidos en los artículos siguientes sean reales y efectivos, adoptando las medidas de ordenación territorial y urbanística que procedan para asegurar un resultado equilibrado, favoreciendo o conteniendo, según proceda, los procesos de ocupación y transformación del suelo.

El suelo vinculado a un uso residencial por la ordenación territorial y urbanística está al servicio de la efectividad del derecho a disfrutar de una vivienda digna y adecuada, en los términos que disponga la legislación en la materia.

Artículo 3. Ordenación del territorio y ordenación urbanística.

1. La ordenación territorial y la urbanística son funciones públicas no susceptibles de transacción que organizan y definen el uso del territorio y del suelo de acuerdo con el interés general, determinando las facultades y deberes del derecho de propiedad del suelo conforme al destino de éste. Esta determinación no confiere derecho a exigir indemnización, salvo en los casos expresamente establecidos en las leyes.

El ejercicio de la potestad de ordenación territorial y urbanística deberá ser motivado, con expresión de los intereses generales a que sirve.

2. La legislación sobre la ordenación territorial y urbanística garantizará:

a) La dirección y el control por las Administraciones Públicas competentes del proceso urbanístico en sus fases de ocupación, urbanización, construcción o edificación y utilización del suelo por cualesquiera sujetos, públicos y privados.

b) La participación de la comunidad en las plusvalías generadas por la acción de los entes públicos en los términos previstos por esta Ley y las demás que sean de aplicación.

c) El derecho a la información de los ciudadanos y de las entidades representativas de los intereses afectados por los procesos urbanísticos, así como la participación ciudadana en la ordenación y gestión urbanísticas.

3. La gestión pública urbanística y de las políticas de suelo fomentará la participación privada.

TÍTULO I

CONDICIONES BÁSICAS DE LA IGUALDAD EN LOS DERECHOS Y DEBERES CONSTITUCIONALES DE LOS CIUDADANOS

Artículo 4. Derechos del ciudadano.

Todos los ciudadanos tienen derecho a:

a) Disfrutar de una vivienda digna, adecuada y accesible, concebida con arreglo al principio de diseño para todas las personas, que constituya su domicilio libre de ruido u otras inmisiones contaminantes de cualquier tipo que superen los límites máximos admitidos por la legislación aplicable y en un medio ambiente y un paisaje adecuados.

b)   Acceder, en condiciones no discriminatorias y de accesibilidad universal, a la utilización de las dotaciones públicas y los equipamientos colectivos abiertos al uso público, de acuerdo con la legislación reguladora de la actividad de que se trate.

c)   Acceder a la información de que dispongan las Administraciones Públicas sobre la ordenación del territorio, la ordenación urbanística y su evaluación ambiental, así como obtener copia o certificación de las disposiciones o actos administrativos adoptados, en los términos dispuestos por su legislación reguladora.

d)   Ser informados por la Administración competente, de forma completa, por escrito y en plazo razonable, del régimen y las condiciones urbanísticas aplicables a una finca determinada, en los términos dispuestos por su legislación reguladora.

e)   Participar efectivamente en los procedimientos de elaboración y aprobación de cualesquiera instrumentos de ordenación del territorio o de ordenación y ejecución urbanísticas y de su evaluación ambiental mediante la formulación de alegaciones, observaciones, propuestas, reclamaciones y quejas y a obtener de la Administración una respuesta motivada, conforme a la legislación reguladora del régimen jurídico de dicha Administración y del procedimiento de que se trate.

f)   Ejercer la acción pública para hacer respetar las determinaciones de la ordenación territorial y urbanística, así como las decisiones resultantes de los procedimientos de evaluación ambiental de los instrumentos que las contienen y de los proyectos para su ejecución, en los términos dispuestos por su legislación reguladora.

Artículo 5.   Deberes del ciudadano.

Todos los ciudadanos tienen el deber de:

a)   Respetar y contribuir a preservar el medio ambiente, el patrimonio histórico y el paisaje natural y urbano, absteniéndose en todo caso de realizar cualquier acto o desarrollar cualquier actividad no permitidos por la legislación en la materia.

b)   Respetar y hacer un uso racional y adecuado, acorde en todo caso con sus características, función y capacidad de servicio, de los bienes de dominio público y de las infraestructuras y los servicios urbanos.

c)   Abstenerse de realizar cualquier acto o de desarrollar cualquier actividad que comporte riesgo de perturbación o lesión de los bienes públicos o de terceros con infracción de la legislación aplicable.

d)   Cumplir los requisitos y condiciones a que la legislación sujete las actividades molestas, insalubres, nocivas y peligrosas, así como emplear en ellas en cada momento las mejores técnicas disponibles conforme a la normativa aplicable.

Artículo 6.   Iniciativa privada en la urbanización y la construcción o edificación.

La legislación sobre ordenación territorial y urbanística regulará:

a)   El derecho de iniciativa de los particulares, sean o no propietarios de los terrenos, en ejercicio de la libre empresa, para la actividad de ejecución de la urbanización cuando ésta no deba o no vaya a realizarse por la propia Administración competente. La habilitación a particulares, para el desarrollo de esta actividad deberá atribuirse mediante procedimiento con publicidad y concurrencia y con criterios de adjudicación que salvaguarden una adecuada participación de la comunidad en las plusvalías derivadas de las actuaciones urbanísticas, en las condiciones dispuestas por la legislación aplicable, sin perjuicio de las peculiaridades o excepciones que ésta prevea a favor de la iniciativa de los propietarios del suelo.

b)   El derecho de consulta a las Administraciones competentes, por parte de quienes sean titulares del derecho de iniciativa a que se refiere la letra anterior, sobre los criterios y previsiones de la ordenación urbanística, de los planes y proyectos sectoriales, y de las obras que habrán de realizar para asegurar la conexión de la urbanización con las redes generales de servicios y, en su caso, las de ampliación y reforzamiento de las existentes fuera de la actuación.

La legislación sobre ordenación territorial y urbanística fijará el plazo máximo de contestación de la consulta, que no podrá exceder de tres meses, salvo que una norma con rango de ley establezca uno mayor, así como los efectos que se sigan de ella. En todo caso, la alteración de los criterios y las previsiones facilitados en la contestación, dentro del plazo en el que ésta surta efectos, podrá dar derecho a la indemnización de los gastos en que se haya incurrido por la elaboración de proyectos necesarios que resulten inútiles, en los términos del régimen general de la responsabilidad patrimonial de las Administraciones Públicas.

c) El derecho de quienes elaboren instrumentos de ordenación de iniciativa privada, cuando hubieren obtenido la previa autorización de la Administración competente, a que se les faciliten por parte de los Organismos Públicos cuantos elementos informativos precisen para llevar a cabo su redacción, y a efectuar en fincas particulares las ocupaciones necesarias para la redacción del instrumento con arreglo a la Ley de Expropiación Forzosa.

d) El derecho del propietario a realizar en sus terrenos, por sí o a través de terceros, la instalación, construcción o edificación permitidas, siempre que los terrenos integren una unidad apta para ello por reunir las condiciones físicas y jurídicas requeridas legalmente y aquéllas se lleven a cabo en el tiempo y las condiciones previstas por la ordenación territorial y urbanística y de conformidad con la legislación aplicable.

Artículo 7. Régimen urbanístico del derecho de propiedad del suelo.

1. El régimen urbanístico de la propiedad del suelo es estatutario y resulta de su vinculación a concretos destinos, en los términos dispuestos por la legislación sobre ordenación territorial y urbanística.

2. La previsión de edificabilidad por la ordenación territorial y urbanística, por sí misma, no la integra en el contenido del derecho de propiedad del suelo. La patrimonialización de la edificabilidad se produce únicamente con su realización efectiva y está condicionada en todo caso al cumplimiento de los deberes y el levantamiento de las cargas propias del régimen que corresponda, en los términos dispuestos por la legislación sobre ordenación territorial y urbanística.

Artículo 8. Contenido del derecho de propiedad del suelo: facultades.

1. El derecho de propiedad del suelo comprende las facultades de uso, disfrute y explotación del mismo conforme al estado, clasificación, características objetivas y destino que tenga en cada momento, de acuerdo con la legislación aplicable por razón de las características y situación del bien. Comprende asimismo la facultad de disposición, siempre que su ejercicio no infrinja el régimen de formación de fincas y parcelas y de relación entre ellas establecido en el artículo 17.

Las facultades a que se refiere el párrafo anterior incluyen:

a) La de realizar las instalaciones y construcciones necesarias para el uso y disfrute del suelo conforme a su naturaleza que, estando expresamente permitidas, no tengan el carácter legal de edificación.

b) La de edificar sobre unidad apta para ello en los términos dispuestos en la letra d) del artículo 6, cuando la ordenación territorial y urbanística atribuya a aquélla edificabilidad para uso o usos determinados y se cumplan los demás requisitos y condiciones establecidos para edificar.

Todo acto de edificación requerirá del acto de conformidad, aprobación o autorización administrativa que sea preceptivo, según la legislación de ordenación territorial y urbanística. Su denegación deberá ser motivada.

En ningún caso podrán entenderse adquiridas por silencio administrativo facultades o derechos que contravengan la ordenación territorial o urbanística.

c) La de participar en la ejecución de las actuaciones de urbanización a que se refiere la letra a) del apartado 1 del artículo 14, en un régimen de equitativa distribución de beneficios y cargas entre todos los propietarios afectados en proporción a su aportación.

Para ejercer esta facultad, o para ratificarse en ella, si la hubiera ejercido antes, el propietario dispondrá del plazo que fije la legislación sobre ordenación territorial y urbanística, que no podrá ser inferior a un mes ni contarse desde un momento anterior a aquel en que pueda conocer el alcance de las cargas de la actuación y los criterios de su distribución entre los afectados.

2. Las facultades del apartado anterior alcanzarán al vuelo y al subsuelo sólo hasta donde determinen los instrumentos de ordenación urbanística, de conformidad con las leyes aplicables y con las limitaciones y servidumbres que requiera la protección del dominio público.

Artículo 9.   _Contenido del derecho de propiedad del suelo: deberes y cargas._

1. El derecho de propiedad de los terrenos, las instalaciones, construcciones y edificaciones, comprende, cualquiera que sea la situación en que se encuentren, los deberes de dedicarlos a usos que no sean incompatibles con la ordenación territorial y urbanística; conservarlos en las condiciones legales para servir de soporte a dicho uso y, en todo caso, en las de seguridad, salubridad, accesibilidad y ornato legalmente exigibles; así como realizar los

trabajos de mejora y rehabilitación hasta donde alcance el deber legal de conservación. Este deber constituirá el límite de las obras que deban ejecutarse a costa de los propietarios, cuando la Administración las ordene por motivos turísticos o culturales, corriendo a cargo de los fondos de ésta las obras que lo rebasen para obtener mejoras de interés general.

En el suelo urbanizado a los efectos de esta Ley que tenga atribuida edificabilidad, el deber de uso supone el de edificar en los plazos establecidos en la normativa aplicable.

En el suelo que sea rural a los efectos de esta Ley, o esté vacante de edificación, el deber de conservarlo supone mantener los terrenos y su masa vegetal en condiciones de evitar riesgos de erosión, incendio, inundación, para la seguridad o salud públicas, daño o perjuicio a terceros o al interés general; incluido el ambiental; prevenir la contaminación del suelo, el agua o el aire y las inmisiones contaminantes indebidas en otros bienes y, en su caso, recuperarlos de ellas; y mantener el establecimiento y funcionamiento de los servicios derivados de los usos y las actividades que se desarrollen en el suelo.

2. El ejercicio de las facultades previstas en las letras a) y b) del apartado primero del artículo anterior, en terrenos que se encuentren en el suelo rural a los efectos de esta Ley y no estén sometidos al régimen de una actuación de urbanización, comporta para el propietario, en la forma que determine la legislación sobre ordenación territorial y urbanística:

a) Costear y ejecutar las obras y los trabajos necesarios para conservar el suelo y su masa vegetal en el estado legalmente exigible o para restaurar dicho estado, en los términos previstos en la normativa que sea de aplicación.

b) Satisfacer las prestaciones patrimoniales que se establezcan, en su caso, para legitimar usos privados del suelo no vinculados a su explotación primaria.

c) Costear y, en su caso, ejecutar las infraestructuras de conexión de la instalación, la construcción o la edificación con las redes generales de servicios y entregarlas a la Administración competente para su incorporación al dominio público cuando deban formar parte del mismo.

3. El ejercicio de la facultad prevista en la letra c) del apartado primero del artículo anterior, conlleva asumir como carga real la participación en los deberes legales de la promoción de la actuación, en régimen de equitativa distribución de beneficios y cargas y en los términos de la legislación sobre

ordenación territorial y urbanística, así como permitir ocupar los bienes necesarios para la realización de las obras al responsable de ejecutar la actuación.

TÍTULO II
BASES DEL RÉGIMEN DEL SUELO

Artículo 10. Criterios básicos de utilización del suelo.

1. Para hacer efectivos los principios y los derechos y deberes enunciados en el Título I, las Administraciones Públicas, y en particular las competentes en materia de ordenación territorial y urbanística, deberán:

a) Atribuir en la ordenación territorial y urbanística un destino que comporte o posibilite el paso de la situación de suelo rural a la de suelo urbanizado, mediante la urbanización, al suelo preciso para satisfacer las necesidades que lo justifiquen, impedir la especulación con él y preservar de la urbanización al resto del suelo rural.

b) Destinar suelo adecuado y suficiente para usos productivos y para uso residencial, con reserva en todo caso de una parte proporcionada a vivienda sujeta a un régimen de protección pública que, al menos, permita establecer su precio máximo en venta, alquiler u otras formas de acceso a la vivienda, como el derecho de superficie o la concesión administrativa.

Esta reserva será determinada por la legislación sobre ordenación territorial y urbanística o, de conformidad con ella, por los instrumentos de ordenación y, como mínimo, comprenderá los terrenos necesarios para realizar el 30 por 100 de la edificabilidad residencial prevista por la ordenación urbanística en el suelo que vaya a ser incluido en actuaciones de urbanización.

No obstante, dicha legislación podrá también fijar o permitir excepcionalmente una reserva inferior para determinados Municipios o actuaciones, siempre que, cuando se trate de actuaciones de nueva urbanización, se garantice en el instrumento de ordenación el cumplimiento íntegro de la reserva dentro de su ámbito territorial de aplicación y una distribución de su localización respetuosa con el principio de cohesión social.

c) Atender, en la ordenación que hagan de los usos del suelo, a los principios de accesibilidad universal, de igualdad de trato y de oportunidades entre mujeres y hombres, de movilidad, de eficiencia energética, de garantía de suministro de agua, de prevención de riesgos naturales y de accidentes graves, de prevención y protección contra la contaminación y limitación de sus consecuencias para la salud o el medio ambiente.

2.   Las instalaciones, construcciones y edificaciones habrán de adaptarse, en lo básico, al ambiente en que estuvieran situadas, y a tal efecto, en los lugares de paisaje abierto y natural, sea rural o marítimo, o en las perspectivas que ofrezcan los conjuntos urbanos de características histórico-artísticas, típicos o tradicionales, y en las inmediaciones de las carreteras y caminos de trayecto pintoresco, no se permitirá que la situación, masa, altura de los edificios, muros y cierres, o la instalación de otros elementos, limite el campo visual para contemplar las bellezas naturales, rompa la armonía del paisaje o desfigure la perspectiva propia del mismo.

3.   Serán nulos de pleno derecho los actos administrativos de intervención que se dicten con infracción de la ordenación de las zonas verdes o espacios libres previstos en los instrumentos de ordenación urbanística. Mientras las obras estén en curso de ejecución, se procederá a la suspensión de los efectos del acto administrativo legitimador y a la adopción de las demás medidas que procedan. Si las obras estuvieren terminadas, se procederá a su revisión de oficio por los trámites previstos en la legislación de procedimiento administrativo común.

Artículo 11.   Publicidad y eficacia en la gestión pública urbanística.

1.   Todos los instrumentos de ordenación territorial y de ordenación y ejecución urbanísticas, incluidos los de distribución de beneficios y cargas, así como los convenios que con dicho objeto vayan a ser suscritos por la Administración competente, deben ser sometidos al trámite de información pública en los términos y por el plazo que establezca la legislación en la materia, que nunca podrá ser inferior al mínimo exigido en la legislación sobre procedimiento administrativo común, y deben publicarse en la forma y con el contenido que determinen las leyes.

2.   Los acuerdos de aprobación definitiva de todos los instrumentos de ordenación territorial y urbanística se publicarán en el «Boletín Oficial» correspondiente. Respecto a las normas y ordenanzas contenidas en tales instrumentos, se estará a lo dispuesto en la legislación aplicable.

3.   En los procedimientos de aprobación o de alteración de instrumentos de ordenación urbanística, la documentación expuesta al público deberá incluir un resumen ejecutivo expresivo de los siguientes extremos:

a)   Delimitación de los ámbitos en los que la ordenación proyectada altera la vigente, con un plano de su situación, y alcance de dicha alteración.

b)   En su caso, los ámbitos en los que se suspendan la ordenación o los procedimientos de ejecución o de intervención urbanística y la duración de dicha suspensión.

4.   Las Administraciones Públicas competentes impulsarán la publicidad telemática del contenido de los instrumentos de ordenación territorial y urbanística en vigor, así como del anuncio de su sometimiento a información pública.

5.   Cuando la legislación urbanística abra a los particulares la iniciativa de los procedimientos de aprobación de instrumentos de ordenación o de ejecución urbanística, el incumplimiento del deber de resolver dentro del plazo máximo establecido dará lugar a indemnización a los interesados por el importe de los gastos en que hayan incurrido para la presentación de sus solicitudes, salvo en los casos en que deban entenderse aprobados o resueltos favorablemente por silencio administrativo de conformidad con la legislación aplicable.

6.   Los instrumentos de ordenación urbanística cuyo procedimiento de aprobación se inicie de oficio por la Administración competente para su instrucción, pero cuya aprobación definitiva competa a un órgano de otra Administración, se entenderán definitivamente aprobados en el plazo que señale la legislación urbanística.

7.   En todo caso, en la tramitación de los instrumentos de ordenación territorial y urbanística deberá asegurarse el trámite de audiencia a las Administraciones Públicas cuyas competencias pudiesen resultar afectadas.

Artículo 12.   Situaciones básicas del suelo.

1.   Todo el suelo se encuentra, a los efectos de esta Ley, en una de las situaciones básicas de suelo rural o de suelo urbanizado.

2.   Está en la situación de suelo rural:

a)   En todo caso, el suelo preservado por la ordenación territorial y urbanística de su transformación mediante la urbanización, que deberá incluir, como mínimo, los terrenos excluidos de dicha transformación por la legislación de protección o policía del dominio público, de la naturaleza o del patrimonio cultural, los que deban quedar sujetos a tal protección conforme a la ordenación territorial y urbanística por los valores en ellos concurrentes, incluso los ecológicos, agrícolas, ganaderos, forestales y paisajísticos, así como aquéllos con riesgos naturales o tecnológicos, incluidos los de inundación o de otros accidentes graves, y cuantos otros prevea la legislación de ordenación territorial o urbanística.

b) El suelo para el que los instrumentos de ordenación territorial y urbanística prevean o permitan su paso a la situación de suelo urbanizado, hasta que termine la correspondiente actuación de urbanización, y cualquier otro que no reúna los requisitos a que se refiere el apartado siguiente.

3. Se encuentra en la situación de suelo urbanizado el integrado de forma legal y efectiva en la red de dotaciones y servicios propios de los núcleos de población. Se entenderá que así ocurre cuando las parcelas, estén o no edificadas, cuenten con las dotaciones y los servicios requeridos por la legislación urbanística o puedan llegar a contar con ellos sin otras obras que las de conexión de las parcelas a las instalaciones ya en funcionamiento.

Al establecer las dotaciones y los servicios a que se refiere el párrafo anterior, la legislación urbanística podrá considerar las peculiaridades de los núcleos tradicionales legalmente asentados en el medio rural.

Artículo 13.   Utilización del suelo rural.

1. Los terrenos que se encuentren en el suelo rural se utilizarán de conformidad con su naturaleza, debiendo dedicarse, dentro de los límites que dispongan las leyes y la ordenación territorial y urbanística, al uso agrícola, ganadero, forestal, cinegético o cualquier otro vinculado a la utilización racional de los recursos naturales.

Con carácter excepcional y por el procedimiento y con las condiciones previstas en la legislación de ordenación territorial y urbanística, podrán legitimarse actos y usos específicos que sean de interés público o social por su contribución a la ordenación y el desarrollo rurales o porque hayan de emplazarse en el medio rural.

2. Están prohibidas las parcelaciones urbanísticas de los terrenos en el suelo rural, salvo los que hayan sido incluidos en el ámbito de una actuación de urbanización en la forma que determine la legislación de ordenación territorial y urbanística.

3. Desde que los terrenos queden incluidos en el ámbito de una actuación de urbanización, únicamente podrán realizarse en ellos:

a)   Con carácter excepcional, usos y obras de carácter provisional que se autoricen por no estar expresamente prohibidos por la legislación territorial y urbanística o la sectorial. Estos usos y obras deberán cesar y, en todo caso, ser demolidas las obras, sin derecho a indemnización alguna, cuando así lo acuerde la Administración urbanística. La eficacia de las autorizaciones correspondientes, bajo las indicadas condiciones expresamente aceptadas por sus destinatarios, quedará supeditada a su constancia en el Registro de la Propiedad de conformidad con la legislación hipotecaria.

El arrendamiento y el derecho de superficie de los terrenos a que se refiere el párrafo anterior, o de las construcciones provisionales que se levanten en ellos, estarán excluidos del régimen especial de arrendamientos rústicos y urbanos, y, en todo caso, finalizarán automáticamente con la orden de la Administración urbanística acordando la demolición o desalojo para ejecutar los proyectos de urbanización. En estos supuestos no resultará aplicable lo establecido en la Disposición Adicional Undécima, segundo párrafo.

b)   Obras de urbanización cuando concurran los requisitos para ello exigidos en la legislación sobre ordenación territorial y urbanística, así como las de construcción o edificación que ésta permita realizar simultáneamente a la urbanización.

4.   No obstante lo dispuesto en los apartados anteriores, la utilización de los terrenos con valores ambientales, culturales, históricos, arqueológicos, científicos y paisajísticos que sean objeto de protección por la legislación aplicable, quedará siempre sometida a la preservación de dichos valores, y comprenderá únicamente los actos de alteración del estado natural de los terrenos que aquella legislación expresamente autorice.

Sólo podrá alterarse la delimitación de los espacios naturales protegidos o de los espacios incluidos en la Red Natura 2000, reduciendo su superficie total o excluyendo terrenos de los mismos, cuando así lo justifiquen los cambios provocados en ellos por su evolución natural, científicamente demostrada. La alteración deberá someterse a información pública, que en el caso de la Red Natura 2000 se hará de forma previa a la remisión de la propuesta de descatalogación a la Comisión Europea y la aceptación por ésta de tal descatalogación.

El cumplimiento de lo previsto en los párrafos anteriores no eximirá de las normas adicionales de protección que establezca la legislación aplicable.

Artículo 14. Actuaciones de transformación urbanística.

1. A efectos de esta Ley, se entiende por actuaciones de transformación urbanística:

a) Las actuaciones de urbanización, que incluyen:

1) Las de nueva urbanización, que suponen el paso de un ámbito de suelo de la situación de suelo rural a la de urbanizado para crear, junto con las correspondientes infraestructuras y dotaciones públicas, una o más parcelas aptas para la edificación o uso independiente y conectadas funcionalmente con la red de los servicios exigidos por la ordenación territorial y urbanística.

2) Las que tengan por objeto reformar o renovar la urbanización de un ámbito de suelo urbanizado.

b) Las actuaciones de dotación, considerando como tales las que tengan por objeto incrementar las dotaciones públicas de un ámbito de suelo urbanizado para reajustar su proporción con la mayor edificabilidad o densidad o con los nuevos usos asignados en la ordenación urbanística a una o más parcelas del ámbito y no requieran la reforma o renovación integral de la urbanización de éste.

2. A los solos efectos de lo dispuesto en esta Ley, las actuaciones de urbanización se entienden iniciadas en el momento en que, una vez aprobados y eficaces todos los instrumentos de ordenación y ejecución que requiera la legislación sobre ordenación territorial y urbanística para legitimar las obras de urbanización, empiece la ejecución material de éstas. La iniciación se presumirá cuando exista acta administrativa o notarial que dé fe del comienzo de las obras. La caducidad de cualquiera de los instrumentos mencionados restituye, a los efectos de esta Ley, el suelo a la situación en que se hallaba al inicio de la actuación.

La terminación de las actuaciones de urbanización se producirá cuando concluyan las obras urbanizadoras de conformidad con los instrumentos que las legitiman, habiéndose cumplido los deberes y levantado las cargas correspondientes. La terminación se presumirá a la recepción de las obras por la Administración o, en su defecto, al término del plazo en que debiera haberse producido la recepción desde su solicitud acompañada de certificación expedida por la dirección técnica de las obras.

Artículo 15.   Evaluación y seguimiento de la sostenibilidad del desarrollo urbano.

1.   Los instrumentos de ordenación territorial y urbanística están sometidos a evaluación ambiental de conformidad con lo previsto en la legislación de evaluación de los efectos de determinados planes y programas en el medio ambiente y en este artículo, sin perjuicio de la evaluación de impacto ambiental de los proyectos que se requieran para su ejecución, en su caso.

2.   El informe de sostenibilidad ambiental de los instrumentos de ordenación de actuaciones de urbanización deberá incluir un mapa de riesgos naturales del ámbito objeto de ordenación.

3.   En la fase de consultas sobre los instrumentos de ordenación de actuaciones de urbanización, deberán recabarse al menos los siguientes informes, cuando sean preceptivos y no hubieran sido ya emitidos e incorporados al expediente ni deban emitirse en una fase posterior del procedimiento de conformidad con su legislación reguladora:

a)   El de la Administración hidrológica sobre la existencia de recursos hídricos necesarios para satisfacer las nuevas demandas y sobre la protección del dominio público hidráulico.

b)   El de la Administración de costas sobre el deslinde y la protección del dominio público marítimo-terrestre, en su caso.

c)   Los de las Administraciones competentes en materia de carreteras y demás infraestructuras afectadas, acerca de dicha afección y del impacto de la actuación sobre la capacidad de servicio de tales infraestructuras.

Los informes a que se refiere este apartado serán determinantes para el contenido de la memoria ambiental, que sólo podrá disentir de ellos de forma expresamente motivada.

4.   La documentación de los instrumentos de ordenación de las actuaciones de urbanización debe incluir un informe o memoria de sostenibilidad económica, en el que se ponderará en particular el impacto de la actuación en las Haciendas Públicas afectadas por la implantación y el mantenimiento de las infraestructuras necesarias o la puesta en marcha y la prestación de los servicios resultantes, así como la suficiencia y adecuación del suelo destinado a usos productivos.

5.   Las Administraciones competentes en materia de ordenación y ejecución urbanísticas deberán elevar al órgano que corresponda de entre sus órganos colegiados de gobierno, con la periodicidad mínima que fije la legis-

lación en la materia, un informe de seguimiento de la actividad de ejecución urbanística de su competencia, que deberá considerar al menos la sostenibilidad ambiental y económica a que se refiere este artículo.

Los Municipios estarán obligados al informe a que se refiere el párrafo anterior cuando lo disponga la legislación en la materia y, al menos, cuando deban tener una Junta de Gobierno Local.

El informe a que se refieren los párrafos anteriores podrá surtir los efectos propios del seguimiento a que se refiere la legislación de evaluación de los efectos de determinados planes y programas en el medio ambiente, cuando cumpla todos los requisitos en ella exigidos.

6. La legislación sobre ordenación territorial y urbanística establecerá en qué casos el impacto de una actuación de urbanización obliga a ejercer de forma plena la potestad de ordenación del municipio o del ámbito territorial superior en que se integre, por trascender del concreto ámbito de la actuación los efectos significativos que genera la misma en el medio ambiente.

Artículo 16. Deberes de la promoción de las actuaciones de transformación urbanística.

1. Las actuaciones de transformación urbanística comportan, según su naturaleza y alcance, los siguientes deberes legales:

a) Entregar a la Administración competente el suelo reservado para viales, espacios libres, zonas verdes y restantes dotaciones públicas incluidas en la propia actuación o adscritas a ella para su obtención.

En las actuaciones de dotación, la entrega del suelo podrá ser sustituida por otras formas de cumplimiento del deber en los casos y condiciones en que así lo prevea la legislación sobre ordenación territorial y urbanística.

b) Entregar a la Administración competente, y con destino a patrimonio público de suelo, el suelo libre de cargas de urbanización correspondiente al porcentaje de la edificabilidad media ponderada de la actuación, o del ámbito superior de referencia en que ésta se incluya, que fije la legislación reguladora de la ordenación territorial y urbanística.

En las actuaciones de dotación, este porcentaje se entenderá referido al incremento de la edificabilidad media ponderada atribuida a los terrenos incluidos en la actuación.

Con carácter general, el porcentaje a que se refieren los párrafos anteriores no podrá ser inferior al 5 por 100 ni superior al 15 por 100.

La legislación sobre ordenación territorial y urbanística podrá permitir excepcionalmente reducir o incrementar este porcentaje de forma proporcionada y motivada, hasta alcanzar un máximo del 20 por 100 en el caso de su incremento, para las actuaciones o los ámbitos en los que el valor de las parcelas resultantes sea sensiblemente inferior o superior, respectivamente, al medio en los restantes de su misma categoría de suelo.

La legislación sobre ordenación territorial y urbanística podrá determinar los casos y condiciones en que quepa sustituir la entrega del suelo por otras formas de cumplimiento del deber, excepto cuando pueda cumplirse con suelo destinado a vivienda sometida a algún régimen de protección pública en virtud de la reserva a que se refiere la letra b) del apartado primero del artículo 10.

c)   Costear y, en su caso, ejecutar todas las obras de urbanización previstas en la actuación correspondiente, así como las infraestructuras de conexión con las redes generales de servicios y las de ampliación y reforzamiento de las existentes fuera de la actuación que ésta demande por su dimensión y características específicas, sin perjuicio del derecho a reintegrarse de los gastos de instalación de las redes de servicios con cargo a sus empresas prestadoras, en los términos establecidos en la legislación aplicable.

Entre las obras e infraestructuras a que se refiere el párrafo anterior, se entenderán incluidas las de potabilización, suministro y depuración de agua que se requieran conforme a su legislación reguladora y la legislación sobre ordenación territorial y urbanística podrá incluir asimismo las infraestructuras de transporte público que se requieran para una movilidad sostenible.

d)   Entregar a la Administración competente, junto con el suelo correspondiente, las obras e infraestructuras a que se refiere la letra anterior que deban formar parte del dominio público como soporte inmueble de las instalaciones propias de cualesquiera redes de dotaciones y servicios, así como también dichas instalaciones cuando estén destinadas a la prestación de servicios de titularidad pública.

e)   Garantizar el realojamiento de los ocupantes legales que se precise desalojar de inmuebles situados dentro del área de la actuación y que constituyan su residencia habitual, así como el retorno cuando tengan derecho a él, en los términos establecidos en la legislación vigente.

f)   Indemnizar a los titulares de derechos sobre las construcciones y edificaciones que deban ser demolidas y las obras, instalaciones, plantaciones y sembrados que no puedan conservarse.

2.   Los terrenos incluidos en el ámbito de las actuaciones y los adscritos a ellas están afectados, con carácter de garantía real, al cumplimiento de los deberes del apartado anterior. Estos deberes se presumen cumplidos con la recepción por la Administración competente de las obras de urbanización o, en su defecto, al término del plazo en que debiera haberse producido la recepción desde su solicitud acompañada de certificación expedida por la dirección técnica de las obras, sin perjuicio de las obligaciones que puedan derivarse de la liquidación de las cuentas definitivas de la actuación.

3.   Los convenios o negocios jurídicos que el promotor de la actuación celebre con la Administración correspondiente, no podrán establecer obligaciones o prestaciones adicionales ni más gravosas que las que procedan legalmente en perjuicio de los propietarios afectados. La cláusula que contravenga estas reglas será nula de pleno Derecho.

Artículo 17.   Formación de fincas y parcelas y relación entre ellas.

1.   Constituye:

a)   Finca: la unidad de suelo o de edificación atribuida exclusiva y excluyentemente a un propietario o varios en proindiviso, que puede situarse en la rasante, en el vuelo o en el subsuelo. Cuando, conforme a la legislación hipotecaria, pueda abrir folio en el Registro de la Propiedad, tiene la consideración de finca registral.

b)   Parcela: la unidad de suelo, tanto en la rasante como en el vuelo o el subsuelo, que tenga atribuida edificabilidad y uso o sólo uso urbanístico independiente.

2.   La división o segregación de una finca para dar lugar a dos o más diferentes sólo es posible si cada una de las resultantes reúne las características exigidas por la legislación aplicable y la ordenación territorial y urbanística. Esta regla es también aplicable a la enajenación, sin división ni segregación, de participaciones indivisas a las que se atribuya el derecho de utilización exclusiva de porción o porciones concretas de la finca, así como a la constitución de asociaciones o sociedades en las que la cualidad de socio incorpore dicho derecho de utilización exclusiva.

En la autorización de escrituras de segregación o división de fincas, los notarios exigirán, para su testimonio, la acreditación documental de la conformidad, aprobación o autorización administrativa a que esté sujeta, en su caso, la división o segregación conforme a la legislación que le sea aplicable. El cumplimiento de este requisito será exigido por los registradores para practicar la correspondiente inscripción.

Los notarios y registradores de la propiedad harán constar en la descripción de las fincas, en su caso, su cualidad de indivisibles.

3. La constitución de finca o fincas en régimen de propiedad horizontal o de complejo inmobiliario autoriza para considerar su superficie total como una sola parcela, siempre que dentro del perímetro de ésta no quede superficie alguna que, conforme a la ordenación territorial y urbanística aplicable, deba tener la condición de dominio público, ser de uso público o servir de soporte a las obras de urbanización o pueda computarse a los efectos del cumplimiento del deber legal a que se refiere la letra a) del apartado 1 del artículo anterior.

4. Cuando, de conformidad con lo previsto en su legislación reguladora, los instrumentos de ordenación urbanística destinen superficies superpuestas, en la rasante y el subsuelo o el vuelo, a la edificación o uso privado y al dominio público, podrá constituirse complejo inmobiliario en el que aquéllas y ésta tengan el carácter de fincas especiales de atribución privativa, previa la desafectación y con las limitaciones y servidumbres que procedan para la protección del dominio público.

5. El acto administrativo que legitime la edificación de una parcela indivisible, por agotamiento de la edificabilidad permitida en ella o por ser la superficie restante inferior a la parcela mínima, se comunicará al Registro de la Propiedad para su constancia en la inscripción de la finca.

Artículo 18. Operaciones de distribución de beneficios y cargas.

1. El acuerdo aprobatorio de los instrumentos de distribución de beneficios y cargas produce el efecto de la subrogación de las fincas de origen por las de resultado y el reparto de su titularidad entre los propietarios, el promotor de la actuación, cuando sea retribuido mediante la adjudicación de parcelas incluidas en ella, y la Administración, a quien corresponde el pleno dominio libre de cargas de los terrenos a que se refieren las letras a) y b) del apartado 1 del artículo 16. En este supuesto, si procede la distribución de beneficios y cargas entre los propietarios afectados por la actuación,

se entenderá que el titular del suelo de que se trata aporta tanto la superficie de su rasante como la del subsuelo o vuelo que de él se segrega.

2.   En los supuestos de subrogación real, si existiesen derechos reales o cargas que se estimen incompatibles con la ordenación urbanística, el acuerdo aprobatorio de la distribución de beneficios y cargas declarará su extinción y fijará la indemnización correspondiente a cargo del propietario respectivo.

3.   Existiendo subrogación real y compatibilidad con la ordenación urbanística, si la situación y características de la nueva finca fuesen incompatibles con la subsistencia de los derechos reales o cargas que habrían debido recaer sobre ellas, las personas a que estos derechos o cargas favorecieran podrán obtener su transformación en un derecho de crédito con garantía hipotecaria sobre la nueva finca, en la cuantía en que la carga fuera valorada. El registrador de la propiedad que aprecie tal incompatibilidad lo hará constar así en el asiento respectivo. En defecto de acuerdo entre las partes interesadas, cualquiera de ellas podrá acudir al Juzgado competente del orden civil para obtener una resolución declarativa de la compatibilidad o incompatibilidad y, en este último caso, para fijar la valoración de la carga y la constitución de la mencionada garantía hipotecaria.

4.   Cuando no tenga lugar la subrogación real, el acuerdo aprobatorio de la distribución de beneficios y cargas producirá la extinción de los derechos reales y cargas constituidos sobre la finca aportada, corriendo a cargo del propietario que la aportó la indemnización correspondiente, cuyo importe se fijará en el mencionado acuerdo.

5.   No obstante lo dispuesto en los apartados 2 y 4, las indemnizaciones por la extinción de servidumbres prediales o derechos de arrendamiento incompatibles con el instrumento de ordenación urbanística o su ejecución, se considerarán gastos de urbanización en el instrumento de distribución de beneficios y cargas correspondiente.

6.   Una vez firme en vía administrativa el acuerdo de aprobación definitiva de la distribución de beneficios y cargas, se procederá a su inscripción en el Registro de la Propiedad en la forma que se establece en el artículo 54.

7.   Las transmisiones de terrenos a que den lugar las operaciones distributivas de beneficios y cargas por aportación de los propietarios incluidos en la actuación de transformación urbanística, o en virtud de expropiación forzosa, y las adjudicaciones a favor de dichos propietarios en proporción a los terrenos aportados por los mismos, estarán exentas, con carácter perma-

nente, si cumplen todos los requisitos urbanísticos, del Impuesto sobre Transmisiones Patrimoniales y Actos Jurídicos Documentados, y no tendrán la consideración de transmisiones de dominio a los efectos de la exacción del Impuesto sobre el Incremento del Valor de los Terrenos de Naturaleza Urbana.

Cuando el valor de las parcelas adjudicadas a un propietario exceda del que proporcionalmente corresponda a los terrenos aportados por el mismo, se girarán las liquidaciones procedentes en cuanto al exceso.

Artículo 19.   Transmisión de fincas y deberes urbanísticos.

1.   La transmisión de fincas no modifica la situación del titular respecto de los deberes del propietario conforme a esta Ley y los establecidos por la legislación de la ordenación territorial y urbanística aplicable o exigibles por los actos de ejecución de la misma. El nuevo titular queda subrogado en los derechos y deberes del anterior propietario, así como en las obligaciones por éste asumidas frente a la Administración competente y que hayan sido objeto de inscripción registral, siempre que tales obligaciones se refieran a un posible efecto de mutación jurídico-real.

2.   En las enajenaciones de terrenos, debe hacerse constar en el correspondiente título:

a)   La situación urbanística de los terrenos, cuando no sean susceptibles de uso privado o edificación, cuenten con edificaciones fuera de ordenación o estén destinados a la construcción de viviendas sujetas a algún régimen de protección pública que permita tasar su precio máximo de venta, alquiler u otras formas de acceso a la vivienda.

b)   Los deberes legales y las obligaciones pendientes de cumplir, cuando los terrenos estén sujetos a una de las actuaciones a que se refiere el apartado 1 del artículo 14.

3.   La infracción de cualquiera de las disposiciones del apartado anterior faculta al adquirente para rescindir el contrato en el plazo de cuatro años y exigir la indemnización que proceda conforme a la legislación civil.

4.   Con ocasión de la autorización de escrituras públicas que afecten a la propiedad de fincas o parcelas, los notarios podrán solicitar de la Administración Pública competente información telemática o, en su defecto, cédula o informe escrito expresivo de su situación urbanística y los deberes y obligaciones a cuyo cumplimiento estén afectas. Los notarios remitirán a la Admi-

nistración competente, para su debido conocimiento, copia simple en papel o en soporte digital de las escrituras para las que hubieran solicitado y obtenido información urbanística, dentro de los diez días siguientes a su otorgamiento. Esta copia no devengará arancel.

5. En los títulos por los que se transmitan terrenos a la Administración deberá especificarse, a efectos de su inscripción en el Registro de la Propiedad, el carácter demanial o patrimonial de los bienes y, en su caso, su incorporación al patrimonio público de suelo.

Artículo 20. Declaración de obra nueva.

1. Para autorizar escrituras de declaración de obra nueva en construcción, los notarios exigirán, para su testimonio, la aportación del acto de conformidad, aprobación o autorización administrativa que requiera la obra según la legislación de ordenación territorial y urbanística, así como certificación expedida por técnico competente y acreditativa del ajuste de la descripción de la obra al proyecto que haya sido objeto de dicho acto administrativo.

Tratándose de escrituras de declaración de obra nueva terminada, exigirán, además de la certificación expedida por técnico competente acreditativa de la finalización de ésta conforme a la descripción del proyecto, la acreditación documental del cumplimiento de todos los requisitos impuestos por la legislación reguladora de la edificación para la entrega de ésta a sus usuarios y el otorgamiento, expreso o por silencio administrativo, de las autorizaciones administrativas que prevea la legislación de ordenación territorial y urbanística.

2. Para practicar las correspondientes inscripciones de las escrituras de declaración de obra nueva, los registradores exigirán el cumplimiento de los requisitos establecidos en el apartado anterior.

TÍTULO III
VALORACIONES

Artículo 21. Ámbito del régimen de valoraciones.

1. Las valoraciones del suelo, las instalaciones, construcciones y edificaciones, y los derechos constituidos sobre o en relación con ellos, se rigen por lo dispuesto en esta Ley cuando tengan por objeto:

a) La verificación de las operaciones de reparto de beneficios y cargas u otras precisas para la ejecución de la ordenación territorial y urbanística en las que la valoración determine el contenido patrimonial de facultades o deberes propios del derecho de propiedad, en defecto de acuerdo entre todos los sujetos afectados.

b) La fijación del justiprecio en la expropiación, cualquiera que sea la finalidad de ésta y la legislación que la motive.

c) La fijación del precio a pagar al propietario en la venta o sustitución forzosas.

d) La determinación de la responsabilidad patrimonial de la Administración Pública.

2. Las valoraciones se entienden referidas:

a) Cuando se trate de las operaciones contempladas en la letra a) del apartado anterior, a la fecha de iniciación del procedimiento de aprobación del instrumento que las motive.

b) Cuando se aplique la expropiación forzosa, al momento de iniciación del expediente de justiprecio individualizado o de exposición al público del proyecto de expropiación si se sigue el procedimiento de tasación conjunta.

c) Cuando se trate de la venta o sustitución forzosas, al momento de la iniciación del procedimiento de declaración del incumplimiento del deber que la motive.

d) Cuando la valoración sea necesaria a los efectos de determinar la indemnización por responsabilidad patrimonial de la Administración Pública, al momento de la entrada en vigor de la disposición o del comienzo de la eficacia del acto causante de la lesión.

Artículo 22.   Criterios generales para la valoración de inmuebles.

1. El valor del suelo corresponde a su pleno dominio, libre de toda carga, gravamen o derecho limitativo de la propiedad.

2. El suelo se tasará en la forma establecida en los artículos siguientes, según su situación y con independencia de la causa de la valoración y el instrumento legal que la motive.

Este criterio será también de aplicación a los suelos destinados a infraestructuras y servicios públicos de interés general supramunicipal, tanto si estuvieran previstos por la ordenación territorial y urbanística como si fueran de nueva creación, cuya valoración se determinará según la situación básica de los terrenos en que se sitúan o por los que discurren de conformidad con lo dispuesto en esta Ley.

3. Las edificaciones, construcciones e instalaciones, los sembrados y las plantaciones en el suelo rural, se tasarán con independencia de los terrenos siempre que se ajusten a la legalidad al tiempo de la valoración, sean compatibles con el uso o rendimiento considerado en la valoración del suelo y no hayan sido tenidos en cuenta en dicha valoración por su carácter de mejoras permanentes.

En el suelo urbanizado, las edificaciones, construcciones e instalaciones que se ajusten a la legalidad se tasarán conjuntamente con el suelo en la forma prevista en el apartado 2 del artículo 24.

Se entiende que las edificaciones, construcciones e instalaciones se ajustan a la legalidad al tiempo de su valoración cuando se realizaron de conformidad con la ordenación urbanística y el acto administrativo legitimante que requiriesen, o han sido posteriormente legalizadas de conformidad con lo dispuesto en la legislación urbanística.

La valoración de las edificaciones o construcciones tendrá en cuenta su antigüedad y su estado de conservación. Si han quedado incursas en la situación de fuera de ordenación, su valor se reducirá en proporción al tiempo transcurrido de su vida útil.

4. La valoración de las concesiones administrativas y de los derechos reales sobre inmuebles, a los efectos de su constitución, modificación o extinción, se efectuará con arreglo a las disposiciones sobre expropiación que específicamente determinen el justiprecio de los mismos; y subsidiariamente, según las normas del derecho administrativo, civil o fiscal que resulten de aplicación.

Al expropiar una finca gravada con cargas, la Administración que la efectúe podrá elegir entre fijar el justiprecio de cada uno de los derechos que concurren con el dominio, para distribuirlo entre los titulares de cada uno de ellos, o bien valorar el inmueble en su conjunto y consignar su importe en poder del órgano judicial, para que éste fije y distribuya, por el trámite de los incidentes, la proporción que corresponda a los respectivos interesados.

Artículo 23. Valoración en el suelo rural.

1. Cuando el suelo sea rural a los efectos de esta Ley:

a) Los terrenos se tasarán mediante la capitalización de la renta anual real o potencial, la que sea superior, de la explotación según su estado en el momento al que deba entenderse referida la valoración.

La renta potencial se calculará atendiendo al rendimiento del uso, disfrute o explotación de que sean susceptibles los terrenos conforme a la legislación que les sea aplicable, utilizando los medios técnicos normales para su producción. Incluirá, en su caso, como ingresos las subvenciones que, con carácter estable, se otorguen a los cultivos y aprovechamientos considerados para su cálculo y se descontarán los costes necesarios para la explotación considerada.

El valor del suelo rural así obtenido podrá ser corregido al alza hasta un máximo del doble en función de factores objetivos de localización, como la accesibilidad a núcleos de población o a centros de actividad económica o la ubicación en entornos de singular valor ambiental o paisajístico, cuya aplicación y ponderación habrá de ser justificada en el correspondiente expediente de valoración, todo ello en los términos que reglamentariamente se establezcan.

b) Las edificaciones, construcciones e instalaciones, cuando deban valorarse con independencia del suelo, se tasarán por el método de coste de reposición según su estado y antigüedad en el momento al que deba entenderse referida la valoración.

c) Las plantaciones y los sembrados preexistentes, así como las indemnizaciones por razón de arrendamientos rústicos u otros derechos, se tasarán con arreglo a los criterios de las Leyes de Expropiación Forzosa y de Arrendamientos Rústicos.

2. En ninguno de los casos previstos en el apartado anterior podrán considerarse expectativas derivadas de la asignación de edificabilidades y usos por la ordenación territorial o urbanística que no hayan sido aún plenamente realizados.

Artículo 24. Valoración en el suelo urbanizado.

1. Para la valoración del suelo urbanizado que no está edificado, o en que la edificación existente o en curso de ejecución es ilegal o se encuentra en situación de ruina física:

a)   Se considerarán como uso y edificabilidad de referencia los atribuidos a la parcela por la ordenación urbanística, incluido en su caso el de vivienda sujeta a algún régimen de protección que permita tasar su precio máximo en venta o alquiler.

Si los terrenos no tienen asignada edificabilidad o uso privado por la ordenación urbanística, se les atribuirá la edificabilidad media y el uso mayoritario en el ámbito espacial homogéneo en que por usos y tipologías la ordenación urbanística los haya incluido.

b)   Se aplicará a dicha edificabilidad el valor de repercusión del suelo según el uso correspondiente, determinado por el método residual estático.

c)   De la cantidad resultante de la letra anterior se descontará, en su caso, el valor de los deberes y cargas pendientes para poder realizar la edificabilidad prevista.

2.   Cuando se trate de suelo edificado o en curso de edificación, el valor de la tasación será el superior de los siguientes:

a)   El determinado por la tasación conjunta del suelo y de la edificación existente que se ajuste a la legalidad, por el método de comparación, aplicado exclusivamente a los usos de la edificación existente o la construcción ya realizada.

b)   El determinado por el método residual del apartado 1 de este artículo, aplicado exclusivamente al suelo, sin consideración de la edificación existente o la construcción ya realizada.

3.   Cuando se trate de suelo urbanizado sometido a actuaciones de reforma o renovación de la urbanización, el método residual a que se refieren los apartados anteriores considerará los usos y edificabilidades atribuidos por la ordenación en su situación de origen.

Artículo 25.   Indemnización de la facultad de participar en actuaciones de nueva urbanización.

1.   Procederá valorar la facultad de participar en la ejecución de una actuación de nueva urbanización cuando concurran los siguientes requisitos:

a)   Que los terrenos hayan sido incluidos en la delimitación del ámbito de la actuación y se den los requisitos exigidos para iniciarla o para expropiar el suelo correspondiente, de conformidad con la legislación en la materia.

b)   Que la disposición, el acto o el hecho que motiva la valoración impida el ejercicio de dicha facultad o altere las condiciones de su ejercicio modificando los usos del suelo o reduciendo su edificabilidad.

c)   Que la disposición, el acto o el hecho a que se refiere la letra anterior surtan efectos antes del inicio de la actuación y del vencimiento de los plazos establecidos para dicho ejercicio, o después si la ejecución no se hubiera llevado a cabo por causas imputables a la Administración.

d)   Que la valoración no traiga causa del incumplimiento de los deberes inherentes al ejercicio de la facultad.

2.   La indemnización por impedir el ejercicio de la facultad de participar en la actuación o alterar sus condiciones será el resultado de aplicar el mismo porcentaje que determine la legislación sobre ordenación territorial y urbanística para la participación de la comunidad en las plusvalías de conformidad con lo previsto en la letra b) del apartado primero del artículo 16 de esta Ley:

a)   A la diferencia entre el valor del suelo en su situación de origen y el valor que le correspondería si estuviera terminada la actuación, cuando se impida el ejercicio de esta facultad.

b)   A la merma provocada en el valor que correspondería al suelo si estuviera terminada la actuación, cuando se alteren las condiciones de ejercicio de la facultad.

Artículo 26.   Indemnización de la iniciativa y la promoción de actuaciones de urbanización o de edificación.

1.   Cuando devengan inútiles para quien haya incurrido en ellos por efecto de la disposición, del acto o del hecho que motive la valoración, los siguientes gastos y costes se tasarán por su importe incrementado por la tasa libre de riesgo y la prima de riesgo:

a)   Aquellos en que se haya incurrido para la elaboración del proyecto o proyectos técnicos de los instrumentos de ordenación y ejecución que, conforme a la legislación de la ordenación territorial y urbanística, sean necesarios para legitimar una actuación de urbanización, de edificación, o de conservación o rehabilitación de la edificación.

b)   Los de las obras acometidas y los de financiación, gestión y promoción precisos para la ejecución de la actuación.

c)   Las indemnizaciones pagadas.

2.   Una vez iniciadas, las actuaciones de urbanización se valorarán en la forma prevista en el apartado anterior o en proporción al grado alcanzado en su ejecución, lo que sea superior, siempre que dicha ejecución se desarrolle de conformidad con los instrumentos que la legitimen y no se hayan incumplido los plazos en ellos establecidos. Para ello, al grado de ejecución se le asignará un valor entre 0 y 1, que se multiplicará:

a)   Por la diferencia entre el valor del suelo en su situación de origen y el valor que le correspondería si estuviera terminada la actuación, cuando la disposición, el acto o hecho que motiva la valoración impida su terminación.

b)   Por la merma provocada en el valor que correspondería al suelo si estuviera terminada la actuación, cuando sólo se alteren las condiciones de su ejecución, sin impedir su terminación.

La indemnización obtenida por el método establecido en este apartado nunca será inferior a la establecida en el artículo anterior y se distribuirá proporcionalmente entre los adjudicatarios de parcelas resultantes de la actuación.

3.   Cuando el promotor de la actuación no sea retribuido mediante adjudicación de parcelas resultantes, su indemnización se descontará de la de los propietarios y se calculará aplicando la tasa libre de riesgo y la prima de riesgo a la parte dejada de percibir de la retribución que tuviere establecida.

4.   Los propietarios del suelo que no estuviesen al día en el cumplimiento de sus deberes y obligaciones, serán indemnizados por los gastos y costes a que se refiere el apartado 1, que se tasarán en el importe efectivamente incurrido.

Artículo 27.   Valoración del suelo en régimen de equidistribución de beneficios y cargas.

1.   Cuando, en defecto de acuerdo entre todos los sujetos afectados, deban valorarse las aportaciones de suelo de los propietarios partícipes en una actuación de urbanización en ejercicio de la facultad establecida en la letra c) del apartado 1 del artículo 8, para ponderarlas entre sí o con las aportaciones del promotor o de la Administración, a los efectos del reparto de los beneficios y cargas y la adjudicación de parcelas resultantes, el suelo se tasará por el valor que le correspondería si estuviera terminada la actuación.

2. En el caso de propietarios que no puedan participar en la adjudicación de parcelas resultantes de una actuación de urbanización por causa de la insuficiencia de su aportación, el suelo se tasará por el valor que le correspondería si estuviera terminada la actuación, descontados los gastos de urbanización correspondientes incrementados por la tasa libre de riesgo y la prima de riesgo.

Artículo 28. Régimen de la valoración.

La valoración se realiza, en todo lo no dispuesto en esta Ley:

a)   Conforme a los criterios que determinen las Leyes de la ordenación territorial y urbanística, cuando tenga por objeto la verificación de las operaciones precisas para la ejecución de la ordenación urbanística y, en especial, la distribución de los beneficios y las cargas de ella derivadas.

b)   Con arreglo a los criterios de la legislación general de expropiación forzosa y de responsabilidad de las Administraciones Públicas, según proceda, en los restantes casos.

TÍTULO IV
EXPROPIACIÓN FORZOSA Y RESPONSABILIDAD PATRIMONIAL

Artículo 29.   Régimen de las expropiaciones por razón de la ordenación territorial y urbanística.

1.   La expropiación por razón de la ordenación territorial y urbanística puede aplicarse para las finalidades previstas en la legislación reguladora de dicha ordenación, de conformidad con lo dispuesto en esta Ley y en la Ley de Expropiación Forzosa.

2.   La aprobación de los instrumentos de la ordenación territorial y urbanística que determine su legislación reguladora conllevará la declaración de utilidad pública y la necesidad de ocupación de los bienes y derechos correspondientes, cuando dichos instrumentos habiliten para su ejecución y ésta deba producirse por expropiación.

Dicha declaración se extenderá a los terrenos precisos para conectar la actuación de urbanización con las redes generales de servicios, cuando sean necesarios.

3.   Cuando en la superficie objeto de expropiación existan bienes de

dominio público y el destino de los mismos, según el instrumento de ordenación, sea distinto del que motivó su afectación o adscripción al uso general o a los servicios públicos, se seguirá, en su caso, el procedimiento previsto en la legislación reguladora del bien correspondiente para la mutación demanial o desafectación, según proceda.

Las vías rurales que se encuentren comprendidas en la superficie objeto de expropiación se entenderán de propiedad municipal, salvo prueba en contrario. En cuanto a las vías urbanas que desaparezcan se entenderán transmitidas de pleno derecho al Organismo expropiante y subrogadas por las nuevas que resulten de la ordenación urbanística.

4. Tendrán la consideración de beneficiarios de la expropiación las personas naturales o jurídicas subrogadas en las facultades del Estado, de las Comunidades Autónomas o de las Entidades locales para la ejecución de planes u obras determinadas.

Artículo 30. Justiprecio.

1. El justiprecio de los bienes y derechos expropiados se fijará conforme a los criterios de valoración de esta Ley mediante expediente individualizado o por el procedimiento de tasación conjunta. Si hay acuerdo con el expropiado, se podrá satisfacer en especie.

2. Las actuaciones del expediente expropiatorio se seguirán con quienes figuren como interesados en el proyecto de delimitación, redactado conforme a la Ley de Expropiación Forzosa o acrediten, en legal forma, ser los verdaderos titulares de los bienes o derechos en contra de lo que diga el proyecto. En el procedimiento de tasación conjunta, los errores no denunciados y justificados en la fase de información pública no darán lugar a nulidad o reposición de actuaciones, conservando no obstante, los interesados su derecho a ser indemnizados en la forma que corresponda.

3. Llegado el momento del pago del justiprecio, sólo se procederá a hacerlo efectivo, consignándose en caso contrario, a aquellos interesados que aporten certificación registral a su favor, en la que conste haberse extendido la nota del artículo 32 del Reglamento Hipotecario o, en su defecto, los títulos justificativos de su derecho, completados con certificaciones negativas del Registro de la Propiedad referidas a la misma finca descrita en los títulos. Si existiesen cargas deberán comparecer los titulares de las mismas.

4. Cuando existan pronunciamientos registrales contrarios a la reali-

dad, podrá pagarse el justiprecio a quienes los hayan rectificado o desvirtuado mediante cualquiera de los medios señalados en la legislación hipotecaria o con acta de notoriedad tramitada conforme al artículo 209 del Reglamento Notarial.

Artículo 31. Ocupación e inscripción en el Registro de la Propiedad.

1. El acta de ocupación para cada finca o bien afectado por el procedimiento expropiatorio será título inscribible, siempre que incorpore su descripción, su identificación conforme a la legislación hipotecaria, su referencia catastral y su representación gráfica mediante un sistema de coordenadas y que se acompañe del acta de pago o justificante de la consignación del precio correspondiente.

A efectos de lo dispuesto en el párrafo anterior, la referencia catastral y la representación gráfica podrán ser sustituidas por una certificación catastral descriptiva y gráfica del inmueble de que se trate.

La superficie objeto de la actuación se inscribirá como una o varias fincas registrales, sin que sea obstáculo para ello la falta de inmatriculación de alguna de estas fincas. En las fincas afectadas y a continuación de la nota a que se refiere la legislación hipotecaria sobre asientos derivados de procedimientos de expropiación forzosa, se extenderá otra en la que se identificará la porción expropiada si la actuación no afectase a la totalidad de la finca.

2. Si al proceder a la inscripción surgiesen dudas fundadas sobre la existencia, dentro de la superficie ocupada, de alguna finca registral no tenida en cuenta en el procedimiento expropiatorio, se pondrá tal circunstancia en conocimiento de la Administración competente, sin perjuicio de practicarse la inscripción.

3. Los actos administrativos de constitución, modificación o extinción forzosa de servidumbres serán inscribibles en el Registro de la Propiedad, en la forma prevista para las actas de expropiación.

Artículo 32. Adquisición libre de cargas.

1. Finalizado el expediente expropiatorio, y una vez levantada el acta o actas de ocupación con los requisitos previstos en la legislación general de expropiación forzosa, se entenderá que la Administración ha adquirido, libre de cargas, la finca o fincas comprendidas en el expediente.

La Administración será mantenida en la posesión de las fincas, una vez inscrito su derecho, sin que quepa ejercitar ninguna acción real o interdictal contra la misma.

2.   Si con posterioridad a la finalización del expediente, una vez levantada el acta de ocupación e inscritas las fincas o derechos en favor de la Administración, aparecieren terceros interesados no tenidos en cuenta en el expediente, éstos conservarán y podrán ejercitar cuantas acciones personales pudieren corresponderles para percibir el justiprecio o las indemnizaciones expropiatorias y discutir su cuantía.

3.   En el supuesto de que, una vez finalizado totalmente el expediente, aparecieren fincas o derechos anteriormente inscritos no tenidos en cuenta, la Administración expropiante, de oficio o a instancia de parte interesada o del propio registrador, solicitará de éste que practique la cancelación correspondiente. Los titulares de tales fincas o derechos deberán ser compensados por la Administración expropiante, que formulará un expediente complementario con las correspondientes hojas de aprecio, tramitándose según el procedimiento que se haya seguido para el resto de las fincas, sin perjuicio de que tales titulares puedan ejercitar cualquier otro tipo de acción que pudiera corresponderles.

4.   Si el justiprecio se hubiere pagado a quien apareciere en el expediente como titular registral, la acción de los terceros no podrá dirigirse contra la Administración expropiante si éstos no comparecieron durante la tramitación, en tiempo hábil.

Artículo 33.   Modalidades de gestión de la expropiación.

1.   Las Entidades Locales podrán promover, para la gestión de las expropiaciones, las modalidades asociativas con otras Administraciones Públicas o particulares, de conformidad con la legislación de régimen local y urbanística.

2.   Para el mejor cumplimiento de la finalidad expresada en el apartado anterior, podrán igualmente encomendar el ejercicio de la potestad expropiatoria a otras Administraciones Públicas.

3.   Lo dispuesto en los apartados anteriores se entenderá sin perjuicio de las facultades reconocidas expresamente por ley a determinados entes públicos en materia expropiatoria.

Artículo 34.   Supuestos de reversión y de retasación.

1.   Si se alterara el uso que motivó la expropiación de suelo en virtud de modificación o revisión del instrumento de ordenación territorial y urbanística, procede la reversión salvo que concurra alguna de las siguientes circunstancias:

a)   Que el uso dotacional público que hubiera motivado la expropiación hubiera sido efectivamente implantado y mantenido durante ocho años, o bien que el nuevo uso asignado al suelo sea igualmente dotacional público.

b)   Haberse producido la expropiación para la formación o ampliación de un patrimonio público de suelo, siempre que el nuevo uso sea compatible con los fines de éste.

c)   Haberse producido la expropiación para la ejecución de una actuación de urbanización.

d)   Haberse producido la expropiación por incumplimiento de los deberes o no levantamiento de las cargas propias del régimen aplicable al suelo conforme a esta Ley.

e)   Cualquiera de los restantes supuestos en que no proceda la reversión de acuerdo con la Ley de Expropiación Forzosa.

2.   En los casos en que el suelo haya sido expropiado para ejecutar una actuación de urbanización:

a)   Procede la reversión, cuando hayan transcurrido diez años desde la expropiación sin que la urbanización se haya concluido.

b)   Procede la retasación cuando se alteren los usos o la edificabilidad del suelo, en virtud de una modificación del instrumento de ordenación territorial y urbanística que no se efectúe en el marco de un nuevo ejercicio pleno de la potestad de ordenación, y ello suponga un incremento de su valor conforme a los criterios aplicados en su expropiación. El nuevo valor se determinará mediante la aplicación de los mismos criterios de valoración a los nuevos usos y edificabilidades. Corresponderá al expropiado o sus causahabientes la diferencia entre dicho valor y el resultado de actualizar el justiprecio.

En lo no previsto por el párrafo anterior, será de aplicación al derecho de retasación lo dispuesto para el derecho de reversión, incluido su acceso al Registro de la Propiedad.

3. No procede la reversión cuando del suelo expropiado se segreguen su vuelo o subsuelo, conforme a lo previsto en el apartado 4 del artículo 17, siempre que se mantenga el uso dotacional público para el que fue expropiado o concurra alguna de las restantes circunstancias previstas en el apartado primero.

Artículo 35.   Supuestos indemnizatorios.

Dan lugar en todo caso a derecho de indemnización las lesiones en los bienes y derechos que resulten de los siguientes supuestos:

a)   La alteración de las condiciones de ejercicio de la ejecución de la urbanización, o de las condiciones de participación de los propietarios en ella, por cambio de la ordenación territorial o urbanística o del acto o negocio de la adjudicación de dicha actividad, siempre que se produzca antes de transcurrir los plazos previstos para su desarrollo o, transcurridos éstos, si la ejecución no se hubiere llevado a efecto por causas imputables a la Administración.

Las situaciones de fuera de ordenación producidas por los cambios en la ordenación territorial o urbanística no serán indemnizables, sin perjuicio de que pueda serlo la imposibilidad de usar y disfrutar lícitamente de la construcción o edificación incursa en dicha situación durante su vida útil.

b)   Las vinculaciones y limitaciones singulares que excedan de los deberes legalmente establecidos respecto de construcciones y edificaciones, o lleven consigo una restricción de la edificabilidad o el uso que no sea susceptible de distribución equitativa.

c) La modificación o extinción de la eficacia de los títulos administrativos habilitantes de obras y actividades, determinadas por el cambio sobrevenido de la ordenación territorial o urbanística.

d)   La anulación de los títulos administrativos habilitantes de obras y actividades, así como la demora injustificada en su otorgamiento y su denegación improcedente. En ningún caso habrá lugar a indemnización si existe dolo, culpa o negligencia graves imputables al perjudicado.

e)   La ocupación de terrenos destinados por la ordenación territorial y urbanística a dotaciones públicas, por el período de tiempo que medie desde la ocupación de los mismos hasta la aprobación definitiva del instrumento por el que se le adjudiquen al propietario otros de valor equivalente. El derecho a la indemnización se fijará en los términos establecidos en el artículo 112 de la Ley de Expropiación Forzosa.

Transcurridos cuatro años desde la ocupación sin que se hubiera producido la aprobación definitiva del mencionado instrumento, los interesados podrán efectuar la advertencia a la Administración competente de su propósito de iniciar el expediente de justiprecio, quedando facultados para iniciar el mismo, mediante el envío a aquélla de la correspondiente hoja de aprecio, una vez transcurridos seis meses desde dicha advertencia.

TÍTULO V
FUNCIÓN SOCIAL DE LA PROPIEDAD Y GESTIÓN DEL SUELO

CAPÍTULO I
Venta y sustitución forzosas

Artículo 36.   Procedencia y alcance de la venta o sustitución forzosas.

1.   El incumplimiento de los deberes de edificación o rehabilitación previstos en esta Ley habilitará para la expropiación por incumplimiento de la función social de la propiedad o la aplicación del régimen de venta o sustitución forzosas, sin perjuicio de que la legislación sobre ordenación territorial y urbanística pueda establecer otras consecuencias.

2.   La sustitución forzosa tiene por objeto la facultad de edificación, para imponer su ejercicio en régimen de propiedad horizontal con el propietario actual del suelo.

3.   En los supuestos de expropiación, venta o sustitución forzosas previstos en este artículo, el contenido del derecho de propiedad del suelo nunca podrá ser minorado por la legislación reguladora de la ordenación territorial y urbanística en un porcentaje superior al 50 por 100 de su valor, correspondiendo la diferencia a la Administración.

Artículo 37.   Régimen de la venta o sustitución forzosas.

1.   La venta o sustitución forzosas se iniciará de oficio o a instancia de interesado y se adjudicará mediante procedimiento con publicidad y concurrencia.

2.   Dictada resolución declaratoria del incumplimiento de deberes del

régimen de la propiedad del suelo y acordada la aplicación del régimen de venta o sustitución forzosas, la Administración actuante remitirá al Registro de la Propiedad certificación del acto o actos correspondientes para su constancia por nota al margen de la última inscripción de dominio. La situación de venta o sustitución forzosas se consignará en las certificaciones registrales que de la finca se expidan.

3. Resuelto el procedimiento, la Administración actuante expedirá certificación de la adjudicación, que será título inscribible en el Registro de la Propiedad.

En la inscripción registral se harán constar las condiciones y los plazos de edificación a que quede obligado el adquiriente en calidad de resolutorias de la adquisición.

CAPÍTULO II
Patrimonios públicos de suelo

Artículo 38. Noción y finalidad.

1. Con la finalidad de regular el mercado de terrenos, obtener reservas de suelo para actuaciones de iniciativa pública y facilitar la ejecución de la ordenación territorial y urbanística, integran los patrimonios públicos de suelo los bienes, recursos y derechos que adquiera la Administración en virtud del deber a que se refiere la letra b) del apartado 1 del artículo 16, sin perjuicio de los demás que determine la legislación sobre ordenación territorial y urbanística.

2. Los bienes de los patrimonios públicos de suelo constituyen un patrimonio separado y los ingresos obtenidos mediante la enajenación de los terrenos que los integran o la sustitución por dinero a que se refiere la letra b) del apartado 1 del artículo 16, se destinarán a la conservación, administración y ampliación del mismo, siempre que sólo se financien gastos de capital y no se infrinja la legislación que les sea aplicable, o a los usos propios de su destino.

Artículo 39. Destino.

1. Los bienes y recursos que integran necesariamente los patrimonios públicos de suelo en virtud de lo dispuesto en el apartado 1 del artículo anterior, deberán ser destinados a la construcción de viviendas sujetas a al-

gún régimen de protección pública. Podrán ser destinados también a otros usos de interés social, de acuerdo con lo que dispongan los instrumentos de ordenación urbanística, sólo cuando así lo prevea la legislación en la materia especificando los fines admisibles, que serán urbanísticos o de protección o mejora de espacios naturales o de los bienes inmuebles del patrimonio cultural.

2. Los terrenos adquiridos por una Administración en virtud del deber a que se refiere la letra b) del apartado 1 del artículo 16, que estén destinados a la construcción de viviendas sujetas a algún régimen de protección pública que permita tasar su precio máximo de venta, alquiler u otras formas de acceso a la vivienda, no podrán ser adjudicados, ni en dicha transmisión ni en las sucesivas, por un precio superior al valor máximo de repercusión del suelo sobre el tipo de vivienda de que se trate, conforme a su legislación reguladora. En el expediente administrativo y en el acto o contrato de la enajenación se hará constar esta limitación.

3. Las limitaciones, obligaciones, plazos o condiciones de destino de las fincas integrantes de un patrimonio público de suelo que se hagan constar en las enajenaciones de dichas fincas son inscribibles en el Registro de la Propiedad, no obstante lo dispuesto en el artículo 27 de la Ley Hipotecaria y sin perjuicio de que su incumplimiento pueda dar lugar a la resolución de la enajenación.

4. El acceso al Registro de la Propiedad de las limitaciones, obligaciones, plazos o condiciones a que se refiere el apartado anterior produce los siguientes efectos:

a) Cuando se hayan configurado como causa de resolución, ésta se inscribirá en virtud, bien del consentimiento del adquirente, bien del acto unilateral de la Administración titular del patrimonio público de suelo del que proceda la finca enajenada, siempre que dicho acto no sea ya susceptible de recurso ordinario alguno, administrativo o judicial.

Sin perjuicio de la resolución del contrato, la Administración enajenante podrá interesar la práctica de anotación preventiva de la pretensión de resolución en la forma prevista por la legislación hipotecaria para las anotaciones preventivas derivadas de la iniciación de procedimiento de disciplina urbanística.

b) En otro caso, la mención registral producirá los efectos propios de las notas marginales de condiciones impuestas sobre determinadas fincas.

1195

CAPÍTULO III
Derecho de superficie

Artículo 40.   Contenido, constitución y régimen.

1.   El derecho real de superficie atribuye al superficiario la facultad de realizar construcciones o edificaciones en la rasante y en el vuelo y el subsuelo de una finca ajena, manteniendo la propiedad temporal de las construcciones o edificaciones realizadas. También puede constituirse dicho derecho sobre construcciones o edificaciones ya realizadas o sobre viviendas, locales o elementos privativos de construcciones o edificaciones, atribuyendo al superficiario la propiedad temporal de las mismas, sin perjuicio de la propiedad separada del titular del suelo.

2.   Para que el derecho de superficie quede válidamente constituido se requiere su formalización en escritura pública y la inscripción de ésta en el Registro de la Propiedad. En la escritura deberá fijarse necesariamente el plazo de duración del derecho de superficie, que no podrá exceder de noventa y nueve años.

El derecho de superficie sólo puede ser constituido por el propietario del suelo, sea público o privado.

3.   El derecho de superficie puede constituirse a título oneroso o gratuito. En el primer caso, la contraprestación del superficiario podrá consistir en el pago de una suma alzada o de un canon periódico, o en la adjudicación de viviendas o locales o derechos de arrendamiento de unos u otros a favor del propietario del suelo, o en varias de estas modalidades a la vez, sin perjuicio de la reversión total de lo edificado al finalizar el plazo pactado al constituir el derecho de superficie.

4.   El derecho de superficie se rige por las disposiciones de este Capítulo, por la legislación civil en lo no previsto por él y por el título constitutivo del derecho.

Artículo 41.   Transmisión, gravamen y extinción.

1.   El derecho de superficie es susceptible de transmisión y gravamen con las limitaciones fijadas al constituirlo.

2.   Cuando las características de la construcción o edificación lo permitan, el superficiario podrá constituir la propiedad superficiaria en régimen

de propiedad horizontal con separación del terreno correspondiente al propietario, y podrá transmitir y gravar como fincas independientes las viviendas, los locales y los elementos privativos de la propiedad horizontal, durante el plazo del derecho de superficie, sin necesidad del consentimiento del propietario del suelo.

3. En la constitución del derecho de superficie se podrán incluir cláusulas y pactos relativos a derechos de tanteo, retracto y retroventa a favor del propietario del suelo, para los casos de las transmisiones del derecho o de los elementos a que se refieren, respectivamente, los dos apartados anteriores.

4. El propietario del suelo podrá transmitir y gravar su derecho con separación del derecho del superficiario y sin necesidad de consentimiento de éste. El subsuelo corresponderá al propietario del suelo y será objeto de transmisión y gravamen juntamente con éste, salvo que haya sido incluido en el derecho de superficie.

5. El derecho de superficie se extingue si no se edifica de conformidad con la ordenación territorial y urbanística en el plazo previsto en el título de constitución y, en todo caso, por el transcurso del plazo de duración del derecho.

A la extinción del derecho de superficie por el transcurso de su plazo de duración, el propietario del suelo hace suya la propiedad de lo edificado, sin que deba satisfacer indemnización alguna cualquiera que sea el título en virtud del cual se hubiera constituido el derecho. No obstante, podrán pactarse normas sobre la liquidación del régimen del derecho de superficie.

La extinción del derecho de superficie por el transcurso de su plazo de duración determina la de toda clase de derechos reales o personales impuestos por el superficiario.

Si por cualquier otra causa se reunieran los derechos de propiedad del suelo y los del superficiario, las cargas que recayeren sobre uno y otro derecho continuarán gravándolos separadamente hasta el transcurso del plazo del derecho de superficie.

TÍTULO VI
RÉGIMEN JURÍDICO

CAPÍTULO I
Actuaciones con el Ministerio Fiscal

Artículo 42. Infracciones constitutivas de delito o falta.

Cuando con ocasión de los expedientes administrativos que se instruyan por infracción urbanística o contra la ordenación del territorio aparezcan indicios del carácter de delito o falta del propio hecho que motivó su incoación, el órgano competente para imponer la sanción lo pondrá en conocimiento del Ministerio Fiscal, a los efectos de exigencia de las responsabilidades de orden penal en que hayan podido incurrir los infractores, absteniéndose aquél de proseguir el procedimiento sancionador mientras la autoridad judicial no se haya pronunciado. La sanción penal excluirá la imposición de sanción administrativa sin perjuicio de la adopción de medidas de reposición a la situación anterior a la comisión de la infracción.

CAPÍTULO II
Peticiones, actos y acuerdos

Artículo 43.   Peticiones.

Las Entidades locales y Organismos urbanísticos habrán de resolver las peticiones fundadas que se les dirijan.

Artículo 44.   Administración demandada en subrogación.

Las decisiones que adoptaren los órganos autonómicos mediante subrogación se considerarán como actos del Ayuntamiento titular, a los solos efectos de los recursos admisibles.

Artículo 45.   Ejecución forzosa y vía de apremio.

1.   Los Ayuntamientos podrán utilizar la ejecución forzosa y la vía de apremio para exigir el cumplimiento de sus deberes a los propietarios, individuales o asociados, y a los promotores de actuaciones de transformación urbanística.

2.   Los procedimientos de ejecución y apremio se dirigirán ante todo contra los bienes de las personas que no hubieren cumplido sus obligaciones, y sólo en caso de insolvencia, frente a la asociación administrativa de propietarios.

3.   También podrán ejercer las mismas facultades, a solicitud de la asociación, contra los propietarios que incumplieren los compromisos contraídos con ella.

Artículo 46. Revisión de oficio.

Las Entidades locales podrán revisar de oficio sus actos y acuerdos en materia de urbanismo con arreglo a lo dispuesto en la legislación de régimen jurídico de las Administraciones Públicas.

CAPÍTULO III

Acciones y recursos

Artículo 47. Carácter de los actos y convenios regulados en la legislación urbanística.

Tendrán carácter jurídico administrativo todas las cuestiones que se suscitaren con ocasión o como consecuencia de los actos y convenios regulados en la legislación urbanística aplicable entre los órganos competentes de las Administraciones Públicas y los propietarios, individuales o asociados, o promotores de actuaciones de transformación urbanística, incluso las relativas a cesiones de terrenos para urbanizar o edificar.

Artículo 48. Acción pública.

1. Será pública la acción para exigir ante los órganos administrativos y los Tribunales Contencioso-Administrativos la observancia de la legislación y demás instrumentos de ordenación territorial y urbanística.

2. Si dicha acción está motivada por la ejecución de obras que se consideren ilegales, podrá ejercitarse durante la ejecución de las mismas y hasta el transcurso de los plazos establecidos para la adopción de las medidas de protección de la legalidad urbanística.

Artículo 49. Acción ante Tribunales ordinarios.

Los propietarios y titulares de derechos reales, además de lo previsto en el artículo anterior, podrán exigir ante los Tribunales ordinarios la demolición de las obras e instalaciones que vulneren lo dispuesto respecto a la distancia entre construcciones, pozos, cisternas, o fosas, comunidad de elementos constructivos u otros urbanos, así como las disposiciones relativas a usos incómodos, insalubres o peligrosos que estuvieren directamente encaminadas a tutelar el uso de las demás fincas.

Artículo 50.   Recurso contencioso-administrativo.

1.   Los actos de las Entidades Locales, cualquiera que sea su objeto, que pongan fin a la vía administrativa serán recurribles directamente ante la jurisdicción contencioso-administrativa.

2.   Los actos de aprobación definitiva de los instrumentos de ordenación territorial y de los de ordenación y ejecución urbanísticas, sin perjuicio de los recursos administrativos que puedan proceder, podrán ser impugnados ante la jurisdicción contencioso-administrativa, en los términos prevenidos por su legislación reguladora.

CAPÍTULO IV
Registro de la Propiedad

Artículo 51.   Actos inscribibles.

Serán inscribibles en el Registro de la Propiedad:

1.   Los actos firmes de aprobación de los expedientes de ejecución de la ordenación urbanística en cuanto supongan la modificación de las fincas registrales afectadas por el instrumento de ordenación, la atribución del dominio o de otros derechos reales sobre las mismas o el establecimiento de garantías reales de la obligación de ejecución o de conservación de la urbanización.

2.   Las cesiones de terrenos con carácter obligatorio en los casos previstos por las leyes o como consecuencia de transferencias de aprovechamiento urbanístico.

3.   La incoación de expediente sobre disciplina urbanística o de aquellos que tengan por objeto el apremio administrativo para garantizar el cumplimiento de sanciones impuestas.

4.   Las condiciones especiales a que se sujeten los actos de conformidad, aprobación o autorización administrativas, en los términos previstos por las leyes.

5.   Los actos de transferencia y gravamen del aprovechamiento urbanístico.

6.   La interposición de recurso contencioso-administrativo que pre-

tenda la anulación de instrumentos de ordenación urbanística, de ejecución, o de actos administrativos de intervención.

7.   Las sentencias firmes en que se declare la anulación a que se refiere el apartado anterior, cuando se concreten a fincas determinadas y haya participado su titular en el procedimiento.

8.   Cualquier otro acto administrativo que, en desarrollo de los instrumentos de ordenación o ejecución urbanísticos modifique, desde luego o en el futuro, el dominio o cualquier otro derecho real sobre fincas determinadas o la descripción de éstas.

Artículo 52.   Certificación administrativa.

Salvo en los casos que la legislación establezca otra cosa, los actos a que se refiere el artículo anterior podrán inscribirse en el Registro de la Propiedad mediante certificación administrativa expedida por órgano urbanístico actuante, en la que se harán constar en la forma exigida por la legislación hipotecaria las circunstancias relativas a las personas, los derechos y las fincas a que afecte el acuerdo.

Artículo 53.   Clases de asientos.

1.   Se harán constar mediante inscripción los actos y acuerdos a que se refieren los apartados 1, 2, 7 y 8 del artículo 51, así como la superficie ocupada a favor de la Administración, por tratarse de terrenos destinados a dotaciones públicas por la ordenación territorial y urbanística.

2.   Se harán constar mediante anotación preventiva los actos de los apartados 3 y 6 del artículo 51. Tales anotaciones caducarán a los cuatro años y podrán ser prorrogadas a instancia del órgano urbanístico actuante o resolución del órgano jurisdiccional, respectivamente.

3.   Se harán constar mediante nota marginal los demás actos y acuerdos a que se refiere el artículo 51. Salvo que otra cosa se establezca expresamente, las notas marginales tendrán vigencia indefinida, pero no producirán otro efecto que dar a conocer la situación urbanística en el momento a que se refiere el título que las originara.

Artículo 54.   Expedientes de distribución de beneficios y cargas.

1.   La iniciación del expediente de distribución de beneficios y cargas

que corresponda o la afección de los terrenos comprendidos en una actuación de transformación urbanística al cumplimiento de las obligaciones inherentes a la forma de gestión que proceda, se harán constar en el Registro por nota al margen de la última inscripción de dominio de las fincas correspondientes.

2. La nota marginal tendrá una duración de tres años y podrá ser prorrogada por otros tres años a instancia del órgano o agrupación de interés urbanístico que hubiera solicitado su práctica.

3. La inscripción de los títulos de distribución de beneficios y cargas podrá llevarse a cabo, bien mediante la cancelación directa de las inscripciones y demás asientos vigentes de las fincas originarias, con referencia al folio registral de las fincas resultantes del proyecto, bien mediante agrupación previa de la totalidad de la superficie comprendida en la actuación de transformación urbanística y su división en todas y cada una de las fincas resultantes de las operaciones de distribución.

4. Tomada la nota a la que se refiere el apartado 1, se producirán los siguientes efectos:

a) Si el título adjudicare la finca resultante al titular registral de la finca originaria, la inscripción se practicará a favor de éste.

b) Si el título atribuyere la finca resultante al titular registral de la finca originaria según el contenido de la certificación que motivó la práctica de la nota, la inscripción se practicará a favor de dicho titular y se cancelarán simultáneamente las inscripciones de dominio o de derechos reales sobre la finca originaria que se hubieren practicado con posterioridad a la fecha de la nota.

c) En el caso a que se refiere la letra anterior, se hará constar al margen de la inscripción o inscripciones de las fincas de resultado, la existencia de los asientos posteriores que han sido objeto de cancelación, el título que los motivó y su respectiva fecha.

d) Para la práctica de la inscripción de la finca o fincas de resultado a favor de los adquirentes de la finca originaria bastará la presentación del título que motivó la práctica de asientos cancelados posteriores a la nota, con la rectificación que corresponda y en la que se hagan constar las circunstancias y descripción de la finca o fincas resultantes del proyecto, así como el consentimiento para tal rectificación del titular registral y de los titulares de los derechos cancelados conforme a la letra b). Mientras no se lleve a cabo la expresada rectificación, no podrá practicarse ningún asiento sobre las fincas objeto de la nota marginal a que se refiere la letra c).

5. El título en cuya virtud se inscribe el proyecto de distribución de beneficios y cargas será suficiente para la modificación de entidades hipotecarias, rectificación de descripciones registrales, inmatriculación de fincas o de excesos de cabida, reanudación del tracto sucesivo, y para la cancelación de derechos reales incompatibles, en la forma que reglamentariamente se determine.

Disposición Adicional primera.   Sistema de información urbana.

Con el fin de promover la transparencia, la Administración General del Estado, en colaboración con las Comunidades Autónomas, definirá y promoverá la aplicación de aquellos criterios y principios básicos que posibiliten, desde la coordinación y complementación con las administraciones competentes en la materia, la formación y actualización permanente de un sistema público general e integrado de información sobre suelo y urbanismo, procurando, asimismo, la compatibilidad y coordinación con el resto de sistemas de información y, en particular, con el Catastro Inmobiliario.

Disposición Adicional segunda.   Bienes afectados a la Defensa Nacional, al Ministerio de Defensa o al uso de las fuerzas armadas.

1. Los instrumentos de ordenación territorial y urbanística, cualquiera que sea su clase y denominación, que incidan sobre terrenos, edificaciones e instalaciones, incluidas sus zonas de protección, afectos a la Defensa Nacional deberán ser sometidos, respecto de esta incidencia, a informe vinculante de la Administración General del Estado con carácter previo a su aprobación.

2. No obstante lo dispuesto en esta Ley, los bienes afectados al Ministerio de Defensa o al uso de las Fuerzas Armadas y los puestos a disposición de los organismos públicos que dependan de aquél, están vinculados a los fines previstos en su legislación especial.

Disposición Adicional tercera.   Potestades de ordenación urbanística en Ceuta y Melilla.

Las Ciudades de Ceuta y Melilla ejercerán sus potestades normativas reglamentarias dentro del marco de esta Ley y de las que el Estado promulgue al efecto.

En todo caso, corresponderá a la Administración General del Estado la aprobación definitiva del Plan General de Ordenación Urbana de estas Ciudades y de sus revisiones, así como de sus modificaciones que afecten a las determinaciones de carácter general, a los elementos fundamentales de la estructura general y orgánica del territorio o a las determinaciones a que se refiere el apartado tercero de la disposición final primera de esta Ley.

La aprobación definitiva de los Planes Parciales y Especiales, y de sus modificaciones o revisiones, así como de las modificaciones del Plan General no comprendidas en el párrafo anterior, corresponderá a los órganos competentes de las Ciudades de Ceuta y Melilla, previo informe preceptivo de la Administración General del Estado, el cual será vinculante en lo relativo a cuestiones de legalidad o a la afectación a intereses generales de competencia estatal, deberá emitirse en el plazo de tres meses y se entenderá favorable si no se emitiera en dicho plazo.

Disposición Adicional cuarta. Gestión de suelos del patrimonio del Estado.

1. Será aplicable a los bienes inmuebles del patrimonio del Estado lo dispuesto en el artículo 39 de esta Ley sobre el acceso al Registro de la Propiedad de las limitaciones, obligaciones, plazos o condiciones de destino en las enajenaciones de fincas destinadas a la construcción de viviendas sujetas a algún régimen de protección pública que permita tasar su precio máximo de venta o alquiler.

2. Se añade un nuevo artículo 190 bis en la Ley 33/2003, de 3 de noviembre, del Patrimonio de las Administraciones Públicas, con la siguiente redacción:

> «Artículo 190 bis. Régimen urbanístico de los inmuebles afectados.
>
> Cuando los instrumentos de ordenación territorial y urbanística incluyan en el ámbito de las actuaciones de urbanización o adscriban a ellas terrenos afectados o destinados a usos o servicios públicos de competencia estatal, la Administración General del Estado o los organismos públicos titulares de los mismos que los hayan adquirido por expropiación u otra forma onerosa participarán en la equidistribución de beneficios y cargas en los términos que establezca la legislación sobre ordenación territorial y urbanística».

3. Se modifica el apartado 5 de la disposición final segunda de la Ley 33/2003, de 3 de noviembre, del Patrimonio de las Administraciones Públicas, que queda redactado en los siguientes términos:

> «5. Tienen el carácter de la legislación básica, de acuerdo con lo preceptuado en el artículo 149.1.18ª de la Constitución, las siguientes disposiciones de esta Ley: artículo 1; artículo 2; artículo 3; artículo 6; artículo 8, apartado 1;

artículo 27; artículo 28; artículo 29, apartado 2; artículo 32, apartados 1 y 4; artículo 36, apartado 1; artículo 41; artículo 42; artículo 44; artículo 45; artículo 50; artículo 55; artículo 58; artículo 61; artículo 62; artículo 84; artículo 91, apartado 4; artículo 92, apartados 1, 2, y 4; artículo 93, apartados 1, 2, 3 y 4; artículo 94; artículo 97; artículo 98; artículo 100; artículo 101, apartados 1, 3 y 4; artículo 102, apartados 2 y 3; artículo 103, apartados 1 y 3; artículo 106, apartado 1; artículo 107, apartado 1; artículo 109, apartado 3; artículo 121, apartado 4; artículo 183; artículo 184; artículo 189; artículo 190; artículo 190 bis; artículo 191; disposición transitoria primera, apartado 1; disposición transitoria quinta».

4. Se añade una letra e) al apartado 2 del artículo 71 de la Ley 50/1998, de 30 de diciembre, de Medidas Fiscales, Administrativas y del Orden Social, con la siguiente redacción:

«e) Coadyuvar, con la gestión de los bienes inmuebles que sean puestos a su disposición, al desarrollo y ejecución de las distintas políticas públicas en vigor y, en particular, de la política de vivienda, en colaboración con las Administraciones competentes. A tal efecto, podrá suscribir con dichas Administraciones convenios, protocolos o acuerdos tendentes a favorecer la construcción de viviendas sujetas a algún régimen de protección que permita tasar su precio máximo en venta, alquiler u otras formas de acceso a la vivienda. Dichos acuerdos deberán ser autorizados por el Consejo Rector».

5. Se añade un ordinal 7ª en el apartado 2 del artículo 53 de la Ley 14/2000, de 29 de diciembre, de Medidas Fiscales, Administrativas y del Orden Social, con la siguiente redacción:

«7ª Coadyuvar, con la gestión de los bienes inmuebles que sean puestos a su disposición, al desarrollo y ejecución de las distintas políticas públicas en vigor y, en particular, de la política de vivienda, en colaboración con las Administraciones competentes. A tal efecto, podrá suscribir con dichas Administraciones convenios, protocolos o acuerdos tendentes a favorecer la construcción de viviendas sujetas a algún régimen de protección que permita tasar su precio máximo en venta, alquiler u otras formas de acceso a la vivienda».

Disposición Adicional quinta. Modificación del artículo 43 de la Ley de Expropiación Forzosa de 16 de diciembre de 1954.

Se modifica el apartado 2 del artículo 43 de la Ley de Expropiación Forzosa de 16 de diciembre de 1954, que queda redactado en los términos siguientes:

«2. El régimen estimativo a que se refiere el párrafo anterior:

a) No será en ningún caso de aplicación a las expropiaciones de bienes inmuebles, para la fijación de cuyo justiprecio se estará exclusivamente al sistema de valoración previsto en la Ley que regule la valoración del suelo.

b) Sólo será de aplicación a las expropiaciones de bienes muebles cuando éstos no tengan criterio particular de valoración señalado por Leyes especiales».

Disposición Adicional sexta. Suelos forestales incendiados.

1. Los terrenos forestales incendiados se mantendrán en la situación de suelo rural a los efectos de esta Ley y estarán destinados al uso forestal, al menos durante el plazo previsto en el artículo 50 de la Ley de Montes, con las excepciones en ella previstas.

2. La Administración forestal deberá comunicar al Registro de la Propiedad esta circunstancia, que será inscribible conforme a lo dispuesto por la legislación hipotecaria.

3. Será título para la inscripción la certificación emitida por la Administración forestal, que contendrá los datos catastrales identificadores de la finca o fincas de que se trate y se presentará acompañada del plano topográfico de los terrenos forestales incendiados, a escala apropiada.

La constancia de la certificación se hará mediante nota marginal que tendrá duración hasta el vencimiento del plazo a que se refiere el apartado primero. El plano topográfico se archivará conforme a lo previsto por el artículo 51.4 del Reglamento Hipotecario, pudiendo acompañarse copia del mismo en soporte magnético u óptico.

Disposición Adicional séptima. Reglas para la capitalización de rentas en el suelo rural.

1. Para la capitalización de la renta anual real o potencial de la explotación a que se refiere el apartado 1 del artículo 23, se utilizará como tipo de capitalización la última referencia publicada por el Banco de España del rendimiento de la deuda pública del Estado en mercados secundarios a tres años.

2. En la Ley de Presupuestos Generales del Estado se podrá modificar el tipo de capitalización establecido en el apartado anterior y fijar valores mínimos según tipos de cultivos y aprovechamientos de la tierra, cuando la evolución observada en los precios del suelo o en los tipos de interés arriesgue alejar de forma significativa el resultado de las valoraciones respecto de los precios de mercado del suelo rural sin consideración de expectativas urbanísticas.

Disposición Adicional octava. Participación del Estado en la ordenación territorial y urbanística.

La Administración General del Estado podrá participar en los procedimientos de ordenación territorial y urbanística en la forma que determine la legislación en la materia. Cuando así lo prevea esta legislación, podrán participar representantes de la Administración General del Estado, designados por ella, en los órganos colegiados de carácter supramunicipal que tengan atribuidas competencias de aprobación de instrumentos de ordenación territorial y urbanística.

Disposición Adicional novena. *Modificación de la Ley Reguladora de las Bases del Régimen Local.*

Se modifican los siguientes artículos y apartados de la Ley 7/1985, de 2 de abril, Reguladora de las Bases del Régimen Local, que quedan redactados en los términos siguientes:

1.   Modificación del artículo 22.2.

«Corresponden, en todo caso, al Pleno municipal en los Ayuntamientos, y a la Asamblea vecinal en el régimen de Concejo Abierto, las siguientes atribuciones:

[...]

c)   La aprobación inicial del planeamiento general y la aprobación que ponga fin a la tramitación municipal de los planes y demás instrumentos de ordenación previstos en la legislación urbanística, así como los convenios que tengan por objeto la alteración de cualesquiera de dichos instrumentos.

[...]».

2.   Adición de un nuevo artículo 70 ter.

«1.   Las Administraciones públicas con competencias de ordenación territorial y urbanística deberán tener a disposición de los ciudadanos o ciudadanas que lo soliciten, copias completas de los instrumentos de ordenación territorial y urbanística vigentes en su ámbito territorial, de los documentos de gestión y de los convenios urbanísticos.

2.   Las Administraciones públicas con competencias en la materia, publicarán por medios telemáticos el contenido actualizado de los instrumentos de ordenación territorial y urbanística en vigor, del anuncio de su sometimiento a información pública y de cualesquiera actos de tramitación que sean relevantes para su aprobación o alteración.

En los municipios menores de 5.000 habitantes, esta publicación podrá realizarse a través de los entes supramunicipales que tengan atribuida la función de asistencia y cooperación técnica con ellos, que deberán prestarles dicha cooperación.

3.   Cuando una alteración de la ordenación urbanística, que no se efectúe en el marco de un ejercicio pleno de la potestad de ordenación, incremente la edificabilidad o la densidad o modifique los usos del suelo, deberá hacerse constar en el expediente la identidad de todos los propietarios o titulares de otros derechos reales sobre las fincas afectadas durante los cinco años anteriores a

su iniciación, según conste en el registro o instrumento utilizado a efectos de notificaciones a los interesados de conformidad con la legislación en la materia».

3. Modificación del artículo 75.7.

«Los representantes locales, así como los miembros no electos de la Junta de Gobierno Local, formularán declaración sobre causas de posible incompatibilidad y sobre cualquier actividad que les proporcione o pueda proporcionar ingresos económicos.

Formularán asimismo declaración de sus bienes patrimoniales y de la participación en sociedades de todo tipo, con información de las sociedades por ellas participadas y de las liquidaciones de los impuestos sobre la Renta, Patrimonio y, en su caso, Sociedades.

Tales declaraciones, efectuadas en los modelos aprobados por los plenos respectivos, se llevarán a cabo antes de la toma de posesión, con ocasión del cese y al final del mandato, así como cuando se modifiquen las circunstancias de hecho.

Las declaraciones anuales de bienes y actividades serán publicadas con carácter anual, y en todo caso en el momento de la finalización del mandato, en los términos que fije el Estatuto municipal.

Tales declaraciones se inscribirán en los siguientes Registros de intereses, que tendrán carácter público:

a) La declaración sobre causas de posible incompatibilidad y actividades que proporcionen o puedan proporcionar ingresos económicos, se inscribirá, en el Registro de Actividades constituido en cada Entidad local.

b) La declaración sobre bienes y derechos patrimoniales se inscribirá en el Registro de Bienes Patrimoniales de cada Entidad local, en los términos que establezca su respectivo estatuto.

Los representantes locales y miembros no electos de la Junta de Gobierno Local respecto a los que, en virtud de su cargo, resulte amenazada su seguridad personal o la de sus bienes o negocios, la de sus familiares, socios, empleados o personas con quienes tuvieran relación económica o profesional podrán realizar la declaración de sus bienes y derechos patrimoniales ante el Secretario o la Secretaria de la Diputación Provincial o, en su caso, ante el órgano competente de la Comunidad Autónoma correspondiente. Tales declaraciones se inscribirán en el Registro Especial de Bienes Patrimoniales, creado a estos efectos en aquellas instituciones.

En este supuesto, aportarán al Secretario o Secretaria de su respectiva entidad mera certificación simple y sucinta, acreditativa de haber cumplimentado sus declaraciones, y que éstas están inscritas en el Registro Especial de Intereses a que se refiere el párrafo anterior, que sea expedida por el funcionario encargado del mismo».

4. Inclusión de un nuevo apartado 8 en el artículo 75.

«8. Durante los dos años siguientes a la finalización de su mandato, a los representantes locales a que se refiere el apartado primero de este artículo que hayan ostentado responsabilidades ejecutivas en las diferentes áreas en que se organice el gobierno local, les serán de aplicación en el ámbito territorial de su competencia las limitaciones al ejercicio de actividades privadas establecidas en el artículo 8 de la Ley 5/2006, de 10 de abril, de Regulación de los Conflictos de Intereses de los Miembros del Gobierno y de los Altos Cargos de la Administración General del Estado.

A estos efectos, los Ayuntamientos podrán contemplar una compensación económica durante ese período para aquellos que, como consecuencia del régimen de incompatibilidades, no puedan desempeñar su actividad profesional, ni perciban retribuciones económicas por otras actividades».

5. Inclusión de una nueva Disposición Adicional decimoquinta. «Régimen de incompatibilidades y declaraciones de actividades y bienes de los Directivos locales y otro personal al servicio de las Entidades locales».

1. Los titulares de los órganos directivos quedan sometidos al régimen de incompatibilidades establecido en la Ley 53/1984, de 26 de diciembre, de Incompatibilidades del Personal al Servicio de las Administraciones Públicas, y en otras normas estatales o autonómicas que resulten de aplicación.

No obstante, les serán de aplicación las limitaciones al ejercicio de actividades privadas establecidas en el artículo 8 de la Ley 5/2006, de 10 de abril, de Regulación de los Conflictos de Intereses de los miembros del Gobierno y de los Altos Cargos de la Administración General del Estado, en los términos en que establece el artículo 75.8 de esta Ley.

A estos efectos, tendrán la consideración de personal directivo los titulares de órganos que ejerzan funciones de gestión o ejecución de carácter superior, ajustándose a las directrices generales fijadas por el órgano de gobierno de la Corporación, adoptando al efecto las decisiones oportunas y disponiendo para ello de un margen de autonomía, dentro de esas directrices generales.

2. El régimen previsto en el artículo 75.7 de esta Ley será de aplicación al personal directivo local y a los funcionarios de las Corporaciones Locales con habilitación de carácter estatal que, conforme a lo previsto en el artículo 5.2 de la Disposición Adicional segunda de la Ley 7/2007, de 12 de abril, del Estatuto Básico del Empleado Público, desempeñen en las Entidades locales puestos que hayan sido provistos mediante libre designación en atención al carácter directivo de sus funciones o a la especial responsabilidad que asuman.

Disposición Adicional décima.   Actos promovidos por la Administración General del Estado.

1. Cuando la Administración General del Estado o sus Organismos Públicos promuevan actos sujetos a intervención municipal previa y razones de urgencia o excepcional interés público lo exijan, el Ministro competente por razón de la materia podrá acordar la remisión al Ayuntamiento correspondiente del proyecto de que se trate, para que en el plazo de un mes notifique la conformidad o disconformidad del mismo con la ordenación urbanística en vigor.

En caso de disconformidad, el expediente se remitirá por el Departamento interesado al Ministro de Vivienda, quien lo elevará al Consejo de

Ministros, previo informe del órgano competente de la Comunidad Autónoma, que se deberá emitir en el plazo de un mes. El Consejo de Ministros decidirá si procede ejecutar el proyecto, y en este caso, ordenará la iniciación del procedimiento de alteración de la ordenación urbanística que proceda, conforme a la tramitación establecida en la legislación reguladora.

2. El Ayuntamiento podrá en todo caso acordar la suspensión de las obras a que se refiere el apartado 1 de este artículo cuando se pretendiesen llevar a cabo en ausencia o en contradicción con la notificación, de conformidad con la ordenación urbanística y antes de la decisión de ejecutar la obra adoptada por el Consejo de Ministros, comunicando dicha suspensión al órgano redactor del proyecto y al Ministro de Vivienda, a los efectos prevenidos en el mismo.

3. Se exceptúan de esta facultad las obras que afecten directamente a la defensa nacional, para cuya suspensión deberá mediar acuerdo del Consejo de Ministros, a propuesta del Ministro de Vivienda, previa solicitud del Ayuntamiento competente e informe del Ministerio de Defensa.

Disposición Adicional undécima. Realojamiento y retorno.

1. En la ejecución de las expropiaciones a que se refiere el apartado segundo del artículo 29, que requieran el desalojo de los ocupantes legales de inmuebles que constituyan su residencia habitual, la Administración expropiante o, en su caso, el beneficiario de la expropiación deberán garantizar el derecho de aquéllos al realojamiento, poniendo a su disposición viviendas en las condiciones de venta o alquiler vigentes para las sujetas a régimen de protección pública y superficie adecuada a sus necesidades, dentro de los límites establecidos por la legislación protectora.

2. En las actuaciones aisladas no expropiatorias, los arrendatarios de las viviendas demolidas tendrán el derecho de retorno regulado en la legislación arrendaticia, ejercitable frente al dueño de la nueva edificación, cualquiera que sea éste. En estos casos, deberá garantizarse el alojamiento provisional de los inquilinos hasta que sea posible el retorno.

Disposición Transitoria primera. Aplicación de la reserva de suelo para vivienda protegida.

La reserva para vivienda protegida exigida en la letra b) del apartado primero del artículo 10 de esta Ley se aplicará a todos los cambios de ordenación cuyo procedimiento de aprobación se inicie con posterioridad a la entrada en vigor de la Ley 8/2007, de 28 de mayo, de Suelo, en la forma dispuesta por la legislación sobre ordenación territorial y urbanística. En aquellos casos en que las Comunidades Autónomas no hubieren establecido reservas iguales o superiores a la que se establece en la letra b) del apartado primero del artículo 10 de esta Ley, desde el 1 de julio de 2008 y hasta su adaptación a la misma, será directamente aplicable la reserva del 30 por 100 prevista en esta Ley con las siguientes precisiones:

a)   Estarán exentos de su aplicación los instrumentos de ordenación de los Municipios de menos de 10.000 habitantes en los que, en los dos últimos años anteriores al del inicio de su procedimiento de aprobación, se hayan autorizado edificaciones residenciales para menos de 5 viviendas por cada mil habitantes y año, siempre y cuando dichos instrumentos no ordenen actuaciones residenciales para más de 100 nuevas viviendas; así como los que tengan por objeto actuaciones de reforma o mejora de la urbanización existente en las que el uso residencial no alcance las 200 viviendas.

b)   Los instrumentos de ordenación podrán compensar motivadamente minoraciones del porcentaje en las actuaciones de nueva urbanización no dirigidas a atender la demanda de primera residencia prevista por ellos con incrementos en otras de la misma categoría de suelo.

Disposición Transitoria segunda.   Deberes de las actuaciones de dotación.

Los deberes previstos en esta Ley para las actuaciones de dotación serán de aplicación, en la forma prevista en la legislación sobre ordenación territorial y urbanística, a los cambios de la ordenación que prevean el incremento de edificabilidad o de densidad o el cambio de usos cuyo procedimiento de aprobación se inicie a partir de la entrada en vigor de la Ley 8/2007, de 28 de mayo, de Suelo. Si, transcurrido un año desde la entrada en vigor de la misma, dicha legislación no tiene establecidas las reglas precisas para su aplicación, desde dicho momento y hasta su adaptación a esta Ley serán aplicables las siguientes:

a)   El instrumento de ordenación delimitará el ámbito de la actuación, ya sea continuo o discontinuo, en que se incluyen los incrementos de edificabilidad o densidad o los cambios de uso y las nuevas dotaciones a ellos correspondientes y calculará el valor total de las cargas imputables a la actuación que corresponde a cada nuevo metro cuadrado de techo o a cada nueva vivienda, según corresponda.

b)   Los propietarios podrán cumplir los deberes que consistan en la entrega de suelo, cuando no dispongan del necesario para ello, pagando su equivalente en dinero.

c)   Los deberes se cumplirán en el momento del otorgamiento de la licencia o el acto administrativo de intervención que se requiera para la materialización de la mayor edificabilidad o densidad o el inicio del uso atribuido por la nueva ordenación.

Disposición Transitoria tercera.   Valoraciones.

1.   Las reglas de valoración contenidas en esta Ley serán aplicables en todos los expedientes incluidos en su ámbito material de aplicación que se inicien a partir de la entrada en vigor de la Ley 8/2007, de 28 de mayo, de Suelo.

2.   Los terrenos que, a la entrada en vigor de aquélla, formen parte del suelo urbanizable incluido en ámbitos delimitados para los que el planeamiento haya establecido las condiciones para su desarrollo, se valorarán conforme a las reglas establecidas en la Ley 6/1998, de 13 de abril, sobre Régimen de Suelo y Valoraciones, tal y como quedaron redactadas por la Ley 10/2003, de 20 de mayo, siempre y cuando en el momento a que deba entenderse referida la valoración no hayan vencido los plazos para la ejecución del planeamiento o, si han vencido, sea por causa imputable a la Administración o a terceros.

De no existir previsión expresa sobre plazos de ejecución en el planeamiento ni en la legislación de ordenación territorial y urbanística, se aplicará el de tres años contados desde la entrada en vigor de la Ley 8/2007, de 28 de mayo, de Suelo.

3.   Mientras no se desarrolle reglamentariamente lo dispuesto en esta Ley sobre criterios y método de cálculo de la valoración y en lo que sea compatible con ella, se estará a lo dispuesto en el apartado 3 del artículo 137 del Reglamento de Gestión Urbanística aprobado por Real Decreto 3288/1978, de 25 de agosto, y a las normas de valoración de bienes inmuebles y de determinados derechos contenidas en la Orden ECO/805/2003, de 27 de marzo, o disposición que la sustituya.

Disposición Transitoria cuarta.   Criterios mínimos de sostenibilidad.

Si, transcurrido un año desde la entrada en vigor de la Ley 8/2007, de

28 de mayo, de Suelo, la legislación sobre ordenación territorial y urbanística no estableciera en qué casos el impacto de una actuación de urbanización obliga a ejercer de forma plena la potestad de ordenación, esta nueva ordenación o revisión será necesaria cuando la actuación conlleve, por sí misma o en unión de las aprobadas en los dos últimos años, un incremento superior al 20 por 100 de la población o de la superficie de suelo urbanizado del municipio o ámbito territorial.

Disposición Transitoria quinta.   Edificaciones existentes.

Las edificaciones existentes a la entrada en vigor de la Ley 8/1990, de 25 de julio, situadas en suelos urbanos o urbanizables, realizadas de conformidad con la ordenación urbanística aplicable o respecto de las que ya no proceda dictar medidas de restablecimiento de la legalidad urbanística que impliquen su demolición, se entenderán incorporadas al patrimonio de su titular.

Disposición Final primera.   Título competencial y ámbito de aplicación.

1.   Tienen el carácter de condiciones básicas de la igualdad en el ejercicio de los derechos y el cumplimiento de los correspondientes deberes constitucionales y, en su caso, de bases del régimen de las Administraciones Públicas, de la planificación general de la actividad económica y de protección del medio ambiente, dictadas en ejercicio de las competencias reservadas al legislador general en el artículo 149.1.1ª, 13ª, 18ª y 23ª de la Constitución, los artículos 1; 2; 3; 4; 5; 6; 7; 8; 9; 10, apartados 1 y 2; 11, apartados 1, 2, 3, 4, 6 y 7; 12; 13, apartados 1, 2, 3, letra a) párrafo primero y letra b) y apartado 4; 14; 15; 16; 29, apartados 2, párrafo segundo y 3; 33; 36, apartado 3; 42; las disposiciones adicionales primera; sexta, apartados 1 y 2, y undécima, y las disposiciones transitorias primera; segunda; cuarta y quinta.

2.   Los artículos 38 y 39, apartados 1 y 2, tienen el carácter de bases de la planificación general de la actividad económica dictadas en ejercicio de la competencia reservada al legislador estatal en el artículo 149.1.13ª de la Constitución, sin perjuicio de las competencias exclusivas sobre suelo y urbanismo que tengan atribuidas las Comunidades Autónomas.

3.   Tienen el carácter de disposiciones establecidas en ejercicio de la competencia reservada al legislador estatal por el artículo 149.1.4ª, 8ª y 18ª sobre defensa, legislación civil, expropiación forzosa y sistema de responsabilidad de las Administraciones Públicas, los artículos 10, apartado 3; 11, apar-

tado 5; 13, apartado 3, letra a), párrafo segundo; 17; 18; 19; 20; 21; 22; 23; 24; 25; 26; 27; 28; 29, apartados 1, 2 párrafo primero y 4; 30; 31; 32; 34; 35; 36, apartados 1 y 2; 37; 39, apartados 3 y 4; 40; 41; 43; 44; 45; 46; 47; 48; 49; 50; 51; 52; 53 y 54 y las disposiciones adicionales segunda; quinta; sexta, apartado 3; séptima y décima y la disposición transitoria tercera.

4. El contenido normativo íntegro de esta Ley es de aplicación directa en los territorios de las Ciudades de Ceuta y Melilla, con las siguientes precisiones:

a) La potestad que la letra b) del apartado primero del artículo 10 reconoce a la Ley para reducir el porcentaje de reserva de vivienda sometida a algún régimen de protección pública y la de determinar los posibles destinos del patrimonio público del suelo, de entre los previstos en el apartado 1 del artículo 39, podrán ser ejercidas directamente en el Plan General.

b) El porcentaje a que se refiere la letra b) del apartado 1 del artículo 16 será el del 15 por 100, que el Plan General podrá incrementar motivada y proporcionadamente hasta el 20 por 100 en las actuaciones o ámbitos en los que el valor de los solares resultantes o de su incremento, en su caso, sea sensiblemente superior al medio de los incluidos en su misma clase de suelo.

5. Lo dispuesto en esta Ley se aplicará sin perjuicio de los regímenes civiles, forales o especiales, allí donde existen.

Disposición Final segunda. Desarrollo.

Se autoriza al Gobierno para proceder, en el marco de sus atribuciones, al desarrollo de esta Ley.